Une diplomatie de l'espoir

Le Canada et le désarmement 1945-1988

Figen

ALBERT LEGAULT
MICHEL FORTMANN

Une diplomatie de l'espoir

Le Canada et le désarmement 1945~1988

LES PRESSES DE L'UNIVERSITÉ LAVAL
CENTRE QUÉBÉCOIS DE RELATIONS INTERNATIONALES

Québec, 1989

Les ministères des Affaires extérieures et de la Défense nationale du Canada ont contribué à la publication de cet ouvrage.

Conception graphique : Norman Dupuis

Couverture : Sur les enveloppes apparaît le sceau utilisé au ministère des Affaires extérieures du Canada pendant les années soixante, pour le courrier interne « SECRET » et « TOP SECRET » (Photographie : Brigitte Ostiguy).

Dépôt légal (Québec et Ottawa), 4e trimestre 1989
ISBN 2-7637-7202-1

À nos enfants
Cornelia et Renaud

Table des matières

Préface

*Les cyniques ont tendance à considérer la poursuite d'accords en matière d'*arms control *et le désarmement comme l'équivalent contemporain de la recherche de la pierre philosophale. Ceux qui cherchent à contrôler les armements ont été tournés en dérision, comparés à des alchimistes engagés dans une entreprise vaine. Pour d'autres, il s'agit d'un Saint-Graal à la quête duquel il faut résolument s'attacher. À leurs yeux, les gouvernements et les négociateurs ont essentiellement échoué — ayant réussi à bureaucratiser le processus sans avoir accompli de progrès substantiels dans la voie de l'*arms control.

*Comme c'est le plus souvent le cas, toutes ces caricatures servent davantage la rhétorique que la réalité, qui se situe quelque part entre ces deux extrêmes. La persistance avec laquelle les gouvernements canadiens qui se sont succédé ont poursuivi l'*arms control *et le désarmement représente, comme le laisse entendre le titre de ce livre, une victoire de l'espoir sur le pessimisme. Mais elle reflète aussi une analyse politique calme et rationnelle qui tend à démontrer que l'*arms control *et le désarmement sont essentiels au renforcement de la sécurité et à une plus grande prospérité pour le peuple canadien. Dans le monde interdépendant qui est le nôtre, la sécurité du Canada et celle de l'Occident ne sauraient être assurées aux dépens de quiconque. Dans ces conditions, l'*arms control *et le désarmement sont indispensables.*

*L'*arms control *ne suffit pas à assurer la paix. Il doit être pleinement intégré dans le processus politique. Albert Legault et Michel Fortmann rendent aux personnes qui s'intéressent de près à cette question un service précieux en replaçant chaque fois les pourparlers et les initiatives se rapportant à ce domaine dans le contexte des événements qui se produisent sur la scène internationale. Cette relation étroite nous amène souvent à nous demander ce qui — des relations politiques ou de l'*arms control *— vient en* *premier. Peut-être n'existe-t-il pas de réponse ou peut-être celle-ci n'a-t-elle pas d'importance, puisque ce sont là deux éléments indispensables pour parvenir à une paix sûre.*

*Aujourd'hui, l'espoir et la persistance avec lesquels le Canada a poursuivi l'*arms control *semblent enfin justifiés. Des changements d'une portée imprévue ont lieu en Union soviétique. La perestroïka et la glasnost font maintenant partie du lexique des relations internationales. Grâce à ces deux concepts, l'attitude de l'Union soviétique à l'égard de la politique étrangère, de la politique en matière de défense et de l'*arms control *a profondément changé. Si cela continue, il se pourrait bien que nous assistions au cours de la prochaine décennie à des progrès sans précédent dans le domaine de l'*arms control *et du désarmement.*

Le Traité américano-soviétique sur les forces nucléaires à portée intermédiaire et l'Accord signé à Stockholm par les 35 nations sur les mesures de confiance et de sécurité en Europe sont à présent en place. Les espoirs sont grands et les perspectives sont bonnes de parvenir bientôt à un accord sur les forces classiques et les armes nucléaires stratégiques. Si nous y parvenons, le point de mire des relations Est-Ouest sera fondamentalement différent de ce qu'il a été au cours des 43 ans englobés dans ce volume. Les événements et les négociations qui ont fait l'objet de recherches si difficiles dont il est fait état en détail dans ces pages seront désormais importants car ils seront entrés dans l'histoire.

*La question de l'*arms control *et du désarmement comportent d'autres aspects que les problèmes posés par les relations Est-Ouest et la confrontation militaire en Europe. Les auteurs de cet ouvrage ont aussi décrit avec grand soin les efforts du Canada dans cette optique. Au cours des années qui viennent, la communauté internationale devra s'efforcer de protéger le régime essentiel de non-prolifération nucléaire qui a été bâti autour du Traité de non-prolifération des armes nucléaires (TNP) de 1970. L'objectif, c'est de trouver un moyen d'amener les pays non signataires, en particulier les États dits du seuil — ceux qui ont la capacité de se doter d'armes nucléaires —, à adhérer à ce Traité. En l'absence d'un régime solide de non-prolifération nucléaire, il sera impossible d'étendre l'*arms control *et le désarmement au-delà de sa dimension Est-Ouest.*

Le recours aux armes chimiques dans le conflit irano-irakien a mis en relief la nécessité absolue d'interdire ces armes et d'adopter une approche générale et mondiale à l'égard du contrôle des armements. L'accroissement des arsenaux classiques, la dissémination des armes chimiques et la prolifération de technologies de pointe, comme les missiles balistiques, sont tous de nature à déstabiliser des régions entières. Ce sont là autant de problèmes auxquels il faut faire face.

Les deux superpuissances ont sur ce plan une responsabilité particulière. Il leur incombe de montrer l'exemple. Mais d'autres pays sont aussi concernés et doivent *assumer leurs propres responsabilités. Il est devenu un cliché de dire dans les milieux multilatéraux diplomatiques que « l'*arms control *est trop important pour être laissé à la seule discrétion des superpuissance ». On s'est trop souvent abrité derrière cet alibi pour dicter aux superpuissances le chemin à suivre et l'on s'en est servi comme prétexte pour se décharger entièrement sur ces dernières du fardeau du désarmement. Une telle approche est tout à fait insuffisante, lorsqu'elle ne sert pas ses propres intérêts. Il appartient à l'ensemble de la communauté internationale de prendre part aux efforts de l'*arms control *et du désarmement, à l'échelon global, bien sûr, mais aussi à l'échelon régional, avec ses voisins. Le Canada a toujours considéré le problème sous cet angle.*

Albert Legault et Michel Fortmann méritent d'être vivement félicités pour ce livre. Le ministère des Affaires extérieures est fier de s'être associé aux efforts des auteurs en leur ayant permis l'accès à ses archives et à ses dossiers et en ayant contribué financièrement à cet ouvrage grâce au Fonds du désarmement. Les recherches ont été menées avec soin et ont été complétées par une importante série d'entrevues. Autre fait extrêmement remarquable, l'histoire de la participation du Canada aux efforts de contrôle des armements et de désarmement est solidement placée dans le contexte des relations internationales.

Il ne s'agit pas d'une histoire « officielle ». Les auteurs ont donné leurs points de vue et porté leurs propres jugements. Ce faisant, ils ajoutent de la valeur à l'ouvrage, car ils ont su prendre leurs distances par rapport aux événements. Ils sont donc plus objectifs dans leurs jugements que les participants et les responsables ne pourront jamais espérer l'être.

*C'est le premier livre de cette envergure sur l'histoire de la politique canadienne en matière d'*arms control *et de désarmement. Il devrait longtemps rester un outil précieux pour les personnes qui s'intéressent de près à la politique étrangère canadienne, aux négociations portant sur l'*arms control *et le désarmement, et aux relations internationales. Les événements qui y sont relatés font peut-être désormais partie de l'histoire ; à nous maintenant d'en tirer les leçons. G. K. Chesterton a dit que « l'histoire est un point de vue panoramique qui seul permet aux hommes de contempler leur ville ou leur époque ». Cette histoire des efforts canadiens en matière d'*arms control *et de désarmement nous permettra peut-être de jeter un coup d'œil sur l'époque qui sera celle des générations futures.*

James H. Taylor
Sous-secrétaire d'État aux Affaires extérieures

Ottawa, août 1989

Avant-propos

Le présent ouvrage constitue la première étude d'envergure sur l'histoire diplomatique canadienne en matière d'*arms control* et de désarmement. Elle aurait été impossible sans le concours du ministère des Affaires extérieures qui nous a ouvert ses archives. Pour la période de l'après-guerre et jusqu'en 1969, nous avons pu citer des textes étrangers — la règle de la discrétion diplomatique est de 30 ans pour les pays étrangers. Le chapitre 3 en ce domaine est particulièrement révélateur des grandes tensions entre alliés. Pour la période des 20 dernières années, nous avons dû avoir recours à des figures de style : l'interrogation qui, la plupart du temps, constitue une affirmation ; la paraphrase lorsqu'il s'agissait de décisions du Cabinet canadien ; la métaphore lorsqu'il fallait décrire certaines situations blessantes pour les uns ou offusquantes pour les autres.

Dans l'ensemble, les auteurs se sont efforcés de rendre intelligibles les grandes négociations sur le désarmement et l'*arms control* auxquelles le Canada a participé depuis 1945. Elles sont nombreuses et recoupent les thèmes suivants : la Commission de l'énergie atomique de l'Organisation des Nations Unies (ONU), la Commission des armements de type classique (ONU), la Commission du désarmement (ONU) et les travaux de son sous-comité, les négociations sectorielles sur l'Arctique et la dénucléarisation de l'Europe centrale à la fin des années cinquante et au début des années soixante, le Comité des dix puissances, le Comité des dix-huit puissances, le Traité de non-prolifération des armes nucléaires, les négociations relatives aux armes chimiques et bactériologiques, les négociations relatives à la cessation des essais nucléaires, les négociations concernant l'espace extra-atmosphérique, les réductions mutuelles et équilibrées des forces (MBFR) (Mutual and Balanced Force Reductions, MBFR), la Conférence sur la sécurité et la coopération en Europe (CSCE) (Conference on Security and Co-operation in Europe, CSCE) et la négociation de Stockholm (Conférence sur le désarmement en Europe, CDE). Les trois derniers thèmes en particulier relèvent de la responsabilité de Michel Fortmann. Seules sont laissées dans l'ombre les grandes négociations bilatérales américano-soviétiques — les négociations sur la limitation des armes stratégiques (SALT I et SALT II) (Strategic Arms Limitation Talks, SALT) et les Nuclear and Space Talks (NST) —, bien qu'à l'occasion les auteurs lèvent un coin du voile sur l'interpénétration de ces grandes questions avec d'autres.

Le principal élément que nous n'avons pas traité de façon exhaustive est l'initiative de paix du premier ministre Trudeau. Plusieurs de ses aspects sont étudiés lorsque nous analysons l'action canadienne au sein des Sessions extraordinaires des Nations Unies sur le désarmement (chapitre 9), lorsque nous examinons la position canadienne en matière de contrôle de l'espace extra-atmosphérique (chapitre 10), ou encore lorsque nous nous permettons quelques indiscrétions sur la base de certaines entrevues. La raison principale de cette omission, s'il en est une, est que nous n'avons pas demandé l'accès aux archives du bureau du premier ministre ou du Conseil privé. Le second élément que nous n'avons pas considéré est la question du Traité sur les fonds marins de 1971. Plusieurs raisons expliquent cette omission. La première, c'est que tous ces aspects ont été fort bien étudiés dans la thèse de doctorat de Michael Tucker citée dans les sources secondaires. La deuxième, c'est que sur le plan de la diplomatie internationale cette question n'a pas fait l'objet de longues et pénibles tractations, alors même que les principaux États intéressés par ce Traité étaient les grandes puissances. Enfin, il nous fallait faire un choix. Le temps et l'espace nous ont tout simplement manqué.

Quelques avertissements d'usage s'imposent. Le présent ouvrage n'a pas de prétentions théoriques. Par exemple, le chapitre sur les abeilles et les fourmis nous paraît aller plus loin que ce qui a été écrit sur les phénomènes bureaucratiques. C'est à dessein que nous nous en sommes tenus ici à l'histoire diplomatique proprement dite. Dans bien des cas, la complexité des dossiers, la richesse des textes ou encore le pluralisme des opinions nous apparaissent constituer une toile de fond plus intéressante que les modèles, un peu secs ou simplistes, auxquels la science politique ou les relations internationales nous ont habitués. Nous laissons donc au lecteur le soin de se faire une opinion à ce propos. À l'occasion, nous avons cité des auteurs ou fait mention de certaines grandes tendances relatives à l'*arms control* ou au désarmement. C'est cependant dans les conclusions générales que nous nous sommes surtout penchés sur ces problèmes.

Il nous faut aussi dire un mot au sujet de la terminologie. Nous utilisons indifféremment les expressions « la Défense » ou « le ministère de la Défense » pour citer le ministère de la Défense nationale. Dans le cœur du texte, nous parlons de désarmement et de contrôle des armements, et quelquefois de l'*arms control*. L'expression « contrôle » en français a un sens beaucoup plus strict que le terme anglais qui devrait normalement être traduit par « maîtrise des armements ». La maîtrise implique en effet un contexte global plus général qui touche directement aux politiques de l'armement ou du désarmement, celles-ci étant elles-mêmes reliées aux problèmes plus généraux de la sécurité internationale. Si nous n'avons pas tenu compte dans le texte de ces distinctions, c'est en grande partie parce que l'expression « contrôle des armements » s'est peu à peu imposée dans l'usage et que souvent il était impossible de distinguer les deux approches en la matière.

Notre souci de rendre accessibles les grands dossiers des négociations s'est doublé d'une tentative de vulgarisation scientifique. Dans la plupart des cas sont présents tous les éléments nécessaires à une saine compréhension du dossier. Cela vaut pour la physique nucléaire comme pour le droit international. Dans tous les cas, l'action canadienne a été située dans le contexte international de l'époque, afin de bien faire comprendre au lecteur que le Canada n'est ou n'était qu'un acteur parmi d'autres. Les pacifistes nous accuseront peut-être d'avoir trop cédé à l'analyse rationnelle, et les stratèges d'avoir été trop à l'écoute de la raison diplomatique. C'est là une critique que nous acceptons d'emblée, car cette étude se situe au carrefour de ce que nous appelons dans les conclusions la « paix par le droit » et la « paix par la force ».

Nous avons bénéficié d'une généreuse subvention de l'Institut canadien pour la paix et la sécurité internationales, dirigé à l'époque par Geoffrey Pearson et aujourd'hui par Bernard Wood, ainsi que du concours financier du ministère des Affaires extérieures.

Nous sommes aussi particulièrement redevables à toutes les personnes qui ont participé à la recherche proprement dite, surtout pour dépouiller la masse des documents officiels et des procès-verbaux sur le désarmement ou l'*arms control*. Honneur aux dames : nos remerciements vont ici à Françoise Fâché, à Francine Lecours, à Agnès Marcaillou, à Geneviève Roy et à Noëlle Willems. Hommage aux autres : Gaétan Blais, William George, Thierry Gongora, Jean-François Bussières et Jean-François Thibault. Un remerciement bien particulier est aussi adressé à Jean Chapdelaine et à Caroline Beaulieu qui ont fait une première lecture des textes, ainsi qu'à Hélène Galarneau pour la relecture d'un chapitre et à Guillaine Fortmann qui a refait une dernière lecture du manuscrit. C'est au travail minutieux de Claude Pommerleau que nous devons la liste des noms propres, des régions et des pays, des abréviations et l'index analytique. Nous sommes également redevables à nos collègues Istvan Szoghy et Jean-Yves Chagnon des Départements de physique et de géologie pour leurs précieux commentaires sur les aspects techniques du manuscrit.

Au ministère des Affaires extérieures, nos plus chaleureux remerciements vont à Dacre Cole, du Service des relations historiques, sans qui des textes importants auraient échappé aux auteurs, ainsi qu'au directeur du Service, John F. Hilliker, qui nous a toujours assuré son plus parfait soutien. De plus, la bibliothèque de ce Ministère nous a permis de retracer des textes qui étaient devenus tout simplement introuvables ailleurs.

Parmi les cadres supérieurs, nous tenons à remercier tous les fonctionnaires et directeurs de service qui ont apporté tant de soins à la lecture des textes et qui, dans plusieurs cas, nous ont fourni d'indispensables éclaircissements. Nos remerciements vont ici à John J. Noble, à Ralph Lysyshyn, à Ron Clemenson, à Ian Mundell, à Gordon Vachon et à Patricia Cocker. Des remerciements bien particuliers sont aussi adressés à Suzanne et Gilles Caron qui, à Ottawa, nous ont assistés dans le dépouillement des archives.

Enfin, le Centre québécois de relations internationales nous a assuré son indispensable soutien et son concours pour la publication de notre manuscrit. C'est au directeur général du Centre, Ivan Bernier, que nous adressons nos remerciements les plus sincères. De plus, les services d'édition des Presses de l'Université Laval, par le travail infatigable d'Hélène Dumais et de Carole Noël, ont fait de ce manuscrit un petit chef-d'œuvre de présentation technique et littéraire. Nous les en remercions vivement.

Albert Legault
Michel Fortmann

Abréviations

a	année
Bq	becquerel
Ci	curie
Gy	gray
Hz	hertz
Kg	kilogramme
Km	kilomètre
Kt	kilotonne
manrad	dose d'unité d'irradiation collective
MCi	mégacurie
mCi	millicurie
mrem	millirem
Mt	mégatonne
MW	mégawatt
P.-V.	procès-verbal
rad	mesure d'absorption d'énergie (0,01 joule par kilogramme de substance exposée)
rem	Roentgen Equivalent Man, unité servant à évaluer l'effet biologique des radiations émises par un élément radioactif
Sv	sievert

Sigles

*	même sigle en anglais et en français
**	sigle en anglais, aucun sigle en français
***	sigle et appellation en anglais seulement
sans astérisque	sigle et appellation en français (renvoi à l'anglais) et vice versa, ou sigle et appellation en français seulement

AAN	Assemblée de l'Atlantique Nord (voir NAA)
*** ABC	American British Canadian
** ABM	Anti-Ballistic Missile (Missile anti-missile balistique)
* ACDA	Arms Control and Disarmament Agency (Agence de contrôle des armements et du désarmement)
ACDI	Agence canadienne de développement international (voir CIDA)
** ACIS	Arms Control Impact Statement (Déclaration sur les conséquences pour l'*arms control*)
ADN	Acide désoxyribonucléique
AECB	Atomic Energy Control Board (voir CCEA)
AECL	Atomic Energy of Canada Limited (voir EACL)
AGNU	Assemblée générale des Nations Unies
** AHG	Ad Hoc Group (Groupe ad hoc)
AIEA	Agence internationale de l'énergie atomique (voir IAEA)
AISC	Agence internationale de satellites de contrôle (voir ISMA)
** ALMV	Air-Launched Miniature Vehicle (Véhicule miniature lancé des airs)
* ANF	Atlantic Nuclear Force (Force nucléaire atlantique)
* ARPA	Advanced Research Project Agency (Agence des projets de recherche de haut niveau)
** ASAT	Anti-satellite (Antisatellite)
ASE	Agence spatiale européenne (voir ESA)
AVLIS	Atomic Vapor Laser Isotope Separation (voir SILVA)
BBC	British Broadcasting Corporation
BC	Bactériologique et chimique

CABT	Convention sur les armes bactériologiques ou à toxines
CAC	Convention sur les armes chimiques
CAEM	Conseil d'assistance économique mutuelle (voir CMEA)
CANADARM	Bras canadien de la navette spatiale américaine
* CANDU	Canada Deutérium Uranium
CARO	Centre d'analyse et de recherche opérationnelle
*** CAS	Committee on Assurances of Supply
** CBW	Chemical and Biological Weapons (Armes chimiques et biologiques)
* CCD	Conférence du Comité du désarmement (Conference of the Committee on Disarmament)
CCEA	Commission de contrôle de l'énergie atomique (voir AECB)
CCP	Comité consultatif politique (voir PCC)
* CCOS	Chairman, Chiefs of Staff (Président des chefs d'état-major)
* CCSBMDE	Conference on Confidence Building Measures and Security and Disarmament in Europe (Conférence sur les mesures de confiance et de sécurité et sur le désarmement en Europe)
* CD (la)	Conférence du désarmement (Conference on Disarmament)
* CD (le)	Comité du désarmement (Committee on Disarmament)
** CDA	Combined Development Agency (Agence de développement commun)
CDE	Conférence sur le désarmement en Europe
CDMDE	Conférence sur la détente militaire et le désarmement en Europe
*** CDT	Combined Development Trust
CEA	Commission de l'énergie atomique
CED	Communauté européenne de défense
CEE	Communauté économique européenne (voir EEC)
CEEA	Communauté européenne de l'énergie atomique (voir EURATOM ou EAEC)
* CERN	Centre européen de recherches nucléaires (European Nuclear Research Centre)
** CFE	Conventional Armed Forces in Europe (Forces armées classiques en Europe)
CIDA	Canadian International Development Agency (voir ACDI)
CIIPS	Canadian Institute for International Peace and Security (voir ICPSI)
CIPR	Commission internationale de protection radiologique (voir ICRP)
*** CIRUS	Canadian Indian Reactor (US signifie probablement que l'eau lourde servant au refroidissement est fournie par les États-Unis)
CIUS	Conseil international des unions scientifiques (voir ICSU)
CMA	Concentration maximale admissible (voir MPC)
CMEA	Council for Mutual Economic Assistance (voir CAEM)
*** CND	Campaign for Nuclear Disarmament
COPUOS	Committee on the Peaceful Uses of Outer Space (voir CUPEEA)
** CORRTEX	Continuous Reflectometry for Radius versus Time Experiments (Expériences de fiabilité des systèmes de détection des essais nucléaires souterrains par méthodes de corrélation)
** COSPAR	Committee on Space Research (Comité de la recherche spatiale)
COSPAS/SARSAT	Participation du Canada au Programme international de satellites de recherche et de sauvetage (Search and Rescue Satellite-Aided Tracking Program (SARSAT)). Programme canadien connu sous le nom de COSPAS.

* CPC — Combined Policy Committee (Comité politique interallié)
CPD — Comité des plans de défense (de l'OTAN)
* CSCE — Conference on Security and Co-operation in Europe (Conférence sur la sécurité et la coopération en Europe)
** CST — Conventional Stability Talks (Négociations sur la stabilité classique)
CTB — Comprehensive Test Ban (voir TIGEN)
CTS — Communications Technology Satellite (voir STT)
CUPEEA — Comité des utilisations pacifiques de l'espace extra-atmosphérique (voir COPUOS)
* CW — Chemical Weapons (Armes chimiques)

DC — Disarmament Commission of the United Nations
* DEW — Distant Early Warning (Détection lointaine avancée)
DGC — Désarmement général et complet
* DNACPOL — Division of Nuclear and Arms Control Policy (Direction des politiques sur les questions du contrôle des armements nucléaires)
** DRB — Defence Research Board (Conseil de recherches pour la défense)
** DSS — Directorate of Strategic Studies (Direction des études stratégiques)
* DWG — Disarmament Working Group (Groupe de travail mixte du désarmement)

EACL — Énergie atomique du Canada Limitée (voir AECL)
EAEC — European Atomic Energy Community (ou EURATOM) (voir CEEA)
EDC — Export Development Corporation (voir SEE)
* EDIP — European Defence Improvement Programme (Programme européen d'amélioration de la défense)
EEA — Espace extra-atmosphérique (voir OS)
EEC — European Economic Community (voir CEE)
EMR — Ministère de l'Énergie, des Mines et des Ressources
* ENDC — Eighteen-Nation Committee on Disarmament (Comité des dix-huit puissances sur le désarmement)
** ENMOD — Environmental Modification (Guerre mésologique)
* EOPP — Earth Observation Preparatory Program (Programme préparatoire d'observation de la Terre)
** ERIS — Exoatmospheric Reentry Vehicle Interceptor Subsystem (Sous-système d'interception exoatmosphérique des véhicules de rentrée)
** ERS-I — European Remote Sensing Satellite (Sattellite européen de télédétection)
ESA — European Space Agency (voir ASE)
EURATOM — European Atomic Energy Community (ou EAEC) (voir CEEA)
EXOS-D — Satellite scientifique japonais (physique de la magnétosphère et des aurores polaires)

* FAO — Food and Agriculture Organization of the United Nations (Organisation des Nations Unies pour l'alimentation et l'agriculture)
FEL — Free Electron Laser (voir LEL)
FIA — Fédération internationale d'astronautique (voir IAF)
FNI — Forces nucléaires à portée intermédiaire (voir INF)

** FOBS — Fractional Orbital Bombardment System (Système de bombardement à orbite fractionnaire)
*** FSS — Full-Scope Safeguards
FUNU — Force d'urgence des Nations Unies (voir UNEF)

GEODE — Expérience d'élaboration des matériaux dans l'espace
GES — Groupe d'experts scientifiques
** GLCM — Ground Launched Cruise Missile (Missile de croisière sol-sol)
** GNT — Guidelines for Nuclear Transfers (Directives pour les transferts nucléaires)
GRC — Gendarmerie royale du Canada (voir RCMP)
* GRU — Glavnoe Razvedyvatel'noe Upravlenie (Direction du renseignement militaire)

HERMES — Navette spatiale française
** HOE — Homing Overlay Experiment (Programme HOE)

IAEA — International Atomic Energy Agency (voir AIEA)
IAF — International Astronautical Federation (voir FIA)
IAU — International Astronomical Union (voir UAI)
*** IBM — International Business Machines
** ICBM — Intercontinental Ballistic Missile (Missile balistique intercontinental)
ICPSI — Institut canadien pour la paix et la sécurité internationales (voir CIIPS)
ICRASL — Institut et Centre de recherche de droit aérien et spatial
ICRP — International Commission on Radiological Protection (voir CIPR)
ICSU — International Council of Scientific Unions (voir CIUS)
** IDC — Interdepartmental Committee (Comité interministériel)
IDS — Initiative de défense stratégique
IFRI — Institut français des relations internationales
*** IHE — Insensitive High Explosive
IISS — Institut international d'études stratégiques
INF — Intermediate-Range Nuclear Forces (voir FNI)
** INFCE — International Nuclear Fuel Cycle Evaluation (Organisation de l'évaluation internationale du cycle de combustion nucléaire)
*** INFCIRC — Information Circular
INTERBALL — Études magnétosphériques
** IPIC — Image-Processing and Interpretation Center (Centre de traitement des données images)
** IRBM — Intermediate-Range Ballistic Missile (Missile balistique à portée intermédiaire)
*** ISDE — International Seismic Data Exchange
* ISIS — International Satellites for Ionospheric Studies (Satellites internationaux d'études de l'ionosphère)
ISMA — International Satellite Monitoring Agency (voir AISC)
IUPAC — International Union of Pure and Applied Chemistry (voir UICPA)

*** JBMDS — Joint Ballistic Missile Defence Staff
* JDC — Joint Disarmament Committee (Comité mixte du désarmement)

* JDWG	Joint Disarmament Working Group (Groupe de travail mixte du désarmement)
*** JDWP	Joint Disarmament Working Party
JERS-I	Satellite d'exploration des ressources terrestres
* JIC	Joint Intelligence Committee (Comité mixte des renseignements)
* JPC	Joint Planning Committee (Comité mixte de planification)
* JPS	Joint Planning Staff (État-major de planning interarmées)
* JS	Joint Staff (État-major interarmées)
*** KAL	Korean Air Line
*** KANUPP	Karachi Nuclear Power Plant
** KMP	Key Measurement Points (Points stratégiques de contrôle)
LANDSAT	Satellite de télédétection américaine (observation de la Terre)
*** LASA	Large Aperture Seismic Array
LEL	Laser à électrons libres (voir FEL)
** MAD	Mutual Assured Destruction (Destruction mutuelle assurée)
MAE	Ministère des Affaires extérieures
** MAS	Mutually Assured Survival (Survie mutuelle assurée)
** MBA	Material Balance Area (Zone de bilan matières)
* MBFR	Mutual and Balanced Force Reductions (Réductions mutuelles et équilibrées des forces)
MDC	Mesures susceptibles de mener à la confiance
MDCS	Mesures destinées à renforcer la confiance et la sécurité
MDN	Ministère de la Défense nationale
** MHV	Miniature Homing Vehicle (Véhicule autoguidé miniaturisé)
** MIRV	Multiple Independently Targetable Reentry Vehicle (Vecteur à têtes multiples indépendamment guidées)
*** MIT	Massachusetts Institute of Technology
* MLF	Multilateral Force (Force multilatérale)
MLIS	Molecular Laser Isotope Separation (voir SILMO)
MOS-I	Satellite d'observation de la mer
MPC	Maximum Permissible Concentration (voir CMA)
MPT	Multilateral Preparatory Talks (voir PMP)
** MRBM	Medium Range Ballistic Missile (Missile balistique à moyenne portée)
** MUF	Material Unaccounted For (Variations de différence dans les inventaires)
NAA	North Atlantic Assembly (voir AAN)
** NAC	North Atlantic Council (Conseil de l'Atlantique Nord)
NATO	North Atlantic Treaty Organization (voir OTAN)
NFZ	Nuclear Free Zones (voir ZEAN)
* NNA	Neutral and Non-Aligned Countries (Pays neutres et non alignés)
NOFUN	Non-First Use of Nuclear Weapons (voir NUPAN)
* NORAD	North American Aerospace Defence (Commandement de la défense aérospatiale de l'Amérique du Nord)

*** NORESS	Norwegian Regional Seismic Array
*** NORSAR	Norwegian Seismic Array
NPT	Treaty on the Non-Proliferation of Nuclear Weapons (ou Non-Proliferation Treaty) (voir TNP)
** NRRC	Nuclear Risk Reduction Centers (Centres de réduction des risques nucléaires)
** NSC	National Security Council (Conseil national de sécurité)
*** NSS	National Seismic Stations
*** NST	Nuclear and Space Talks
** NTM	National Technical Means (Moyens techniques nationaux)
NUPAN	Non-usage en premier des armes nucléaires (voir NOFUN)
** NWS	North Warning System (Système d'alerte du Nord)
OAU	Organization of African Unity (voir OUA)
OID	Organisation internationale de désarmement
OIT	Organisation internationale du travail
OIV	Organisation internationale de vérification
OLYMPUS	Satellite de techniques de télécommunication
OMM	Organisation météorologique mondiale (voir WMO)
OMS	Organisation mondiale de la santé (voir WHO)
ONG	Organisation non gouvernementale
ONU	Organisation des Nations Unies (voir UNO)
ONUDI	Organisation des Nations Unies pour le développement industriel
* OOG	Outside of Garrison Activities (Activités hors garnison)
* OPANAL	Organismo para la Proscripción de las Armas Nucleares en América Latina y el Caribe (ou Traité de Tlatelolco) (Organisme pour l'interdiction des armes nucléaires en Amérique latine et aux Caraïbes)
** OPP	Other Physical Principles (Autres principes physiques)
ORAE	Operational Research Analysis Establishment (voir CARO)
OS	Outer Space (voir EEA)
** OSI	On-Site Inspections (Inspections sur place)
OTAN	Organisation du Traité de l'Atlantique Nord (voir NATO)
OTASE	Organisation du Traité de défense collective de l'Asie du Sud-Est (voir SEATO)
OUA	Organisation de l'unité africaine (voir OAU)
PAXSAT	Projet de satellites canadiens
PC	Parti communiste
PCC	Political Consultative Committee (voir CCP)
PCUS	Parti communiste de l'Union soviétique
* PERMREP	Permanent Representative (Représentant pemanent)
** PJBD	Permanent Joint Board of Defence (Conseil mixte permanent de la défense)
** PK	Peace-Keeping (Maintien de la paix)
PMP	Pourparlers multilatéraux préliminaires (voir MPT)
PNB	Produit national brut
** PNE	Peaceful Nuclear Explosions (Explosions nucléaires pacifiques)

** PNET	Treaty on Underground Nuclear Explosions for Peaceful Purposes (ou Peaceful Nuclear Explosions Treaty) (Traité sur les explosions nucléaires souterraines à des fins pacifiques)
* PSDE	Payload and Spacecraft Development and Experimentation Program (Programme de développement de charges utiles et de véhicules spatiaux et d'expériences)
PTBT	Treaty Banning Nuclear Weapon Tests in the Atmosphere, in Outer Space and Under Water (ou Partial Test Ban Treaty) (voir TIPEN)
* RADARSAT	Radar Satellite (Satellite radar)
* RAF	Royal Air Force (Forces aériennes royales)
*** RAPP	Rajasthan Atomic Power Plan
RAU	République arabe unie
RCMP	Royal Canadian Mounted Police (voir GRC)
RDA	République démocratique allemande
RFA	République fédérale d'Allemagne
RPC	République populaire de Chine
*** RSTN	Regional Seismic Test Network
* RW	Radiological Weapons (Armes radiologiques)
* SAC	Strategic Air Command (Commandement aérien stratégique)
* SACEUR	Supreme Allied Commander Europe (Commandant suprême des forces alliées en Europe)
* SALT	Strategic Arms Limitation Talks (Négociations sur la limitation des armes stratégiques)
** SARSAT	Search and Rescue Satellite (Satellite de recherche et de sauvetage)
** SBKKV	Space-Based Kinetic Kill Vehicle (Engin destructeur par énergie cinétique basé dans l'espace)
SDEDSI	Société pour le développement des études de défense et de sécurité internationale
** SDIO	Strategic Defence Initiative Organization (Organisation pour l'initiative de défense stratégique)
SDN	Société des Nations
SEAE	Secrétaire d'État aux Affaires extérieures (voir SSEA)
SEATO	South East Asia Treaty Organization (voir OTASE)
SEE	Société pour l'expansion des exportations (voir EDC)
SENUD	Session extraordinaire des Nations Unies sur le désarmement (voir UNSSOD)
* SHAPE	Supreme Headquarters Allied Powers in Europe (Grand quartier général des puissances alliées en Europe).
* SI	Système international d'unités (International System of Units)
SILMO	Séparation isotopique de molécules par irradiation au laser (voir MLIS)
SILVA	Séparation isotopique de molécules par irradiation au laser de vapeur atomique (voir AVLIS)
** SIOP	Single Integrated Operational Plan (Plan unique d'opérations intégrées)
** SIPRI	Stockholm International Peace Research Institute (Institut international de recherche sur la paix de Stockholm)

* SPACECOM	Space Command (Commandement spatial)
* SPC	Senior Political Committee (Comité politique au niveau élevé)
* SPETNAZ	Voïska Special'nogo Naznačenija (Forces d'intervention spéciales)
SPOT	Satellite probatoire d'observation de la Terre
SSEA	Secretary of State for External Affairs (voir SEAE)
SSM	Satellite pour le service mobile
** START	Strategic Arms Reduction Talks (Négociations sur la réduction des armements stratégiques)
STT	Satellite de techniques de communication (voir CTS)
TIGEN	Traité d'interdiction globale des essais nucléaires (voir CTB)
TIPEN	Traité interdisant les essais d'armes nucléaires dans l'atmosphère, dans l'espace extra-atmosphérique et sous l'eau (ou Traité d'interdiction partielle des essais nucléaires) (voir PTBT)
TNP	Traité de non-prolifération des armes nucléaires (ou Traité de non-prolifération) (voir NPT)
TNT	Trinitrotoluène
*** TRR	Taiwan Research Reactor
** TTBT	Treaty on the Limitation of Underground Nuclear Weapon Tests (ou Threshold Test Ban Treaty) (Traité sur la limitation des essais souterrains d'armes nucléaires)
UAI	Union astronomique internationale (voir IAU)
** UARS	Upper Atmosphere Research Satellite (Satellite de recherche de la haute atmosphère)
UEO	Union de l'Europe occidentale (voir WEU)
UICPA	Union internationale de chimie pure et appliquée (voir IUPAC)
UNEF	United Nations Emergency Force (voir FUNU)
* UNISPACE	United Nations Conference on the Exploration and Peaceful Uses of Outer Space (Conférence des Nations Unies sur l'exploration et les utilisations pacifiques de l'espace extra-atmosphérique)
UNO	United Nations Organization (voir ONU)
* UNSCEAR	United Nations Scientific Committee on the Effects of Atomic Radiation (Comité scientifique des Nations Unies pour l'étude des effets des rayonnements ionisants)
UNSSOD	United Nations Special Session on Disarmament (voir SENUD)
URSS	Union des républiques socialistes soviétiques
VELA	Programme de détection des essais nucléaires (de l'espagnol *vela*, «veille»)
VIKING	Satellite suédois de science spatiale
WESTAR	Satellite de transmission des données sismiques
WEU	Western European Union (voir UEO)
* WG	Working Group (Groupe de travail)
WHO	World Health Organization (voir OMS)
WIND II	Dispositif d'imagerie des vents qui sera intégré au UARS
WMO	World Meteorological Organization (voir OMM)

* WP	Working Party (Groupe mixte)
*** WWSSN	World Wide Standardized Seismograph Network
ZEAN	Zones exemptes d'armes nucléaires (voir NFZ)

La Danse de Succession mime l'accession de l'Empereur Shun à la paix. Tout devient harmonie au ciel et sur la terre. À l'inverse, la Danse de Guerre décrit l'accession de l'Empereur belliqueux Wu, qui gagna son trône en renversant les Yin [...] *Confucius parle de la Danse de Succession comme d'une parfaite beauté et d'une parfaite bonté. Au contraire, la Danse de Guerre est parfaite beauté, mais imparfaite bonté**.

1

Les abeilles et les fourmis

Les grandes discussions sur le désarmement n'ont pas lieu en vase clos. Pour y comprendre quelque chose, il faut souvent définir le contexte et dégager l'essentiel des propositions. Ensuite, on peut à loisir discuter de ce qu'a fait ou n'a pas fait le gouvernement canadien.

Nous n'avons pas la prétention de croire que nous savons tout ce qui s'est passé en la matière. Les abondantes archives que nous avons dépouillées nous ont permis de voir ce qui s'est surtout passé dans la partie basse de la pyramide, c'est-à-dire là où grenouillent les idées, les bureaucrates et les fonctionnaires. À l'occasion, nous lèverons le voile sur la partie haute de la pyramide. Il arrive, en effet, que le Cabinet prenne des décisions ! Nous ne saurions toutes les connaître, car celles des 20 dernières années tombent sous le sceau du secret. Dans l'ensemble toutefois, nous en savons assez pour écrire un ouvrage...

Il serait hasardeux de présenter immédiatement l'essentiel de ce qui s'est dit, tramé ou fait. Une toile de fond s'impose. Quels sont les principaux acteurs concernés, comment se comportent-ils, comment organisent-ils leurs relations entre eux et comment négocient-ils ? Ces quelques questions soulèvent deux types d'interrogations classiques : comment les États organisent-ils leurs relations dans le système international et comment le font-ils au niveau national ?

---

* David Payne, *Le Dragon et le Tigre*, Paris, Presses de la Renaissance, 1966, p. 553.

Nous n'avons pas l'intention d'innover en matière de « rôles » ou de la perception des « rôles » assumés par le Canada dans la formation ou l'élaboration de sa politique étrangère. Sur ce point, la littérature est abondante. Les approches se subdivisent en trois catégories essentielles. Il y a bien sûr l'approche fonctionnaliste, caractéristique de la diplomatie canadienne au lendemain de la Seconde Guerre mondiale. John W. Holmes a été et reste toujours le plus grand partisan de cette approche. Le Canada n'étant ni une grande puissance ni la Patagonie, il doit se spécialiser à l'intérieur de certains « créneaux » de la diplomatie internationale, là où son savoir-faire existe et là où son influence peut se faire sentir.

Dans les années cinquante et les années soixante surtout, les thèses du Canada comme *middle power* ou *broker* au sein du système international font aussi leur apparition. Il s'agit ici beaucoup plus d'un style de politique étrangère qui repose sur la perception d'un rôle volontairement assumé par le Canada ou que d'autres veulent bien lui « prêter » à l'intérieur du système international. Lester B. Pearson, John W. Holmes et Peyton Lyon sont sans doute les représentants les plus éloquents de cette approche[1]. Celle-ci, à tort ou à raison, a souvent été dénoncée par la suite comme constituant une surévaluation du potentiel diplomatique canadien. En ce domaine, le soutien le plus positif est venu d'un internationaliste. En effet, Louis Sabourin a toujours prétendu que le Canada jouit à l'étranger d'une réputation sans faille, alors qu'à l'intérieur cette image est ternie ou sous-évaluée. D'autres, comme Stephen Clarkson[2] et Thomas C. Hockin[3], sont allés aux antipodes de cette approche, prétendant même que la politique étrangère du Canada n'est que le reflet de sa politique intérieure ; les qualités de modération et de médiation propres au système des relations fédérales-provinciales se retrouvent ainsi confondues avec le système international. Encore ici, il s'agirait beaucoup plus d'un style de politique — l'affirmation internationale d'une personnalité nationale, comme l'a écrit Clarkson —, la forme étant privilégiée aux dépens de la substance.

La troisième approche que nous hésitons à qualifier, mais à laquelle il faut bien attribuer un nom, est l'école « idéaliste » conditionnée par des jugements moraux. Michael Tucker, le premier, l'a appelée « activiste », un style de la diplomatie canadienne marquée au sceau des impératifs moraux[4]. En règle générale, c'est lorsque de fortes personnalités politiques telles que Howard Green ou E.L.M. Burns se sont personnellement engagées en faveur de la paix que la critique flaire des relents d'idéalisme dans la poursuite des objectifs diplomatiques canadiens. On peut certes attribuer ce style politique à des traits culturels hérités de l'histoire, de l'enseignement ou de l'éducation, mais il reste que l'on ne saurait ne pas tenir compte du rôle des ministres et des conseillers que plusieurs définissent comme le leadership dans l'appréciation des facteurs qui déterminent l'orientation générale de la politique étrangère d'un État.

Tout au long de l'ouvrage, nous aurons l'occasion de revenir sur la plupart de ces éléments présents à un titre ou à un autre dans l'élaboration de la politique canadienne en matière de désarmement et de contrôle des armements. Plus immédiatement cependant, nous pensons que l'organisation de la décision sur ces questions au sein du gouvernement canadien est d'une importance capitale. Comment les principaux acteurs concernés, c'est-à-dire le ministre des Affaires extérieures et celui de la Défense, organisent-ils leurs rapports ? À notre décharge, nous avancerons ici certaines images que le lecteur trouvera peut-être osées, mais que nous ne pouvons nous empêcher de trouver utiles. Les démarches des Affaires extérieures et de la Défense relèvent souvent en effet du comportement des abeilles et des fourmis. Comme on le verra plus loin, cette terminologie est peut-être plus judicieuse que l'on ne serait porté à le croire de prime abord. Avant de nous en expliquer, un mot s'impose toutefois au sujet de la politique et de la stratégie.

LES BONS ET LES MAUVAIS MARIAGES : LA POLITIQUE ET LA STRATÉGIE

Munich 1938 est un petit chef-d'œuvre d'ambiguïté. Quand la paix commence-t-elle ? Quand finit-elle ? Chamberlain l'ignorait. Hitler savait. L'histoire s'est chargée de débroussailler les esprits... Les démocraties comme les régimes totalitaires sont farouches : les deux ont mené leurs guerres totales avec ténacité et férocité. Les premières ont presque toujours imaginé que la paix commençait dès que cessait de parler la poudre. Les seconds se sont rarement trompés. Clausewitz et plus tard Lénine sont venus nous dire que la guerre « n'est que la continuation de la politique par d'autres moyens ». La vérité est que la paix est contenue dans la guerre, et que celle-ci est contenue dans celle-là, sinon il serait impossible de passer de la guerre à la paix ou de la paix à la guerre.

Les choses, il est vrai, ne sont pas si simples. Dans l'histoire ancienne, les grands hommes — on parlait peu des femmes à l'époque — sont tout à la fois stratèges et hommes d'État. On peut citer Périclès, Alexandre le Grand, César et, plus récemment, Napoléon. Ou encore Staline, nommé commissaire du peuple à la guerre en 1941, maréchal de l'URSS en mars 1943 et généralissime en 1945. Le cumul des fonctions existe encore. Si le président des États-Unis est le commandant en chef des forces armées américaines, le secrétaire général du Parti communiste en URSS est aussi le commandant en chef des grandes armées dans la nation. Ou plutôt des armées dans les nations ! Au Canada, le cumul n'existe pas, car il y a eu, semble-t-il, quelque part dans l'histoire de ce pays, une confusion royale : le commandant en chef, c'est le gouverneur général.

James Eayrs nous rappelle « l'antipathie naturelle qui existe entre les diplomatistes et les militaristes — dans le sens où l'entendait Shakespeare [...] Elle résulte de l'incompatibilité des missions respectives. Les diplomatistes sont là pour veiller à la paix, les militaristes, pour gagner la guerre[5]. » Depuis Shakespeare, les choses ont évolué. Les hommes politiques jugent aussi depuis belle lurette la chose militaire comme trop sérieuse pour être laissée à la seule discrétion des militaires. Et puis, les mouvements d'opinion sont apparus : « Pas d'incinération sans représentation ! » On parle désormais de la démocratisation progressive du débat stratégique…

Dans son fameux discours de 1921 aux Invalides, le maréchal Foch, en prononçant l'éloge de Napoléon, déclare : « Au-dessus de la guerre il y a la paix. » L'inversion logique est permise, « en dessous de la paix, il y a la guerre », mais cela serait trahir la pensée de Foch. Ce que celui-ci veut dire, c'est qu'au-delà de la guerre, il faut rechercher la paix. Mais entre la paix et la guerre, il y a une série de nuances ou de gradations qui sont toutes vraies. Un incident de frontières est moins grave que la guerre limitée, celle-ci est moins catastrophique que la guerre générale, et celle-ci est encore moins sévère que la guerre nucléaire.

En matière de stratégie et de politique, il y a les bons et les mauvais mariages. Les bons mariages résultent de la convergence commune entre la stratégie et la politique, et les mauvais mariages de cette absence de convergence ou de leur éparpillement dans des directions diffuses ou multiples. On ne peut faire d'omelettes sans casser des œufs. Mais on peut casser des œufs sans faire d'omelettes ! Les Israéliens le savent. En 1956, ils mènent une brillante campagne militaire dans le Sinaï. Ils gagnent la guerre et perdent la paix ! Les États-Unis avaient les moyens d'exterminer le Viêt-nam. Ils ne l'ont pas fait, en partie parce que le peuple américain, dans sa vigilance, a dressé l'oreille… Non pour écouter, mais pour être entendu.

La stratégie et la politique tendent aujourd'hui à se confondre dans leur finalité ; elles diffèrent cependant par les moyens. Lorsqu'au début des années soixante le ministre de la Défense, Douglas Harkness, entend assurer la sécurité du Canada par l'acquisition d'armes nucléaires pour les Forces armées canadiennes, Howard Green, alors ministre des Affaires extérieures, y oppose un veto net et franc. Green estime à l'époque que la seule façon d'assurer la sécurité du Canada, c'est de mettre un frein à la prolifération nucléaire. Bien que les stratégies pratiquées par l'un et l'autre ministère aient été différentes, la finalité de la politique restait la même : assurer la sécurité du Canada. Le gouvernement Diefenbaker tomba sur cette question, le premier ministre étant incapable d'arbitrer deux avis aussi opposés que contradictoires. La politique doit s'employer à résoudre les contradictions, non à les exacerber, encore que certains journalistes ou hommes politiques concoctent à loisir de machiavéliques calculs destinés à servir, la plupart du temps, des causes bien particulières. La modération a bon goût, c'est bien connu. Il est aussi facile de la noyer dans des excès.

Cependant, comment se fait-il que deux personnalités aussi sincères et loyales que Harkness et Green aient pu en arriver à des avis aussi contradictoires ? Cette interrogation nous amène à parler du sujet essentiel du présent chapitre : les abeilles et les fourmis.

LES ABEILLES ET LES FOURMIS[6]

Au-delà du déterminisme génétique ou biologique dont l'usage n'est que trop dangereux pour expliquer des choses aussi sérieuses que la paix et la guerre, il reste que le raisonnement par analogie a souvent des vertus avec lesquelles les arguments les plus savants ne peuvent rivaliser. Une image, paraît-il, vaut mille mots. Libre à chacun de l'interpréter comme il l'entend.

Écartons immédiatement les clichés par trop grossiers. Les diplomates ne sont pas formés à l'école des abeilles, et les militaires ne sont pas formés à l'école des fourmis. Les fourmilières et les ruches ont cependant beaucoup de choses en commun : une architecture remarquable, une vie sociale intense et une organisation dont les secrets dépassent encore l'entendement humain. Les ministères des Affaires extérieures et de la Défense nationale sont aussi deux structures remarquablement organisées, où fourmillent, s'agitent plutôt — ne taxons pas injustement les diplomates — beaucoup d'idées, où sont conçus beaucoup de programmes d'action et où sont ébauchées de nombreuses stratégies et politiques.

La vie du diplomate ressemble à celle de l'abeille, à cette différence près qu'il faut compter en années et non en jours. L'ouvrière ne vit en effet qu'une trentaine de jours. La carrière du diplomate s'étend souvent sur 30 ans. Quant à la reine, elle peut vivre environ cinq ans, ce qui correspond à la durée normale du mandat d'un ministre. L'abeille est tour à tour nettoyeuse, nourrice, cirière, gardienne et butineuse. Le diplomate, dans sa jeune carrière, apprend à lire les dépêches. Il classe et trie l'information. Il fait le ménage, quoi ! La phase nourricière suit. Le diplomate, à ce stade, ne fait pas que lire, il digère l'information, la reproduit sous forme accessible et la transmet à qui de droit. Vient ensuite la période cirière de l'abeille, très importante pour la constitution du gâteau de miel. Elle participe à l'élaboration du noyau et des cellules. Le diplomate, dans sa phase cirière, participe à l'élaboration d'une politique et à l'implantation des réseaux d'information. Puis l'abeille devient gardienne. Gare à quiconque tenterait de s'approcher de la ruche. À ce stade, le diplomate est devenu directeur de bureau : il garde l'information et ne la transmet qu'aux personnes sûres, ce qui est une façon d'éviter que des intrus ne s'approchent des choses la plupart du temps déjà éventées par les médias. Plus tard, le diplomate apprend à butiner. Il est nommé ambassadeur de pays en pays. Ici, son rôle est de faire parvenir régulièrement à son ministère ce qui se trame dans les autres ruches. Il revient donc souvent pour des consultations à Ottawa, gorgé de nectar ou, s'il a trop fait ripaille, alourdi de pollen.

À priori, on ne voit d'ailleurs pas pourquoi le miel ne serait pas un symbole aussi pacifique que celui de la blanche colombe. Après tout, le miel a des reflets d'or. Il suffit d'y goûter pour reconnaître aussitôt qu'il ne s'agit pas d'un mirage. Il a aussi, surtout s'il n'est pas pasteurisé, des propriétés digestives remarquables dont l'effet peut durer plusieurs mois, car le miel est un produit vivant qui contient encore les sucs digestifs des abeilles. Hormis le ver à soie, il semble bien que de tous les insectes, l'abeille est encore celui qui est le plus utile à l'être humain. Pour des raisons qui tiennent curieusement à une mauvaise compréhension de l'histoire, de tous les ministères, celui des Affaires extérieures serait aussi le plus utile à la paix. Ne détruisons donc pas cette merveilleuse légende et admettons que les abeilles-diplomates produisent la paix!

Le ministère de la Défense, par opposition, et toujours pour nous en tenir aux légendes, ne semble pas un grand producteur de paix. Il est grand consommateur de biens plutôt que producteur, comme les fourmis! Il est vrai que la fourmi est un des rares insectes à prendre grand soin des pucerons. Elle les élève même, car ils serviront de nourriture aux larves. La Défense nourrit aussi bien ses industries militaires dont elle consommera plus tard les produits. Bien entendu, uniquement si la guerre éclate!

Les fourmis comme les abeilles sont de merveilleux architectes. Elles construisent des nids, des fortifications, des fourmilières quoi! En matière de terrassement et de maçonnerie, aucun menu détail ne leur échappe. Le contraire, naturellement, serait étonnant! Elles sont pacifiques de nature, mais meurtrières au combat, surtout lorsque la colonie est menacée. Elles font aussi preuve de grandes qualités militaires. Lorsqu'elles sont blessées, elles se portent mutuellement secours. Excellents navigateurs, elles s'orientent comme les abeilles grâce au compas lumineux. Elles ne sont pas difficiles sur le choix de leur nourriture; elles mangent à peu près tout ce qui leur tombe sous la mandibule. Elles communiquent par sons et aussi par antennes. Même par odeur, semble-t-il. En cas de danger, elles sonnent l'alarme. En manœuvre, elles peuvent causer d'importants dégâts à l'agriculture, car elles attaquent en colonnes ou en essaims.

Le nombre d'épithètes qui conviennent à la fourmi est prodigieux. Elle est généreuse, prudente, sage; diligente, active, empressée; laborieuse, industrielle et infatigable. Et pour ne pas laisser pour compte l'immortel La Fontaine, elle est par-dessus tout prévoyante: elle adore se constituer des stocks importants de nourriture, pour le cas où la bise durerait plus longtemps que prévu...

On juge la fourmi nuisible à l'agriculture, mais on oublie trop souvent qu'elle détruit aussi quantité d'autres insectes nuisibles. Les fourmis sont tout à fait « irascibles et chatouilleuses sur les questions de voisinage ». Il est donc téméraire de penser à leur enlever, sans permission, ce qui leur appartient. Elles produisent cependant un bien sans lequel les ouvrières de l'intérieur ne pourraient pas exercer leur pénible labeur: la sécurité aux frontières.

Contrairement au miel, ce bien ne se consomme pas. Il permet tout simplement de travailler sous abri ou à l'abri. La sécurité est évidemment toujours relative. On sait cependant d'instinct — restons-en aux insectes — qu'il est hasardeux de vaquer aux opérations de construction à l'intérieur, si la sécurité n'est pas assurée aux frontières. Les pourvoyeuses, c'est-à-dire les ouvrières, s'en occupent pour la colonie tout entière.

Il serait aussi un tantinet inexact de prétendre que les fourmis ne servent à personne. Certains les mangent. Elles auraient une saveur un peu aigrelette, sans doute à cause de l'acide formique qu'elles sécrètent. D'autres les utilisent même pour fortifier les vieillards — l'eau de magnanimité ! Les fourmis ont donc des lettres de noblesse, un peu minces peut-être, mais étant donné leur taille et leur nombre, cela n'est pas négligeable.

À ce stade de l'analyse, on pourrait se demander pourquoi des abeilles, pourquoi des fourmis ? Ou pourquoi un ministère des Affaires extérieures et pourquoi un ministère de la Défense ? Les phénomènes évolutifs des insectes constituent encore, selon certains, un mystère. Il semble bien que leur évolution soit d'un ordre polyphylétique, c'est-à-dire qu'il n'y a aucune origine commune entre les espèces. Les pauvres humains sont encore prisonniers d'une thèse monophylétique : l'« homme », dit-on, descend du singe ! On ignore donc ce que deviendra la personne dans des millions d'années et pourquoi le singe est resté ce qu'il est…

Des institutions, on ne sait pas grand-chose non plus. Les travaux les plus érudits[7] nous parlent de trois fonctions importantes que l'on peut retracer jusqu'à la plus lointaine Antiquité. Ce sont les fonctions religieuse, guerrière et agricole. Les choses évoluent donc plutôt lentement. On continue aujourd'hui de produire, de faire la guerre et d'intercéder en faveur de la paix.

Quelle est la part du déterminisme génétique ou biologique dans les comportements et les mœurs des insectes ? Dans quelle mesure les Affaires extérieures et la Défense répondent-elles à des codes de comportement ? En ce qui concerne les insectes, il faudra attendre que les généticiens nous livrent tous les secrets de leur patrimoine génétique. Les pauvres ! Peut-être auront-elles le temps d'évoluer d'ici-là… C'est sans doute la dernière chance qu'ont les insectes de se terrer ou de disparaître sous terre. Quant aux personnes, les règles du jeu sont infiniment plus complexes. La personne pense, réfléchit, ressent et crée. Depuis l'Antiquité, on use donc d'une très grande prudence pour décrire ses comportements, car elle a une capacité infinie de se composer des visages… problème que n'ont guère les insectes.

DES STRUCTURES MENTALES AUX STRATÉGIES DE NÉGOCIATION

Il est malaisé de savoir si les structures mentales sont le reflet de la structure des valeurs ou si celle-ci est le reflet des structures mentales. Nous poserions autrement tout le problème de la critique de la connaissance. Comme nous n'avons pas l'intention de nous engager dans cette voie, il faut donc au départ formuler certaines réserves. Tout d'abord, admettons que les structures mentales dépendent d'un certain nombre de facteurs dont l'éducation, l'environnement, l'histoire, l'expérience et la façon de vivre sont les éléments les plus pertinents. Refusons aussi de hiérarchiser l'importance relative des variables entre elles. Enfin, reconnaissons l'existence d'une série de tensions plus ou moins réelles entre chacun de ces niveaux d'analyse. Que peut-on postuler au départ? Constatons, en premier lieu, deux pôles possibles de comportements: le jeu ou le refus du jeu.

Le jeu, sous toutes ses formes, implique un acteur par rapport à un système. C'est bien là la principale contribution de Crozier et Friedberg[8] à la science politique. À l'autre extrémité de l'échelle, il y a ceux qui refusent le jeu. Ce n'est pas qu'ils soient ermites, marginaux, mystiques ou périphériques, mais tout simplement qu'ils préfèrent échanger, observer, discuter ou critiquer sans s'insérer dans le jeu. Ce sont là de nobles activités. Il y aurait autrement peu de professeurs. S'insérer ou non dans un jeu dépend finalement d'un choix personnel dont il revient à tous et chacun de mesurer les conséquences.

Cette dichotomie entre la pensée et l'action ne sont pas les seuls éléments du dilemme. Car pour tous ceux qui s'engagent dans l'action, il y a une multitude de motivations qui sous-tendent leurs comportements. Et c'est là notre deuxième constatation. Au nombre de ceux qui jouent, il y a les stratèges, mais il y a aussi les pacifistes. Les stratèges ont de tout temps été les conseillers du roi ou du pouvoir. Ils ne peuvent guère se permettre d'erreurs sans du même coup perdre leur crédibilité. Ne soyons cependant pas trop restrictifs. Des stratèges, il y en a partout! Ce sont les économistes, les politologues, les consultants et les bureaucrates. En un mot, tous ceux qui s'efforcent, au nom de la raison d'État, de maximiser les gains et les profits de l'État. Ce sont des nationalistes dans l'âme. Les pacifistes se disent avant tout internationalistes. Leur souci primordial n'est pas d'augmenter les gains de l'État, mais plutôt de rechercher par tous les moyens possibles la promotion de la paix internationale fondée sur l'égalité, le respect de la justice sociale et une meilleure distribution des richesses.

Évidemment, les stratèges peuvent disposer de toute une panoplie d'aides à la recherche, ainsi que des largesses du pouvoir qui ne se gêne pas pour étendre, quand il le peut, ses tentacules. Parmi les aides à la recherche, notons la recherche opérationnelle, l'analyse des systèmes, la théorie des jeux, les métajeux, l'analyse canonique, et ainsi de suite. Tous les départements de science politique forment, qu'ils le veuillent ou non, de petits stratèges en herbe. Quels sont les rapports de force, comment peut-on les exploiter ou les contenir? Avec un tel programme, il n'est pas étonnant que les contestations les plus vives naissent chez les politologues ou encore chez ceux qui ont été formés par la sociologie, la mère de la science politique.

Pour tous ceux qui s'engagent dans le jeu, il est évidemment important de ne pas jouer les yeux fermés. On s'expose autrement à de cuisantes défaites. Dans le domaine militaire proprement dit, il va de soi qu'une bonne connaissance des règles du jeu est indispensable à une saine compréhension des lois de la dissuasion. Limitons-nous brièvement à deux exemples, soit le monde de 1945, celui de l'atome, et le monde de 1983, celui de la guerre des étoiles. Le premier modifie de fond en comble les règles du jeu : les pouvoirs ne sauraient désormais s'opposer par l'atome. Ils risqueraient leur destruction. Il faut donc aviser à d'autres moyens de compétition, ceux de la dissuasion. Les superpuissances cherchent à se débarrasser de cette camisole de force qu'elles ont allègrement, sans vraiment en être conscientes, enfilée. Le second exemple est en pleine gestation. Les États-Unis tentent d'imposer unilatéralement aux Soviétiques une redéfinition des règles du jeu nucléaire. On est cependant encore loin des forteresses inexpugnables et invincibles que nous promet la technologie de demain. L'exemple est à peine exagéré.

Quel que soit le domaine d'études, le stratège qui remplace d'une façon plus scientifique les sorciers et les devins d'autrefois doit pouvoir reconnaître à temps, à quel moment et dans quelle mesure la dynamique d'un système passe d'un monde ancien plus ou moins connu à un monde nouveau plus ou moins inconnu.

Une fois marqués les deux pôles extrêmes des motivations des acteurs, que peut-on dire de sensé sur les origines de ces deux courants ? Peu et beaucoup. L'espace manque ici pour examiner le problème en profondeur. Allons donc au plus court.

Le pacifisme tire ses origines de deux tendances fondamentales. La première tendance est fort claire : il s'agit du refus de la violence. Celle-ci est rejetée comme instrument de résolution des conflits. En étant optimiste, on peut croire que l'histoire est pleine de promesses futures ! La seconde tendance est l'héritière directe du christianisme révolutionnaire et égalitaire. Ce christianisme révolutionnaire, c'est le partage des ressources terrestres. Les laïcs ont trouvé une nouvelle formule : la justice sociale. Pour les pacifistes, il faut donc redresser les torts de la société, d'une façon non violente naturellement, et corriger les incroyables dérapages du système. À leur défense, disons que la capacité des sociétés à régler leurs différends d'une façon pacifique est aujourd'hui plus grande qu'elle ne l'était dans le passé. On commence à détester la violence. Si l'on regarde le petit écran, on n'est pas sûr qu'elle ne soit pas refoulée plutôt que contenue... Heureusement, les psychologues nous apprennent qu'il s'agit là d'une question d'éducation.

Quant à la stratégie, ses origines se retracent aussi facilement. Ses deux racines sont diamétralement opposées à celles du pacifisme. La stratégie n'est pas d'origine chrétienne. Elle est issue en ligne directe du positivisme, du siècle de l'empirisme et des interrogations scientifiques. Elle prend aujourd'hui une dimension aussi importante que lorsque l'économie est apparue au XVIIIe siècle. Sa seconde racine est la révolution industrielle dont elle s'est nourrie et à laquelle elle continue de s'abreuver. La terminologie, il est vrai, a un peu changé. On parle aujourd'hui de révolution postindustrielle et de révolution technétronique. Pour certains, cependant, les changements et leur rythme de transformation se sont télescopés à une telle allure que la technologie est devenue pour eux le seul moteur de leurs pensées. Ils vivent et pensent comme des *pacman* — ces merveilleuses « bibites » électroniques —, incapables de jeter un regard sur l'histoire. Tous ces gens sont d'incorrigibles myopes.

Tout cela nous ramène à notre troisième interrogation : que se passe-t-il entre ces deux pôles antagonistes d'action et comment peut-on, à partir de ces prémisses, déboucher sur des stratégies de négociation ? Plus précisément, peut-on concevoir des archétypes ou encore des modèles de négociation qui puissent nous éclairer tant soit peu sur le sujet qui nous intéresse : le désarmement et le contrôle des armements ? En ce domaine (Dieu soit loué !), les insectes nous sont encore d'un précieux secours. Si nous admettons les fondements de l'analyse antérieure, on peut naturellement dégager deux pôles d'attitudes très clairs, ceux de la coopération et de la non-coopération, tous deux considérés dans leur état pur. Ces deux archétypes correspondent aux deux scénarios suivants :

1. la fourmi belliqueuse (la non-coopération) ;
2. l'abeille pacifique (la coopération).

La première stratégie, celle de la non-coopération, suppose que l'on s'efforce de ne rien céder de ce qui nous appartient et que l'on tente d'obtenir ce que l'on n'a pas encore. Autrement dit, il s'agit de maximiser ses gains et de minimiser ses pertes. Les économistes, pour décrire cette situation, parlent de monopse, c'est-à-dire d'une situation où un acteur a le monopole d'un bien. Dans la deuxième hypothèse, la stratégie de coopération signifie que l'acteur qui la pratique recherche avant tout la seule coopération aux dépens de tout autre objectif. Encore là, l'économie nous est d'un grand secours. Cette situation ressemble à celle qui devrait idéalement exister entre une société mère et ses filiales. On ne rencontre guère ces deux situations dans la réalité. Ce qui est plus fréquent, ce sont les stratégies mixtes, c'est-à-dire le scénario de :

3. l'abeille-fourmi (coopération et non-coopération).

En d'autres termes, l'acteur se comporte tout à la fois comme une abeille et comme une fourmi, c'est-à-dire comme une « foubeille », si l'on nous permet cette contraction osée. Ce scénario se décompose à toutes fins utiles en trois sous-groupes types : un peu de coopération, un peu de conflit ; peu de conflit, beaucoup de coopération ; ou encore peu de coopération et beaucoup de conflit.

Il y a cependant deux autres archétypes tout aussi fondamentaux et que la logique a tendance à oublier, parce que l'esprit humain ne prête pas suffisamment attention à ce que Hegel appelle la ruse de la raison. Il s'agit en réalité de :

4. la fourmi qui joue à l'abeille (non-coopération déguisée en coopération) ;

5. l'abeille qui joue à la fourmi (stratégie de coopération inversée qui correspond en fait à une stratégie de non-coopération).

Le lecteur aura vite compris que ces deux stratagèmes correspondent à de purs exercices de propagande.

Le plan Baruch en matière de contrôle de l'énergie atomique présenté par les États-Unis à l'ONU, en juin 1946, est un bon exemple d'une stratégie de non-coopération déguisée en stratégie de coopération. Les États-Unis disent en substance aux Soviétiques : « Ce qui est à nous est à vous (stratégie de partage ou de coopération), à la condition, bien sûr, que toutes vos industries nucléaires passent sous contrôle international (sous-entendant notre contrôle). » Là, c'est la fourmi belliqueuse qui entre en action. « Car, disent les Américains, une fois que nous saurons tout ce dont vous êtes capables, nous vous fournirons au compte-gouttes l'information et les secrets nucléaires dont vous pourriez avoir besoin. » Les Soviétiques, bien entendu, n'ont pas mordu à l'hameçon ! La situation relève ici un peu de la caricature. Les nuances ne sont pas là, mais l'exemple suffit à la démonstration.

Enfin, le cas des abeilles qui jouent à la fourmi est très fréquent. La stratégie de négociation consiste pour l'un à présenter des propositions peu ou prou acceptables afin de faire porter à l'autre la responsabilité de leur refus. Il s'agit, en réalité, d'une stratégie de non-coopération présentée avec le sourire tout coopératif de celui qui prétend aider. Les Soviétiques sont passés maîtres dans l'art de ce jeu. Les Américains ont aussi beaucoup appris ; ils ne cèdent pas, en ce domaine, leur place à quiconque.

Ces deux derniers archétypes correspondent à des inversions de logique. On retrouve aussi ce genre d'opérations dans les analyses mathématiques lorsqu'il est nécessaire de prouver quelque chose par l'absurde. Les négociateurs n'ont donc rien inventé que la personne ne connaissait déjà d'instinct. Et pour compliquer un peu les choses, notons que diverses combinaisons de ces scénarios sont aussi possibles. Même les analystes, à l'occasion, en perdent leur latin, sans parler des négociateurs qui la plupart du temps sont pris à leur propre jeu. Il est trop tôt pour parler ici de Reykjavik...

Au-delà de ces préoccupations fascinantes mais un peu sèches dont se nourrissent les stratèges et les analystes, il existe un autre problème plus fondamental encore. Comment distinguer la réalité — ce qui se passe, ce qui se déroule et ce qui se joue — de l'intention ?

Les joueurs invétérés connaissent la réponse à cette question. Napoléon l'a dit : « On s'engage, et puis on voit. » C'est une première approche. Après tout, c'est dans le jeu que l'on abat ses cartes. Des situations qui de prime abord pouvaient apparaître désespérées ou sans issue sont subitement redressées, certaines contradictions disparaissent, et puis d'autres apparaissent. C'est la vie ! C'est aussi ce qui permet aux analystes de vivre.

Ce que pense l'autre... voilà bien ce qui distingue la réflexion de l'action. Les historiens réfléchissent. Souvent beaucoup trop, mais la chose est nécessaire. Il faut décortiquer les archives, trouver tous les documents pertinents, quelquefois la femme ou la maîtresse ou à l'inverse l'amant ou le gigolo, pour savoir quelles ont bien pu être les motivations profondes de l'acteur ou de l'actrice. Tout cela est fort bien, mais dans le feu de l'action, il faut agir. Les fourmis en savent probablement long sur le sujet...

Il est donc normal qu'en matière d'intention les historiens fassent preuve d'une extrême sagesse. La situation est toujours plus compliquée que l'on ne l'imagine. La stratégie de l'abeille pacifique pratiquée par Chamberlain en 1938 est condamnée à l'unanimité par tous les stratèges, parce qu'elle a mené le monde au désastre. Chamberlain peut toujours, à sa défense, évoquer la pureté de ses intentions : il a pensé sauver la paix. Il l'a même dit très franchement ! D'ailleurs, il serait peu convenable d'attendre d'une vraie abeille qu'elle se comporte comme une fourmi. Khrouchtchev dira aussi, à la suite de la formulation d'une proposition à l'ONU, qu'il avait « les mains propres et le cœur pur ». L'écheveau des intentions et des effets recherchés dans toute négociation, lorsqu'on gèle les paramètres de l'action, est comme un nœud gordien : il ne peut être démêlé. C'est donc dans l'action que l'on commence à voir clair dans l'obscurité.

Ce vieux problème de l'intention, les Chinois l'ont finalement résolu pour nous. La citation de Confucius figure en épigraphe à ce chapitre. La réponse est morale, elle n'est pas scientifique. Elle relève de la structure des valeurs de l'individu. Car après tout, la danse de la fourmi qui joue à l'abeille et de l'abeille qui joue à la fourmi est toujours d'une parfaite beauté. Dans les deux cas cependant, elle est d'une imparfaite bonté. Seule l'abeille pacifique peut se réclamer de la parfaite bonté. Hélas, la politique n'est pas faite que par les seules abeilles pacifiques. En ce bas monde, il y a beaucoup d'insectes.

LA COORDINATION DES POLITIQUES DES ABEILLES ET DES FOURMIS

La haute direction de la politique est laissée, en principe, au Cabinet ou à ses comités multiples chargés de dégager les grandes lignes de force qu'entend poursuivre le gouvernement dans son action extérieure. La plupart du temps, les politiques sont définies et formulées par les structures administratives dont les compétences sont à vocation fonctionnelle. En matière de sécurité et de désarmement, les deux principaux intéressés sont évidemment les Affaires extérieures et la Défense.

Par courtoisie et aussi par souci de discrétion, nous n'étudierons ici que la période allant de 1945 à 1965. La période de 1965 à 1985 fera l'objet de discussions séparées dans des chapitres ultérieurs. Dans la période d'après-guerre, la politique canadienne est définie par une poignée d'individus qui pour la plupart se connaissent tous. Ils sont peu nombreux, mais la qualité est là! Il n'est donc nullement besoin de structures administratives lourdes. Les communications sont faciles entre New York, Washington et Ottawa, d'une part et, à Ottawa même, les consultations entre les responsables des Affaires extérieures, de la Défense, du Comité politique interallié (CPC) (Combined Policy Committee, CPC) — dont nous parlerons abondamment au chapitre 2 —, du Conseil privé et du Bureau du premier ministre se font sans heurts et sans trop de difficultés, d'autre part. La création à l'ONU de la Commission du désarmement, en 1952, soulève cependant tout le problème de la création de structures administratives chargées de concevoir, d'analyser ou de commenter diverses propositions de désarmement. C'est véritablement à partir de ce moment-là que surgit la question de la coordination des politiques entre les abeilles et les fourmis.

Ne perdons pas trop de temps dans la description des structures administratives proprement dites. Après tout, ce ne sont que des coquilles plus ou moins vides à l'intérieur desquelles des gens et des penseurs travaillent. Ce qui est plus important, c'est de savoir pourquoi ces structures ont été créées, qui les habitent, et à quels objectifs elles sont censées répondre. Ces questions seront abordées plus loin. Limitons-nous donc ici à la seule description des structures de 1952 à 1965.

Après mille et une discussions et pour faire suite à une proposition du ministère des Affaires extérieures (MAE), le ministère de la Défense nationale (MDN) crée, en mai 1953, le Groupe mixte (WP) (Working Party, WP). Ce Groupe est chargé de « préparer des documents de travail communs et d'assister le ministère des Affaires extérieures en matière de désarmement ». Il sera composé d'un représentant de chacune des trois armées (mer, air et sol), d'un représentant du Conseil de recherches pour la défense (Defence Research Board (DRB)), d'un ou de deux représentants du ministère des Affaires extérieures et d'un représentant de la Commission de contrôle de l'énergie atomique du Canada (CCEA). En cas de divergences de vues au sein du Groupe mixte, le Comité de défense du Cabinet tranchera, mais la question devra au préalable être soumise au Comité des chefs d'état-major interarmes. Ainsi, les chefs d'état-major demandent à être saisis de tout dossier litigieux avant qu'il soit acheminé au Comité de défense du Cabinet.

En 1956, le Groupe mixte est dissous et remplacé par une série d'ententes aux termes desquelles sont créés : le Comité mixte du désarmement (JDC) (Joint Disarmament Committee, JDC), le Groupe de travail mixte du désarmement (JDWG) (Joint Disarmament Working Group, JDWG) et le poste de conseiller militaire permanent auprès de la Délégation canadienne à l'ONU.

Dans le cas des deux premiers organismes, la représentation est assurée par des membres du ministère de la Défense, des Affaires extérieures, du Conseil de recherches pour la défense et de la Commission de contrôle de l'énergie atomique, la différence tenant au caractère hiérarchique entre ces deux organismes. Dans le premier cas, les représentants du ministère de la Défense sont issus du Comité mixte de planification (JPC) (Joint Planning Committee, JPC) qui se rapporte directement au Comité des chefs d'état-major interarmes. Dans le second cas, les délégués militaires sont issus de l'État-major de planning interarmées (JPS) (Joint Planning Staff, JPS) et dépendent directement du Comité mixte de planification (JPC).

En avril 1959, le président des chefs d'état-major (CCOS) (Chairman, Chiefs of Staff, CCOS) du Comité des chefs d'état-major interarmes, le général Charles Foulkes, propose en réponse à une lettre du sous-secrétaire d'État aux Affaires extérieures d'abolir les deux structures créées en 1956 et de les remplacer par un organisme unique, le Groupe de travail mixte du désarmement.

Le poste de conseiller militaire permanent est maintenu. À ce stade, on ne sait plus très bien quelle est la différence entre les anciens comités et le nouveau, car celui-ci est composé de la même façon (représentation à partir des trois armes et des organismes DRB, MAE et CCEA). De plus, la chaîne hiérarchique n'est pas vraiment modifiée car ce Groupe se rapporte au Comité des chefs d'état-major interarmes par l'entremise d'un coordonnateur. Ce que veut la Défense, c'est constituer un petit groupe de travail, sur une base non permanente, dont le statut pourrait être revu dans l'avenir.

Le 21 janvier 1961, à sa 654e séance, le Comité des chefs d'état-major interarmes désigne le Joint Ballistic Missile Defence Staff (JBMDS) comme organisme responsable de la coordination des activités en matière de désarmement au sein du ministère de la Défense. La terminologie est évidemment curieuse. Même l'esprit le plus obtus aurait de la difficulté à se rallier à cette dénomination. En juillet 1961, le JBMDS devient donc la Direction des études stratégiques (Directorate of Strategic Studies, DSS). Cet organisme continue aujourd'hui de fonctionner, sauf qu'il n'est plus rattaché au Comité des chefs d'état-major interarmes.

Au ministère des Affaires extérieures, la politique canadienne au lendemain de la guerre est coordonnée directement à partir du Bureau du sous-secrétaire d'État. Cette coordination est d'abord établie par John Starnes et, ensuite, par Marcel Cadieux. Lorsque celui-ci quitte le Bureau du sous-secrétaire pour assumer ses fonctions au sein du Bureau du personnel, il continue de s'occuper des questions relevant de l'énergie atomique. Dès le 17 janvier 1949, R.G. Riddell, du Bureau de l'ONU, propose cependant que la responsabilité de ces questions relève désormais du Bureau de liaison avec la défense[9]. Le sous-secrétaire par intérim, Escott Reid, donne son accord à cette proposition. Entre-temps, le Bureau des affaires économiques continue d'être responsable des ventes d'uranium à l'étranger.

Très vite cependant, le Bureau de l'ONU deviendra la principale unité administrative responsable de l'élaboration des politiques canadiennes en matière de désarmement. Cette façon de voir sera confirmée dans un mémorandum du sous-secrétaire d'État, le 12 janvier 1953. Étant donné qu'à l'ONU les questions discutées au sein de la Commission du désarmement et du Comité des mesures collectives « sont à caractère politique plutôt que militaire », celles-ci relèveront désormais du Bureau de l'ONU. Cette situation perdure jusqu'en 1959, date à laquelle le Bureau de l'ONU tente de récupérer les fonctions de surveillance des ventes d'uranium à l'étranger. En 1960, d'énormes pressions sont exercées afin d'établir un Bureau du désarmement proprement dit. Le lieutenant-général E.L.M. Burns aura gain de cause en ce domaine. En juin 1961, le Bureau du désarmement est créé. Ce service sera considéré sur le plan administratif comme tous les autres bureaux du ministère des Affaires extérieures. Cependant, son directeur sera responsable devant le conseiller du désarmement du gouvernement du Canada, en l'occurrence le général Burns.

La fourmi paresseuse

Lorsque, le 30 mai 1952, Escott Reid écrit au président des chefs d'état-major interarmes pour l'informer des progrès réalisés au sein de la Commission du désarmement à l'ONU, il dit : « Nous aurons sous peu à prendre position sur quelques-unes des questions discutées. » Le 3 juin 1952, le commodore H.E. Rayner lui répond : « L'organisme le mieux approprié pour discuter des questions que vous soulevez est le Comité mixte de planification (JPC). » Jusque-là, il n'y a aucun problème. Les choses commencent à prendre une allure différente lorsque les Affaires extérieures proposent, le 8 août 1952, une « nouvelle approche » qu'elles ont l'intention de soumettre devant la Commission du désarmement. Là, ça ne marche plus ! Car, un mois plus tard, soit le 9 septembre 1952, le Comité mixte de planification prétend être incapable de faire un examen approfondi de toutes ces questions. Il est tout simplement « débordé » *(has a full load of work).*

La question de la coordination des politiques reste cependant posée. Comment faire en sorte, d'un côté, que le Canada prenne une part plus active aux discussions sur le désarmement et qu'il reçoive, de l'autre, des avis judicieux sur le caractère des propositions à présenter ? À sa réunion du 6 novembre 1952, le Comité mixte de planification propose l'établissement d'un Comité interministériel (Interdepartmental Committee (IDC)). Le 11 décembre 1952, les sous-chefs d'état-major entérinent cette proposition. Le même scénario se répète le 8 avril 1953. Le 15 mai 1953, le secrétaire d'État communique au Comité de défense du Cabinet une note par laquelle il recommande l'établissement dudit Comité, afin « de faciliter, s'il y a lieu, l'examen rapide des mérites politiques et militaires et les implications de toute proposition » qui pourrait être présentée à la Commission du désarmement[10]. Et pourtant, le 28 mai 1953, les chefs des trois armes rejettent la proposition des sous-chefs. Il n'y aura pas de Comité interministériel. Il s'agira tout simplement d'un Groupe mixte. Celui-ci est chargé « de préparer des documents de travail communs et d'assister le ministère des Affaires extérieures sur les questions de désarmement ». On ne trouve d'explications sur cette volte-face ni dans les archives du ministère de la Défense ni dans celles du ministère des Affaires extérieures. Nous en sommes donc réduits à des conjectures.

L'hypothèse la plus probante est que les chefs d'état-major interarmes ne voulaient pas accorder trop d'importance à la discussion des questions du désarmement. Créer un comité interministériel au niveau des sous-ministres n'aurait fait que consacrer l'importance de cette question. Un simple Groupe mixte n'attirerait pas trop l'attention et donnerait tout le temps voulu aux autorités militaires pour réagir à toute demande qu'elles jugeraient par trop insolite. Au-delà de ces simples hypothèses, trois choses sont certaines. La première, c'est que les Forces armées feront leur devoir tant et aussi longtemps qu'on leur demandera tout simplement de commenter les propositions des autres. Là, la fourmi n'est pas trop paresseuse. Elle le devient cependant, et c'est là la deuxième constatation, dès lors qu'elle doit être associée à la préparation de plans canadiens. La pauvre fourmi, dans ces conditions, est « débordée » ! En troisième lieu, elle n'éprouve pas du tout le besoin de discuter de tous ces menus détails, car cela pourrait porter préjudice au moral des Forces armées. Le Comité mixte de planification, dans son rapport du 8 janvier 1953 aux chefs d'état-major, est très clair à ce sujet :

> Les pages couvertures des journaux canadiens parleront à la une des propositions canadiennes en matière de désarmement. Dans les pages intérieures, la Marine, l'Armée et l'Aviation continueront de faire paraître leurs réclames publicitaires de recrutement. Mis à part le problème du recrutement, le moral des trois armes ne pourra que dépérir si le gouvernement canadien se met à formuler des propositions de désarmement. Pour compenser un plus faible recrutement, il sera peut-être nécessaire de dépenser plus en publicité et même d'augmenter la solde pour maintenir le nombre des Forces armées à un niveau suffisant pour répondre à nos engagements de l'OTAN.

Ce raisonnement est évidemment, c'est le moins que l'on puisse dire, d'une simplicité désarmante ! John G.H. Halstead, attaché à l'époque au Bureau de liaison avec la défense, tente, dans une note du 9 janvier 1953 adressée à son supérieur, M.H. Wershof, de ménager la chèvre et le chou. Il est dommage, selon lui, que la question des procédures de consultation ait été soulevée en même temps que le souhait canadien de présenter « une nouvelle approche » au sein de la Commission du désarmement. « Cette pure coïncidence, ajoute-t-il, donne l'impression que nous étions satisfaits de leur collaboration [celle des Forces armées] jusqu'à maintenant, mais que nous ne le sommes plus dès lors que nous leur demandons leurs commentaires sur un projet canadien. » Et Halstead de conclure : « Il serait peut-être sage, à ce stade, de ne pas pousser l'affaire plus loin. »

Dans son mémorandum du 21 avril 1953[11], Morley Scott, du Bureau de l'ONU, met les points sur les i. La tentative d'amener les Forces armées à jouer un plus grand rôle en matière de désarmement a, en règle générale, « échoué » : « Devant simultanément faire face à une « nouvelle approche » et à une « nouvelle machinerie » (procédure de consultations), elles

[les Forces armées] ont disposé de la première en disant qu'elle ne pouvait être considérée sans la seconde, pour ensuite disposer de la seconde, pour quelque temps, en décidant d'en considérer toutes les implications. » Quant à la question de la « nouvelle approche », Scott nous informe que les Français l'aiment bien, mais que les commentaires américains et britanniques sont nettement décourageants. Maintenant que « nous avons demandé aux Forces armées de nous livrer leurs observations sur la « nouvelle approche », nous serions mal vus de ne pas leur communiquer les commentaires que nous avons reçus des pays alliés. La difficulté, conclut-il, sera de leur expliquer pourquoi nous ne l'avons pas fait plus tôt! »

En réalité, Scott n'avait pas besoin de se faire du mauvais sang. D'autres autorités militaires s'étaient déjà chargées de communiquer à la Défense ce qu'elles pensaient véritablement de la « nouvelle approche » canadienne. À la défense du Comité des chefs d'état-major interarmes, notons que le monde, à l'époque, est en pleine guerre de Corée et que les demandes de Washington se font pressantes : il s'agit d'obtenir du Canada qu'il accepte l'envoi en Europe d'une brigade de combat. Environ un an après la proposition d'établir des mécanismes de consultation accrue entre les deux ministères, la première réunion du Groupe mixte aura finalement lieu le 23 juin 1953. Trois jours plus tard, Wershof précise dans son rapport au sous-secrétaire que la réunion « s'est très bien passée ».

L'abeille distraite

Environ un an plus tard, soit le 4 novembre 1954, Harry Jay du Bureau de l'ONU précise, dans une note adressée à son supérieur Saul Rae[12], que ni William Barton — représentant de l'Énergie atomique à l'époque — ni Geoff Bruce, du Comité mixte de planification ne sont satisfaits de la façon dont se déroulent les travaux au sein du Groupe mixte :

> John W. Holmes et M. H. Wershof ont déjà tous deux noté, en marge d'une de vos notes du 9 avril, qu'il serait sans doute souhaitable d'établir un comité de coordination à un plus haut niveau. Je doute fort qu'une telle solution soit plus satisfaisante, car le problème consiste à amener ces gens à faire preuve d'une plus grande compétence technique sur des problèmes politiques.

Quoi qu'il en soit, toute une série de questions doit désormais être soumise à ce Groupe mixte au vu de l'ensemble des discussions au sein de la Commission du désarmement de l'ONU.

De plus, il faut rappeler qu'en 1955 « l'esprit de Genève » permet de croire à un rapprochement Est-Ouest sur nombre de dossiers litigieux. Les propositions occidentales à l'ONU se succèdent par ailleurs à un rythme accéléré. Le 12 janvier 1956, le sous-secrétaire d'État reprend donc les discussions avec le général Foulkes sur la question de la coordination des politiques sur le désarmement entre les deux ministères. Jules Léger insiste sur la « nécessité d'une coopération accrue sur une base continue [...] grâce à l'établissement d'un groupe mixte d'études ou de divers groupes[13] ». De plus, il souhaite obtenir de ces groupes une « contribution positive » afin de faciliter le travail des délégués canadiens à l'ONU. Le général Foulkes, le 19 janvier, lui répond poliment que les questions du désarmement sont effectivement d'une grande importance. Il s'empresse cependant de réclamer que « toute organisation créée pour discuter des questions du désarmement le soit dans le cadre de l'organisation actuelle du Comité des chefs d'état-major interarmes[14] ». Une note anonyme en marge de cette phrase précise : « Je ne suis pas d'accord en principe. » Qui trompe qui ici ? S'agit-il tout simplement d'une façon pour le président des chefs d'état-major interarmes de réaffirmer son rôle sur ces questions ?

La lettre de Foulkes précise en tout cas fort bien la conception que se fait la Défense de ces problèmes. En premier lieu, selon Foulkes, le Comité mixte de planification (JPC) a la responsabilité de faire des recommandations politiques aux chefs des trois armes. Il pourrait donc recommander ce que « notre politique devrait être ». En deuxième lieu, le caractère de continuité réclamé dans les consultations peut être assuré par l'État-major de planning interarmées (JPS) (Joint Planning Staff, JPS). C'est là son rôle. Cela est évidemment aussi faux que si le docteur Morgentaler devait du jour au lendemain se réclamer du statut de conseiller auprès des organisations qui œuvrent contre l'avortement, mais qu'importe ! En troisième lieu, enfin, les questions de désarmement devraient d'adord être acheminées du ministère de la Défense au JPS, et du conseiller militaire à la Délégation canadienne.

La hiérarchie recherchée entre les deux groupes qui naîtront de ces consultations est donc déjà affirmée. S'il s'agit d'un problème simplement technique, le JPS s'en occupera. Si la question ne tombe pas dans les limites des politiques traditionnelles, elle sera renvoyée au Comité mixte de planification (JPC). Cette façon de voir est confirmée par le JPS à sa réunion du 6 février 1956 et par le JPC à sa réunion du 14 février 1956. Entre-temps, George Ignatieff, qui est directeur par intérim du Bureau de liaison avec la défense, tente d'obtenir des éclaircissements additionnels. Dans sa lettre adressée à John W. Holmes, le 30 janvier 1956, il fait rapport sur les quatre points qui ont été discutés le jour même avec le JPC :

> a) Lorsque le JPS et le JPC discuteront de questions de désarmement, nous pourrons leur proposer d'y être représentés comme bon nous semble. Le brigadier Rothschild m'a assuré que cela était acceptable pour les chefs des trois armes.
>
> b) Nous devons avoir un droit de regard dans l'établissement de l'ordre du jour de ces discussions. Cela a été convenu.
>
> c) Notre point de contact sera ou bien le brigadier Rothschild ou bien le capitaine de marine Lucas. Les avis donnés doivent l'être dans les limites des politiques définies par les chefs d'état-major interarmes, et l'un ou l'autre sera en mesure d'obtenir une réponse rapide des chefs d'état-major interarmes.

d) Quant aux dispositions relatives à la création d'un poste de conseiller militaire, un consensus existe à l'effet qu'il s'agit là d'un poste à temps plein.

Le brigadier Rothschild a assuré Ignatieff qu'il n'y avait rien de rigide dans toutes ces dispositions à l'exception d'une chose: « toute opinion sur les implications militaires du désarmement doit être formulée sous l'autorité des chefs des trois armes comme étant les conseillers militaires du gouvernement[15] ».

Le ministère des Affaires extérieures n'a manifestement pas envie de s'engager dans des querelles de clocher. Il ne peut tout de même pas commencer à mettre en doute les statuts mêmes de chacun des ministères. Il est clair que le ministère de la Défense a comme rôle principal de conseiller le gouvernement en matière de sécurité militaire. Il est aussi patent que le ministère des Affaires extérieures est responsable de l'élaboration des politiques canadiennes dans les différents forums de négociation à l'étranger. Jules Léger, dans sa sagesse, laisse donc les choses porter. Ce qui lui importe avant tout, c'est de forcer le ministère de la Défense à se pencher sur ces problèmes, d'élargir ainsi les horizons de ce dernier tout en assurant une représentation adéquate des autres ministères (l'Énergie atomique du Canada, le Conseil de recherches pour la défense, les Affaires extérieures), car les experts délégués pourront varier selon la nature des problèmes discutés et, enfin, d'avoir son mot à dire en ce qui a trait à la constitution des ordres du jour de ces discussions.

Dans sa lettre du 16 février 1956 adressée au général Foulkes, le sous-secrétaire d'État Léger informe donc le général qu'il est plutôt généralement d'accord avec ses propositions. Il se montre aussi sensible au fait que le ministère de la Défense se soit proposé pour fournir à la Délégation canadienne un conseiller militaire permanent. Et non sans une certaine candeur, il ajoute:

> Vous serez sans doute intéressé de savoir qu'outre notre participation aux travaux du JPS et du JPC sur les questions de désarmement, nous venons de nommer Saul Rae comme conseiller spécial du désarmement [...] Geoffrey S. Murray, conseiller de notre Mission permanente à New York, participera aussi aux discussions préliminaires qui se tiendront à Londres entre les quatre puissances occidentales. Il serait donc utile que votre conseiller militaire permanent soit présent à ces discussions avant l'ouverture des pourparlers.

Et vlan! Les hiérarchies sont rétablies et le ministère des Affaires extérieures récupère son rôle de leadership en matière de propositions sur le désarmement. Voilà pourquoi il peut être nécessaire en administration publique de créer des postes et comment, en les créant, on peut défaire ceux des autres! Il reviendra au capitaine de marine M.H. Ellis, directeur des Services de renseignement de la marine à Halifax, d'être nommé, le premier, conseiller militaire à la Délégation canadienne auprès de la Commission du désarmement.

La distraction volontaire de l'abeille laisse cependant, sur papier, une situation tout à fait bâtarde. Après mille et une révisions, les statuts et les compétences des comités sont finalement définis. Dans son rapport du 20 avril 1956 au Comité des chefs d'état-major interarmes[16], le JPC précise que le Groupe mixte (WP) (Working Party, WP) de 1952 est désormais dissous. Dorénavant, il est remplacé par le Comité mixte du désarmement (JDC). Son mandat est le suivant : « Être responsable auprès du Comité d'état-major interarmes de la révision et de la recommandation de la politique canadienne en matière de désarmement. » Quant au Groupe de travail mixte du désarmement (JDWG), il est responsable devant le Comité mixte du désarmement de l'examen de ces problèmes sur une base continue. Il doit aussi répondre aux demandes du conseiller militaire si celles-ci entrent dans le cadre général des politiques définies au préalable. Enfin, le conseiller militaire permanent doit formuler des avis auprès de la Délégation canadienne. Il est membre d'office du Comité mixte du désarmement. Toute question sortant de l'ordinaire sera renvoyée au Comité des chefs d'état-major interarmes.

C'est évidemment le statut du Comité mixte du désarmement qui pose un problème, car puisqu'il dépend du Comité des chefs d'état-major interarmes, il donne l'impression qu'il est du ressort des hautes autorités militaires de définir les politiques canadiennes en matière de désarmement. Les responsabilités en ce domaine ne peuvent être que partagées entre le MAE et le MDN, sinon c'est le monde à l'envers. Sur papier, la fourmi sort donc victorieuse de cette lutte qui l'oppose à l'abeille distraite. En réalité, le ministère des Affaires extérieures n'en continuera pas moins d'agir à sa guise. La victoire du ministère de la Défense reste d'autant plus irréelle et provisoire qu'une abeille centralisatrice apparaît dans le décor, quelques années plus tard.

L'abeille centralisatrice

Vers la fin des années cinquante, la question de la coordination des politiques en matière de désarmement va se poser tant à l'intérieur du ministère des Affaires extérieures que dans ses rapports avec le ministère de la Défense. D'autres ministères sont aussi de plus en plus concernés, car l'énergie atomique commence à occuper de nouveau le devant de la scène internationale. Les interrogations sont doubles : comment utiliser l'énergie nucléaire à des fins pacifiques et comment l'Organisation du Traité de l'Atlantique Nord (OTAN) peut-elle moderniser ses forces nucléaires tactiques pour neutraliser l'écrasante supériorité des forces classiques du Pacte de Varsovie ? La mi-décennie 1950 se révèle une période charnière : les premières armes nucléaires tactiques sont introduites dans les arsenaux de l'OTAN en 1955, tandis qu'est créée, en 1957, à Vienne, l'Agence internationale de l'énergie atomique (AIEA).

La coopération scientifique en matière d'énergie nucléaire prend d'ailleurs à la même époque des dimensions multiples et complexes. Parmi celles-ci, notons l'accroissement de la coopération à l'intérieur des organismes régionaux (la Communauté européenne de l'énergie atomique (CEEA ou EURATOM) et le Centre européen de recherches nucléaires

(CERN) (European Nuclear Research Centre, CERN), la question du développement des centrales nucléaires aux fins de production électrique, l'utilisation des explosions nucléaires à des fins industrielles, comme l'extraction de pétrole des sables bitumineux (région de l'Athabaska), et l'ensemble des liens à établir entre différents organismes pour assurer une liaison plus étroite entre la science et la politique. Dès l'automne 1958, les Britanniques créent un service administratif chargé d'examiner conjointement les problèmes du désarmement et de l'énergie atomique.

Au Canada, Jack A. McCordick, agent de liaison au Bureau de l'ONU, propose dans une note adressée à John W. Holmes, le 17 février 1959[17], d'établir un service d'études chargé de se pencher tout à la fois sur les questions de la science et du désarmement. En juillet 1957, Arnold Smith, de Londres, avait déjà informé McCordick de ce que les Britanniques avaient l'intention de faire en ce domaine. De la même façon, George Ignatieff fournira à McCordick, en février 1959, une mise à jour du rapport Smith. Dans son mémorandum du 17 février à Holmes, McCordick écrit :

> J'ai commencé à penser à ces problèmes lorsque je faisais partie du Bureau de liaison avec la défense. Plus tard, j'ai participé à des réunions du Comité interministériel sur les aspects économiques de la défense où l'on débattait les questions d'exportation d'uranium [...] Lors de ces réunions, bon nombre de remarques portaient sur « les armes nucléaires propres et sales » et sur « les armes nucléaires stratégiques et tactiques » avec un air d'entendement par des fonctionnaires qui, apparemment, n'avaient pas vraiment la moindre idée de ce dont ils discutaient [...] En ce qui concerne notre Ministère, j'ai ressenti qu'il y avait des trous importants dans notre connaissance [...] Il faut accroître notre compréhension des questions de la science et de la technologie [...] Ce besoin, à mon sens, est d'autant mieux justifié qu'une réorganisation de nos ressources et de nos responsabilités touchent à plusieurs sujets : le désarmement, l'espace extra-atmosphérique et l'énergie atomique [...] Je joins à cette note un rapport d'Arthur Campbell avec lequel, en substance, je suis d'accord, bien que j'y ajouterais certains détails.
>
> Il ne suffit plus, pour la plupart d'entre nous, pour être à l'avant-garde et pour avoir l'esprit du temps *(Zeitgeist)* dans les voiles, de nous abonner à la revue *Encounter*, de pouvoir distinguer le bas du haut d'un tableau abstrait ou encore d'en arriver à pouvoir formuler des critiques positives sur les dernières compositions dissonantes des concerts présentés en première par Radio-Canada [...]
>
> Je propose donc la création d'un service d'études sur les questions de la science et du désarmement composé de cinq ou six agents de carrière.

Dans son mémorandum du 13 février, Arthur Campbell proposait, de son côté, la création d'un service séparé du désarmement. Le même type d'arguments que dans le mémoire de McCordick était soulevé. Campbell avait cependant à l'esprit l'organisation récente qui venait d'être établie à Washington, intégrant les questions du désarmement et de l'énergie nucléaire pour les faire relever directement d'un assistant spécial auprès du Département d'État. La différence entre les deux projets était donc plutôt mince. McCordick disait essentiellement que les questions du désarmement et de l'espace extra-atmosphérique relevaient du Bureau de l'ONU, tandis que celles de l'énergie atomique relevaient du Bureau économique. Il s'agissait donc d'intégrer toutes ces dimensions sous le couvert de la science et de la technologie et d'en faire un véritable service des questions du désarmement à l'intérieur du Bureau de l'ONU. Campbell préconisait essentiellement l'établissement d'un Bureau du désarmement distinct de celui de l'ONU. Ce Bureau aurait été dirigé par un fonctionnaire ayant rang d'ambassadeur. Cette question n'est pas sans importance, car elle reviendra sous une forme aiguë quelques années plus tard, lorsque le général E.L.M. Burns sera nommé, à la suite d'une recommandation personnelle de John W. Holmes, à la tête de la Délégation canadienne au sein du Comité des dix puissances.

On peut lire en marge du mémoire de McCordick la note manuscrite suivante de John W. Holmes: «Je pense que nous devrions procéder immédiatement pour donner suite à cette proposition.» En mars 1959, il est décidé de donner suite à cette nouvelle politique qui entrera en vigueur le 1er avril 1959. C'est ainsi qu'est née au sein du Bureau de l'ONU la première ébauche d'un Service du désarmement et des questions scientifiques.

À la même époque, soit le 13 février 1959, le sous-secrétaire d'État Norman A. Robertson reprend les discussions avec le général Foulkes. Il lui demande essentiellement de voir à ce que les questions du désarmement soient discutées sur une base permanente. Dans une lettre adressée par le conseiller militaire permanent au président du Comité des chefs d'état-major interarmes le 11 mars 1959, le commandant d'escadrille R.J. Mitchell estime qu'il n'y a pas lieu de créer un groupe permanent, car celui-ci aurait peu de pain sur la planche. Mitchell pense cependant qu'il existe un nombre considérable de sujets sur lesquels le Comité des chefs d'état-major interarmes pourrait se pencher, par exemple les zones de désengagement nucléaire, l'espace extra-atmosphérique, les armes bactériologiques et chimiques et le problème général de la réduction des forces. Le 22 avril 1959, Foulkes répondant à Robertson propose la dissolution des deux groupes créés en 1956, le JDC et le JDWG. Il semble que cette organisation, selon Foulkes, «n'ait pas été très efficace à cause de problèmes de planification plus pressants[18]». Reprenant en gros les arguments qu'il avait servis à Léger en 1956, Foulkes reconnaît «la nature importante de toute proposition de désarmement» et propose, conséquemment, l'établissement d'un Groupe de travail mixte du désarmement (DWG) (Disarmament Working Group, DWG).

Nulle part ne précise-t-il pourquoi ce nouveau Groupe aurait plus de temps pour étudier ces questions que les deux autres constitués en 1956, soit le JDC et le JDWG. De plus, Foulkes propose que le conseiller militaire soit physiquement logé dans les bureaux du ministère des Affaires extérieures, là d'où, selon lui, proviendront la plupart des projets. En d'autres termes, Foulkes dit poliment à Robertson que le ministère de la Défense a bien d'autres chats à fouetter et qu'il revient aux Affaires extérieures de faire le gros du travail.

Le grand commis d'État Robertson ne se laisse pas impressionner par si peu. Le 12 juin 1959, Robertson écrit à Foulkes :

> Le but premier de ma lettre du 13 février était de soulever la question de savoir si un groupe ne pourrait pas être chargé dans votre Ministère de la responsabilité de mettre en œuvre [*to initiate*] des études dans des domaines particuliers qui pourraient être définis à l'avance, en plus du fait de répondre aux questions que notre Ministère pourrait à l'occasion lui présenter. De la façon dont vous définissez le mandat du Groupe de travail mixte du désarmement (JDWG), il me semble que l'accent est encore mis sur la nécessité de fournir des réponses à des questions précises, ce qui me semble être essentiellement une continuation des procédures actuelles.
>
> Accepteriez-vous d'inclure dans le mandat de ce comité la responsabilité de mettre en œuvre des études à caractère technique et militaire, plus particulièrement dans le domaine de la vérification et de l'inspection, et d'autres formes de contrôle ?
>
> Si jamais vous jugiez utile de revoir le mandat du JDWG, il serait peut-être aussi souhaitable de voir si « le conseiller militaire permanent » est le meilleur terme pour désigner l'officier supérieur de votre état-major. Ce que j'ai à l'esprit, c'est qu'il serait logiquement la personne la mieux indiquée pour proposer au Joint Disarmament Working Party (JDWP), après consultation adéquate avec notre Ministère, le domaine et les priorités des études à entreprendre [...] Il est évident, si le groupe doit fonctionner, même sur une base d'essai, selon les modalités que je viens d'indiquer, que « l'officier du personnel du désarmement » devra consacrer la plus grande partie de son temps à la coordination et à la stimulation d'études en cours à l'intérieur du ministère de la Défense.

Pour résumer, la Défense est cordialement invitée à se mettre au travail et à faire en sorte que l'officier désigné au désarmement s'occupe de mener à bien les tâches qu'il lui sera donné d'entreprendre. La nouvelle terminologie (JDWP) proposée par Robertson vise évidemment à bien faire comprendre à Foulkes l'absolue nécessité de la présence d'un organisme de coordination des questions du désarmement entre les deux ministères et le fait qu'elles ne peuvent être étudiées sans le concours du Ministère de la Défense, plus particulièrement dans le domaine des questions techniques.

Afin d'éviter d'y perdre son latin, résumons brièvement les transformations intervenues dans les mécanismes de coordination de 1952 à 1959. En mai 1953, on crée le Groupe mixte (WP) qui se rapporte au Comité de défense du Cabinet par l'intermédiaire du Comité des chefs d'état-major interarmes. Ce premier organisme est dissous en 1956 et remplacé par deux autres Comités, à savoir le Comité mixte du désarmement (JDC) auquel participent des membres du Comité mixte de planification (JPC) et le Groupe de travail mixte du désarmement (JDWG) où sont représentés des membres de l'État-major de planning interarmées (JPS). En 1959, le général Foulkes propose d'abolir le JDC et le JDWG pour les remplacer par un organisme unique, le Groupe mixte du désarmement (DWG) (Disarmament Working Group, DWG), que Robertson appellera à son tour le Joint Disarmament Working Party (JDWP). On joue ici sur les mots, car à partir de 1959, le groupe de coordination entre ces deux ministères continuera d'être connu sous l'appellation Groupe de travail mixte du désarmement (JDWG). À l'intérieur même du ministère de la Défense, on crée en 1960 le JBMDS qui deviendra en 1961 responsable de la coordination des questions du désarmement à ce même Ministère. On aura ainsi utilisé cinq sigles différents (le WP, le JDC, le JDWG, le DWG et le JDWP) pour désigner en fait un simple comité de coordination interministériel sur les questions du désarmement et de l'*arms control*.

L'attitude des hautes autorités militaires canadiennes, de 1952 à 1959, aura donc consisté à faire et à défaire comités sur comités, à prétendre que des besoins pressants les auront empêchées de vaquer aux questions importantes du désarmement et à refuser, à toutes fins utiles, de donner suite à l'idée de la constitution d'un groupe permanent de consultation entre les deux ministères. Il y aura des exceptions à cette règle, comme nous aurons l'occasion de le voir dans les prochains chapitres. Par exemple, les questions relatives à la prévention d'une guerre par attaque surprise ou encore la question de l'Arctique pouvant devenir une zone « à ciel ouvert », c'est-à-dire sujette à des inspections réciproques, feront l'objet d'innombrables études par les hautes autorités militaires. Il n'y a donc pas un refus total de la part de celles-ci, mais plutôt une forte sélection quant aux dossiers sur lesquels elles accepteront de se pencher. Cette attitude commence à changer en 1959 et en 1960. Là, le ministère de la Défense n'a plus le choix. Le temps de la fourmi paresseuse est passé. Le ministère de la Défense peut toujours tenter de continuer d'appliquer, à l'égard du ministère des Affaires extérieures, la stratégie des « bâtons dans les roues », mais il n'est pas dans son intérêt d'agir ainsi. Pourquoi ?

Tout simplement parce que les circonstances ont changé. À la mi-année 1959, Sydney Smith meurt prématurément. Il est remplacé par Howard Green. À la Défense, Douglas Harkness remplace, en octobre 1960, le général George R. Pearkes qui sera nommé lieutenant-gouverneur en Colombie-Britannique. Avec Harkness et Green apparaissent en filigrane les semences de la discorde qui mèneront, en 1963, à la chute du gouvernement Diefenbaker élu en 1958. Howard Green, c'est « Monsieur Désarmement ». Pour Green, le Canada n'a « que des amis et pas d'ennemis ». Stursberg le décrit « comme un homme grand, économe, aimable et en même temps austère, un non-buveur et un non-fumeur doué en même temps d'un remarquable sens de l'intégrité[19] ». Pour l'époque, serait-on tenté de dire, il a trop de qualités ! Harkness, c'est « Monsieur Décision ». Il a horreur des vains palabres au Cabinet et des multitudes de réunions imposées par Dienfenbaker à propos de tout et de rien. Sur des questions importantes, « nous pouvions avoir jusqu'à deux réunions du Cabinet par jour presque sans répit pour une semaine ou plus[20] ». Green veut forcer une décision sur un

Canada non nucléaire, Harkness sur un Canada nucléaire. Le ministère de la Défense sera appuyé par Robert Bryce, un précieux conseiller de Diefenbaker et de nombreux gouvernements antérieurs. Green aura le soutien du solide sous-secrétaire d'État Norman A. Robertson[21]. À ce stade, la lutte n'a plus qu'un seul enjeu : gagner à sa cause le premier ministre Diefenbaker. Lorsqu'on connaît l'obstination et la farouche ténacité du légendaire Diefenbaker qui n'avaient d'égal que son goût prononcé pour la procrastination, il n'est guère difficile de prévoir la suite des événements...

Quoi qu'il en soit, d'importantes discussions ont lieu en novembre 1959 entre Foulkes, Robertson et Burns. Deux mois plus tard, le général E.L.M. Burns est nommé conseiller du gouvernement du Canada sur les questions de désarmement. Et le 11 mars 1960, le général Burns est « accrédité » par le ministre du Foreign Office de Londres, Selwyn Lloyd[22], comme chef de la Délégation canadienne au Comité des dix puissances à Genève. Cette accréditation par Londres tient évidemment au fait que la Grande-Bretagne est l'une des cinq puissances invitantes à l'origine du Comité des dix puissances.

À Ottawa, les choses prennent donc une allure d'urgence. Si le ministère de la Défense ne donne pas son appui au ministère des Affaires extérieures, ce dernier risque d'être complètement dépassé par les événements. L'adjoint du général Foulkes, le commodore de l'air R.C. Weston, écrit donc au directeur du Bureau de l'ONU, J.A. McCordick, le 4 décembre 1959 :

> À la suite des discussions entre M. Robertson, le général Burns et le général Foulkes, il a été convenu que ce Ministère fournirait son assistance pour entreprendre des études préliminaires sur les questions de désarmement que votre Ministère souhaiterait à ce stade envisager [...] À cette fin, il a été décidé de constituer pour le moment un petit groupe sous la direction du brigadier D.A.G. Waldock, au lieu de "réactiver" le JDWG[23].

Le ministère des Affaires extérieures obtient ainsi ce pour quoi il avait lutté depuis 1952 : la constitution d'une équipe de travail sur le désarmement au ministère de la Défense. Celui-ci, toutefois, tient bon. Car Weston termine sa lettre en parlant d'un groupe de travail, temporaire — est-il besoin de le souligner —, dont le statut pourrait être revu de temps à autre. C'est donc prudemment que du côté de la Défense on s'engage dans la voie de l'étude du désarmement.

Ces épisodes règlent, à proprement parler, le problème des structures de décision entre les deux ministères concernés. Cependant, à l'intérieur du ministère des Affaires extérieures, la nécessité des réformes s'impose. Il s'agira de définir, d'une part, l'importance relative de la Délégation canadienne à Genève et, d'autre part, ses statuts et compétences. Il reviendra à Green de s'occuper de la première tâche et à Burns de la seconde.

Dès le 8 décembre 1959, Robertson communique au ministre Green un mémoire sur l'organisation « appropriée » de la Délégation permanente à Genève[24]. Il précise que dans le passé les délégués aux divers forums de négociation ont été « empruntés » à divers organismes. Ainsi, pour la Commission du désarmement et pour son sous-comité, les délégués canadiens sont venus soit de la Mission permanente à New York, soit du Haut-Commissariat à Londres, soit des ambassades du Canada à Moscou et à Bonn, ou d'autres Missions en Europe. La même procédure a été suivie pour la participation canadienne à la Conférence d'experts sur les méthodes de détection des explosions nucléaires en 1958 et à la Conférence d'experts sur la prévention des attaques par surprise. Robertson estime qu'il faut mettre un terme à cet « emprunt de fonctionnaires de haut rang » *(borrowing of officers)* qui fait que « leurs fonctions habituelles n'ont pas été convenablement exécutées ». Il propose donc de pourvoir la Délégation de Genève « d'une organisation qui puisse fonctionner efficacement sur une période de temps prolongée ».

Le même jour, Green envoie donc un mémoire au Cabinet rappelant l'organisation *ad hoc* existant dans le passé. Pour assurer une meilleure continuité et un meilleur fonctionnement de la Délégation à Genève, il propose d'élargir à quinze membres cette Délégation[25] au coût annuel de 150 000 dollars. Cette proposition sera entérinée par le Cabinet.

Le problème qui restait désormais à résoudre était celui des liens et de la hiérarchie qui devaient exister entre la Délégation de Genève, les Services du désarmement à Ottawa, lesquels, on s'en souviendra, faisaient partie du Bureau de l'ONU, et le général Burns lui-même. L'abeille centralisatrice, ce sera ici le général Burns lui-même. Il lui faudra plus de un an et demi pour réaliser ses objectifs. Ancien militaire de carrière, le général Burns naquit à Westmount le 17 juin 1897. Il fit ses armes durant la Première Guerre mondiale et commanda en Italie la 5e division blindée canadienne durant la Seconde Guerre mondiale. Ces dernières fonctions lui valurent le Distinguished Service Order de l'Empire britannique en 1944. Il s'illustra par la suite comme premier commandant de la Force d'urgence des Nations Unies (FUNU) à Suez, en 1956. Écrivain, soldat, universitaire, négociateur et bureaucrate, le général Eedson Louis Millard Burns s'éteint le 13 septembre 1985, à l'âge de 88 ans. On attend toujours du professeur Michael Tucker de l'Université Mount Allison sa biographie officielle.

La nomination de Burns comme conseiller du gouvernement du Canada sur les questions du désarmement en mars 1960 coïncide avec l'ouverture des travaux à Genève du Comité des dix puissances. Malheureusement, ceux-ci seront de courte durée. L'incident du U2 fait avorter, en mai 1960, la Conférence au sommet de Paris. En juin 1960, les cinq Délégations des pays d'Europe de l'Est se retirent du Comité des dix puissances. Il faudra attendre l'ouverture des travaux du Comité des dix-huit puissances, en mars 1962, avant que reprennent les négociations multilatérales Est-Ouest sur les questions de désarmement. L'interruption des travaux du Comité des dix n'empêchera pas l'Assemblée générale de l'ONU de jouer un rôle très actif en matière de désarmement durant toute l'année 1961. Certaines résolutions, d'ailleurs appuyées par le Canada, engendreront une crise sérieuse entre les ministères de la Défense et des Affaires extérieures. Cet aspect de la question sera examiné ci-dessous.

Dès juillet 1960, Burns entend maintenir « ensemble » son équipe du désarmement. Il déplore la nomination de Campbell à New Delhi et insiste sur la participation de fonctionnaires chevronnés en matière de désarmement à son équipe. Le 23 novembre 1960, il se confie à Robertson et réclame des changements majeurs, soit l'établissement d'un Bureau séparé du désarmement. Dans son mémorandum du 6 décembre 1960, Robertson écrit à Green :

> Au vu des prochaines négociations qui vont s'ouvrir sur le désarmement, le général Burns suggère que ce Ministère mette sur pied un Bureau distinct du désarmement qui soit sous sa responsabilité lorsqu'il sera de passage à Ottawa.
>
> Il est difficile, pour l'instant, de prévoir ce que sera l'avenir des négociations sur le désarmement [...] Aucune décision ne sera sans doute prise sur ces questions aussi longtemps que ne sera fermement en place la nouvelle administration américaine. Dans ces circonstances, le Ministère devrait pouvoir continuer de s'occuper de ces questions à l'intérieur de l'organisation actuelle du Bureau de l'ONU.
>
> En même temps, il serait peut-être utile de commencer à mettre en œuvre les études que le général Burns a à l'esprit. Mon idée serait que dans la période qui suivra les débats à l'Assemblée, le général puisse donner de nouvelles directives quant aux études qui pourraient être entreprises au sein du ministère de la Défense. Il pourrait aussi suggérer divers schèmes d'approche aux fonctionnaires de la section du désarmement à l'intérieur du Bureau de l'ONU.
>
> Je recommande donc pour l'instant qu'aucune décision ne soit prise sur la proposition du général Burns. Nous pourrions revoir la question au début de l'année prochaine. Si vous êtes d'accord, je me propose de répondre à Burns dans cette veine[26].

En marge de cette dernière suggestion, une note manuscrite de Green : « O. K. » Burns ne se laisse pas décourager. Il a la confiance du ministre. Il revient donc à la charge dans sa lettre du 23 janvier 1961 à Robertson[27]. Après avoir fait état de sa visite à Washington et de ses discussions avec McCloy sur l'importance de l'Agence de contrôle des armements et du désarmement (ACDA) (Arms Control and Disarmament Agency, ACDA), où l'on songe en fait à porter de 40 à 90 le nombre des fonctionnaires chargés des études sur le désarmement, Burns insiste sur le fait qu'à moins d'avoir un service du désarmement bien étoffé, le Canada sera incapable « de développer une saine politique de défense, de sécurité et de désarmement en coordination avec d'autres ministères du gouvernement [...] Nous ne pourrons pas non plus apporter de contributions précises aux propositions de désarmement, si cette priorité n'est pas reflétée dans notre organisation et notre personnel. »

Dans un long mémoire joint à cette lettre, Burns précise les fonctions qu'il souhaiterait voir dévolues à cette organisation :

> Ses fonctions devraient être d'étudier et de préparer, pour l'information et les décisions du ministre, toutes les questions relatives à la politique canadienne du désarmement ; d'écrire les directives pour les missions de négociation et d'en recevoir les rapports ; de mettre en relief les questions de la politique du désarmement avec les autres structures ministérielles et d'être, pour le ministère de la Défense et les autres ministères concernés, un élément central d'information ; de coordonner toute recherche canadienne en matière de désarmement ; de préparer des dossiers d'information pour les hommes publics responsables de ministères et pour les questions parlementaires qui pourraient être posées ; de préparer avec les services d'information de la documentation pour le public ; et de désigner des représentants aux conférences et séminaires sur les questions de désarmement, etc.
>
> En cas de conflit d'opinions entre le Bureau du désarmement et d'autres Bureaux du Ministère, la coordination se fera au niveau du sous-secrétaire d'État [...] En cas de conflit avec le ministère de la Défense, la coordination, si elle ne se fait pas sur la base de communications directes, se fera au niveau du Conseil privé.

Les objectifs du général Burns sont donc clairs. Il s'agit d'établir un Bureau du désarmement qui ait un haut profil politique, qui soit bien doté en personnel, qui ait la capacité de définir les politiques plus larges du désarmement, de la sécurité et de la défense, et dont les objectifs antagonistes, en cas de conflit, seraient résolus au niveau du Conseil privé. C'est là beaucoup demander, car le régime politique canadien est plutôt du type parlementaire que du type présidentiel. Les États-Unis disposent du Conseil national de sécurité (National Security Council (NSC)) qui remplit ces fonctions. L'histoire nous révèle cependant que cet organisme a plutôt été un désastre dans toute l'évolution de la politique étrangère américaine, l'« Irangate » n'étant qu'un des cas les plus connus de toute une série noire. Quant à l'ACDA, sa brillante contribution fut de courte durée : à peine quelques années seulement avant que cette Agence connaisse les déconsidérations successives des présidents américains.

Le mémoire du général Burns a cependant un mérite : celui de poser un problème qui n'a jamais été résolu à la satisfaction de personne ! Un peu plus tard, en avril 1961, Burns répondra au projet d'organisation sur le désarmement préparé par George Ignatieff. Il lui dira, le 25 avril :

> Je dois vous manifester mon désaccord le plus énergique en ce qui a trait à votre projet d'organisation [...]
>
> Dans le but de poursuivre une politique du désarmement unique et efficace, il doit y avoir une personne ou un organe responsable de savoir ce que cette politique représente et de voir à ce que toutes les mesures mises en œuvre par ce Ministère soient compatibles avec la politique sur ce sujet. Il est un principe élémentaire de toute bonne organisation que la

responsabilité pour n'importe quel genre de mesure précise soit clairement définie et attribuée à une seule personne ou à un seul organe et non étendue à plusieurs.

Dans l'organisation que vous proposez, le conseiller du désarmement, pour autant que je puisse comprendre, n'a aucune fonction ni responsabilité, si ce n'est de mettre en œuvre des études sur le désarmement. La responsabilité de définir les directives pour le représentant canadien à l'OTAN est attribuée au Bureau de liaison avec la défense, et celle de définir les directives au représentant canadien à l'ONU est attribuée au Bureau de l'ONU. Il est vrai que ces Bureaux sont censés « consulter » le conseiller du désarmement. S'il est souhaitable, toutefois, de maintenir une politique cohérente en matière de désarmement, les premières suggestions d'implantation de politiques de désarmement pour le représentant canadien à l'OTAN, pour les Nations Unies ou pour les autres missions, devraient être rédigées en premier lieu par un bureau central de désarmement pour être ensuite acheminées aux services appropriés du Ministère [...]

Les directives du ministre quant aux mesures à envisager sur les questions de désarmement devraient parvenir directement à mon Bureau par l'intermédiaire du sous-secrétaire d'État [...]

En ce qui a trait aux réponses à des lettres et à la préparation de documents ainsi qu'aux réponses aux questions posées en Chambre, je penserais que cette responsabilité relèverait aussi éventuellement du Bureau du désarmement [...] En attendant de trouver un fonctionnaire qui pourrait s'occuper de ces fonctions, je serais d'accord pour que ces fonctions continuent de se faire à l'intérieur du Bureau de l'ONU. J'aimerais toutefois être consulté sur toute déclaration ou sur toute réponse aux questions faites en Chambre[28].

Le 1er juin 1961, à la suite d'une réunion entre Burns, Ignatieff et les autres directeurs des Bureaux concernés, un document de travail préparé par E.W.T. Gill est acheminé au Bureau du sous-secrétaire Robertson. Il est envisagé de transférer la responsabilité des dossiers sur la suspension des essais nucléaires[29] et sur les questions du désarmement du Bureau de l'ONU au Bureau du désarmement. Plus tard, on pourra songer à transférer du Bureau économique au Bureau du désarmement la responsabilité des questions d'exportation d'armes et des garanties en matière d'énergie nucléaire.

Quant aux fonctions qui seront dévolues à ce Bureau, elles comprennent celles qui ont été citées plus haut et se trouvent énumérées dans une annexe que Burns joignait à sa lettre du 23 janvier 1961 à Robertson. De plus, on ajoute que les fonctions du Bureau du désarmement seront d'assister le conseiller du désarmement dans l'exercice de ses fonctions. Cette dernière précision se justifie à la lumière des deux options fondamentales dégagées dans l'introduction au document de travail préparé par E.W.T. Gill :

- Une option consiste à désigner l'unité comme « Le Bureau du conseiller du désarmement » ou comme « La Délégation du désarmement ». Dans ce cas, le conseiller du désarmement sera le directeur *(working head)* de cette unité.

- Une autre option consiste à établir un Bureau du désarmement qui sera dirigé par un haut fonctionnaire du personnel du conseiller du désarmement qui sera responsable devant ce même conseiller mais qui, en toute autre matière, se comportera comme le directeur d'un Bureau ordinaire. Cette seconde option nous paraît être plus avantageuse que la première.

Quant aux responsabilités de coordination entre les différentes directions du Ministère, le conseiller se présentera au sous-secrétaire par l'entremise d'Ignatieff désigné nommément par le sous-secrétaire à cet effet. Relativement aux autres ministères, on prévoit établir un Comité interministériel sous la responsabilité du secrétaire du Conseil privé. Seront représentés à ce Comité des délégués du ministère de la Défense, des ministères des Affaires extérieures, des Finances et de la Société de production de la Défense. La date d'entrée en vigueur de cette nouvelle organisation est le 1er juin 1961.

En bon général, Burns gagne sur toute la ligne. Il obtient tout ce qu'il voulait, tout ce qu'il désirait et tout ce qu'il souhaitait. L'appui de Green qui n'apparaît nulle part dans les archives que nous avons consultées lui aura été manifestement d'un indispensable secours. D'abord, Robertson ne voit pas l'utilité de créer un Bureau distinct du désarmement. Ensuite, Ignatieff est chargé d'élaborer un nouveau projet d'organisation qui sera mis en pièces par Burns. Enfin, Ignatieff est désigné comme personne responsable à qui Burns devra s'adresser pour se présenter au sous-secrétaire ! Cinq mois plus tard, soit le 22 novembre 1961, le nouveau directeur du Bureau du désarmement, K.D. McIlwraith, transmettra à Burns un bref rapport[30] sur l'état des études entreprises au sein de son Bureau. Nous les mentionnons à titre indicatif :

1. La prévention d'une plus grande dissémination des armes nucléaires.
2. La guerre biologique, chimique et radiologique.
3. Une zone de dénucléarisation en Europe.
4. Le contrôle des essais des fusées et des véhicules spatiaux.
5. La relation entre la réduction des armements classiques et la réduction du personnel militaire.
6. La réduction dans une première étape des systèmes d'armes de longue portée.
7. Les méthodes de contrôle des véhicules stratégiques.
8. L'éventuelle participation canadienne à un sous-comité sur l'étude de la « cessation » de production de matières fissiles.
9. L'organisation du maintien de la paix.
10. La personnalité d'un fonctionnaire de haut rang à l'intérieur d'une Organisation internationale de désarmement (OID).
11. Le contrôle des transferts *(traffic)* d'armements.
12. La prévision des attitudes des neutres à l'ONU sur les points 9 et 10.

L'abeille centralisatrice a donc du pain sur la planche. De quoi occuper simultanément plusieurs ministères, celui de la Défense surtout !

La fourmi s'en va-t-en guerre

Personnage haut en couleur, farouche, impulsif, proche du peuple, défenseur des minorités, pourfendant les grandes puissances et se méfiant du pouvoir des autres, Diefenbaker connaîtra ses heures de gloire en 1957 comme chef d'un gouvernement minoritaire, et la griserie du pouvoir lorsqu'en 1958 son gouvernement sera réélu par une écrasante majorité. Il disparaîtra de la scène politique, trahi et abandonné par les siens, incapable de résoudre les grandes contradictions de l'heure de sa politique.

Son biographe Munro nous apprend qu'il ne s'était jamais entendu avec John F. Kennedy[31]. Granatstein corrigera cette impression[32]. La première rencontre JFK-Dief sera merveilleuse, les autres désastreuses. Le 6 décembre 1960, une réunion du Cabinet illustre l'éclatant et impossible héritage des contradictions de sa politique. Il est décidé que:

1. La Délégation canadienne à l'ONU votera en faveur de la « résolution irlandaise » compte tenu des réserves formulées par le secrétaire d'État: « Si, cependant, dans l'avenir immédiat, il n'y a pas de progrès substantiel en ce domaine, nous réexaminerons notre attitude sur les mesures temporaires prévues dans cette résolution. »
2. Seul le premier ministre est autorisé à faire des déclarations publiques en ce qui a trait à la politique canadienne à l'endroit des armements nucléaires. Les autres ministres devront, s'il est nécessaire de parler sur ce sujet, citer le premier ministre ou utiliser le même langage [...]
3. Les discussions (ou « négociations ») avec le gouvernement des États-Unis relativement aux arrangements à conclure pour l'acquisition essentielle d'armes nucléaires ou de têtes nucléaires pour l'usage des forces militaires canadiennes peuvent s'engager.

[...]

5. Les ministres du Canada doivent reconnaître que le gouvernement du Canada a accepté en décembre 1957, et lors d'autres réunions il s'est moralement engagé en ce sens, de fournir aux Forces canadiennes sous le commandement de l'OTAN des armes nucléaires prêtes à être utilisées, si et lorsque cela sera nécessaire.

[...]

7. Les préparatifs doivent continuer pour permettre aux Forces canadiennes d'être prêtes à faire usage d'armes nucléaires à acquérir des États-Unis selon des dispositions d'accord commun, si et lorsque l'acquisition de ces armes sera jugée nécessaire.

Cette réunion est le produit de trois impossibilités. Premièrement, Diefenbaker se réserve le droit de décider seul des questions nucléaires. Or, il est incapable de décider. Deuxièmement, on pense pouvoir arbitrer les querelles entre les ministères des Affaires extérieures et de la Défense en donnant à boire et à manger à chacun. Cependant la chose n'est pas possible, car Green et Harkness sont tous deux prêts à donner leur démission si l'un ou l'autre triomphe. On n'a pas encore habitué les esprits à la politique quelque peu perverse mais réaliste de la « double voie » qui consiste à réarmer tout en parlant de la paix. Troisième impossibilité : à défaut du jugement du sage, la fourmi belliqueuse et l'abeille pacifique ne peuvent coexister à l'état pur. Harkness finira par démissionner. Le gouvernement Diefenbaker tombe au printemps 1963. Les libéraux de Pearson prennent le pouvoir en juin 1963.

La fourmi profitera de cette conjoncture. Le ministère de la Défense rédige, en juin 1963, une véritable déclaration de guerre à l'endroit du ministère des Affaires extérieures. Que s'est-il passé entre-temps, c'est-à-dire entre 1960 et 1963 ? En 1960, le ministère de la Défense commence à aiguiser ses couteaux. Green est intraitable, Burns encore plus. Cela fait deux ennemis à abattre ! Le second se révèle d'autant plus coriace qu'il s'agit d'un ancien militaire parfaitement rompu aux règles de la stratégie, de la déception et du subterfuge, et qui bénéficie, par surcroît, du respect de ses pairs.

Le 12 janvier 1960, à sa 653e réunion, le Comité des chefs d'état-major interarmes définit le rôle du ministère de la Défense en matière de désarmement. Le document précise, en trois points, les responsabilités du Ministère :

a) conseiller et soutenir le ministère des Affaires extérieures ;
b) conseiller le gouvernement relativement aux implications stratégiques et techniques des propositions particulières du désarmement ;
c) conseiller le gouvernement relativement aux implications militaires précises de certaines propositions relativement aux forces de défense et au budget militaire du Canada.

Le 23 septembre 1960, le président des chefs d'état-major interarmes, le maréchal de l'air F.R. Miller, écrit à son vice-maréchal de l'air Hendrick, à Washington, qu'à l'avenir il serait souhaitable que toute question relative au désarmement « soit acheminée directement à son bureau plutôt que par les services de communications habituels des différentes armes[33] ». Miller se réserve donc ici un droit de centralisation qui, étant donné les querelles entre les différentes armes, est parfaitement légitime. Le 25 octobre 1960, Zimmerman, président du Conseil de recherches pour la défense, écrit à Miller qu'aussi longtemps que rien de concret ne sortira des négociations de l'ONU, le ministère de la Défense est en mesure de répondre aux besoins du ministère des Affaires extérieures. Il doute même qu'il soit souhaitable d'accroître les effectifs de la Défense en la matière tant que le Canada ne sera pas concerné par des questions de substance par opposition « aux discussions politiques ou à caractère de propagande ». Le 1er mars 1961, Zimmerman vient cependant tempérer sa position. Il n'estime toujours pas nécessaire de créer des groupes particuliers tant que n'auront pas été définis les champs de recherche, mais il propose néanmoins à Miller la création d'un groupe interministériel, afin d'« intégrer les apports des différentes branches politiques, économiques, scientifiques et militaires dans la mesure où progresseront les études [...] Il me semble qu'un tel groupe pourrait constituer un moyen efficace pour en arriver à une position équilibrée sur les problèmes complexes que nous réserve l'avenir. » Cette requête est sans doute à l'origine de la création de la Direction des études stratégiques en juillet 1961.

Le lendemain, soit le 2 mars 1961, Miller saisit la balle au bond. Il met à profit cette occasion pour écrire au secrétaire du Cabinet, Robert Bryce. Il lui fait part en substance des réticences de Zimmermann quant à la véritable marge de manœuvre dont dispose le Canada. Celui-ci lui a en effet confirmé le jour précédent que le Canada ne pouvait pas faire grand-chose, mais qu'il fallait faire les efforts nécessaires « pour comprendre les problèmes et apprécier les propositions et le développement de situations intervenant ailleurs ». Miller tord toutefois le bras à Zimmermann lorsqu'il conclut dans sa lettre à Bryce « que le Conseil de recherches pour la défense ne ressent pas le besoin de créer un programme de recherches canadien visant à répondre aux problèmes de désarmement ». La centralisation a évidemment ses vertus. Le président des chefs d'état-major interarmes est ainsi en mesure de revenir à la stratégie pratiquée par son prédécesseur au début des années cinquante, c'est-à-dire le scénario de la fourmi paresseuse.

Durant toute l'année 1961, les négociations sur le désarmement donneront cependant du fil à retordre à Miller. Nous reviendrons dans des chapitres ultérieurs sur le contenu des négociations. Limitons-nous, pour l'instant, à citer les principaux cas d'espèce. Le Comité des chefs d'état-major interarmes ne trouvera pas de son goût les quatre résolutions suivantes :

- la résolution indienne de septembre 1961 ;
- la résolution africaine de novembre 1961 ;
- la résolution suédoise de novembre 1961 ;
- la résolution des neutres d'octobre 1962 sur la cessation des essais nucléaires.

Toutes ces résolutions tournent évidemment autour des questions de la non-dissémination des armes nucléaires, des zones dénucléarisées, du non-transfert indirect à des pays tiers d'armes nucléaires ou encore de la cessation des essais nucléaires. La question de la non-dissémination vient évidemment heurter de front les thèses du ministère de la Défense. Celui-ci craint en effet que tout appui à ce genre de résolutions n'en vienne à miner toute tentative d'équiper d'armes nucléaires les Forces canadiennes en Europe. Restons ici dans les limites des politiques définies. Il s'agit de l'Europe et non encore de la fusée Bomarc dont Diefenbaker ne veut pas entendre parler.

Dès le 13 février 1961, Harkness donne l'alarme. Dans sa déclaration préliminaire devant le Comité plénier (du Comité des dix), il écrit à Green que Burns « devrait se contenter de parler de la cessation de production de matières fissiles et non des questions de non-dissémination ». Le 17 octobre 1961, il va plus loin :

> Nous ne sommes pas heureux de la façon dont se développe la position canadienne qui évolue de celle d'un soutien à une suspension des essais nucléaires, garantie par un régime d'inspection approprié, à celle d'un soutien [...] à n'importe quel prix.

Le 20 octobre, même le président américain s'en mêle. J.F. Kennedy, sans doute d'une façon peu fortuite, écrit à Diefenbaker :

> Cher Premier ministre,
>
> À ma grande inquiétude, j'ai appris que votre gouvernement a l'intention d'appuyer durant les travaux de l'Assemblée générale de cette année une résolution [...] réclamant un moratoire non vérifié sur la suspension des essais nucléaires.
>
> Si le Canada devait voter en faveur de cette résolution, cela signifierait l'abandon par le Canada de la position occidentale à Genève sur cette question [...]
>
> Monsieur le Premier ministre, je ne saurais que trop vous manifester mon inquiétude à ce sujet et, pour les raisons que j'ai avancées ci-dessus et dans l'intérêt de la solidarité occidentale [...] j'espère que vous allez reconsidérer votre décision de voter en faveur de cette résolution qui ne peut que porter préjudice, et sérieusement, à la position occidentale sur un sujet essentiel à la sécurité occidentale[34].

Si Kennedy avait su que Diefenbaker avait tendance à accumuler sous son matelas les lettres qui lui provenaient de chefs étrangers et à les laisser dormir ainsi durant des mois jusqu'à ce que l'Administration eut découvert le pot aux roses lorsqu'on lui réclamait finalement une réponse, il ne se serait peut-être pas donné la peine d'un élan aussi sincère ! Quoi qu'il en soit, tout cela se passe deux jours avant la crise de Cuba. Comme le Cabinet mit beaucoup de temps avant de répondre à la demande de Washington de mettre les Forces canadiennes en état d'alerte, il y a fort à parier que, sur un sujet aussi mineur, Diefenbaker ne fut pas non plus pressé de répondre.

Non satisfait de la réponse qu'adresse Green à Harkness le 18 octobre, celui-ci écrit le 26 à Diefenbaker en lui disant qu'il souhaiterait discuter « personnellement » de la question avec lui ou encore, « s'il juge la chose appropriée », que le Cabinet soit saisi de la question.

Plusieurs mois plus tard et dans la foulée de la démission de Harkness dont les péripéties sont racontées avec saveur par Granatstein[35], le gouverneur général, à la demande de Diefenbaker, dissout le Parlement. Le 26 juin 1963, l'État-major interarmées (JS) (Joint Staff, JS) produit son cahier de doléances où se mêlent la cajolerie, les bassesses et les dénonciations les plus virulentes à l'endroit de Burns[36]. Nous ne citons ici que les principaux extraits. Après avoir rappelé le rôle du ministère de la Défense sur les questions de désarmement — que nous avons mentionné ci-dessus —, le document précise :

> Le ministère de la Défense a aussi une responsabilité distincte à l'endroit du gouvernement, laquelle est parallèle à celle du ministère des Affaires extérieures. Il est important, par conséquent, que le ministère de la Défense se comporte ainsi et qu'il puisse s'exprimer avec la même voix à l'égard du gouvernement et du ministère des Affaires extérieures.
>
> En 1960, le ministère de la Défense a pu exercer une influence appréciable sur les politiques

des Affaires extérieures. Souvent, il a pu modifier leur approche afin de tenir compte des implications de la Défense.

Malheureusement, cette situation a commencé à se détériorer rapidement lorsqu'ont repris les négociations sur le désarmement en mars 1962 au sein de la Conférence du Comité des dix-huit.

Il nous est apparu que les Affaires extérieures ont cherché à aborder les questions du désarmement à la façon d'un *peacemaker* international, appuyant des initiatives irréalistes aux dépens de la solidarité de l'OTAN et sans égards aux intérêts de la sécurité occidentale. En réalité, quelques-unes des positions prises ont été si clairement irréalistes qu'elles ont discrédité la diplomatie canadienne. Elles peuvent être considérées comme de grossières tentatives d'allier notre participation à l'OTAN à une politique de neutralisme *de facto.*

Les protestations du Ministère et les efforts déployés pour modifier ces politiques sont bien documentés [...] Dans tous les cas litigieux, il n'y avait presque pas de discussions de substance entre les principaux responsables [...] Il arrivait souvent que des directives soient envoyées au négociateur en chef, le général Burns, pour faire des propositions ou pour déposer des résolutions ou des amendements sans que le ministère de la Défense soit consulté [...] Inversement, il arrivait fréquemment que le général Burns prenne des initiatives ou fasse des propositions où de fortes connotations de sécurité étaient présentes sans en informer, par copies, le Ministère [...] Un exemple important de tout cela est le mémoire du général Burns pour la réunion des ministres d'Ottawa de juin 1963 [...]Un tel mémoire aurait dû être préparé en consultation avec le ministère de la Défense [...] [À propos de ce mémoire] Heureusement le nouveau gouvernement est parfaitement rompu en matière de problèmes mondiaux, de stratégie de l'OTAN et de désarmement. Supposons cependant que le pouvoir soit tombé dans les mains de personnes naïves!

De plus, le mémoire du général Burns fait appel à la présentation de mesures, lesquelles, il en est conscient, sont considérées, selon les meilleurs avis militaires dont il dispose, comme contraires aux intérêts de la sécurité occidentale. Il est intéressant de se poser la question de savoir comment un avis rendu aussi rapidement [...] aurait pu être interprété par un ministre des Affaires extérieures moins expérimenté [...]

Les structures d'organisation du gouvernement en matière de désarmement sont satisfaisantes, mais il y a un cruel défaut de coordination dans la définition des politiques générales.

Il est recommandé qu'en cas de conflit sur des questions majeures ou de politiques générales entre le sous-secrétaire d'État, le président des chefs d'état-major interarmes et le général Burns, que celles-ci soient renvoyées pour décision au Comité de défense du Cabinet.

Ce document est évidemment à classer dans les annales des imbécillités diplomatiques. Outre qu'il serait trop facile d'y répondre point par point, il n'apporte rien à la résolution des problèmes en matière de coordination des politiques. Tout ce que le document propose, c'est un retour à ce que réclamait Foulkes en 1952. Le document est cependant intéressant à un titre, soit l'état d'esprit de la haute gomme militaire de l'époque.

Elle rêve, elle vit et ne respire que par elle : la chose nucléaire. Cette obsession pousse évidemment la fourmi paranoïaque à considérer comme hostile tout ce qui se meut et ne pense pas de la même façon qu'elle. Il faut admettre, cependant, que l'abeille, dans ses butinements successifs, ne fera rien pour ménager la fourmi. Maintes fois, on lui demandera son avis pour ensuite en faire fi. Cette coexistence entre êtres à six pattes avait évidemment quelque chose de boiteux. Et à la défense de la fourmi, notons qu'elle produira rapports sur rapports que les « marées mielleuses » se chargeront aussitôt d'enterrer. Cette situation frustrante ne pouvait guère favoriser l'adaptabilité sociale...

La politique est cependant ironique à plus d'un titre. Les libéraux, et plus particulièrement le ministre de la Défense Paul Hellyer, se chargeront de mettre en vigueur leur politique d'intégration des Forces armées dès le 1er août 1964. Cette politique sera suivie quelques années plus tard par l'unification totale des Forces armées. Le sous-secrétaire d'État aura cette fois un civil comme interlocuteur, c'est-à-dire le sous-ministre à la Défense.

Quant à la politique canadienne en matière de désarmement, le général Burns devra mettre un peu d'eau dans son vin. Le gouvernement Pearson ayant été élu d'après sa promesse de respecter les engagements contractés par le Canada, les Forces canadiennes seront dotées de l'armement nucléaire, au grand dam de l'aile québécoise du Parti libéral. Les Trudeau, Marchand et Pelletier se chargeront plus tard de défaire, en partie, ce que le gouvernement Pearson avait accepté d'un bloc ! La pureté d'intention du gouvernement Pearson ne sera pas mise en cause ; il prêchera tout simplement avec moins d'ostentation...

Notes

1. Voir plus particulièrement P. Lyon (1963) et J.W. Holmes (1979).
2. Voir S. Clarkson (1968).
3. Voir T.C. Hockin (1968 et 1969).
4. M. Tucker (1977).
5. J. Eayrs, 1972, p. 67.
6. Cette section s'inspire du *Grand Dictionnaire universel du XIXe siècle* (Larousse) et des travaux suivants: sur les abeilles, l'ouvrage de B. et R. Darchen, *La vie des abeilles,* Paris, Éditions Nathan, 1985, et, sur les fourmis, le texte de F. Ramade, *Le peuple des fourmis,* Paris, PUF, coll. «Que saisje?», 1972.
7. Voir G. Dumézil (1968).
8. Voir M. Crozier et E. Friedberg (1977).
9. MAE, D-3/2. Voir la section «Sources primaires» pour la façon dont nous citons les archives. La numérotation D-3/2 signifie ici Dossier 3, vol. 2 et renvoie à la cote 211G.
10. MAE, D-5/9.
11. MAE, D-5/8.
12. MAE, D-10/1.
13. MAE, D-10/1.
14. MAE, D-10/1.
15. MAE, D-10/1.
16. MAE, D-10/1.
17. MAE, D-11.
18. MDN, Acc. 73/1223.
19. P. Stursberg, 1975, p. 168.
20. P. Stursberg, 1975, p. 177.
21. J.L. Granatstein, 1986, p. 119.
22. MAE, D-12.
23. MAE, D-10/3.
24. MAE, D-12.
25. Soit trois officiers de carrière de classes 6, 4 et 2, et 12 personnes de soutien.
26. MAE, D-11.
27. MAE, D-11.
28. MAE, D-11.
29. Note des auteurs: le texte anglais parle de «responsibility for nuclear weapons tests»! La traduction française nous apparaît plus correcte, à moins que des essais nucléaires alliés n'aient été projetés en territoire canadien, ce dont nous ne sommes pas au courant.
30. MAE, D-10/3.
31. J.A. Munro (1975).
32. J.L. Granatstein (1986)
33. MDN, Acc. 73/1223.
34. Cité dans J.A. Munro, 1975, p. 81.
35. J.L. Granatstein, *op. cit.,* 1986, ch. 5.
36. MDN, Acc. 73/1223.

Sources secondaires citées

Clarkson, Stephen, *An Independent Foreign Policy for Canada,* Toronto, McClelland and Stewart, 1968.

Crozier, Michel et Friedberg, Erhard, *L'acteur et le système,* Paris, Seuil, 1977.

Darchen, Bernadette et Roger, *La vie des abeilles,* Paris, Éditions Nathan, 1985.

Dumézil, Georges, *Mythe et Épopée,* vol. 1 : *L'idéologie des trois fonctions dans les épopées des peuples indo-européens,* Paris, Gallimard, 1968.

Eayrs, James, *In Defence of Canada,* vol. III : *Peace making and Deterrence,* Toronto, University of Toronto Press, 1972.

Granatstein, J.L., *Canada 1957-1967 : The Years of Uncertainty and Innovation,* Toronto, McClelland and Stewart, 1986.

Hockin, Thomas C., « Federalist Style in International Politics », dans Stephen Clarkson, *An Independent Foreign Policy for Canada*, p. 119-135.

Hockin, Thomas C., « Domestic Setting and Canadian Voluntarism », dans Lewis Hertzman, John Warnock et Thomas C. Hockin, *Alliances and Illusions : Canada and the NATO-NORAD Question,* Edmonton (Alberta), M.G. Hurtig, 1969.

Holmes, John W., *The Shaping of Peace : 1943-1957,* Toronto, University of Toronto Press, 1979.

Lyon, Peyton V., *The Policy Question : A Critical Appraisal of Canada's Role in World Affairs,* Toronto, McClelland and Stewart, 1963.

Munro, John A. et Inglis, Alex I., *Mike : The Memoirs of the Right Honorable Lester B. Pearson,* vol. 3, Toronto, University of Toronto Press, 1975.

Ramade, François, *Le peuple des fourmis,* Paris, PUF, coll. « Que sais-je ? », 1972.

Stursberg, Peter, *Diefenbaker-Leadership Gained : 1956-1962,* Toronto, University of Toronto Press, 1975.

Tucker, Michael J., *Canadian Foreign Policy : Contemporary Issues and Themes,* Toronto, McGraw-Hill and Ryerson, 1980. *Id.,* « Canada's Role in the Disarmament Negotiations », thèse de doctorat, Toronto, Université de Toronto, 1977.

Comment deux sourds heureux d'être sourds
peuvent-ils voir sans être vus?

2

Le Canada au milieu de la bourrasque 1945-1952

De 1945 jusqu'à la création de la Commission du désarmement en 1952, la politique canadienne est plus importante par son engagement dans ce « bouillon de cultures » que représentent les structures du système international à l'époque que par ses propositions en matière de désarmement proprement dit. Le système connaît des chambardements profonds ; c'est la période de la grande bourrasque.

LES GRANDES TRANSFORMATIONS

Les transformations se font sentir à tous les niveaux. Au niveau systémique tout d'abord, l'événement majeur est évidemment la division du monde en deux blocs. Cette rupture tient à trois facteurs. Par-dessus tout, il y a l'hétérogénéité idéologique. À l'œcuménisme occidental, ce grand héritier des traditions de la liberté et du libéralisme économique, s'opposera le messianisme soviétique doctrinaire, ombrageux et autoritaire. Ensuite, il y a le fait nucléaire. L'apparition de l'atome substitue *ipso facto* un régime de terreur à celui de la loi et de l'organisation internationale qui avait été conçu avec tant de soins par les pères fondateurs de la Charte de San Francisco. Enfin, il y a l'incapacité des alliés (États-Unis, Grande-Bretagne, France et URSS) de s'entendre sur une politique commune à l'égard de l'Allemagne. En Asie, le Japon n'étant pas divisé ni occupé de la même manière, il faudra attendre la guerre de Corée avant qu'apparaisse au grand jour cette cristallisation du monde en deux univers clos, incapables de toute transparence et obnubilés l'un et l'autre par leurs méfiances réciproques.

La deuxième transformation se situe au niveau intrasystémique, c'est-à-dire au niveau Ouest-Ouest du système international. La Grande-Bretagne déclare forfait en 1947. Elle est au bord de la faillite. Truman volera au secours de la Grèce et de la Turquie, cette région méditerranéenne on ne peut plus tourmentée dans l'histoire. Région que Churchill se plaît d'ailleurs à comparer à l'une des « deux narines bouchées » — l'autre étant la mer Baltique — du géant soviétique. En 1948, c'est aussi Truman, influencé par son secrétaire d'État Marshall, qui décide de reconstruire les fondements économiques de l'Europe. L'Amérique est toute-puissante certes, mais elle est aussi la plus grande créancière de l'Europe ! En réalité, Ernest Bevin, ministre des Affaires étrangères britanniques, apprendra l'existence du plan Marshall par la voix de la BBC. L'Amérique ne consulte pas. Elle décide...

Après la guerre, l'Europe n'est plus le centre du système international. Ce sont dorénavant les flancs du système, les États-Unis et l'URSS, qui scandent le rythme des changements. Il faudra un certain temps avant de pouvoir combler le vide créé par l'effondrement du centre. Ce n'est qu'au début des années cinquante que les ennemis jurés d'hier — l'Allemagne et le Japon — deviendront les alliés privilégiés de demain. Les historiens décrivent avec beaucoup de pudeur cette importante transformation : ils parlent du « renversement des alliances ». Ce remue-ménage Ouest-Ouest influe aussi sur la position du Canada qui se sent coincé entre le déclin dans tous les azimuts ou presque de l'empire britannique et l'émergence subite au sud d'un aigle aux griffes atomiques. Ses alliés d'hier, hormis l'URSS, restent les mêmes. Il ne peut donc survivre qu'en continuant de croire aux principes d'un nouvel ordre international sous l'égide de l'ONU et en cherchant à multilatéraliser ses rapports avec les autres, au sein du Commonwealth certes, mais aussi au sein de l'OTAN dont il sera l'un des principaux architectes.

La troisième transformation relève de la stratégie proprement dite. En 1945, les États-Unis détiennent seuls la bombe atomique. Un tel monopole leur permet de réfléchir sinon en toute quiétude du moins avec une tranquillité d'esprit assurée. À certains égards, ils se préoccuperont peu de la position de leurs alliés. En 1949, leur monopole est brisé. Il faudra désormais réfléchir à deux ! La bipolarité stratégique s'installe. La menace est devenue planétaire, mais elle n'est pas encore subite et soudaine. L'événement stratégique déterminant interviendra 12 ans seulement après la découverte de l'engin nucléaire. En effet, l'apparition en 1957 de la fusée balistique viendra recouvrir le système international d'une enveloppe spatiale qui rendra la menace subite, soudaine et immédiate.

L'humanité, comme le dira si bien Jean-Paul Sartre, est désormais « mise en possession de sa mort » ! Même s'il s'agit ici d'une période qui déborde celle que nous examinons présentement, nous tenions à souligner ce point d'orgue dans l'évolution de la stratégie d'après-guerre. Le lancement du premier Spoutnik a constitué les débuts de la militarisation de l'espace. Sur le plan stratégique, la « guerre des étoiles » ne constitue qu'une forme atavique de ce premier geste, même s'il y a un bond dans l'échelle des ressources et des moyens à mettre en œuvre pour réaliser l'improbable antidote contre l'arme balistique.

La quatrième transformation tient à la restructuration des idées et des attitudes qui découlent, en 1945, de la situation géographique particulière du Canada. Ottawa devient très tôt conscient de sa vulnérabilité devant une guerre entre les superpuissances. Dès 1945, on peut lire dans un document adressé par le ministère des Affaires extérieures au Comité de défense du Cabinet :

> Il est plus qu'improbable que le Canada puisse être impliqué dans une guerre autre qu'une guerre générale, et celle-ci ne peut naître que de querelles entre les grandes puissances. La politique canadienne devrait donc consister à faire notre part pour rendre la guerre générale moins probable et à maintenir un degré raisonnable de préparation [...] À long terme, le facteur le plus important doit être l'appréciation que l'on peut faire des risques du déclenchement d'une guerre générale [...] Nous devons tenir compte des évaluations faites par les États-Unis et la Grande-Bretagne[1].

Le désir d'éviter une guerre catastrophique entre les grandes puissances — postulat de base du Livre blanc de 1971 sur la défense — n'est pas étranger à la volonté canadienne d'adopter, dès 1945, une position *middle of the road* ou, si l'on veut, à mi-chemin entre les thèses développées par les superpuissances, chaque fois que cela sera possible ou que l'occasion en sera donnée. Quarante ans plus tard ou presque, l'initiative de paix de Pierre Elliott Trudeau ne constituera en quelque sorte qu'un « retour aux sources » de la politique étrangère du Canada.

La cinquième et dernière transformation d'importance concerne la structuration nationale. Le Canada part à la conquête de son territoire. Au milieu du XIXe siècle et au début du XXe, la navigation maritime et les chemins de fer ont permis au Canada de prendre conscience de sa dimension Est-Ouest. Le second conflit mondial ne fera que confirmer l'importance stratégique des Grands Lacs et de la navigation maritime — Montréal, Halifax, St. John's — dans l'acheminement et le transport des hommes, des vivres et du matériel vers l'Europe. Le Canada découvre durant la même période l'importance stratégique de sa dimension Nord-Sud. En août 1940 est créé le Conseil mixte permanent de la défense (Permanent Joint Board of Defence (PJBD)), à la suite de la Déclaration d'Ogdensburg. Déjà durant la guerre, la route Crimson fut établie à travers la baie d'Hudson, la terre de Baffin et le Groenland pour acheminer des renforts vers l'Europe, tandis que les corridors aériens du Nord-Ouest et de l'Alaska sont utilisés pour faire parvenir des avions à l'URSS et à la Chine. En 1953, la ligne d'alerte la plus avancée — la ligne de détection lointaine avancée (DEW)

(Distant Early Warning, DEW) — est constituée. En 1957, les accords du Commandement de la défense aérospatiale de l'Amérique du Nord (NORAD) (North American Aerospace Defence, NORAD) consacrent le mariage militaire du Canada et des États-Unis avec lesquels il s'était déjà, *nolens volens*, fiancé au cours de la Seconde Guerre mondiale. Ce mariage est depuis reconduit à peu près tous les cinq ans, ce qui permet aux uns et aux autres de discuter de ses vertus neuves et séduisantes ou, au contraire, de pleurer sur ses échecs !

LE CONTRÔLE DE L'ATOME

Quelque part, aux lointains confins du temps, l'énergie nucléaire est à l'origine de l'univers. À l'échelle de la durée de l'univers condensée en un calendrier de un an, la personne humaine, selon Carl Sagan, serait apparue sur terre le 31 décembre. Notre univers n'est donc hospitalier à toute forme de vie humaine que depuis un passé très récent.

Les radiations à forte dose sont mortelles pour le règne animal, encore que certaines espèces, comme les reptiles et les insectes notamment, semblent plus résistantes que d'autres. Les rayons de la mort, certains les ont ressentis à Tchernobyl ! D'autres, 40 ans plus tôt, ont vécu l'enfer nucléaire à Hiroshima... puis à Nagasaki.

Le monde serait-il entré en possession des secrets de l'univers en 1945 ? Certains l'ont pensé à l'époque et le pensent toujours. Il est vrai que l'énergie nucléaire a des applications remarquables, que ce soit en médecine, en matière de conservation des aliments ou tout simplement de fournitures électriques. La France, pour ne citer qu'un exemple, tire aujourd'hui plus de 50 pour 100 de son électricité à partir de ses centrales nucléaires. Quant au Canada, cette proportion atteint environ 15 pour 100 du total de son bilan électrique. Notons, cependant, que ce pays dipose d'un vaste bassin de ressources hydro-électriques !

En matière militaire, la dénomination de la bombe A est dite atomique. Cela n'est que partiellement vrai. Bien que la puissance de la bombe soit associée à l'atome, c'est du noyau de l'atome en réalité qu'elle tire son énergie, d'où le terme plus exact de bombe nucléaire. La puissance d'une explosion nucléaire n'a rien de comparable à la plus puissante même des explosions chimiques. L'étalon de mesure reste cependant l'équivalence en tonnes de trinitrotoluène (TNT). On parle donc d'une bombe dite atomique d'une kilotonne — 1Kt = 1 000 tonnes en équivalence TNT. La bombe H se mesure en mégatonnes — 1Mt = 1 million de tonnes en équivalence TNT. La plus puissante des explosions nucléaires jusqu'à maintenant réalisée fut conduite par les Soviétiques en 1961, soit une explosion de 58 mégatonnes. Il n'y a pas de limites théoriques à la puissance d'une explosion nucléaire, si ce n'est des considérations pratiques de taille, de volume ou de sécurité d'emploi.

La double conjoncture du caractère révolutionnaire de l'atome tient à la promesse implicite qu'il recèle de son utilisation pacifique et au caractère dissuasif de son potentiel d'emploi en temps de conflit. En 1945, on veut bien étendre à toutes les nations de la terre les promesses de l'atome pacifique. Dans quelles conditions pourrait-on garantir cependant qu'une fois les secrets partagés des aigles belliqueux ne s'en empareront pas pour nourrir de noirs desseins de domination et d'expansion politiques?

Pour d'autres, l'énergie nucléaire doit être purement et simplement abolie. Un vieux proverbe chinois attire cependant notre attention sur le fait que « celui qui désire se fabriquer une hache garde le modèle à la main (Mencius) ». Peut-on « désinventer » l'atome? En d'autres termes, comment peut-on logiquement être assuré que celui qui aura détruit son arsenal nucléaire ne sera pas tenté de le reconstruire par la suite? La question du contrôle absolu de l'atome se pose toujours aujourd'hui : c'est la raison pour laquelle on continue encore de parler des dangers de la prolifération nucléaire. Ces deux pôles extrêmes du débat reviendront en 1945 dans toutes les discussions sur le contrôle de l'énergie nucléaire.

Les premiers textes officiels Est-Ouest à parler de ces questions sont la Déclaration de Washington du 15 novembre 1945 et le Communiqué de Moscou du 27 décembre 1945. À Washington, ce sont le président Harry S. Truman et les premiers ministres Clement Attlee et Mackenzie King — les trois partenaires atomiques du projet Manhattan — qui se réunissent pour discuter, entre autres choses, de la marche à suivre en ce qui concerne l'affaire Gouzenko[2] et d'une action internationale à envisager pour contrôler l'atome. Le but est évidemment double, c'est-à-dire « empêcher que l'atome soit utilisé à des fins destructrices » et faire en sorte de « promouvoir son usage à de seules fins pacifiques ». À Moscou, où le Canada n'est pas représenté, ce sont les ministres des Affaires étrangères, Byrnes, Bevin et Molotov, qui s'entendent pour recommander l'étude par l'Assemblée générale des Nations Unies de la création éventuelle d'une Commission qui serait chargée d'examiner les problèmes relatifs à la découverte de l'atome. Cette Commission, toutefois, ferait rapport au Conseil de sécurité de l'ONU. Jean Klein note, fort à propos, que le problème du veto se trouve donc immédiatement posé avant même l'installation de la Commission[3].

La Commission de l'énergie atomique

La toute première résolution votée par l'Assemblée générale des Nations Unies reflète, il va sans dire, la conscience de tous les États représentés au sein de l'ONU. En effet, la résolution 1 du 24 janvier 1946 crée la Commission de l'énergie atomique des Nations Unies. Son mandat consiste à faire des recommandations au Conseil de sécurité pour :

- développer l'échange d'information scientifique à des fins pacifiques ;
- contrôler l'énergie atomique dans la mesure nécessaire pour en garantir son utilisation pacifique ;

- éliminer des arsenaux militaires les armements atomiques et autres armes de destruction massive ;
- prendre des mesures efficaces de sauvegarde, par des inspections ou d'autres moyens, pour protéger les États contre les risques de détournement et les violations.

Cette Commission est composée des membres du Conseil de sécurité de l'ONU et du Canada lorsqu'il n'en fait pas partie. Elle soumettra son premier rapport le 31 décembre 1946, son deuxième, le 11 septembre 1947, et son troisième, le 17 mai 1948. La Commission sera dissoute par l'Assemblée générale le 11 janvier 1952.

Le 16 juin 1946, soit deux jours après l'ouverture officielle des travaux de la Commission, le délégué américain Bernard Baruch dépose l'essentiel des propositions américaines. Ce plan s'inspire des travaux antérieurs réalisés par la commission Acheson-Lilienthal, à cette différence près toutefois que les Américains voudront ajouter des « dents » à la Commission projetée. En gros, le plan américain prévoit l'établissement d'une Autorité internationale de contrôle atomique. Cette Autorité, selon Jozef Goldblat, se verrait confier la responsabilité

> de la gestion, du contrôle et de la propriété de toutes les activités nucléaires potentiellement dangereuses pour la sécurité mondiale ; elle aurait le pouvoir de contrôler, de faire des inspections et d'accorder des licences, ainsi que le devoir de promouvoir l'utilisation de l'atome à des fins pacifiques. L'Autorité devrait établir sur une base continue un relevé fidèle de tous les gisements d'uranium et de thorium et faire passer ces matières sous son contrôle. De plus, elle posséderait le droit exclusif de faire des recherches dans tous les domaines reliés à l'atome et de produire ses propres matières fissiles. Tous les États seraient soumis au régime d'inspection de cette Autorité. Les États-Unis, de leur côté, insistent sur la nécessité d'un châtiment immédiat devant toute atteinte qui sera portée aux droits de cette Autorité. Aucun veto ne saurait être opposé aux activités de l'Autorité[4].

L'esprit juridique non satisfait par cette première description trouvera, dans l'annexe 2, au 3e rapport de la Commission[5], un magnifique résumé de la nature, de la compétence, des pouvoirs et des fonctions de l'Autorité projetée en 1945. Ce document de base fut préparé à l'époque par la Délégation de la France auprès des Nations Unies.

De son côté, l'URSS fait connaître l'essentiel de sa position dans un document déposé devant la Commission, le 19 juin 1946. Il s'agit, en réalité, d'un « projet de convention internationale destinée à interdire la production et l'emploi d'armes reposant sur l'utilisation de l'énergie atomique et destinés à des fins de destruction massive[6] ». Les États étant parties à cette convention « s'engageraient à ne jamais faire usage des armes atomiques, quelles que soient les circonstances, à ne pas produire et à ne pas stocker ces armes et à détruire, à l'intérieur d'une période de trois mois après l'entrée en vigueur de cette convention, tous leurs stocks d'armes atomiques, peu importe qu'ils soient sous forme de produits finis ou semi-finis ». Toute violation de cette convention constituerait « un crime contre l'humanité ».

Bref, les États-Unis proposent l'internationalisation de l'atome avec un régime de garanties efficaces et la promesse que l'Autorité se consacrera exclusivement à des recherches

TABLEAU 1

La Commission de l'énergie atomique de l'ONU

Origine :

Déclaration de Washington du 15 novembre 1945 ;
Communiqué de Moscou du 27 décembre 1945.

Création :

Résolution du 24 janvier 1946, adoptée à l'unanimité par l'Assemblée générale des Nations Unies.

Mandat :

Faire des propositions au Conseil pour :

- développer l'échange d'information scientifique ;
- contrôler l'énergie atomique ;
- éliminer des arsenaux militaires les armements atomiques ;
- établir un régime d'inspection efficace.

Composition :

Les membres du Conseil de sécurité de l'ONU et le Canada lorsqu'il n'en fait pas partie. De 1946 à 1949, la composition est la suivante :

Canada, Chine, États-Unis, France, Grande-Bretagne et URSS, et par la suite :

Argentine (1948-1949)	Cuba (1949)	Pologne (1946-1947)
Australie (1946-1947)	Égypte (1946-1949)	Syrie (1947-1948)
Belgique (1947-1948)	Mexique (1946)	Ukraine (1948-1949)
Brésil (1946-1947)	Norvège (1949)	
Colombie (1947-1948)	Pays-Bas (1946)	

Rapports de la Commission :

- 1er rapport, 30 décembre 1946, AEC/18/Rév. 1
  10 voix, 2 abstentions (URSS et Pologne) ;
- 2e rapport, 11 septembre 1947, AEC/26
  10 voix contre 1 (URSS), 1 abstention (Pologne) ;
- 3e rapport, 17 mai 1948, AEC/31/Rév. 1
  9 voix contre 2 (Ukraine et URSS).

Dissolution de la Commission :

Résolution 502 (VI) du 11 janvier 1952. L'URSS s'était déjà retirée de la Commission le 19 janvier 1950.

---

pacifiques. L'URSS, quant à elle, réclame l'interdiction totale de tous les armements nucléaires et leur destruction en une période de trois mois. Dans ces conditions, l'impasse est totale. Les États-Unis, en dépit des réticences alliées, font adopter leur projet. À la suite de l'adoption du premier rapport de la Commission, le 31 décembre 1946, les jeux sont faits. Il n'y a plus aucune entente possible entre les superpuissances. Nous traiterons de la dynamique des négociations dans une prochaine section.

LA RÉGLEMENTATION DES FORCES ARMÉES ET LA RÉDUCTION DES ARMEMENTS

Après chaque guerre majeure, la communauté internationale a tenté de reconstruire un ordre international sur de nouvelles assises. Parfois, c'était l'État victorieux qui imposait ses volontés. Du temps des empires, ceux-ci imposaient avec plus ou moins de magnanimité leurs lois et leurs coutumes. L'ordre moderne européen commence avec le Traité de Westphalie, conclu en 1648, qui marque la fin de la guerre de Trente Ans. Les deux puissances victorieuses, la France et la Suède, deviennent garantes des libertés religieuses en Europe. Le Traité de Westphalie constitue en quelque sorte la première charte internationale garantissant le droit des libertés de culte.

Au cours des deux derniers siècles, le monde a connu trois ordres internationaux bien distincts. Il y a tout d'abord l'institution en 1815 de ce qu'il est convenu d'appeler le système du Congrès de Vienne. Celui-ci a été rendu nécessaire à la suite des guerres napoléoniennes qui avaient mis l'Europe à feu et à sang. Après la Première Guerre mondiale, c'est la Société des Nations (SDN) qui fait son apparition. Puis l'Organisation des Nations Unies (ONU) succède à la défunte SDN bafouée et ridiculisée par la montée du fascisme et du nazisme en Europe.

L'ordre international contemporain est l'héritier en droite ligne de ces trois derniers systèmes. Il emprunte au Congrès de Vienne la notion d'un concert des nations qui se réunit plus ou moins régulièrement pour présider aux destinées de l'ordre international. Cette fonction de responsabilités particulières échues aux principales puissances du système se retrouve dans l'article 24 de la Charte des Nations Unies, où il est dit que le Conseil de sécurité a « la responsabilité principale du maintien de la paix et de la sécurité internationales ». Il emprunte aussi à toutes les traditions de la SDN son caractère de la diplomatie parlementaire et des conséquences qui en découlent en ce qui concerne la formation des normes et la codification du droit international. Enfin, notre ordre contemporain emprunte à l'ONU cette impérieuse nécessité de « préserver les générations futures du fléau de la guerre ». Ces mots du préambule de la Charte ont une résonance particulière pour les générations montantes avides d'un ordre international pacifique et durable.

Le problème du désarmement et du contrôle des armements en 1945 va se heurter à toute une série de difficultés, dont les plus importantes sont de nature politique. D'autres tiennent cependant à la conception même que l'on peut se faire de la Charte et du système de sécurité collective envisagé à l'époque.

Le « tous pour un » contre un agresseur, qui est à la base même du principe de la sécurité collective, n'a de sens que si les principaux États du système pensent à peu près de la même façon. Ce fut la grande vertu du système du Congrès de Vienne aux lendemains des guerres napoléonniennes. Cette condition ne pouvait exister dans le climat de méfiance qui se développa en 1945. De plus, s'il est encore trop tôt pour parler de « l'atome égalisateur », comme le général Pierre Gallois allait le faire quelques années plus tard, il reste que l'atome constitue en soi un droit de veto. Par exemple, il eut été impensable que l'ensemble de la communauté internationale eût réussi à se liguer contre les États-Unis, alors que ceux-ci détenaient à l'époque le monopole de l'armement atomique.

Évidente contrainte, nous diront les uns ! Cela ne pouvait cependant être évident aux yeux des concepteurs de la Charte qui ignoraient encore tout des secrets de l'atome. Celle-ci fut rédigée avec la ferme intention d'assurer une réglementation des armements. Les dispositions de la Charte sont très claires à cet égard. Le Conseil de sécurité est mandaté par les membres pour assurer la paix et la sécurité internationales. Les membres doivent mettre des forces armées nationales à la disposition du Conseil de sécurité (article 43 de la Charte). Celles-ci relèveront d'un Comité d'état-major militaire de l'ONU, lequel à son tour sera sous la responsabilité du Conseil de sécurité.

Selon l'article 11, l'Assemblée générale peut étudier « les principes régissant le désarmement et la réglementation des armements et faire des recommandations à cet égard ». Le Conseil de sécurité n'est évidemment pas laissé pour compte, puisque selon l'article 26 il est aussi chargé « d'établir un système de réglementation des armements ». Il y a donc un chevauchement de compétences considérable en matière de désarmement et de réduction d'armements. Il n'y aura en aucune façon d'imbroglio juridique, mais la dynamique des négociations s'en trouvera singulièrement compliquée.

Lorsqu'en décembre 1946 l'Assemblée générale adoptera une résolution sur « les principes régissant la réglementation et la réduction générale des armements », la porte sera ouverte pour savoir qui, du désarmement classique ou du désarmement nucléaire, devra intervenir en premier. Tout au long des négociations, les États-Unis insisteront à bon droit sur la nécessité de maintenir séparées les compétences respectives de la Commission de l'énergie atomique et de la Commission des armements de type classique. Ils demanderont que le problème atomique soit réglé en priorité, tandis que l'URSS reviendra constamment sur la nécessité de lier les deux questions.

La Commission des armements de type classique

Quelques semaines à peine avant que le Conseil de sécurité soit saisi du premier rapport de la Commission de l'énergie atomique, l'Assemblée générale adopte, le 14 décembre 1946, une résolution sur « les principes régissant la réglementation générale et la réduction des forces armées » par laquelle elle invite le Conseil à se pencher sur cette question et à y donner effet en s'assurant que la réglementation sera « observée par tous les États membres et non seulement, d'une façon unilatérale, par certains États membres ». Le 13 février 1947, le Conseil de sécurité accepte cette recommandation et crée la Commission des armements de type classique.

Six mois plus tard, soit le 8 juillet 1947, le Conseil de sécurité approuve le plan de travail de la Commission qui comprend six points dont les quatre premiers sont les plus importants. La Commission doit faire des recommandations au Conseil concernant la réglementation « des armements et des forces armées » qui relèvent de sa compétence (point 1) et faire des propositions concrètes à cet égard (point 4). Elle doit examiner et définir les « principes » généraux en rapport avec ces problèmes (point 2) et présenter « des mesures de garanties » susceptibles de protéger les États contre les détournements ou les violations d'une éventuelle réglementation (point 3). Ce dernier point ne sera qu'effleuré au cours des travaux de la Commission. Les discussions porteront essentiellement sur les points 1 et 2.

Parmi les principaux mérites de la Commission, notons ses efforts pour définir les armes de destruction massive et sa volonté de lier les problèmes de réglementation à la définition d'un cadre plus vaste de la sécurité internationale proprement dite. En ce qui concerne le premier point, l'avis de la Commission est fort clair. Dans la première résolution adoptée par 9 voix contre 2 — l'URSS et la République socialiste soviétique d'Ukraine — accompagnant son second rapport d'étape d'août 1948, la Commission informe le Conseil de sécurité

> qu'elle considérait que tous les armements et les forces armées, à l'exception des armes atomiques et des armes de destruction massive, étaient de sa compétence et que les armes de destruction massive devaient être définies de manière à comprendre les armes explosives atomiques, les armes fonctionnant au moyen de matières radioactives, les armes biologiques et chimiques susceptibles d'entraîner la mort et toutes les armes découvertes dans l'avenir qui, au point de vue de leur capacité de destruction, seraient comparables aux armes atomiques ou aux armes mentionnées ci-dessus[7].

Cette définition des armes de destruction massive est probablement leur première énumération officielle que l'on puisse trouver dans les textes des Nations Unies. Quant au lien sécurité-désarmement, la deuxième résolution accompagnant le second rapport de la Commission rappellera qu'une réglementation générale ne peut avoir lieu que dans une « atmosphère de confiance et de sécurité internationales ». Pour bien préciser les conditions nécessaires à l'établissement de cette confiance, le paragraphe 3 de la résolution citera nommément :

- la mise en vigueur d'un système d'accords efficaces conformément à l'article 43 de la Charte ;
- l'instauration du contrôle international de l'énergie atomique ;
- la conclusion de traités de paix avec l'Allemagne et le Japon.

TABLEAU 2

La Commission des armements de type classique

Origine :

Résolution du 14 décembre 1946 (Rés. 41 (1)) de l'Assemblée générale des Nations Unies.

Création :

Résolution du 13 février 1947 du Conseil de sécurité de l'ONU (S/268/Rév. 1/Corr. 1) *.

Mandat :

Faire des recommandations conformément au plan de travail établi.

Composition :

Les membres du Conseil de sécurité. Pour la période 1947-1949, voir le tableau 1. Le Canada devient membre du Conseil de sécurité à compter du 1er janvier 1948.

Rapport de la Commission :

- 1er rapport d'étape, 12 août 1948 (S/C. 3/27), accompagné de deux résolutions, S/C. 3/24 et 25 ;
- 2e rapport d'étape, 17 août 1948 (S/C. 3/32/Corr. 1). Ce rapport, n'ayant pas été adopté par la Commission, est resté sans suite.

Principales résolutions de l'Assemblée générale en rapport avec les questions de la Commission :

- Résolution 192 (III), 19 novembre 1948 (cette résolution modifie le mandat de la Commission) ;
- Résolution 300 (IV), 5 décembre 1949.

Dissolution de la Commission :

Le 30 janvier 1952 par le Conseil de sécurité. L'URSS s'était déjà retirée de la Commission le 27 avril 1950.

* La résolution S/268 dispose que « les questions qui sont de la compétence de la Commission de l'énergie atomique, aux termes des résolutions de l'Assemblée générale du 24 janvier et du 14 décembre 1946, sont exclues du domaine de la Commission établie par la présente ».

Par rapport à 1945, les pays occidentaux n'inventeront donc rien de nouveau en liant constamment confiance et sécurité, peu importe qu'il s'agisse du rapport Harmel de 1967, des négociations MBFR, de la CSCE ou de la CDE. Il est vrai que l'ONU ne fait pas non plus peau neuve en la matière, puisque tous ces problèmes ont aussi été discutés en long et en large du temps de la Société des Nations.

Les principales propositions soviétiques et occidentales en matière de réglementation des forces armées et des armements sont en réalité présentées devant l'Assemblée générale. En septembre 1948, les Soviétiques proposent[8], d'une part, comme premier pas vers la réduction des armements, que les membres du Conseil de sécurité réduisent du tiers, en un an, toutes leurs forces terrestres, navales et aériennes et demandent, d'autre part, l'interdiction inconditionnelle de l'arme atomique considérée comme « agressive ». Cette proposition est irrecevable, selon Jean Klein, « car la réduction proportionnelle des forces armées et des armements aurait perpétué la supériorité écrasante du camp communiste dans le domaine classique, tandis que l'interdiction de l'arme atomique aurait privé le monde occidental de l'instrument sur lequel reposait sa sécurité[9] ». À la suite d'une initiative belge, les Occidentaux feront adopter, de leur côté, par 43 voix contre 6 et 1 abstention, la résolution 192 (III) du 19 novembre 1948. Dans cette résolution, on émet le vœu que dans l'exécution de son plan de travail la Commission se préoccupera de formuler des propositions « pour la réception, la vérification et la publication [...] d'informations complètes à fournir par les États membres touchant leurs effectifs et leurs armements du type classique ». Cette proposition de « recensement » et de divulgation de renseignements sur les effectifs militaires constitue, en fait, la réponse occidentale à la proposition soviétique d'une réduction proportionnelle du tiers des forces armées des membres permanents du Conseil de sécurité. L'URSS s'y opposera sous prétexte que la résolution restait muette sur les questions atomiques.

La Délégation française investira beaucoup d'efforts dans le peaufinage de cette proposition. Des textes importants[10] seront produits en juillet 1949 et adoptés par la Commission. Devant le refus de l'URSS d'en discuter au Conseil de sécurité, l'Assemblée générale se résout finalement, le 5 décembre 1949, par sa résolution 300 (IV), à recommander au Conseil de sécurité « de poursuivre l'examen de cette question [...] par l'entremise de la Commission, conformément à son plan de travail ». Quelques mois plus tard, l'URSS prétextera, pour se retirer de la Commission, le refus des Occidentaux d'exclure de l'ONU, après la victoire de Mao Tsé-toung, le représentant du Kuo-ming-tang.

L'ACTION DIPLOMATIQUE CANADIENNE

Ses fondements

En 1945, le Canada est prêt à participer à l'élaboration d'un nouvel ordre international, mais pas à n'importe lequel. Il se méfie de l'ancien et rêve de lendemains meilleurs. Il n'aime pas particulièrement l'idée des regroupements régionaux qui risquent de nouveau de recréer des blocs, des regroupements de puissances et des associations d'intérêts contradictoires. Le monde auquel pense un peu naïvement Ottawa est celui de la coopération internationale, celui d'une communauté mondiale, d'où le veto serait absent et qui serait marqué au sceau du respect du droit et de l'égalité.

Le Canada est allergique aux idées de Churchill qui songe à un Conseil de l'Europe, à un Conseil de l'Asie et, pourquoi pas, à un Conseil du Pacifique. À la Conférence des pays du Commonwealth à Londres, en 1944, Mackenzie King s'en prend aux thèses du patriarche britannique. Il faut reconnaître, selon King, « que les mers qui nous séparent ainsi que la paix et la prospérité du monde sont indivisibles [...] Il ne serait pas sage d'encourager les peuples du monde à revenir à l'illusion qu'ils puissent vivre dans une isolation continentale[11]. » Anthony Eden, le Foreign Office et le ministère des Affaires extérieures sortent rassurés de cette réunion, heureux de constater les similitudes de vues entre les diplomaties canadienne et britannique !

Churchill ne parle plus par la suite de ses Conseils régionaux. D'autres se chargent de reprendre à sa place la défense du Commonwealth. Lord Halifax, ambassadeur britannique à Washington, fait monter le taux d'adrénaline des diplomates canadiens, lorsque, à deux reprises, à Toronto, en janvier 1944, et à New York, en novembre de la même année, il parle du Commonwealth comme d'une quatrième puissance, ou encore comme du troisième pôle d'un triangle dont les deux autres seraient constitués par l'URSS et les États-Unis. Le Canada ne veut en aucune façon assister à la reconstitution de blocs antagonistes.

Sa vision de monde est celle de la coopération interalliée qui doit se prolonger avec l'URSS au sein de l'ONU. King, comme bien d'autres, condamne le droit de veto des grandes puissances. Mais il ne fut pas consulté lorsque, à Yalta, les Américains et les Soviétiques décident de la chose. Cela ne l'empêche pas en quelque sorte d'en réclamer un pour le Canada. Isolationniste dans l'âme et farouche défenseur des intérêts canadiens, il ne se fait pas à l'idée que le Conseil de sécurité puisse réclamer des contingents armés aux États membres de l'ONU sans que ceux-ci soient consultés. King arrache donc au secrétaire d'État américain, Edward Stettinius, les termes de l'article 44 de la Charte[12]. Si le Conseil de sécurité désire faire appel à des contingents militaires d'un État membre, il doit convier ledit membre à participer à ses décisions. King et McNaughton, ex-général devenu chef de la diplomatie canadienne à l'ONU, n'ont sûrement pas eu à se consulter sur cette question. Les deux ont vécu la période noire de la conscription au Canada. Et McNaughton, en particulier, n'a jamais apprécié les vues du haut commandement militaire britannique — allusion à Montgomery —, qui entendait utiliser les armées canadiennes en Europe sous forme de « pièces détachées ». Il en allait pour King et McNaughton de la souveraineté canadienne et du contrôle politique du gouvernement canadien sur ses forces armées.

En matière de sécurité collective, le Canada ne voit de salut que dans l'ONU. Lester B. Pearson qui va devenir sous-secrétaire d'État en 1946 déclare dans un discours prononcé à Toronto, en mars 1944 : « Le système de sécurité collective qui a été rejeté avec mépris en temps de paix s'est révélé être notre salut en temps de guerre [...] Il n'y a pas d'autre façon de gagner la paix. Si nous la désirons suffisamment *[badly enough]*, nous pouvons l'obtenir[13]. » Lorsque les jeux sont faits et que les grandes puissances ne peuvent plus s'entendre à New York ou ailleurs, Pearson et Saint-Laurent s'emploient à convaincre King de la nécessité d'une alliance régionale. L'OTAN en sortira. Il s'agit là d'un autre paradoxe de la diplomatie canadienne, fort compréhensible d'ailleurs, car ni l'ONU ni le monde ne correspondent finalement à l'image souhaitée par le Canada. Les historiens et les politologues parlent ici de fonctionnalisme : ne pas heurter de front les problèmes politiques et mettre en œuvre tous les mécanismes de coopération susceptibles de faire avancer les choses. À l'égard de l'ONU, le Canada s'est accommodé de la vision imposée par les grandes puissances. Et lorsque celle-ci s'est traduite par un échec, le Canada s'est accommodé de la « sécurité sélective », terme qu'emploie fort à propos Inis Claude dans son ouvrage *Swords into Ploughshares* pour désigner la sécurité collective que procurent les alliances.

Dans la grande bourrasque du monde d'après-guerre, il y a aussi l'axe Moscou-Washington qui inquiète les Canadiens. John W. Holmes résume admirablement les conditions d'efficacité de la politique étrangère du Canada[14]. Celle-ci atteint d'autant mieux ses objectifs, selon lui, que l'état d'esprit *(mood)* dans lequel se déroulent les choses est « relaxe et généreux ». Cependant, les choses ne sont pas faciles. Comment le Canada peut-il faire valoir son point de vue, alors qu'il est une puissance moyenne, ce qui signifie qu'il n'aime pas être comparé à la Patagonie ou au Panama, alors que de l'autre côté de la frontière lui fait face un État géant et florissant, sûr de lui-même et de ses moyens ? De l'arrogance, il y en aura du côté américain ! En « abondance » *(plenty)* même, d'après Holmes. « Le problème, poursuit-il poliment, ne se situe pas tellement à ce niveau, mais bien plutôt à celui de l'immense disparité de puissance qui existe entre ces deux États. » Pour utiliser l'admirable formule de Paul Valéry, le Canada ne pourra jamais parler avec nostalgie des États-Unis comme de « la présence des choses absentes ». On a plutôt tendance à parler de ce côté-ci de la frontière d'« omniprésence » que les mauvaises langues traduisent par « présence envahissante ».

Même si à l'occasion le Canada reste réticent, au moment de vérité, lorsque sonne l'heure de la décision, il se joint au rang. Lorsqu'en décembre 1946 les États-Unis, par l'intermédiaire du « redoutable » Baruch, forcent l'URSS à jouer cartes sur table, le Canada, malgré sa colère et ses hésitations, soutient Washington. Comme tous les autres alliés occidentaux, d'ailleurs... King et Saint-Laurent ont une longue conversation à cette occasion. King, le 28 décembre, en notera la substance dans son journal :

> Il vaut mieux n'avoir aucun accord que d'en produire un, sujet aux subterfuges et aux interprétations, et qui ne correspondrait pas aux véritables objectifs de la paix. Ce serait comme tenter de construire une structure sur des sables mouvants. Ce dont on a besoin, c'est d'un roc solide de vérité et de compréhension[15].

Quant à l'URSS, diplomates et hommes politiques canadiens ne s'épargnent aucun effort pour l'amener à penser comme ils souhaitent la voir penser, bien en vain d'ailleurs, et cela en dépit des subterfuges et des ingéniosités de la diplomatie canadienne. Sur le chapitre du droit de veto, l'URSS est intraitable. Encore là, lorsqu'il ne sera plus possible d'accorder à l'URSS le bénéfice du doute, Brooke Claxton, alors ministre canadien de la Défense, ne se gênera pas pour dénoncer les abus de la politique soviétique. « L'usage du veto à 23 reprises par l'URSS », déclare-t-il dans un discours prononcé le 9 février 1948, « ne saurait être interprété comme un signe de sa détermination à faire de l'ONU un organe efficace de coopération internationale[16]. » Depuis la fin de la Seconde Guerre mondiale, « elle a élargi ses frontières officielles, ajoute-t-il, en s'emparant en tout ou en partie sur huit pays différents d'une surface de 274 000 milles carrés. »

D'une façon plus générale, Ottawa ne s'inquiète pas outre mesure des agissements de l'URSS. Peu de gens dans la communauté politique lui prêtent des intentions belliqueuses ou une véritable capacité à déclarer la guerre à l'Ouest, du moins pas avant quatre ou cinq ans. Le grand tournant, et tous les historiens s'accordent sur ce point, fut le coup de Prague de 1948, ce vieux bastion de la démocratie en Europe de l'Est. Le jugement que porte déjà en 1946 Hume Wrong, ambassadeur canadien à Wahington et un des piliers de la diplomatie canadienne d'après-guerre, est très semblable à celui que George F. Kennan pose à l'égard de l'URSS. Dans un mémorandum du 28 juin 1946, Wrong écrit :

> La politique soviétique est défensive. Bien qu'il y ait une ressemblance technique entre les pratiques diplomatiques du Kremlin et celles qui ont été utilisées par Hitler, il serait très erroné de pousser trop loin cette comparaison. Par exemple, l'Union soviétique contrôle en totalité le septième de la surface du globe et possède déjà, contrairement à l'Allemagne nazie, de vastes espaces pour l'exploitation de ses ressources à l'intérieur du pays. De plus, le peuple soviétique ne partage pas l'illusion allemande qu'il est un « modèle de race »[17].

Le biographe de Saint-Laurent, Dale C. Thomson, nous apprend qu'à l'issue de discussions très animées, à l'ONU, le premier ministre serait allé serrer la main à Molotov, alors ministre des Affaires étrangères, pour l'assurer qu'il n'y avait aucune raison de penser que le Canada ne puisse vivre en des termes aussi amicaux avec son voisin au-delà de l'Arctique qu'avec son voisin du sud[18]. L'histoire ne nous dit pas ce qu'a alors pensé Molotov, sans doute beaucoup de bien!

En 1945, les fondements de la politique canadienne se résument donc à peu de choses. Toutefois, ce peu de choses représente beaucoup, soit comment promouvoir un ordre nouveau tout en protégeant les intérêts canadiens! Il n'est pas question de suivre la Grande-Bretagne partout où elle veut, encore moins de se ranger à ses conceptions de défense du Commonwealth. On se tient aussi à l'écart des querelles d'après-guerre entre les Britanniques et les Américains. On entend bien ménager les susceptibilités de l'URSS, mais en même temps on se dispute les grâces des États-Unis. Quant aux principes de fonctionnement de l'organisation mondiale, le Canada ne manque pas d'idées mais d'influence! Il ne peut pas, même s'il le souhaite, imposer ses vues. Dès 1944, Hume Wrong en est parfaitement conscient. Dans une lettre datée du 13 mai qu'il destine à Edward Dana Wilgress, ambassadeur du Canada à Moscou, il précise que ce serait une perte de temps pour le Canada que de tenter d'imposer ou de produire sa propre conception d'une éventuelle organisation de sécurité à caractère mondial. « Nous devrions être en mesure, cependant, de décider ce qui est acceptable pour nous, et de proposer, par canaux appropriés, des modifications aux projets des grandes puissances qui soient conformes à nos intérêts[19]. » C'est donc en conscience de ses propres limites que le Canada fera porter le poids de son action sur le désarmement dans le déroulement des négociations à l'ONU.

Le Canada et la Commission de l'énergie atomique

Le 14 juin 1946 se réunit pour la première fois, à New York, la Commission de l'énergie atomique. Bernard Baruch et Andrei Gromyko sont coprésidents de la Commission. Selon la perspective retenue, les travaux utiles de la Commission auront duré trois jours ou bien six mois. Le 16 juin, en effet, les États-Unis déposent leur projet de création d'une Autorité internationale de contrôle de l'énergie atomique. Le 19 juin, c'est au tour des Soviétiques de présenter leur projet. Ils suggèrent un projet de convention visant à interdire la production et l'emploi de l'arme atomique. Du projet américain, rien n'est dit. Gromyko précise toutefois, à la fin de son discours, qu'il s'opposera à toute forme de tentative d'altération du droit de veto des grandes puissances. Le 30 décembre 1946, le premier rapport de la Commission est adopté par ses membres. Le lendemain, le Conseil de sécurité — composé des mêmes membres que ceux de la Commission — adopte à son tour ledit rapport, contre la volonté de l'URSS et de la Pologne.

Selon Eayrs, en deux réunions, les travaux de la Commission auraient ainsi débouché sur « une impasse immédiate[20] ». Ce jugement fort perspicace s'avère juste. On peut aussi considérer que la position initiale de négociation de l'URSS était susceptible d'être modifiée au cours des travaux. Le 31 décembre, les jeux sont faits. Il n'y a plus de retour possible.

Au cours de l'été, tous les négociateurs sont parfaitement conscients du cul-de-sac dans lequel s'engage progressivement la Commission. Pearson rapporte, le 26 juin, que Baruch est aussi inflexible que Gromyko. Le 1er août, Hume Wrong pressent l'impasse qui s'annonce. Il faut cependant éviter la rupture avec l'URSS. Et si cela doit se produire, il vaudrait mieux que cela se passe après plutôt qu'avant la Conférence de Paris sur la paix[21]. Le 29 octobre, le ministre Molotov accuse les États-Unis de vouloir, avec leur projet, s'approprier la « possession monopolistique de l'atome ». C'est la goutte d'eau qui fait déborder le vase. Baruch décide sinon de faire perdre la face à l'URSS, du moins de l'obliger à jouer à visage découvert. Le 5 novembre, il obtient l'autorisation de la Maison-Blanche pour forcer l'issue du débat. Il introduit donc le 13 novembre une résolution au terme de laquelle un sous-comité[22] de la Commission est désormais dans l'obligation de terminer ses travaux pour le 20 décembre. Le 5 décembre, il procède de la même façon et réclame cette fois que l'ensemble du rapport soit terminé pour le 20 décembre et qu'il soit soumis au Conseil de sécurité le 31 décembre au plus tard. L'ultimatum américain est respecté. Les alliés doivent se joindre, les uns après les autres, au vote américain.

La contribution essentielle qu'a fournie le Canada aux travaux de la Commission se résume à trois choses. En premier lieu, le Canada délègue à la Commission l'une des personnes les plus compétentes qui soient en matière d'énergie atomique. En deuxième lieu, le Canada tente par tous les moyens possibles d'amadouer l'URSS sur sa farouche opposition à l'absence de droit de veto que réclament les États-Unis quant au fonctionnement de l'organisme de contrôle de l'énergie atomique. En troisième lieu, le Canada attache une attention toute particulière au droit du développement de l'énergie atomique à des fins pacifiques. Reprenons un à un chacun de ces éléments.

Le 27 mars 1946, le Comité de défense du Cabinet mandate le général Andrew George Latta McNaughton comme représentant canadien auprès de la Commission. Cette décision est celle de King lui-même. En réalité, il destinait McNaughton au poste de gouverneur général, mais lorsque, au cours de la guerre, le ministre de la Défense Ralston met le Cabinet King en difficulté à propos de la conscription, il le fait remplacer par McNaughton. Celui-ci, après s'être présenté en vain à deux reprises comme candidat libéral dans les comtés de North Grey en Ontario et de Qu'Appelle en Saskatchewan — en juin 1945 —, remet alors sa démission à King qui, à ce moment, n'est plus trop malheureux de l'accepter puisque McNaughton n'est plus que du bois mort, politiquement parlant.

Quelques mois après sa nomination à la Commission de l'ONU, le général accepte également, en septembre 1946, les fonctions de président de la Commission de contrôle de l'énergie atomique du Canada. En janvier 1948, il devient le représentant du Canada à la Délégation du Canada à l'ONU et, par le fait même, président du Conseil de sécurité puisque le Canada occupe son siège à la même époque au sein de cet organisme. Par la suite, le général devient président de la Commission internationale mixte — euphémisme pour désigner un organisme de coopération canado-américain — et coprésident du PJBD. Le 11 juillet 1966, le général McNaughton s'éteint, laissant derrière lui, outre sa femme Mabel, l'une des plus brillantes carrières militaire, politique et diplomatique que le Canada ait connue. Par la suite, une seule personne pourra prétendre à d'aussi importantes lettres de noblesse. Il s'agit d'un autre militaire, le général E.L.M. Burns, que Tucker qualifie de « véritable renaissance[23] ».

John Swettenham, biographe de McNaughton, nous apprend que le général fut l'un des grands artilleurs *(gunner)* de l'armée canadienne durant la Première Guerre mondiale. Homme de science aussi, McNaughton travaille à l'invention de la diode qui va le mener avec les travaux britanniques à des découvertes qui, d'après Swettenham, sont à l'origine du radar. Ses recherches en matière scientifique le conduisent, en 1935, à la présidence du Conseil national de recherches. Lorsqu'il quitte ces fonctions, il est remplacé par un autre scientifique de grand renom, C.J. Mackenzie. C'est ce dernier qui mettra sur pied l'organisme de Chalk River.

Lorsque King nomme McNaughton, on lui fait savoir que les autres pays délèguent à la Commission des scientifiques, des personnalités politiques ou des diplomates. McNaughton est « tous les trois », note-t-il dans son journal. McNaughton sera assisté dans ses fonctions par une poignée de diplomates, dont George Ignatieff sera sans doute l'un des plus subtils. Il faut dire que d'autres hommes avaient été formés à la bonne école, puisque Lester B. Pearson avait déjà servi avec McNaughton lorsque celui-ci participa en 1932 aux travaux de la Conférence du désarmement à Genève. Dans ses mémoires, Ignatieff, tout comme le biographe officiel de McNaughton, formule quelques réserves sur les vertus strictement diplomatiques de McNaughton. En pleine séance des Nations Unies, il se serait levé pour désavouer ce qu'un représentant canadien venait tout juste de dire ! L'histoire ne nous dit pas si McNaughton s'amenda par la suite…

Les yeux bruns, les « sourcils en bataille » lorsqu'il était furieux, raconte Ignatieff, McNaughton a la trempe nécessaire pour s'opposer au redoutable Baruch. Conseiller auprès du président Truman, Baruch ne trouve guère d'historiens ni de témoins pour le défendre. Swettenham, citant le *Time,* le décrit « comme un millionnaire à l'âge de 30 ans, un personnage de réputation nationale à l'âge de 50 […] et qui n'est plus qu'une légende lorsqu'il atteint 70 ans[24] ». Ignatieff n'aime manifestement pas le personnage. Lorsqu'il lui rend visite dans sa « grandiose résidence » *(palatial mansion),* il n'apprécie guère un portrait de Baruch en train de se « rouler les mécaniques » *(flexing his muscles),* l'inflexibilité de son caractère et son goût ostentatoire pour la richesse et la puissance[25].

Au début de juin 1946, Baruch se confie à McNaughton. Il est absolument nécessaire de contrôler l'énergie atomique depuis « sa naissance jusqu'à sa mort ». McNaughton reconnaît le premier les vertus de la proposition américaine. Lorsque Washington veut cependant forcer l'issue du combat, McNaughton s'y oppose. Il réclame plus de temps et soumet des propositions d'amendement au projet américain. Il va même jusqu'à passer sous silence le troisième point — la question du droit de veto — d'une résolution proposée par Baruch le 5 décembre. Le 20 décembre, les choses se corsent puisqu'il faut répondre à l'ultimatum américain. À la veille de cette réunion, des négociations entre Eberstadt, membre de la Délégation américaine, Ignatieff et McNaughton mènent à quelques modifications mineures ; mais sur l'essentiel, les Américains ne cèdent pas. Le Canada gagne quelques jours de répit, car, comme le dit si bien Eayrs : « si les États-Unis sont prêts à attaquer de front l'URSS, c'est une autre paire de manches que de faire subir le même sort à un allié[26] ». Dans la dernière semaine de décembre, des fuites au sujet des divergences de vues entre le Canada et les États-Unis paraissent dans le *New York Times* et le *Globe and Mail*. Les principaux intéressés sont sur le qui-vive. Les directives de King et de Saint-Laurent dont nous avons fait état ci-dessus parviennent à McNaughton. Il faut soutenir le projet américain, car, somme toute, il vaut mieux ne pas avoir d'accord que d'en arriver à une solution bâtarde.

Le branle-bas de combat causé par l'intransigeance américaine aura créé bien des divisions au sein de la Délégation canadienne. Escott Reid estime tout à fait inacceptable la manière de procéder des États-Unis. Ignatieff pense de la même façon, mais il juge, en dernière analyse, qu'il faut soutenir la position américaine. Dans ses mémoires, il regrette de ne s'être pas finalement rallié aux thèses de Reid. N'eût été d'Ottawa, il est probable que McNaughton aurait éprouvé un malin plaisir à dire *niet* à Baruch. Ces considérations sont évidemment aujourd'hui de peu d'importance. Avec ou sans le vote canadien, le plan Baruch aurait été accepté... Et cela n'aurait pas changé d'un iota la position soviétique.

Les dernières propositions de McNaughton avant l'adoption du rapport de la Commission nous amènent à notre second point. Ce que maintient en effet McNaughton, sur la question du droit de veto, c'est qu'il n'est pas nécessaire de le mentionner nommément dans les conclusions du rapport de la Commission. Il suffirait de dire par exemple : « Il ne saurait y avoir de base juridique grâce à laquelle celui qui viole délibérément les termes du traité ou de la convention puisse être protégé des conséquences de cette violation[27]. » Baruch, en se faisant tirer l'oreille, accepte l'amendement canadien, mais en y ajoutant quatre mots qui sont une négation même de la proposition canadienne. Ces quatre mots sont « par veto ou autrement » qui viennent s'intercaler entre « il ne saurait y avoir de base juridique » et « grâce à laquelle ». C'est donc la quadrature du cercle.

On trouve dans l'ouvrage d'Eayrs le texte du mémorandum préparé par Escott Reid, soumis aux membres de la Commission le 20 décembre, et qui avait pour but de préparer la réunion secrète de cet organisme, projetée pour le 27 décembre[28]. Les deux principaux paragraphes se lisent comme suit :

> Toute violation [de ce traité] est susceptible de faire ressentir aux autres membres des Nations Unies qu'ils ne sont plus liés par l'obligation de la Charte de ne pas recourir ou de ne pas menacer de recourir à l'usage de la force contre l'État délinquant. La simple existence du veto au sein du Conseil de sécurité ne modifierait rien à la situation. Si jamais, de l'avis général, une telle situation devait se produire et qu'il était jugé nécessaire de recourir à la force contre une grande puissance qui menacerait la paix du monde, cette décision de recourir à la force serait prise, avec ou sans veto.
>
> Ainsi, dans les circonstances présentes, on gagnerait peu à tenter de convaincre chacun des membres du Conseil de sécurité de renoncer à son droit de veto au sujet de l'imposition de sanctions militaires contre un État trouvé coupable d'avoir commis une grave violation d'une convention ou de conventions relatives à l'énergie atomique.

L'action canadienne fait ici preuve d'un réalisme politique auquel il serait difficile d'ajouter quoi que ce soit. Cette même clarté et ce même souci du réalisme politique se retrouvent dans le discours prononcé par Saint-Laurent, le 4 décembre 1946, devant la Commission politique des Nations Unies :

> Je n'ai ni d'aversion ni de frayeur à propos de l'existence du droit de veto au sein du Conseil de sécurité [...] S'il survient un accord international, il sera nécessaire pour tout État qui entend y souscrire d'adhérer à cet accord [...] Si jamais des sanctions devaient être prises contre un grand État, cela correspondrait à une situation de guerre absolue, peu importe que l'État récalcitrant ait décidé d'utiliser son droit de veto ou encore de s'opposer à une décision du Conseil de sécurité par la force.

En d'autres termes, avec ou sans mention du droit de veto, la majorité des membres du Conseil de sécurité ne saurait prendre d'action coercitive contre une grande puissance, si celle-ci s'oppose à cette action. L'histoire se chargera ici de démontrer la justesse des thèses canadiennes. La seule exception à cette règle fut l'action des Nations Unies en Corée. Or l'URSS était absente du Conseil de sécurité au moment où la décision fut prise. L'ONU ne fut en réalité qu'un alibi juridique pour permettre aux États-Unis d'intervenir par la force pour faire échec à l'agression de la Corée du Nord contre la Corée du Sud. La majorité des juristes s'entendent sur ce point : la base juridique de l'action des Nations Unies en Corée ne pouvait être en aucune façon la décision du Conseil de sécurité, puisque celle-ci ne respectait pas la règle de l'unanimité des membres permanents, mais bien plutôt l'article 51 de la Charte qui autorise le droit à la légitime ou collective défense.

Le troisième champ d'action à l'intérieur duquel le Canada concentra ses efforts est celui du droit au développement pacifique de l'atome. Dès le 17 décembre 1945, c'est-à-dire deux jours après la Déclaration de Washington, le premier ministre du Canada, Mackenzie

King, déclare à la Chambre des communes que les problèmes du contrôle et du développement de l'atome sont intimement liés. « Jusqu'à un certain point, dit-il, les processus de libération de l'énergie atomique sont les mêmes, peu importe que son application soit à caractère industriel, commercial ou humanitaire, ou encore à des fins de destruction massive. » Déjà en 1945 est donc posé le problème des explosions nucléaires pacifiques (Peaceful Nuclear Explosions, PNE) et révélée l'incapacité de distinguer à priori entre les deux usages de l'atome, à moins que ne soit installé un strict système de contrôle. Dans le premier rapport de la Commission, les experts des affaires techniques et scientifiques s'étaient d'ailleurs ralliés à cette conclusion.

John W. Holmes a tout à fait raison de rappeler que la Déclaration de Washington est bel et bien destinée à résoudre ce problème et non, comme le prétendent certains, à consolider le triumvirat de la coopération atomique entre les États-Unis, la Grande-Bretagne et le Canada[29]. Comme dans le conte d'Aladin, le génie nucléaire est sorti de sa lampe en 1945. Il fallait trouver un moyen de l'y faire revenir, ce qui est évidemment plus vite dit que fait.

Les travaux de la Commission achoppent d'ailleurs sur cette difficulté. À plusieurs reprises, le Canada insiste dans ses déclarations et ses interventions sur les bienfaits du développement pacifique de l'atome. Une telle attitude remonte, en fait, comme en font état Holmes et Eayrs dans leurs ouvrages respectifs, à la position défendue par le Canada lors de la rencontre trilatérale de Washington. Cet aspect de la question revient toutefois sur le tapis, d'une façon assez particulière, en décembre 1946.

En novembre et en décembre 1946, l'Assemblée générale commence déjà en effet à se pencher sur sa fameuse résolution du 14 décembre, laquelle sera à l'origine, nous l'avons vu, avec la résolution du Conseil de sécurité du 13 février 1947, de la création de la Commission des armements de type classique. Les signes avant-coureurs des difficultés sont présents dans de multiples déclarations canadiennes. Le 29 novembre 1946, Dana Wilgress déclare en commission politique qu'il ne suffit pas, comme le suggère la proposition soviétique, « d'interdire à des fins militaires la production et l'usage de l'énergie atomique ». Selon lui, encore faut-il prévoir des mécanismes de contrôle qui en assureront son développement pacifique. Dans son discours du 4 décembre, Saint-Laurent met à profit cette occasion pour rappeler le lien indispensable qui existe entre ces deux aspects du problème.

Que se passe-t-il en réalité ? Dans un mémorandum daté du 3 décembre 1946 et rédigé à l'intention du premier ministre par Lester B. Pearson, mais qui ne lui fut pas communiqué[30], on trouve le résumé suivant. Il y a trois propositions sur la table des négociations : 1. une résolution soviétique qui prévoit l'établissement d'une seule commission de contrôle et pour l'énergie atomique et pour la réglementation et la réduction des armements et des forces armées ; 2. un amendement canadien à la proposition soviétique fait aussi l'objet de négociations ; et 3. un projet de résolution américain.

L'amendement canadien, qui incorpore trois propositions contenues dans un amendement suggéré par l'Australie, « recommande comme premier pas vers l'établissement d'une réglementation générale et d'une réduction des armements » la négociation d'accords « mettant à la disposition du Conseil de sécurité des forces armées tout comme cela était prévu aux termes de l'article 43 de la Charte ». Quant au contrôle de l'énergie atomique, la proposition canadienne prévoit que cette question sera du ressort de la Commission selon le mandat qui lui a été fixé. Le dernier paragraphe du mémorandum s'avère le plus important :

> Si les propositions pour le contrôle de l'énergie atomique sont incorporées complètement dans les plans généraux de réglementation et de réduction des forces, comme le projet américain paraît le laisser sous-entendre, on pourra ainsi circonvenir la Commission de l'énergie atomique. Le projet soviétique pourrait aboutir au même résultat. Et le projet soviétique et le projet américain prévoient de rendre le système d'inspection et de contrôle sujet au droit de veto des membres permanents du Conseil de sécurité. Dans son télégramme[31], le général McNaughton nous fait part de ses inquiétudes par rapport à l'évolution de la situation dans les discussions sur la réglementation des armements.

Ce qui inquiète ici McNaughton, ce n'est pas le droit de veto, mais la confusion qui pourrait résulter du chevauchement des compétences au sujet de l'établissement d'un système de contrôle qui pourrait être responsable tout à la fois de l'énergie atomique et de la réglementation des armements classiques. C'est évidemment l'objectif recherché par l'URSS, puisqu'elle insiste depuis le début de l'année sur l'interdiction de l'armement atomique avant toute réduction d'armements. Cette manœuvre se révélera d'ailleurs très efficace puisque les dépêches entre Ottawa et New York seront assez confuses à ce sujet. Le Canada attire le premier l'attention de Washington sur cette question qui ne touche finalement que le mandat, dont il importe de définir précisément les termes si l'on veut éviter par la suite de malheureuses confusions. Dans la résolution du 14 décembre 1946, on introduit donc le paragraphe 8, selon lequel rien « de ce qui est ci-dedans contenu ne saurait altérer ni limiter la résolution de l'Assemblée générale du 24 janvier 1946 par laquelle est créée la Commission de l'énergie atomique ». On sait aussi que, dans sa résolution du 13 février 1947, le Conseil de sécurité dira d'une façon plus claire que les questions qui relèvent de la compétence de la Commission de l'énergie atomique « sont exclues du domaine de la Commission des armements de type classique ».

Dans la foulée des discussions de procédure et de mandat, le gouvernement canadien se montre préoccupé au plus haut point par la question de l'utilisation pacifique de l'atome. Dans une note adressée à Saint-Laurent le 12 décembre, R.G. Riddell précise que « la Délégation canadienne ne considère pas satisfaisants les paragraphes 2 et 3 de la résolution [américaine] proposée, et nous soumettons des amendements qui prévoient précisément des mesures de contrôle pour l'utilisation de l'énergie atomique à des fins pacifiques et non seulement pour leur interdiction[32] ».

Ainsi, il revient à Dana Wilgress de présenter, le 12 décembre, les doléances canadiennes[33] devant le sous-comité de la Commission politique. Il dira, en substance, la même chose. Le Canada ne saurait accepter une interprétation « restrictive » de la résolution établissant la Commission de l'énergie atomique. Il ne suffit pas de prévoir un système de contrôle pour la seule interdiction des armements nucléaires, encore faut-il l'assurer également pour le développement pacifique de l'atome. Le Canada renoue ainsi avec sa position fondamentale défendue lors de la Conférence de Washington. Le Canada aura gain de cause, mais il lui faudra attendre la création de l'Agence internationale de l'énergie atomique à Vienne avant que l'histoire lui donne raison... La résolution proprement dite du 14 décembre admettra aussi le point de vue canadien, car on précise au paragraphe 6 « qu'il faut contrôler l'énergie atomique dans la mesure nécessaire pour assurer son utilisation purement pacifique ». Tout est bien qui finit bien.

Les interventions du Canada au sein de la Commission de l'énergie atomique se situent donc dans les grands axes de la politique canadienne. Ceux-ci sont définis par une poignée d'individus qui, pour la plupart, ont une connaissance solide et réaliste du système international. L'influence du Canada est en quelque sorte beaucoup plus grande que celle que l'on était en droit d'attendre d'un aussi petit nombre d'individus. La plupart des diplomates canadiens lisent bien et écrivent bien. D'autres agissent bien et négocient bien.

C'est le cas du général McNaughton dont tous les historiens reconnaissent le rôle fondamental qui lui a été dévolu en 1946. Les importants témoignages canadiens ne manquent pas à son égard, qu'il s'agisse de King, de Saint-Laurent, de Holmes ou d'Ignatieff. La même chose peut être dite de ses pairs qui l'ont côtoyé de près, par exemple sir Alexander Cadogan, le délégué britannique à la Commission, ou le baron Guy de la Tournelle, le délégué français.

Sur la question du droit de veto, la position canadienne est tout à la fois claire et ambiguë. Le Canada déteste le veto, mais lorsque son acceptation est consacrée dans les textes, il s'en accommode. Ironie du sort, il en réclame un indirectement pour lui-même par l'article 44 de la Charte. Et lorsqu'il considère que ce droit de veto devient un obstacle à la conclusion du plan Baruch, le Canada s'emploie par tous les moyens à tenter d'atténuer, aux yeux des Soviétiques, l'importance de l'exigence américaine. L'ironie est ici compréhensible. Car il ne s'agit pas, à proprement parler, de droit de veto, mais d'une absence de droit de veto que réclament les États-Unis à propos de l'institution du système de contrôle de l'énergie atomique. En d'autres termes, les États-Unis ne sauraient laisser à l'URSS la possibilité même d'exercer un droit de veto « préventif ». L'argument canadien est plein de logique. Il consiste à dire à l'URSS qu'il ne serait pas grave, après tout, de renoncer à ce droit de veto « préventif », puisque de toute façon elle le conserverait en vertu des pouvoirs de la Charte, si jamais le Conseil de sécurité décidait de vouloir imposer des sanctions. La position canadienne est évidemment pleine de bon sens : on distingue le droit effectif de l'usage de la liberté de ne pas l'exercer, si les conditions ne justifient pas que l'on y recoure.

La position soviétique est tout aussi défendable. Pourquoi discuter *ad nauseam* ? : « Ce que nous avons, nous l'avons et personne ne nous l'enlèvera ! » Toutes les arguties juridiques canadiennes ne modifient donc pas le fond du problème : aucune décision importante ne peut être prise par le Conseil de sécurité si l'URSS n'y consent pas. L'attitude soviétique se défend d'autant plus que si elle avait accepté la thèse canadienne, l'ONU aurait mis en branle tout un mécanisme de contrôle institutionnalisé dont l'URSS ne voulait pas manifestement entendre parler. On le sait aujourd'hui. On le savait peut-être moins à l'époque !

Ces considérations expliquent aussi le scepticisme dont la Grande-Bretagne fait preuve, semble-t-il, à l'égard du contrôle de l'énergie nucléaire à des fins pacifiques. Selon Ignatieff, Ernest Bevin, non seulement ne croit pas au plan américain, mais ne l'aime pas non plus[34]. « Que penserait aujourd'hui le monde, confiera le ministre Ernest Bevin à Ignatieff, si la Grande-Bretagne, au moment de la découverte de l'électricité par Faraday, avait proposé l'internationalisation des moyens de production et de gestion de cette découverte ? » L'argument, évidemment, est tout à fait logique ! Sauf que l'énergie atomique, ce n'est pas l'électricité, même si l'on peut en produire à partir de réacteurs nucléaires. Tout bien considéré, le plan Baruch était probablement aussi peu crédible, à l'époque, que la proposition du président Reagan de partager avec l'URSS la technologie américaine en matière de défense stratégique. En 1965, McNaughton dira un peu trop sévèrement du plan Baruch qu'il fut une marque « d'insincérité du début à la fin ».

Le Canada et la Commission des armements de type classique

Avant de préciser l'action canadienne en matière de réglementation et de réduction des armements, nous croyons utile de dire un mot des sources, des personnes, de l'environnement international et du contexte politique canadien. Le problème de ce que l'on appelle à l'époque le désarmement est d'autant plus complexe que d'innombrables commissions, comités et organes des Nations Unies s'en occupent. Pour ce qui est des ouvrages français, c'est encore Jean Klein qui nous donne l'aperçu le plus complet et le plus succinct. En ce qui a trait aux archives proprement dites, un rapport de J.A. Gibson, daté du 21 avril 1947, et un autre non signé, mais probablement rédigé par la même personne et daté du 24 juin 1947, sont les deux documents les plus complets sur le début de la période des négociations. Par la suite, John Starnes, de la Délégation canadienne, transmet, le 7 septembre 1949, à John W. Holmes, alors aux Affaires extérieures, le document le plus complet qui soit pour la période 1947-1949. Ce document fut préparé à l'époque par Pierce-Goulding à l'intention d'Arnold Smith. Ces documents sont disponibles aux archives du ministère des Affaires extérieures[35].

Les personnalités! Au début de 1947, les États-Unis sont en période de réorganisation et de révision de leur politique. Byrnes vient d'être remplacé par le général Marshall qui lui succède au poste de secrétaire d'État; Baruch et tous ses principaux conseillers ont démissionné de la Commission de l'énergie atomique, et le sénateur Austin vient d'entrer en fonction comme principal délégué des États-Unis auprès de l'ONU, note-t-on dans le rapport du 24 juin 1947 cité plus haut. Au Canada, Saint-Laurent, que King hésitait à désigner comme son successeur parce qu'il appartenait à une « minorité tant par la race que la religion[36] », devient premier ministre le 15 novembre 1948. On peut évidemment mettre en doute la pertinence de cette citation de King par Eayrs. Selon Jean Chapdelaine, King, de toute façon, n'avait pas le choix[37]. Saint-Laurent était le dauphin reconnu de King, et celui-ci ne voulait ni de Howe ni de Gardiner. Ilsley restait en lice, puisqu'il fut un moment premier ministre par intérim alors que King se reposait en Virginie. Mais King n'en voulait pas non plus. Quant à Lester B. Pearson, il n'était pas encore dans la course, même s'il assuma, dès la nomination de Saint-Laurent comme premier ministre, le portefeuille des Affaires extérieures. Il sera fidèlement soutenu dans ses fonctions par des hommes comme Marcel Cadieux, John W. Holmes et George Ignatieff. Au Conseil privé, Arnold Heeney, l'éternel conseiller de King, reste dans ses fonctions jusqu'en 1949. Norman A. Robertson le remplacera de 1949 à 1952, tandis que Heeney deviendra sous-secrétaire d'État en mars 1949.

Pour ce qui est de la situation internationale, elle n'a rien de reluisant. En décembre 1947, la Conférence de Berlin ne mène nulle part. Bevin confie à Marshall qu'il n'y a plus rien à attendre des Soviétiques. Et pour cause! Dès janvier 1948, les choses se gâtent en Tchécoslovaquie. Le 25 février, c'est le coup de Prague. Les grands chambardements continuent avec le blocus de Berlin de juin 1948. Celui-ci ne sera levé qu'en mai 1949. En août 1949, le monopole américain est brisé. Durant tout ce temps, le Canada s'abrite derrière une prudence plus qu'élémentaire. King se retranche depuis 1947 dans ses positions d'avant-guerre: c'est à nouveau l'isolationnisme. Ce qui fait que pour Berlin, le Canada « n'a pas fourni un seul sac de farine, du lait en poudre ou des œufs [...] il n'a pas aidé à rompre le blocus ou à le terminer[38] ». Au début de 1950, l'URSS se retire de tous les principaux organes de l'ONU. En juin de la même année éclate la guerre de Corée. « Combattre en Corée, estime le général américain Omar Bradley, c'est se tromper de guerre, d'endroit, de temps et d'ennemi. » Quoi qu'il en soit, ennemi ou pas, le système international vit des convulsions profondes.

À l'intérieur, le contexte politique canadien subit aussi de grandes métamorphoses. Eayrs les résume sous une forme un peu tarabiscotée: « Vers l'automne 1947, on peut conclure qu'il existait un consensus au sein de la communauté politique canadienne sur le fait que le temps approchait où il serait prudent et opportun de créer une sorte d'alliance de sécurité occidentale afin de faire face à la menace de l'impérialisme soviétique et de prévenir le déclenchement d'une guerre[39]. » Ce consensus existe bel et bien. À la Chambre des communes, l'adhésion du Canada à l'ONU s'est faite à l'unanimité. On peut dire la même chose pour la création de l'OTAN. On souscrit à l'OTAN par un vote de 185 voix et 1 abstention.

Le Canada s'est accommodé du veto des grandes puissances. On ne s'accommode pas des alliances, on les réclame du fond du cœur, surtout pour s'assurer d'un changement de mentalité au sein du Congrès américain qui a tendance à s'endormir bien au chaud dans son lit d'isolationnisme, à l'exception sans doute du sénateur Vanderberg. En réalité, le Canada est l'un des principaux artisans de l'OTAN. Encore là, c'est parce que le système de sécurité collective de l'ONU est paralysé que l'on s'en remet à la solution de rechange de l'article 51 de la Charte. Cela étant dit, le Canada continue de défendre vaillamment l'ONU, par ses déclarations, sa diplomatie et par ses efforts pour sortir de leur irréelle atmosphère les accablants monologues américano-soviétiques.

Que faire ?

Durant toute la période 1948 et 1949, on se pose la question : « Que faire ? » Trois fois. Faut-il acculer l'URSS au pied du mur ? Faut-il faire perdre la face à l'URSS ? Faut-il rompre les négociations ou les poursuivre ?

Acculer l'URSS au pied du mur ? La chose est impossible. Baruch avant d'autres avait tenté l'expérience. Sans succès. Le bloc occidental dispose certes d'une immense majorité à l'ONU. Même en position de minorité, l'URSS, à coups de procédures et, pour emprunter une expression à Philip Noel Baker, grâce aux « extravagances[40] » de son discours, réussit cependant à tenir le coup. Sa diplomatie sera agressive, dure, tranchée, inflexible et intolérante. Elle ne connaît pas le sourire… Il faudra attendre Gorbatchev pour cela !

À l'occasion, Moscou sort en claquant la porte. C'est ce qu'il fit en 1950. Pourquoi donc continuer de négocier une fois qu'il a dit non à Baruch ? Ou une fois que la situation internationale s'est à ce point détériorée qu'aucun accord n'est manifestement plus possible ? Il y a une raison évidente à cela. Certains estiment encore possible de convertir l'URSS à leur cause. Il en va de l'avenir des Nations Unies, de la conception même que l'on se fait du système international et de la poursuite d'un dialogue malaisé certes, mais auquel aucun autre substitut ne peut être trouvé. Le Canada craint même que l'URSS ne se retire de l'ONU, ce qui aurait fait s'écrouler tant de légitimes espoirs. Il faut donc garder l'URSS à la table des négociations.

Évidemment, Moscou n'aime pas tellement le menu proposé. S'ouvrir à une armée d'inspecteurs étrangers ne lui sourit guère. La perspective de faire passer ses mines d'uranium et ses industries nucléaires sous contrôle international lui paraît être un grossier anathème de tout ce en quoi l'URSS croit : le secret, l'amour de la patrie et la consolidation du socialisme. Et lorsque viendra le temps de divulguer des renseignements sur ses effectifs et ses forces armées, elle se montrera aussi réfractaire à cette forme d'indiscrétion que si Baruch lui-même avait forcé la porte du Kremlin pour en dévoiler les secrets. Par ailleurs, qu'aurait-on bien pu y trouver ? On peut risquer ici une hypothèse. Il est probable que toutes les tactiques de l'URSS visaient à effrayer l'Occident, à le tenir occupé dans d'interminables discussions à l'extérieur, afin de pouvoir consolider, à l'intérieur, les gages territoriaux acquis durant la guerre, ainsi que l'existence d'un régime pour lequel, au nom de la patrie, d'incroyables et surhumains sacrifices avaient été consentis.

Selon l'ancien directeur des affaires soviétiques au Quai d'Orsay, l'URSS,

> c'est la contradiction d'un État qui se veut à la la fois unique et quelconque, différent et pareil, et qui mène de front les deux politiques, celle de la révolution par le mouvement communiste, unifié et discipliné, celle de l'intérêt d'État par les moyens militaires et diplomatiques traditionnels [...] La plupart des responsables non communistes ont du mal à concevoir l'existence simultanée de contradictoires. S'ils se heurtent à l'intolérance, ils s'attendent à la guerre. S'ils rencontrent la coexistence, ils croient les problèmes résolus. Ils se trompent dans les deux cas[41].

L'Occident est donc placé dans une position difficile. Le camp socialiste refuse de s'ouvrir. Il est convié à la même table, mais refuse de goûter à la plupart des mets qui lui sont présentés. Dans ces conditions, les États-Unis décident d'exploiter l'immense avantage psychologique dont ils disposent, c'est-à-dire la propagande. Celle-ci n'a rien d'éhonté en soi. Elle peut même servir à la longue à amener les autres à penser comme on aimerait qu'ils pensent. Évidemment, la technique ne peut guère fonctionner lorsque celui auquel elle s'adresse est aussi fort que soi. Et par surcroît aussi habile à ce petit jeu. En ce domaine, les responsabilités sont nettement partagées, même si les valeurs morales défendues par les États-Unis sont nettement plus transparentes que l'obstructionnisme un peu grossier et ennuyeux pratiqué par l'URSS.

Le problème se pose toutefois pour le Canada de savoir où se situer dans ce jeu dangereux. Comme dans toute chose, il y a deux extrêmes et une position modérée. Rejetons immédiatement un extrême : l'attitude qui aurait consisté à ne rien dire et à ne rien faire, ou alors à savourer en silence la puissance et les vertus du système démocratique. À l'autre extrême, il y a l'attitude qui consiste à être aussi royaliste que le roi, à lui fournir même des conseils pour mieux exploiter sa force et son prestige.

Entre ces deux attitudes, il y a la modération. Le Canada, cela va de soi, reste fidèle à sa légendaire modération. C'est sans doute pourquoi certains trouvent la politique canadienne mortellement ennuyeuse. Une exception vient cependant briser cette légende.

Il s'agit de la personnalité d'Escott Reid, que Eayrs définit « comme la plus digne de mention dans les dépêches diplomatiques[42] ». Escott Meredith Reid est en effet fort cultivé et intelligent. Il écrit bien, a un esprit clair et concis. Et il se comporte, dans le cas d'espèce qui nous intéresse, comme un véritable stratège.

Reprenons ici l'historique des négociations pour mieux situer le contexte. Le Canada devient membre de la Commission des armements de type classique, lorsqu'il commence à siéger au Conseil de sécurité de l'ONU le 1er janvier 1948. Dès février 1948, il y a tempête dans un verre d'eau entre John Starnes de la Délégation canadienne et Frederick Osborn de la Délégation américaine. Osborn entend en effet consulter, de façon officieuse, les membres de la Délégation canadienne sur la question des « mesures de garanties » inscrite au point 3 du plan de travail de la Commission approuvé en juillet 1947. Il laisse à penser que les États-Unis n'entendent pas vraiment discuter à fond de ces problèmes, d'autant que les militaires américains ne semblent guère emballés à l'idée de s'engager dans une telle discussion. Dans une note adressée à R.G. Riddell le 24 février 1948, B.M. Williams, du Bureau de l'ONU, précise que si les États-Unis ont l'intention d'utiliser cette question comme un argument de propagande, « il serait probablement utile de savoir si nous souhaitons nous engager dans une telle procédure ».

Entre-temps, des consultations ont lieu entre les Délégations française, britannique, américaine et canadienne sur le document de travail américain. À l'issue d'une réunion, le 20 février, John Starnes reçoit un coup de fil d'Osborn qui est manifestement furieux. Starnes s'explique :

> Il [Osborn] venait d'apprendre que nous avions transmis la question à notre gouvernement et que cela était contraire à l'entente sur la façon dont les consultations devaient se produire. Sans attendre, il ajouta qu'il était dans l'obligation de me demander de lui retourner le document qui m'avait été remis sur la base d'un malentendu. Il ne s'agissait pas, expliqua-t-il, d'un document officiel [...] Il alla même jusqu'à me demander si j'en avais fait une photocopie ! (À ce moment-là, nous ne l'avions pas encore fait.) Avec retenue, je lui fis remarquer que je me plierais volontiers à sa demande, mais que je ne voyais pas comment je pourrais empêcher le général McNaughton de faire rapport au Ministère sur toute question qui relevait de sa compétence [...] Inutile de dire que je retournai, le même soir, sous le couvert d'une brève lettre et par messager particulier, les deux copies du document en question[43].

Cet incident est probablement dû à l'inexpérience d'Osborn à l'époque, ainsi qu'au fait que celui-ci n'avait probablement pas encore le feu vert de l'administration américaine l'autorisant à discuter officiellement du plan. Quoi qu'il en soit, le récit se prolonge, le 20 mars, avec une lettre adressée par Escott Reid au secrétaire du Cabinet, Arnold Heeney :

> Il n'y a pas la moindre chance qu'un accord intervienne maintenant sur la réduction et la limitation des armements [...] ce qui est important, c'est que les pays occidentaux se servent

des discussions sur le désarmement comme d'un bâton pour frapper l'URSS, et qu'ils s'en servent comme d'une arme dans le climat actuel de guerre politique [...] Je viens de suggérer des amendements à la proposition britannique sur la question des « principes généraux » de réduction et il me semble que nous devrions appliquer la même procédure en ce qui a trait aux questions de la Commission de l'énergie atomique.

Le rapport [de la Commission] doit rendre clair comme le jour, dans les mots les plus simples possibles pour les gens, que les pays occidentaux membres de la Commission veulent immédiatement abolir la bombe atomique. Et qu'ils sont aussi prêts à accepter à cet effet toutes les entorses nécessaires à leur souveraineté nationale. Nous n'avons pu atteindre cet objectif à cause de l'obstruction soviétique. L'URSS a refusé de se soumettre à un système d'inspection international, lequel est le seul à pouvoir faire d'un accord international visant à interdire la bombe autre chose qu'un vœu pieux d'un pacte de paix à la Briand-Kellogg.

Le refus de l'URSS d'accepter un régime efficace d'inspection internationale signifie que le monde doit vivre sous la terreur de l'arme atomique. Il signifie aussi que le monde sera privé dans toute son étendue des avantages d'un plus haut niveau de vie qui pourrait résulter de la totale utilisation de l'énergie atomique à des fins pacifiques[44].

Le même jour, Reid met les bouchées doubles puisqu'il envoie aussi une note au Bureau de direction de l'ONU. « L'important, dit-il, c'est de gagner une victoire de propagande [...] Il faut arracher une page au livre de Litvinov[45], et ne pas trop s'inquiéter de déclarer notre ferme intention d'accepter des réductions substantielles dans nos armements ainsi qu'un système d'inspection efficace. »

Le 22 mars suivant, Marcel Cadieux se charge de répondre à Reid. Même si les discussions doivent se poursuivre, écrit-il en substance, cela n'atténuera pas les désaccords entre l'Ouest et l'Est, et le traité n'en sera pas pour autant signé. À la lecture de cette lettre, Reid note en marge : « Cela n'est pas pertinent par rapport à mon argument ; j'ai à l'esprit un traité préparé par le groupe non soviétique. » Cadieux poursuit son analyse et révèle l'essentiel de sa position : « Plutôt que de continuer ces discussions qui risquent de donner aux gens la fausse impression que quelque chose se passe en matière de contrôle de l'énergie atomique, la Grande-Bretagne, les États-Unis et le Canada se proposent maintenant de dire dans leur rapport qu'il n'y a plus d'utilité à poursuivre les discussions à cause de l'attitude de l'URSS. » Cadieux a évidemment ici à l'esprit la présentation du troisième et dernier rapport de la Commission de l'énergie atomique.

Le 12 mai 1948, B.M. Williams, du Bureau de direction de l'ONU, envoie une longue note d'explication à R.G. Riddell sur les raisons qui devraient amener les Occidentaux à suspendre au sein de la Commission les questions relatives au point 2 du plan de travail :

Le désarmement ne peut pas progresser sans mesures de confiance ; il sera peut-être plus difficile de les [discussions] suspendre plus tard ; le même raisonnement s'applique à la discussion des problèmes des garanties, et même si ces questions sont discutées, rien ne dit

> que l'on pourra en retirer un long réquisitoire contre l'URSS. Nos plus grands efforts devraient être dirigés vers le renforcement de l'ONU de façon qu'elle reste fidèle à sa mission [...] Il est donc douteux que la poursuite des travaux de la Commission nous soit d'un grand secours. Quant à la discussion des mesures de garanties, il est peu probable que l'on puisse résoudre les différences d'opinions à cet égard.

Encore une fois, Escott Reid n'est pas d'accord avec cette façon de procéder. Une note manuscrite, en marge du mémorandum, résume la pensée de Reid sur la question des mesures de garanties: «Le point essentiel est sûrement, ici, de savoir si des discussions ultérieures permettront de convaincre les gens que les pays occidentaux sont prêts à accepter des propositions raisonnables de désarmement, alors que la Russie ne l'est pas.»

En ce domaine, la position canadienne est proche des thèses britanniques: il n'y a plus grand-chose à tirer de ces discussions. Londres va cependant beaucoup plus loin, car le Foreign Office est prêt à mettre un terme aux travaux des deux Commissions ainsi qu'aux discussions qui portent sur le Comité d'état-major de l'ONU. Les États-Unis, quant à eux, veulent poursuivre les discussions. Tout comme la France. Le délégué français, de la Tournelle, soutient que si les discussions sur le contrôle de l'énergie atomique ont été épuisées, cela n'est pas le cas des délibérations qui portent sur la réduction des armes classiques. Les États-Unis veulent bien que soit discuté le point relatif aux mesures de garanties, mais il n'est pas question de discuter du point 4. En d'autres termes, ils ne veulent pas faire de propositions concrètes en matière de désarmement[46].

En août 1948, à l'occasion de la discussion du deuxième rapport de la Commission des armements de type classique, le Canada cherche à y faire paraître une déclaration faite antérieurement au sein d'un comité de travail. Le représentant ukrainien Manuilsky s'y objecte. Lorsque McNaughton propose finement de répéter cette même déclaration devant la Commission, le représentant ukrainien retire son objection. Dans un mémorandum adressé à Ignatieff depuis Paris, le 29 septembre 1948, Escott Reid revient à la charge en proposant que les États-Unis fassent une déclaration par laquelle ils accepteraient un système d'inspection international, tant pour leurs bombes que pour leurs réacteurs nucléaires. «Car, ajoute-t-il, comme il n'y a pas la moindre chance que les Russes [dans le texte] acceptent cette proposition, les Américains ne courent aucun risque en faisant cette promesse.» La stratégie de Reid commence à s'émousser considérablement à ce stade.

Ainsi, lorsque Reid propose le 29 octobre d'amender le projet de résolution soviétique de septembre sur la réduction proportionnelle des forces armées, R.G. Riddell demande à G.K. Grande son avis. Celui-ci répond, le 3 novembre 1948:

> Il est vrai qu'aux Nations Unies on peut proposer un amendement au sujet de n'importe quoi avec n'importe quel amendement. Il est même possible, par exemple, de proposer de modifier la phrase suivante: «Tandis que les gens du monde ont tous très faim» par

«Tandis qu'aucun des gens du monde n'a très faim». Il faut donc admettre qu'il est techniquement possible de proposer un amendement au sujet de n'importe quelle proposition.

Du simple point de vue de la propagande, ne serait-il pas mieux de faire en sorte que la proposition soviétique subisse une écrasante défaite et de proposer alors une résolution séparée qui sera acceptée par une large majorité? Cela ne vaudrait-il pas mieux que de proposer des amendements à une résolution soviétique, laquelle, dépouillée de toute substance, pourrait être adoptée par une majorité? Dans tous les cas, il est douteux que l'URSS assiste, l'air coi, à la mise en pièces de sa résolution initiale. D'autres Délégations, l'Ukraine, la Biélorussie, la Pologne, etc., tenteront d'en restituer le contenu original. Il en résulterait, à mon avis, un gâchis irrémédiable.

À Paris, R.M. Macdonnell, membre de la Délégation canadienne auprès de l'Assemblée générale des Nations Unies qui siège exceptionnellement dans cette ville, viendra confirmer le bon sens de Grande, aujourd'hui journaliste à l'*Ottawa Citizen*. Il est impossible de faire des amendements à la résolution soviétique qui soient acceptables pour les pays occidentaux. De plus, les Soviétiques n'ont pas remporté la bataille diplomatique. «Je pense que Reid est pessimiste, précise MacDonnell. La Délégation canadienne a fait sa part [...] l'URSS est le vilain de la pièce.»

Dans l'ensemble, donc, bien que le Canada se soit rapproché de ses alliés, il n'a pas cédé à la tentation d'une pure lutte de propagande. Il est de toute façon difficile de concevoir ce qu'aurait pu faire de plus le Canada. Ni la situation internationale, ni son influence, ni son opinion publique ne lui permettaient de jouer les coudées franches, comme tous les autres États d'ailleurs.

À partir de 1949, la guerre des mots va se poursuivre sur tous les fronts. La résolution du 19 novembre 1948 marque une nouvelle phase dans cette guerre. Elle pose le préalable « de la réception, de la vérification et de la publication d'informations complètes sur les effectifs et les armements» des États. L'URSS, en février 1949, s'oppose à ce que la question soit discutée au Conseil de sécurité. Les États-Unis renvoient donc le problème à la Commission des armements de type classique. Celle-ci, ainsi dotée de son nouvau mandat, crée à son tour un comité qui sera saisi d'une proposition alliée présentée par la France le 26 mai 1949.

La question du recensement des forces armées

En 1949, les négociations sur le désarmement deviennent un jeu. Chacun avance ses pions, dresse des barrages et des fortifications; l'autre tente de les contourner et de les faire sauter. Les adversaires s'épient. Sait-on jamais? Un jour, quelqu'un, peut-être, fera une erreur! À ce jeu, l'erreur peut être coûteuse, mais les risques en valent la peine... D'autant plus que l'URSS, selon la formule consacrée de Churchill, est « un mystère entouré d'une énigme». Il faut donc tenter de percer ce fascinant mystère par tous les moyens possibles.

L'adversaire, c'est-à-dire le camp socialiste, n'est nullement intéressé. Est-ce à dire que les Occidentaux s'amusent entre eux? Cela serait trop dire. Après tout, entre deux combattants, il y a toujours un public : le tiers observateur dont il importe de gagner l'estime et les sympathies. L'enjeu est donc de taille: les forces de la démocratie contre l'héroïque hermétisme d'un bloc autistique. Dix ans plus tard, deux facteurs permettront de résoudre cette curieuse équation : comment deux sourds heureux d'être sourds peuvent-ils voir sans être vus? Il y a, tout d'abord, la technologie qui permettra aux prétendus malentendants d'ouïr un peu mieux, grâce aux satellites, et de bénéficier, par la même occasion, d'une « vision céleste ». Et puis, en second lieu, les gens sachant un peu mieux lire et écrire qu'autrefois, les médias et les instituts spécialisés se feront une joie de publier tout ce que les états-majors avaient tenté de leur dissimuler jusqu'alors.

En 1949, les grandes puissances n'ont pas d'yeux ni d'oreilles dans l'espace. Il s'agit de voir avec ce que l'on a, c'est-à-dire avec bien peu. On s'efforcera donc de transformer ce bien peu en beaucoup. Pas trop tout de même. Car si l'on va trop loin, il sera mal vu de reculer par la suite. Il faut donc définir ce que l'on veut voir et ce que l'on ne veut pas qui soit vu. En d'autres termes, dire ce que l'on souhaite voir chez l'autre et préciser ce que l'on ne veut pas qu'il voie chez nous.

Un court rapport du ministère des Affaires extérieures, daté du 14 mars 1949, résume bien les positions de départ. Pour les États-Unis, il faut considérer le sujet sous trois angles : le personnel, le matériel et les procédures de vérification. En matière de personnel, il faut comprendre les forces actives et celles de réserve de même que les forces paramilitaires. Par matériel, on entend les flottes de combat par catégories, l'équipement par catégories générales (les blindés, l'artillerie et l'infanterie) et les avions de combat par types. Quant aux procédures de contrôle, afin de vérifier l'authenticité des renseignements divulgués, il faut un accès général aux dossiers par des « prélèvements » recueillis ici et là, et qui devront être déterminés d'un commun accord plutôt que par la « fouille » d'un État partie au traité.

Les Britanniques, en matière de personnel, ont une position semblable à celle des États-Unis. Mais, à leur avis, il ne faut pas fournir de précisions sur la répartition des armes par catégories — blindés, infanterie et artillerie — ou selon les affectations géographiques. Quant aux procédures, les mécanismes d'inspection devraient être suffisants pour permettre à un inspecteur raisonnable de s'assurer que ce qu'il vérifie soit bel et bien les dossiers qui servent à l'usager. Les militaires sachant bien compter, il est évident que si cette proposition avait été acceptée, certains États auraient été fort tentés d'établir des comptabilités parallèles ! De plus, les Britanniques ne sont pas prêts à permettre l'accès aux dossiers relatifs à la nourriture, à la solde et au vêtement, puisque ces renseignements risqueraient de révéler la répartition géographique des effectifs militaires, du moins en ce qui a trait aux armées de l'air et de terre.

Le Canada, quant à lui, est nu ! Il ne risque donc pas grand-chose. Car si la proposition de réduire du tiers les effectifs militaires était retenue, le Canada se serait vite retrouvé dans la position d'une armée dont l'importance, en termes numériques, aurait été à peu près égale aux forces policières de la ville de New York d'aujourd'hui ! Dans une lettre qu'il expédie à Ignatieff, le 26 février 1949, Holmes lui fait remarquer que nous n'en sommes plus qu'à 5 pour 100 des maximums atteints par nos effectifs en temps de guerre ! Il établit ainsi le tableau suivant :

Sommets maximums **(736 081 personnes) (en temps de guerre)**		***Effectifs actuels*** **(39 898 personnes) (février 1949)**	
Marine	95 277	Marine	7 753
Armée	495 804	Armée	18 145
Aviation	215 000	Aviation	14 000

En mars, il faut donc tâter le pouls de l'état-major militaire canadien relativement à ce qui se trame à l'ONU. Heeney, devenu sous-secrétaire d'État aux Affaires extérieures en mars, écrit le 29 au président des chefs d'état-major interarmes, le lieutenant-général Charles Foulkes. Il lui demande de commenter le projet américain. À la réunion du Comité des chefs d'état-major interarmes, Heeney souhaite que l'on laisse la porte ouverte à la question de la divulgation de renseignements au sujet du matériel, car ces dispositions sont inscrites dans les projets alliés. De plus, si jamais l'URSS acceptait cette proposition, il faudrait que l'Ouest soit prêt à rendre la pareille à l'URSS. À sa réunion du 28 mars, le Comité des chefs d'état-major interarmes accepte donc de divulguer le tableau des effectifs militaires canadiens ainsi que la durée du service et la période d'engagement des militaires canadiens et d'offrir aux inspecteurs tout ce qu'il faut, mais sans plus, pour leur permettre de vérifier l'ensemble du tableau des effectifs militaires.

Le 5 mai, les choses avancent lentement. Holmes écrit à Heeney lui disant qu'il faudrait obtenir l'avis du Comité des chefs d'état-major interarmes sur les questions suivantes : accorder une marge de manœuvre à McNaughton dans ses négociations avec les alliés, savoir ce qu'il pense désormais des projets américain et français, et déléguer éventuellement un expert au sous-comité de la Commission chargé de l'examen de cette question. À cette fin, le Comité des chefs d'état-major interarmes convoque une réunion extraordinaire pour le 28 mai. Le Comité des chefs d'état-major interarmes n'aime pas le projet français puisqu'il inclut une clause de divulgation sur « l'inventaire des magasins militaires ». Déjà le 11 mai, le Comité des chefs d'état-major interarmes s'était élevé contre ce genre de modalités, « car ni les États-Unis ni la Grande-Bretagne ne connaissent ces inventaires. Si l'URSS acceptait cette proposition, cela signifierait que le ministre de la Défense serait dans l'obligation de révéler des renseignements qui n'ont jamais été fournis au Parlement. » On refuse donc, le 28 mai, le projet français ; on se rallie au projet américain et l'on accepte de déléguer au sous-comité un expert militaire canadien.

Entre-temps, on sait que le projet américain exclut du contrôle les armes en cours de développement. On ajoute à cette catégorie générale « les laboratoires, les centres d'essai et d'expérimentation » — les Américains ont à l'esprit les missiles guidés sur lesquels ils travaillent. Les Britanniques préfèrent aussi le projet américain au projet français. Nash, qui a remplacé Osborn, pense que le projet français est insuffisant en matière de contrôle et de vérification. Ils sont tout de même assez libéraux, car ils n'auraient pas d'objection à ce que les Soviétiques mettent leur nez à Guam, puisque l'opération n'entraînerait pas une divulgation de l'ensemble du dispositif militaire des forces américaines dans le Pacifique[47]. Pour sa part, de la Tournelle est autorisé par son gouvernement à retirer du projet français la clause qui inquiète beaucoup de militaires, soit « la divulgation de renseignements sur la main-d'œuvre engagée dans la production d'armements conventionnels ainsi que des données sur la production de matières premières et certains produits susceptibles d'influer sur le potentiel des industries de l'armement classique ». En fait, le désir des Français, à l'époque, était de connaître ce que l'on appelle aujourd'hui le tableau industriel *input-output*, inventé par l'économiste Leontieff. En matière de désarmement, on peut être précoce, mais il ne faut pas trop l'afficher !

Le 8 juin, à sa 448e séance, le Comité des chefs d'état-major interarmes autorise le général McNaughton à poursuivre ses négociations avec les alliés, en attendant que d'ici quelques semaines le Comité de défense du Cabinet se prononce sur la question. Dès la réunion du 11 mai, celui-ci avait cependant proposé que la divulgation des renseignements se fasse par étapes. On pourrait ainsi mettre à l'épreuve la bonne foi des Soviétiques, la vérification devant se faire après chacune des étapes avant de procéder à la suivante. Ainsi, si jamais les Soviétiques acceptent, on pourra toujours reculer ! Holmes se rend compte que cette proposition n'a aucune chance d'être acceptée. Par acquit de conscience, il informe la Délégation canadienne à New York de cette nouvelle proposition. Et le 26 mai, dans une lettre adressée au sous-secrétaire Heeney, Holmes précise que, bien que la Délégation britannique voie quelque mérite dans cette proposition, le sentiment général est de la refuser, « parce qu'elle réduirait l'effet de propagande recherché » du document de travail allié.

Le 26 mai, la France dépose donc à la table des négociations son projet. Comme les autres pays, la France est intéressée par les questions de désarmement. De plus, la troisième session de l'Assemblée générale s'est tenue à Paris. Il est donc normal que l'honneur lui revienne de présenter sa proposition, car cela fait évidemment partie des règles du jeu. Elle est essentiellement d'inspiration franco-britannico-américaine, sans véritable parfum canadien, et destinée à ouvrir chez l'autre des portes que l'on souhaiterait voir rester fermées chez soi. Musset a raison: il faut qu'une porte soit ouverte ou fermée!

Le document sera approuvé en comité de travail, le 18 juillet, par 8 voix contre 3. Le 1er août, la Commission l'entérine et le transmet au Conseil de sécurité avec son rapport[48]. Durant les discussions au Conseil de sécurité, l'URSS tente, le 14 octobre, une dernière manœuvre en introduisant une résolution[49] par laquelle elle demande aux États de divulguer des renseignements tout à la fois sur leurs armes classiques et sur leurs armes atomiques. À New York, Arnold Smith négocie avec la Délégation américaine le dépôt d'une proposition d'amendement qui puisse répondre, en fait, aux vœux soviétiques. L'amendement canadien accepte la nécessaire liaison entre les deux questions, mais à la condition que l'URSS se soumette, dans les deux cas, aux procédures de vérification proposées par l'Ouest. Les États-Unis, après mûre réflexion, s'opposent au projet canadien. Les discussions au Conseil de sécurité se terminent par le 39e veto soviétique. Les sourds restent sourds, mais l'aveugle occidental n'abandonnera pas l'espoir de chercher à voir...

DE L'ATOME BELLIQUEUX À L'ATOME COMMERCIAL

L'étroite collaboration à l'intérieur du triangle American British Canadian (ABC) remonte à la Conférence de Québec en 1943. Les textes secrets de cette rencontre seront finalement publiés, en 1954, avec l'accord commun des parties concernées. Outre la mise en commun des ressources des trois pays pour collaborer à la mise au point de la bombe atomique — le projet Manhattan ou Tube Alloys si l'on se fie au code secret britannique —, il est prévu aux termes de ces accords de mettre sur pied un Comité politique interallié (CPC). Un peu plus tard, soit le 13 juin 1944, est créé le Combined Development Trust (CDT) qui devient, peu après l'entrée en vigueur de la loi MacMahon en 1946, le Combined Development Agency (CDA), c'est-à-dire l'Agence de développement commun.

Au Canada, le Cabinet établit, dès le 27 mars 1946, l'Advisory Panel on Atomic Energy, c'est-à-dire un Comité de conseillers politiques à un haut niveau, mandaté pour étudier « les problèmes relatifs au développement et à l'utilisation internationale et nationale de l'énergie atomique ». C'est au sein de ce Comité, composé d'un tout petit groupe de personnes influentes, que la plupart des décisions importantes seront prises en matière d'énergie atomique. Le premier ministre participera aux discussions du Comité chaque fois que les circonstances l'exigeront. De plus, le Canada crée, en août 1946, la Commission de contrôle de l'énergie atomique, laquelle est plus immédiatement responsable de la surveillance à exercer sur la mise au point de « substances prescrites » à des fins de recherches médicales ou industrielles à caractère pacifique. Cette Commission de contrôle n'a donc ni la compétence ni les fonctions qui sont dévolues, par exemple, à la Commission de l'énergie atomique américaine.

Pour ce qui est des procédures administratives, les dossiers et la responsabilité du Comité de conseillers incombent au sous-secrétaire d'État aux Affaires extérieures. En 1949, cette responsabilité est transférée au Bureau de liaison avec la défense, Bureau qui avec celui de l'ONU prendra une importance considérable au sein du ministère des Affaires extérieures. La décision de faire ressortir la responsabilité des dossiers du Bureau du sous-secrétaire au Bureau de liaison avec la défense n'implique nullement un intérêt militaire croissant pour les questions discutées. Il s'agit tout simplement de normaliser une situation administrative dont le caractère et le secret deviennent moins impérieux.

Tous les historiens qui se sont penchés sur les dossiers du second conflit mondial et ceux d'après-guerre sont formels sur l'option nucléaire canadienne. Celle-ci n'a jamais été considérée sérieusement. En tout cas, les archives ne livrent aucun élément qui permette d'affirmer le contraire. Nous pouvons dire la même chose des dossiers que nous avons consultés. De tous les organismes gouvernementaux engagés dans la recherche atomique, seul Chalk River aurait eu la capacité industrielle de faire quelque chose. Or, il semble bien, si l'on se fie ici aux historiens, que cette hypothèse n'ait jamais été retenue. Le ministre d'ailleurs le plus largement concerné dans les affaires nucléaires, le « Ministre de toute chose », C.D. Howe, est formel de toute façon sur le sujet. Il déclare à la Chambre des communes, le 5 décembre 1945 : « Nous n'avons pas fabriqué de bombes atomiques, et nous n'avons nullement l'intention d'en fabriquer[50]. »

Nous n'avons pas consulté, ni demandé à le faire, les archives du Conseil de recherches pour la défense. Il s'agit logiquement du seul endroit où de brillants cerveaux auraient pu se pencher sur le bien-fondé politique ou militaire de produire pour la défense du Canada un arsenal atomique. Chose certaine, durant la période 1948-1954, les archives du CPC consultées indiquent clairement que le Canada n'a pas l'intention de s'engager dans cette voie. Le 9 novembre 1949, le premier ministre Saint-Laurent déclare au CPC : « Nous ne voulons pas fabriquer de bombes, ni en posséder les titres de propriété, ni en faire usage[51]. » Cette ligne de pensée sera fidèlement suivie dans toutes les discussions du CPC. Certains événements obligeront cependant le Canada à perdre un peu de sa virginité en matière nucléaire. La contribution nucléaire canadienne ne sera pas directe mais indirecte.

Dès 1946, la loi MacMahon vient mettre un terme à la superbe collaboration alliée à l'intérieur du triangle ABC. Les États-Unis n'ont pas l'intention de partager avec quiconque les vertus secrètes du pouvoir nucléaire militaire. On ne saurait toutefois trop lourdement pénaliser des alliés dont la loyauté dans le projet Manhattan fut à toute épreuve. Il y a aussi beaucoup plus : comment les États-Unis peuvent-ils démontrer leur bonne volonté en matière de coopération à des fins pacifiques ? Le CDT désormais connu sous le nom de CDA ne devient plus qu'une agence d'allocation des ressources minières. Il faut toutefois trouver un moyen de continuer à partager l'information. En janvier 1948, sous la direction de l'amiral Strauss, alors président de la Commission de l'énergie atomique américaine, intervient un *modus vivendi* dont l'article 6 se lit comme suit :

> Il est admis qu'il existe des domaines d'information et d'expertise où la coopération serait mutuellement avantageuse pour les trois parties. Elles collaboreront donc dans tout domaine qui sera de temps à autre déterminé par le CPC et dans la mesure où cela sera permis par les lois respectives des pays[52].

À propos du droit de consultation sur l'emploi de l'armement atomique, consacré dans les Accords de Québec de 1943 : motus et bouche cousue ! On sait aujourd'hui que c'est à l'intérieur du CPC que le maréchal britannique Maitland-Wilson fut informé, le 4 juillet 1945, de la décision américaine d'utiliser la bombe A contre le Japon[53]. C.D. Howe le fut par la même occasion puisqu'il participait aussi à cette réunion. Les deux autres personnes à être mises au courant furent C.J. Mackenzie et le premier ministre King. On sait de ce dernier qu'il n'était pas particulièrement entiché de l'idée d'utiliser la bombe atomique contre la race jaune. Il préférait peut-être, en ce domaine, qu'elle fut utilisée contre la race blanche…, c'est-à-dire contre l'Allemagne nazie.

De 1948 à 1954, le Canada au sein du CPC doit faire face à trois problèmes particuliers. Le premier a trait à la position commerciale du Canada en matière de production de matières fissiles. Le deuxième résulte de l'idée plus ou moins saugrenue d'entreposer au Canada des bombes britanniques, et le troisième, de l'éventualité d'effectuer des essais nucléaires en territoire canadien. Ces deux derniers problèmes sont fort bien documentés dans les ouvrages de la grande spécialiste britannique, Margaret Gowing, sur la collaboration atomique entre les alliés. Nous nous efforcerons donc ici de compléter ces études d'un point de vue canadien.

Les difficultés d'en arriver à une juste et équitable répartition du minerai d'uranium durant la guerre sont bien relevées dans les *Documents relatifs aux relations extérieures du Canada*[54]. Le Canada, bien qu'il se soit associé au CDT, et par la suite au CDA, ne joue guère de rôle important dans ces organismes, puisque C.D. Howe s'était réservé le droit de vendre à quiconque l'uranium canadien. Le Canada se tiendra donc soigneusement à l'abri des querelles anglo-britanniques lorsque cette répartition des ressources ne sera pas jugée satisfaisante par l'une ou l'autre des parties. En pratique, cependant, c'est essentiellement aux États-Unis que vend le Canada. Cela se comprend d'autant mieux que le Canada a reçu des Américains durant la guerre 20 tonnes d'eau lourde, dont la valeur est évaluée à 2 millions de dollars[55]. Un bon physicien peut évidemment calculer la quantité de plutonium qu'a pu produire le Canada durant la guerre s'il connaît la capacité de divergence du premier réacteur nucléaire canadien à Chalk River. Celui-ci est un réacteur semi-expérimental et semi-producteur. John W. Holmes affirme à bon droit que la production de plutonium canadien durant la guerre ne fut sans doute pas la seule source d'approvisionnement pour les

Américains, puisqu'ils disposaient aussi d'une importante quantité de minerai en provenance du Congo[56]. Cela est vrai, mais il ne pouvait s'agir en aucun cas de combustibles irradiés, car le Congo ne disposait pas d'industries nucléaires à l'époque. La question de savoir si le plutonium de la bombe lâchée sur le Japon fut d'origine américaine ou canadienne ne peut donc pas être tranchée ici. Chose certaine, seuls les Américains disposaient d'une usine de retraitement leur permettant de récupérer le plutonium des combustibles irradiés. Ainsi, on peut penser que les Américains ont utilisé tout le plutonium dont ils pouvaient disposer, car la bombe atomique, à ce moment, est une denrée rare.

Dans l'ensemble, ce qui intéresse C.D. Howe, c'est la capacité industrielle du Canada, c'est-à-dire son commerce avec les États-Unis. En retour, cela lui permet d'asseoir les bases de développement de l'industrie nucléaire canadienne. En matière de production de plutonium, le Canada est vulnérable. Ses approvisionnements en eau lourde proviennent en effet d'une compagnie située en territoire canadien, mais dont les principaux actionnaires sont des Américains, la Trail Smelter en Colombie-Britannique. Toutefois, Ottawa n'est pas complètement démuni. Il dispose de deux avantages comparatifs certains. Le premier tient à la technologie américaine. Celle-ci s'est cantonnée dans le développement de la filière graphite. La filière canadienne, en revanche, possède un système de refroidissement à eau lourde. Aussi longtemps donc que les États-Unis ne mettent pas au point de système semblable, les Canadiens peuvent compter sur l'eau lourde de la Colombie-Britannique. Le second avantage comparatif relève aussi de la technologie. Les Canadiens font mieux que les États-Unis ! En effet, ils obtiennent de leur réacteur à Chalk River trois fois plus de plutonium que les Américains ne sont capables d'en produire dans leur propre réacteur[57]. Durant l'année 1949 et au début de 1950, C.J. Mackenzie présente fort bien le problème : le premier réacteur expérimental canadien pourrait subir des avaries ou cesser de fonctionner d'ici cinq ans. Il faut donc songer à en construire un deuxième. Les conditions ne permettent pas cependant de prévoir ce que feront les Américains : créeront-ils leur propre filière à eau lourde ou encore leurs réserves sont-elles suffisantes pour subvenir à leurs besoins ? Le 1er février 1950, Mackenzie n'oublie pas de signaler au CPC qu'il n'est toujours pas en mesure de faire une recommandation à ce propos.

En 1950, deux événements viennent modifier de fond en comble les données du problème. En premier lieu, les alliés négocient un nouvel accord tripartite de coopération, dont la durée serait établie à cinq ans. Celui-ci s'impose d'autant plus que les États-Unis ne veulent pas entendre parler de production de bombes nucléaires en Grande-Bretagne. On s'emploie donc dans la négociation de l'accord à définir les conditions de collaboration tout à la fois dans le domaine pacifique et dans celui de la production d'armes nucléaires. Les États-Unis ne peuvent pas révéler de secrets, mais ils peuvent échanger de l'information avec une autre partie, à la condition que celle-ci soit engagée dans des « recherches parallèles ». Le Canada ne prendra aucunement part à la renégociation de ces accords dans le domaine de la production d'armes. Il demandera cependant à être tenu informé des caractéristiques des armes, afin de pouvoir mettre au point des « mesures de défense » contre ces armes, principalement dans le domaine de la défense civile. L'accord de coopération tripartite sera signé pour une durée intérimaire. Cependant, celle-ci sera courte. Le 2 février 1950, Klaus Fuchs est arrêté! « Personne mieux que James Tuck, à Oxford, écrit Eayrs, en connaissait davantage [l'énergie nucléaire] [...] Le codétenteur du plus grand secret « Divulgation des inventions » était Klaus Fuchs[58]. »

Le second événement tient à l'évolution de la stratégie nucléaire américaine. Le Pentagone décide de créer des bombes nucléaires à usage tactique! Le 11 novembre 1950, Gordon Arneson, du Département d'État, informe les Canadiens et les Britanniques de cette nouvelle façon de penser américaine. Toutes les bombes devront être fabriquées aux États-Unis. En échange du plutonium britannique, les Forces aériennes royales (RAF) (Royal Air Force, RAF) recevront des bombes américaines! Quant au Canada, on peut penser que cette décision a dû peser lourdement dans la balance des considérations qui ont amené Chalk River à mettre en chantier un deuxième réacteur à eau lourde[59]. Le Canada est désormais assuré d'un marché. Le prix du plutonium canadien sera indexé sur le prix de l'eau lourde, tandis que le prix de l'uranium d'Afrique du Sud payé par les Britanniques sera indexé sur le prix de l'uranium canadien vendu aux États-Unis! La cartélisation et le mercantilisme répondent désormais aux impérieux besoins de la défense. Le Canada tire son épingle du jeu. On ne saurait en dire autant des Britanniques.

Très tôt, les États-Unis contractent une allergie particulière à l'idée que les Britanniques puissent mettre au point leurs propres bombes. Byrnes, Patterson (secrétaire à la guerre), Acheson et Groves (le père du projet Manhattan), nous apprend Eayrs, « sont inquiets de la vulnérabilité particulière des îles britanniques[60] ». On pense même au sabotage, au vol et au terrorisme. Il ne serait donc pas mauvais que les Britanniques construisent leurs bombes au Canada! Au moment où cette question est soulevée au CPC, Lester B. Pearson ne dit mot. S'il a une opinion, il ne l'exprime pas... Plus tard germera dans la tête des Américains la proposition du *store-British-bomb-in-Canada*. Selon Eayrs, le Canada aurait, au besoin, donné son aval à cette proposition, le 29 septembre 1949[61]. C'est là aller un peu vite en besogne. Car les discussions se poursuivent au CPC tout au long de l'année 1949 et durant une partie de l'année 1950. L'accord de principe canadien ne viendra que plus tard et par un moyen détourné.

La proposition d'entreposer des bombes britanniques au Canada aurait été faite, d'après les procès-verbaux du CPC, lors du voyage à Ottawa du secrétaire de la Défense américaine, Louis Arthur Johnson, au courant de l'été 1949. On en discute en septembre, mais les discussions importantes se déroulent en novembre. Solandt, du Conseil de recherches pour la défense, fait valoir que les Britanniques ne font pas confiance aux Américains et que les premiers doutent de la capacité du Congrès de pouvoir rapidement, en cas de conflit, déclencher une guerre. De son côté, C.D. Howe ne voit pas tellement la nouveauté de cette proposition. Après tout, les Britanniques ont bien entreposé des picrates au Canada durant la Seconde Guerre mondiale! Le vice-maréchal de l'air Miller dore la pilule en précisant que d'après les informations recueillies à Washington les États-Unis sont prêts à céder les titres de propriété sur leurs bombes aux Britanniques. Arnold Heeney trouve la proposition irrecevable, à moins qu'elle ne soit assortie d'une clause selon laquelle l'entreposage n'aurait lieu qu'aux fins de défense commune de l'Alliance atlantique. Nous avons déjà cité l'opinion du premier ministre: pour lui, il n'est pas question de fabriquer ni de posséder, ni d'avoir recours à des armes atomiques. Et encore moins que le Canada soit désigné dans un accord comme le «gardien» des bombes des autres. En décembre, Miller ajoute un nouvel élément au dossier. De toute façon, le problème reste très théorique, car s'il est vrai que les États-Unis fourniront des bombes aux Britanniques, cette procédure n'aura lieu qu'en fonction des «concepts stratégiques convenus» par l'Alliance atlantique. Avant que la Grande-Bretagne atteigne les quantités qui lui seront dévolues au sein de l'Alliance atlantique, cela sera long. On a donc le temps d'y penser! Mais est-ce vraiment le cas? L'hypothèse ne manque pas de crédibilité, car en 1950 on ne produit pas encore les bombes comme on produit des bonbons! Elle est cependant un peu malhonnête, car le 12 décembre 1949, le Comité de défense de l'OTAN approuve les concepts stratégiques de base de l'Alliance atlantique. Il ressort de cette réunion qu'il incombe désormais aux États-Unis d'avoir la responsabilité principale de mener, en temps de guerre, une attaque nucléaire. Seul le Danemark se serait opposé à cette décision, et pour une question de principe, puisqu'il ne pouvait en aucun cas se rallier à l'idée que les armes atomiques soient mentionnées nommément dans ce contexte.

Est-il possible qu'à la réunion du CPC du 9 novembre 1949, Miller ait vraiment tout ignoré des intentions américaines? Car ceux-ci réclament en territoire canadien des «sites de lancement», expression que Saint-Laurent n'aime pas beaucoup. Miller précise que les États-Unis ne voient pas l'utilité de bases à partir desquelles ils pourraient lancer une attaque. Tout au plus s'agit-il de bases où l'aviation américaine pourrait atterrir, «en cas d'urgence, si jamais les plans de vol des bombardiers devaient être modifiés». Or, par la suite, les plans américains deviendront parfaitement clairs[62], et en contradiction formelle avec ce que venait de déclarer Miller. Quoi qu'il en soit, le problème est désormais double: comment répondre tout à la fois au projet d'entreposage et à celui des bases que réclament les Américains? La décision du CPC intervient le 1er février 1950. Même si l'on agit toujours à titre d'hypothèse, «on accepte d'entreposer des bombes aux États-Unis, en Grande-Bretagne et au Canada conformément aux concepts stratégiques convenus». Le Canada et la Grande-Bretagne sont ainsi payés en monnaie de singe. Il est clair que la proposition d'entreposer des bombes britanniques au Canada n'avait comme seul objectif que de dissuader la Grande-Bretagne de produire ses propres bombes. Quant au concept des bases, il répondait avant tout aux besoins de la stratégie américaine. Le Canada aurait pu, bien sûr, résister au projet d'entreposage. Il aurait peut-être aussi pu dire non à une demande unilatérale de certains droits de jouissance américains sur des bases canadiennes. Il lui était cependant difficile de résister aux deux à la fois… En août 1949, les Soviétiques ont procédé à leur premier essai nucléaire. En juin 1950, c'est l'agression nord-coréenne contre la Corée du Sud. À la fin de 1950, le ministre de la Défense Claxton est autorisé par le Cabinet à poursuivre ses discussions avec les États-Unis sur les installations dont ils pourront bénéficier à Goose Bay et à l'aéroport de Harmon. Les accords secrets à ce propos seront finalement signés en mai 1952. Peu après, les discussions débutent sur la défense commune du territoire nord-américain. En 1957, ce seront les accords NORAD, déjà inscrits d'ailleurs en filigrane dans les accords de 1950.

« Un innocent à l'étranger », tels sont les termes utilisés par Eayrs pour définir le voyage au Canada, à l'été 1950, de William Penney, directeur de la recherche britannique sur la production des armements nucléaires. La mission Penney : trouver au Canada un centre d'essai nucléaire qui satisfasse aux besoins de la recherche britannique. Margaret Gowing parle d'un rapport commun Solandt-Penney sur le sujet. Dans sa correspondance avec Eayrs, Solandt dément l'existence de ce rapport[63]. « Les circonstances étaient si difficiles et l'attitude canadienne tellement négative, écrit-il à Eayrs, que je ne vois pas comment il aurait pu y avoir un rapport commun sur le sujet ! » Solandt a raison ; les procès-verbaux du CPC font état de ces discussions, mais il n'est nullement mention d'un rapport canado-britannique.

La situation, en réalité, est plus complexe. Il n'y a pas qu'une demande britannique. Les États-Unis sont aussi à la recherche de nouveaux emplacements d'expérimentation. Cela fait donc beaucoup d'« innocents » ! Les Britanniques, dans le rapport Penney, estiment qu'un endroit idéal serait celui qui est situé au sud de Churchill, dans le Manitoba, près de la côte occidentale de la baie d'Hudson. Pourquoi la baie d'Hudson ? Parce que les Britanniques souhaitent réaliser des essais en eaux peu profondes. Pour le premier essai, selon le rapport Penney, il faudrait 200 scientifiques, 50 techniciens et 100 personnes de soutien. Penney aurait pu ajouter : et une bombe britannique ! Dans son rapport au CPC, Solandt parle de 500 personnes et de frais d'exploitation de 5 millions de dollars[64]. Les États-Unis, de leur côté, ne sont pas satisfaits de leur emplacement d'Eniwetok dans le Pacifique. Ils pensent à l'Alaska et aux îles Aléoutiennes. On ne parle pas d'emplacements au Canada. Les scientifiques et les militaires sont cependant, à raison, intéressés par les moyens de détection et les effets des bombes, car ils sont aussi responsables de l'établissement des plans de défense civile. De plus, le Canada est engagé dans les prélèvements d'échantillonnages de l'air, afin de mesurer son degré de radioactivité et ses caractéristiques, ce qui permet de savoir, par la même occasion, quels types d'engins ont été expérimentés. Un peu plus tard, dans les années cinquante, le Canada disposera de moyens autonomes de détection. En 1951, il coopère ou collabore ! On apprend ainsi que la loi MacMahon « nous empêche d'avoir accès aux résultats d'observation des stations américaines dans le nord du Canada[65] » !

Les Américains font néanmoins bonne figure. Ils acceptent de retourner au Canada la moitié des échantillonnages prélevés dans leurs collecteurs et de fournir un bilan complet de leurs méthodes d'analyse.

En 1951, les Britanniques sont aussi engagés dans des négociations officieuses avec les Australiens sur le même sujet. L'amirauté souhaiterait « simuler l'explosion d'une bombe clandestinement introduite par un bateau dans un port » ! C.J. Mackenzie note qu'il y a peu de chances que les Américains se rallient à une telle proposition. Pour leur part, les Canadiens ne sont pas malheureux que ce soit désormais au tour des Australiens d'être exposés aux demandes extravagantes des Britanniques. Toutes ces propositions n'auront pas de suite. Les discussions en sont toujours restées à un stade informel strictement officieux. Il est donc difficile de prévoir l'attitude canadienne si tous ces projets avaient dû se matérialiser. Le seul élément de réponse dont nous disposons est l'observation de N.A.R. Robertson, secrétaire au Cabinet, à la réunion du CPC du 11 novembre 1950 :

> La seule condition qui pourrait amener le gouvernement du Canada à considérer avec sympathie une telle proposition serait que les États-Unis et la Grande-Bretagne nous demandent d'établir un centre d'expérimentation commun tenant compte du fait que celui-ci serait suffisamment proche des deux pays pour des raisons administratives et économiques, et dans un endroit suffisamment éloigné de façon qu'il entraîne un minimum de désorganisation aux conditions de vie dans cette région. Nous ne devrions pas, cependant, prendre l'initiative de proposer l'établissement au Canada d'un centre d'expérimentation atomique commun.

Il n'y a donc pas, à l'époque, d'opposition systématique au projet d'implantation d'un centre d'essais nucléaires au Canada. Le simple fait d'en discuter est déjà une indication que l'on n'opposera pas nécessairement une fin de non-recevoir à toute proposition qui pourrait être adressée en ce sens. Toutefois, la réticence est forte. S'il faut vraiment faire un pacte avec le diable, il faudra que cela se fasse au nom de l'Alliance atlantique. Lorsque autour de soi il y a beaucoup d'« innocents », mieux vaut perdre sa virginité pas à pas plutôt que d'un seul coup…

Pour d'autres, la question ne se pose même pas. Ignatieff, par exemple, dans une entrevue accordée aux auteurs, prétend que le Canada a perdu sa virginité lors des Accords de Québec en 1943. Toute la pensée de Mackenzie King au sujet du nucléaire, selon Ignatieff, se résume à la formule lapidaire suivante : « Hear no evil, think no evil, do no evil ! » Ne l'entendez pas, n'y pensez pas et ne le faites pas (le mal), c'est cependant plus vite dit que fait. Le Canada a réussi à faire le contraire : faire sans dire. Péché véniel néanmoins, car il a peu fait. Il n'a que participé aux efforts de guerre contre les forces du fascisme et du nazisme. En 1950, il commencera à mettre le doigt dans l'engrenage. La lutte aura changé de nom ; il s'agit, dès lors, de combattre le totalitarisme communiste, sous le couvert d'une alliance dont il aura été le principal fondateur. Le parapluie nucléaire américain s'installe, et les vents, du même coup, commencent à souffler…

Notes

1. MAE, Dossier 7-DA.
2. J.W. Holmes, 1979, p. 197.
3. J. Klein, 1964, p. 40.
4. J. Goldblat, 1982, p. 13.
5. AEC/31/Rév. 1.
6. AEC/8.
7. *Les Nations Unies et le désarmement, 1945-1970,* p. 28.
8. A/658.
9. J. Klein, 1964, p. 54.
10. S/C. 3/SC. 3/21/Rév. 1/Corr. 1.
11. J. Eayrs, 1972, p. 141.
12. J. Eayrs, 1972, p. 159.
13. Cité dans J. Eayrs, 1972, p. 35.
14. J.W. Holmes, 1979, p. 221.
15. Cité dans J. Eayrs, 1972, p. 295.
16. Cité dans J. Eayrs, 1972, p. 99.
17. Cité dans J. Eayrs, 1972, p. 335.
18. D.C. Thomson, 1967, p. 197.
19. Cité dans J. Eayrs, 1972, p. 147.
20. J. Eayrs, 1972, p. 286.
21. La Conférence a lieu du 29 juillet au 15 octobre.
22. Le sous-comité aux affaires techniques et scientifiques.
23. M.J. Tucker, 1985, p. 12.
24. J. Swettenham, 1973, p. 108.
25. G. Ignatieff, 1985, p. 93.
26. J. Eayrs, 1972, p. 291.
27. J. Swettenham, 1973, p. 117.
28. J. Eayrs, 1972, p. 293.
29. J.W. Holmes, 1979, p. 208.
30. MAE, D-3/1.
31. Télex Atom 184 du 30 novembre.
32. MAE, D-3/1.
33. A/C. 1/ Sub. 3/4.
34. Entrevue avec les auteurs.
35. Sous la cote 211 G.
36. J. Eayrs, 1972, p. 11.
37. Entrevue avec les auteurs.
38. J. Eayrs,1980, p. 51.
39. J. Eayrs, 1980, p. 18.
40. P.N. Baker, 1958, p. 193.
41. J. Laloy, 1966, p. 23-24.
42. J. Eayrs, 1972, p. 37.
43. MAE D-3/2, 8 mars 1948.
44. *Ibid.*
45. La comparaison historique est ici curieuse. La nomination de Litvinov comme ministre des Affaires étrangères en URSS marqua l'adhésion de celle-ci à la Société des Nations et un début de rapprochement avec l'Ouest ! Il est vrai cependant que c'est sous Litvinov qu'ont été signés une multitude d'accords régionaux de sécurité avec la plupart des voisins de l'URSS.
46. Rapport de McNaughton du 29 juillet 1948.
47. Dépêche de Starnes du 13 mai.
48. S/1372.
49. S/1405.
50. Cité dans J.W. Holmes, 1979, p. 219.
51. MAE, D-2.
52. Sauf mention contraire, toutes les citations de cette section sont tirées du dossier 2, sous la cote 50219-A-40.
53. J.W. Holmes, 1979, p. 202.
54. Vol. 9, 1942-1943.
55. P.-V. du CPC, 8 décembre 1949.
56. J.W. Holmes, 1979, p. 203.
57. P.-V. du CPC, 8 décembre 1949.
58. J. Eayrs, 1972, p. 308.
59. Lors de la réunion du CPC, le 4 avril 1949, C.J. Mackenzie informe ses collègues sur les possibilités que présenterait la construction d'un deuxième réacteur à Chalk River. L'opération coûterait 30 millions de dollars ; on pourrait produire 60 kilogrammes de plutonium sur une base annuelle, décuplant ainsi la capacité actuelle de Chalk River. Il faut de 5 à 7 kilogrammes de plutonium 239 pour produire une bombe atomique.

60. J. Eayrs, 1972, p. 303.
61. J. Eayrs, 1980, p. 240.
62. Sur l'évolution de la stratégie américaine et les négociations canado-américaines, voir J. Eayrs, 1980, ch. 4.
63. J. Eayrs, 1980, p. 242.
64. P.-V. du CPC, 11 novembre 1950.
65. P.-V. du CPC, 16 juin 1951.

Sources secondaires citées

Baker, Philip Noel, *The Arms Race,* New York, Oceana Publications Inc., 1958.

Bloomfield, Lincoln P., Clemens Jr., Walter C. et Griffiths, Franklin, *Khruschev and the Arms Race: Soviet Interest in Arms Control and Disarmament, 1954-1964,* Cambridge, Mass., The M.I.T. Press, 1966.

Burns, E.L.M., *Megamurder,* New York, Pantheon Books, 1967.

Eayrs, James, *In Defence of Canada,* vol. III : *Peacemaking and Deterrence,* Toronto, University of Toronto Press, 1972 ; et vol. IV : *Growing Up Allies,* 1980.

Goldblat, Jozef, *Agreements for Arms Control,* Londres, Taylor and Francis, 1982.

Holmes, John W., *The Shaping of Peace, 1943-1957,* vol. 1, Toronto, University of Toronto Press, 1979.

Ignatieff, George, *The Making of a Peacemonger,* Toronto, UTP, 1985.

Klein, Jean, *L'entreprise du désarmement, 1945-1964,* Toulouse, Cujas, 1964.

ONU, *Les Nations Unies et le désarmement, 1945-1970,* New York, Nations Unies, 1971.

Laloy, Jean, *Entre guerres et paix,* Paris, Plon, 1966.

Swettenham, John, *McNaughton,* vol. III, Toronto, Ryerson Press, 1973.

Thomson, Dale C., *Louis St-Laurent. Canadian,* Toronto, MacMillan of Canada, 1967.

Tucker, Michael J., « General Tommy Burns », *Bout de papier,* vol. 3, n° 3, automne 1985, p. 11-12.

*...les pieds glissent dans la boue gluante, malgré l'aide des bâtons ferrés, sur les pentes raides des sentiers**.

3

Le bâton du pèlerin et celui de l'aveugle

Pour un Européen, les problèmes des forces classiques et des armements atomiques sont indissolublement liés. Ils le sont aussi sans doute pour un Soviétique. Ils le sont moins pour un Américain qui ne ressent guère la présence d'effectifs militaires massés à ses frontières. Le bon sens des Européens en la matière s'imposera en 1987 lorsqu'il sera question de discuter de l'élimination des forces nucléaires à portée intermédiaire. Il ne saurait être question de toutes les éliminer sans qu'en retour des dispositions soient prévues pour neutraliser ou compenser l'importante supériorité numérique des forces classiques du Pacte de Varsovie.

En 1950, le système international vit un état de grande tension avec la guerre de Corée. Les recherches militaires battent leur plein. En l'espace de cinq ans, deux découvertes fondamentales viennent révolutionner la pensée stratégique : le thermonucléaire et la balistique intercontinentale. Dans les deux cas, ce sont les grandes puissances qui devront vite apprendre à composer avec ces nouvelles données. Les Américains expérimentent les premiers en novembre 1952 leur bombe H, suivis des Soviétiques, moins de un an plus tard — en août 1953 —, c'est-à-dire quelques mois après la signature de l'armistice de Corée. La mort de Staline en 1953, le règlement des questions d'Indochine en 1954, la Conférence au sommet de Genève en 1955, la déstalinisation en 1956, les grands pourparlers sur le désarmement, autant de facteurs qui contribuent à l'amorce de la première véritable détente Est-Ouest. La grande révolution balistique de 1957 va cependant modifier de fond en comble la perception que l'Amérique pouvait avoir de la menace soviétique. La grande île américaine devient vulné-

---

* Pierre Loti, *Ramuntcho,* II, 8, p. 266.

rable. La menace nucléaire, autrefois lointaine bien qu'elle fût totale, devient subite et planétaire. Le monde tremble ; l'Amérique réfléchit. Et pour modifier la formule par trop célèbre de Metternich, lorsque l'Amérique éternue, l'Europe s'enrhume.

En matière de propositions de contrôle de l'énergie atomique, l'Amérique, au début des années cinquante, est paralysée. Le Département d'État est « à court d'idées ». Les États-Unis estiment toujours qu'il faut s'en tenir au plan de la majorité (le plan Baruch) en ce qui a trait au contrôle de l'énergie atomique. La France pense autrement. Pourquoi ne pas s'en remettre à un organisme de contrôle qui, au minimum, laisserait aux États la responsabilité de mettre sur pied leurs propres centrales nucléaires, à la condition que les autres éléments du nucléaire passent sous contrôle international ? En janvier 1953, Ike Eisenhower, ancien commandant suprême des forces alliées en Europe (SACEUR) (Supreme Allied Commander Europe, SACEUR), remplace Harry Truman. Plusieurs groupes de travail seront établis pour revoir les principaux éléments du plan Baruch. En décembre 1953, le président Eisenhower propose son plan, « l'atome au service de la paix ».

En matière de désarmement général classique et nucléaire, ce sont les Européens qui portent le bâton du pèlerin. La route est longue, difficile et parsemée d'écueils. Contre vents et marées, les Européens proposent des plans de désarmement globaux, dont le plus connu reste le fameux mémorandum franco-britannique de juin 1954. En 1955, le délégué américain Stassen « met en réserve » la position américaine quant à toutes les propositions discutées antérieurement au sein du sous-comité de la Commission du désarmement à Londres. À partir de cette date, on s'éloigne du désarmement proprement dit pour s'orienter vers la voie du contrôle des armements. L'éternuement américain trouble les pourparlers au sein du sous-comité. Les Européens n'y croient pas. À tort ou à raison, l'Europe s'enrhume. Les Français continuent de défendre leurs projets de désarmement.

La tendance au contrôle des armements s'accentuera en 1957 avec le lancement spectaculaire du premier Spoutnik soviétique. Le bâton du pèlerin que tenait l'Europe doit être mis de côté. Désormais, l'Amérique n'a plus qu'un seul bâton : celui de l'aveugle. Il faut coûte que coûte percer l'étanchéité des frontières, voir de l'autre côté du rideau de fer, savoir ce qui s'y passe et s'y trame, d'où la proposition « à cieux ouverts » de 1955 et la tenue en 1958 de la Conférence d'experts sur la prévention des attaques par surprise. Ironiquement, la technologie de 1957 qui faisait peser la redoutable menace de la guerre nucléaire sera la même qui transformera, à partir de 1960, pour les Américains du moins, l'angoisse nucléaire en une menace en clair-obscur. Grâce aux satellites, les territoires fermés deviennent ouverts et les effectifs militaires prennent forme sur les cartes d'état-major. La grande industrie militaire qui faisait autrefois partie des secrets d'État jalousement gardés ne sera plus dorénavant qu'un secret de polichinelle.

LA COMMISSION DU DÉSARMEMENT ET SON SOUS-COMITÉ[1]

Lorsque la Commission du désarmement est créée, en janvier 1952, elle devient la grande héritière des problèmes discutés de 1945 à 1950. Comment peut-on, d'une part, contrôler l'énergie atomique et, d'autre part, réduire et réglementer les armements de type classique ? Dès 1950, l'Assemblée générale des Nations Unies, par sa résolution 496 (V), propose que l'on étudie l'opportunité de fusionner les attributions des deux organismes précédents, la Commission de l'énergie atomique et la Commission des armements de type classique. L'année suivante, le Comité des douze propose de créer dans le cadre du Conseil de sécurité un organisme à cet effet. En janvier 1952, c'est chose faite. Conformément à sa résolution 502 (VI), l'Assemblée générale institue sous l'égide du Conseil de sécurité la Commission du désarmement chargée de préparer des propositions « pour la réglementation, la limitation et la réduction équilibrée de toutes les forces armées et de tous les armements ». Par ailleurs, la Commission du désarmement établira dès avril 1952 deux groupes de travail, l'un chargé d'étudier la question de « la réglementation de tous les armements et forces armées », l'autre devant se pencher sur les questions de « divulgation et de vérification de tous les armements », les armements atomiques y compris.

Toutes ces questions feront l'objet d'intenses négociations en 1952. L'année suivante, la Commission du désarmement ne tiendra qu'une seule séance. Dans son troisième rapport unanime, parce qu'il s'avère anodin, elle exprime l'espoir que les événements récents — la fin de la guerre de Corée et le changement de gouvernement à Washington — créeront une atmosphère plus propice à « un nouvel examen de la question du désarmement ». En novembre 1953, l'Assemblée générale des Nations Unies (AGNU) propose la création d'un « sous-comité composé des puissances principalement intéressées » qui serait chargé de rechercher, en privé, une solution acceptable au problème du désarmement. Le 19 avril 1954, la Commission du désarmement donne suite à cette recommandation. Elle crée son sous-comité composé des cinq puissances, c'est-à-dire des quatre grands et du Canada. Le sous-comité siégera la plupart du temps à Londres, à Lancaster House, par intermittence, de mai 1954 à septembre 1957. Au total, on tiendra 157 séances de travail. Les aspects formels de la Commission du désarmement et de son sous-comité figurent au tableau 3.

Durant ses travaux, la Commission est saisie de diverses propositions dont les plus importantes sont :

- le plan américain du 5 avril 1952 (DC/C. 2/1) relatif à la divulgation et à la vérification progressives et continues des forces armées et des armements ;
- le plan soviétique du 19 mars 1952 réclamant l'interdiction de l'arme atomique ;

- la proposition tripartite (États-Unis, France et Grande-Bretagne) du 28 mai 1952 relative à la fixation de plafonds numériques aux forces armées (DC/10), dont les principaux éléments sont comme suit:

  URSS, États-Unis et Chine: de 1 à 1,5 million d'hommes;
  France et Grande-Bretagne: de 700 000 à 800 000 hommes;
  Autres États: plafond inférieur à 1 pour 100 de la population et aux niveaux existants, sauf dans des circonstances très particulières;
- la «formule de compromis» française du 24 juin 1952, présentée par le délégué Jules Moch.

Jean Klein résume pour nous les trois divergences essentielles de la Commission du désarmement[2]:

- la divulgation des renseignements d'ordre militaire se situe en tête des opérations dans les propositions américaines et au terme du processus dans les propositions russes;
- inversement, l'interdiction des armes atomiques doit être proclamée initialement, selon les Russes, et en fin des opérations, selon les Américains;
- enfin, le contrôle atomique doit comporter la propriété ou, à tout le moins, la gestion internationale de toutes les mines et usines, selon Washington, tandis que, pour Moscou, il consiste en des inspections continues insuffisamment précisées.

Dans le cadre du sous-comité des cinq ou des activités reliées aux travaux de cet organisme, on discute les principales propositions suivantes:

- le plan franco-britannique du 11 juin 1954;
- la proposition soviétique du 10 mai 1955;
- la proposition américaine «à cieux ouverts» présentée lors de la Conférence au sommet de Genève de 1955;
- la proposition de synthèse franco-britannique du 19 mars 1956;
- les propositions américaines du 21 mars 1956 relatives, l'une à une mission technique d'échange, l'autre à une zone expérimentale de démonstration;
- la proposition soviétique du 27 mars 1956 concernant la réduction des armements de type classique et des forces armées;
- la proposition américaine du 3 avril 1956 se rapportant à la première étape d'un programme de désarmement;
- la proposition soviétique du 30 avril 1957 (et celle du 20 septembre 1957) relative au principe de l'inspection aérienne et à l'acceptation de zones géographiques de survol ainsi qu'à la cessation des essais nucléaires;
- les propositions occidentales du 29 août 1957.

Le 4 novembre 1957, le gouvernement de l'URSS informe le monde occidental qu'il ne participera plus aux travaux du sous-comité de la Commission du désarmement, si celle-ci n'est pas radicalement transformée. Le même mois, à la suite d'une proposition canado-

TABLEAU 3

La Commission du désarmement et son sous-comité

La Commission du désarmement

Création :

Résolution 502 (VI), 11 janvier 1952 (42 voix contre 5, et 7 abstentions).

Mandat :

« Préparer des propositions pour la réglementation, la limitation et la réduction équilibrée de toutes les forces armées et de tous les armements, pour l'élimination d'armes de destruction massive et pour le contrôle international efficace de l'énergie atomique. »

Composition :

Les 11 États membres du Conseil de sécurité et le Canada.

Rapport de la Commission :

- 1er rapport, 29 mai 1952, DC/11 ;
- 2e rapport, 20 août 1953 ;
- 3e rapport, 9 octobre 1954, DC/20 ;
- 4e rapport, 29 juillet 1954, DC/55.

Le sous-comité des cinq puissances

Origine :

Résolution 715 (VIII), 28 novembre 1953 (54 voix en faveur et 5 abstentions).

Création :

Par la Commission, le 19 avril 1954 (9 voix contre 1, et 2 abstentions).

Mandat :

Rechercher, en privé, une solution aux problèmes discutés au sein de la Commission.

Composition :

Les quatre grands et le Canada.

Principales dates des sessions et des événements reliés aux travaux du sous-comité :

- Londres : du 13 mai 1954 au 22 juin 1954 ;
- Londres : du 25 février 1955 au 18 mai 1955 ;
- Conférence au sommet de Genève (du 18 au 23 juillet 1955) ;
- New York : du 29 août au 7 octobre 1955 ;
- Conférence des ministres des Affaires étrangères des quatre puissances (du 27 octobre au 16 novembre 1955) ;
- Londres : du 19 mars 1956 au 4 mai 1956 ;
- Londres : du 18 mars 1957 au 6 septembre 1957.

---

indienne, l'Assemblée générale augmente à 25 membres la composition de la Commission. En 1959, tous les États membres des Nations Unies en font désormais partie. La Commission continuera de se réunir jusqu'en 1965. Elle sombre par la suite dans l'oubli pour finalement être réactivée, en 1978, lors de la première session extraordinaire des Nations Unies sur le désarmement. Devenue depuis un organe purement délibérant, la Commission du désarmement se réunit tous les ans durant environ trois semaines.

Dans l'ensemble, les années 1954-1957 représentent une période de transformation et d'adaptation où les espoirs d'en arriver à un accord ont germé et sombré tour à tour, le monde occidental allant de déceptions en déceptions. L'Europe insiste sur le désarmement équilibré et contrôlé, alors même que les États-Unis ont cessé d'y croire, tandis que l'URSS, elle-même sujette à de profonds changements intérieurs, tente de faire flèche de tout bois en exploitant les différences entre les pays occidentaux.

LE CANADA ET LA COMMISSION DU DÉSARMEMENT

La Commission du désarmement étant la grande héritière des questions discutées par les Commissions de l'énergie atomique et des armements de type classique, il était normal que le Canada en fît partie lors de sa création en 1952. Toutefois, son rôle restera plutôt effacé. Ottawa ne dispose pas de ressources suffisantes pour peser de tout son poids, tant au sujet de sa capacité d'analyse qu'à celui de son influence au sein du système international.

La position générale du Canada

À maintes reprises, les textes d'archives laissent voir que les questions de fond sont indissociables des questions de propagande. Dès février 1952, le Canada s'interroge sur les choix à faire entre une « approche active et passive ». « Il vaut mieux », conclut le secrétaire d'État aux Affaires extérieures, Lester B. Pearson, dans une dépêche adressée à l'ambassade de Washington, le 29 février 1952, « plutôt ne rien faire que s'engager dans des polémiques. » Le 25 avril 1952, dans une dépêche d'Ottawa au représentant permament du Canada à l'ONU, David M. Johnson, le même thème revient : il est préférable de faire « hiberner » la Commission plutôt que de recourir à la propagande. Au même moment, le représentant du Canada admet qu'il n'a pas joué un rôle de leadership dans les discussions.

L'appréciation par le représentant canadien de la situation générale à la Commission du désarmement et de ses personnages clés est intéressante à plus d'un titre. Sur les questions du lien à observer entre les armements nucléaires et les armements de type classique, Johnson confirme l'unanimité des puissances occidentales sur le maintien essentiel de ce lien. Le Canada n'ayant aucune expérience du maintien de vastes établissements militaires, Johnson estime que c'est sans doute sur les questions de contrôle de l'énergie atomique plutôt que sur celles de la réduction des armements classiques que le pays devrait faire porter le poids de son influence. S'il a ici raison sur les questions de fond, il se trompe sur la nature des événements qui suivront. Car les propositions présentées à la Commission reprendront en gros le plan de la majorité jusqu'à ce que les Américains décident en décembre 1953 de soumettre leur projet, « l'atome au service de la paix ». Or les Canadiens ne seront pas consultés à cet égard. De plus, c'est sur les questions de la réduction des forces classiques que le Canada tentera en août 1952 de proposer une « nouvelle approche ».

En matière de personnalité, Johnson estime que le délégué français Jules Moch est l'un des « controversistes » les plus efficaces de la Commission. Celui-ci, selon Johnson, « fait des analyses lucides et remarquables de la situation générale ». Ce jugement d'ensemble, somme toute juste, ne s'applique pas au délégué américain Benjamin V. Cohen, au sujet duquel il écrit :

> Bien que sa façon querelleuse de discuter porte peu, il est plus efficace, en privé, dans ses discussions avec les autres Délégations, où il a démontré sa sincérité et sa volonté d'écouter avec attention d'autres points de vue[3].

En matière de procédures, le Canada souhaiterait que les discussions de la Commission se tiennent à huis clos. Il s'agit là d'une position personnelle du ministre Pearson à laquelle, selon Escott Reid, il tient beaucoup[4]. En réalité, cette position a d'abord été défendue par le délégué britannique Gladwyn Jebb, soutenue en cela par le délégué des Pays-Bas, Von Balluseck. À la suite d'une erreur du président de la Commission, cette attitude d'abord défendue par la Grande-Bretagne fut reliée à la présentation de la proposition d'un amendement canadien, qui ne fit pas long feu. Cohen ne s'y oppose pas systématiquement, mais il souhaiterait, avant que cet amendement entre en vigueur, que les Soviétiques et les Américains aient d'abord présenté officiellement leurs propositions de négociations initiales. L'amendement canadien sera défait en avril par une voix. On n'en entendra plus parler jusqu'à la rédaction finale du deuxième rapport de la Commission en octobre. En effet, lorsque le Secrétariat demande aux principales Délégations de résumer, en vue de la préparation du rapport, la teneur de leurs principales propositions, le Canada laisse tomber ses interventions en faveur du huis clos, sous réserve que les Soviétiques, de leur côté, ne relancent pas le débat sur la nécessaire publicité des débats. Ainsi, le deuxième rapport de la Commission reste muet sur les questions de publicité et de huis clos.

Autre détail sur les questions de procédure. En juillet 1952, le Congrès canadien pour la paix demande à être entendu par la Commission. Dans sa dépêche du 18 juillet à Ottawa, Johnson précise qu'il s'agit là d'une entorse aux règles de la procédure, mais que le Secrétariat ne souhaite pas susciter de querelles à ce sujet avec le Congrès canadien pour la paix. Or, Johnson se trompe ici, car tout organisme non gouvernemental a le droit, selon la Charte même de l'ONU, de faire valoir devant l'organisme son point de vue. Cette erreur sera corrigée par un télégramme signé anonymement « la Délégation canadienne », le 19 août : « Contrairement aux informations reçues du Secrétariat le mois dernier, les règles de procédure n'excluent pas le témoignage d'une Délégation non gouvernementale devant la Commission. » Tout est bien qui finit bien.

Dans l'ensemble, le meilleur document sur la position générale du Canada au sein de la Commission du désarmement peut être trouvé dans la dépêche du secrétaire d'État aux Affaires extérieures adressée, le 9 mai 1952, au représentant permanent du Canada à l'ONU. En réalité, cette dépêche fut préparée la veille par un homme affable et sérieux, John G.H. Halstead, directeur du Bureau de liaison avec la défense :

> Qu'on le veuille ou non, les deux principaux aspects de cette tâche [les questions de substance et les aspects de propagande] ne peuvent être dissociés.
>
> Il ne suffit pas pour les puissances occidentales d'affirmer dogmatiquement leurs positions antérieures. Tout progrès réel ne peut être mesuré que dans la mesure où un accord peut intervenir entre l'URSS et les États-Unis. La tâche principale de la Délégation canadienne doit donc viser à la matérialisation d'un tel accord. À cet égard, comme je l'ai déjà précisé devant le premier Comité de l'Assemblée générale le 21 novembre 1951, il doit exister un équilibre de part et d'autre entre risques et garanties [...]
>
> Il serait très peu approprié pour le Canada qui n'a pas d'expérience dans le maintien de vastes établissements militaires de préparer en détail un plan général de désarmement, mais nous pourrions peut-être contribuer à l'élaboration d'un tel plan en matière de contrôle de l'énergie atomique.
>
> Nous avons l'intention de revoir les fondements du plan de la majorité en ce qui a trait aux droits de propriété et d'exploitation des installations nucléaires afin d'examiner les modifications que nous pourrions y apporter [...]
>
> J'aimerais voir la Commission fonctionner comme le sous-comité des quatre établi par la Commission politique de l'Assemblée générale, et non à la façon de la plupart des discussions « secrètes » au sujet de Panmunjom, où la pratique a consisté à tout dire à la presse, en abandonnant ainsi tous les avantages de la diplomatie secrète.
>
> Nous devons reconnaître le fait que tout progrès [des travaux de la Commission] dépendra dans une large mesure de l'équilibre général de puissance dans le monde entre les puissances occidentales et l'Union soviétique et ses alliés. Notre but en participant à des alliances défensives avec l'OTAN n'est pas seulement de dissuader et de tuer dans l'œuf [*to defeat*] toute agression, mais aussi d'en arriver à une position de force telle que l'Union soviétique souhaitera négocier avec le monde occidental.

Ces directives résument en clair la position du Canada : modération, prudence, médiation, recherche d'une atmosphère sérieuse de discussions et modeste contribution aux débats, le tout dans le cadre d'une politique plus générale où le Canada reste un fidèle allié au monde occidental.

La réaction canadienne à la proposition tripartite (1952)

La proposition américano-franco-britannique du 28 mai 1952 sur la réduction des forces armées est le produit d'efforts alliés communs. En fait, un projet américain est à l'origine de la proposition tripartite. Cependant, il contient tant d'incertitudes et se révèle si peu équilibré qu'il n'aurait guère échappé à la plus violente des critiques soviétiques. Le document original est « verbeux et répétitif », et la formule principale de réduction est « enterrée » dans le corps du texte[5]. Le représentant britannique au Comité d'état-major militaire de l'ONU, le général Dimoline[6], tout comme les délégués Moch et Jebb, ne se gêne pas pour faire savoir à Cohen que la proposition américaine n'a rien d'« équilibré ». Le 25 avril 1952, Johnson informe Ottawa que le projet américain aboutit à une structure de forces où les niveaux d'effectifs pour les principaux blocs seraient les suivants :

- Puissances occidentales : 5 231 000 hommes ;
- Moyen-Orient et Inde : 3 487 000 hommes ;
- Puissances de l'Est : 3 873 000 hommes.

Fait intéressant, dans les chiffres avancés pour les deux Allemagnes, on prévoit 500 000 hommes pour l'Allemagne de l'Ouest et 170 000 hommes pour l'Allemagne de l'Est. Britanniques et Français s'emploient à modifier la position américaine, ce qui aboutira à la proposition tripartite du 28 mai 1952. Les niveaux numériques respecteront un plus vaste équilibre de un million et demi d'hommes respectivement pour l'URSS et les États-Unis. Afin de satisfaire aux conditions de sécurité des métropoles française et britannique ainsi qu'aux besoins de la défense dans les colonies, des seuils globaux de 700 000 à 800 000 hommes sont prévus pour la France et la Grande-Bretagne, les États-Unis étant soucieux d'éviter toute discussion possible sur une répartition séparée entre besoins coloniaux et métropolitains.

La formule du 1 pour 100 pour les autres États, sauf dans des circonstances particulières, clause déjà inscrite dans le projet américain initial, oblige le gouvernement canadien à se pencher d'un peu plus près sur la proposition tripartite du 28 mai. Déjà, lors de la discussion du projet américain, Johnson fait savoir de New York, le 25 avril, que le projet américain permettrait un élargissement des effectifs canadiens.

Le 30 mai, Escott Reid consulte le président des chefs d'état-major interarmes sur la proposition tripartite. Le 23 juin, les Affaires extérieures informent leur Délégation à New York que cet avis ne leur est pas encore parvenu. Le même jour, dans un mémoire préparé par Wilgress du ministère des Affaires extérieures à l'intention du Comité mixte de planification, Escott Reid pose trois questions précises :

1. Êtes-vous d'accord avec les fondements de la proposition qui consiste « à réduire la possibilité et la crainte d'une agression » ainsi « qu'à éviter un déséquilibre dangereux pour la paix et la sécurité internationales » ?

2. Est-il nécessaire ou souhaitable dans la « formule opératoire » *(working formula)* des réductions de prévoir une distinction entre les forces des cinq puissances majeures et celles de tous les autres États ?
3. Le Canada doit-il être prêt à accepter la proposition tripartite ?...

Le 9 juillet, en réponse à la première requête du 30 mai, le Comité mixte de planification fait savoir que la question des seuils numériques « ne constitue qu'un aspect de la question plus vaste du désarmement, tandis que le succès de toute mesure dépendra [...] d'une formule acceptable de contrôle ». Ce point de vue est entériné le 17 juillet par les chefs d'état-major réunis en comité. On ne saurait dire ici de l'avis militaire qu'il pèche par excès de loquacité.

Le 21 juillet, le ministère de la Défense nationale communique aux Affaires extérieures son avis quant aux trois questions antérieures. À la première question, le Comité des chefs d'état-major interarmes recommande de répondre oui. À la deuxième, il accepte le bien-fondé de la distinction à maintenir entre les forces des grandes puissances et celles des autres, mais il est douteux, selon les chefs d'état-major, « qu'un accord intervienne si une telle initiative est adoptée. [En conséquence], il faudrait donc aviser à une formule différente pour les autres États. » À la troisième question qui touche plus directement le Canada, le Comité des chefs d'état-major interarmes recommande de répondre oui, mais il ajoute :

> Les forces régulières canadiennes, y compris celles de la réserve et de la Gendarmerie royale du Canada (GRC), s'établissent actuellement à 162 039 hommes. Les effectifs actuels sont de 231 454 hommes[7]. Pour les réduire en deçà de 1 pour 100, il faudrait opérer des coupes tout à la fois dans les forces régulières et les établissements maximums prévus. Il faudrait des réductions équilibrées dans les trois armes. Le taux de réduction pour chacune des armes pourrait être établi ultérieurement dans l'hypothèse où la proposition tripartite serait acceptée.

Il faut reconnaître ici que l'opinion des militaires n'est guère judicieuse. Car, au 31 mai 1952, les effectifs militaires canadiens sont ainsi composés :

Forces actives	103 587 hommes
Forces régulières	97 834
Réserve	57 452
Total	155 286
GRC	5 753
Total général	161 039

Les Affaires extérieures ne sont pas satisfaites de l'avis du Comité des chefs d'état-major interarmes du 21 juillet. Aussi reviennent-elles à la charge, le 12 août, en posant deux questions supplémentaires : comment faut-il effectuer des réductions entre les différentes armes, et quels sont le type et la nature des armements dont chacune des armes devrait disposer? Ces questions supplémentaires interviennent dans le contexte de deux éléments nouveaux. Le premier consiste en l'initiative du Canada de vouloir proposer une « nouvelle approche » en matière de réduction équilibrée dès effectifs militaires. Nous traiterons cet aspect du problème dans la section suivante. Le second élément nouveau est l'ajout, sur l'initiative des Américains, d'un supplément à la proposition tripartite du 28 mai. Afin de répondre à la critique des Soviétiques selon laquelle la proposition tripartite ne vise qu'à légitimer à des niveaux « gonflés » les effectifs actuels, et surtout aux reproches formulés par le délégué Malik qui constate que la proposition occidentale ne mentionne pas explicitement le niveau des effectifs existant pour la marine et l'aviation, et la façon dont les réductions seraient opérées à l'intérieur de ces armes, les Occidentaux déposent donc, le 12 août, un supplément à leur proposition principale. On propose essentiellement que les grandes puissances négocient entre elles pour en arriver à un accord sur cette question et que l'on tienne des conférences régionales demandant la participation des États ayant des forces militaires dans les régions touchées, tandis que tous ces accords pourraient être incorporés dans un projet de traité qui serait soumis à l'approbation des États à l'occasion d'une conférence mondiale sur le désarmement. Il ne pouvait y avoir de plus belle façon de noyer le poisson. Quoi qu'il en soit, lors du dépôt du supplément à la proposition tripartite, D. Wilgress formule ses deux questions supplémentaires à l'endroit du président des chefs d'état-major interarmes.

Dès le 19 août, le Comité mixte de planification reconnaît que la proposition tripartite « n'aurait que peu d'effet » sur le Canada puisque les réserves sont incluses dans les chiffres globaux antérieurement présentés. En 1952, la population du Canada est de 13,8 millions, ce qui doit permettre au Canada de maintenir, en principe, des effectifs globaux de 138 000 hommes. À la même date, le Comité mixte de planification soutient que la formule de réductions doit tenir compte de nombreux facteurs géographiques, économiques et industriels et que, de toute façon, elle ne doit pas interdire aux États de porter au maximum, en temps de guerre, leurs effectifs militaires. Cette proposition s'avère évidemment pleine de bon sens, mais elle ne répond guère aux soucis du ministère des Affaires extérieures. Le 22 août, le Comité mixte de planification ajoute qu'il ne saurait y avoir de formule de limitation générale et que toute réduction dépendrait des obligations du Canada à l'endroit de l'OTAN et des États-Unis.

Le 26 août intervient la décision du Cabinet. Le Comité de défense du Cabinet autorise la Délégation canadienne à fonctionner sur la base des principes suivants :

a) Le gouvernement du Canada est d'accord avec les fondements de la proposition tripartite selon laquelle des limitations numériques apportées aux forces militaires de tous les États militairement importants constituent un élément essentiel de tout programme de désarmement ;
b) Le gouvernement du Canada est d'accord [...] pour établir une distinction entre les forces armées des cinq principales puissances militaires et celles de tous les autres États ;

c) Le Canada doit être prêt à accepter, comme partie à un accord de projet général de désarmement, les niveaux d'effectifs que lui imposerait la proposition tripartite (soit moins de 1 pour 100 de la population ou à un niveau moindre que les niveaux existants) ;
d) Que la limitation numérique des forces armées ne constitue qu'un aspect des questions de désarmement et que son succès dépendrait de la négociation d'une formule acceptable de contrôle.

En ce domaine, le Canada n'est pas plus bavard ni moins réticent que les autres puissances de la Commission du désarmement. Les États-Unis ne veulent pas s'engager dans des compromis ni des concessions avec les Soviétiques tant que ceux-ci n'auront pas démontré leur volonté de négocier[8]. Cette position est rappelée au délégué français Moch lors de ses conversations privées avec B.H. Bechoeffer, du Département d'État, au début de mai[9]. Le but principal de ces discussions est évidemment d'empêcher Moch de présenter son projet de réductions en trois étapes, ce qu'il fait de toute façon, en juin, sur une base privée et officieuse. En s'associant avec la proposition tripartite, les États-Unis cherchent, par la même occasion, à « attirer l'attention de l'opinion mondiale sur les masses armées soviétiques plutôt que sur la bombe atomique américaine[10] ». Cette lutte pour l'opinion publique sera constante tout au long des travaux de la Commission en 1952. Lors de l'élaboration du rapport d'octobre, la position britannique est très claire à cet égard. De Londres, le 4 septembre, H.B. Robinson, à l'époque deuxième secrétaire au Haut-Commissariat, écrit au sous-secrétaire d'État aux Affaires extérieures pour l'informer de la teneur d'un télégramme du Foreign Office à New York où l'on peut lire que :

> les résultats les plus importants des délibérations de la Commission du désarmement ont été jusqu'à présent de mettre en relief les efforts sincères et constructifs des puissances occidentales, comme le démontrent à l'évidence les documents de travail déposés et la réitération constante de slogans diplomatiques par le délégué soviétique, au sujet desquels il a refusé de fournir davantage de précisions [...] Finalement, je préférerais que la résolution de l'Assemblée générale, tout en maintenant la Commission en activité pour une autre année, se limite uniquement à demander à la Commission de continuer ses discussions sur la base des documents de travail déjà soumis et à en formuler d'autres de même nature.

Le Foreign Office a bon genre. En effet, les propositions-fleuves se succéderont en la matière pour les cinq prochaines années.

La proposition canadienne d'une nouvelle approche

Le 14 août 1952, le sous-secrétaire d'État adjoint L.D. Wilgress, souligne, dans un mémoire préparé à l'intention du ministre Pearson, le dilemme avec lequel sont aux prises les puissances occidentales au sein de la Commission du désarmement. Citant un document britannique, Wilgress rappelle que la sécurité du monde occidental repose sur les armements atomiques. On ne pourrait donc s'aliéner les avantages que procure la dissuasion nucléaire,

« sinon [...] dans une étape très tardive du processus d'un désarmement ». Les grandes puissances doivent donc éviter « que la Commission ne considère toute proposition ferme et concrète d'un programme de désarmement comme un calendrier d'étape ou un projet de traité ». Cela n'empêche pas les Britanniques de préparer un projet de traité qui, finalement, ne sera pas déposé de peur que la France ne soit tentée de faire la même chose[11]. Les Britanniques s'arrangent cependant pour faire figurer l'essentiel de leurs propositions dans le deuxième rapport de la Commission, tandis que la France propose sa propre formule de compromis dès le 24 juin 1952. Le Canada n'est évidemment pas satisfait de cette situation. Il songe à une « nouvelle approche » qui sortirait les puissances occidentales de ce dilemme. Il faut proposer, selon Wilgress, un traitement « horizontal » plutôt que « vertical »[12] des éléments entrant dans la composition d'un programme de désarmement. Sa suggestion est donc de commencer par une première « tranche » valable qui s'étendrait initialement à tous les éléments essentiels d'un programme de désarmement. Une telle approche doit inclure les éléments suivants :

a) la réduction équilibrée des forces armées (la proposition tripartite pourrait recouvrir cet élément d'une première tranche) ;
b) la réduction équilibrée des armements du type classique ;
c) les débuts d'établissement d'un contrôle international efficace de l'énergie atomique pour assurer éventuellement l'interdiction des armes atomiques (à cette fin, il sera sans doute nécessaire de revoir le plan de la majorité dans le but d'y apporter d'éventuelles modifications en matière des droits de propriété et d'exploitation) ;
d) la divulgation et la vérification de renseignements sur les forces armées et les armements, armements atomiques y compris, suffisantes pour effectuer la première tranche (la première étape de la proposition américaine — celle du 2 avril — pourrait être modifiée à cette fin) ;
e) l'établissement d'un embryon d'organe de contrôle international doté d'un personnel et d'un secrétariat suffisants pour assurer l'exécution de la première tranche des réductions.

La formule canadienne n'est certainement pas sans intérêt. Elle se rapproche d'une déclaration que le délégué Jules Moch fera plus tard : « Pas de désarmement sans contrôle, pas de contrôle sans désarmement, mais tout le désarmement contrôlable. » Elle tente par ailleurs de ménager tout à la fois les susceptibilités britanniques et américaines. De plus, elle fait preuve d'un grand réalisme politique.

Cette proposition mourra avant même que l'encre soit sèche. Elle se butera à des obstacles intérieurs et extérieurs. Tout d'abord, à Ottawa, le ministère des Affaires extérieures demande bien sûr l'avis du ministère de la Défense nationale sur cette question. Dans sa correspondance du 25 août, L.D. Wilgress rappelle que le silence du Canada sur la proposition tripartite — la décision du Comité de défense du Cabinet n'intervient que le lendemain — tient surtout aux doutes que le pays entretient à l'égard de cette proposition. Le 4 septembre, l'ambassadeur canadien à Washington, Hume Wrong, câble que conformément aux instructions reçues il s'abstiendra de discuter de cette « nouvelle approche » avec le Département d'État. Pour l'instant, les consultations n'ont lieu qu'entre les Délégations alliées à New York.

Le 30 septembre, le Comité mixte de planification déclare forfait : le Canada n'a pas les ressources suffisantes pour étudier cette « nouvelle approche ». Une semaine plus tôt, soit le 23 septembre, dans une de ses lettres personnelles adressée à John G.H. Halstead, à Ottawa, James Georges, de la Délégation, ne se prive pas pour décrire la situation. Il lui dit qu'en substance rien n'avance à Ottawa à moins que toutes les personnes concernées ne soient d'accord avec les hypothèses de leurs supérieurs, et celles des supérieurs des supérieurs. Voici ce qu'il ajoute, non sans saveur :

> Vous constaterez qu'au ministère de la Défense il n'est jamais possible de s'entendre sur l'hypothèse de départ par laquelle commence le premier paragraphe de toute étude du Comité des chefs d'état-major interarmes [...] Au sein de notre Ministère, nous travaillons sur une base moins ordonnée mais sans doute plus pratique, parce que les hypothèses, s'il y en a, découlent plutôt de l'étude que celle-ci ne procède de celles-là.

James George a raison. Le 6 novembre, le Comité mixte de planification déclare en gros : « Pas de structures, pas d'avis. » La fourmi paresseuse est ici débordée[13]. Le 14 novembre, les sous-chefs d'état-major entérinent le point de vue de leur Comité mixte de planification. On ose même ajouter qu'il faut savoir, avant d'aller plus loin, jusqu'où les chefs d'état-major ont l'intention de s'engager dans la voie des discussions sur le désarmement. Le « jusqu'où l'on peut aller trop loin » est ici dépassé. G. de T. Glazebrook, du Bureau de liaison avec la défense, se fâche. Dans une note crispante datée du 26 décembre, il écrit en résumé que si les militaires n'ont pas l'intention de donner leur avis, il faut qu'ils le disent carrément. Et le plus rapidement possible. Dans le même mémoire rédigé à l'intention de R.A. MacKay, Glazebrook ajoute cependant qu'il semble bien que cette façon de trancher le problème ne les satisfasse pas.

Toutes ces difficultés seront à la base de la création en 1953 du Groupe mixte du désarmement. Nous en avons décrit les péripéties dans le premier chapitre. Le projet de proposition canadienne n'ira pas plus loin, car la « nouvelle approche » se heurte de toute façon aux résistances alliées. Les Américains estiment les premiers que la « nouvelle approche » est insatisfaisante du point de vue de la propagande[14]. R. Gordon Arneson, du Département d'État, pense, selon Wrong, que les Soviétiques se serviront de ce projet pour dénoncer l'insincérité des Occidentaux, qui ont eux-mêmes proposé une réduction du tiers des effectifs et des armements des grandes puissances. De plus, les États-Unis sont en train de revoir toutes leurs positions sur le désarmement, à la suite de la création d'un groupe d'experts ayant, à sa tête, le secrétaire Mc George Bundy, et dont le principal aboutissement sera la proposition de « l'atome pour la paix ». Les États-Unis souhaitent donc une consultation accrue avec leurs alliés, c'est-à-dire un droit de regard définitif, avant que ceux-ci présentent « des propositions complexes destinées à être soumises au sein d'un plus vaste forum et à être négociées avec l'Union soviétique». Bref, les Américains remercient les Canadiens de leurs efforts, tout en leur disant qu'ils ne sont nullement désireux de faire quoi que ce soit dans les circonstances du moment.

Les commentaires en provenance des Délégations de New York ne sont guère plus encourageants, à l'exception des remarques françaises d'ailleurs peu nombreuses. Jacques Tiné, de la Délégation française, dira tout simplement qu'il ne doute pas que le Quai d'Orsay et Moch, à l'époque en voyage en province, accueilleront avec plaisir cette initiative canadienne. Jacques Tiné ajoutera que s'il ne s'agit pas d'un grand bond en avant, c'est en tout cas un pas dans la bonne direction[15]. Les Délégations britannique et américaine reprendront leurs arguments déjà développés à Washington sur l'importance de l'élément de propagande. Elles ajouteront, de plus, que peu importe la façon dont serait développée la première tranche des réductions dans le projet canadien, «les objections soviétiques seront que l'Ouest n'est que strictement disposé à mener des activités d'espionnage ou de collectes d'information sans interdire pour autant les armes de destruction massive, stade que l'Ouest réserve, d'après les Soviétiques, pour une étape finale qui ne doit jamais être atteinte». B. Cohen avouera qu'il avait lui-même tenté de dissocier différents éléments dans un programme de désarmement, mais qu'il s'était heurté aux objections du Pentagone. D'après lui, le problème de la répartition des troupes à l'intérieur d'un unique seuil d'effectifs reste donc insoluble pour les trois différentes armes. Là-dessus, nul besoin d'épiloguer. David M. Johnson termine sa dépêche en constatant le peu d'intérêt qu'il y avait à présenter une nouvelle approche tant que n'interviendrait pas une convention d'armistice en Corée.

L'ironie de tout cela, c'est que les Français et les Canadiens pensaient à peu près de la même manière. Ils auraient peut-être pu tirer leur épingle du jeu, n'eût été de l'isolement du Canada et de la France, et du torpillage de l'intérieur de l'initiative canadienne par le ministère de la Défense. Admettons cependant que toute alliance canado-française aurait été interprétée comme un sacrilège par Washington. En effet, la proposition française du 24 juin 1952 avait irrité les Américains au plus haut point.

La formule de compromis française du 24 juin 1952

La proposition française du 24 juin 1952 ressemble étrangement à celle que la France allait présenter le 11 novembre 1953. Et pour cause, car la formule de compromis du 24 juin n'était autre chose que les vues personnelles du délégué français Jules Moch et d'une fraction du Parti socialiste au pouvoir à l'époque. En réalité, la formule de compromis du 24 juin a été présentée, devant les réticences alliées, comme une proposition personnelle ou non officieuse. De quoi s'agit-il?

La proposition française concerne essentiellement les liens à maintenir entre les questions de la réduction des forces armées et celle du contrôle de l'énergie atomique, ce que l'on appelle aujourd'hui la non-diversion de l'énergie atomique à des fins militaires. Il s'agit aussi principalement du calendrier des étapes de divulgation et de contrôle en matière de réduction des effectifs et des armements. Sur le premier point, la position américaine est connue. Washington affirme que les stocks nucléaires sont désormais trop importants pour que leur divulgation ne soit pas immédiate. La position française n'est pas non plus dépourvue de bon sens. Avec ou sans contrôle, tout organisme de contrôle ne saurait déceler la production des stocks antérieurs. Un tel problème amène les Américains et les Français à se consulter en septembre 1952 sur les divergences techniques qui les séparent. En réalité, les divergences sont politiques. La position française soutient que le plan Baruch est désuet. Il faut proposer autre chose. Mais il y a plus. La France n'ignore pas l'importance économique que peut représenter l'exploitation de l'atome à des fins pacifiques. Elle souhaite donc que les contrôles ne s'appliquent pas aux centrales nucléaires, mais essentiellement aux autres parties du cycle de la production nucléaire. De plus, toutes les discussions sur la production de l'arme thermonucléaire ne font que confirmer l'importance dorénavant croissante que prend l'atome au sein des puissances qui se réclament du nucléaire.

Sur l'initiative de la France, des discussions ont donc lieu en septembre 1952 entre des représentants français et américains. Les Canadiens sont informés de la teneur de ces discussions sous réserve qu'elle ne soit communiquée à aucun autre gouvernement. Du côté américain participent aux réunions des 9 et 11 septembre Gordon Arneson et Joseph Chase, du Département d'État, Benjamin Cohen, de la Délégation à New York, et John Hall, R.I. Spiers ainsi que Paul Fine, de la Commission de l'énergie atomique américaine (CEA). Du côté français sont présents Francis Perrin et Bertrand Goldschmidt, le premier, commissaire à l'énergie atomique, et le second, directeur des opérations chimiques au Commissariat français de l'énergie atomique — deux personnalités par ailleurs associées à l'élaboration du plan Baruch en 1945 —, ainsi que Jacques Tiné, de la Délégation française à New York. Le procès-verbal de neuf pages de ces réunions ne fait que confirmer les thèses que nous avons exposées dans les paragraphes précédents.

Le fait curieux de ces consultations n'est pas que les deux parties se soient quittées en étant convaincues de la divergence de leurs opinions politiques, mais plutôt que d'un côté comme de l'autre on estime qu'il n'y a rien de neuf sous le soleil. En d'autres termes, les deux parties sont convaincues qu'il n'y a aucun élément nouveau à proposer. C'était d'ailleurs le dessein secret poursuivi par le Département d'État : convaincre l'autre partie de ne rien faire. Pourtant, la France avait proposé que des « quotas de matières fissiles » soient mis en fiducie, tout comme le faisait pour certains groupes la CEA américaine. Selon d'autres sources, cette initiative aurait pu constituer un premier pas vers l'établissement d'un gouvernement mondial, idée chère, semble-t-il, au délégué Jules Moch. Par ailleurs, à la même époque, un nouveau groupe de consultants, dont le secrétaire était Mc George Bundy mentionné ci-dessus, est créé sous la direction de Robert J. Oppenheimer, pour se pencher sur la résolution de ces problèmes à long terme.

L'initiative française ne tombe pas dans l'oreille d'un sourd, encore que les États-Unis ne croient nullement aux vertus d'un gouvernement mondial. Trois facteurs contribuent à la modification de la politique américaine. Ce sont la venue du président Eisenhower déjà associé sous Truman au secret des négociations sur le désarmement, la signature de l'armistice coréen et l'expérimentation en août 1953 d'une première bombe H soviétique. Dans ces conditions, on ne s'étonne pas que les États-Unis aient proposé, en décembre 1953, leur proposition « l'atome au service de la paix ». Les Français en ont la paternité en quelque sorte, et plus particulièrement Bertrand Goldschmidt, si l'on se fie au procès-verbal de la réunion du 9 septembre. Il est dommage que la France n'ait pas, dans sa proposition du 11 novembre 1953, repris la teneur des discussions privées qu'elle avait eues avec les Américains...

En ce qui a trait au deuxième point, c'est-à-dire en matière de réduction des forces armées et des armements, les relations entre la France et les États-Unis se révèlent particulièrement pénibles. Moch, on le sait, propose son plan du 24 juin sur une base personnelle. Il n'a guère le choix, car le barrage des autres Délégations est, bien qu'il ne soit pas sans faille, unanime. Les États-Unis s'opposent les premiers systématiquement à la présentation d'un projet de traité. Ils estiment que cette étape ne doit intervenir qu'une fois tous les autres problèmes résolus. De plus, le plan français insiste sur la divulgation suivie de la vérification. Les États-Unis mettent plutôt l'accent sur la simultanéité des deux opérations. Car on s'expose autrement au risque de tout divulguer, tandis qu'à l'Est on se limitera sans doute à présenter en guise de rapport des feuilles en blanc. En outre, on ne pense pas à Washington qu'un projet en trois étapes soit adéquat pour régler les problèmes de l'énergie atomique. Quant à la réduction des forces classiques, le projet français ne fournit pas, aux yeux des Américains, suffisamment de garanties.

Les consultations entre alliés s'étendent sur plus de un an. Lors de la session d'automne de l'Assemblée générale, les Délégations alliées s'entendent toutefois pour ne présenter aucune proposition nouvelle. En septembre 1952, l'ambassade de France charge M. de Laboulaye, à Ottawa, de prier le gouvernement canadien de bien vouloir se pencher sur l'étude du projet français. De nouvelles représentations sont faites par la France, le 20 avril 1953. Cette fois, l'ambassadeur intervient directement auprès du sous-secrétaire d'État adjoint aux Affaires extérieures, Jules Léger. Cette démarche est suivie d'une autre visite, le 24 avril 1953, par le secrétaire d'ambassade, M. Rouillon.

Le 18 avril 1953, les États-Unis informent le Canada que la proposition Moch, selon les informations reçues par leur ambassade à Paris, résulte davantage d'une initiative de Jules Moch que du Quai d'Orsay. Selon les mots mêmes du Quai d'Orsay, l'accueil réservé à la proposition Moch fut « ostensiblement chaleureuse, mais en réalité froide[16] ». Les 16 et 25 avril 1953, des déclarations du président Eisenhower et de la *Pravda* donnent clairement à entendre qu'un préalable politique est nécessaire au désarmement : aucun accord n'est envisageable avant la résolution des grands dossiers politiques, soit celui de la Corée et celui des questions allemandes. Par ailleurs, la position canadienne est bien précisée, le 13 mai 1953, à la suite d'une rencontre entre le ministre Pearson et l'ambassadeur de France. Même si les États-Unis et la Grande-Bretagne persistent dans leur opposition au projet français[17], le Canada entend protéger l'unité du camp occidental ; toutefois, il n'a pas d'objection à ce que ces questions soient discutées publiquement au sein de la Commission du désarmement, puisque le délégué Moch a déjà verbalement saisi la Commission de l'essentiel de ses propositions, le 24 juin 1952. Ces opinions sont transmises le 25 mai à de Laboulaye qui, curieusement, ajoute que « Jules Moch sera sans doute satisfait d'apprendre que le gouvernement canadien a été consulté ». On sait par de Laboulaye que M. Parodi, secrétaire général au Quai d'Orsay, est en partie derrière Moch qui, lui-même, s'oppose à la ratification du projet de traité sur la Communauté européenne de défense (CED).

Le 2 juillet, le Conseil de recherches pour la défense estime que le projet français ne va pas au cœur du débat, du moins pour ce qui est des questions relatives au contrôle de l'énergie atomique. On ne comprend pas non plus pourquoi les armes bactériologiques et atomiques constituent une catégorie à part des armes de destruction massive ni pourquoi les armes chimiques ne sont pas expressément mentionnées. Le 3 juillet 1953, le Groupe mixte (WP) de coordination sur les questions de désarmement résume sa position. De façon particulière, le projet

a) ne prévoit pas la simultanéité de la divulgation et de la vérification dans ses trois phases ;
b) placerait le Canada et les puissances occidentales dans une position peu enviable, étant donné la présente supériorité numérique des forces du camp socialiste, une fois que les niveaux des forces et des dépenses militaires, divulgués et vérifiés conformément à l'article 5, ne peuvent pas être dépassés à la suite d'une décision du Conseil de sécurité ;
c) retirerait les armements atomiques des arsenaux occidentaux avant même qu'ait été terminée la première réduction des effectifs et des armements non atomiques ;
d) ne prévoit un contrôle permanent des industries nucléaires et des laboratoires que lorsque les trois étapes de la divulgation et de la vérification auront été terminées plutôt que simultanément avec l'interdiction de l'usage et de la fabrication des armes bactériologiques et atomiques.

Le Groupe mixte recommande donc qu'un avis soit transmis au ministère des Affaires extérieures selon lequel le projet est « inacceptable d'un point de vue militaire » et l'on devrait s'abstenir de soumettre tout amendement au projet. En d'autres termes, le projet français est irrecevable. Ces objections seront réécrites dans les formes diplomatiques avant d'être transmises à la France sur une base « officieuse ». Les opinions canadiennes sont à ce point proches des thèses américaines et britanniques qu'elles ne peuvent guère peser sur le jugement que s'en fait Jules Moch. Celui-ci persiste donc dans ses idées et propose, le 11 novembre 1953, une formule de compromis à l'Assemblée générale presque en tout point similaire à ce qui avait été rejeté en bloc par les trois autres Délégations alliées. À l'entêtement de Moch qui, au moins, a le mérite de croire en ce qu'il fait, on peut opposer l'obstination des autres Délégations à vouloir proposer, à des fins de propagande, des projets en lesquels ils ne croient pas. La France aurait pu être « le bâton ferré de l'Amérique dans la boue gluante du désarmement ». Toutefois, l'heure n'est pas au désarmement mais au réarmement.

LE CANADA ET LE SOUS-COMITÉ DES CINQ

Les travaux les plus importants du sous-comité des cinq ont lieu en 1954 et en 1955. Cette époque marque ce que nous pourrions appeler la grande période européenne du sous-comité. Et pour cause, car les grands dossiers de l'heure sont à caractère européen. L'OTAN sait déjà, depuis les discussions privées entre Acheson et Adenauer en 1950, que la défense européenne est impossible sans la participation de la République fédérale d'Allemagne (RFA). Conformément à l'esprit du Traité de Bruxelles, les Européens souhaitent organiser leur défense sur une base européenne. On songe donc à l'élaboration d'une Communauté européenne de défense (CED). Malheureusement, celle-ci sombre dans l'oubli, le 30 août 1954, à la suite du retrait de l'ordre du jour à l'Assemblée nationale française de la question de la ratification du traité de la CED. Les Accords de Londres et ceux de Paris, en septembre et en octobre 1954, lèvent l'hypothèque allemande. L'Union de l'Europe occidentale (UEO) supplante le Traité de Bruxelles de 1948, tandis que la RFA est autorisée à participer à la défense de la zone du Traité de l'Atlantique Nord. En 1955, la RFA devient membre à part entière de l'OTAN.

L'année 1953 marque la mort de Staline, la venue d'une nouvelle administration à Washington, la cessation des hostilités en Corée et la rupture du monopole thermonucléaire (la bombe H) détenu en la matière par les Américains depuis seulement 1952. À la même époque, Washington tient mordicus au plan Baruch en ce qui a trait au contrôle de l'énergie atomique. Pour Gordon Arneson, du Département d'État, le contrôle nucléaire devient d'autant plus une nécessité que Moscou possède désormais la bombe H. L'image des deux « scorpions dans une bouteille » s'impose peu à peu. La tendance s'oriente vers la bilatéralisation progressive des débats. C'est pratiquement chose faite en août 1955 lorsque le délégué américain Stassen met une sourdine à toutes les déclarations américaines antérieures faites devant le sous-comité de Londres. Au même moment, les États-Unis introduisent leurs premiers armements nucléaires tactiques en Europe. La nouvelle stratégie du *new look* impose désormais une défense de l'Europe à base nucléaire.

La bilatéralisation du dialogue Est-Ouest se produit essentiellement durant la période 1956-1957. Les Européens sont là. Mais les véritables questions discutées sont le contrôle des armements et des plans partiels de mesures de désarmement. Nous y reviendrons aux chapitres 5 et 6.

La question de la participation du Canada au sous-comité

De 1945 à nos jours, le Canada a participé, hormis les négociations strictement bilatérales, à tous les forums de discussion sur le désarmement. Quatrième puissance militaire du monde en 1945 en fait d'effectifs et d'équipement, alliée des États-Unis et de la Grande-Bretagne dans le projet Manhattan et membre privilégié de la Commission de l'énergie atomique de l'ONU et de la Commission des armements de type classique, le Canada aurait dû normalement participer aux travaux du sous-comité. En fait, la chose était loin d'être acquise en 1954.

La création du sous-comité des cinq — les quatre puissances et le Canada — est due à une proposition britannique votée le 19 avril 1954, à la suite du rejet d'une proposition soviétique sur la participation de la Chine (RPC), de la Tchécoslovaquie et de l'Inde au sous-comité. En réalité, dès novembre 1953, des consultations entre la France et l'Inde mènent à la proposition de la création à l'intérieur de la Commission du désarmement d'un « comité restreint ». Aucun pays n'est nommément cité dans la résolution du 28 novembre, mais celle-ci s'inspire directement d'un texte indien[18], où le nom du Canada a été expressément mentionné. Les Britanniques n'aiment pas particulièrement cette recommandation indienne, parce qu'elle peut donner à penser que l'organe qui reste encore à créer se penchera exclusivement sur les questions du désarmement atomique. De plus, la Grande-Bretagne, qui a déjà reconnu la République populaire de Chine (RPC), ne désespère pas de créer un sous-comité à cinq où cette dernière serait représentée.

Les choses en sont là lorsque au début d'avril 1954 les négociations reprennent sur le sujet. Entre-temps, les puissances occidentales se sont rangées, pour des raisons différentes, à l'avis de la participation du Canada aux travaux du sous-comité. Les États-Unis ne veulent pas entendre parler de la Chine, tandis que la Grande-Bretagne décide, à tort ou à raison, que le Canada ne serait pas un mauvais interlocuteur en cas de « vacillement » de la politique française[19]. Pour une fois, la perfide Albion n'a pas tout à fait tort ici.

Au sujet de la candidature canadienne, ni Cabot Lodge ni Pierson Dixon ne veulent sonder la Délégation soviétique. La stratégie adoptée consiste donc à souhaiter que le Canada se retire devant une nette opposition soviétique ou dans l'hypothèse où l'URSS insisterait sur la candidature d'un pays de l'Est[20]. On sait par ailleurs de la Délégation de New York que les Soviétiques ne sont pas plus chauds qu'il ne le faut pour soutenir la candidature de la Chine, et qu'ils sont prêts, en fin de compte, à se rabattre sur le choix de l'Inde.

De plus, le ministre Pearson, qui se souvient d'avoir déjà discuté avec son homologue Krishna Menon au sujet de l'amendement que l'Inde avait proposé en novembre 1953, ne veut pas pousser outre mesure la candidature canadienne, à moins que l'Inde ne précise qu'elle est d'accord avec la proposition britannique, puisque la liste des pays proposés est la même que celle qui avait été avancée par l'Inde en novembre 1953. Une fois acquis le soutien indien au projet de résolution britannique d'avril 1954, le Canada a les coudées franches. Le délégué soviétique se plaint, non sans humour, que le Canada sera au sein du sous-comité « le porte-parole du Département d'État ». Quant à la Tchécoslovaquie, l'URSS sait pertinemment que cette candidature n'a aucune chance d'être acceptée par l'Ouest. En dépit des menaces des Soviétiques de ne pas participer aux travaux du sous-comité s'ils n'obtiennent pas satisfaction sur la question de sa composition, Vychinski n'en assiste pas moins à la première réunion officielle du sous-comité, à New York, le 23 avril.

Dernier élément dans le dossier de la composition du sous-comité : le Canada a pensé, si cela pouvait amener un consensus entre les quatre puissances, à se désister pour soutenir l'Inde ou la Tchécoslovaquie. Les directives envoyées le 15 avril à la Délégation et approuvées par L.B. Pearson sont les suivantes :

> nous devons continuer à soutenir la résolution de la Grande-Bretagne, et résister à toute tentative d'élargir la composition du sous-comité à des États non membres de la Commission. Cela impliquerait un vote négatif sur les trois candidatures additionnelles proposées (si le vote s'applique aux trois candidatures à la fois) et, si le vote a lieu séparément, à voter contre la République populaire de Chine et la Tchécoslovaquie, et à nous abstenir sur la candidature indienne, à la fois pour des raisons politiques générales et parce que ce pays est à l'origine de la proposition de « discussions privées ».

Politesse oblige !

La question de la composition du sous-comité reste plus ou moins close jusqu'à ce que celui-ci soit mis en sommeil en novembre 1957. Plusieurs États membres de la Commission du désarmement se plaignent cependant au cours des travaux du sous-comité du manque d'information transmis à la Commission par les membres du sous-comité, du peu de temps accordé pour l'examen de ses rapports et du peu de cas que le sous-comité fait des propositions transmises par les États à la Commission pour étude en sous-comité. Lorsqu'en novembre 1954 l'Inde parle d'élargir le sous-comité en accordant à certains États le statut de « consultant associé », le Canada répond par la négative à l'Inde qui l'a consulté sur une base purement privée[21]. En matière de diplomatie, « on ne renvoie pas toujours l'ascenseur ».

En avril, les Italiens manifestent aussi leur désir de modifier la composition du sous-comité, afin d'être mieux intégrés aux discussions sur les questions de la sécurité européenne. En 1955, l'Inde déplore amèrement que ses propositions de désarmement atomique et de cessation des essais nucléaires ne soient pas discutées en sous-comité, malgré les assurances contraires qu'elle a reçues à cet effet. En ce domaine, le Canada n'est pas plus royaliste que le roi ni moins infidèle que les autres membres du sous-comité. Ce dernier ne veut pas entendre parler du « facteur Menon » ni de toute autre proposition formulée de l'extérieur.

À postériori, il ne fait aucun doute que le sous-comité a été et resta tout au long de ses délibérations un club sélect très fermé sur lui-même, où, par surcroît, l'URSS était parfaitement isolée. Ce qui ne l'empêcha pas d'exploiter, souvent avec le concours peu ou prou involontaire du délégué français, les divergences entre les pays occidentaux. Il n'est pas étonnant qu'au fur et à mesure que plusieurs États manifestèrent leurs craintes et inquiétudes devant le perfectionnement et l'accroissement des armes nucléaires, les pressions se firent toujours plus grandes pour élargir la composition du sous-comité. À cela, on peut toujours rétorquer que les autres États ne se sont jamais gênés, c'est le moins que l'on puisse dire, pour « étaler » leurs opinions devant la tribune de l'ONU, surtout à l'occasion des rituelles réunions annuelles de l'Assemblée générale. De plus, en certaines occasions, les règles de la diplomatie secrète sont de mise, surtout sur des questions aussi importantes que la guerre et la paix nucléaires. En 1954 et en 1955, on parle d'autant plus de désarmement que de part et d'autre les deux blocs réarment.

Le Canada et les propositions discutées en 1954 et en 1955

Sur un sujet aussi vaste que les travaux du sous-comité, nous ne saurions ici tout rapporter. Les archives sont abondantes et les nuances n'intéressent souvent que le spécialiste. En outre, le Canada ne joue pas un rôle fondamental pour ce qui est des propositions formulées. Il se cantonne souvent dans le silence, faute de politique ou de moyens d'étude suffisants pour faire sentir son influence. Ses attitudes modérées lui permettent à l'occasion d'atténuer certaines des divergences entre pays occidentaux, mais lorsqu'il s'agit de heurter de front les intérêts américains, on préfère souvent céder son droit de parole aux Français ou aux Britanniques. Constat d'impuissance ? Peut-être ! À la fin de 1955, le représentant canadien au sous-comité de Londres, N.A. Robertson, va même jusqu'à se demander si le Canada ne devrait pas s'en retirer.

En réalité, ce n'est qu'au moment de la réorganisation du Groupe mixte, en mai 1956[22], que le Canada se montre en mesure de faire des études sérieuses sur les principales propositions discutées à Londres. Ironiquement, c'est à partir de cette même période que le rôle du Canada se fait de plus en plus effacé, plus particulièrement en 1957. La raison tient au fait que les études sont à caractère technique et que certaines ne furent jamais déposées. De plus, l'année 1957 marque la venue au pouvoir de l'administration Diefenbaker.

De toutes les propositions discutées en 1954 et en 1955, deux sortent de l'ordinaire. Il s'agit du mémorandum franco-britannique du 11 juin 1954 et de la proposition soviétique du 10 mai 1955. Quelle en est la teneur ?

Le mémorandum franco-britannique propose la réduction plus ou moins parallèle des armements classiques et atomiques, le tout étant soumis à un contrôle préalablement établi. Nous empruntons à Klein la description des réductions en trois étapes[23]:

- Interdiction immédiate de l'usage des armes de destruction massive, sauf en cas de défense contre une agression; simultanément, constitution et mise en place de l'organisme international de contrôle et «congélation» des niveaux des effectifs des armements classiques et des crédits militaires globaux;
- Amputation des effectifs et des armements classiques dans la proportion de la moitié du total à réduire, c'est-à-dire de la moitié de la différence entre les niveaux précédemment constatés et les niveaux forfaitaires finaux établis d'un commun accord. Sitôt cette réduction effectuée, arrêt de la fabrication des armes nucléaires;
- Application de la seconde tranche de réduction des effectifs et des armements classiques, suivie de l'interdiction inconditionnelle d'usage des armes de destruction massive et de la transformation des stocks nucléaires à des fins pacifiques.

Nous empruntons aux publications de l'ONU[24] la description du plan soviétique du 10 mai 1955. Celui-ci s'étendrait sur deux années — 1956 et 1957 — et se déroulerait en deux étapes:

- Les cinq puissances (États-Unis, Union soviétique, Chine, Royaume-Uni et France) réduiraient leurs forces armées et leurs armements dans la proportion de 50 p. cent de la différence entre les niveaux existant à la fin de 1954 et les plafonds alloués — soit respectivement 1 million à 1,5 million et 650 000 hommes. Une conférence mondiale fixerait les plafonds pour les autres pays. En même temps qu'ils réduiraient leurs forces armées dans la proportion de 50 p. cent des normes convenues, les États qui possèdent l'arme atomique s'engageraient à mettre fin aux essais portant sur ces types d'armes et à ne pas les utiliser sauf à des fins de défense contre l'agression lorsqu'une décision à cet effet aura été prise par le Conseil de sécurité. Enfin, certaines des bases militaires situées sur le territoire d'autres États seraient liquidées.
- Au cours de la deuxième étape, la seconde moitié des réductions seraient mises en œuvre. Une fois effectuée la réduction à proportion de 75 p. cent, l'interdiction totale de l'utilisation de l'arme nucléaire entrerait en vigueur. La destruction de ces armes et la dernière tranche des réductions des forces armées auraient lieu simultanément.

Dans le domaine du nucléaire, la proposition franco-britannique distingue trois étapes successives: interdiction de l'usage — sauf à des fins de défense contre l'agression —, de la fabrication et de la possession d'armes nucléaires. D'autre part, le plan soviétique prévoit deux étapes successives: interdiction de l'utilisation — sauf à des fins de défense contre l'agression — et, enfin, interdiction inconditionnelle. Il y a donc consensus dans la première étape sur l'interdiction conditionnelle de l'usage.

Pour ce qui est du contrôle, la proposition occidentale insiste sur la simultanéité des opérations. Dans son projet de traité, le plan soviétique parle de l'établissement, sur la base de la réciprocité, « de postes de contrôle dans les grands ports, aux nœuds ferroviaires, sur les autoroutes et les aérodromes ». En d'autres termes, il s'agit de postes de contrôle terrestres. De plus, le contrôle serait progressif. Par ailleurs, la réduction des forces classiques ne serait pas constatée sur place au cours de la première étape. En la matière, même si le plan soviétique ne donne pas satisfaction aux Occidentaux, il y a progrès, puisque les Soviétiques semblent admettre pour la première fois le principe de l'inspection sur place.

En matière de réductions classiques, on constate aussi du progrès, puisque Moscou abandonne ses prétentions aux réductions fractionnelles — par pourcentages — pour accepter le principe d'une entente à négocier sur des plafonds alloués réciproques. En réalité, le plan soviétique du 10 mai 1955 constitue une réponse à la modification apportée, le 19 avril 1955, au projet franco-britannique de juin 1954. En avril 1955, les Français et les Britanniques s'entendent en effet pour proposer l'interdiction de fabrication des armes nucléaires, une fois intervenues les premières réductions des armes classiques dans une proportion de 75 pour 100.

L'accord britannique à cette révision majeure du mémorandum franco-britannique n'intervient qu'une fois que les Britanniques « furent convaincus que la France, de toute façon, proposerait seule un nouveau document, même s'il fallait, pour ce faire, y incorporer des amendements soviétiques[25] ». Pour sa part, le Canada veut d'autant plus se rallier à cette formule de compromis qu'il a appuyé le premier projet franco-britannique de juin 1954, mais devant les réticences des États-Unis qui s'opposent à la formule de compromis sans s'objecter toutefois à ce qu'elle soit déposée, le Canada s'abstient pour éviter l'isolement américain au sein du sous-comité. Le délégué canadien se limite donc à dire « qu'à ses yeux il ne voit pas pourquoi le gouvernement canadien ne donnerait pas son appui à ce projet[26] ». En matière de prudence et de diplomatie, et aussi de pause dans la réflexion, on ne peut guère faire mieux.

Au printemps 1955, il semble donc y avoir résorption progressive de la tumeur cancéreuse qui rongeait depuis 1945 les relations Est-Ouest. Aux Soviétiques qui réclament l'interdiction inconditionnelle de l'arme atomique suivie de réductions classiques, les Occidentaux opposent la thèse des réductions classiques, suivies de l'élimination de l'arme nucléaire. On semble donc vouloir paraître de part et d'autre couper la poire en deux.

Par ailleurs, le dossier des négociations révèle assez rapidement l'étendue du conflit Est-Ouest, ainsi que les divergences profondes qui séparent les puissances occidentales. N.A. Robertson, de Londres, souligne que le véritable leadership provient de Selwyn Lloyd et de Jules Moch. Les deux, selon lui, ont de grandes qualités de négociation et font preuve de la plus grande patience et de la plus grande persistance pour aplanir les difficultés et apaiser les « inépuisables soupçons » du délégué Malik. Le 20 juillet, la Délégation à New York estime que le projet franco-britannique représente toujours le meilleur document déposé jusqu'à ce jour sur les questions du désarmement et un « progrès substantiel » dans la position occidentale. Le 29 juillet, un télégramme de la Délégation de New York nous apprend ce que l'on savait déjà :

les États-Unis ne soutiennent que du bout des lèvres le projet franco-britannique. À la Commission du désarmement, le délégué américain précise que le soutien américain ne signifie pas que Washington « entérine chacun des détails de la proposition franco-britannique ». D'un autre côté, Gordon Arneson fait savoir aux Canadiens que devant l'opposition des Soviétiques le projet allié européen a peu de chances d'être aussi fortement appuyé que le plan de la majorité en 1948.

En août, les Américains ne sont guère heureux des déclarations de Moch à l'Assemblée générale. Moch, qui se déclare lui-même un incorrigible « optimiste » à l'occasion « impénitent » ou « dangereusement naïf », estime que le plan Baruch est largement dépassé et que les États-Unis mettent la charrue devant les bœufs. Il invite les Soviétiques à « faire un pas en avant », ce que l'on ne saurait lui reprocher, mais les Américains jugent cet optimisme comme étant prématuré et constituant un « mirage de Moscou[27] ». Le 1er septembre, un message de New York annonce une volte-face américaine. Les États-Unis sont désormais prêts à endosser le projet de contrôle franco-britannique et le principe du maintien de discussions permanentes ou continues sur le désarmement.

Deux circonstances expliquent le revirement de la position américaine. Le premier élément consiste dans le rejet par la France du traité de la CED. On craint une alliance franco-soviétique, car on sait que l'ambassadeur soviétique à Paris « a informé Parodi que Moscou souhaiterait présenter des propositions proches des vues défendues par Moch[28] ». Le second élément est relié à l'interprétation américaine du projet franco-britannique. Washington estime en effet que seule la version de Lloyd du projet est acceptable, et non l'interprétation de Moch. De quoi s'agit-il ?

En substance, Moch pense que la clause de l'interdiction de l'armement nucléaire, sauf en cas de défense contre une agression, constitue en elle-même une nouvelle proposition du camp occidental. L'interprétation britannique est tout autre : elle découle tout simplement du droit à la légitime défense inscrit dans la Charte des Nations Unies. Elle ne présente donc rien de nouveau. La différence est évidemment assez mince, sauf qu'une nouvelle proposition constitue une ouverture à la discussion de nouvelles questions dont les Américains ne veulent pas entendre parler, notamment l'interdiction globale des armes nucléaires et la cessation des essais nucléaires. Le Conseil national de sécurité (National Security Council (NSC)) américain s'oppose à toute suspension des essais, « sur une base même temporaire ».

Dans un mémoire préparé par Jules Léger à l'intention du ministre Pearson, le sous-secrétaire résume la position canadienne. « Notre intérêt, dit-il, le 1er octobre, est de promouvoir le désarmement, de reconnaître que celui-ci dépend de l'établissement d'un climat de confiance et d'admettre que la seule méthode pour éliminer la guerre atomique est d'éliminer la guerre elle-même. » Il résume ensuite de la façon suivante les objections américaines au projet franco-britannique :

- Les États-Unis ne veulent pas discuter de l'interdiction de l'arme nucléaire séparément d'un projet de traité sur le désarmement ;
- Les États-Unis ne sont pas satisfaits de la forme lâche d'inspection par « échantillonnage » envisagée par Moch durant la première étape ;
- Les États-Unis considèrent comme incompatible avec leurs propres besoins de sécurité le fait d'accepter un projet efficace à 80 ou 90 p. 100 et jugent qu'un projet de désarmement avec garanties ne doit pas être moins efficace que le plan de la majorité sur l'énergie atomique ;
- Les États-Unis seraient des plus réticents à fournir des données sur toutes leurs production et installations nucléaires au début de la deuxième étape, avant même qu'aient eu lieu les réductions sur les forces armées et les armements classiques.

La dernière objection résulte évidemment d'une mauvaise lecture du projet franco-britannique. Il aurait fallu écrire « avant qu'aient eu lieu les réductions globales des forces classiques ». Quoi qu'il en soit, comme on le voit, la position américaine n'a pas bougé : ils veulent un projet de traité avec un système d'inspection d'une parfaite étanchéité et l'élimination des armes classiques avant le nucléaire.

Il reste toutefois que dès 1954 les Soviétiques parlent d'interdiction du recours aux armes nucléaires et non plus de l'interdiction de fabrication. Le 23 juin 1954, Robertson résume le dilemme occidental :

> les puissances occidentales doivent s'employer à éviter de faire une série de concessions unilatérales. La principale leçon à tirer des pourparlers de Londres est que l'URSS ne considère pas la période actuelle comme étant propice à des négociations sérieuses et qu'elle en est encore à retirer le dernier zeste de propagande qu'elle peut obtenir de son projet Ban the Use of the Bomb. Dans ces conditions, c'est la stratégie de la moindre résistance que de rester retranché sur ses positions. Cette démarche peut reposer sur le fait indéniable que jusqu'à maintenant les questions de désarmement ont été traitées comme des exercices de propagande et que tout accord en ce domaine est presque certainement inaccessible. Bien que cette façon de raisonner soit inattaquable dans le contexte des prémisses de la guerre froide, il est tout aussi possible que cela ne soit pas vrai ; et, pour cette raison, on ne peut pas se permettre d'abandonner.

Dans sa dernière phrase, Robertson ne pouvait mieux expliciter la position canadienne et sans doute, aussi, celle de la France. À la suite d'un premier rejet, au sein du sous-comité, de la proposition franco-britannique, les Soviétiques l'acceptent, lors de la tenue de l'Assemblée générale, comme « base de discussion ». Jules Léger estime dans son long mémoire du 1er octobre qu'il faut réserver un accueil prudent à ce geste posé par les Soviétiques — en outre, ils ne parlent plus que de l'interdiction du recours et non de la fabrication des armes nucléaires — et leur expliquer que la seule façon d'exprimer leur sincérité « est de reconnaître que l'acceptation d'un organe de contrôle efficace et adéquat n'a rien d'inamical à leur endroit ». Là, le Canada rêve en couleurs. Il faudrait, pour cela, que Moscou se mît à penser comme Washington. Ce n'est toujours pas le cas aujourd'hui.

En octobre 1954, les États-Unis reprochent à Moch d'entretenir avec les Soviétiques des contacts privilégiés à sens unique. À plusieurs reprises, Moch était au courant des intentions soviétiques, pensent-ils, en plus du fait de connaître à l'avance la substance des amendements que Moscou avait l'intention de proposer avant même qu'ils n'aient été transmis aux Occidentaux. Bien que ces soupçons n'aient jamais fait l'objet de discussions officielles avec le Quai d'Orsay (?), les États-Unis demandent au gouvernement français de donner à son délégué « des directives formelles l'enjoignant de rendre ses déclarations à l'Assemblée générales plus conformes à ce que sont présumément les intentions du gouvernement français et les politiques concertées des trois puissances occidentales[29] ». Toutefois, Ottawa fait preuve d'une prudence élémentaire à l'égard de ce qui pourrait constituer une campagne d'intoxication à son endroit. Comment vérifier avec Paris ce qui, officiellement, n'a jamais fait l'objet de représentations formelles et qui, par surcroît, a été transmis à Ottawa sur la base du secret entre pays alliés ? Dans ce même message à New York, Ottawa précise être dans l'obligation de dire que, dans toutes ses déclarations à l'Assemblée générale, Jules Moch a été tout aussi critique que les autres — par exemple, son discours à « vingt questions ». Ottawa n'a aucune raison *(evidence)* de croire « qu'il n'agit pas de bonne foi ou que ses contacts avec la Délégation soviétique sortent de l'ordinaire, étant donné le haut intérêt qu'il porte à cette question ». Ce n'est pas à la Délégation canadienne de New York qu'Ottawa aurait dû faire parvenir son message, mais bien plutôt directement à Washington...

Certes, le Canada n'est pas dupe de la manœuvre de Washington. Le doute est néanmoins semé, car la note se termine par la demande suivante : « Pour notre propre information, nous apprécierions tout commentaire que vous pourriez souhaiter formuler sur la base de l'expérience de vos négociations avec Moch. » Dans un télex adressé le même jour à l'ambassadeur canadien à Paris, Ottawa révèle que Paul Martin — à l'époque ministre de la Santé et du Bien-être social, et aussi président par intérim de la Délégation canadienne — a informé la Délégation que Moch lui a confié en privé que si Vychinski se ralliait à l'idée de parrainer avec le Canada la résolution discutée à l'Assemblée générale[30], il enverrait immédiatement un télégramme à Mendès-France l'exhortant à retarder de deux mois le débat sur la ratification des Accords de Paris[31] à propos du réarmement allemand. « Nous avons déjà informé notre Délégation à New York, ajoute-t-on dans le télex Ottawa-Paris, que nous pensons qu'il serait malheureux qu'un vigoureux plaidoyer de Moch n'entraînât de plus grandes hésitations sur la ratification française des Accords de Paris. » En outre, Ottawa précise que la diplomatie soviétique, quels que soient ses avatars, n'aurait pas pour effet d'affaiblir les liens entre Moch et les autres puissances occidentales. Voilà donc ce qu'il en était de la querelle américaine au sujet du « Mochisme » dans le cadre des relations canado-américaines.

Autre pomme de discorde au sujet du projet franco-britannique : les Australiens. Ceux-ci font parvenir une véhémente protestation aux Britanniques les informant que leur projet ne prend pas en considération les intérêts australiens. À l'époque, Canberra discute avec les États-Unis de la formation de l'Organisation du Traité de défense collective de l'Asie du Sud-Est (OTASE). Déjà en 1952, les Australiens s'étaient élevés contre la proposition tripartite. Les représentations australiennes sont à ce point sévères en 1954 que le Comité d'état-major britannique est amené à se pencher sur toute une série de questions à caractère militaire relativement aux besoins de la défense du Sud-Est asiatique. C'est sans doute pour se faire pardonner leur peu de consultation des Australiens que Selwyn Lloyd encourage Canberra, en octobre 1954, à soumettre un projet de résolution qui impliquerait le Secrétariat des Nations Unies dans « les eaux troubles » du désarmement[32].

Aux yeux du Canada, un tel projet ne sert aucun but utile. Il n'est pas dans les fonctions du Secrétariat, selon Ottawa, d'expliquer sur des sujets à caractère politique les positions des autres États, ce qui l'amènerait inévitablement à jouer un « rôle d'interprète ». De plus, les délibérations de la Commission du désarmement étant publiées, on ne voit pas très bien comment le Secrétariat pourrait clarifier d'une façon satisfaisante ce que d'autres s'emploient à laisser volontairement vague. En dépit de ces réticences, les directives canadiennes sont néanmoins « qu'à tout considérer, il vaut mieux, sans en parler en bien, voter en faveur du projet[33] ».

Le 22 novembre 1954, R. Harry Jay prépare un remarquable document de synthèse sur les points communs et les divergences entre Soviétiques et Occidentaux. Nous ne jugeons pas utile ici de nous attarder sur ce document qui n'intéresse que le spécialiste, cependant, nous le mentionnons pour être fidèle au contenu des archives canadiennes. Dernier point, les Affaires extérieures ne jugent pas utile de demander l'avis du Comité des chefs d'état-major interarmes sur le contenu du mémorandum franco-britannique, sans doute parce que le Canada n'aurait pas été plus concerné par ce projet que par la proposition tripartite de mai 1952.

Il en va tout autrement avec la proposition soviétique du 10 mai 1955. Celle-ci suscite, tant dans les milieux politiques que les milieux militaires, toute une série d'interrogations majeures. Les Soviétiques veulent-ils négocier de bonne foi ou s'agit-il tout simplement d'une opération de propagande ? Le contenu des propositions est-il par ailleurs militairement acceptable ?

Sur ces deux points, des différences d'appréciation apparaissent entre les Canadiens et les Britanniques. Ces derniers estiment que l'économie soviétique est mal en point et que Moscou a besoin d'un répit pour reprendre son souffle. Négociant à partir d'une position de faiblesse, les Soviétiques seraient donc prêts à faire des concessions pour créer une atmosphère de détente. R.A.D. Ford, rentré de Moscou depuis peu, pense autrement. « Les faiblesses des

Soviétiques, écrit-il le 23 juin 1955, sont tout simplement l'un des facteurs importants dans leur décision de modifier leurs tactiques en matière de politique étrangère [...] La façon dont sont présentées les propositions soviétiques indiquent plutôt qu'elles ont été faites comme un premier pas dans l'établissement d'une large manœuvre diplomatique», même si celle-ci a véritablement peu de chances d'aboutir. «Cette démarche est plutôt destinée à nous indiquer le genre de règlement que souhaitent les Soviétiques, conclut Ford, et surtout à préciser que la question de l'Allemagne ne peut être considérée que dans le cadre plus vaste du désarmement, de la sécurité européenne et des questions d'Extrême-Orient.»

Deux jours plus tard, un télégramme du Bureau des relations du Commonwealth confirme ce point de vue: «Molotov est nettement plus intéressé par les questions de sécurité européenne que par le sujet de la réunification allemande sur lequel Pinay a tenté de centrer les conversations.» Il s'agit ici de la rencontre des ministres des Affaires étrangères qui se tint à San Francisco, en vue de préparer la Conférence au sommet de Genève. Molotov, peut-on encore lire dans cette dépêche du 25 juin, «ne paraît pas si inquiet du réarmement allemand que des questions du désarmement en général, des bases américaines en Europe et de la menace en particulier des armements nucléaires». Cette tendance générale est importante, car elle explique, en grande partie, la bilatéralisation progressive des débats à partir de l'été 1955.

En juillet, le Comité mixte des renseignements (JIC) (Joint Intelligence Committee, JIC), présidé par un membre des Affaires extérieures, mais rattaché au ministère de la Défense, se penche sur l'appréciation militaire que font les Britanniques de la proposition soviétique du 10 mai. Ici, les divergences se révèlent profondes. Les Britanniques croient aux progrès remarquables des Soviétiques en matière d'armements nucléaires, mais ils estiment que l'URSS accuse un retard considérable et que ce fossé s'approfondira dans l'avenir. De plus, pensent-ils, les Soviétiques n'ont pas les moyens d'atteindre l'Amérique, et cette situation n'est guère susceptible de changer, du moins pas avant deux ans. On estime que les Soviétiques ne possèdent pas d'armes nucléaires dont la puissance explosive dépasserait la puissance d'une mégatonne, et que leur marge de production frauduleuse, en cas d'accord sur le désarmement, serait d'une dizaine de bombes d'une mégatonne et d'une centaine de bombes de cinq kilotonnes. Selon l'État-major britannique, cette quantité serait trop faible pour porter un coup mortel à l'Amérique. En matière de propulsion balistique, on pense que Moscou ne pourra pas produire un engin d'une portée supérieure à 4 500 milles*, à moins de spectaculaires progrès technologiques.

---

* Note des auteurs: pour ce qui est des unités de longueur, nous avons cité les archives telles quelles; lorsqu'il s'agissait de considérations plus générales de notre part, nous avons opté pour le système métrique.

À Ottawa, on croit que les Britanniques sous-estiment très sérieusement la capacité soviétique de porter un coup mortel à l'Amérique. « Nous avons déjà discuté de ces questions avec le Comité d'état-major britannique, peut-on lire dans ce document de juillet, et nous ne disposons d'aucune information qui pourrait nous amener à changer d'avis sur cette question. » Dans l'ensemble, on estime que le plan soviétique serait défavorable pour l'Ouest, car s'il est vrai que la défense aérienne ne serait pas interdite — on pense aux accords NORAD —, il serait tout aussi vrai que l'Ouest ne pourrait pas effectivement s'en prendre au cœur de la puissance soviétique[34]. L'incapacité pour les Américains de projeter leur puissance à l'extérieur rendrait une guerre classique plus probable et « possible » pour les Soviétiques. D'autre part, leur capacité de fraude, en cas d'accord, pourrait avoir une influence considérable en matière de guerre nucléaire tactique, en Europe surtout. Par ailleurs, étant donné les différences de régime politique, il serait beaucoup plus facile pour les Soviétiques de « tricher » que pour l'Ouest, où les pressions pour observer le respect des accords risqueraient de devenir insoutenables.

Aux thèses un peu trop libérales des Britanniques, les militaires canadiens formulent des réserves sérieuses, proches du jugement conservateur qu'auraient pu exprimer à la même époque les milieux militaires américains.

En matière de balistique, les Canadiens ont raison. Dans un discours destiné à être prononcé devant le Conseil de l'OTAN, au printemps 1955, Lester B. Pearson déclare déjà que le monde approche rapidement d'une époque où le sigle IBM[35] ne signifiera plus seulement « International Business Machines[36] ».

Sur les questions de fond discutées à Londres, ces faits résument l'essentiel des réactions canadiennes. Durant toute cette période, le Canada entretient cependant plus d'un doute sur l'utilité et le caractère fonctionnel du sous-comité de Londres. Pour sa part, L.B. Pearson n'aime pas l'usage « frivole » que certains entendent faire de ce sous-comité, sutout si son seul objectif consiste à vouloir mettre à nu l'« insincérité » des Soviétiques. Cela dit, Pearson lui-même se demande si la paix ne serait pas mieux assurée, comme le pense Churchill, « sur la base de la capacité qu'a chaque camp de détruire l'autre[37] ». Il se demande aussi s'il ne vaudrait pas mieux renoncer à toutes « les propositions actuelles » et développer une approche entièrement nouvelle. Dans cette même lettre personnelle adressée à Robertson, Pearson l'encourage à rester à son poste à Londres, étant donné l'expérience qu'il a acquise en matière de désarmement et « les interprétations que l'on pourrait apporter au geste de son remplacement éventuel ». Huit mois plus tard, N.A. Robertson rédige un véritable testament politique sur les négociations de Londres. Le 21 novembre, il écrit au bras droit de Pearson, Jules Léger :

> Je me demande si notre participation au sous-comité est encore justifiée. Les fondements historiques de notre association avec les grandes puissances sont de plus en plus lointains et à

mesure que les années passent, et juqu'à maintenant, dans la mesure où je suis bien informé, nous n'avons pas apporté une contribution utile ou distincte aux délibérations du sous-comité. Il n'y a pas grand-chose à dire d'une cinquième roue qui « couine » et grince ici et là. Je me rends compte des difficultés ou peut-être de l'impossibilité d'expliquer au sous-comité ou aux Canadiens les raisons de notre retrait [...] Étant donné les doutes que j'entretiens au sujet du bien-fondé du sous-comité et de son efficacité, de la participation que le Canada peut y apporter et de la sagesse et du réalisme de notre approche générale à ces questions, je ne pense pas que je puisse être véritablement un représentant efficace au sein du sous-comité [...] En ce qui me concerne, les seules occasions que nous ayons eues de faire sentir notre influence, c'est lorsque nous avons eu des discussions en privé ou *off-the-record* avec les autres Délégations [...] Si nous sommes sérieux, il faudrait, avant de discuter avec les Soviétiques, que les Délégations occidentales aplanissent entre elles leurs propres difficultés et voient s'il y a matière à discuter formellement au sein du sous-comité [...] cette occasion pourrait se présenter dans l'avenir. On me dit qu'à la Conférence des ministres des Affaires étrangères de Genève, Molotov ne s'est jamais expressément rallié à l'idée de reconvoquer le sous-comité. Ce point devait être inclus dans la Déclaration des quatre puissances sur le désarmement, mais dans le feu de l'action, cette proposition n'a pu aboutir. Je pense que les puissances occidentales devraient profiter de cette lacune pour s'abstenir de décider de la date et du lieu d'une prochaine rencontre, jusqu'à ce qu'elles aient fait un brin de toilette et réexaminé leurs positions.

Si nous tentons de reporter à une date indéfinie la reprise des travaux du sous-comité, on murmurera sans doute dans les milieux onusiens. Si cela se passe ainsi, c'est parce que l'on aura mal compris le rôle du sous-comité. Il est vrai que celui-ci émane des Nations Unies, mais c'est aussi un forum de négociations entre l'Est et l'Ouest dans un secteur du front plus vaste qui les oppose. De ce point de vue, l'approche des problèmes du désarmement était sans doute plus réaliste à Genève [...] on peut argumenter que les rencontres des ministres des Affaires étrangères entre les quatre grands constituent une approche plus adéquate que tout ce que nous connaissons depuis la guerre quant au principal mandat sur lequel le Conseil de sécurité doit se pencher.

Plusieurs des points développés par Robertson se retrouvent dans les archives. Le 27 juin 1955, Marcel Cadieux écrit à John W. Holmes dans la même ligne de pensée. Le 27 juillet, Jules Léger, dans une note à Pearson, rappelle que le Canada n'est pas une grande puissance, qu'il n'a pas de ressources et que les discussions tendent de plus en plus à tourner autour des questions de sécurité européenne :

Parmi les raisons qui militent en faveur de notre participation, il faut noter le fait que notre présence constitue un lien entre les quatre et les Nations Unies, qu'à l'occasion il nous a été possible de réconcilier les points de vue entre les États-Unis, d'une part, et la France et la Grande-Bretagne, d'autre part, que notre participation est une expression de notre approche fonctionnelle et que, de toute façon, ce que nous avons à dire est tout aussi important que ce que les autres pourraient avoir à dire.

David M. Johnson rappelle aussi, non sans raison, que le soutien en faveur de la candidature canadienne a été général en 1954. Il ne faut donc pas décevoir ceux qui nous ont accordé leur confiance...

Le 28 décembre, Jules Léger informe alors Robertson qu'il n'est pas seul à penser ainsi. « La difficulté, dit-il, est que notre retrait ou un élargissement du sous-comité créerait des problèmes additionnels. La participation de l'Inde, par exemple, introduirait Menon dans les délibérations [...] en plus d'atténuer les maigres chances d'en arriver à des accords. » Sur la question des consultations entre alliés, Léger donne pleinement raison à Robertson. Il ajoute :

> Nous devons à tout prix éviter les pratiques antérieures des consultations en catastrophe dans les derniers jours sinon les dernières heures précédant les rencontres du sous-comité. La difficulté est que la « machinerie » américaine est à ce point complexe et lente que les directives n'arrivent qu'à la dernière minute, ce qui tue dans l'œuf toute possibilité de consultations. Nous avons encore vécu cette expérience à la veille des débats sur le désarmement au sein de la Commission politique. Lodge rentrait de Washington où il avait été rappelé pour des consultations et fut déçu lorsque ses collègues occidentaux n'acceptèrent pas sur-le-champ un projet de résolution très peu approprié qui devait être déposé le lendemain.

En réalité, beaucoup d'eau a coulé sous les ponts depuis les premières interrogations de Cadieux et de Robertson et la fin de l'année 1955. En août 1955, à la suite de la Conférence au sommet de Genève, les États-Unis ont mis le holà à toutes les propositions qu'ils avaient antérieurement acceptées. Pour eux, la « fredaine » du désarmement est terminée. De plus, ils entendent mettre à profit la vague de sentiments populaires que leur a value la présentation à Genève de leur projet « à cieux ouverts ». Il est probable, bien que les archives ne révèlent rien à ce sujet, que le ministre Pearson craignait, au fur et à mesure de la bilatéralisation des débats entre l'URSS et les États-Unis, de se retrouver coincé entre ceux-ci et les alliés européens . En tout cas, lorsqu'en décembre 1955 Paul Martin prépare le premier jet de sa déclaration à l'Assemblée générale des Nations Unies, dans laquelle il fait l'éloge du sous-comité l'encourageant à poursuivre ses travaux, R.M. Macdonnell ne tarde à annoncer, dans une note du 5 décembre adressée à L.B. Pearson, qu'en son absence on a amené Martin à changer d'idée. Ce premier jet « n'est pas conforme à ce que vous pensez sur le sujet », écrit Macdonnell à Pearson. « S'il est vrai qu'il n'aurait pas été opportun pour Martin de critiquer le sous-comité, conclut Macdonnell, il n'avait pas besoin d'aller aussi loin que de proposer d'en poursuivre les travaux[38]. » Pour qu'un subordonné se permette d'être aussi franc sur les opinions émises par un autre ministre, il fallait vraiment qu'il fût convaincu de ce que voulait entendre le ministre des Affaires extérieures ! Notons par ailleurs que Pearson avait toujours à l'œil son collègue Martin, car celui-ci voulait souvent prendre des initiatives qui n'étaient pas toujours prisées par son supérieur[39]. En ce domaine, Macdonnell devait sans doute agir conformément aux lignes tracées par N.A. Robertson et Jules Léger[40].

Le projet Open Skies et l'Arctique canadien

À la conférence des chefs d'États des quatre puissances qui se tient à Genève du 18 au 23 juillet 1955 (Conférence au sommet de Genève), le président Eisenhower annonce au monde son projet Open Skies (« à cieux ouverts ») destiné à favoriser la transparence militaire entre les deux grands et à réduire les risques de guerre. L'effet de surprise est immédiat. Les Britanniques et les Canadiens sont informés à la mi-juillet de la teneur (!) principale des propositions américaines, mais non les Français. Et encore là, les détails ne sont que très peu précis. Une dépêche de l'ambassade canadienne de Washington à Ottawa, le 14 juillet 1955, informe le gouvernement canadien que les États-Unis revoient de fond en comble leur approche sur les problèmes du désarmement. Tout plan de désarmement doit désormais reposer « sur un système d'inspection et de communications ». A.D.P. Heeney, alors ambassadeur à Washington, interroge Stassen sur le contenu des propositions que les Américains ont l'intention de présenter à Genève. Tout ce que l'ambassadeur obtient comme réponse est que les propositions américaines reposeront sur une approche nouvelle jusqu'ici non discutée. Stassen ajoute, par politesse, qu'il pourra en discuter personnellement avec Pearson lorsque celui-ci se rendra à Paris la semaine suivante. Le fait que cette dépêche de Washington ait eu la cote de sécurité *secret* plutôt que *top secret* est une véritable indication que la teneur des informations livrées par Washington était bien mince.

Les Canadiens n'y voient d'ailleurs que du feu. Le 15 juillet, Ottawa câble au représentant canadien à l'OTAN : « Il n'y a pas grand-chose de neuf dans l'approche de Stassen. Il nous indique que les États-Unis pensent en des termes définitivement différents de ceux du plan Baruch. » Les archives canadiennes ne nous indiquent pas si les Britanniques avaient été informés de la même manière que les Canadiens !

Quant à la rencontre Pearson-Stassen à Paris, nous n'avons rien découvert sur le sujet. Nous savons en revanche que Nutting, le délégué britannique au sous-comité des cinq, a discuté à Paris avec Stassen. Une dépêche de Londres à Ottawa, le 27 juillet, indique que Nutting « a la ferme conviction que les États-Unis sont opposés à toute forme de désarmement nucléaire ». À la suite de ces renseignements et de la lecture des travaux de la Conférence au sommet de Genève, le haut-commissaire canadien conclut :

> Étant donné la position américaine, il n'y a aucune raison de tenter de réécrire les propositions occidentales. Elles sont désuètes dans leur statut actuel (et même dépassées par la proposition soviétique), les amendements franco-britanniques ont été mis en « chambre froide » [*in cold storage*], la proposition Faure est irrecevable [*is a non-starter*] et la proposition soviétique n'a aucune chance d'être acceptée.

Beau programme, nous dira-t-on, mais qui n'est pas loin de correspondre à la réalité. Contrairement à beaucoup d'auteurs, Jean Klein observera très justement qu'à l'issue de la Conférence au sommet de Genève « l'antagonisme soviéto-américain était plus accusé qu'auparavant» et que «les progrès accomplis au sous-comité du désarmement étaient remis en question»[41]. Tout cela est vrai, à cette nuance près que les Européens voulaient continuer de discuter «désarmement», tandis que les États-Unis optaient pour la formule de l'*arms control*.

La philosophie américaine est très explicitement définie lors de la rencontre des ministres des Affaires étrangères à Genève, du 27 octobre au 16 novembre 1955. Avant de rappeler les déclarations américaines, citons l'essentiel de la déclaration de Molotov lors de la réunion du 10 novembre:

> Les propositions de photographies aériennes et l'échange de plans militaires sont à bien distinguer du problème de la cessation de la course aux armements. Elles ne sont pas, en réalité, reliées à ce problème. Elles ne réduiraient pas le risque d'une nouvelle guerre, ni ne soulageraient le contribuable du lourd fardeau des dépenses militaires. Dans la mesure où cette proposition ne fait état que des seuls territoires de l'Union soviétique et des États-Unis, elle ne préviendrait pas une attaque d'un pays contre l'autre... Cette proposition ne prévoit pas son extension à d'autres États sur les territoires desquels sont maintenues des bases américaines ni aux États qui sont liés aux États-Unis par des obligations militaires conformément à des traités et à des accords divers dont les buts sont bien connus[42].

À l'accusation soviétique que le projet «à cieux ouverts» ne s'applique qu'aux superpuissances, John Foster Dulles répond le même jour qu'après tout l'URSS a aussi des troupes et des bases dans les territoires de pays de l'Est, mais que l'essentiel des forces des deux côtés se trouve à l'intérieur des frontières des deux États souverains. Et Dulles maintient que c'est par là qu'il faut commencer. Par la même occasion, le secrétaire d'État accepte aussi d'étendre la proposition américaine aux bases américaines à l'étranger. «Toute agression majeure est improbable sans l'effet de surprise, ajoute Dulles, mais l'inspection aérienne constituerait cependant un système d'alerte contre une attaque par surprise.» L'inspection aérienne ne résoudrait pas tous les problèmes, mais elle constituerait une première étape qui pourrait marquer, selon les mots de Dulles, «la fin de la course aux armements et signifier le début d'une période de l'*arms control*». Dulles termine sa déclaration en clignant de l'œil à l'endroit de l'URSS puisqu'il l'invite à fondre son projet de «contrôles terrestres» du 10 mai avec celui des Américains en un système d'inspections doubles.

Certains diplomates feront preuve du plus grand scepticisme à l'endroit de la proposition américaine, par exemple M.A. Crowe, dans une dépêche de New York le 27 juillet. Dans l'ensemble, le gouvernement se ralliera toutefois à ce projet, en le considérant, faute de mieux, comme un premier pas. Dans une lettre du 8 août 1955, le sous-secrétaire d'État aux Affaires extérieures demande au chef d'état-major de bien vouloir lui faire connaître son avis sur cette proposition, car les Britanniques, selon lui, pensent que l'URSS pourrait vouloir, pour des raisons tactiques, élargir le projet à l'ensemble de l'Amérique du Nord. On lui demande donc de dire ce qu'il en pense, puisque le Canada sera appelé, de toute façon, à se prononcer sur le sujet lorsque reprendront les travaux du sous-comité de Londres.

Le général Foulkes en pense beaucoup de bien. Le 12 août, en réponse à la requête des Affaires extérieures, il écrit :

> Notre opinion est que les avantages que l'on pourrait retirer d'une surveillance des territoires russes, particulièrement les zones contiguës à l'Alaska et à la partie nord du Canada, dépasseraient de loin les inconvénients qui pourraient en résulter pour nous. Si des dispositions définitives pouvaient être négociées à ce sujet, cela nous permettrait de relâcher en quelque sorte notre surveillance fondée sur le concept d'une veille de 24 heures de nos réseaux d'alerte, ce qui sera une opération difficile et coûteuse à réaliser à long terme. En ce qui a trait aux aérodromes canadiens, je devrais sans doute insister sur le fait que toutes les caractéristiques des aérodromes canadiens peuvent être obtenues du ministère des Transports [...] Ainsi, les seuls renseignements qu'obtiendraient les Soviétiques seraient la description des hangars et bâtiments, ainsi que le nombre d'avions sur les pistes [...]
>
> Comme vous le savez déjà, les seules bases américaines utilisées par les États-Unis sont celles qui sont louées à Terre-Neuve et l'occupation commune de Goose Bay. Un soin particulier doit être apporté à la non-divulgation de l'occupation commune de Goose Bay étant donné que son utilisation par la United States Strategic Air Force n'a jamais été révélée au public.

Le général Foulkes aurait pu ajouter qu'il était bien inutile de considérer les Soviétiques comme des canards sauvages. Les Européens ne se gêneront pas pour le dire aux Américains lors de la reprise des travaux du sous-comité, le 29 août. Outre le fait qu'ils jugent le plan américain parfaitement inacceptable aux yeux des Soviétiques, ils déplorent l'immanence dans les travaux du sous-comité d'une proposition purement bilatérale. Les membres du sous-comité ont par ailleurs beaucoup de difficultés à établir les liens à maintenir entre la proposition Eisenhower et les projets antérieurement discutés à Londres. Stassen se charge de le leur dire en langage clair : il n'y en a aucun, à cette nuance près que la formule diplomatique utilisée est plus raffinée : les États-Unis mettent en réserve la position américaine antérieurement développée au sein du sous-comité. « Toutes nos propositions antérieures faites devant le sous-comité, déclare Stassen, ne sont pas retirées, mais elles ne sont pas, non plus, réaffirmées. » Une dépêche de New York le 7 septembre nous apprend que le conseiller présidentiel Stassen aurait ainsi agi sans le consentement du Département d'État. Dans sa note hebdomadaire du 26 octobre, Ottawa trouve les déclarations du délégué Henry Cabot Lodge encore moins rassurantes que celles de Stassen. Non seulement les propositions antérieures sont-elles mises en chambre froide, mais encore sont-elles « congelées[43] ». Selon les Américains, une telle situation s'impose non seulement parce que les capacités de fraude dépassent celles de l'inspection, mais tout simplement à cause des « faits de la vie ».

Les dés sont jetés. Il y a désormais des différences de philosophie fondamentales entre les Européens et les États-Unis. Nous venons d'exprimer la plupart des raisons qui expliquent ces divergences d'opinions transatlantiques. Le fait que les Occidentaux se soient présentés à la Conférence au sommet de Genève en rangs dispersés n'a guère été propice non plus à une amélioration de la situation. Les États-Unis ont considéré qu'ils ne pouvaient plus marcher sans le bâton de l'aveugle : désormais, pour être rassurés sur les intentions soviétiques, ils devaient savoir ce qui se passait de l'autre côté de la frontière. La Grande-Bretagne, sans trop consulter ses alliés, a aussi présenté son projet de zone de désarmement régional s'étendant de chaque côté de la division de la frontière européenne et se prolongeant à l'est tout au long de la frontière tchéco-allemande. Les États-Unis ne veulent pas en entendre parler. Devant les véhémentes protestations de la RFA et l'opposition américaine, le plan Eden ne sera plus soutenu par la suite que du bout des lèvres par les Britanniques au sein du sous-comité. On ne parlera plus que d'un premier « exercice » destiné à étudier les moyens de contrôle et d'inspection. Quant à la France, elle ne trouvera que les Soviétiques pour prêter une oreille attentive à son projet de réduction du budget militaire.

En octobre, des études faites par le commandant suprême des forces alliées en Europe (SACEUR) et approuvées par le Groupe permanent de l'OTAN récupèrent le projet Eden pour mieux le saboter. La région proposée par Eden est insuffisante : il faut considérer une zone s'étendant entre 200 et 300 milles de chaque côté de la frontière et prévoir des chaînes de radar dont les faisceaux se chevaucheraient. Ainsi, il pourrait y avoir des radars soviétiques en RFA et des radars occidentaux en Pologne[44]. La zone Eden devient ainsi une zone Eisenhower. Quant au plan du président Faure, toutes les chancelleries occidentales considèrent qu'il a été présenté pour des motifs de politique intérieure et qu'il n'a, par surcroît, aucune chance de réussir. En outre, la France, en vertu des propositions qu'elle a présentées antérieurement, entend coûte que coûte limiter les forces allemandes à un plafond de 300 000 hommes. Les États-Unis en veulent 500 000. Il faut noter ici que l'un des objectifs du mémorandum franco-britannique de juin 1954 visait précisément à empêcher le réarmement de l'Allemagne, puisqu'il prévoyait le gel des effectifs allemands au 31 décembre 1954. Jules Moch, qui avait d'ailleurs présidé à l'Assemblée nationale une commission hostile à l'armée européenne, s'était personnellement prononcé contre ce traité. Il y avait, en ce domaine, qu'on le veuille ou non, une convergence d'intérêts entre la France et l'URSS.

Dans la foulée des événements de 1955, on ne s'étonne donc pas que les divergences soient apparues au grand jour. Les Soviétiques ne manquent pas de se jouer des différences occidentales pour dire qu'ils acceptent des postes de contrôle terrestres dans le cadre d'un désarmement contrôlé, mais qu'ils refusent le principe des inspections aériennes. Telle est la teneur de la lettre de Boulganine adressée aux puissances occidentales, le 23 septembre 1955.

En dépit de tous les efforts de Stassen pour obtenir l'aval de ses pairs européens au sous-comité, ceux-ci refusent de faire du projet à « cieux ouverts » une proposition occidentale. Moch ne veut pas faire de l'Open Skies un autre projet Baruch. Les résistances européennes restent farouches. En ce domaine, le Canada n'est pas plus chaud que la France ni la Grande-Bretagne, mais il préfère laisser les Européens tirer les marrons du feu à sa place[45]. En effet, le ministre estime que l'initiative doit être prise par la Grande-Bretagne et la France ! Les alliés se rallieront néanmoins au projet américain lors de la tenue de l'Assemblée générale.

De tout cela sort la formule de compromis déposée en commission politique le 2 décembre par la Grande-Bretagne et contresignée par les États-Unis, la France et la Grande-Bretagne. On invite les grandes puissances à reprendre leurs discussions et à rechercher, en priorité, des accords sur la base des plans Eisenhower et Boulganine, et à conclure le plus tôt possible des accords de désarmement réalistes assortis de garanties adéquates. Le délégué Nutting ne se gêne pas pour dire en privé que des accords réalistes signifient davantage que des accords « contrôlables ». À la suite de nombreux amendements, la teneur principale de cette résolution est adoptée en commission politique le 12 décembre et ratifiée par l'Assemblée générale le 16 décembre[46].

Le plan Eisenhower est donc loin d'être mort. À la suite de l'extension possible du projet « à cieux ouverts » aux bases étrangères américaines, on demande à l'état-major de se pencher à nouveau sur cette question. Le 21 octobre, le général Foulkes reprend, sans aller plus loin, la teneur générale de sa lettre du 12 août citée plus haut. En novembre, l'initiative de relancer le plan « à cieux ouverts » au Canada revient au haut fonctionnaire R.A. MacKay, autrefois rattaché au Bureau du sous-secrétaire d'État aux Affaires extérieures, mais en poste à New York. Là, Paul Martin lui fait part de ses inquiétudes devant l'apparition du missile balistique intercontinental (intercontinental ballistic missile (ICBM)). Il prépare donc à son intention un mémoire portant la date du 1er novembre. MacKay se demande s'il ne serait pas opportun d'interdire, sur la base d'un accord de réciprocité, l'établissement de plates-formes de lancement d'armes balistiques au nord du 60e parallèle. À son avis, l'objectif n'est pas tellement de fixer une frontière précise, mais bien plutôt d'encourager la mise en œuvre d'une zone semi-démilitarisée des deux côtés du pôle. En outre, MacKay est parfaitement conscient des difficultés que cela pourrait poser aux États-Unis, car le commandement aérien stratégique (SAC) (Strategic Air Command, SAC) formulera sous peu des demandes d'autorisation pour refaire le plein à Frobisher, peut-être à Whitehorse, ainsi qu'à une ou deux bases au nord du 60° de latitude. « Sans être alarmiste, écrit-il, on pourrait toujours leur dire que nous n'avons pas l'intention de leur accorder de tels droits, si un accord identique pouvait intervenir avec l'URSS. »

Le projet d'étude est transmis à Jules Léger, le 5 décembre 1955. Trois jours plus tard — on admire ici la rapidité de la réponse —, celui-ci l'informe que son mémoire a fait l'objet d'une étude en comité composé de membres militaires, du Conseil de recherches pour la défense et de membres de la Commission de contrôle de l'énergie atomique. « Pour des raisons techniques, répond Léger à MacKay, il ne semble pas que votre proposition réponde aux objectifs recherchés. »

Les arguments du comité d'étude se résument essentiellement à quatre aspects. En premier lieu, il est peu probable que les Soviétiques acceptent toute démilitarisation au sud du 70° de latitude nord, car les forces aériennes stratégiques soviétiques sont situées près de Mourmansk (au 69° de latitude nord), à l'ouest, et à Markovo (au 65° de latitude nord), à l'est. Leningrad, située au 60° de latitude nord, se trouve à une centaine de milles plus au nord encore que Fort Churchill. En deuxième lieu, il est douteux que la portée des missiles soit un élément important, car en les installant au nord, nous ne gagnerions ainsi qu'une « rallonge » de 10 à 15 pour 100. L'arc du cercle polaire, au 60° de latitude nord, est de 3 600 milles marins. Les missiles actuellement envisagés auront une portée de 5 000 milles. En troisième lieu, si les États-Unis veulent s'installer dans le Nord, ils le feront tout probablement à l'ouest, c'est-à-dire en Alaska. Enfin, en quatrième lieu, le trajet emprunté par les missiles balistiques serait fort vraisemblablement, à l'est, la trajectoire Islande-Groenland et, à l'ouest, la trajectoire au-dessus des îles Aléoutiennes.

Au vu de toutes ces considérations, Léger demande donc à MacKay de s'interdire toute remarque politique sur le projet. Léger informe le ministre Pearson du contenu des propositions en lui transmettant copie de toute la correspondance, avec la note suivante : « Si les Soviétiques sont incapables de faire des compromis sur la plupart des propositions discutées, écrit-il le 27 décembre, il serait peu utile de compliquer encore plus le débat en présentant un projet dont les conséquences, par exemple, seraient plus grandes encore que celles du plan Faure. » Léger se trompe ici. Le plan MacKay aurait sûrement été plus facile à discuter que le plan Faure. Qu'importe, le ballon était lancé. En marge de la note de Léger, apparaît la griffe de L.B. Pearson : « Je suis plutôt d'accord, en cette matière, avec la position prise par le comité d'étude. »

L'ironie de tout cela est double. D'abord, le Canada a « plus à gagner qu'à perdre », lorsque la proposition est formulée à Washington ; par contre elle est dénuée d'intérêt lorsqu'elle est conçue par un fonctionnaire canadien. Techniquement, le projet MacKay ne présentait pas grand intérêt : il n'y a toujours pas de base de lancement d'engins balistiques dans le Grand Nord canadien. Il y en a cependant beaucoup dans le Grand Nord soviétique... L'autre aspect tient précisément à ce que soulignait si bien MacKay : le projet a pour but d'engager des négociations politiques avec l'URSS. C'est exactement ce que l'on tentera de faire, sans succès il est vrai, en 1957, lors de l'étude des zones expérimentales d'inspection aérienne, dont l'Arctique canadien. Nul n'est prophète dans son pays !

Le Canada et les propositions discutées en 1956 et en 1957

Les années 1956 et 1957 sont riches en péripéties et en événements de toutes sortes. Les interventions en Suez et en Hongrie marquent, d'une part, la réaffirmation du leadership américain au sein de l'Alliance atlantique, ce qui, par la même occasion, démontre aussi les limites de la solidarité occidentale et, d'autre part, l'impuissance américaine à faire quoi que ce soit lorsque l'URSS décide d'agir seule à l'intérieur de sa propre zone d'influence. En octobre 1957, le lancement spectaculaire du premier Spoutnik vient renforcer la confiance des Soviétiques à vouloir traiter d'égal à égal avec les États-Unis. Les rôles sont désormais renversés. L'URSS peut se permettre d'attendre que la conjoncture internationale lui soit favorable, ce qui n'est guère de nature à l'encourager à faire la moindre concession aux Occidentaux.

Historique des propositions

En matière de désarmement, les choses augurent mal. Dès l'ouverture des travaux du sous-comité à Londres (du 19 mars au 4 mai 1956), les divergences alliées s'avèrent irréconciliables. Deux approches fondamentales s'opposent. Invoquant le mandat du sous-comité, les Européens défendent des plans de désarmement général, alors que les États-Unis reviennent en force avec leurs théories de l'*arms control*. Pour leur part, les Soviétiques se prêtent à des accommodements : ils s'efforcent de donner satisfaction aux Américains tout en maintenant l'accent sur des projets de désarmement régional européen.

En réalité, lors de la Conférence au sommet de Genève, le président Eisenhower avait tenté de faire inscrire dans les priorités de l'ordre du jour la question des mesures de contrôle et d'inspection. Devant le refus des Soviétiques, les États-Unis avaient accepté de mettre en sourdine leurs revendications en échange de la promesse soviétique de ne plus parler de l'interdiction de l'arme nucléaire[47]. Ce *modus vivendi* n'empêcha ni l'un ni l'autre de continuer à parler de contrôle et d'interdiction de l'arme nucléaire. Les Soviétiques en parlèrent même sept fois dans leur texte déposé à Genève !

Le vœu américain est cependant exaucé avec la proposition soviétique du 27 mars 1956. Celle-ci comprend quatre propositions dont les deux premières ne disent rien sur le nucléaire. Dans la première proposition, on parle du gel des effectifs, des armements et des dépenses militaires au 31 décembre 1955, de l'établissement de plafonds de 1 à 1,5 million d'hommes pour les grandes puissances, de 650 000 hommes pour la France et la Grande-Bretagne et de 150 000 à 200 000 pour les autres États. La deuxième proposition ne concerne que l'organe de contrôle et les mesures d'inspection. En plus de la définition des « objets de contrôle », on mentionne que l'inspection aérienne pourrait être envisagée comme « méthode de contrôle ». La troisième propose l'établissement d'une zone de limitation en Europe centrale, d'où seraient exclus tout armement ou toute formation militaire atomiques. Enfin, la quatrième proposition prévoit la cessation immédiate des essais thermonucléaires et l'exclusion atomique pour les troupes ou les armements stationnés en territoire allemand. Le délégué Moch dira à raison des deux premières propositions qu'elles ne traitaient « que de la partie démodée ou prochainement démodée » du matériel de guerre[48].

Quant à la France et à la Grande-Bretagne, elles déposent leur projet le 19 mars 1956. Leur document, fidèle à la tradition du mémorandum franco-britannique du 11 juin 1954 revu et corrigé, présente un plan global de désarmement général et contrôlé, en trois étapes.

Tout comme pour le document du 19 avril 1955, le projet franco-britannique s'avère le fruit d'une intervention britannique de dernière minute. En effet, la Grande-Bretagne craignait que Moch ne déposât son projet de synthèse de septembre 1955 au sujet duquel les Américains et eux-mêmes entretenaient les plus vives réticences. Lloyd estime trop grands, de plus, les risques d'une dérive française vers le camp soviétique. Il propose donc des amendements au projet Moch : les références au plan Faure disparaissent ; on supprime la question du plan d'inspection aux frontières allemandes ; et Moch accepte d'établir une distinction entre la limitation proprement dite des essais nucléaires et leur stricte interdiction. C'est dans ce contexte qu'est présenté le plan franco-britannique du 19 mars 1956.

Dans une note adressée le 21 mars au ministre Pearson, Jules Léger en résume les principales dispositions :

- 1re étape : gel des armements et des effectifs militaires, et prohibition du recours aux armes thermonucléaires, sauf en cas de défense contre l'agression ; mise sur pied d'une agence de contrôle et des procédures d'inspection s'inspirant des plans Boulganine et Eisenhower ; début des réductions convenues ;
- 2e étape : limitation des essais nucléaires et plus amples réductions des effectifs et des armements ;
- 3e étape : interdiction des essais nucléaires à des fins militaires, interdiction de fabrication et d'usage d'armes nucléaires, et dernières réductions des armes et des effectifs classiques.

À l'origine, la clause de l'interdiction des essais nucléaires était prévue au cours de la deuxième étape. C'est à la suite des pressions de Stassen lors des réunions préparatoires que Moch accepte de la faire figurer au cours de la troisième étape[49]. C'est aussi pendant ces consultations préliminaires que les Français et les Britanniques acceptent de ne plus parler des plafonds antérieurs de 1 à 1,5 million d'hommes pour les grandes puissances. La révision en profondeur de la politique américaine exige désormais des niveaux d'effectifs, que l'on dira illustratifs, de 2,5 millions d'hommes pour les grandes puissances.

Le projet franco-britannique, pour compliqué qu'il fût, notamment au sujet des passages d'une étape à l'autre qui impliquait un veto automatique puisque la règle de l'unanimité devait s'appliquer, ainsi qu'au sujet de l'organe de contrôle — Organisation internationale de désarmement composée d'une assemblée et d'un comité exécutif —, avait au moins le mérite de maintenir intacte l'approche traditionnelle d'un désarmement équilibré, contrôlé et graduel. De plus, il présentait une véritable tentative de synthèse de tout ce qui avait été présenté jusqu'alors. C'était aussi le talon d'Achille de la proposition franco-britannique : elle était beaucoup trop compliquée.

Le 21 mars, les États-Unis présentent des documents de travail, et le 3 avril, leur proposition principale. Les documents de travail du 21 mars visent deux opérations préliminaires :

- la constitution de missions techniques d'échange ;
- la création d'une zone expérimentale de démonstration en matière de contrôle et d'inspection.

Dans leur proposition principale, les États-Unis suggèrent, dans une première phase, que soient mises en œuvre les deux propositions d'étude du 21 mars ainsi que l'établissement de plafonds militaires éventuels de 2,5 millions d'hommes pour les grandes puissances et de 750 000 hommes pour la France et la Grande-Bretagne. En outre, on demande la notification au préalable des mouvements de troupes prévus dans les territoires étrangers. Une quinzaine d'autres clauses suivent où il est accessoirement question de la surveillance des essais nucléaires et de leur limitation possible. La première phase est ouverte à la discussion, tandis que les autres points peuvent faire l'objet de négociations ultérieures.

Ainsi, ce plan, encore plus compliqué que le projet franco-britannique, contient certains éléments à propos des armements nucléaires et classiques, mais son contenu principal porte évidemment sur les questions d'ouverture des frontières par la mise en œuvre même d'équipes d'inspection mobiles et d'expériences pilotes en matière de zones d'inspection.

Lorsque vient le temps de préparer le rapport sur les délibérations du sous-comité, Stassen insiste sur le fait que les compromis à faire devront porter sur les propositions 1 et 2 des déclarations soviétiques du 27 mars, sur les deux premières étapes du plan franco-britannique du 19 mars ou sur la première phase du projet américain du 3 avril[50]. Il n'est donc pas question pour les Américains de discuter de l'interdiction des essais nucléaires.

Quelques jours avant la fin des travaux du sous-comité, les Occidentaux déposent, afin d'améliorer leur avantage en matière de propagande, plusieurs documents, dont celui du 4 mai contresigné par les quatre puissances.

La situation est à ce point biscornue à Londres que l'on est en droit de se demander si les Soviétiques et les Américains ne s'étaient pas déjà entendus au préalable sur la teneur générale des discussions au sein du sous-comité. Seul l'historien ayant accès aux archives des deux grandes puissances sera en mesure de répondre à cette question. Quoi qu'il en soit, discuter de désarmement sans parler du nucléaire, c'est se battre contre des moulins à vent ! Il est vrai, comme le diront les Soviétiques en privé, que leur proposition de désarmement classique ne visait qu'à répondre aux attentes des Britanniques. À la Conférence des ministres des Affaires étrangères de Genève, MacMillan avait en effet parlé de mesures « partielles » de désarmement.

À l'opposé, si les questions du désarmement classique ont encore un sens, la proposition soviétique du 14 mai 1956 de réduire de 1,2 million d'hommes ses effectifs avait sans aucun doute pour effet de rendre caduques toutes les discussions antérieures du sous-comité. Tous s'en rendent compte. Les Britanniques, les premiers, tentent désespérément, le 7 juin 1956, de présenter une formule de rechange[51]. Nutting espère en arriver avant le 25 juin à un accord sur une formule de désarmement « en une seule phase » et réclame des discussions à New York à cet effet. En cas d'accord, la proposition serait discutée lors des travaux de la Commission du désarmement prévus pour juillet.

À cette initiative britannique, le Département d'État oppose une fin de non-recevoir bien nette. Il doute même que le voyage du ministre d'État puisse être « productif ». C'est sans doute là une grave entorse aux règles élémentaires de l'hospitalité, mais le Département d'État estime qu'il ne saurait passer outre. Le télégramme du 20 juin précise bien la pensée américaine : « les éléments inacceptables de votre proposition sont les mêmes que ceux qui ont entraîné dans le passé des divergences entre nos deux pays ». Voici donc les principales divergences :

a) Les États-Unis insistent sur le fait que des limitations [quant à la quantité et au volume des explosions nucléaires] aux essais nucléaires doivent aller de pair *pari passu* avec les limitations apportées à la production d'armes nucléaires ;
b) Jusqu'à quel point les propositions du président en matière d'inspection aérienne doivent-elles avoir préséance sur toute autre mesure de désarmement ? ;
c) Quelle est l'étendue du désarmement nucléaire qui doit avoir lieu dans une première phase ? ;
d) Les mécanismes de contrôle.

Entre-temps, la lettre du maréchal Boulganine du 6 juin adressée à plusieurs États membres de l'OTAN fait reposer le blâme de l'impasse des négociations sur les puissances occidentales. Des consultations préliminaires entre les pays ayant reçu cette lettre, suivies de consultations additionnelles au sein de l'OTAN, permettent de rédiger une réponse à peu près unanime et surtout de protéger la solidarité du camp occidental.

Lors du débat à la Commission du désarmement, le ministre Martin fait le 5 juillet un discours remarqué. L'impasse est telle durant les travaux de la Commission du désarmement que l'on ne vote sur aucun des trois principaux projets de résolution à l'ordre du jour. Seul élément nouveau du débat : Gromyko accepte, le 16 juillet, les plafonds de 2,5 millions d'hommes proposés par les États-Unis comme base de discussions. Les travaux du sous-comité reprendront donc en 1957.

Nous limitons ici la description des propositions de 1957 aux seuls éléments essentiels à la compréhension de la politique canadienne durant la même année. Les principaux sujets alors discutés peuvent être regroupés sous différentes rubriques. Trois s'imposent d'emblée :

1. la suspension des essais nucléaires ; 2. la réduction des forces armées ; et 3. l'établissement de zones d'inspection et de contrôle. La politique canadienne en matière de suspension des essais nucléaires faisant l'objet d'un chapitre séparé du présent ouvrage, le traitement de ces questions est donc différé. En ce qui a trait aux deux dernières rubriques, deux propositions-fleuves méritent d'être signalées, soit la proposition soviétique du 20 septembre 1957 qui reprend en substance celle qui a été présentée le 30 avril 1957 et la proposition occidentale du 29 août 1957.

Nous nous inspirons d'un document du ministère des Affaires extérieures, daté du 1er novembre et préparé par M.F. Yalden, du Bureau de l'ONU, pour faire un bref examen comparatif des deux propositions. En ce qui concerne la réduction des forces classiques, la position occidentale est la suivante :

Les niveaux d'effectifs

- L'URSS et les États-Unis ainsi que la France et la Grande-Bretagne réduiront leurs forces à 2,5 millions d'hommes et à 750 000 hommes respectivement dans une première période. Le niveau des effectifs pour les autres États sera défini ultérieurement.
- Lors de deux étapes subséquentes, l'URSS et les États-Unis ainsi que la France et la Grande-Bretagne réduiront leurs effectifs à 2,1 millions d'hommes et 700 000 hommes respectivement et, ensuite, à 1,7 million et 650 000 hommes respectivement (le niveau des effectifs des autres États sera spécifié à l'issue de négociations avec ces États, à la condition qu'à chacune de ces étapes il y ait : a) respect et vérification des accords conclus ainsi que croissance suffisante de l'organe de contrôle pour vérifier les réductions subséquentes ; b) progrès dans le règlement des problèmes politiques ; et c) vérification du fait que les autres États importants soient devenus parties à la convention et aient accepté des niveaux d'effectifs comparables à ceux qui sont mentionnés plus haut).

Les niveaux d'armements

- Durant la première étape des réductions, les quatre entreposeront dans des dépôts nationaux des quantités d'armement du type désigné, sous la surveillance d'une organisation internationale de contrôle.
- Selon les conditions désignées ci-dessus en a, b et c, ces États entreprendront des réductions subséquentes, étant entendu qu'aucun État ne pourra dépasser les niveaux ainsi fixés.

Les dispositions de la proposition soviétique du 20 septembre sont ainsi conçues :

Les niveaux d'effectifs

- L'URSS maintient sa proposition du 30 avril (1,5 million d'hommes pour les États-Unis, l'URSS et la Chine, et 650 000 hommes pour la France et la Grande-Bretagne), mais elle est prête à accepter des réductions à 2,5 millions, à 2,1 millions et à 1,7 million des effectifs respectifs des États-Unis, de l'URSS et de la Chine, et des réductions de 750 000 à 700 000 et à 600 000 pour la France et la Grande-Bretagne, à la condition que les niveaux des effectifs comprennent les membres du personnel des forces armées engagés comme civils et préposés « à l'équipement et aux installations militaires », que la convention de désarmement englobe les trois étapes, que les accords sur les étapes ultérieures soient simultanés avec l'accord sur les premières réductions et que la transition d'une étape à l'autre ne soit pas soumise à « aucune condition qui ne soit pas d'abord définie dans la convention elle-même ».

Les niveaux d'armements

- Bien que le gouvernement soviétique considère que des réductions de 15 pour 100 dans les niveaux d'armements soient « la solution la plus simple » pour une première étape, il « accepte en principe » la proposition de réduire les armements par le dépôt réciproque de listes désignées.
- En même temps, il devrait être stipulé que cette méthode de réduction des armements n'entraînera pas de « délais dans l'exécution des clauses relatives à la réduction des effectifs et du budget militaire ».

Tant du côté occidental que du côté soviétique, les propositions contiennent une clause importante en matière d'interdiction du recours aux armes nucléaires. Chez les Occidentaux, l'obligation est passive, c'est-à-dire qu'il y a interdiction d'usage, sauf en cas de légitime défense — le texte anglais parle de « légitime défense individuelle ou collective ». Chez les Soviétiques, l'interdiction est totale, c'est-à-dire que les États doivent prendre l'engagement formel de renoncer à l'usage des armes nucléaires en toutes circonstances et sous toutes formes, « y compris le recours aux bombes, aux missiles de toute portée dotés de têtes atomiques ou nucléaires, à l'artillerie atomique, et ainsi de suite ».

La lecture de ces documents ressemble étrangement au contenu d'une police d'assurance, c'est-à-dire qu'ils sont truffés d'échappatoires. Ils s'avèrent aussi plus importants par ce qu'ils taisent que par ce qu'ils disent. Cependant, ces textes sont relativement simples, si on les compare aux dispositions des clauses qui régissent l'établissement des zones de contrôle et d'inspection. En matière d'inspection aérienne, la proposition occidentale du 29 août propose deux zones générales d'inspection : la zone A — englobant l'hémisphère occidental et l'URSS — et la zone B englobant l'Europe. À l'intérieur de ces deux zones suggérées, un choix alternatif de zones précises d'inspection est possible, mais à la condition que dans la zone A une région déterminée ait été acceptée au préalable. Ainsi, pour la zone de l'hémisphère occidental et de l'Union soviétique, on propose :

- soit la totalité du continent nord-américain (Canada et États-Unis) contre la totalité du territoire soviétique ;
- soit les régions comprises au nord du cercle arctique (recoupant les territoires de l'URSS, du Canada, des États-Unis [Alaska], du Danemark [Groenland] et de la Norvège), plus l'Alaska, la péninsule de Kamtchatka et toutes les îles Aléoutiennes et les Kouriles.

Si l'une ou l'autre de ces zones est acceptée, l'autre choix pour l'Europe est :

- la région de l'Europe définie au sud par le 40° de latitude nord, à l'ouest par le 10° de longitude, et à l'est par le 60° de longitude, c'est-à-dire toute l'Europe moins le sud de l'Espagne, la Sicile, la Grèce et la Crète, mais y compris les îles britanniques et la Russie d'Europe jusqu'à l'Oural ;
- soit une zone plus restreinte à définir comprenant des portions équivalentes de l'Europe occidentale et orientale.

On peut toujours rétorquer ici que les dés étaient pipés d'avance, étant donné que, dans un cas, l'ouverture totale était impensable et que, dans l'autre cas, l'alternative — l'inspection des zones arctiques — était infiniment plus favorable à l'Ouest qu'à l'Est. Les Canadiens ne tarderont pas à le découvrir.

En dépit de leurs réticences, les Soviétiques avaient décidé au début de 1957 d'appuyer à la Commission politique de l'ONU les onze États qui réclamaient que l'on prête une attention particulière au plan Eisenhower. Aussi proposent-ils, dans leur projet du 30 avril, l'étude de deux zones particulières. Klein nous en décrit les composantes :

- deux zones larges, d'égale superficie (7 100 000 kilomètres carrés), situées respectivement sur les continents américain (ouest des États-Unis et Alaska) et asiatique (Sibérie orientale, Kamtchatka et Sakhaline) ;
- une zone européenne englobant la totalité des territoires de l'OTAN (à l'exclusion du Portugal, de la Grèce et de la Turquie), les pays du Pacte de Varsovie, une partie de la Bulgarie et une bande de territoire russe[52].

Pour ce qui est des méthodes de contrôle, les différences entre les deux propositions s'avèrent aussi substantielles. Les Occidentaux réclament, le 29 août, des postes de contrôle terrestres aux principaux points stratégiques ainsi que la constitution d'équipes de contrôle mobiles. Les postes terrestres seront établis « sans restriction aux limites des zones d'inspection aérienne ». De plus, les zones couvertes par les postes terrestres ne doivent pas être moindres que celles qui tombent sous le coup de l'inspection aérienne. Dans une note préparée à l'intention du Comité des chefs d'état-major interarmes canadien en date du jour de la proposition occidentale, on peut lire : « L'accent mis sur la constitution d'équipes mobiles à l'intérieur des zones d'inspection aérienne est nouveau. Cette idée a trouvé place dans les conceptions actuelles américaines à la suite de la visite à Ottawa et à Londres, en juillet, du secrétaire d'État Dulles[53]. » Enfin, les États s'engagent, dans les trois mois suivant l'entrée en vigueur de l'accord, à soumettre une liste des inventaires « de leurs établissements militaires fixes et de leur nombre, ainsi que l'emplacement des forces armées et de leur équipement » dans les zones soumises à l'inspection en vertu de l'accord.

Quant à eux, les Soviétiques prévoient, au cours de la première étape, l'établissement de postes de contrôle aux points stratégiques — ports, nœuds ferroviaires et autoroutes —, d'où les aérodromes seraient exclus. L'inspection de ceux-ci ne serait permise qu'au cours de la deuxième et de la troisième étape des réductions des forces, en continuité « avec les dispositions finales d'interdiction des armes atomiques et de celles à hydrogène, et de leur élimination des arsenaux militaires des États ». En ce qui a trait aux réductions des forces en Europe, l'URSS réclame une réduction du tiers des forces des quatre grandes puissances en Allemagne, mais la proposition du 20 septembre contient l'élément nouveau « ou selon tout autre niveau convenu ». L'inspection aérienne n'est mentionnée qu'en rapport avec les deux zones suggérées dans la proposition soviétique du 30 avril.

Notons que la proposition occidentale du 29 août a été écartée du revers de la main par Gromyko, le jour même de son dépôt à Londres. Le 16 septembre, Moscou repoussait officiellement cette proposition, quelques jours avant la transmission de sa proposition du 20 septembre au secrétaire général des Nations Unies.

Les réactions canadiennes

Les principales contributions du Canada aux travaux du sous-comité en 1956 et en 1957 se limiteront aux interventions de N.A. Robertson, à la rédaction de quelques notes sur l'expérience canadienne en matière de surveillance et de contrôle en Indochine, à quelques tentatives de médiation et à la production de rapports techniques de plus en plus importants au courant de 1957. En matière de stratégie politique proprement dite, le Canada tentera d'éviter de se retrouver coincé entre l'arbre américain et l'écorce européenne. Dans l'ensemble, la position canadienne est plus proche de la politique américaine que de la politique européenne, si l'on peut appliquer cette épithète au couple franco-britannique. Par ailleurs, quelques initiatives personnelles seront proposées par Robertson, sans succès, à Ottawa.

Sur le chapitre de la procédure et des consultations, l'un des problèmes les plus importants qui se pose est celui du type et du genre de consultations à maintenir entre alliés. Les Allemands de l'Ouest, suivis des Italiens, insisteront à maintes reprises pour être tenus régulièrement au courant des négociations de Londres. Les Britanniques et les Canadiens, fortement appuyés par les Américains qui estiment normal que la RFA soit informée sur des problèmes qui la concernent au premier plan, décideront de tenir « au parfum » leurs principaux alliés par la voie des canaux diplomatiques, à partir de Londres. Sur ce point, Moch livre une bataille à la don Quichotte. Il prétend que les Allemands en particulier ne doivent avoir aucun droit de regard sur les propositions déposées à Londres, ce qui en logique est parfaitement défendable. Après tout, le sous-comité est un organe de la Commission du désarmement, laquelle est une « création » des Nations Unies. En matière d'allégeance, on ne se demande pas ici le choix de Moch.

La querelle est survenue lors de la préparation du projet franco-britannique du 19 mars 1956. Les Allemands font à propos de ce plan des représentations formelles auprès de la Grande-Bretagne. Les Britanniques sont mis dans l'embarras à la suite de l'annonce de cette nouvelle à Bonn. C'est donc dire que Bonn a été informé d'avance, « ce qui place l'Allemagne dans une position privilégiée dont même les autres membres de la Commission ne bénéficient pas[54] ».

Cette bataille épique s'avère cependant un coup d'épée dans l'eau, car on apprend que la Grande-Bretagne informe plus ou moins régulièrement, par *briefings,* l'Australie, la Nouvelle-Zélande et l'Afrique du Sud, tandis que des informations sont à l'occasion transmises au Ceylan, à l'Inde ou au Pakistan. Le 4 avril, les Italiens demandent le même traitement auprès des Canadiens à l'issue d'une conversation entre l'ambassadeur d'Italie et John W. Holmes. Celui-ci, dans sa maîtrise habituelle de la diplomatie, lui déclare « qu'il ne pense pas que nous souhaiterions accorder aux Allemands un traitement que nous n'accorderions pas aux Italiens, bien qu'il soit possible que le territoire allemand ait été mentionné dans une proposition à Londres, ce qui nous donnerait qualité pour avoir des consultations particulières avec l'Allemagne[55] ».

De toute façon, le débat sur ces questions devient, à compter de 1955, de plus en plus multilatéral. Dès 1955, Lester B. Pearson crée un précédent en tenant le Conseil de l'OTAN informé sur les discussions du sous-comité. Cette procédure sera par la suite régulièrement respectée. À tel point que Jules Léger proposera à Pearson, lorsque le temps sera venu pour le Canada d'envoyer sa réponse à la lettre de Boulganine du 6 juin 1956, de la soumettre d'abord à l'OTAN avant de l'expédier ! Il est vrai que Britanniques, Français et Américains avaient fait la même chose. Les archives nous apprennent que cela avait donné l'occasion aux Britanniques d'apporter de substantielles révisions à leur projet de lettre. Léger s'entoure donc de précautions. Il rappelle à Pearson les fonctions qu'il occupe au Comité des trois[56] ainsi que son plaidoyer en faveur de consultations accrues au sein de l'OTAN[57]. L'histoire ne nous dit pas si Pearson trouva la note de Léger à son goût. En marge de cette note, on trouve le commentaire manuscrit suivant de Pearson : « Je suis d'accord, dans les circonstances, mais il est stupide pour le Conseil de s'occuper des détails de projet de lettre. »

En ce qui a trait aux débats au sein du sous-comité, en 1956, quatre aspects méritent d'être retenus : il y d'abord la tentative de médiation de N.A. Robertson entre les positions américaine et européenne, les réactions canadiennes au projet franco-britannique du 19 mars et à la proposition soviétique du 27 mars ainsi qu'au projet américain du 3 avril.

Lors des premières réunions préparatoires à Londres, Howard Myers, du Département d'État, principal conseiller américain auprès de Stassen, est sombre et pessimiste. À l'issue des discussions entre Stassen et Moch, le 13 mars, il rapporte que dans toute sa carrière il n'avait jamais vu un représentant français dire « qu'il n'avait pas besoin de consulter son gouvernement sur des questions aussi importantes que les propositions et commentaires faits par M. Stassen[58] ». Que demande Stassen ? En substance, il souhaite que la proposition américaine sur l'inspection aérienne soit incluse dans la première phase du projet franco-britannique.

Évidemment, c'est beaucoup demander. Nutting est malheureux, mais sur l'insistance de Moch, il ne bouge pas. Les Américains jugent donc qu'ils seront dans l'obligation de présenter des propositions séparées. De plus, Stassen, sans en citer la provenance, se dit en possession de rapports « plutôt substantiels » selon lesquels les Soviétiques sont attirés par l'idée de zones d'inspection aérienne. Dans son rapport, Rae souligne que Robertson et Stassen pensent que le sous-comité n'est peut-être pas le meilleur forum de négociation. « Nous songeons à la possibilité, ajoute-t-il, d'orienter la considération des propositions américaines à l'intérieur d'un forum bilatéral. » Cette idée que Léger, le 20 mars, trouve « réaliste et utile », ne sera jamais considérée sérieusement. À l'époque, les Canadiens ne veulent pas entendre parler de bilatéralisme, d'où ils seraient exclus. Si cela devait arriver, il faudrait que la chose soit préparée « lentement » et avec « grand soin ».

Dans ses conversations avec Stassen, Robertson tente de le convaincre que de renoncer à un plan global de désarmement ne ferait qu'apporter de l'eau au moulin de l'opposition. Stassen comprend la position canadienne, mais répète qu'il insistera dans les négociations à venir sur le caractère prioritaire de l'inspection aérienne et sur la nécessité de conclure des accords sur des mesures « limitées et pratiques ». Robertson demande de plus à Stassen s'il y a une possibilité d'inclure sa proposition générale de schèmes d'inspection aérienne dans le cadre plus général des mesures partielles d'inspection prévues dans la première phase du plan franco-britannique. En d'autres termes, il demande aux États-Unis d'accepter, d'une façon différente, ce qu'eux-mêmes avaient réclamé auprès de Moch. Étant donné les réticences de Stassen par rapport à l'ensemble du projet franco-britannique, celui-ci refuse de mordre à l'hameçon[59]. Les choses n'iront pas plus loin, car une semaine plus tard les Américains durcissent encore leur position.

Par ailleurs, la proposition franco-britannique pose de sérieuses difficultés aux Canadiens. Le 20 mars, dans une note au ministre Pearson, Léger précise que le Canada a essentiellement trois choix : 1. exprimer son accord ; 2. n'appuyer que certaines parties des plans franco-britannique et américain ; ou 3. appuyer uniquement la phase 1, en exprimant l'espoir qu'elle constitue une base suffisante pour en arriver à un accord avec les Soviétiques. Une seconde note suit le lendemain. Sans doute les réticences américaines sont-elles dues au fait que le Pentagone « ne souhaiterait pas être privé, dans certaines circonstances, des avantages de la dissuasion ». En outre, Léger ajoute que le ministère de la Défense n'a pas d'objection fondamentale à ce plan, et que l'on s'est abstenu jusqu'à maintenant d'appuyer cette proposition étant donné l'incertitude qui règne à Washington à son propos. « L'année dernière, ajoute-t-il, nous n'avons que partiellement soutenu certaines initiatives franco-britanniques, parce que les États-Unis refusaient de « serrer les rangs ». Nous pensons, pour le moment, que nous devons continuer à nous abstenir de toute action qui pourrait isoler les États-Unis au sein du sous-comité. » On peut supposer que c'est là ce que désirait entendre le ministre.

De longues discussions ont lieu entre les alliés sur la clause de l'interdiction du recours aux armes nucléaires. Ce débat a déjà été examiné lorsque nous avons traité les interprétations de Lloyd et de Moch du premier mémorandum franco-britannique. Pour les Britanniques, il n'y a pas de problèmes. Aucun accord ne peut supplanter l'article 51 de la Charte des Nations Unies. Ce que veulent de Moch les États-Unis, c'est une interprétation « qualifiée » de la clause du non-recours, c'est-à-dire une clause de « suspension ». Personne n'a jamais résolu ce problème, pas même les Américains dans leur projet de traité qui suivra le 2 août 1957. La thèse de la légitime défense — l'article 51 de la Charte — constitue en soi une qualification suprême. Après tout, personne n'a l'obligation, s'il est en santé, de mourir contre son gré. Il est donc curieux de constater que les Canadiens tenteront de faire une proposition en ce domaine.

Trois problèmes surgissent naturellement par rapport à la discussion de cette question. Le premier a trait à la propagande. Les Soviétiques veulent interdire le recours aux armes nucléaires. Or, le recours à la force est déjà interdit dans la Charte. Que peut-on demander de plus ? Une déclaration solennelle ! Les Américains n'en veulent pas ! Ils ne croient pas au pacte Briand-Kellogg ni à toute déclaration morale qui ne soit pas assortie d'un système de contrôle et de garanties selon lequel la menace même du recours sera impossible. En d'autres termes, pour faire disparaître la menace, il faut supprimer l'arme nucléaire. Et pour ce faire, il faut désarmer. Et pour accepter de désarmer, il faut et la confiance et un système de contrôle. Il y a donc, dans tout cela, un fort élément de propagande. Les Russes se trouvent ici en plein scénario de l'abeille qui joue à la fourmi : comment, sous le couvert d'une noble proposition, faire porter à l'autre la responsabilité de l'échec ?

Deuxième problème : la défense d'un tiers. Si un pays tiers est attaqué, et que les États-Unis se portent à sa défense, sont-ils en cas de légitime défense ? Prendre l'Europe pour un territoire américain — le fameux *Ich bin ein Berliner* de Kennedy —, passe encore lorsqu'il s'agit de Berlin ou de la France, mais qu'en est-il de la Corée, d'Israël ou de tout autre pays ? À l'époque, les États-Unis ne peuvent concevoir la défense de leurs alliés sans l'arme nucléaire. L'interdiction du recours doit donc être qualifiée. Et si elle est qualifiée, l'interdiction du recours tombe du même coup.

Troisième problème : les avantages psychologiques de la dissuasion. En renonçant formellement à la possibilité du recours à l'arme nucléaire, on fait disparaître, du même coup, l'élément modérateur du doute que l'autre peut entretenir quant à la nature de la riposte. Pour que l'un ait la prudence de penser que l'autre pourrait se servir de son épée, encore faut-il que le second n'ait pas déclaré que, quelles que soient les circonstances, il ne l'utilisera pas. Dans le contexte du non-désarmement, l'interdiction du recours équivaudrait pour un État armé à savoir qu'il a une épée, mais n'a pas le droit de s'en servir. Tout cela serait fort bien si l'on était assuré que l'autre pense de la même manière, mais rien n'est moins sûr. Et la seule façon d'être sûr, c'est de faire en sorte que l'autre n'ait pas les moyens de penser autrement, c'est-à-dire désarmer. Et la boucle est bouclée...

Dans un premier télégramme expédié à Londres le 5 avril, Marcel Cadieux, du Bureau de l'ONU, propose que l'interdiction du recours à l'arme nucléaire soit aussi liée au problème de la réduction des forces classiques. La disposition de l'interdiction du recours, sauf en cas de légitime défense, resterait comme définie dans la phase 1 du projet franco-britannique, mais elle deviendrait, en cas de réductions classiques acceptées, inconditionnelle. L'idée est ici de maintenir la clause restrictive de la légitime défense en cas de guerre nucléaire, mais de la supprimer en cas de réductions classiques, dans le contexte de la guerre classique. Le télégramme est cependant ainsi rédigé que l'on peut être porté à croire que l'interdiction deviendrait non restrictive et totale en cas de réductions des forces armées. William Barton demande que cette ambiguïté soit supprimée. George Ignatieff, du Bureau de liaison avec la défense, estime que le Canada ne peut aller au-delà de la clause contenue dans la phase 1 du projet franco-britannique. John W. Holmes, ayant en main la correspondance, dit à Cadieux « qu'il n'est pas sûr de comprendre le sens de sa proposition ». Il réclame donc une réunion à trois. L'ambiguïté est supprimée dans un second télégramme expédié à Londres, le 9 avril.

Inutile de dire que cette proposition canadienne est restée lettre morte. Outre le fait que les deux télégrammes sont à peu près incompréhensibles — il ne s'agit pas des plus belles pages des archives canadiennes —, la proposition ne répond en rien, ni au deuxième ni au troisième des points exposés ci-dessus. De plus, les Soviétiques n'auraient été que trop heureux d'accepter une proposition du genre, dans le contexte de leur supériorité numérique traditionnelle. On constate curieusement que Marcel Cadieux qui veut dépasser les propositions franco-britanniques pour rencontrer à mi-chemin les objections soviétiques est aussi la même personne qui suggère, le 28 mars, afin de tirer une épine du pied aux Américains accusés par les Russes de poursuivre illégalement des essais nucléaires dans leurs territoires sous tutelle dans le Pacifique, d'examiner « la possibilité que le Grand Nord canadien puisse être utilisé comme zone de rechange[60] ».

Au sujet de la proposition soviétique du 27 mars, Ottawa, comme les autres chancelleries, se penche sur les conséquences de la proposition soviétique. Une première réaction vient de R.A. McGill, dans un mémorandum préparé le 28 mars à l'intention du ministre. Il se demande, non sans raison, si le projet franco-britannique n'est pas désuet, puisque ni les États-Unis ni l'URSS ne parlent désormais de l'interdiction de l'arme nucléaire : « Ce nouvel événement pourrait mener à la possibilité d'un accord entre les grandes puissances, sans trop tenir compte des schèmes élaborés qui ont été proposés par Moch et Nutting. » Un tel jugement est évidemment prématuré, mais rien n'interdisait à l'époque de penser que les Russes et les Américains avaient beaucoup plus à se dire que ne le laissaient paraître les comptes rendus officiels des négociations.

En matière d'intentions soviétiques, le Comité des chefs d'état-major interarmes estime que l'URSS n'est pas demanderesse. Quelle que soit l'augmentation de la puissance des stocks américains dans l'avenir, cela n'amènera pas Moscou à faire des concessions. Même si les Soviétiques se trouvent dans une situation économique difficile et à court de main-d'œuvre, cela étant dû au faible taux de natalité durant la Seconde Guerre mondiale, « ces considérations ne sont pas suffisamment fortes pour venir à bout de leur méfiance de l'Ouest en matière de contrôle et d'inspection[61] ». Ces thèses sont proches de celles des Américains qui estiment que les propositions des Soviétiques sont utilisées « comme instrument de politique étrangère, peu importe que leur désir d'en arriver à un accord soit réel ou non[62] ». Les États-Unis ont cependant tendance à voir dans cette proposition un élément destiné à faire « obstruction » au réarmement de l'Allemagne. Tous les observateurs occidentaux sont d'accord sur ce point. Il suffit de lire avec attention le texte de la proposition pour s'en convaincre, notamment les parties 3 et 4.

Au Bureau de liaison avec la défense, George Ignatieff rappelle que la défense de l'Europe est impensable sans armements nucléaires. Il ne saurait donc être question d'accepter un plan qui vise à « la neutralisation de l'Allemagne[63] ». Il pense néanmoins que ce plan doit être étudié avec le plus grand soin. Là-dessus, John W. Holmes est d'accord. Il précise que le texte de la proposition soviétique contient des concessions que Molotov aurait faites en privé lors de la Conférence des ministres des Affaires étrangères de Genève, notamment sur l'utilisation possible de l'inspection aérienne comme méthode de contrôle[64]. Cadieux comme Holmes estiment qu'il faut tenter de négocier sur les points acceptables de la proposition. En bref, il faut continuer d'adhérer à l'objectif de travailler au désarmement comme principe permanent de la politique canadienne et ne pas accepter de propositions qui se révèlent, « d'une façon disproportionnelle », contraires à nos intérêts. Les proportions acceptables ou inacceptables ne sont cependant pas précisées.

Au cours de 1956, la principale intervention canadienne est celle de N.A. Robertson présentée au sous-comité, le 23 avril[65]. Celui-ci dégage sommairement toute l'approche canadienne par rapport aux problèmes qui font à l'époque l'objet de négociations. « Nous en sommes à un tournant, dit-il, le temps s'épuise et il faudrait se demander s'il ne vaudrait pas mieux, plutôt que de déclarer forfait sur un constat d'échec, accorder la plus grande priorité à la mise en œuvre de « mesures initiales ». » De telles mesures consistent évidemment en des mesures d'inspection aérienne proposées par les Américains. Bien qu'il soit souhaitable, selon lui, « de tout mettre en œuvre pour exécuter un programme de désarmement global qui trouverait bien sa place à l'intérieur d'une convention qui pourrait être signée ultérieurement, dans un monde meilleur, la raison commande de se mettre d'accord, maintenant, sur des mesures qui pourraient devenir opérationnelles dans les circonstances immédiates ». Le langage ne peut être plus clair. Le désarmement est renvoyé aux oubliettes, faute d'accord possible. Toute la priorité doit désormais porter sur les petits pas possibles et réalisables, notamment la question de la limitation des essais nucléaires « qu'il faudrait considérer dans le contexte plus vaste d'autres mesures de désarmement sous un contrôle efficace ». Comme nous le verrons au chapitre 9, l'année 1956 marque un premier tournant dans l'évolution de la politique canadienne en matière de suspension des essais nucléaires. Quant à la question de la réduction des forces, Robertson suggère de se rallier aux chiffres avancés par les États-Unis en ce qui a trait aux grandes puissances (les quatre). Pour les autres États, on pourrait établir un compromis sur la base des chiffres avancés par les États-Unis et l'URSS. C'est du Robertson à son meilleur ! Il semble bien qu'il n'ait pas trop compté sur les moyens d'Ottawa pour faire sa déclaration. Le télégramme émis par Cadieux et contresigné par Holmes commence de la façon suivante : « Nous sommes heureux des suggestions que vous venez de faire. Le temps était mûr pour proposer d'explorer les possibilités d'un accord limité comme première étape[66]. »

Cependant, les conditions ne sont pas mûres à l'intérieur du sous-comité. Ou plutôt la situation internationale ne se prête pas encore à la réalisation d'accords qui découleraient d'une confiance réciproque.

Pour ce qui est des autres aspects du projet américain du 3 avril, le Comité des chefs d'état-major interarmes accepte, bien sûr, les nouveaux chiffres de 2,5 millions d'hommes avancés par les Américains. Le 23 mars, le général Foulkes envoie un télex à son homologue Smith en Grande-Bretagne. Il l'informe que selon le principe des prorata par pays, le Canada — dont la population est proportionnellement d'environ 10 pour 100 celle des États-Unis — serait satisfait d'un plafond de 250 000 hommes. C'est évidemment facile à dire, car dans ces conditions un plan de désarmement aurait pratiquement permis de faire doubler les effectifs militaires canadiens de l'époque. Il ajoute, de plus, que si l'on devait revenir à l'intérieur du sous-comité à la formule antérieure du 1 pour 100, il faudrait trouver une autre base de calcul, car on estime que les effectifs canadiens ne doivent pas se situer en deçà du seuil de 150 000 hommes. En réponse à une autre question que Smith lui avait posée dans un télex antérieur, il lui précise que les effectifs canadiens, au 31 mars 1945, étaient de 761 041 hommes — l'armée de terre étant proche du demi-million d'hommes.

Lors de l'examen des propositions américaines relatives aux missions techniques d'échange et à la constitution de zones de démonstration, le ministère de la Défense se rallie aux propositions américaines et trouve « raisonnable et approprié[67] », en juin 1956, que le Canada fournisse des représentants et du personnel militaire aux missions techniques d'échange. Par ailleurs, le Comité mixte du désarmement doit se pencher sur le problème du « mandat » de ces équipes ainsi que sur la question de leur composition. Le 2 août, on se montre insatisfait des études. On enjoint donc le Comité de se remettre au travail. Le 18 septembre, on apprend que ces questions ont été laissées en suspens, étant donné les autres priorités plus urgentes du Comité mixte du désarmement — ce qui est vrai, car on travaille d'arrache-pied sur les questions de limitations aux essais nucléaires. Le 12 décembre, on est toujours d'accord pour poursuivre l'étude de ces questions, ce qui est reconfirmé à une réunion du Comité mixte de planification, le 5 février 1957. On n'entend plus parler par la suite de cette question, tout simplement parce que l'examen des problèmes sera fondu dans l'étude plus générale des questions de la prévention d'une attaque par surprise.

Le seul document dont peut bénéficier la Délégation canadienne sur cette question est un rapport sur l'expérience canadienne transmis le 16 avril à la Commission de l'Indochine. Le texte de deux pages couvre une dizaine de points relatifs au mandat, à la composition, à la nationalité des pays représentés et aux questions de liberté de mouvement, de logistique, de communication, d'interprétation, de présidence, de témoignages et de lois locales. Tout cela n'est guère de nature à faire avancer les débats sur une question qui, de toute façon, est jugée à Ottawa d'une « efficacité douteuse[68] ».

Le sous-comité de Londres que Moscou trouve de toute manière « futile[69] » termine ses travaux sur une impasse. Les Soviétiques ont jugé le projet franco-britannique comme une tentative camouflée par l'Ouest de maintenir indéfiniment ses arsenaux nucléaires. Quant au projet américain, il n'est même pas relié, disent-ils, à des mesures de désarmement. Les débats qui suivent, en juillet, à la Commission du désarmement ne sont guère plus reluisants. Le rapport daté du 26 juillet que l'ambassadeur australien à l'ONU, E. Ronald Walker, fait parvenir à son ministre R.G. Casey à Canberra est éloquent :

> théoriquement, le désarmement fait toujours partie des discussions courantes parce qu'en matière de désarmement la France a plutôt une personnalité qu'une politique. Moch, refusant tous les portefeuilles qu'on lui offre à mesure que passent les gouvernements, a dédié sa vie à la poursuite du désarmement. La difficulté avec Moch, c'est que ses tactiques sont souvent dangereuses, tandis que sa maîtrise du vaste champ complexe de la technologie du désarmement est tellement accablante que personne dans son pays et très peu de personnes à l'extérieur ne sont en mesure de lui tenir tête [...] Nutting a jugé bon de ne rien faire dans les circonstances actuelles, Moch ne croit qu'à sa synthèse magnifiquement coordonnée, on pense que les [groupes de travail] de Stassen sont déjà retournés au travail pour revoir les problèmes à neuf (tandis que Lodge insiste pour présenter officiellement lui-même une position au sujet de laquelle il connaît très peu de choses) et le Canada paraît préoccupé, après sa remarquable contribution à Londres — l'ambassadeur a sans doute eu accès à des archives différentes des nôtres ! —, de maintenir les liens entre ses trois autres alliés [...] Nutting m'a parlé des difficultés qu'il a eues à faire passer au Cabinet son projet de désarmement à une phase, ainsi que des objections formulées à propos de la clause sur les armements nucléaires[70] [...] Nutting m'a dit qu'il n'avait pu obtenir l'accord de ses alliés[71] pour la déposer à temps devant la Commission [...] la déclaration de Martin du 5 juillet a sans doute été la contribution individuelle la plus remarquable aux débats.

Cet ambassadeur a sans doute l'art de se faire beaucoup d'amis ! Ses rapports, en tout cas, ne manquent pas de saveur. Ses réflexions sur Moch sont intéressantes dans la mesure où elles traduisent bien les perceptions anglo-saxonnes que l'on pouvait avoir à l'époque du délégué français. Nous n'avons trouvé aucune remarque dans les archives canadiennes qui prête à de telles réflexions. Nous passons ici sous silence le rôle de Martin en vue d'obtenir l'accord de Gromyko sur une question de procédure, le 16 juillet, pour nous pencher sur sa déclaration du 5 juillet.

La déclaration de Martin a lieu dans la foulée des inquiétudes qu'avait provoquées l'annonce, faite le 14 mai 1956, d'une réduction unilatérale de 1,2 million d'hommes dans les effectifs militaires soviétiques. Les Occidentaux parlaient depuis 20 ans de désarmement, les Soviétiques décident donc de livrer la marchandise ! C'est pour répondre à ce geste que Nutting tente de limiter les dégâts en soumettant aux alliés, au début de juin, son projet de désarmement à une phase. On sait ce qu'il en advint. C'est aussi pour atténuer les effets de la propagande soviétique que Paul Martin déclare :

> des réductions unilatérales exécutées hors du cadre d'un accord général et sans garanties sont beaucoup moins susceptibles de mener à la confiance que de petites réductions réalisées dans le cadre d'un accord soumis à des garanties. En d'autres termes, le désarmement signifie des réductions convenues, mais des réductions unilatérales ne veulent pas nécessairement dire désarmement...

Cette déclaration n'a évidemment rien d'extraordinaire. Ce n'est pas pour ces raisons que l'ambassadeur Walker souligne l'importance du discours canadien. La déclaration de Martin ne constitue en effet qu'un résumé des négociations de Londres et de la politique canadienne. Si nous la citons, c'est pour signaler qu'une personne en particulier sera très malheureuse de cette façon d'aborder le problème. Il s'agit du directeur du Bureau de l'Europe, R.A.D. Ford.

Celui-ci estime que les pays occidentaux doivent bien souligner que ces réductions auraient été plus appropriées il y a dix ans, lorsque l'Occident a démobilisé ses forces tandis que l'URSS a continué de maintenir ses divisions en Europe à des niveaux cinq fois supérieurs aux forces occidentales. De plus, Ford pense que l'on doit profiter de la déstalinisation qui marque le début de l'institution d'un climat de confiance nouveau pour inviter l'URSS à faire la même chose en matière de désarmement et de relations interétatiques[72]. Il est trop tard à l'époque pour modifier la déclaration de Martin, mais rien n'est perdu, car ces propos constitueront la principale teneur de la réponse canadienne à la lettre adressée à de nombreux pays occidentaux par le maréchal Boulganine, le 6 juin.

Par ailleurs, deux initiatives personnelles sont prises par Robertson durant 1956. D'abord, il pose à Ottawa la question de savoir si l'Arctique ne serait pas une zone appropriée pour donner suite aux propositions américaines des zones d'inspection. À Londres, dans sa lettre du 5 avril adressée à George Ignatieff à Ottawa, Rae l'informe que Robertson a soulevé cette question la veille. Selon nous, la suggestion a pu être faite en privé par Stassen à Robertson. Rae avise cependant Robertson que cela avait été plus ou moins proposé par MacKay dans le passé et qu'aucune conclusion favorable n'avait pu être tirée de ce projet. Les choses en restèrent là. Robertson avait raison : en 1957, les Canadiens seront officiellement saisis d'une demande en ce sens par les Américains.

Le contrôle de l'exportation des armes, l'autre proposition de Robertson, ne connaît pas non plus de suite. Cette proposition est faite le 7 avril, non par franche conviction, mais tout simplement parce que Robertson estime que la contribution du Canada aux travaux du sous-comité a été assez mince et qu'il faut trouver un moyen d'y remédier. L'argument utilisé n'est pas dépourvu de bon sens. Si le projet franco-britannique devait déboucher sur son acceptation dans la phase 1, les méthodes de contrôle seraient sans doute suffisantes pour pouvoir se pencher avec sérieux sur ce problème. Ottawa note le tout avec intérêt...

En 1957, le rôle du Canada au sous-comité est plutôt effacé. Au moment où les travaux reprennent à Londres, la campagne électorale bat son plein au Canada. En juin 1957, Diefenbaker forme un gouvernement minoritaire. En novembre il rêve déjà de nouvelles élections. En mars 1958, il est réélu avec une écrasante majorité.

À Londres, le Canada fait quelques interventions remarquées, notamment en matière de contrôle[73], mais les choses ne vont guère plus loin. Cependant, on s'affaire dans les coulisses. Le 13 février, Cadieux écrit au capitaine F.W.T. Lucas l'informant des demandes américaines en matière de zones d'inpection. On veut y inclure l'Arctique canadien.

Le 4 avril, la question est soumise au Cabinet. Stassen veut savoir si le Canada est prêt à approuver, à l'intérieur de la zone nord-américaine, la région qui serait éventuellement impartie au Canada. On lui demande, de plus, s'il serait prêt à prendre l'initiative de parrainer le projet au sein du sous-comité. Deux zones sont proposées : la première, nord-américaine, la seconde, européenne. La zone nord-américaine comprendrait l'Alaska, une partie du Yukon et des Territoires du Nord-Ouest, toute la Colombie-Britannique à l'exclusion de son extrémité sud-est, et s'étendrait, au sud, jusqu'à Portland en Oregon. La contrepartie soviétique s'étendrait à l'ouest jusqu'au port de Magadan et inclurait la péninsule de Kamtchatka et la partie orientale de la Sibérie jusqu'au sud de Sakhaline.

La zone européenne engloberait virtuellement toute la Scandinavie, mais exclurait la Grande-Bretagne. Sa frontière occidentale descendrait vers le sud en passant près d'Amsterdam, de Bruxelles et de Dijon, jusqu'à un point situé près de Lyon. Sa frontière orientale passerait tout juste à l'ouest de Leningrad et de Kiev jusqu'à un point sud, à l'ouest d'Odessa. L'Allemagne et la plupart des pays de l'Europe centrale seraient ainsi couverts, mais la zone désignée exclurait Moscou, Paris et Londres. On ne prévoit pas d'exercer des fonctions d'inspection à partir de postes terrestres à l'intérieur de ces zones. Cela n'a cependant guère d'importance, puisque l'acceptation de ces plans serait reliée à la mise en œuvre de la première phase des réductions conventionnelles, lesquelles seraient soumises à des postes de contrôle terrestres.

Le ministère des Affaires extérieures qui doute bien sûr très fortement de la validité de ces plans parce que « nous aurions plus à gagner qu'à perdre » propose néanmoins de donner le feu vert à ce projet, du moins en ce qui concerne la zone canadienne, mais il ne veut pas en être le seul auteur. Tout au plus accepterait-il de contresigner le projet avec les États-Unis. Le Cabinet approuve la proposition avec la réserve qu'elle soit aussi discutée au sein de l'OTAN avant d'être soumise à Londres.

Or le dépôt de cette proposition n'a pas lieu, car entre-temps Stassen réfléchit et se rallie à d'autres opinions. Peut-être le Pentagone ou le Département d'État l'a-t-il amené à changer d'idée? Ou, plus probablement même, l'OTAN insiste-t-elle pour que la zone européenne couverte s'étende depuis l'est de Paris jusqu'à Moscou? Quoi qu'il en soit, on sait d'après les archives que Stassen a eu des entretiens privés avec son homologue soviétique. De nouvelles zones sont proposées. Nous épargnons ici au lecteur les détails: les changements portaient sur le déplacement de la zone de quelques degrés vers l'est et aussi vers le nord. En ce qui a trait au Canada cependant, on lui demandait désormais d'ouvrir tout son territoire. À tout seigneur, tout honneur! Le Canada accepte de nouveau. Les réticences sont grandes, car pour le ministère des Affaires extérieures, il s'agit tout simplement d'un retour au projet « à cieux ouverts » avec l'addition du Canada pour respecter le désir soviétique de zones approximativement égales de part et d'autre. Après cette approbation du 10 juin, les Américains ont les coudées franches. Les puissances occidentales peuvent désormais déposer leur projet du 29 août. Le débat reprendra au Canada sur le sujet lors de l'examen des questions sur les moyens de prévenir une attaque par surprise.

En matière de réductions des forces classiques, la contribution canadienne se révèle plutôt mince. Ottawa se contente de transmettre quelques commentaires sur les formules de calcul proposées par les Européens. La France propose le « système de points », la Grande-Bretagne le « Standard Manpower Group Plan ». La méthode française consiste à accorder des crédits variables de points selon le type d'armements contenus dans les arsenaux d'un État. La formule britannique, quant à elle, prévoit des niveaux d'armements selon des groupes d'effectifs classiques (divisions, bataillons, groupes de combat, etc.). Le Canada ressent d'autant moins le besoin de se pencher sur ces problèmes qu'il se sent peu concerné.

Nous avons fait état plus haut du télex de mars 1956 de Foulkes à son homologue Smith en Angleterre. Il fallait bien, si le Canada devenait partie à un accord, s'entendre sur une base préliminaire à partir de laquelle des réductions pourraient avoir lieu. Le 26 juillet, Foulkes écrit au nouveau ministre de la Défense pour lui proposer, selon les trois étapes de réductions envisagées dans les propositions occidentales, les trois plafonds suivants :

- 1re étape : 250 000 hommes ;
- 2e étape : 215 000 hommes ;
- 3e étape : 175 000 hommes.

Le ministère des Affaires extérieures ne trouve guère de son goût cette méthode de calcul. Outre le fait que le Canada se retrouverait en troisième étape avec des effectifs supérieurs à ce qu'il avait avant même qu'ait commencé la phase des premières réductions, on trouvait ces chiffres sans commune mesure avec les besoins de sécurité du Canada. On renvoie donc les militaires à leur table de travail. Le 14 janvier 1958, une première concession (!) est faite. Les nouveaux plafonds suggérés sont de 205 000 hommes, 170 000 et 135 000. Cette acceptation est cependant conditionnelle à ce que les forces de réserve et les forces auxiliaires ne soient pas incluses dans ces chiffres.

Le 27 janvier 1958, G.B. Summers, du Bureau de l'ONU, met les points sur les i. « Notre opinion, dit-il, est que notre politique de désarmement doit être une politique de désarmement et non une tentative de légaliser une croissance des effectifs au-dessus des niveaux existants. » On rappelle de plus que la proposition soviétique du 18 mars 1957 est très claire à cet égard. Une nouvelle réunion a lieu en mars 1958. C'est l'impasse la plus totale. On décide de ne pas décider, car le Groupe de travail mixte du désarmement (JDWG) recommande en fait :

a) qu'en principe le Canada ne devrait pas rechercher, dans l'hypothèse d'un accord sur le désarmement, des plafonds supérieurs à ceux qui seraient autorisés au même moment par le gouvernement canadien ;
b) qu'aucune démarche ne soit actuellement entreprise pour décider des réductions que le Canada devrait accepter au terme d'un accord sur le désarmement ;
c) que le Groupe mixte [Working Group] continue d'examiner cette question et fasse des recommandations plus fermes à un moment approprié.

À l'époque, il faut bien constater que la cohabitation entre les abeilles et les fourmis n'allait pas de soi. À certains égards, il était aussi difficile de négocier avec le ministère de la Défense qu'avec Moscou. À propos de la réduction de l'équipement, le général Foulkes sera tout aussi intransigeant. Il dira dans sa lettre du 26 juillet adressée à Pearkes que le Canada ne peut pas, dans une première phase, accepter des réductions, car ses forces sont défensives et à peine suffisantes pour répondre à ses besoins. Dans une lettre antérieure expédiée à Jules Léger, la stratégie adoptée était plus subtile. Il lui fait savoir, le 5 juillet 1957, qu'indépendamment de la question du désarmement L.D. Wilgress n'ignore pas qu'avec les engagements accrus du Canada — on est en plein NORAD ! — dans la défense de l'Amérique du Nord, le Canada sera peut-être dans l'obligation de réduire ses engagements en Europe. Il s'agit là d'une menace à peine voilée qui consiste à dire que si on lui en demande trop en matière de désarmement, il remettra en cause la participation du Canada à l'OTAN. Toutes ces choses bien faites et vite dites sont cependant sans grand rapport avec la réalité d'aujourd'hui.

Le mot de la fin, sur la période 1954-1957, appartient à John W. Holmes:

> Faire partie de ce sous-comité avec les grandes puissances, c'était « une grosse affaire ». J'ai toujours été sceptique sur l'honneur que l'on nous avait fait, et encore plus aujourd'hui. On ne pouvait faire que si peu. On ressentait le besoin d'être tout à fait responsable, mais nous ne disposions pas de sources de renseignements indépendantes. Les Américains étaient si occupés à négocier des accords à Washington qu'ils étaient incapables de nous tenir au fait de leurs politiques, sinon qu'environ 24 heures avant les réunions du sous-comité à Londres. En matière de procédures, on pouvait être utile et nous avons tenté de l'être. Il nous a été très profitable d'avoir une relation privilégiée avec des gens comme Moch. Proposer des initiatives n'était pas facile non plus. Je ne pense pas que les pays participants pensaient à ces sessions comme s'il s'agissait d'une farce ou, comme nous les appelions, une partie de chaises musicales [...] Il faut garder à l'esprit que l'un des éléments les plus embarrassants de cette période était que nous ne puissions faire aucune proposition qui eût entraîné une réduction des forces canadiennes [...] Les grandes puissances pouvaient au moins faire des offres, ou sinon prétendre qu'elles en faisaient[74].

Qu'on le veuille ou non, les travaux de la Commission du désarmement et de son sous-comité à Londres auront au moins servi à démystifier une entreprise qui n'avait de désarmement que le nom.

Notes

1. Sauf mention contraire, toutes les citations canadiennes du présent chapitre sont tirées de l'un ou l'autre des 36 volumes de la série 50271-A-40.
2. J. Klein, 1964, p. 64.
3. MAE, 25 avril 1952.
4. MAE, 2 avril 1952.
5. Dépêche du 26 mai 1952 de Johnson aux Affaires extérieures.
6. Lettre n° 527, 7 mai 1952, de Johnson aux AE.
7. Note des auteurs: il s'agit là du maximum des établissements prévus.
8. Dépêche du 25 avril de Johnson aux AE.
9. Dépêche du 6 mai de la Délégation canadienne aux AE.
10. Dépêche du 25 avril de Johnson aux AE.
11. Dépêche du 19 août du Commonwealth Relations Office de Londres à Ottawa.
12. Note des auteurs: terminologie empruntée à un rapport antérieur préparé par John Halstead.
13. Voir le chapitre 1.
14. Dépêche du 16 septembre de l'ambassadeur Wrong aux AE.
15. Dépêche du 19 septembre de la Délégation canadienne aux AE.
16. La version originale indique: « ostensibly warm but actually cool ».
17. Note du 25 mai 1953 de Roger Chaput à Morley S. Scott.
18. A/C. 1/L. 74, 9 novembre 1953.
19. La version originale indique: « wobbling on the part of the French »; S.F. Rae au sous-secrétaire par intérim, 5 avril 1954.
20. Mémoire des AE, 7 avril 1954.
21. En anglais: « participating consultants ». Dépêche du 1er novembre 1954, de New York à Ottawa.
22. Voir le chapitre 1.
23. J. Klein, 1964, p. 96.
24. *Les Nations Unies et le désarmement, 1945-1970*, p. 56.
25. Rapport non daté de L. Saint-Pierre, du Bureau de l'ONU, sur la troisième session du sous-comité.
26. Ottawa à New York, rapport du 6 juin sur les réunions du sous-comité, du 19 avril au 18 mai 1955.
27. Dépêche du 4 août de New York.
28. Dépêche du 1er septembre d'Ottawa à New York, à Londres et à Washington.
29. Dépêche d'Ottawa à New York, 20 octobre 1954.
30. La résolution des cinq du 27 octobre votée en commission politique.
31. Note des auteurs: on parle dans le texte des Accords de France !
32. Dépêche d'Ottawa à New York, 27 octobre 1954.
33. La version anglaise indique: « on balance it might be voted for although not spoken for ».
34. Note des auteurs: en cas de retrait des bases américaines.
35. Note des auteurs: on parle aujourd'hui d'ICBM, c'est-à-dire de missile balistique intercontinental (intercontinental ballistic missile, ICBM).
36. Note du Bureau de l'ONU, 25 avril 1955.
37. Pearson à Robertson, 2 mars 1955.
38. Cote 50189-40.
39. Entrevue avec Geoffrey Pearson.
40. Entrevue avec Jean Chapdelaine.
41. J. Klein, 1964, p. 117.
42. P.-V. de la 10e réunion.
43. La version anglaise indique: « put into deep freeze ».
44. Dépêche d'Ottawa à toutes les missions de l'OTAN, 24 octobre 1955.
45. Conversation entre MM. Holmes, Martin et Cadieux, le 12 septembre 1955.
46. Résolution 914 (X).
47. Dépêche d'Ottawa à Londres, 25 août 1955.
48. Cité dans J. Klein, 1964, p. 128.
49. Dépêche de Londres à Ottawa, 20 mars 1956.
50. Londres à Ottawa, 6 avril 1956.
51. Londres à Ottawa, 7 juin 1956.

52. J. Klein, 1964, p. 141.
53. MDN, 1644-1, vol. 8, 29 août 1957.
54. Télex du 20 mars 1956 de Selwyn Lloyd à Gladwyn Jebb, à Paris.
55. Holmes pour le Bureau de l'ONU, 4 avril 1956.
56. Note des auteurs : le Comité des sages sur les consultations au sujet de l'article 2 de l'OTAN.
57. Léger à Pearson, 6 juillet 1956.
58. S.F. Rae à Ottawa, 14 mars 1956.
59. Robertson à Ottawa, 14 mars 1956.
60. Cadieux à Chaput, 28 mars 1956.
61. Rapport du brigadier général Robert P. Rothschild à Marcel Cadieux, 20 avril 1956.
62. Télex 298 de Londres à Ottawa, 14 mars 1956.
63. Ignatieff à Holmes, 3 avril 1956.
64. Mémoire de John W. Holmes à Pearson, 3 avril 1956.
65. DC/SC. 1/P.-V. 82.
66. Ottawa à Londres, 27 avril 1956.
67. 5e réunion du Comité mixte de planification.
68. Télex d'Ottawa à Londres, 10 avril 1956.
69. Dépêche de Moscou, 18 mai 1956.
70. Note des auteurs : nous n'avons pas cru bon de détailler ici cette proposition à la suite du refus net que Washington lui opposa.
71. Note des auteurs : c'est le moins que l'on puisse dire.
72. Mémoire de Ford au Bureau de l'ONU, 4 juillet 1956.
73. Voir le télex du 22 mai, Ottawa-Londres.
74. Correspondance avec les auteurs, 28 janvier 1987.

Sources secondaires citées

Klein, Jean, *L'entreprise du désarmement,* Toulouse, Cujas, 1964.

ONU, *Les Nations Unies et le désarmement, 1945-1970,* New York, Nations Unies, 1971.

Tout le monde convient que le secret doit être inviolable, mais [...] *nous ne consultons le plus souvent que nous-mêmes sur ce que nous devons dire et sur ce que nous devons taire**...

*Mais rappelez-vous qu'on ne me prend pas au dépourvu, ne venez pas vous vanter de m'avoir surpris ; je regarde la situation en face***.

4

Le dit et le non-dit

« Regarder la situation bien en face », pour ne pas être pris au dépourvu, c'est bien ce que tentent de faire les États-Unis. Et pour mieux y arriver, ils ne se gênent pas vers la fin des années cinquante pour effectuer, depuis le Pakistan et à partir d'ailleurs, des missions de reconnaissance au-dessus du territoire soviétique. Ces opérations se poursuivent jusqu'à ce que l'URSS expose au grand jour le pilote américain Francis Gary Powers, tombé vivant aux mains du Commandement de l'air soviétique lorsque son U2, ayant perdu de l'altitude, fut abattu par une fusée de l'air SAM 2, le 1er mai 1960. Le 1er juillet, un autre avion américain est abattu au-dessus de la mer de Barents. Deux ans auparavant, en avril 1958, le délégué Sobolev avait déjà remis au président du Conseil de sécurité de l'ONU, en l'occurrence Henry Cabot Lodge, une plainte en bonne et due forme par laquelle Moscou protestait énergiquement contre les vols de reconnaissance américains aux approches des frontières soviétiques.

L'incident du U2 eut pour effet de faire avorter la Conférence au sommet de Paris qui devait avoir lieu en mai 1960. En 1959 comme en 1960, les États-Unis conservent la même attitude : en l'absence de coopération soviétique, ils doivent prendre des « mesures unilatérales » pour surmonter les risques d'une attaque par surprise. Dans les deux cas, ils ressortent des tiroirs poussiéreux leur projet de « zones d'inspection aériennes ».

---

* La Rochefoucault, *Réflexions diverses*, p. 5.

** Jean-Paul Sartre, *Huis clos*, p. 1.

En Europe, les mêmes préoccupations sont présentes. Vers le milieu des années cinquante, la priorité va à l'introduction des armements nucléaires tactiques au sein de la panoplie militaire occidentale. Le but est évident : neutraliser l'écrasante supériorité numérique des troupes soviétiques. En 1960, le problème évolue : il s'agit, cette fois, de compenser le « déficit de la fusée », c'est-à-dire le *missile gap*. Washington songe à faire de l'OTAN la quatrième puissance nucléaire du monde, en la dotant de fusées nucléaires à portée intermédiaire. Devant les résistances alliées et celles de la France plus particulièrement, le projet est laissé de côté, pour être remplacé en 1963 par le plan de la création d'une force multilatérale (MLF) (Multilateral Force, MLF) de l'OTAN, lequel mourra aussi de sa belle mort, en 1965, sous la présidence de L.B. Johnson. Dans les deux cas, certains craignent que la RFA ne s'approche trop près de l'armement nucléaire. De plus, l'évolution rapide de la technologie crée des incertitudes nouvelles dont il importe de pallier les éléments les plus inquiétants.

En effet, la frappe en premier *(first strike)* et l'attaque par surprise *(surprise attack)* sont bien sûr les deux scénarios dont on entend de part et d'autre se protéger. Les plans de désengagement *(disengagement)* en Europe centrale refleurissent. Les Occidentaux s'en tiennent essentiellement à leurs propositions du 27 août 1957. Le Pacte de Varsovie, pour sa part, reprend à son compte le plan Rapacki discuté pour la première fois au sein de l'Assemblée générale des Nations Unies le 2 octobre 1957, formulé le 17 février 1958, puis revu et corrigé le 6 novembre 1958. En 1960, les Canadiens, sous la direction du général E.L.M. Burns nommé depuis peu conseiller en matière de désarmement auprès du gouvernement canadien, étudient en secret un nouveau plan de désengagement. L'étude se poursuit sur plus de un an. Sans effet.

Entre-temps se tient à Genève du 10 novembre au 18 décembre 1958 la Conférence d'experts sur la prévention des attaques par surprise, destinée à écarter les risques de guerre entre les superpuissances certes, mais aussi à régler les questions de « contrôle et d'inspection » en Europe centrale sans que la RFA ne soit explicitement mentionnée.

Tous les plans suggérés sont un véritable échec. En 1959, les Soviétiques ne veulent pas plus entendre parler de l'Arctique qu'en 1955 ou en 1957 ; le plan Rapacki est à toutes fins utiles torpillé par le premier ultimatum soviétique du 28 novembre 1958 au sujet de Berlin, tandis que le plan Burns ne verra jamais le jour. En 1958, par ailleurs, l'actualité internationale se déplace vers le Proche-Orient avec la crise du Liban, tandis que Cuba et le Congo étendent en 1960 les rivalités Est-Ouest jusqu'aux confins des dimensions Nord-Sud. Les conditions ne sont donc guère propices à la négociation d'ententes sérieuses, hormis sans doute les négociations à trois sur la suspension des essais nucléaires. Ces questions font l'objet du chapitre 10 du présent ouvrage.

Notre but est donc ici de dégager les positions particulières du Canada eu égard aux trois sujets énumérés ci-dessus : les zones d'inspection aérienne dans l'Arctique, le plan

Rapacki et le plan Burns. Nous dirons également quelques mots de la Conférence d'experts sur la prévention des attaques par surprise.

L'ARCTIQUE CANADIEN À « CIEUX OUVERTS »

À l'issue de la plainte déposée par le délégué Sobolev devant le Conseil de sécurité de l'ONU, le 18 avril 1958, les États-Unis proposent, le 29, l'établissement d'une zone d'inspection aérienne dans l'Arctique dont les limites seraient, à peu de chose près, les mêmes que celles qui ont été proposées par les puissances occidentales, le 27 août 1957[1]. Dans un rapport préparé par le ministère des Affaires extérieures le 13 mai 1958 à l'intention du Comité mixte des renseignements (JIC)[2], on précise « qu'en privé Dulles et Lodge affirment que cette proposition a été avancée sérieusement et non seulement à des fins de propagande ».

Aux Nations Unies, en dépit de l'acrimonie du débat, les choses ne se présentent pas si mal. La plainte déposée ne s'en prend qu'aux agissements du SAC et rien n'est dit de l'utilisation du territoire canadien par des avions de reconnaissance américains. De son côté, la Suède appuie le projet américain, tout comme le Canada par ailleurs, mais celui-ci refuse d'en être le cosignataire. C.A.R. Ritchie, le délégué canadien au Conseil de sécurité, précise en effet que le Canada n'est pas lié à « la zone suggérée en particulier[3] ». Ce geste lui paraît d'autant plus indiqué qu'il est président du Conseil de sécurité au moment où les États-Unis déposent leur projet de résolution. Pour leur part, les pays de l'Est semblent vouloir « désamorcer » la crise, mais après quelques hésitations, les Occidentaux demandent le vote, ce qui entraîne un « veto » soviétique à la résolution du 2 mai 1958. On souligne dans cette résolution :

- le caractère international du système d'inspection proposé ;
- le caractère obligatoire de la notification au préalable des opérations de survol ;
- la nécessité d'une surveillance par radio de tous les vols ;
- l'établissement de postes de contrôle fixes à terre.

Le 26 mai 1958, le général Foulkes écrit au secrétaire du Cabinet, R.B. Bryce, pour l'informer des engagements antérieurs du Canada relativement aux zones d'inspection. Cette procédure inhabituelle s'explique à cause de l'intérêt que porte le premier ministre Diefenbaker aux questions de l'Arctique. Foulkes souligne que jusqu'à présent le Canada a accepté le principe : 1. d'établir en sol canadien des équipes d'observateurs à caractère international ; 2. d'autoriser le survol de son territoire par des avions étrangers ; et 3. de contribuer sous forme de personnel ou d'avions à l'établissement éventuel d'un système d'inspection.

Foulkes joint à cette lettre un rapport préparé par le Comité des chefs d'état-major interarmes en date du 14 mai. Celui-ci contient quelques éléments nouveaux. Ainsi, on apprend que dans la zone du cercle arctique considérée, la portion soviétique contient 28 aérodromes pouvant accueillir des bombardiers lourds ou moyens ainsi que 150 petits aérodromes, comparativement à 9 grands et 46 petits pour l'Ouest. De plus, on nous dit que les conditions météorologiques dans l'Arctique sont peu favorables à la photographie aérienne dans 50 pour 100 des cas. Foulkes ne manque pas d'ajouter qu'un tel plan serait évidemment à l'avantage des Occidentaux, mais il n'oublie pas de préciser par la même occasion qu'une telle éventualité mettrait à nu le potentiel de la défense canadienne, notamment la ligne DEW. Ces stations, selon lui, « pourraient être repérées avec précision, et leur capacité examinée avec attention », ce qui obligerait le Canada à modifier sa politique de sécurité en matière de divulgation de leur emplacement exact. Ces arguments ont évidemment peu de poids, car le même inconvénient s'appliquerait aux chaînes de stations radars soviétiques.

L'élément important du rapport a cependant trait à l'incertitude qui règne relativement à l'organisation efficace d'un système d'inspection. En ce domaine, le Comité des chefs d'état-major interarmes déclare forfait. Il n'a aucun renseignement à sa disposition qui lui permettrait de faire une étude sérieuse en la matière. Déjà en 1957, lors de l'examen des propositions occidentales, le Comité mixte du désarmement avait établi toute une série de points à discuter avec le délégué Stassen[4], entre autres l'altitude et la vitesse des avions de surveillance, le type d'équipement dont ils disposeraient, la rapidité du traitement des données photographiques, les renseignements qui pourraient résulter de la photographie au sujet du ciblage des objectifs ennemis, etc. En 1958, les conditions n'ont guère changé. On décide donc d'organiser à ce sujet une rencontre intergouvernementale avec des experts américains.

Celle-ci se tient à Washington les 19 et 20 août 1958. Des deux côtés on souhaite une discussion franche, puisque la réunion est officieuse. L'équipe américaine est dirigée par Philip Farley assisté de L.D. Weiler, tous deux du Département d'État, à laquelle se joint une armée de spécialistes dont G. Kistiakowsky de l'Université de Harvard, responsable d'un groupe d'études sur cette question. Du côté canadien, S. Rae, ministre à l'ambassade canadienne, et son bras droit, Philip Uren, participent à la réunion, ainsi que les commandants d'escadrille R.J. Mitchell et C.R. Milne, et le capitaine de groupe C.E.D. Armour.

Ce qui transpire de cette réunion n'a rien d'inattendu. Les délais d'alerte selon que l'attaque viendrait d'engins balistiques ou de bombardiers se calculeraient en minutes ou en jours, toute rupture dans les systèmes de communication serait désastreuse, toute zone d'inspection limitée à l'Arctique ou à l'Europe ne suffirait pas à couvrir les autres possibilités d'attaques par surprise — celles qui viendraient de la mer notamment —, sans compter les nombreuses contre-mesures possibles qui pourraient consister à déguiser une attaque sous la forme d'opérations routinières. Ce qui est plus surprenant cependant, c'est l'étendue du contrôle suggéré par les États-Unis. Celui-ci porterait principalement sur trois systèmes d'armes, soit les bombardiers, les missiles et les sous-marins. De plus, l'observation s'étendrait depuis l'usine alimentant les systèmes d'armes jusqu'à leurs postes de déploiement. Au total, de tels schèmes d'inspection pourraient nécessiter l'emploi de 35 000 personnes. Quant aux besoins de l'inspection aérienne dans l'Arctique, on estime au Pentagone que deux escadrilles de RB 47, l'une basée à Thulé et l'autre en Alaska, seraient suffisantes pour répondre à cette fonction. En matière de personnel, on aurait probablement besoin de 740 personnes au sol, de 250 pour les équipes mobiles et d'une centaine d'autres — de 80 à 100 — pour les communications. On apprend par la même occasion que l'on ne sait toujours pas comment les Soviétiques seront saisis de ces propositions, mais que l'on pense en gros à une formule semblable à celle qui est en cours relativement aux discussions techniques sur la suspension des essais nucléaires.

Le 29 août, le général Foulkes informe le ministre George R. Pearkes des résultats de la rencontre à Washington. Celui-ci, pensant aux intérêts canadiens, demande à Foulkes de s'enquérir si les États-Unis ne seraient pas prêts à acheter l'avion de transport CC 106 pour l'inspection aérienne. Foulkes lui répond le 3 septembre qu'il doute fort de l'intérêt des Américains pour ce genre d'avion dont ils ne disposent d'aucun exemplaire[5], ce qui leur poserait donc des problèmes pour l'entretien et les réparations. Le président des chefs d'état-major interarmes ajoute que de toute façon le système d'inspection serait établi sous l'égide des Nations Unies, tandis que les États seraient appelés à contribuer sur les plans du personnel et de l'équipement selon une base individuelle.

La Conférence d'experts sur la prévention des attaques par suprise (du 10 novembre au 18 décembre 1958) donne l'occasion au ministère de la Défense de pousser plus avant ses travaux en matière de prévention d'attaques par surprise. Les études canadiennes se limiteront essentiellement aux conditions particulières de l'Arctique. D'excellentes études techniques seront entreprises sur les méthodes de reconnaissance[6], sur le problème des télécommunications dans les régions polaires[7] et sur les postes de contrôle fixes et mobiles[8]. Le rapport technique sur les télécommunications en particulier constitue un véritable tour de force qui, s'il était publié aujourd'hui, se révélerait toujours d'actualité.

On peut lire dans le rapport sur les méthodes de reconnaissance que toute la partie soviétique du cercle arctique pourrait être couverte à partir de cinq bases[9], à la condition de disposer d'avions d'un rayon d'action de 5 000 milles marins. La période comprise entre février et mai serait la meilleure pour poursuivre des opérations de reconnaissance au-dessus de l'Arctique soviétique, tant du point de vue de la luminosité que de la faible concentration de nuages.

Les participants militaires canadiens à la Conférence d'experts sur la prévention des attaques par suprise furent le commodore de l'air W.W. Bean, les commandants d'escadrille K.R. Greenaway, W.C. Maclean et R.J. Mitchell ainsi que T.A. Harwood et John Laskoski du Conseil de recherches pour la défense[10].

Klein résume fort bien l'impasse de cette Conférence[11]. Pour l'Ouest, le couronnement des travaux doit être la définition des « caractéristiques techniques générales des systèmes susceptibles de réduire la menace d'attaque par surprise ». Quant à la thèse soviétique, « elle est dominée par la préoccupation d'empêcher le déclenchement de la guerre au sens traditionnel du terme[12] ». Les Occidentaux discutent de questions techniques, les Soviétiques veulent discuter de questions politiques. L'impasse est totale. Le rapport transmis au secrétaire général des Nations Unies traduit bien cet état de pensée[13]. En dépit des efforts des Soviétiques et d'autres pays occidentaux pour relancer cette Conférence, elle n'aura aucune suite. Les États-Unis s'y opposent. Il est vrai, comme le dit bien Klein, que les armes les plus modernes — les engins intercontinentaux — auraient de toute façon échappé au contrôle[14]. Il ne restait plus qu'à aviser à d'autres moyens : comment stabiliser la dissuasion ? C'est en partie ce à quoi les pays de l'Est et de l'Ouest s'attelleront au sein du Comité des dix puissances, lorsque celui-ci sera constitué, un an plus tard.

On peut se demander, dans ces conditions, à quoi auront servi toutes ces discussions. La première chose à dire, c'est qu'elles ont permis à l'Ouest et à l'Est de s'informer sur leurs craintes et intentions réciproques. La seconde, c'est qu'elles auront à tout le moins permis de distinguer l'essentiel de l'accessoire obligé. L'essentiel, c'est d'éviter l'holocauste nucléaire. L'accessoire obligé, c'est de déployer tous les moyens possibles pour trouver des terrains d'entente communs. En ce domaine, si l'on peut affirmer que 1955 a marqué le début de la bilatéralisation des débats entre l'URSS et les États-Unis, on pourrait tout autant affirmer que la fin des années cinquante a marqué le début de la volonté de ces mêmes puissances de restreindre le club nucléaire aux puissances déjà dotées de l'arme nucléaire. Cela ne manquera pas d'entraîner des difficultés avec la France. La Chine, bien sûr, constitue aussi une préoccupation majeure pour l'URSS. Il n'est pas exclu de penser que ce facteur ait été un élément important dans la décision soviétique d'entamer avec les Occidentaux, dès 1958, des discussions sur la suspension des essais nucléaires. Troisième facteur qui n'est pas sans importance, du moins pour le Canada, c'est que tous ces pourparlers auront permis aux militaires de se faire les dents sur l'impérieuse nécessité de l'*arms control*.

Ce dernier élément explique en grande partie la politique canadienne en matière de zones d'inspection aérienne. Les Canadiens ont les plus grandes réticences à l'égard des plans américains. Ils tentent par tous les moyens possibles d'éviter de se trouver associés de trop près avec les plans ou les projets de résolutions américains aux Nations Unies, de peur de prêter le flanc à la critique d'une propagande inique à l'endroit des Soviétiques. John W. Holmes se rend fort bien compte de la difficulté : comment le Canada pourrait-il revenir sur cette question alors qu'il s'y est engagé à la fois au sein des Nations Unies et de l'OTAN ? De plus, comme il a vaillamment défendu le projet américain au Conseil de sécurité de l'ONU, « il serait embarrassant de déclarer aujourd'hui que nous le trouvons inéquitable[15]. »

N.A. Robertson est plus direct. Il est devenu depuis peu sous-secrétaire d'État aux Affaires extérieures. En outre, il a la mémoire longue. Le 13 février 1959, il écrit au général Foulkes pour lui rappeler que lors de ses séjours à Londres et à Washington[16], il a insisté à diverses reprises sur la nécessité d'entreprendre à Ottawa des études dans le cadre des politiques générales occidentales, « sans nécessairement attendre que les autorités à Washington aient terminé leurs premiers brouillons ». Il regrette, de plus, que les travaux n'aient souvent eu lieu qu'à la dernière minute « sous la pression d'échéances fixées en vertu de conférences imminentes », alors que les autres problèmes n'ont même pas connu un début d'examen. Il atténue sa pensée en disant qu'il est au courant que de nombreuses études ont été faites du temps de Stassen, mais il ajoute qu'il n'y a aucune façon d'y avoir accès. Il invite donc le ministère de la Défense à se mettre au travail et à se constituer une équipe qui puisse répondre aux priorités fixées par le ministère des Affaires extérieures[17]. On peut penser ici que ce vœu correspondait aussi à celui du Département d'État. Des indications seront données en ce sens au général Burns lorsqu'il sera de passage à Washington en 1960. Les deux chancelleries nord-américaines se seraient ainsi soutenues pour lutter contre les résistances de leurs collègues militaires.

Quoi qu'il en soit, le son de cloche de Robertson n'est pas isolé. Depuis un an, certains fonctionnaires des Affaires extérieures pestent contre l'attitude du ministère de la Défense. C.J. Marshall ne mâche pas ses mots. Dans une lettre adressée à Campbell, il dit que personne ne sait bien sûr quelle devrait être la position finale du gouvernement canadien en matière d'inspection dans l'Arctique, mais il est souhaitable « qu'un groupe de gens avec une véritable compréhension des problèmes ait l'occasion de se pencher sur une étude complète de ces problèmes[18] ». Il ne va pas jusqu'à traiter les militaires d'incompétents, mais c'est tout comme. Il est évident, à son avis, que l'attaque par surprise peut venir de multiples façons[19], mais « ce serait une folie d'écarter l'idée d'inspection, parce que l'on ne peut s'occuper d'une attaque venant d'engins intercontinentaux ou de missiles lancés depuis des sous-marins ». Après tout, si les militaires ont dépensé 600 millions de dollars pour la construction de la ligne DEW et 200 millions pour la ligne du Centre du Canada *(Mid-Canada Line)*, c'était aussi à des fins d'inspection, selon Marshall, même si l'on savait que ce système n'était pas parfait.

Le 20 juin, Marshall récidive[20]. Il ne comprend pas les chiffres avancés par le ministère de la Défense. Comment celui-ci peut-il prétendre qu'il faudrait 10 000 personnes et 700 avions pour exploiter un système efficace d'inspection dans l'Arctique ? On demande, de plus, de patrouiller 600 000 milles carrés toutes les deux semaines. Marshall veut bien avaler une couleuvre, mais pas un boa ! Une telle formule est tout à fait irréaliste, d'après lui, car il faut en moyenne au moins un an pour construire une base dans l'Arctique. Le 17 juillet, dans une note à Summers, Marshall revient sur les mêmes arguments :

> Une inspection photographique globale des vastes espaces vides de l'Arctique n'est absolument pas nécessaire car tout ce que nous demandons, c'est d'avoir les moyens nécessaires

pour vérifier le travail des équipes basées au sol dans les endroits peuplés ainsi que les activités possibles dans des endroits à l'extérieur des colonies de peuplement [...] Il faudrait confier ces études à des experts appropriés.

Ici Marshall a raison. La rencontre intergouvernementale de Washington viendra confirmer ses impressions. Dans sa lettre du 7 août au ministre Pearkes, Foulkes insistera, non sans raison, sur le fait que les études canadiennes n'avaient qu'un « caractère préliminaire ».

Dans l'ensemble, les conclusions générales suivantes se dégagent des archives : premièrement, le ministère de la Défense était loin d'être chaud à l'idée de l'Arctique canadien « à cieux ouverts ». On peut se demander si les chiffres avancés n'avaient pas précisément pour but d'amener les autorités politiques à renoncer à un projet qu'elles avaient soutenu du bout des lèvres. Deuxièmement, il est clair d'après d'autres sources que les militaires craignent que les sommes affectées à des projets d'inspection ne soient directement prélevées sur leur budget. En grossissant délibérément les chiffres et en insistant sur les priorités immédiates de la défense aérienne, on est assuré qu'il n'y aura plus d'argent disponible pour quoi que ce soit d'autre. On sort évidemment ici du non-dit pour entrer dans le domaine de la spéculation...

Au lendemain de l'échec de la Conférence au sommet de Paris, en mai 1960, le président Eisenhower déclare que son pays s'en tient toujours à ses projets d'inspection « à cieux ouverts ». Il rencontre Diefenbaker qui, à son tour, informe la Chambre le 6 juin : « Si et lorsqu'une telle proposition sera présentée aux Nations Unies, elle devra avoir plusieurs cosignataires, et le Canada se ralliera pour proposer un projet de résolution adéquat à cet égard[21]. » Diefenbaker va ici plus loin que ses prédécesseurs. Peut-être parce que l'on n'entendra plus parler de cette proposition par la suite. Les satellites prennent la relève des U2...

LE PLAN RAPACKI

Dès 1956, le commandant suprême des forces alliées en Europe (SACEUR) se penche sur les moyens de prévenir une attaque par surprise en Europe. Nous avons fait état des mesures souhaitées en 1956, notamment au sujet du chevauchement des systèmes de radar Est-Ouest[22]. Le dépôt des propositions occidentales du 27 août 1957 n'a évidemment lieu qu'après la rédaction d'une étude de l'OTAN sur la façon d'aborder ces questions. En juin 1957, le Conseil de l'OTAN en arrive ainsi à formuler le souhait que toute proposition présentée puisse au moins répondre aux six critères suivants : 1. les mesures conçues doivent frapper l'opinion ; 2. elles doivent être perçues comme un premier pas vers la réduction des tensions ; 3. elles ne doivent pas porter préjudice aux intérêts de la RFA ; 4. elles doivent avoir leur propre cohérence indépendamment de toute autre proposition ; 5. elles doivent être utiles ; et 6. elles doivent, si elles sont acceptées, pouvoir mener à la conclusion d'autres arrangements sur les questions de la sécurité européenne[23].

Qui dit mieux? La Pologne! Le plan Rapacki ne respecte pas les intérêts allemands, bien sûr, mais hormis ce critère, il correspond en tous points aux normes de présentation réclamées par l'OTAN. Le ministre des Affaires étrangères de la Pologne, Adam Rapacki, parle pour la première fois de son projet devant l'Assemblée générale des Nations Unies en octobre 1957. Il réclame l'exclusion atomique — qui va de la fabrication à la possession — pour la zone d'Europe centrale, à savoir les deux Allemagnes, la Tchécoslovaquie et son propre pays. La Grande-Bretagne considère avec intérêt cette proposition ; le Canada et plusieurs autres pays de l'OTAN font de même. Elle est cependant dénoncée par l'OTAN lors de la réunion des ministres à Paris en décembre 1957. Ni la RFA ni les États-Unis ne veulent entendre parler d'un projet qui « désarmerait » l'Allemagne de l'Ouest contre son gré. En revanche, « les Premiers ministres de Norvège, M. Gerhardsen, et du Danemark, M. Hansen, le 16 décembre, M. Selwyn Lloyd, le 23 décembre et M. Sydney Smith[24], ministre canadien des Affaires étrangères, le 29 décembre, préconisaient l'étude attentive du plan Rapacki[25] ».

En décembre 1957, la Pologne précise par la voie diplomatique le contenu des propositions qu'elle rendra officielles par la publication de son mémorandum, le 17 février 1958. Le premier article reprend les thèses de l'exclusion atomique à l'intérieur de la zone des deux Allemagnes, de la Pologne et de la Tchécoslovaquie, ainsi que la proposition du non-recours à l'arme atomique contre un territoire situé dans cette zone. Le second concerne les obligations des quatre puissances occupantes.

Deux obligations sont très nettes : ne pas maintenir ni transférer à personne dans cette région des armes nucléaires ou tout matériel ou équipement dont ces armes sont tributaires ; et ne pas recourir à de telles armes contre aucun des territoires situés dans cette zone. L'article 3 porte sur les modalités de contrôle que l'on espère « large et efficace », pouvant comprendre tout à la fois des techniques d'inspection terrestre et aérienne. L'organisme de contrôle pourrait comprendre des représentants nommés par l'OTAN ou le Pacte de Varsovie ainsi que des représentants nationaux d'autres États qui n'appartiendraient à aucun regroupement militaire d'Europe. Enfin, l'article 4 demande que toutes ces obligations soient consignées sous forme de quatre déclarations unilatérales, ayant force d'obligation, pouvant être déposées dans une capitale convenue.

Le plan Rapacki a le mérite d'être cohérent. Il peut de plus être considéré isolément. Par ailleurs, les zones concernées sont inégales. Les territoires soumis à l'inspection à l'Est s'avèrent beaucoup plus considérables que le seul territoire de la RFA. Les critiques occidentales sont néanmoins sévères. Nous les résumons ici à partir d'un document britannique :

- Le plan est stratégiquement défavorable à l'Ouest étant donné la capacité soviétique de concentrer ses forces à proximité de cette zone ;
- Des méthodes de contrôle et d'inspection efficaces seront difficiles à établir ;
- Le projet pourrait mener au retrait éventuel des forces américaines de l'Europe ;

- Le désengagement sous toutes ses formes pourrait augmenter plutôt que réduire les risques de conflit en créant une zone d'incertitude ainsi qu'un aléa additionnel de « ré-entrée » ;
- Le plan tendrait à « pétrifier » [*stratify*] la division actuelle de l'Europe et impliquerait un début de reconnaissance de l'Allemagne de l'Est...
- Il est peu souhaitable [*undesirable*] d'établir une discrimination contre les troupes d'un pays en particulier, c'est-à-dire de l'Allemagne[26].

La Grande-Bretagne conçoit que certains de ces arguments sont sérieux, mais elle considère que, dans l'ensemble, « les dangers du plan Rapacki ont été exagérés, et ses mérites sous-estimés ». Somme toute, puisqu'il faut faire ici la part des choses, les arguments les plus sérieux contre le plan Rapacki étaient la crainte d'un désengagement des États-Unis de l'Europe et l'ostracisme dans lequel Bonn tenait la République démocratique allemande (RDA) : « La création d'une zone à statut militaire spécial en Europe centrale aurait conduit à une reconnaissance *de facto* de la RDA et les modalités de la dissuasion élargie en auraient été affectées[27]. »

Les deux critiques américaines les plus solides précisent que : 1. l'OTAN doit compenser son infériorité numérique par le recours éventuel aux armes nucléaires tactiques ; et 2. le plan se révèle insatisfaisant pour ce qui est du contrôle. Nous traiterons du point 1 dans la section suivante lorsque nous parlerons du plan Burns. En matière d'inspection, il est vrai que le plan Rapacki laisse à désirer. Tout au plus se contente-t-on de reprendre des lieux communs — l'inspection terrestre et aérienne — qui avaient déjà fait l'objet d'accords de principes dans des négociations antérieures sans que l'on ait pu s'entendre sur leurs modalités d'application. L'article 3 du mémorandum polonais se limite à dire, en effet, que les modalités de contrôle pourraient « être établies d'un commun accord sur la base de l'expérience acquise jusqu'à présent ». Tout cela est bien peu si l'on tient compte des exigences de l'OTAN développées en juin 1957.

Outre les six critères déjà mentionnés, on demande dans le même document que les postes de contrôle puissent couvrir tout le territoire européen depuis l'Atlantique juqu'à l'Oural. Curieusement, le « minimum irréductible » couvre la zone Rapacki avec l'addition du Benelux et d'une partie du Danemark. Dans ces conditions, le plan Rapacki n'aurait été qu'une tentative insidieuse de l'Est de prendre l'Occident à son propre jeu. Chose certaine, nous ne disposons d'aucun élément qui puisse confirmer ou infirmer cette thèse. De plus, avec ou sans ces informations, le plan Rapacki répond parfaitement bien aux préoccupations soviétiques par rapport au réarmement nucléaire tactique de l'Allemagne de l'Ouest.

Que réclame en outre l'OTAN en matière d'inspection ? On souhaite que la zone d'inspection aérienne soit aussi étendue que la zone soumise aux inspections terrestres, ce qui ne constitue pas une nouveauté en soi. Les modalités de contrôle présentées sont considérables :

échanges d'informations sur le lieu, la composition et la nature des forces militaires existantes et projetées, vérification des informations reçues, rapports périodiques des groupes fixes et mobiles d'inspecteurs ainsi que des équipes aériennes, liberté de communication à partir de systèmes autonomes, liberté d'accès aux zones d'importance militaire à l'exclusion des bâtiments privés et interdiction d'accès ou d'inspection dans les bâtiments d'entreposage nucléaire. Le tout supposerait, au minimum, un corps d'inspecteurs de 3 000 personnes, sans compter le personnel nécessaire pour la surveillance par radar et pour les missions d'inspection aérienne.

Quelle que soit la zone considérée, on admet le principe que les méthodes de contrôle ne pourront pas fournir de protection ni d'alerte contre l'attaque par surprise lancée depuis le périmètre extérieur de la zone d'inspection convenue. « Cela n'invalide cependant en rien, conclut-on dans les milieux de l'OTAN, les vertus des plans destinés à prévenir une attaque par surprise. »

C'est en partie pour répondre aux critiques occidentales — notamment la supériorité numérique de l'Est — que la Pologne révise, le 6 novembre 1958, sa proposition de désengagement. Cette fois, le plan ressemble un peu plus aux propositions discutées antérieurement au sous-comité de la Commission du désarmement. On maintient bien sûr la proposition principale du plan Rapacki : l'exclusion nucléaire dans la zone de l'Europe centrale, comme elle a été définie dans le plan antérieur. En même temps, on « gèlerait » au niveau existant les forces classiques. Au cours d'une seconde étape qui serait précédée de discussions — il faut donc reprendre toutes les discussions sur la réduction des forces ! —, on procéderait à l'élimination totale des armements nucléaires en même temps que seraient effectuées les réductions des forces classiques convenues. L'une des principales vertus du plan Rapacki vient ainsi de tomber : des mesures précises de contrôle des armements sont de la sorte reliées au problème de la réduction des forces classiques.

Ces modifications ne seront jamais discutées à l'Ouest. Quelques semaines plus tard, la première crise de Berlin annule toutes les prédispositions favorables au dialogue qui auraient pu exister antérieurement. Une note du Bureau de l'Europe adressée à Ignatieff le 11 mai 1961 conclut à cet égard : « Comme Gomulka était présent lorsque Khrouchtchev adressa son premier ultimatum au sujet de Berlin le 28 novembre 1958[28], il est permis de penser que celui-ci était destiné à souligner, comme un homme politique polonais l'a noté, les « funérailles d'État » du plan Rapacki. »

Les réactions militaires canadiennes au plan Rapacki sont contenues dans un document du 29 janvier 1958[29]. Elles sont classiques. En premier lieu, on souligne qu'un tel plan priverait les forces au sol de l'OTAN de leur appui nucléaire. En deuxième lieu, on précise qu'une zone d'exclusion ne serait pas dramatique s'il s'agissait d'engins balistiques à portée intermédiaire, puisque cette fonction pourrait être exercée, peut-être plus sûrement, à partir d'autres territoires, comme la Turquie ou le nord de l'Écosse. La clause d'interdiction de fabrication, déjà inscrite dans les faits depuis le Traité de Bruxelles en 1948 et les Accords de Londres et de Paris en 1954, ne cause aucun problème, mais on ajoute à la condition que l'Ouest ne soit pas privé de la compétence scientifique allemande en matière d'ingénierie. Cette réserve est évidemment superflue puisque l'Ouest, comme l'Est d'ailleurs, ne s'est jamais interdit de puiser dans le bassin des ressources scientifiques allemandes pour assurer le développement de ses programmes militaires. Enfin, notons que l'on pensait déjà à l'époque à des modifications éventuelles à apporter au plan Rapacki, telle l'exclusion atomique globale, sauf pour les forces américaines et soviétiques stationnées dans la région. Outre le fait que cette éventualité aurait vidé le plan Rapacki de sa substance, elle n'aurait en rien répondu aux attentes de la RFA qui entendait alors fermement se rattacher à l'Alliance atlantique en jouant un rôle accru dans l'implantation des armements nucléaires tactiques sur son territoire.

LE PLAN BURNS

Le plan Burns qui ne sera jamais déposé s'avère intéressant à plus d'un titre. Il illustre tout d'abord la difficulté de pouvoir intervenir à l'intérieur des bureaucraties d'une façon purement personnelle. Mackay et Robertson se sont tous deux heurtés à des difficultés intérieures lorsqu'ils ont tenté, à tour de rôle, de faire de l'Arctique un aspect particulier de l'*arms control*. En revanche, le général E.L.M. Burns bénéficie de conditions spéciales. En tant que conseiller auprès du gouvernement, il a la possibilité de s'adresser directement au Conseil privé, situation privilégiée dont ne bénéficieront pas ses successeurs. De plus, il a la confiance du ministre Green, homme austère par excellence, qui ne cache pas ses vues antinucléaires. Enfin, Burns est un militaire de carrière. Il peut à tout le moins prétendre qu'il connaît le sujet dont il parle.

Il propose donc, alors que le Comité des dix puissances s'est écroulé dans la foulée du retrait des Soviétiques de ce forum de négociations en juin 1960, un plan global de « désatomisation » de l'Europe. Le plan sera soumis au ministère des Affaires extérieures dans une lettre adressée par Burns, le 29 août 1960[30], à G.S. Murray, à R.H. Jay et à J.H. Taylor, ce dernier assumant encore en 1988 les fonctions de sous-secrétaire d'État aux Affaires extérieures. L'étude du plan se poursuivra sur plus de un an. Par ailleurs, elle intervient au moment où l'administration Kennedy prend le pouvoir aux États-Unis. Ce facteur ne manquera pas de remettre en cause toute la stratégie américaine au sein de l'OTAN. Dernier élément : les principales négociations du dossier se situent au niveau des relations entre le ministère des Affaires extérieures, notamment le Bureau du désarmement, et le ministère de la Défense. Rappelons aussi que ce n'est qu'en 1961 que le Bureau du désarmement sera considéré comme relevant du général Burns, même si le Bureau continue d'être considéré par le ministère des Affaires extérieures comme une simple unité administrative[31].

Deux mots sur la pensée du général Burns. Il n'aime pas les armements nucléaires, et il le dira dans son ouvrage *Megamurder*. Il n'aime pas non plus le projet américain qui consisterait à faire de l'OTAN une puissance nucléaire indépendante. Il le précise très clairement dans sa correspondance privée (!) avec N.A. Robertson, le 4 juillet 1960[32] : « Je pense que le gouvernement canadien doit décider s'il veut le désarmement nucléaire ou s'il est au contraire en faveur de l'armement nucléaire au sein de l'OTAN, avec tout ce que cela implique. Autrement dit, ses politiques de défense et de désarmement doivent être compatibles. » Tout cela est bien pensé, mais Burns s'aventure ici dans les grandes lignes d'une politique qui relève du Cabinet et non d'un conseiller.

Quoi qu'il en soit, il soumet en août 1960 un long document de neuf pages qui résume tant bien que mal ses vues en la matière. Que propose-t-il ? Essentiellement, quatre points :

- l'établissement d'une zone dénucléarisée en Europe. Cette zone serait sous contrôle international ;
- la négociation d'accords de réductions convenues entre l'Est et l'Ouest sur les forces classiques ;
- l'extension graduelle de la zone de « désatomisation » jusqu'à ce que celle-ci soit réduite aux seules forces de représailles nucléaires de l'URSS et des États-Unis ;
- l'élimination progressive des forces nucléaires soviéto-américaines de représailles jusqu'à l'établissement d'un désarmement général et complet.

Les éléments nouveaux du plan Burns consistent en l'insertion du plan dans un projet de désarmement général et complet, ainsi qu'en l'ajout de la notion de contrôle international sous les auspices de l'ONU. Par contre, il n'innove pas en liant l'établissement d'une zone désatomisée à la question de la réduction des forces classiques. Il reprend en cela la dernière version proposée du plan Rapacki, encore que dans son mémorandum il insiste sur la parité approximativement numérique, ce dont le plan Rapacki ne parle pas.

Pour ce qui est de la philosophie générale des négociations, le plan Burns constitue un retour aux thèses franco-britanniques du début des années cinquante, dans la mesure où il s'agit d'établir un plan de désarmement général et complet. Cela n'a rien d'incongru puisque les grandes puissances y reviendront progressivement de toute façon, l'accord de principe McCloy-Zorine en septembre 1961 étant le plus bel exemple de ce retour en force, du moins dans les mots, aux conceptions classiques du désarmement général et complet. En ce qui a trait à la stratégie proprement dite, Burns souhaite que les grandes puissances s'en remettent à une stratégie de « dissuasion minimale » qui reposerait principalement sur leurs forces de représailles hors de la zone désatomisée, en attendant que celles-ci conviennent de les éliminer totalement dans un programme de désarmement global.

Le projet de désatomisation de Burns se révèle cependant complexe. Dans un premier temps, il souhaite une zone d'exclusion de tous les véhicules porteurs balistiques, cette zone pouvant s'étendre sur 1 500 milles de part et d'autre de la ligne de démarcation Est-Ouest, en d'autres termes, depuis l'Islande jusqu'à l'Oural. Il reconnaît cependant qu'une vaste zone maritime occidentale serait ainsi franche d'armements nucléaires, alors que du côté soviétique on se limiterait à une zone terrestre, ce qui, pour l'inspection, impliquerait des concessions de souveraineté beaucoup plus importantes de la part de l'Est. Il propose donc que l'on se rabatte sur une zone qui s'étendrait depuis les frontières occidentales de l'Europe — à l'exclusion de la Grande-Bretagne mais y compris l'Espagne et le Portugal — jusqu'aux frontières orientales de la Pologne, y compris la Biélorussie et l'Ukraine. À l'intérieur de cette zone, il faudrait contrôler les véhicules porteurs, plus particulièrement les avions qui devraient être libres de tout armement atomique, tandis que l'artillerie atomique serait tout simplement interdite.

En gros, le général Burns ne veut pas toucher aux forces britanniques ; il ne désire pas, non plus, qu'il y ait déploiement en Europe de missiles balistiques à portée intermédiaire (Intermediate-Range Ballistic Missile (IRBM)) ; il espère que les États-Unis avec le remplacement de leurs B-47 par leurs B-52 n'auront plus besoin de l'Espagne comme base stratégique, et il souhaite l'exclusion des armements nucléaires tactiques dans la zone considérée. Pour ce qui est de la méthode, le plan possède un avantage certain. On parle de contrôle des véhicules porteurs atomiques. Rien n'est dit de la structure des forces classiques, si ce n'est que celles-ci doivent faire l'objet de réductions convenues. Les seules contraintes à appliquer porteraient donc exclusivement sur l'armement nucléaire.

Cela implique évidemment que les réductions convenues soient suffisantes pour permettre à l'Ouest de résister à une attaque soviétique par des moyens purement classiques. En d'autres termes, à quels niveaux faut-il fixer les effectifs classiques pour que le seuil nucléaire soit infranchissable ? Le général Burns avait déjà fait poser cette question au Comité des chefs d'état-major interarmes par l'intermédiaire d'une lettre qui lui fut adressée en ce sens par le sous-secrétaire d'État aux Affaires extérieures. Le maréchal de l'air F.R. Miller, qui a remplacé depuis peu le général Foulkes, répond au sous-secrétaire le 29 septembre[33]. Il lui dit en substance que les forces soviétiques sont estimées à 3,6 millions d'hommes. Pour qu'il y ait parité numérique, il faudrait, selon lui, qu'elles soient réduites à 1,7 million. Ce rapport représenterait 0,81 pour 100 de la population russe, et des pourcentages équivalents pour l'Ouest signifieraient que ses forces seraient réduites de 700 000 hommes. Il ajoute que les effectifs numériques ne sont pas les éléments les plus importants, puisque tout dépend du type d'armements dont ces forces disposent :

> Les meilleurs cerveaux se sont penchés sur ce problème depuis la Première Guerre mondiale [...] Je suppose qu'une façon de relier les effectifs au type d'armements en vigueur serait de prendre tous les plans de développement de l'OTAN à l'intérieur des limites fixées et de demander aux Soviétiques de ne pas excéder ces limites.

Il ne pense pas, et il termine ainsi sa lettre, non sans humour, que tout cela sera pris au sérieux par les Soviétiques!

Dans un long document de 13 pages, l'État-major interarmées (JS) (Joint Staff, JS) répond au mémorandum de Burns. Daté du 1er mars 1961, le texte émane du Joint Ballistic Missile Defence Staff[34] et il est donc ultérieur à la venue au pouvoir de Kennedy. À propos des forces classiques, on admet que la situation n'est pas aussi dramatique qu'on le pense. On estime qu'avant la fin de l'année 1961 la RFA disposera de 12 divisions. Avec un peu de chance, si les choses se passent bien en Algérie, on pourra disposer de deux ou trois divisions supplémentaires, ce qui pourrait porter le nombre total des divisions occidentales à environ 30, conformément aux décisions du Comité militaire de l'OTAN dans son document MC 70. Mais, selon l'État-major interarmées, tout cela n'est qu'une «présomption» sur la défense classique possible: «Il est vrai que la stratégie de l'OTAN évolue vers la défense classique, mais le plan Burns est contraire à la stratégie actuelle de l'OTAN.»

Sur le chapitre des vecteurs, on pense que les contrôles se révéleront extrêmement difficiles. Le problème sera plus épineux encore lorsque les engins à carburant liquide seront remplacés par des engins à carburant solide. Quant aux avions, la tâche sera aussi malaisée puisque tout appareil pourra transporter des armements nucléaires. La même chose peut être dite de l'artillerie pouvant être utilisée de façon classique ou nucléaire, en dépit des doutes qu'entretient le général Burns à ce sujet. De plus, à la suite des événements du Congo, on peut fortement douter de l'efficacité d'un organe de contrôle qui serait sous l'égide des Nations Unies.

Sans reprendre tous ces arguments fastidieux, le maréchal Miller répond directement à Burns le 6 mars 1961:

> À l'heure présente, une révision majeure de la stratégie de l'OTAN est en cours et la nouvelle administration vient de créer à cet effet le comité Acheson [...] Une nouvelle tendance se dessine vers une dépendance diminuée à l'égard des armes nucléaires tactiques et une plus forte importance accordée à la défense classique. On pense que le rapport Bowie a fait des recommandations en ce sens [...]
>
> Vos propositions prêtent le flanc à la critique d'un point de vue militaire. Jusqu'à ce que soit achevée la révision de la stratégie de l'OTAN, il est difficile de commenter vos propositions puisque les deux sujets sont reliés. De plus, le plus grand mérite de votre projet est sa dimension globale. L'examiner dans ses détails, dont plusieurs pourraient être non pertinents ou inexacts, risquerait de comporter plus d'inconvénients que d'avantages.

En résumé, on invite Burns à différer l'étude de son projet. Pour sa part, le Bureau de l'Europe est loin d'être convaincu que les Soviétiques accepteraient la parité nucléaire dans le contexte d'une zone dénucléarisée[35]. F. Yalden, du Bureau du désarmement, ne désarme pas pour autant. Il se rend compte que l'étendue de la zone à désatomiser constitue un problème en soi. Le 23 juin 1961, il écrit :

> Si nous réclamons une petite zone à la « Rapacki », les Français s'y opposeront, car on créera ainsi, selon leur propre terminologie, une « zone à limitations particulières » qui constituera en soi une forme de discrimination en Europe. De la même façon, les Allemands s'objecteront. Si, d'autre part, nous choisissons une zone trop grande, les Soviétiques prétendront qu'ils sont dans l'obligation de retirer une partie importante de leurs forces, tandis que les États-Unis maintiendront leurs sous-marins Polaris et d'autres systèmes d'armes à une portée de frappe de l'Union soviétique. Au fond [...] toute zone sera difficile à « vendre » à nos alliés ou sera tout simplement si partiale qu'elle sera inacceptable pour l'URSS[36].

Yalden estime trop grande la zone suggérée de 1 500 milles et trop petite la zone Rapacki. Il s'aventure donc à proposer une zone[37] qui s'étendrait depuis l'est de Paris jusqu'aux frontières orientales de la Pologne. Quant à l'étendue nord-sud de la zone envisagée, elle irait, à l'est, depuis le Massif central jusqu'en mer du Nord, et à l'ouest, depuis la Transylvanie jusqu'à la frontière lituanienne. Le 30 juin, le général Burns, sans s'occuper de la note de Yalden, propose à Miller les suggestions suivantes :

a) L'exclusion atomique ne porterait que sur les armements nucléaires tactiques ;
b) La zone à considérer devrait comprendre l'Europe de l'Ouest et l'Europe de l'Est, moins le territoire soviétique ;
c) Les forces classiques seraient gelées à leur niveau actuel ;
d) Les armes stratégiques devraient être considérées dans le cadre plus général de l'équilibre Est-Ouest en matière de vecteurs nucléaires[38].

Cette proposition est intéressante à plus d'un titre. L.J. Byrne, du Bureau du désarmement, a déjà proposé à Burns, le 20 juin 1961, que les restrictions d'exclusion atomique ne portent que sur les armements nucléaires tactiques. Il propose de plus que la RFA soit limitée en matière d'artillerie à des obus de calibre inférieur à 155 mm. Yalden se rallie à ce point de vue ainsi qu'à la zone proposée par Byrne en disant qu'elle comporte de nombreux avantages. En premier lieu, l'Allemagne n'est nulle part mentionnée ; on parle de longitudes et de latitudes. Elle ne saurait donc dire que ce plan est dirigé contre elle. En deuxième lieu, elle ne disposerait pas d'armements nucléaires tactiques. En troisième lieu, le « gel » des forces classiques sera acceptable lorsque le secteur Centre-Europe de l'OTAN bénéficiera des quelques divisions françaises libérées de la guerre d'Algérie. En quatrième lieu, les besoins de la dissuasion nucléaire de l'OTAN pourront continuer d'être assurés par les autres armes nucléaires à caractère stratégique. Ainsi, la France ne serait pas touchée dans le développement de son programme nucléaire.

Le point b) de la lettre de Burns soulève évidemment quelques difficultés. Outre le fait que la zone considérée priverait carrément l'OTAN de ses armes nucléaires tactiques, ce que le ministère de la Défense ne manque pas de souligner en disant que la chose pourrait être « désastreuse », elle plongerait l'OTAN dans la stratégie nucléaire du « tout ou rien » en cas de guerre classique en Europe. Or c'est précisément ce que cherchent à éviter les Américains avec leur stratégie de « riposte flexible ». Le but est évidemment de retarder le plus longtemps possible le recours aux armes nucléaires tactiques, sans pour autant s'interdire leur usage, du moins dans la doctrine affirmée.

Cependant, il semble bien que le Bureau du désarmement n'accepte pas ce point de vue. Dans son mémorandum[39] du 31 août à Burns, Byrne développe l'argumentation suivante. Premièrement, les études opérationnelles démontrent que les armes nucléaires tactiques n'apportent aucun avantage à celui qui entend les utiliser, peu importe que les opérations soient à caractère défensif ou offensif. Deuxièmement, et pour répondre aux préoccupations majeures des hautes autorités militaires qui s'inquiètent de la crise de Berlin, ces armes ne permettent en aucun cas de projeter à l'avant la puissance de feu. Elles ont un aspect purement défensif et ne donneront pas les moyens de se « faire un chemin jusqu'à Berlin ». Et troisièmement, le début de telles opérations déclencherait sans doute une guerre incontrôlable, « car le contrôle que nous en aurions serait sans doute moindre que celui dont disposait le Kaiser lorsqu'à la veille de la Première Guerre mondiale les forces allemandes furent mobilisées ».

En ce domaine, Byrne connaît bien son histoire. De plus, il a raison : aucun expert ne peut sérieusement prétendre que la guerre nucléaire tactique serait « contrôlable ». Et c'est là que le bât blesse, car si l'OTAN réclame des armes nucléaires tactiques, la RFA en particulier, c'est précisément pour éviter d'avoir à livrer une bataille, c'est-à-dire pour des raisons de dissuasion. Si Byrne et Yalden avaient davantage lu ce qui s'écrivait et se discutait en Europe à l'époque, ils auraient su que les seules contre-propositions que l'Ouest pouvait faire à la proposition Rapacki était de prévoir une zone d'exclusion atomique limitée à l'Europe centrale, au périmètre de laquelle les Occidentaux auraient pu encore disposer d'armements nucléaires tactiques. Ces suggestions furent faites par A. Philip et André Fontaine dans des écrits différents[40]. De telles suggestions ne seraient probablement pas venues à bout des réticences des Américains qui craignaient que l'acceptation d'un tel plan ne constitue un prélude à leur retrait de l'Europe, mais elles auraient eu le mérite au moins de pouvoir être « discutables ».

Le point c) n'est évidemment pas nouveau. C'est un retour, nous l'avons dit, à la dernière version du plan Rapacki. Le point d) est cependant loin d'être dépourvu d'intérêt. Dès 1961, il pressent les difficultés qu'éprouveront les Occidentaux à négocier l'option « double zéro » sur les armes nucléaires de théâtre de longue portée. C'est effectivement dans le contexte global des armes stratégiques Est-Ouest, même si l'on s'obstine encore à les qualifier de « tactiques », que seront conclus les accords sur l'élimination des forces nucléaires à portée intermédiaire (FNI). Et il aura fallu les pressions des États-Unis pour que le chancelier Kohl accepte à la fin de l'été 1987 que les Pershing IA soient retirés de l'OTAN.

Cela dit, nous sommes loin en 1988 de la situation que souhaitait Burns en 1961. La zone de « basse pression » que désirait Burns en Europe centrale constitue toujours une zone de « haute pression », dotée de milliers d'armements nucléaires tactiques. Cependant, ceux qui restent ne peuvent atteindre l'URSS. C'est un premier pas qui renforce certes l'idée d'un « sanctuaire européen », selon laquelle l'hypothèse d'une guerre nucléaire limitée n'est pas exclue, tandis que les grandes puissances conserveraient intacts leurs armements stratégiques, mais beaucoup de choses ont aussi changé depuis en Europe. Les potentiels stratégiques nucléaires britanniques et français existent. Ils ont même été renforcés, et tout indique qu'ils pourraient constituer un « noyau de dissuasion » suffisant pour assurer les besoins de la sécurité européenne sur une base régionale. En outre, les Américains ne se sont toujours pas retirés d'Europe. Leurs forces maritimes et l'affectation au SACEUR de 400 têtes nucléaires constituent une menace de représailles non négligeable. En définitive, l'interrogation que dès 1959 Christian Herter faisait peser sur l'issue d'un combat européen n'a pas changé. Il est impossible de savoir d'avance si les États-Unis risqueront leurs « os » pour la défense de l'Europe ! Entre-temps, la France et la Grande-Bretagne se sont dotées de moyens pour ne plus avoir à penser à cette hypothèse débilitante. Enfin, les conditions politiques sont aussi totalement différentes. L'Allemagne a réglé son contentieux avec les pays de l'Est, la Conférence sur la sécurité et la coopération en Europe (CSCE) a confirmé l'inviolabilité des frontières en Europe, et le voyage de Honecker à Bonn à la fin de l'été 1987 a réaffirmé, si besoin était, l'existence de deux « Républiques » séparées. Les vieilles thèses de la doctrine Ulbricht à l'Ouest et de l'*Abgrenzunz* à l'Est ne constituent plus que des relents défensifs vidés de leur substance.

Le projet Burns ne sera jamais discuté par les Occidentaux. L.J. Byrne ne veut pas que ces propositions soient transmises aux alliés, car, selon lui, « le ministère de la Défense pourrait amener le gouvernement canadien à changer de politique ». Rien dans les archives n'indique pourtant que le gouvernement canadien avait l'intention de se rallier au projet Burns. « Le résultat de tout cela, ajoute Byrne, serait que l'on pourrait utiliser ce projet contre nous, et c'est la raison pour laquelle mes collègues ici s'opposent à cette démarche[41]. » Tout cela est bien dit. De toute façon, Washington aurait à peine ouvert l'œil si elle avait été saisie de cette initiative...

À l'époque, tous les plans de désatomisation se seraient heurtés aux plus vives résistances. Une zone strictement européenne aurait été automatiquement rejetée par la France. Une zone à la « Rapacki » aurait aussi été jugée irrecevable par les Allemands de l'Ouest, sans parler des États-Unis qui ne concevaient de salut dans leur stratégie que dans la présence déployée des armements nucléaires tactiques. Lorsqu'ils font le bilan de ces propositions en 1962, les Britanniques sont très clairs :

> L'antipathie de nos alliés à tout plan qui a une odeur de désengagement est tellement nette que l'on n'a jamais eu l'occasion de défendre nos idées dans les circonstances présentes. Les

> Allemands sont particulièrement inquiets que de tels projets ne prennent le haut du pavé dans le cours des discussions sur le désarmement. Cette objection fondamentale est la raison principale à la base de leur insistance pour que le problème de Berlin soit réglé sur une base « étroite ». Les Français ont aussi manifesté leur suspicion et leurs appréhensions [...]
>
> En vue de rassurer nos alliés, nous avons déclaré à plusieurs reprises dans les négociations préliminaires que nous devons nous opposer à toute tentative soviétique de discuter quelque mesure que ce soit en matière de limitation régionale des armements.

Le 12 avril 1962, Ignatieff transmet le rapport britannique à Burns l'enjoignant, après avoir déclaré qu'après tout les vues des Britanniques n'étaient pas si éloignées que l'on pouvait le penser de celles de Burns, de leur demander de façon officieuse s'ils verraient un intérêt à reprendre ces discussions soit au Conseil de l'OTAN, soit au sein du Comité des dix-huit puissances[42]. Tout cela reste évidemment lettre morte. Si l'on pense encore à des zones de dénucléarisation au Comité des dix-huit puissances, c'est beaucoup plus en fonction des projets occidentaux de « non-dissémination » ou de « non-prolifération » des armements nucléaires, pour les autres régions, bien sûr, que celles de l'Europe.

Vu rétrospectivement, le plan Burns avait peu de chances de réussir. Il s'agit d'une initiative isolée, négociée à un palier gouvernemental peu élevé et sans l'accord des alliés du Canada. Par ailleurs, ses vertus intrinsèques étaient plutôt limitées, stratégiquement parlant. Et politiquement, ce plan avait ou bien la vertu d'être en avance sur son temps, ou bien l'inconvénient d'être totalement dépassé par rapport aux propositions discutées. Sur ce point en particulier, et uniquement sur ce point, car autrement le jugement serait trop sévère, Burns fut un homme du passé ou de l'avenir, mais il n'a guère été un homme de son temps...

Notes

1. Voir le chapitre 3.
2. Sauf mention contraire, toutes les dates des rapports et des lettres cités sont tirées des quatre dossiers suivants : 50271-B-40, 50271-K-40, 50271-N-40 et 50271-T-40. Les lettres alphabétiques renvoient donc aux volumes cités.
3. Dossier B, lettre du 2 juin de Holmes à Léger.
4. Dossier B, le 12 juin 1957.
5. Dossier du MDN.
6. Rapport du 9 octobre intitulé *Aerial Reconnaissance as a Method of Inspection Against Surprise Attack.*
7. Rapport du 15 octobre, *Telecommunications in Polar Regions.*
8. Rapport du 17 octobre, *Ground Controls : Mobile and Static.*
9. Bardufoss ou Bodo en Norvège, Thulé au Groenland, Resolute Bay dans les Territoires du Nord-Ouest, Fairbanks et Point Barrow en Alaska.
10. MDN, lettre du 31 octobre de Foulkes à Wilgress.
11. J. Klein, 1964, p. 194.
12. *Ibid.,* p. 197.
13. A/4078 et S/4145, 5 janvier 1959.
14. J. Klein, 1964, p. 199.
15. Dossier B, 2 juin 1958.
16. Voir notamment sa dépêche du 28 mai 1958 de Washington à Ottawa que nous n'avons pas jugée bon de citer ici.
17. Voir, à ce sujet, le chapitre 1.
18. Dossier B, 13 juin 1958.
19. Une bombe dans une valise, par exemple, précise le rapport.
20. Dossier B.
21. *Hansard,* 6 juin 1960.
22. Voir le chapitre 3.
23. Dépêche de Washington à Ottawa, 26 avril 1960, dossier K.
24. Dans les archives canadiennes relatives au désarmement, nous n'avons rien retrouvé des conversations privées qui auraient eu lieu à l'ONU, à la fin de 1957, entre H. Lange, de Norvège, Sydney Smith et le ministre Rapacki. Participaient également à cette réunion Manfred Lachs, aujourd'hui juge à la Cour internationale de La Haye, et autrefois étroitement associé, en Pologne, à la préparation du plan Rapacki, ainsi que John W. Holmes. Dans la correspondance échangée avec les auteurs (4 janvier 1987), John W. Holmes nous rappelle qu'au cours de ces discussions les Polonais auraient assuré les Canadiens que le plan Rapacki était bel et bien un plan polonais et qu'il n'avait nullement été imposé par Moscou. Manfred Lachs et le ministre Rapacki se seraient même rendus à Moscou pour convaincre les dirigeants soviétiques du bien-fondé de leur projet. Au cours de la réunion à New York, Lange et Rapacki se seraient la plupart du temps exprimés en allemand, les deux ayant subi la malheureuse expérience du camp de concentration durant la guerre. Et les Canadiens et les Norvégiens auraient bien précisé qu'ils ne parlaient qu'en leur nom personnel et non au nom de l'Alliance atlantique. C'est probablement au cours de cette rencontre que les Polonais auraient reçu l'appui des Canadiens à leur projet. Et Holmes ajoute fort à propos que l'un des objectifs de la rencontre était d'éviter que le porte-parole de la Maison-Blanche ne rejette du revers de la main un plan venant de l'Est au nom de l'Alliance atlantique et sans qu'aucun de ses membres n'ait été consulté au préalable. Ainsi, nous croyons que le procès-verbal de cette réunion pourrait avoir été consigné dans les archives Canada-Pologne que nous n'avons pas consultées.
25. J. Klein, 1964, p. 183.
26. Dépêche d'Ottawa à Genève, 12 avril 1962, dossier T.
27. Correspondance avec Jean Klein, 13 octobre 1987.
28. Note des auteurs : le texte cite à tort le mois de décembre 1958.
29. Dossier B.
30. Pas de numéro de dossier.
31. Voir le chapitre 1.
32. Dossier K.
33. Dossier K.

34. Voir le chapitre 1.
35. Note du 11 mai 1961 à Ignatieff.
36. Dossier N.
37. Conçue par L.J. Byrne du même Bureau.
38. Dossier N.
39. Dossier N.
40. Voir J. Klein, 1964, p. 188, 190.
41. Dossier N, 31 août 1961.
42. Dossier T.

Sources secondaires citées

Burns, E.L.M., *Megamurder,* New York, Pantheon Books, 1967.

Klein, Jean, *L'entreprise du désarmement, 1945-1964,* Toulouse, Cujas, 1964.

Dites-moi quelle espérance
*Doit obtenir mon maître à la persévérance**

5

La catéchèse de la persévérance

Le Canada et le Comité des dix puissances

En 1959 et en 1960, l'heure est au désarmement général et complet. À l'Assemblée générale des Nations Unies, les Britanniques proposent, le 17 septembre 1959, un plan global de désarmement général et complet, suivis des Soviétiques, le 18 septembre. À Camp David, les superpuissances sont convenues que le désarmement « était la plus importante question qui se pose au monde aujourd'hui ». Quelques mois auparavant, soit en juillet 1959, lors de la Conférence des ministres des Affaires étrangères sur Berlin, les ministres des Affaires étrangères décident de reprendre sur une « base paritaire » les négociations interrompues sur le désarmement depuis 1957. Ce communiqué est à la base de la résolution du 7 septembre 1959 de la Commission du désarmement de l'ONU qui prend acte de la création du Comité des dix puissances sur le désarmement.

Le Comité des dix puissances est composé à l'Ouest des représentants du Canada, des États-Unis, de la France, de l'Italie et de la Grande-Bretagne. À l'Est, les pays suivants sont représentés : la Bulgarie, la Pologne, la Roumanie, la Tchécoslovaquie et l'URSS. En résumé, ce sont les alliances Est-Ouest qui négocient. En réalité, le Comité des dix puissances n'est pas

* Corneille.

un organe des Nations Unies. Il résulte de la volonté des quatre puissances. Son lien avec l'ONU peut être inféré de diverses résolutions des Nations Unies, dont la résolution du 10 septembre 1959, puisqu'en prenant ce texte pour point de départ, le Comité des dix est invité à faire rapport à la Commission du désarmement. Dans sa résolution 1378 (XIV) du 20 novembre 1959, l'Assemblée générale des Nations Unies demande que la question du désarmement général et complet « soit étudiée et décidée dans les plus brefs délais possibles ».

L'ouverture des travaux du Comité des dix puissances a lieu à Genève, le 15 mars 1960. Son existence est de courte durée. Les pourparlers sont interrompus le 29 avril, pour permettre la tenue de la Conférence au sommet de Paris. Ils reprennent le 7 juin et se terminent le 28 juin, à la suite du retrait précipité, la veille, des représentants des pays du Pacte de Varsovie. En bref, le Comité des dix aura été saisi de trois propositions : celle des Occidentaux, le 16 mars 1960, celle de l'URSS, le 7 juin 1960 — soit le projet soviétique présenté aux chancelleries occidentales le 2 juin et déposé à Genève le 7 juin —, et le plan américain du 27 juin déposé précipitamment après le retrait des Soviétiques du Comité des dix puissances. Pendant longtemps, Moscou niera même l'existence de ce plan puisqu'il fut présenté en son absence.

L'échec de la Conférence au sommet de Paris en mai 1960 qui intervient dans la foulée de l'annonce par les Soviétiques du U2 américain abattu au-dessus de leur territoire constitue évidemment l'un des épisodes les plus marquants de la guerre froide. Lorsque Khrouchtchev se rend à Camp David, en septembre 1959, pour rencontrer le président Eisenhower, il est déjà au courant de ces vols. Les deux puissances n'en conviennent pas moins de l'importance prioritaire du désarmement général et complet. André Fontaine pense que le secrétaire d'État Herter « s'est mis les pieds dans les plats » en justifiant les vols de reconnaissance américains au lendemain de l'incident du U2, ce qui ne laissait aucune porte de sortie à Khrouchtchev[1]. Quoi qu'il en soit, le numéro un soviétique conclut, à partir de cette date, qu'il n'y a plus rien à tirer du président Eisenhower qui, dira-t-il plus tard, n'a pas de volonté et est tout juste bon à diriger un « jardin d'enfants ».

Les travaux du Comité des dix puissances chevauchent en outre les deux crises de Berlin, celle du premier ultimatum de novembre 1958 et celle de l'érection du mur de Berlin en août 1961. De plus, les pourparlers ont lieu au moment de la plus grave des interrogations américaines de la guerre froide : Washington pourra-t-il riposter si jamais les Soviétiques attaquaient en premier ? On sait que ce n'est qu'en 1960 que les premiers sous-marins américains deviennent opérationnels, tandis que les tests de la première fusée Minuteman n'interviennent que le 1er février 1961. En 1962, c'est la crise de Cuba. Grâce à leurs satellites et à l'affaire Penkowski qui sera révélée plus tard, les États-Unis savent que les Soviétiques n'ont pas les moyens de faire la guerre, dans un cas, et ne sont pas prêts à la faire pour Cuba, dans l'autre.

TABLEAU 4

Le Comité des dix puissances

Origine :

Conférence des ministres des Affaires étrangères sur Berlin, déclaration de juillet 1959 (la Conférence se déroule du 11 mai 1959 au 5 août 1959).

Création :

Le 7 septembre 1959. La Commission du désarmement prend acte de la création du Comité des dix puissances.

Mandat :

Promouvoir le désarmement général et complet sous un contrôle international efficace.

Composition :

Canada, États-Unis, France, Italie et Grande-Bretagne ; Bulgarie, Pologne, Roumanie, Tchécoslovaquie et URSS.

Ouverture des travaux :

Le 15 mars 1960 :

- 1re session : du 15 mars au 29 avril 1960 ;
- 2e session : du 7 au 28 juin 1960.

Ajournement *sine die* :

Le 28 juin 1960.

Principales propositions présentées :

- les propositions occidentales du 16 mars 1960 ;
- la proposition soviétique du 7 juin 1960 ;
- la proposition américaine du 27 juin 1960.

En Europe, les États-Unis songent à faire de l'OTAN la quatrième puissance nucléaire du monde. Le ministre de la Défense allemand Strauss se rend même à Washington pour réclamer la mise à la disposition de l'OTAN de fusées Polaris. En Asie, la Chine communiste estime que Moscou ne peut rien tirer des Occidentaux, ce qui explique en partie, peut-être, le retrait des Soviétiques du Comité des dix puissances. À Moscou même, on sait aujourd'hui qu'à l'issue de la réunion secrète du Comité central en décembre 1959, les Soviétiques ont décidé de couper du tiers leurs effectifs militaires classiques[2]. Moscou comprend vite les réalités de l'ère nucléaire. Il faut fonder la défense sur les forces de dissuasion. À la suite de la crise de Berlin en 1961 et de divers remous intérieurs, les réductions classiques envisagées par Khrouchtchev sont interrompues au milieu de l'année 1961. En 1960, les forces soviétiques sont estimées à 3,6 millions d'hommes. Elles passent à 3 millions en juillet 1960, pour ensuite remonter à 3,8 millions avant de revenir, en 1962, au niveau existant en 1960.

Les plus belles heures de l'ère khrouchtchevienne se situent donc entre 1960 et 1962, c'est-à-dire depuis la Conférence au sommet de Paris avortée et la crise de Cuba en 1962. Entre-temps, le jeune et bouillant président américain John F. Kennedy assume la présidence en janvier 1961. Les conditions changent, mais Khrouchtchev reste ce qu'il est. La rencontre des deux « K» à Vienne, à l'été 1961, convainc le président américain du fait que seule la fermeté pourra venir à bout des comportements erratiques de l'URSS. L'ONU, quant à elle, est en pleine crise: celle du Congo, celle de son secrétaire général, Dag Hammarskjöld, violemment dénoncé par Khrouchtchev qui réclame, en son lieu, l'instauration d'une troïka ou d'un triumvirat qui représenterait les trois mondes, c'est-à-dire les blocs socialiste, capitaliste et neutre.

LES POURPARLERS PRÉLIMINAIRES

De février à mars 1960, les cinq puissances occidentales se réunissent à Washington, puis à Paris, pour préparer le plan occidental qu'elles présenteront à Genève, le 16 mars 1960. Larry Weiler, du Département d'État, dira plus tard de cette proposition qu'elle fut constituée à partir « de colle et de ciseaux» et qu'elle représentait, selon les confidences mêmes d'un Soviétique, « un compromis généralisé dont l'entendement échappait à l'expert le plus chevronné[3] ». Tout cela relève à peine de la caricature. La vérité est que la proposition américaine s'inspire du plan Selwyn Lloyd présenté à l'Assemblée générale des Nations Unies le 17 septembre 1959. Les Canadiens et les Italiens déclarent qu'ils n'ont pas l'intention de présenter des plans de rechange. Les discussions ont donc largement lieu entre Américains, Britanniques et Français.

Les États-Unis songent à un plan de désarmement général en deux étapes, les Britanniques à un plan en trois étapes. Ceux-ci souhaitent que durant la première étape on se limite: 1. à entériner les accords qui pourraient intervenir sur les négociations à trois sur la suspension des essais nucléaires; 2. à établir l'Organisation internationale de désarmement (OID) ; et 3. à recueillir des informations sur le niveau des effectifs et des armements, pour ensuite passer à une première tranche de leurs réductions. Les Britanniques soutiennent qu'ils s'inspirent ainsi de propositions défendues par la France qui estime que la limitation des systèmes d'armements s'avère plus importante que la réduction des effectifs militaires proprement dite. Les armements réduits seraient « séquestrés » dans des dépôts sous le contrôle de l'OID. La première étape comprendrait, en outre, la notification des objets lancés dans l'espace, la tenue de conférences pour prévenir une attaque par surprise, pour établir un système destiné à garantir l'utilisation pacifique de l'espace et pour définir le rôle qu'aurait l'OID à mesure que progresseraient les démarches convenues dans la première étape.

Au cours d'une deuxième étape, il faudrait effectuer d'autres réductions militaires, convoquer une conférence mondiale du désarmement pour fixer les niveaux d'armements des autres puissances, renforcer l'OID, mettre un terme à la production des matières fissiles, réduire les stocks nucléaires militaires et les transférer graduellement à l'OID, entreprendre des études pour interdire les armes biologiques et chimiques ainsi que les armes de destruction massive et prévoir d'autres mesures reliées à celles qui auraient été entreprises au cours de la première étape.

En troisième phase interviendraient toutes les interdictions sur les armements de destruction massive — biologiques, chimiques et nucléaires — pour ce qui est de leur fabrication et de leur usage de même que leur élimination finale et la réduction de tous les effectifs aux seuls niveaux compatibles avec les besoins de la «sécurité intérieure» et les obligations découlant de la Charte des Nations Unies[4]. Il n'y a pas de préalables politiques au franchissement des diverses étapes, si ce n'est que le tout doit se faire sous contrôle international efficace. Aucun calendrier d'échéance n'est prévu pour ces trois étapes.

La France s'objecte aux propositions britanniques qu'elle trouve peu nouvelles et originales. Elle insiste sur trois points particuliers. En premier lieu, on devrait introduire dans la première étape l'élimination des véhicules porteurs du feu nucléaire. En deuxième lieu, il faudrait rendre le franchissement d'une étape à l'autre contingent à l'approbation du Conseil de sécurité de l'ONU. Enfin, en troisième lieu, elle souhaite qu'un calendrier d'étapes soit établi puisque le dernier plan soviétique de septembre 1959 prévoit le déroulement des opérations du désarmement en quatre ans.

Les propositions occidentales sont déposées à Genève le 16 mars, après avoir été discutées et approuvées par le Conseil de l'OTAN. Elles reprennent essentiellement le plan britannique, la seule concession majeure faite à la France étant l'élimination des véhicules porteurs — les missiles seulement — au cours de la deuxième étape. Rien n'est dit du Conseil de sécurité de l'ONU. Au contraire, on prévoit définir les pouvoirs de l'OID ainsi que ses relations avec l'ONU à la suite d'une «étude commune» au sein du Comité des dix puissances. D'une étape à l'autre, il n'y a pas d'échéance fixe. L'objectif est le désarmement général et complet qui interviendrait selon des «phases et des réductions équilibrées», vérifiées par l'organisation internationale appropriée.

Au cours de la première étape, les effectifs classiques seraient réduits à 2,5 millions d'hommes pour l'URSS et les États-Unis, puis à 2,1 millions au cours de la deuxième étape, tandis qu'en troisième et dernière phase seules seraient maintenues les forces compatibles avec la sécurité intérieure et les obligations découlant de la Charte.

En phase 1, on prévoit aussi toute une série d'études pour assurer l'utilisation pacifique de l'espace, la mise en œuvre d'accords de notification au préalable des lancements de véhicules dans l'espace, ainsi que ceux qui sont destinés à promouvoir la cessation de production de matières fissiles à des fins militaires.

Au cours de la deuxième étape, on propose l'interdiction de mise sur orbite de véhicules porteurs d'armes de destruction massive, la cessation de production de matières fissiles et la conversion de certaines quantités à des fins d'utilisation pacifique. On ne trouve rien à propos des sous-marins ni des avions. Finalement, en troisième étape, les armements seraient réduits à des niveaux compatibles avec la sécurité intérieure, tandis que seraient éliminées toutes les armes de destruction massive et que l'espace serait réservé aux seules fins d'utilisation pacifique.

Nous passons sous silence d'autres clauses qui portent soit sur la façon de prévenir une attaque par surprise, soit sur les études à entreprendre. Un dernier élément du plan occidental est la constitution d'une force de police internationale, destinée à assurer la paix mondiale, sur la base du respect du droit international.

En résumé, les Occidentaux proposent un menu apprêté à toutes les sauces, susceptible de tenir occupée pendant des décennies une armée de spécialistes, et qui n'a pas la moindre chance d'être accepté, à moins de s'en remettre à la discussion de menus détails qui, de proche en proche, pourraient avoir l'air de ressembler à des pièces de casse-tête lesquelles, une fois rassemblées, constitueraient l'amorce d'un début de plan cohérent et sensé.

LA DYNAMIQUE DES NÉGOCIATIONS

Dès l'ouverture des négociations, l'URSS s'en tient à son plan de désarmement général et global du 18 septembre 1959. Celui-ci a le mérite de la simplicité. Les deux premières étapes du plan ne concernent que les réductions classiques. Au cours d'une première étape, les effectifs seraient réduits à 1,7 million d'hommes pour l'URSS, les États-Unis et la République populaire de Chine, et à 650 000 hommes pour la France et la Grande-Bretagne. Lors d'une deuxième étape, on licencierait toutes les forces armées et l'on supprimerait les bases militaires situées en territoires étrangers. En troisième étape interviendraient l'élimination des armes de destruction massive et la destruction des stocks existants. Quant à l'organe de vérification, il aurait librement accès aux « objets de contrôle ». Le contrôle serait progressif et dépendrait du degré de désarmement réalisé à chacune des étapes.

En somme, le plan soviétique est aussi complètement dépassé puisque les armes les plus importantes — le nucléaire — ne seraient éliminées qu'en dernière phase. Il tient néanmoins compte de la sempiternelle critique occidentale selon laquelle l'Ouest ne pouvait se priver du nucléaire dans la mesure où le bloc socialiste disposait d'une écrasante supériorité numérique. En réduisant de part et d'autre les effectifs classiques au cours de la première phase à des niveaux convenus ou convenables, les deux parties pourraient peut-être aussi finir par s'entendre, dans la deuxième phase, sur des niveaux de dissuasion nucléaire minimale, quitte à les éliminer totalement par la suite en cas de rétablissement d'un climat de confiance réciproque. En 1960, on en est loin. De plus, l'URSS refuse comme toujours de s'en remettre à un organe de vérification qui satisfasse les Occidentaux.

À l'ouverture des travaux du Comité des dix puissances, le scénario classique des négociations antérieures se répète. Les États-Unis veulent négocier à la « pièce détachée ». Les Soviétiques, quant à eux, demandent l'acceptation globale de leur plan. Ils insistent sur la négociation de « principes » de désarmement, conformément à la résolution 1378 (XIV), qui pourraient mener, selon eux, à l'acceptation d'un traité en bonne et due forme. Le 24 mars, le général Burns conclut que tôt ou tard « il faudra bien leur dire clairement qu'un plan global qui pourrait être réalisé à l'intérieur d'une limite de temps déterminée n'est pas négociable[5] ». Dès le 31 mars, Moch laisse aussi à croire que le plan soviétique ne peut être accepté comme seule base de négociation.

Le 4 avril, Ottawa informe Burns qu'il est d'accord avec cette ligne de pensée, mais qu'il faut à tout prix éviter de « rester coi[6] » ou de donner l'impression que « le sommet arrangera tout ». Le même jour, Burns décrit assez bien l'atmosphère des négociations. D'après lui, Frédéric Eaton n'a guère d'expérience dans ce genre de discussions, tandis que Moch et Ormsby-Gore sont de fins négociateurs : « Chaque fois que l'un ou l'autre de ses collègues propose une démarche ou un changement de tactiques, la réaction d'Eaton est généralement négative ou va dans le sens de la procrastination[7]. » Il déplore donc le manque de leadership américain. Il est vrai qu'à l'époque la diplomatie américaine est largement portée à bout de bras par les Européens. En réalité, Eaton relève directement du président Eisenhower. Or celui-ci, dans les derniers mois de son mandat, n'a pas l'intention de mettre le monde à l'envers…

Il revient donc à Moch de dégager, le 23 mars, les six points d'accord entre l'Est et l'Ouest[8], mais il obtient peu de précisions sur la question de la simultanéité du contrôle et du désarmement recherchée. Le 12 avril, Zorine informe Eaton qu'il ne doit pas prendre au pied de la lettre toutes les propositions qui seront faites dans les prochains jours comme « la position finale » des Soviétiques. Zorine attend probablement des directives de Moscou, et le but des opérations vise sans doute à faire durer les pourparlers jusqu'à la date de leur suspension prévue pour le 29 avril. Les Britanniques décident à la même époque que la discussion du document soviétique sur les « principes » a assez duré et qu'il est temps de passer à la critique.

Le 26 avril, Moch intervient donc au nom des cinq Délégations occidentales en présentant un document sur les principes et les conditions de la réalisation d'un désarmement général et complet. Dans son intervention, il lie tout accord à quatre conditions :

- le désarmement par étapes ;
- l'imbrication du désarmement nucléaire et classique ;

- le contrôle continu et efficace;
- la progressivité des négociations[9].

Ce n'est évidemment pas ce que le bloc de l'Est veut entendre. On qualifie ce document «de la onzième heure». Trois jours plus tard, les travaux sont suspendus avec l'espoir que de la Conférence au sommet de Paris sortiront de nouvelles directives susceptibles de relancer les négociations sur une nouvelle base.

On aura effectivement une nouvelle base; mais en pleine guerre froide à la suite de l'incident du U2, les Soviétiques ne trouvent rien de mieux que de soumettre, le 7 juin, à la reprise des travaux, un nouveau plan de désarmement général et complet que Khrouchtchev avait dans sa poche au moment de la Conférence au sommet de Paris qui a avorté.

Les premières réactions occidentales furent de considérer le nouveau plan soviétique comme un geste de propagande. Pourtant, le plan du 7 juin répond à certaines attentes: à celles de la France en particulier, qui réclame un contrôle sur les véhicules porteurs et un droit de regard du Conseil de sécurité de l'ONU sur l'approbation des cheminements d'une étape à l'autre. C'est assez habile, sauf que sur tous les autres points le projet est irrecevable.

Le plan du 7 juin supprime le calendrier de quatre ans, mais demande dans une première étape — fixée de un à un an et demi — la suppression de tous les véhicules porteurs d'armes nucléaires, tandis que les réductions des forces classiques seraient reportées à la deuxième étape. Outre le fait que personne ne pouvait prendre au sérieux l'élimination brutale de tous les armements nucléaires en une période aussi courte, la proposition soviétique ne faisait que renvoyer les Occidentaux à leur crainte cent fois affirmée de l'impossibilité d'une défense sans armes nucléaires contre un adversaire supérieur en nombre. On réclamait aussi dans la première étape la liquidation des bases étrangères avec leurs stocks et équipement, ce qui revenait au même que de demander le retrait des Américains de l'Europe.

À la mi-juin, les Canadiens annoncent leur approche du *package* — exposée par Green à Istanbul lors de la réunion du Conseil de l'OTAN — ou de la corbeille de négociation qui consiste à prendre les éléments les plus positifs dans les projets déposés de part et d'autre, afin d'en faire la trame d'une négociation. À la même époque, Eaton s'envole à Washington pour y recueillir de nouvelles directives. Il en reviendra avec un plan «frais émoulu» qui devait recevoir l'accord des alliés et de l'OTAN avant d'être déposé. Il n'en fut rien. Les Soviétiques se retirent le 27 juin. Pour sauver la face, les Américains déposent leur plan en l'absence des pays du bloc de l'Est.

Dès le 21 juin, le délégué polonais Naszkowski informe Burns qu'il n'y a plus rien à attendre du président Eisenhower, d'autant plus que Khrouchtchev a perdu toute confiance en lui. Était-ce un avertissement? Il est difficile de le savoir. Dans son rapport du 30 juin, Burns conclut que les Soviétiques ont fait un « travesti » de la présidence polonaise. Naszkowski « qui d'habitude parle en francais s'est exprimé en russe au moment de la séance du retrait » des Délégations des pays de l'Est, écrit Burns. La réalité est peut-être ici que les Polonais n'ont pas eu le temps de traduire la note qui leur avait été remise par les Soviétiques. Tout semble indiquer ici, selon Burns, que le retrait a été décidé la fin de semaine des 25 et 26 juin, lors de la réunion à Bucarest des représentants des partis communistes.

LA POSITION CANADIENNE

On ne saurait se limiter ici aux seules interventions canadiennes au sein du Comité des dix puissances. En effet, la question du désarmement général et complet préoccupe non seulement les chancelleries occidentales, mais aussi l'ONU qui tend à jouer un rôle de plus en plus actif en la matière. Elle est aidée en cela par la diplomatie soviétique qui cherche à introduire dans tous les organes des Nations Unies des projets de résolution sur le désarmement. Non satisfaite d'avoir mis fin aux travaux du Comité des dix puissances, l'URSS menace aussi de se retirer de la Commission politique de l'ONU si elle n'obtient pas gain de cause sur ses projets de désarmement. La XVe session de l'Assemblée générale se termine dans l'impasse. Durant toute l'année 1961, on continuera de tenter de trouver une solution à la reprise des pourparlers sur le désarmement. Le Canada s'y emploiera ; en ce domaine, nul doute qu'il a déployé une énergie débordante sous la houlette de son ministre des Affaires extérieures, Howard Green.

Les zones d'intervention de la diplomatie canadienne

On peut résumer de la façon suivante les points forts (!) de la diplomatie Green :

1. Renforcer l'ONU ;
2. Mettre un terme au nucléaire ;
3. Élargir les assises du désarmement et négocier jusqu'à l'épuisement.

Renforcer l'ONU

En ce qui a trait aux points 1 — Renforcer l'ONU — et 3 — Élargir les assises du désarmement et négocier jusqu'à l'épuisement —, la politique canadienne fluctue entre le réalisme politique et l'idéalisme un peu béat. Le Canada, dont la fidélité à l'ONU n'a jamais été mise en cause, a raison dès le début de s'inquiéter du fait que le Comité des dix puissances n'est pas une création de l'ONU. Il tentera donc, par tous les moyens possibles, de bien situer le rôle de cette institution internationale dans la mise en œuvre des accords de désarmement qui pourraient résulter des négociations de Genève. Sur de nombreux points, il obtiendra gain de cause. Il a tort cependant de s'imaginer qu'en créant un sous-comité consultatif au sein de la

Commission du désarmement les négociations s'en porteraient mieux, surtout dans le contexte à l'époque de la méfiance réciproque entre les grandes puissances. Nous traiterons cette question dans une prochaine section.

En matière de stratégie de négociations, Howard Green annonce ses couleurs dès l'ouverture des travaux préparatoires à Washington. Dans un document préparé le 21 janvier 1960, N.A. Robertson, sous-secrétaire d'État, définit les paramètres de la politique canadienne. Ceux-ci doivent comprendre les points suivants:

1) L'objectif fondamental doit être celui du désarmement maximum et de la réduction des forces vérifiables et contrôlables, et compatibles avec les besoins d'une sécurité adéquate contre l'agression.
2) Le désarmement doit être accompli par étapes. Toutefois, la première étape [...] devrait comprendre des mesures substantielles de désarmement concret [...]
3) Une organisation internationale de contrôle est nécessaire [...] De préférence, elle devrait être un organe des Nations Unies ou leur être reliée.
4) Il faut développer un plan global destiné à prévenir des attaques par surprise [...] La priorité doit être accordée à la mise au point de méthodes de contrôle sur les missiles porteurs de l'arme nucléaire ou d'armes de destruction massive.
5) Les États doivent en arriver à un accord pour interdire l'utilisation de satellites artificiels de la Terre comme porteurs d'armes nucléaires ou offensives.
6) La réduction des armements doit être réalisée en fonction des systèmes d'armes et d'équipement plutôt que sur le principe de la base numérique des effectifs.
7) À mesure que seront réduits les armements, une autorité internationale sera établie et disposera d'une force militaire suffisante pour contraindre l'agression. Cette autorité relèvera des Nations Unies de préférence.
8) La production de matières fissiles à des fins militaires doit cesser [...]
9) Il faut interdire la production d'armes biologiques et chimiques à des fins de guerre générale [...]

On le voit, il ne s'agit pas là d'un plan d'ensemble, mais d'une position pragmatique, largement développée par le général Burns au cours de ses conversations antérieures avec les pays alliés. L'accent est d'abord mis sur la réalisation de mesures concrètes, puis sur le contrôle des missiles, sur la création d'une force de police internationale et sur l'établissement d'un organe de contrôle relevant tous deux des Nations Unies. Ces neuf principes généraux retiennent l'attention du Cabinet et sont approuvés par celui-ci le 25 janvier 1960[10].

Un mois plus tard, soit le 29 février 1960, un second mémoire est préparé à l'intention du Cabinet. On rappelle que le plan américain a été soumis aux critiques persistantes du général Burns et des alliés français et britannique. On souligne de nouveau que le Canada insiste pour prévoir une meilleure articulation entre l'ONU et les organes de contrôle et de maintien de la paix prévus dans les plans de désarmement. On apprend aussi que, grâce à la persévérance du Canada et sans doute aussi à celle de la France — même si on ne le dit pas —, les États-Unis acceptent d'inclure dans le plan occidental une clause sur la reconversion des matières fissiles à des fins pacifiques. Les Américains concèdent ce point sous réserve qu'une position occidentale commune soit développée à cet égard. Il n'en sera rien, comme la France le constatera à son grand déplaisir plus tard. Paris demande, pour des raisons bien évidentes, que soit précisée la date d'entrée en vigueur de cette clause. Tout cela restera lettre morte. Il est bien difficile de définir ce que demain sera…

Les recommandations au Cabinet insistent donc pour que des précisions plus importantes soient fournies quant aux responsabilités de l'ONU en matière de contrôle et de maintien de la paix. Si les demandes canadiennes ne sont pas incorporées dans le plan occidental, le général Burns est autorisé : 1. à mettre sous réserve la position canadienne ; 2. à continuer d'exprimer son insatisfaction ; et 3. à conserver son droit, si jamais on décide de publier le plan occidental, d'expliquer les réserves canadiennes à cet égard. On ne voit pas très bien l'usage d'un tel mémoire au Cabinet puisqu'il s'agit là fondamentalement d'une stratégie de négociation sur laquelle le ministère des Affaires extérieures a toute autorité. Il conserve son droit de parole, quoi qu'il arrive, et personne ne saurait bien sûr le lui enlever.

Cette démarche sera cependant typique de la façon de faire de Green qui, en tout temps et en tout lieu, se fera un devoir de tenir régulièrement informé le Cabinet canadien de la position canadienne. Il le fera aussi bien « à la maison », c'est-à-dire à Ottawa, qu'à l'extérieur, c'est-à-dire à Washington. De plus, en dépit des conflits entre le ministère des Affaires extérieures et celui de la Défense, la procédure bureaucratique de consultations est régulièrement maintenue, du moins durant la période des négociations du Comité des dix puissances ou de celles qui suivront à l'ONU durant plus de un an. De la même façon, les consignes entre Genève et Ottawa sont scrupuleusement respectées.

Sur les points qui intéressent le Canada, on apprend le 1er mars[11], par George Murray, du Bureau de l'ONU, que les États-Unis donnent l'assurance que les revendications canadiennes sont fondées et que mention sera faite dans le plan occidental du rôle de l'ONU. Cette « lacune », dit-on, sera comblée. Les États-Unis ne sont guère prêts à aller plus loin, car les positions occidentales respectives sont très éloignées à ce propos. Le Canada entend consacrer un large rôle à l'ONU tant du point de vue du contrôle que de celui du maintien de la paix, deux questions qui seront régulièrement mentionnées dans les dépêches sous les titres d'« Organisation internationale de désarmement » et de « Mécanisme de maintien de la paix ». De son côté, la France veut bien d'un rôle des Nations Unies, mais elle entend revenir à la stricte interprétation des pouvoirs du Conseil de sécurité sans plus. Quant aux Britanniques, ils ne sont pas pressés d'en parler, surtout pour des raisons tactiques, car, estiment-ils, il faut d'abord développer une position commune occidentale sur les problèmes de fond avant de s'attaquer aux études des mécanismes de vérification et de maintien de la paix.

Les Canadiens l'emportent donc sur certains points. Le rôle de l'ONU est signalé dans la mesure où des études sont prévues à ce sujet en phase 1. La priorité à accorder à la mise au point de méthodes de contrôle sur les missiles est aussi mentionnée, mais en phase 2, et cette concession est largement due à l'insistance du délégué Moch qui s'était fait un honneur de défendre ce point de vue depuis 1959 déjà. Le problème de la reconversion des matières fissiles à des fins pacifiques est aussi inclus dans le plan occidental, mais sous forme d'études à entreprendre en phase 1 et d'accords à négocier en phase 2.

Les discussions au sein du Comité des dix puissances sur le rôle de l'ONU ne sont qu'épisodiques. Les Soviétiques ne nient pas l'importance de l'ONU en ce qui a trait aux mécanismes de contrôle, mais ils sont plus que réticents, surtout à la suite de l'affaire du Congo, à discuter d'une force de police internationale. Le sujet revient sur le tapis en avril avec une déclaration du délégué italien Cavaletti. Celui-ci, à son grand embarras par la suite, s'appuie dans ses déclarations sur un document préparé par la France lors des discussions préliminaires de Washington. Or la distinction était loin d'être claire à l'époque entre l'organe de contrôle et les mécanismes éventuels à établir pour assurer l'ordre et le maintien de la paix dans un monde désarmé. Cette déclaration amène par la suite Dragan Protitch, du Secrétariat de l'ONU, à rédiger pour « information personnelle » un long document sur le rôle indispensable de l'ONU dans l'entreprise du désarmement. En fait, il semble bien que ce document ait été rédigé par le Canadien William Epstein, aussi attaché au Secrétariat de l'ONU. Toute autre solution, lit-on dans ce document, déboucherait sur un incroyable « méli-mélo ». On a utilisé en anglais *minimish* — la contraction de minimiser et de mélange. Un tel néologisme, cela va de soi, ne manque pas de saveur !

En marge de la note de transmission du document Protitch, Green écrit : « Ce mémoire provient de William Epstein « le nôtre », ils — les gens du Secrétariat [de l'ONU] — ne connaissent pas mes anciens subalternes ! Je doute que cet avis constitue une opinion autorisée du Secrétariat et, si elle l'est, ils devront s'asseoir et reconsidérer leur document[12]. » Nous n'avons pas l'intention d'étudier ici ce texte. L'incident Cavaletti est cependant assez sérieux pour amener Ritchie, à New York, à s'interroger sur la pertinence d'une invitation du Comité des dix puissances au secrétaire général. À Ottawa, Norman A. Robertson pense aussi de la même façon. Dag Hammarskjöld pourrait ainsi défendre le point de vue de l'ONU et fournir des précisions supplémentaires sur le rôle qu'il serait souhaitable pour elle d'assumer en matière de désarmement.

Après la rencontre entre Ritchie et Hammarskjöld le 6 avril, on apprend que cette question a déjà fait l'objet de discussions entre le secrétaire général et Wilcox, du Département d'État. On rappelle qu'à Genève Zorine ne s'est pas élevé contre le rôle de l'OID, mais bien plutôt contre celui de l'ONU en matière de maintien de la paix. Les Soviétiques soutiennent à ce propos que la Charte des Nations Unies est suffisante et que l'Ouest tente tout simplement de supplanter l'ONU par l'institution d'une organisation parallèle. Le secrétaire général précise qu'en privé les Délégations des pays de l'Est réclament que l'organe de contrôle soit « subsidiaire » aux Nations Unies. Le télégramme ne précise pas ici s'il s'agirait soit d'une « institution spécialisée », soit d'un « organe subsidiaire », ou encore de l'Assemblée générale ou du Conseil de sécurité, ce qui, dans les trois cas envisagés, poserait de façon bien différente le problème du droit de veto[13].

Quoi qu'il en soit, le secrétaire général hésite à répondre à une invitation officielle du Comité des dix puissances. Il dit que cette question sera sans aucun doute discutée lors de la rencontre des ministres des Affaires étrangères, prévue à la mi-avril, à Washington. De plus, il a l'intention de rendre visite au général de Gaulle à Paris, le 26 avril. Peut-être pourrait-il profiter de son voyage à Paris pour faire un saut à Genève, quelques jours plus tard? La procédure serait moins officielle et n'aurait pas besoin d'être annoncée longtemps d'avance. Les choses en resteront là, car l'après-Paris, dans le contexte de l'échec de la réunion officielle Khrouchtchev-Eisenhower qui n'a jamais eu lieu, c'est un peu l'« enfer » des années de la guerre froide.

Par ailleurs, dans un télégramme expédié à New York le 5 avril, J.H. Taylor avait bien précisé la position canadienne. Il ne s'agit pas d'une relation statique entre l'organe de contrôle et l'ONU, mais bien plutôt d'une relation dynamique qui évoluera au fur et à mesure des accords conclus, la priorité devant sans doute être accordée au début de l'opération à la constitution de l'organe de contrôle, et à l'organe du maintien de la paix à la fin des opérations. Entre-temps des études s'imposent, et il n'est guère possible alors de tout préciser d'un seul trait de plume.

Avant de passer à la discussion de la politique antinucléaire du ministre Green, disons quelques mots des relations qui existent à l'époque entre le ministère de la Défense et celui des Affaires extérieures. Nous avons déjà rappelé au premier chapitre tous les problèmes relatifs à la coordination des politiques entre les deux Ministères. Le conflit n'éclatera au grand jour qu'après la crise des missiles de Cuba. Le Comité des dix puissances oblige cependant le ministère de la Défense à se pencher d'assez près sur les problèmes du désarmement. De son côté, Burns ne se prive pas de demander à la Défense des études de toutes sortes. Outre les dix sujets mentionnés au premier chapitre, une bonne dizaine d'autres viendront s'ajouter à cette liste. Un élément en particulier est rédigé à la demande de Burns qui s'intéresse au plus haut point à la question des attaques par surprise et à celle des contrôles à établir sur les véhicules porteurs[14]. En réalité, Burns s'interroge sur l'éventualité de doter obligatoirement les missiles nucléaires de mécanismes d'« autodestruction[15] », afin d'éviter une guerre déclenchée par un accident ou un malentendu.

En réponse à la demande de Burns, le général Foulkes, ou plutôt ses subalternes, lui « fagote » un document incompréhensible, dont les seules phrases intelligibles sont les suivantes :

Outre les mesures prises pour assurer l'invulnérabilité des forces de représailles, nous pensons que tout projet destiné à réduire davantage les risques d'une guerre accidentelle n'est pas réaliste. Presque tous les moyens de réduire ces risques sont actuellement utilisés par les États-Unis et probablement aussi par l'URSS[16]. La négociation et la vérification de tels projets entraîneraient la divulgation de renseignements techniques et opérationnels, ce qui est inacceptable.

Il est tout à la fois réaliste et souhaitable de négocier des mesures sur la divulgation au préalable d'un petit nombre de missiles expérimentaux pour s'assurer que leur lancement n'est pas interprété comme une attaque. Il en va de l'intérêt réciproque des deux côtés.

Nous pensons qu'il faut abandonner l'hypothèse de mécanismes d'autodestruction pour les raisons suivantes :

a) la fiabilité des mécanismes[17] ;
b) la période limitée de temps où le contrôle s'exercerait ;
c) leur vulnérabilité à une action ennemie ;
d) l'encouragement éventuel des attitudes non responsables et l'accroissement même des risques d'une guerre par accident.

Pour conclure, nous jugeons votre projet :

a) dangereux d'un point de vue stratégique ;
b) irréaliste d'un point de vue technique[18].

Et pour ajouter à la confusion, on envoie à Burns, le 17 mars, le télégramme suivant :

Les commentaires de l'État-major interarmes ont trait aux mécanismes de destruction en général et ne s'appliquent pas entièrement à des mécanismes d'autodestruction qui seraient inactifs en cas de lancement intentionnel.

Il s'agirait essentiellement d'un mécanisme additionnel de sécurité. Cela n'est peut-être pas sans mérite, encore que nous considérons que des mesures efficaces sont actuellement entreprises pour prévenir le risque d'un lancement accidentel.

Si vous poursuivez cette idée, nous pensons qu'il serait plus approprié qu'elle fasse l'objet d'un accord reposant sur l'honneur [*gentleman's agreement*] entre les États-Unis et l'URSS dans leur intérêt réciproque. Cela éviterait le difficile problème de l'inspection.

Le genre d'accident nous préoccupant est celui qui résulterait d'une mauvaise interprétation des réseaux d'alerte ou de messages confus. Un mécanisme d'autodestruction ne résoudrait pas ce problème[19].

Décidément, les militaires ici donnent dans la surprise. On peut se demander si les autorités militaires n'avaient pas eu entre-temps l'occasion de consulter leurs homologues à Washington. Cette volte-face est la bienvenue certes, mais elle ne peut être d'aucun secours pour le conseiller du Canada en matière de désarmement. Il était en droit d'attendre de ses pairs un avis plus judicieux.

Mettre un terme au nucléaire

Nous avons évoqué au premier chapitre la querelle entre le ministère de la Défense et celui des Affaires extérieures à propos de l'acquisition par le Canada d'armes nucléaires dans le cadre de sa politique à l'OTAN et au sein du NORAD. À ce propos, Green entretient des idées fermes. De son côté, le général Burns déteste aussi la chose nucléaire. Cette conjoncture s'avère évidemment propice au développement, au sein du ministère des Affaires extérieures, d'une politique « musclée » en faveur de la non-dissémination des armements nucléaires, en faveur des zones « dénucléarisées » dont nous avons fait état au chapitre 4, ainsi que sur les questions qui, de près ou de loin, pouvaient tant soit peu aider à reléguer à l'arrière-plan la perspective du recours à la menace de l'armement nucléaire ou à son éventuel emploi. Robertson, le sous-secrétaire d'État aux Affaires extérieures, sera en ce domaine un fidèle serviteur de l'État. Chaque fois que des difficultés surgiront, il présentera une vue très objective du problème. Sur ce sujet, les documents acheminés au Cabinet seront fort bien étoffés. Et lorsque le temps viendra de trancher, notamment en ce qui concerne la question du vote canadien sur la résolution irlandaise, Robertson se rangera à l'avis de son ministre.

La première occasion qu'a Green de faire des propositions précises à cet égard se présente lors de la rencontre des ministres des affaires étrangères de l'OTAN à Istanbul, en avril 1960. Il souhaite à cette occasion que Burns y soit pour présenter un rapport sur l'état des négociations au sein du Comité des dix puissances. La France et le Grande-Bretagne s'opposent catégoriquement à la présentation d'un rapport. Qu'à cela ne tienne! Green décide alors de faire de son conseiller un membre à part entière de la Délégation canadienne à Istanbul! Green parlera peu de désarmement, mais beaucoup de propositions de non-recours en premier — le célèbre *No First Use* — à l'arme nucléaire : « Ce n'est pas parce que cette proposition nous a été présentée par le délégué Zorine que nous devons l'écarter du revers de la main [...] Et si nous envisageons sérieusement cette hypothèse, pourquoi ne pourrions-nous pas en étendre la portée aux armes biologiques et chimiques ? » Les Britanniques et les Français auraient pu rétorquer qu'après avoir rejeté cent fois cette proposition, il n'était plus nécessaire d'y revenir. Cependant, Green a partiellement raison sur un point : « Car nous pourrions prendre les Soviétiques à leur propre jeu ! » Il se pourrait même qu'ils soient dans l'embarras, car leur politique n'est peut-être pas « une stratégie de refus du recours en premier à l'arme nucléaire[20] ».

Ross Campbell, de Genève, reviendra sur cette question le 11 mai, proposant au ministre la stratégie suivante : puisque les Délégations occidentales ont toujours insisté sur le fait que leurs pays ne seraient jamais les premiers à déclencher une guerre agressive, il serait donc de peu d'intérêt de donner suite à la proposition Zorine. « Cette façon de présenter les choses serait sans doute utile si nous pouvions constituer un dossier des déclarations occidentales antérieures à ce propos, ce que, ajoute Campbell, nous ne pouvons faire à

Genève. » Il n'était guère difficile de prévoir la réaction de Green. « Je ne suis pas impressionné par cette approche[21] », note-t-il en marge de la lettre de Campbell.

Sur ce sujet, la Délégation de Genève semble tourner en rond. Lors de la visite à Ottawa, à la fin de mai, du ministre de la Défense britannique Harold Watkinson, celui-ci aurait déclaré que les forces de l'OTAN devaient inévitablement être dotées d'armements nucléaires et qu'il était « hors de question qu'elles puissent se commettre à accepter un accord d'interdiction du recours au nucléaire pour riposter à une attaque massive exécutée avec des armes classiques exclusivement ». Le 31 mai, Burns écrit à G. Murray, du Bureau de l'ONU : « Est-ce vraiment ce qu'a dit Watkinson et, si oui, le gouvernement canadien est-il d'accord avec cette position ? [...] Pour autant que je sache, cela m'apparaît contraire aux vues du ministre Green. » Quant à la déclaration du recours au nucléaire pour faire face à une menace classique massive, la déclaration de Watkinson « ne me [Burns] paraît guère conforme aux idées de Green sur le désarmement, dans la mesure où je me souviens de ce qu'il a dit à Istanbul[22]. »

Ottawa ne peut évidemment répondre aux points que soulève Burns, depuis Genève, puisque de 1958 à 1963 le gouvernement Diefenbaker n'aura pas le courage de prendre une décision dans ce cas précis. À l'ONU, toutefois, au cours de la négociation des résolutions sur la non-dissémination des armements nucléaires, Green livre une bataille farouche. Nous ne présentons ici les détails de la position canadienne que sur la plus importante des résolutions, celle de l'Irlande, qui sera approuvée le 19 décembre 1960.

Dès septembre, le gouvernement canadien est conscient des difficultés dans lesquelles il risque d'être plongé. En ce qui concerne Green, il n'est pas question que le Canada accepte des armes nucléaires pour assurer ses obligations de défense dans le cadre de ses alliances. Une décision de principe du Cabinet est déjà intervenue en 1957 à ce propos, mais Green n'a nullement l'intention que l'on y donne suite. Le ministère de la Défense pense évidemment le contraire. Ce conflit explique une première décision du Cabinet qui intervient le 16 septembre 1960 : « [Relativement à la proposition irlandaise, la Délégation du Canada] doit fonder sa position sur le fait que le gouvernement canadien n'a pas l'intention d'abaisser sa garde défensive dans l'attente d'une promesse de progrès satisfaisants vers le désarmement. » Tout cela relève du plus mauvais charabia.

Il revient donc à Robertson d'interpréter la décision du Cabinet à laquelle il n'a sans doute pas été complètement étranger, du moins pour ce qui est de sa rédaction. Il écrit ceci dans ses directives du 21 septembre à la Délégation canadienne : « J'interprète cette décision du Cabinet comme une autorisation à appuyer la résolution irlandaise dans le contexte des négociations sur le désarmement général, mais non sur une base isolée[23]. » En d'autres termes, s'il n'y a pas de progrès en matière de désarmement, l'acceptation canadienne est

« mise en réserve ». Ou, si l'on veut, le Canada ne peut se prononcer sur le fond du problème, mais accepterait éventuellement de se rallier d'une façon conditionnelle, dans le contexte du désarmement général, à cette résolution.

Que demande, en réalité, cette résolution ? Deux choses. La première, c'est que les puissances dotées de l'armement nucléaire s'imposent volontairement un moratoire pour ne pas abandonner à tout autre État le contrôle qu'elles en possèdent. Il n'y a pas là de quoi fouetter un chat, car tout État doté de l'armement nucléaire n'a jamais le moindrement songé à en abandonner le contrôle à quiconque. La seconde demande est cependant plus tortueuse. Tout État non nucléaire doit aussi s'engager, sur une base temporaire et volontaire, à ne pas chercher à acquérir l'armement nucléaire autrement. Cette résolution contient dans l'œuf les thèses fondamentales du Traité de non-prolifération des armes nucléaires (TNP) qui sera signé en 1968. Le Canada, membre de l'OTAN et du NORAD, serait vite accusé de duplicité ou encore d'hypocrisie s'il acceptait, en même temps qu'il se doterait de l'armement nucléaire, de voter en faveur de la résolution irlandaise.

Les hautes autorités militaires consultées sur ces questions concluent non sans raison qu'il serait peut-être possible de donner le feu vert à cette proposition, à condition de remplacer « à ne pas chercher à l'acquérir » par la disposition « à ne pas chercher à en acquérir le contrôle[24] ». On pourrait ainsi faire d'une pierre deux coups, c'est-à-dire voter en faveur de la résolution et assurer la défense canadienne. Le Bureau de la défense aux Affaires extérieures propose d'autres amendements mineurs, mais dans l'ensemble, il y a accord sur cette démarche. On soumettra un amendement, et s'il est défait, on pourra toujours voter sur les paragraphes individuels, pour finalement s'abstenir sur les points litigieux.

Le 1er novembre, deux textes sont préparés aux Affaires extérieures ; ils constituent des explications du vote canadien. Si l'on vote en faveur de la résolution, on dira qu'en l'absence d'un accord permanent sur le désarmement il vaut mieux, plutôt que ne rien faire, encourager des mesures provisoires susceptibles de mettre un frein à la dissémination nucléaire. En revanche, si l'on décide de retirer son appui, on prétendra le contraire : en l'absence d'un accord universel permanent qui ne soit discriminatoire pour personne, il vaut mieux s'abstenir. Il y a donc, dans tout cela, à boire et à manger. On espère un moment, étant donné l'avalanche des résolutions accumulées sur le bureau de l'Assemblée générale à ce moment, 13 au total, qu'aucune ne sera mise aux voix. On pourrait tout simplement en différer l'étude jusqu'à la prochaine Assemblée générale ou encore les renvoyer pour étude à la Commission du désarmement.

Le 1er décembre, Robertson transmet au premier ministre Diefenbaker les conclusions de son Ministère qui se résument essentiellement aux points que nous avons présentés ci-dessus. Et Robertson ajoute : « Après avoir considéré les difficultés qui se posent tant du point de vue de la défense que de celui de l'OTAN, le ministre a pris la ferme décision que le Canada doit voter en faveur de la résolution irlandaise[25]. » Le même jour, le Cabinet est saisi de la question. La consigne : l'abstention !

Green donne des ordres stricts pour que la Délégation ne soit pas informée de la décision du Cabinet. Il veut faire appel en conseil. Plusieurs événements survenus à l'ONU justifient par ailleurs cette remise en cause. Car le même jour, en fin de soirée, on apprend de New York que les pays scandinaves ont reçu des instructions pour soutenir le projet irlandais. Il en va du Danemark, de l'Islande et, bien sûr, de la Norvège laquelle, ayant l'impression que le Canada voterait en faveur de la résolution, avait aussi reçu comme directive de voter comme le Canada. Nesbitt, le secrétaire parlementaire de Green et aussi un membre influent de la Délégation canadienne, demande l'ajournement des travaux en commission politique afin de permettre aux Délégations de se consulter. Ces nouveaux éléments font pencher le plateau de la balance. Le 5 décembre, le Cabinet fait volte-face[26]. Le Canada pourra désormais voter en faveur de la résolution irlandaise.

Le 19 décembre 1960, c'est chose faite. La résolution irlandaise dont les cosignataires sont le Ghana, le Japon, le Maroc et le Mexique est approuvée par 58 voix, avec 20 abstentions. Le Canada n'en est pas mort.

Élargir les assises du désarmement et négocier jusqu'à l'épuisement

Depuis la rupture des négociations au sein du Comité des dix puissances, en juin 1960, jusqu'à la XVIe session de l'Assemblée générale des Nations Unies à l'automne 1961, la politique canadienne est plutôt idéaliste, contradictoire et, par conséquent, peu réaliste. Elle repose sur une espérance : que les négociations continuent. Cette espérance découle évidemment de la structure des valeurs du ministre Green. Il faut ménager les susceptibilités soviétiques, élargir les assises du désarmement, répondre bien sûr aux besoins de l'opinion publique, car les questions du désarmement relèvent de l'humanité tout entière. Or, en ce domaine, les obstacles sont nombreux. La diplomatie canadienne se heurte aux réticences alliées, à l'imprévisibilité politique du premier ministre Diefenbaker qui prononce à l'Assemblée générale un discours à l'emporte-pièce dont il avait seul le secret et à la lourdeur des procédures administratives à l'ONU. De plus, les divergences sont profondes sur les questions de fond. Elles portent sur des difficultés institutionnelles. Qui doit négocier et que doit-on négocier ? Quels seront le mandat, la nature et la composition des organes de négociation ? Voilà, en bref, le programme auquel s'attaque la diplomatie Green.

Dès l'ouverture des travaux du Comité des dix puissances, Green précise bien les fondements de sa pensée. « Notre participation, dit-il, nous vient du cœur, elle est sérieuse et courageuse, et conforme à la conviction que nous entretenons que des accords peuvent et doivent sortir des négociations de Genève[27]. » À Istanbul, à la réunion ministérielle de l'OTAN, le ministre Green reprend les mêmes thèmes, en ajoutant que quelque chose doit se produire, d'où sa proposition du non-recours en premier aux armes nucléaires et à celles de destruction massive, dont nous avons fait état ci-dessus.

Le 15 juin, Green informe la Chambre des communes sur sa stratégie du *package* mise au point à Istanbul. À son avis, il ne faut perdre aucune occasion pour explorer toutes les avenues possibles de la négociation. Ce ne sont pas deux ni dix pays qui sont concernés à Genève, mais tous les pays du monde. Lors des débats en commission politique et à l'Assemblée générale, à l'automne 1960, le ministre Green fera d'innombrables déclarations sur l'urgente nécessité de reprendre le dialogue interrompu. Le 3 novembre, le *Globe and Mail* titre son éditorial « Mr. Green's Biggest Duty ». Il précise : « M. Green devrait rester à New York, pour travailler à cette fin, aussi longtemps qu'il le peut. Quoi de plus important en effet, pour lui, pour Ottawa, pour le monde, que le désarmement ? » À l'automne 1961, lors d'une rencontre entre Green et Adlai Stevenson, de la Délégation américaine à l'ONU, le premier ne se privera pas de dire que les tactiques américaines visant à isoler les pays de l'OTAN sur les questions à l'ONU qui reflètent l'« opinion de la majorité » ne peuvent que rendre plus difficile l'appui des alliés sur des questions importantes à l'OTAN[28] ! Stevenson remerciera bien sûr Green de sa franchise, tout en lui faisant remarquer que les États-Unis n'aiment guère se trouver isolés de leurs alliés.

Dans la mesure où il s'agit de présenter une position occidentale commune, Green revendique la solidarité occidentale. Cependant, si les propositions sur le désarmement vont dans le sens de ses vues, il n'hésite pas à réclamer l'indépendance des points de vue. Un exemple typique intervient avec la position française au lendemain de la rupture des pourparlers de Genève. Les Canadiens ne comprennent pas la position française. En effet, la France ne paraît pas particulièrement « choquée » de la rupture des négociations. Couve de Murville l'a fait savoir aux Canadiens. Les Français n'aiment pas non plus le plan américain déposé à la dernière minute, le 27 juin 1960. Car ce nouveau plan ne répond en rien à la préoccupation de la France d'inclure en phase 1 l'élimination des véhicules porteurs. Sur ce point précis, le Canada n'est pas trop inquiet. Mais il est prioritaire pour le Canada de se rallier au plan américain, car il représente la seule base occidentale commune et possible lorsque les discussions reprendront à l'Assemblée générale.

Le Canada décide donc de faire des représentations directes auprès du président de la République française. Couve de Murville se plaindra par la suite de cette méthode, car la procédure pouvait laisser à penser que les rapports étaient mauvais entre Ottawa et le Quai d'Orsay. On dira également que cette procédure avait été suivie en l'absence de l'ambassadeur de France à Ottawa. Cette absence de l'ambassadeur pour un mois est un fait véridique. Toutefois, la procédure est parfaitement volontaire. Car on estime, sans doute avec raison à

Ottawa, que le président de Gaulle a désormais une influence déterminante dans l'élaboration des politiques françaises sur le désarmement. C'est donc là qu'il faut frapper. À Paris, Michel Dupuy est chargé de remettre à de Gaulle la note canadienne du 13 juillet, qui contient trois points.

Le premier point précise que le Canada n'a pas insisté dans le passé sur une réduction substantielle des armées dans les premières étapes, afin de ne pas créer de difficultés pour la France. Cela est vrai, car en pleine guerre d'Algérie, la France n'entend pas accepter de niveaux inférieurs à 750 000 hommes. C'est d'ailleurs la raison pour laquelle le plan occidental du 16 mai reste muet sur la question des effectifs pour la Grande-Bretagne et la France. Étant donné cette attitude, on demande une meilleure compréhension de la part de la France qui est invitée à ne pas insister « pour que ses désirs en ce qui concerne le désarmement nucléaire dans les premières étapes soient exaucés dans le nouveau programme occidental ». Le deuxième point est plus délicat, car on demande en bref à la France de penser comme les Américains. Les autorités canadiennes ne voient pas en effet « comment une plus haute priorité que celle qui est contenue dans le plan américain pourrait être accordée à la destruction de la puissance nucléaire relative aux ogives et aux véhicules sans compromettre cette manière essentiellement logique d'approcher le problème ». La France aurait pu rétorquer ici que les Canadiens n'avaient pas beaucoup d'imagination ! L'importance de ce point ne vaut cependant que par rapport au troisième aspect de la note :

> La division de l'Occident empêcherait d'obtenir le soutien des États tiers sur lesquels nous devons compter si nous voulons prendre des initiatives souhaitables au prochain débat des Nations Unies ou ailleurs... C'est pourquoi les autorités canadiennes croient que les Occidentaux devraient réclamer une réunion de la Commission des quatre-vingt-deux membres[29], non pour censurer l'URSS mais afin de démontrer au monde leur volonté de négocier sérieusement. De toute façon, que le débat ait lieu à la Commission du désarmement ou à l'Assemblée générale, il est essentiel que l'Occident présente un front commun.

La réponse française à ces interrogations était déjà contenue dans la note du président français communiquée à Khrouchtchev le 30 juin précédent. On aurait pu se donner la peine de la lire ! Outre le fait que la France précisait fort bien sa position sur la question des véhicules porteurs, elle disait à propos des questions de procédure :

> Vous parlez, à présent, Monsieur le président, de porter la discussion du désarmement devant l'Assemblée générale des Nations Unies. Cela était prévu de toutes manières et, d'ailleurs, se reproduit chaque année. Mais vous savez comme moi qu'on ne peut étudier de tels problèmes de manière pratique que dans le cercle beaucoup plus restreint des Pays principalement intéressés et techniquement compétents.

Sur ces questions, la France n'est évidemment pas la seule à penser ainsi. La Grande-Bretagne n'est pas pressée de reprendre les négociations, les Américains non plus. Et le secrétaire général des Nations Unies estime pour sa part qu'il faut laisser la marmite reposer avant d'en soulever à nouveau le couvercle. Mais G. Murray, du Bureau de l'ONU, nous informe que Green pense autrement : « Tout délai tendrait à dissiper les avantages que l'Ouest pourrait avoir tirés de l'action du retrait brutal de l'URSS du Comité des dix puissances[30]. » Le Canada et aussi les États-Unis veulent convoquer la Commission du désarmement, ce à quoi les Britanniques et les Français s'opposent carrément[31].

Le 26 septembre, le premier ministre Diefenbaker jette de l'huile sur le feu. Contrairement à Green qui s'était toujours efforcé de ménager les susceptibilités soviétiques, il déclare en pleine Assemblée générale qu'il ne saurait y avoir deux poids deux mesures en matière de colonialisme. Aux Soviétiques qui réclament la liberté pour les États de choisir leur propre régime politique, Diefenbaker demande ce qu'il en est des Lituaniens, des Estoniens, des Ukrainiens et des autres habitants des pays de l'Europe de l'Est. Il est vrai que cette déclaration a été faite pour des raisons de politique intérieure canadienne ; elle aurait sans doute été mieux accueillie à Saskatoon. Au sujet de la rupture des négociations de Genève, Diefenbaker déclare : « M. Khrouchtchev, dans un drame gigantesque de propagande fondée sur de fausses représentations, s'en est remis à une offensive majeure de la guerre froide soutenant du bout des lèvres les Nations Unies qui ne pourraient être que détruites par sa proposition d'un triumvirat. » Et passant à la question de l'Arctique, il demande au leader soviétique, si ce dernier croit aussi fermement qu'il le dit au désarmement et à la paix, pourquoi il n'a pas donné suite aux zones d'inspection aérienne proposées par les États-Unis. Les archives ne disent pas ici ce qu'a pensé Green du discours de son chef. Chose certaine, ce discours était aux antipodes des idées que défendait Green à l'époque.

L'attitude canadienne qui consiste à vouloir « négocier pour négocier » débouche sur la présentation d'une résolution canadienne en commission politique, lorsque celle-ci reprend ses travaux le 17 octobre 1960. Ce projet de résolution ira jusqu'à recevoir l'appui de 19 cosignataires. Il est révisé en décembre[32] et se perd dans la nuit des temps — même si Green essaie de le reprendre en 1961 en dépit du fait que ses subordonnés lui font remarquer que son contenu est désuet et dépassé —, lorsqu'en décembre 1960 le président de la Commission politique, Claude Corea, du Ceylan, décide de reporter à la XVIe session tous les projets de résolution qui prêtaient à controverse. La résolution canado-suédo-norvégienne fait partie de ce groupe. Il n'y a donc, à l'Assemblée générale, que trois résolutions soumises aux voix, portant toutes sur le nucléaire, dont la résolution irlandaise qui recueille l'appui du Canada.

La résolution canadienne intervient dans un contexte bien particulier. D'abord l'URSS insiste pour que la question des « principes du désarmement » fasse l'objet d'une discussion séparée. Ensuite, il y a la pression des pays neutres et de l'URSS pour élargir la composition de l'organe de négociation, soit le Comité des dix puissances. En vue de répondre à ces difficultés, le Canada demande dans son projet que les pays participants au Comité des dix puissances « reprennent leurs négociations à la date la plus rapprochée possible ». Or, en ce domaine, tous les pays de l'Ouest savent pertinemment qu'aucune discussion ne sera entamée avant l'installation de la nouvelle administration à Washington. La position canadienne se révèle donc ici peu réaliste. Dans un deuxième point, on propose la création d'un Comité consultatif au sein de la Commission du désarmement. Ce Comité consultatif pourrait se pencher sur la question « des principes du désarmement » et faire des propositions en matière de désarmement, recevoir de l'organe de négociation des rapports et lui transmettre des avis ainsi que lui présenter des recommandations. Là, la position canadienne sombre tout simplement dans le rêve. Penser que d'autres États définiront pour les grandes puissances « les principes » qui devraient sous-tendre leur programme de désarmement, c'est vraiment prendre des vessies pour des lanternes. Ni les États-Unis ni l'URSS ne feront ce plaisir à Green. Ils se chargeront eux-mêmes de les définir un an plus tard dans le cadre de l'entente McCloy-Zorine du 20 septembre 1961.

Quant à la composition de ce Comité consultatif, Green pense essentiellement aux États neutres ou encore à d'autres États non représentés au sein du Comité des dix. Il ne veut pas que le Canada en fasse partie[33]. En ce domaine, tout cela s'avère conforme aux idées de Green. Les autres États doivent avoir voix au chapitre du désarmement. Sur la question de la composition, John H. Halstead pense, de son côté, qu'outre le Comité des dix puissances on pourrait créer un Comité consultatif des neutres et d'autres États non représentés. Le Comité de négociation, tout comme celui des dix puissances, étant issu de la volonté des grandes puissances, des quatre en l'occurrence, il lui paraît normal qu'à l'intérieur des Nations Unies on crée un Comité consultatif. Ce dernier pourrait être composé d'États ne faisant partie d'aucune des alliances militaires Est-Ouest[34]. De plus, J.H. Taylor pense qu'il ne serait pas mauvais que l'Inde, « ce vendeur désintéressé d'opinions non sollicitées sur la guerre froide », fasse partie du Comité, ce qui pourrait l'amener à réfléchir sur ses problèmes avec la Chine communiste et le Pakistan[35].

Par ailleurs, la question de la participation des neutres est depuis longtemps acquise dans l'esprit canadien, mais non de la façon dont l'entendent les Soviétiques. Dans un rapport d'autopsie du Comité des dix puissances, le général Burns fait état de la carence d'une présidence ferme au sein du Comité[36]. Un représentant neutre pourrait ainsi assurer une plus grande permanence et faciliter le déroulement des travaux. La France n'est pas hostile à cette proposition. Elle pense même à suggérer la candidature suisse de Bindt. Les Soviétiques ne manquent pas de rappeler dans des entretiens privés[37] que cela ouvre la porte à la participation des neutres au sein du Comité de négociation[38]. Avec ou sans la proposition de Burns, les Soviétiques souhaitent de toute façon réclamer la présence des neutres au sein de l'organe de négociation Est-Ouest.

C'est dans cet esprit que Green propose l'élargissement des assises du désarmement. Il s'en entretient par téléphone avec Christian Herter le 14 octobre. Le 28 du même mois, Heeney, l'ambassadeur canadien à Washington, informe Robertson que les réactions alliées sont plutôt froides. Murray, du Bureau de l'ONU, rapporte le 3 novembre qu'effectivement les alliés ne sont pas enthousiastes, mais il n'y a pas non plus d'« esprit de révolte[39] ». Tout cela est vrai, car les Britanniques, de leur côté, ont déjà suggéré, pour noyer ou non la proposition canadienne, la création au sein de la Commission du désarmement de « groupes d'études techniques ». Ils diront clairement aux Canadiens par la suite qu'ils n'auraient pas eu d'objection au projet de résolution canadienne à la condition que celui-ci n'eût pas entraîné la mise aux voix d'autres résolutions prêtant encore plus à controverse. Pour les Britanniques, c'était là une façon polie de faire savoir aux Canadiens qu'ils ne pensaient pas beaucoup de bien de leur projet. La France, quant à elle, tient mordicus au maintien du Comité dans sa forme originale, c'est-à-dire à dix, sans être hostile à une présidence neutre.

Devant l'insistance du Canada qui travaille sans relâche à se trouver d'autres cosignataires, des modifications interviennent à la dernière heure, à la suite de négociations avec les États-Unis. La version finale du projet de résolution ne parle plus d'un Comité consultatif, mais d'un Comité ad hoc de la Commission du désarmement. Celui-ci ne serait plus chargé de faire des recommandations, mais plutôt d'examiner les « moyens et méthodes » de faciliter la reprise des négociations, sur la base de la documentation disponible, y compris la question des « principes du désarmement », donc ceux qui auront été discutés au sein du Comité des dix puissances, et des opinions présentées par les États membres durant la présente session de l'Assemblée générale. On est donc assez loin des idées défendues par Green.

Ce compromis de dernière heure n'apporte aucun changement à la situation générale, car la résolution canadienne, avec neuf autres, n'est pas mise aux voix. Au début de 1961, des pourparlers bilatéraux entre les États-Unis et l'URSS débouchent sur une entente de principe pour une rencontre Kennedy-Khrouchtchev à Vienne. Il fut même question, dans ces discussions, de la tenue dans cette même capitale européenne d'une session spéciale des Nations Unies sur le désarmement. Les deux grands ont repris le dialogue. Les États-Unis, avec leur nouvelle équipe dynamique, sont prêts à beaucoup d'accommodements pour reprendre les discussions sur le désarmement. Ils songent même, pour le nouvel organe de négociation, à une composition dix-dix, c'est-à-dire aux participants originaux du Comité auxquels viendraient s'ajouter dix autres pays neutres.

À l'automne intervient l'accord de principe McCloy-Zorine, largement conclu pour dissiper l'air rendu irrespirable par la crise de Berlin. On s'oriente peu à peu vers une reprise prochaine des pourparlers et vers la création du Comité des dix-huit puissances, dont les travaux débuteront en 1962.

Notes

1. A. Fontaine, 1967, p. 380.
2. L.P. Bloomfield, W.C. Clemens Jr et F. Griffiths, 1966, p. 92.
3. Dépêche d'Heeney à Robertson, 10 novembre 1960, volume B. À moins d'indication contraire, tous les documents cités sont empruntés aux volumes 50189 A-40, B-40, C-40 ou D-40, ou aux dossiers 50271-B-40, H-40, K-40, K-1-40 ou K-2-40. La série 50189 est désignée par le terme « volume » suivi de sa lettre alphabétique ; la série 50271 est désignée par le terme « dossier » également suivi de sa lettre alphabétique.
4. Tous ces éléments sont fondés sur la dépêche de Burns à Ottawa, 30 janvier 1960, dossier K ? [illisible].
5. Dossier K.
6. La version originale indique : « To sit back. »
7. Dossier K.
8. Voir J. Klein, 1964, p. 241.
9. *Ibid.*, p. 243.
10. Dans un autre document, on fait état de la date du 21 janvier.
11. Dossier K.
12. Dossier K, 4 avril 1960, dépêche de R.M. Tait à Ottawa.
13. Dossier K, 6 avril 1960, New York à Ottawa.
14. Il s'agit du principe 4 de la liste approuvée par le Cabinet le 25 janvier.
15. La version originale indique : « Mandatory inclusion of destructive device. »
16. Note des auteurs : Foulkes se trompe ici, car les États-Unis, sous la présidence de Kennedy, s'arrangeront par la suite pour qu'à l'intérieur d'une rencontre Pugwash tous les détails techniques pour empêcher le lancement non autorisé des missiles soient discutés en séance et que les Russes en soient ainsi informés.
17. Note des auteurs : on n'en parle nulle part dans le document.
18. Dossier 50271-K-2-40, 8 mars 1960.
19. Dossier K.
20. Dossier K, 27 avril 1960.
21. Dossier K.
22. Dossier K, 7 juin 1960.
23. Volume B.
24. Volume B, 26 octobre 1960, Miller à Robertson.
25. Volume B.
26. Un texte de la Défense parle du 6 décembre.
27. Dossier K, 11 mars 1960.
28. Rencontre du 14 novembre, volume C, 16 novembre 1961, rapport au premier ministre.
29. Note des auteurs : il s'agit ici de la Commission du désarmement.
30. Dossier K, Murray à Robertson, 6 juillet 1960.
31. Il y aura une réunion de la Commission du désarmement, le 16 août, pour prendre note des travaux du Comité des dix puissances.
32. A /C. 1/L. 255/Rév. 1.
33. Volume B, note de Murray à Robertson, 3 novembre 1960.
34. Volume B, note d'Halstead à Ritchie, 11 octobre 1960.
35. Volume B, 7 septembre 1960.
36. Dossier K, note de Burns, 11 août.
37. Harry Jay du Bureau de l'ONU et Fochin de l'ambassade soviétique.
38. Volume B, Robertson à Green, 2 septembre 1960.
39. Volume B.

Sources secondaires citées

Bloomfield, Lincoln P., Clemens Jr., Walter C. et Griffiths, Franklin, *Khruschev and The Arms Race: Soviet Interest in Arms Control and Disarmament, 1954-1964,* Cambridge (Mass.), The M.I.T. Press, 1966.

Fontaine, André, *Histoire de la guerre froide, 1950-1967,* Paris, Fayard, 1967.

Il faut une solution brusque de continuité, une rupture avec la mode.*

6

De l'angoisse nucléaire à la dénégation nucléaire

Crise du système, crise bipolaire, crise nucléaire, c'est Cuba en 1962 qui plonge le monde dans l'angoisse nucléaire, au bord du précipice de la mort planétaire. Les deux grands sauvent la face. Ils se composent un *quid pro quo*: la pérennité du socialisme à Cuba en échange du retrait des missiles soviétiques.

De 1962 à 1969, les relations Est-Ouest se ressentent de cette crise majeure. Il faut détendre les relations sur le plan bipolaire, stabiliser la situation en Europe et prendre les moyens pour que les armes nucléaires qui, chez les grandes puissances, entretiennent tout à la fois leur angoisse et leur sécurité deviennent, chez les autres, une source de dénégation perpétuelle et volontairement consentie.

Dès 1963, deux accords viennent détendre la situation générale. Ce sont le Traité interdisant les essais d'armes nucléaires dans l'atmosphère, dans l'espace extra-atmosphérique et sous l'eau et l'installation d'un « télétype rouge », c'est-à-dire d'une ligne de communication directe entre Washington et Moscou. L'Europe, quant à elle, n'entend pas se laisser imposer le nouveau leadership américain. À Nassau, en décembre 1962, John F. Kennedy et Harold MacMillan songent à un plan d'urgence pour sauver l'indépendance de la force de frappe britannique. Le Skybolt étant annulé, les bombardiers stratégiques britanniques n'ont plus de vie utile. La force multilatérale (MLF) (Multilateral Force, MLF) naît ainsi d'une

---

* Bergson, *Le rire*.

improvisation américaine et d'une humiliation britannique. Il s'agit de faire passer sous le contrôle de l'OTAN un certain nombre de sous-marins nucléaires qui pourraient constituer l'amorce d'un « pilier européen » nucléaire, capable conjointement avec l'Amérique d'assurer sa propre défense, pourvu que des progrès d'intégration européenne soient concomitants. De Gaulle refuse de mordre à l'hameçon. C'est le double veto du 13 janvier 1963. Non à la MLF et non à l'entrée de la Grande-Bretagne dans le Marché commun européen. De Gaulle s'expliquera par la suite : à Nassau, la Grande-Bretagne a préféré troquer son droit d'aînesse européen contre « un plat de Polaris ».

Largement conçu pour intégrer à l'intérieur de l'Alliance atlantique les forces françaises et britanniques que le secrétaire à la Défense Robert S. McNamara trouve « désuètes, déclassées et dangereuses », le projet de la MLF n'est plus qu'un canard boiteux, une fois posé le refus français. Les Britanniques proposent la force nucléaire atlantique (ANF) (Atlantic Nuclear Force, ANF) qui implique, contrairement à la MLF supposant l'addition de vecteurs nucléaires nouveaux, le regroupement sous le commandement de l'OTAN des forces nucléaires aériennes tactiques déjà existantes. Ce projet, loin de satisfaire l'Allemagne, ne fait que relancer le débat sur la MLF que les Soviétiques ne trouvent guère de leur goût. Pour donner satisfaction à l'Allemagne, McNamara propose à l'intérieur de l'OTAN la création d'un « comité nucléaire », ce qui donne voix à la RFA en matière de planification nucléaire. Kennedy meurt en novembre 1963, Khrouchtchev est destitué en 1964 et, en 1965, Johnson enterre définitivement le projet de la MLF à la suite des représentations faites sur une base personnelle par A. Wohlstetter de Chicago et R. Neustadt de Harvard dans le rapport Gilpatrick[1]. La porte est désormais ouverte à la dénégation nucléaire.

Les Russes et les Américains s'entendent à l'intérieur du Comité des dix-huit puissances pour déposer un projet commun de non-prolifération nucléaire. Par la suite, les événements vont vite en Europe. La RFA, avec sa note de paix du 1er mars 1966, ouvre définitivement la porte au dialogue Est-Ouest. Les Allemands de l'Ouest ne peuvent plus être considérés comme des « empêcheurs de tourner en rond ». Le rapport Harmel, préparé en 1967, est le prélude à de nouvelles bases de discussions sur la sécurité européenne. Les Occidentaux proposent les négociations sur les MBFR, pensant que de telles discussions seraient refusées par les Soviétiques. De la même manière, ceux-ci proposent l'ouverture d'une Conférence sur la sécurité européenne, qui deviendra en 1973 la CSCE. Les deux blocs sont pris à leur propre jeu. Les deux conférences se tiendront. Elles marqueront l'ouverture d'une ère de détente renouvelée entre l'Est et l'Ouest.

Le reste du monde n'est pas inactif. La crise de Cuba révèle au monde entier l'étendue des dangers de l'engrenage nucléaire une fois que des États acceptent sur leur sol la présence d'armes nucléaires qui ne sont pas les leurs. Les projets de «zones dénucléarisées» fleurissent, tandis que peu à peu tout est mis en œuvre pour donner suite aux recommandations de la résolution irlandaise. Il faut mettre un terme à la prolifération nucléaire et concevoir à cette fin un instrument juridique de contrôle. Cet objectif devient d'autant plus impérieux que la France procède à ses premiers essais nucléaires dans le désert du Sahara en 1960, suivie de la Chine, à proximité du lac Lob Nor en octobre 1964. À la suite du Traité d'interdiction partielle des essais nucléaires en 1963, l'accent est mis sur leur interdiction totale. C'est dans ce contexte que se déroulent à Genève, de 1962 à 1969, les négociations du Comité des dix-huit puissances.

ORIGINE ET ÉVOLUTION DU COMITÉ DES DIX-HUIT PUISSANCES

Le 20 décembre 1961, l'Assemblée générale des Nations Unies adopte sa résolution 1722 (XVI) par laquelle elle « fait sienne » la décision des grandes puissances de créer le Comité des dix-huit puissances sur le désarmement (ENDC) (Eighteen-Nation Committee on Disarmament, ENDC). On recommande la tenue de « négociations relatives au désarmement général et complet » sur la base de la déclaration commune intervenue entre les grandes puissances le 20 septembre 1961. En plus des membres originaux du Comité des dix puissances, participent à ces négociations huit autres pays non alignés, à savoir la Birmanie, le Brésil, l'Éthiopie, l'Inde, le Mexique, le Nigeria, la République arabe unie (RAU) et la Suède. La déclaration commune du 20 septembre 1961 fait état au point 8 de l'obligation des puissances « de mettre en œuvre l'accord le plus large possible à une date aussi rapprochée que possible ».

Les travaux du Comité des dix-huit puissances s'ouvrent à Genève, le 14 mars 1962, avec la participation des ministres des Affaires étrangères. Ils se poursuivent plus ou moins régulièrement jusqu'en août 1969. Le 26 août 1969, à la 431e réunion du Comité des dix-huit puissances, celui-ci est élargi pour devenir la Conférence du Comité du désarmement (CCD) (Conference of the Committee on Disarmament, CCD). Huit autres pays viennent ainsi s'ajouter au Comité des dix-huit puissances. En réalité, celui-ci fut un Comité des dix-sept, puisque la France n'a jamais participé à ses travaux. Elle fut néanmoins associée, sur une base officieuse, à plusieurs des consultations tenues au sein du caucus des cinq puissances occidentales. Nous ne traitons dans le présent chapitre que des délibérations du Comité des dix-huit puissances durant la période de son existence, c'est-à-dire de 1962 à 1969.

Selon le point de vue adopté, le bilan du Comité se révèle ou bien très maigre ou bien considérable. Trois choses méritent d'être dites. Bien que l'on discute de propositions de désarmement général et complet, surtout durant les deux premières années d'existence du Comité, c'est essentiellement sur les mesures collatérales, ou partielles, de désarmement que portent les discussions des dix-huit puissances. Or en ce domaine, bien que le Comité entérine le Traité d'interdiction partielle des essais nucléaires, ainsi que l'installation d'un télétype rouge entre Washington et Moscou, ces premiers accords sont le fruit de négociations poursuivies à l'extérieur du Comité des dix-huit puissances. C'est là le premier point. Le second est révélateur des incidences de la diplomatie multilatérale. L'addition des pays neutres au Comité des dix puissances est un facteur de stabilité. Lorsqu'au cours des discussions en 1962 les Soviétiques tentent d'amener les neutres à rompre les négociations au sein du Comité des dix-huit puissances à la suite de la reprise des essais nucléaires américains dans l'atmosphère, ceux-ci s'y refusent. Dans la plupart des propositions discutées, les neutres tentent de jouer un rôle de médiateur qui ne reste pas sans effet sur la diplomatie vergogneuse à l'époque de l'URSS. En troisième lieu, s'il est vrai que le Comité amorcera des discussions au sujet du Traité interdisant de placer des armes nucléaires et d'autres armes de destruction massive sur le fond des mers et des océans ainsi que dans leur sous-sol (ou Traité sur les fonds marins) ainsi que sur le sujet de l'interdiction des armes bactériologiques et chimiques, c'est à la CCD qu'il reviendra de parfaire ces accords. Le seul domaine d'où sortira un accord important au sein du Comité des dix-huit puissances est celui du Traité de non-prolifération des armes nucléaires signé en 1968, et dont l'entrée en vigueur débutera en 1970. C'est là bien peu ou beaucoup. On peut toutefois se demander si ce Traité n'aurait pas de toute manière vu le jour, avec ou sans le Comité des dix-huit puissances.

En matière de procédure, les délibérations du Comité des dix-huit puissances relèvent de la féerie. Peu après l'ouverture des travaux, on décide de créer : 1. une Commission plénière plus particulièrement chargée de l'étude des problèmes globaux du désarmement général et complet ; 2. un Comité d'ensemble regroupant tous les États participants et chargé d'examiner des mesures progressives susceptibles de mener au désarmement général et complet et de réduire la tension internationale ; et 3. un Comité restreint, composé des États-Unis, de la Grande-Bretagne et de l'URSS, mandaté pour étudier la question de la cessation des essais nucléaires. La distinction entre la Commision plénière et le Comité d'ensemble vise évidemment à résoudre la difficile question de la poule et de l'œuf : en matière de désarmement, faut-il commencer par le tout ou le particulier ? En confiant au Comité d'ensemble l'étude des mesures partielles de désarmement, on espère ainsi faciliter la progression des travaux. Ce Comité tient ses délibérations lorsque le Comité des dix-huit puissances ne siège pas en commission plénière.

Par ailleurs, les dates de sessions figurant au tableau 5 ne valent que pour les réunions de la Commission plénière. Nous n'abordons pas ici les travaux du Comité restreint puisque le Canada n'en fit pas partie et que le chapitre 9 est consacré à la position canadienne sur l'arrêt des essais nucléaires. Notons enfin un dernier point qui n'est pas sans importance puisque le Canada est à l'origine de cette proposition : les travaux du Comité des dix-huit puissances se déroulent sous la coprésidence des États-Unis et de l'URSS. Cette formule rend évidemment plus difficile l'élaboration des ordres du jour, mais elle facilite, en revanche, la permanence administrative des délibérations.

En matière de désarmement général et complet, les principales propositions faites devant le Comité des dix-huit puissances se limitent aux suivantes :

- la proposition soviétique du 15 mars 1962 ;
- la proposition américaine du 18 avril 1962.

Ces propositions seront révisées à plusieurs occasions au cours des années suivantes. À ce propos, les grands débats tournent autour des questions suivantes :

- l'élimination des véhicules porteurs ;
- la réduction des effectifs militaires ;
- les mesures susceptibles de réduire la tension et d'éviter les risques de guerre ;
- l'Organisation internationale de désarmement et le règlement pacifique des différends.

Tous ces plans ne pèchent évidemment pas par excès d'originalité. Ainsi, le plan américain[2] du 18 avril 1962 s'inspire du projet déposé par le président Kennedy, le 25 septembre 1961, devant l'Assemblée générale des Nations Unies, ce dernier étant à son tour presque tout droit tiré du projet américain présenté en l'absence des Soviétiques, le 27 juin 1960, devant le Comité des dix puissances. Le plan soviétique[3] du 15 mars 1962, quant à lui, provient du mémorandum soviétique du 26 septembre 1961. Lors des discussions à l'Assemblée générale, à l'automne 1962, il devient très clair que les États, et les neutres en particulier, sont avant tout intéressés par les mesures partielles de désarmement, notamment l'arrêt des essais nucléaires et les mesures de non-prolifération, et non par l'insoluble problème du désarmement général et complet. Le seul intérêt de ces propositions pour les Occidentaux aura été la constitution d'un groupe de travail juridique qui se penchera avec beaucoup d'attention sur les questions de l'Organisation internationale de désarmement et du règlement pacifique des différends.

Pour ce qui est des mesures partielles de désarmement, les questions discutées au sein du Comité des dix-huit puissances portent, entre autres choses, sur[4] :

- l'interdiction de la propagande belliciste (mai 1962) ;
- la réduction des risques de déclenchement d'une guerre à la suite d'un accident (États-Unis, 12 décembre 1962) ;
- la réduction du budget militaire (Brésil, Suède et autres, 1963) ;
- les postes d'observation et les moyens d'éviter des attaques par surprise (États-Unis, janvier 1964, et URSS, 1964) ;

- le blocage vérifié des vecteurs stratégiques d'armes nucléaires (États-Unis, janvier 1964) ;
- l'arrêt de la production de matières fissiles à des fins militaires (États-Unis, janvier et juin 1964) ;
- la destruction des bombardiers (États-Unis et URSS, 1964) ;
- la conclusion d'un pacte de non-agression (URSS, février 1963, janvier 1964 et décembre 1964) ;
- l'interdiction de survol par des avions porteurs d'armes nucléaires (URSS, février 1966) ;
- le désarmement régional (États-Unis, 1966) ;
- l'interdiction de l'emploi des armes nucléaires (Éthiopie et autres, 1961) ;
- l'arrêt de la fabrication des armes nucléaires, la réduction et la destruction des stocks (URSS, 1966).

Le menu est donc substantiel. Nous ne voulons pas résumer ici toutes les propositions sur les mesures partielles de désarmement. Nous nous emploierons plutôt, au cours des prochaines sections, à présenter un bref résumé des propositions, lorsque la chose sera nécessaire, pour mieux cerner l'action de la diplomatie canadienne. Pour en terminer toutefois avec les mesures partielles de désarmement, notons que les principaux points d'intérêt ont surtout porté, à partir de 1963, sur les zones dénucléarisées, les moyens de prévenir la prolifération nucléaire et l'arrêt total des essais nucléaires. Soutenu par d'autres pays, le Canada a aussi apporté dans les débats les questions de la non-militarisation de l'espace et de l'élimination des armes bactériologiques et chimiques. Ces deux sujets faisant respectivement l'objet des chapitres 10 et 8, nous ne les traiterons donc ici que de façon épisodique.

LA CONTINUITÉ DE LA POLITIQUE CANADIENNE (1962-1969)

Les travaux du Comité des dix-huit puissances recoupent trois administrations canadiennes. Jusqu'en 1963, Green assume la direction du ministère des Affaires extérieures. Lorsqu'à l'été 1963 Lester B. Pearson prend la tête du gouvernement canadien à la suite de l'échec du gouvernement Diefenbaker sur les questions nucléaires, Paul Martin remplace Green à la direction des Affaires extérieures. En 1968, un nouveau gouvernement libéral est élu sous la direction du premier ministre Pierre Elliott Trudeau. En dépit de tous ces remous intérieurs, la position canadienne sera peu modifiée sur les grands dossiers du désarmement. Burns demeurera jusqu'en 1969 le conseiller canadien en matière de désarmement. Il sera remplacé en mars 1969 par George Ignatieff au sein de la CCD. À compter de 1966, Basil H. Robinson, l'ancien bras droit de Diefenbaker, devient sous-secrétaire adjoint au ministère des Affaires extérieures. Le rôle de Norman A. Robertson s'estompe. Encore là, la disparition d'un homme passionné par les problèmes du désarmement ne marque pas un tournant fondamen-

Tableau 5

Le Comité des dix-huit puissances

Origine :

Accords soviéto-américains de l'automne 1961.

Création :

Résolution 1722 (XVI). L'Assemblée générale des Nations Unies *fait sienne* la décision commune soviéto-américaine.

Mandat :

Promouvoir le désarmement général et complet sous un contrôle international efficace et sur la base de la déclaration commune du 20 septembre 1961.

Composition :

Canada, États-Unis, France, Italie et Grande-Bretagne ; Bulgarie, Pologne, Roumanie, Tchécoslovaquie et URSS ; Birmanie, Brésil, Éthiopie, Inde, Mexique, Nigeria, RAU et Suède.

Évolution :

Devient, le 26 août 1969, la Conférence du Comité du désarmement (CCD), à la suite de l'addition du Japon et de la Mongolie (3 juillet) et de l'Argentine, de la Hongrie, du Maroc, du Pakistan, des Pays-Bas et de la Yougoslavie (7 août).

Dates des sessions :

1962

Du 14 mars au 15 juin
Du 16 juillet au 7 septembre
Du 26 novembre au 20 décembre

1963

Du 12 février au 21 juin
Du 13 août au 30 août

1964

Du 21 janvier au 28 avril
Du 9 juin au 17 septembre

1965

Du 27 juillet au 16 septembre

1966

Du 25 janvier au 10 mai
Du 14 juin au 25 août

1967

Du 21 février au 23 mars
Du 18 mai au 14 décembre

1968

Du 18 janvier au 14 mars
Du 16 juillet au 28 août

1969

Du 18 mars au 23 mai
Du 3 juillet au 30 octobre (CCD)

tal dans la politique canadienne. Celle-ci continue de manifester un besoin pressant de médiation qui semble animer tous les fondements de la politique canadienne durant la décennie des années soixante.

Cela dit, il reste qu'une coupure importante intervient entre l'administration Diefenbaker et l'administration Pearson. Celle-ci est élue sur la base du non-respect des engagements canadiens antérieurs sur les questions de défense. Le Canada continuera néanmoins de soutenir fermement tous les projets destinés à mettre un frein à la prolifération nucléaire. Tout se passe ici comme si les questions de la dotation des Forces armées canadiennes d'armements nucléaires avait été un problème de stricte politique intérieure. Le Canada sera plus que réticent à l'égard de la MLF. Par ailleurs, Burns ne se gênera pas pour dire tout haut ce que plusieurs pensaient tout bas : l'Allemagne ne doit pas avoir accès à des armements nucléaires capables d'atteindre le territoire soviétique, même si la MLF ne constitue pas en soi un instrument de prolifération plus condamnable que celui que les Canadiens ont accepté à travers le NORAD ou celui de l'OTAN. Sur ce point, les archives sont claires. Nulle part ne constate-t-on de contradictions entre les fondements de la politique canadienne en matière de défense et celle qu'Ottawa défend au sein des forums de discussions multilatéraux.

L'année 1963 est évidemment celle où le ministère de la Défense tente de régler ses comptes avec le ministère des Affaires extérieures[5]. Norman A. Robertson veille au grain. Paul Martin, étant donné sa longue expérience au sein de la Délégation canadienne à New York, appuie son sous-ministre. Le ministère de la Défense est peu à peu mis au pas. Il devra continuer de soutenir le ministère des Affaires extérieures dans sa recherche d'accords de désarmement. En 1968, sous Trudeau, il y a révision de la politique extérieure canadienne. Trudeau est tout bonnement antimilitariste, méfiant de la chose militaire et avant tout antinucléaire. Tous ces éléments assurent une continuité entre la politique Green et celle que nous pourrions qualifier de Pearson-Trudeau. Nous aurons l'occasion de revenir dans nos conclusions générales sur les questions de politique intérieure canadienne. Disons toutefois immédiatement que les parlementaires canadiens, déjà sous le régime Diefenbaker, étaient prodésarmement, pro-Nord-Sud et pro-Nations Unies. Par ailleurs, Pearson ne se privera pas de dénoncer la politique américaine au Viêt-nam, même si Johnson lui dira d'arrêter de « pisser sur son tapis ». (Johnson, naturellement, est Texan !) Trudeau ne sera donc qu'un élément additionnel qui viendra s'ajouter au leadership occidental sur les questions de désarmement, du moins lorsqu'il aura le temps de s'en occuper ou lorsqu'il estimera, comme en 1984, que la guerre froide était anachronique. Michael Tucker qualifie la période Green d'« activisme » et Martin d'« allié loyal » au sein de l'Alliance atlantique[6]. Cela n'est que partiellement vrai. En ce domaine, la terminologie rappelle celle de Kennedy-de Gaulle. À de Gaulle qui disait que la France était une alliée difficile certes mais loyale, Kennedy aurait répondu qu'elle était « plutôt difficile que loyale ». Tout cela est donc une question de degré. En matière de désarmement, le Canada a été, par moments, difficile et parfois moins difficile, mais il n'a jamais vraiment baissé la garde.

En revanche, si l'« activisme » définit bien certains des éléments de la politique de Green, la période 1962-1963 présente beaucoup d'agitation, notamment en ce qui concerne la volonté de Green de poursuivre coûte que coûte les négociations. Contre vents et marées, Green s'oppose régulièrement à tout ajournement des travaux du Comité des dix-huit puissances. L'attitude de Green ressemble ici à la procédure que suit un conclave pour élire un pape. Il n'est pas question de cesser de discuter tant et aussi longtemps qu'une blanche fumée pacifique ne flottera pas sur la ville de Genève. Tout cela sombre dans l'idéalisme le plus simpliste.

Trois exemples suffisent ici. En mai 1962, il est question d'ajourner les travaux du Comité des dix-huit puissances. Green rencontre Burns à Athènes et lui donne comme directive de chercher l'appui des neutres pour s'opposer à cette procédure[7]. En vain, car les discussions sont suspendues le 15 juin. À la session d'été, ce sont les neutres qui réclament l'ajournement afin de pouvoir se consulter. Green estime que cela n'est pas un motif suffisant. Il souhaite même, le 24 juillet, que les travaux se poursuivent durant les délibérations de la XVIIe session de l'Assemblée générale. C'est évidemment trop demander. La session de Genève est ajournée le 7 septembre... En janvier 1963, Arthur Dean démissionne comme chef de la Délégation américaine. Les États-Unis demandent donc de reporter à février 1963 la session prévue pour janvier. Washington consulte les Soviétiques et leurs alliés. Dans sa note du 8 janvier, Robertson écrit naturellement que « la conclusion s'impose d'elle-même ». Green récidive. Dès le lendemain, il s'oppose dans un télégramme à ce nouveau délai[8]. Le ministre n'a qu'une seule idée en tête : poursuivre les négociations jusqu'à ce qu'un programme de désarmement général et complet ait été parachevé. On en discute toujours aujourd'hui !

Le changement de gouvernement au printemps 1963 n'amène pas de revirement fondamental dans la politique canadienne. En 1961, dans l'intervalle creux entre les Comités des dix puissances et des dix-huit puissances, Burns prépare un document à l'intention du Cabinet. Le document signé par Green le 13 février 1961 est approuvé par le Cabinet le lendemain, et s'intitule « Le désarmement : la politique canadienne, 1961 ». Un projet de document qui doit être soumis au Cabinet est signé par Paul Martin, le 28 mai 1963. Il porte le titre : « La politique canadienne sur le désarmement et sur la cessation des essais nucléaires ». Nous ne comparons ici que les aspects les plus importants de ces deux documents.

Les deux textes insistent sur l'établissement d'un désarmement général et complet sous un strict contrôle international. Dans les deux cas, on précise qu'en attendant la réalisation de cet objectif la sécurité du Canada continuera d'être fondée principalement sur le principe de la sécurité collective à l'intérieur de l'OTAN. En matière de réduction de forces classiques, on demande que le principe de la « parité approximative » soit maintenu entre les deux camps. En ce qui a trait aux véhicules porteurs, on rappelle la nécessité de prévoir des « réductions équilibrées », tout en admettant que l'élimination totale de ces armes sera étalée sur plusieurs étapes, puisque les deux grands ne consentiraient à un tel programme qu'en cas de désarmement global. Dans les deux documents, on demande que figure dans le projet américain, dès la deuxième étape, une clause d'interdiction des armes bactériologiques et chimiques. On recommande également l'adoption d'accords internationaux pour empêcher la dissémination des armements nucléaires et pour favoriser l'établissement de zones dénucléarisées, celles-ci devant être sujettes à vérification et à l'approbation des États dans les zones concernées.

Les différences entre les deux documents sont pour la plupart contingentes. Par exemple, dans le premier, on précise que le Canada pourrait soutenir la thèse de l'approche de la négociation par un traité global — le *one-treaty approach* —, ce sur quoi insistent les Soviétiques, mais uniquement comme méthode de négociation puisque tous les éléments « phasés » ou devant intervenir par étapes dans les plans occidentaux devraient réapparaître à l'intérieur du projet de traité global. On pourrait aussi considérer sur une base séparée le problème du retrait des bases étrangères, dans une phase quelconque d'un projet de désarmement, si cela devait aboutir à un *quid pro quo*[9] avec le camp adverse. Devant l'opposition américaine sur ces deux points, la marge de manœuvre accordée à Burns par le Cabinet disparaît du même coup. En revanche, la question de la non-militarisation de l'espace apparaît dans le second document sous forme de projet d'interdiction de mise sur orbite d'armes de destruction massive. En matière de cessation des essais nucléaires, on insiste sur le maintien d'une position aussi « flexible » que possible. On recommande toutefois d'« éviter toute déclaration publique qui pourrait être interprétée comme un moyen de pression destiné à amener les Britanniques et les Américains à se rallier à des propositions soviétiques qui leur seraient politiquement trop difficiles à accepter ». Là, on note une différence de ton, mais dans l'ensemble, les nuances entre les deux documents sont accidentelles et plutôt minces. La continuité des approches, il est vrai, tient essentiellement au fait qu'elles ont été définies dans une large mesure par Burns.

Le document du 28 mai 1963 ne sera pas approuvé immédiatement. C'est que, sur ces entrefaites, le ministère de la Défense produit son malheureux document du 26 juin 1963 qui est une charge à fond de train contre le général Burns[10]. Le 30 juillet 1963, Paul Hellyer, le jeune et bouillant ministre de la Défense, tente un essai. Dans une lettre adressée à l'autre Paul, c'est-à-dire le ministre Martin, il lui précise que les politiques canadiennes de désarmement et de défense doivent être compatibles. Paul Martin avait déjà dit la même chose en Chambre. Il n'y a donc pas là de quoi s'affoler. Cependant, Hellyer joint à sa lettre une série de longs commentaires, qu'il déclare être les siens et qui constituent une dénonciation du projet de document du 28 mai devant être acheminé au Cabinet.

On dit, en substance, que les alliés n'ont pas été consultés sur les déclarations de Green en mars et en avril 1962 relativement à l'interdiction de mise sur orbite d'armes de destruction massive, qu'en matière de non-prolifération il faut travailler étroitement avec les alliés, et qu'il ne serait pas opportun d'insister sur l'institution de zones dénucléarisées en Europe. Sur les questions d'un désarmement général et complet, on souligne que seul le projet de traité américain est défendable et qu'il faut s'y rallier. Dans l'ensemble, Hellyer demande que le Canada ne dévie pas de la politique américaine.

Le 20 août 1963, Robertson écrit à Martin :

> Si les vues du ministère de la Défense sont acceptées, cela aura pour effet d'amener le gouvernement canadien à renoncer à toute autonomie de jugement relativement à ses politiques et propositions en matière de désarmement ainsi que dans les domaines reliés des mesures partielles et de l'arrêt des essais nucléaires[11].

En marge de cette phrase, Paul Martin écrit : « Noté. » Robertson continue :

> Si nous poussions cette analyse jusqu'à sa conclusion logique, cela signifierait que toute suggestion qui se départirait de la position américaine ne devrait ni être communiquée à un responsable d'un gouvernement autre que celui des États-Unis ni non plus être trop fermement appuyée auprès du gouvernement américain [...] Ces remarques[12] démontrent clairement la prudence excessive et l'attitude essentiellement négative de nos collègues au ministère de la Défense. Ce qui ne tombe pas sous le sens au premier coup d'œil, de plus, c'est qu'ils tendent à faire une fausse représentation de la nature et des buts des positions que nous avons recommandées au Cabinet.

Dans la marge, Martin note soit « Évidemment », soit « Je suis d'accord ». Martin demande donc que la position du Canada soit bien consignée[13] par une lettre à ce propos[14]. Le 13 septembre, la lettre est préparée[15] et adressée à « Mon cher collègue ». Elle reprend essentiellement les thèmes développés antérieurement par Robertson et sans doute aussi par K.D. McIlwraith, du Bureau du désarmement. Martin laisse cependant la porte ouverte puisqu'il souhaite une réunion entre les deux ministères au niveau des sous-ministres adjoints pour revoir les éléments politiques du mémoire au Cabinet « à la lumière des événements importants » qui sont survenus depuis, notamment le Traité d'interdiction partielle des essais nucléaires.

Cette procédure de consultations des sous-ministres adjoints sera caractéristique par la suite des relations entre les deux ministères. En outre, Hellyer se désintéressera en partie des problèmes du désarmement pour se concentrer sur l'unification des Forces armées canadiennes. L'histoire est ici ironique, car il est probable que les premières remarques d'Hellyer à Martin étaient tout droit issues de son état-major qu'il s'emploiera par la suite à démanteler. Bien que les archives n'indiquent pas que ce fameux mémoire ait été approuvé par la suite, il reste que la position canadienne sera conforme aux buts et objectifs que le ministère des Affaires extérieures s'était fixés au printemps 1963.

Deux faits importants se produisent en 1968 : la signature du Traité de non-prolifération des armes nucléaires et l'accession au pouvoir de Trudeau. Dans les deux cas, le ministère des Affaires extérieures est amené à entreprendre une révision en profondeur de sa politique. Les premières interrogations se posent à la suite de la signature, déjà prévue en 1967, du Traité de non-prolifération des armes nucléaires. L'interrogation devient inévitablement : sur quels aspects majeurs les efforts canadiens doivent-ils porter dans l'avenir ? Par ailleurs, la venue de Trudeau pose le problème de la révision en profondeur de la politique étrangère du Canada. Des études sont donc entreprises en 1967 et en 1968. Au début de 1969, tous sont d'accord pour conclure que les débats porteront principalement sur les questions de défense et de l'OTAN. Le Bureau du désarmement prépare néanmoins un long mémoire pour le Cabinet, en mars 1969, pour s'assurer que ces questions ne seront pas noyées dans le débat sur la défense certes, mais aussi pour mieux définir les directives à donner aux représentants canadiens au sein de la CCD.

En février 1967, B.H. Robinson signe pour le sous-ministre un document d'ensemble portant sur les objectifs canadiens en matière de désarmement et de contrôle des armements. Parmi les objectifs à long terme à soutenir, il y a la volonté d'associer la Chine populaire aux grandes discussions sur le désarmement. On reconnaît que le Canada doit faire des efforts constants pour consolider les progrès de l'*arms control,* mais qu'il est peu probable qu'en période de détente soutenue la même priorité doive être accordée aux mesures visant à prévenir les risques d'une guerre accidentelle ou encore aux propositions destinées à faciliter l'échange de déclarations sur des pactes de non-agression ou de non-recours à la force pour résoudre les différends. On mentionne toutefois que ces objectifs ne doivent pas pour autant être écartés.

Parmi les sujets prioritaires qui semblent nécessiter une discussion avec quelques chances de succès, on note[16] :

- un traité sur l'arrêt global des essais nucléaires ;
- un accord d'interdiction de déploiement de systèmes de missiles anti-missiles balistiques (Anti-Ballistic Missile, ABM) ;
- la constitution de zones de désengagement et des réductions réciproques des effectifs militaires ;
- le soutien à la constitution de zones dénucléarisées en Amérique latine, en Afrique ou ailleurs ;
- la réduction de la course aux armements dans les zones régionales.

Burns se réjouit de cette initiative et souhaite qu'un document plus étoffé soit développé aux fins d'approbation par le ministre. Il aimerait en outre que l'interdiction de systèmes ABM soit prioritaire par rapport au Comprehensive Test Ban (CTB), puisque les grandes puissances entendent logiquement poursuivre leurs essais souterrains précisément pour expérimenter des têtes nucléaires en mission ABM[17]. Enfin, Burns s'inquiète de savoir si la détente signifie l'abandon par le gouvernement canadien de l'objectif du désarmement général et complet.

Sur ce point, Burns obtient satisfaction puisque les documents ultérieurs maintiennent cet objectif. Dans le document préparé à l'intention du Cabinet, le 14 mars 1969, on reconnaît qu'il est encore trop tôt pour se prononcer sur la substance du Traité sur les fonds marins ainsi que sur la question de l'interdiction des armes bactériologiques et chimiques, parce que ces sujets en sont encore à un stade de discussions préliminaires. Les autres points essentiels comprennent cependant les trois éléments suivants. Premièrement, étant donné la position géographique du Canada — on fait allusion ici aux systèmes ABM — et l'intérêt du pays dans le maintien d'une dissuasion nucléaire stable et équilibrée, on souhaite que les négociations sur la limitation des armes stratégiques (SALT) (Strategic Arms Limitation Talks, SALT) se tiennent « à la date la plus rapprochée possible ». Deuxièmement, en matière de CTB, on désire que le Canada se départisse de sa position antérieure réservée, selon laquelle aucun traité n'est possible sans vérification, pour soutenir progressivement l'élaboration d'un traité global dont la vérification reposerait essentiellement sur les données fournies par les détecteurs sismiques. Une telle attitude ne doit être défendue que si la détente persiste, ajoute-t-on. Entre-temps le Canada ne doit pas informer les autres gouvernements de son éventuel changement d'attitude. Troisièmement, les questions de non-prolifération s'avèrent aussi importantes. Le Canada se rend compte qu'il a encore un bon nombre d'obligations bilatérales qui pourraient le mettre en porte-à-faux par rapport aux termes contractés dans le cadre du Traité de non-prolifération des armes nucléaires. Le mémoire recommande donc d'apporter le plus grand soin à cette question et de faire en sorte que chaque cas soit étudié sur la base de « ses mérites particuliers ». On souligne, en outre, la nécessité pour le Canada de prendre des initiatives dans le domaine des MBFR, surtout à la suite des études de vérification technique en cours à l'époque.

Il y a donc dans tout cela une remarquable continuité dans la philosophie canadienne en matière de désarmement. Bien que ce mémoire soit le résultat de la révision du gouvernement canadien de sa politique de désarmement, il est difficile de savoir la part qu'a pu jouer la Délégation canadienne à Genève dans l'élaboration du document. Quoi qu'il en soit, on souligne dans une note du 23 avril 1969 au ministre Mitchell Sharp l'importance pour le Cabinet canadien d'être bien au fait de la position du Ministère sur ces questions[18]. Le 26 juin 1969, la plupart des recommandations sont adoptées par le Cabinet canadien, avec la réserve cependant que l'évolution de la politique canadienne en matière de CTB soit reliée à de substantiels progrès dans les négociations SALT.

Vue rétrospectivement, la continuité dans la politique canadienne est sans aucun doute due à des hommes comme Burns et Robertson, et aussi à l'expérience de Martin à la Délégation canadienne à l'ONU. On ne saurait non plus passer sous silence les efforts constants de Green pour soutenir le conseiller du gouvernement canadien en matière de désarmement. Ce facteur n'est pas sans importance, car lorsqu'en 1968 les bureaucrates responsables du personnel feront une évaluation de la Délégation du désarmement à Genève, ils concluront que le Canada avait à Genève une Délégation plus forte que ce que les autres pays participants considéraient comme nécessaire[19]. B.A. Keith présentera un synopsis[20] de son rapport au sous-secrétaire, le 31 août 1968, et Arthur G. Campbell aura pour tâche de rétablir les faits le 24 octobre 1968. Dans son rapport à M.N. Bow, du Bureau du désarmement, Campbell est très clair. Il y est essentiellement question du rôle du conseiller en matière de désarmement auprès du gouvernement du Canada. Le poste de conseiller ayant été établi sous l'administration Diefenbaker, il aurait été difficile pour les libéraux de l'abolir sans qu'ils soient accusés par la même occasion d'un désintérêt profond pour ces matières. Il n'en a jamais été question, mais la procédure indique qu'il est difficile de faire marche arrière sur des sujets que l'opinion publique juge essentiels, une fois que des mesures administratives ont été mises en œuvre. En ce domaine, les libéraux rendront aux conservateurs la monnaie de leur pièce. Ceux-ci hériteront en 1985 d'une structure de désarmement fort bien étoffée à la suite de l'initiative de paix du premier ministre Trudeau et de la création, en 1984, de l'Institut canadien pour la paix et la sécurité internationales (ICPSI).

Sur l'ensemble de la période Green, on peut avancer sans risque de se tromper que les conflits bureaucratiques entre les ministères de la Défense et des Affaires extérieures furent le fruit de la plus mauvaise des conjonctures. Au caractère irréductible, réactionnaire, conservateur et rétrograde du ministre de la Défense s'oppose la volonté cassante, idéaliste et progressiste du ministre Green. L'incapacité de Diefenbaker à trancher les nœuds gordiens peut par ailleurs être perçue de deux façons. Ou bien elle a permis au ministre Green d'avoir les coudées franches, ce qui ne pouvait qu'aviver les conflits entre les deux ministères, ou bien la volonté d'un seul homme est suffisante pour mouvoir les bureaucraties et leur donner un sens certain de leadership en l'absence d'une forte direction exercée par le Cabinet, c'est-à-dire par le pouvoir exécutif. Les suites de ce conflit indiquent très clairement que la vérité se situe quelque part entre ces deux hypothèses.

Les zones d'intervention canadienne au sein du Comité des dix-huit puissances

Il est clair que les questions essentielles discutées au sein du Comité des dix-huit puissances relèvent des trois sujets que nous avons présentés ci-dessus : la non-prolifération des armes nucléaires, l'arrêt des essais nucléaires et les mesures partielles de désarmement. Nous reviendrons sur les deux premiers sujets aux chapitres 7 et 9. Nous limitons donc ici la discussion aux problèmes du désarmement général et complet. Nous verrons ensuite l'action canadienne en matière de mesures partielles.

Avant de passer à la discussion de ces problèmes, notons cependant le rôle joué par Burns au sujet de la procédure. Celui-ci insiste déjà en 1960 sur la nécessité de pourvoir l'organe de négociation d'une permanence administrative. Au moment des consultations entre les alliés à propos du Comité des dix-huit puissances, Burns propose[21], le 19 janvier 1962, que l'on étudie la possibilité d'adopter aux besoins dudit Comité la procédure de la coprésidence suivie pour la Conférence du Laos — Eden et Molotov avaient été en 1954 coprésidents de cette Conférence. Burns est autorisé à négocier avec les alliés sur cette question. Les Britanniques, qui préfèrent la présidence alternée, finissent par se rallier à la proposition canadienne. Par ailleurs, les États-Unis n'éprouvent aucune difficulté à l'égard de cette formule. Elle leur permet de mieux contrôler l'ordre du jour ainsi que la dynamique des négociations avec leurs propres alliés. Elle fournit aussi l'avantage de présenter un front commun occidental contre toute tentative de Moscou de revenir sur sa prétention à l'institution d'une troïka.

Les États-Unis chargent Burns de saisir les Soviétiques de cette initiative, ce qu'il fait dans l'aide-mémoire du 3 mars 1962 soumis à l'ambassadeur soviétique à Ottawa, A. Aroutunian. À la suite des discussions officieuses avec des fonctionnaires soviétiques, les Canadiens savent déjà que ces derniers ont antérieurement qualifié la procédure de la Conférence du Laos d'« utile[22] ». Outre la suggestion de la coprésidence, l'aide-mémoire de mars contient aussi la proposition additionnelle d'une présidence quotidienne alternée. Seule la première formule sera finalement acceptée.

Autre aspect de la procédure : l'incident Dainelli. Ce dernier, membre de la Délégation italienne, souhaite publier un article dans la *Communita Internazionale* en février 1962. Cet article n'est guère du goût de Green, car on y précise que la politique canadienne autrefois inspirée par Pearson souffre désormais d'une « flexibilité de doctrine particulière » puisqu'elle oscille entre les vues utopiques du ministre Green et celles de politiques cohérentes plus techniques[23]. On peut supposer que les représentations canadiennes à Rome auraient eu peu d'effet si l'article n'avait pas été écrit par un fonctionnaire italien peu soucieux de la réputation de Green. Devant les représentations canadiennes, on décida de supprimer le paragraphe incriminant.

Dernier point : les consultations avec la RFA. Celle-ci, depuis le Comité des dix puissances, demande à être tenue régulièrement informée des négociations. Elle souhaite même des discussions régulières « autour d'une table ». Les alliés s'opposent à cette suggestion, d'autant plus que la RFA risque d'être la principale intéressée dans la plupart des questions discutées. Après consultations, le Canada tranche donc en faveur d'une attitude « ferme mais polie » dans un premier temps, en acceptant par la suite de considérer la RFA comme une alliée, c'est-à-dire comme cela avait été le cas pour le sous-comité de Londres de la Commission du désarmement, comme un partenaire à tenir « informé » par la voie diplomatique. La même procédure sera suivie pour le Comité des dix-huit puissances. En dépit de tout cela, la RFA ne manquera pas en 1965, largement pour des raisons de politique intérieure, de réprimander Burns pour une déclaration faite au sujet de la MLF. Celui-ci s'était permis de dire que le projet de la MLF n'était guère conforme aux objectifs de non-dissémination poursuivis par le gouvernement canadien. La presse allemande s'emparera de l'affaire, mais la querelle fut vite étouffée dans la foulée des interventions de l'ambassadeur du Canada, J. Starnes, à Bonn.

En 1968 et en 1969, la RFA demande à faire partie des nouveaux membres qui transformeront le Comité des dix-huit puissances en la CCD. Le Canada et les États-Unis soutiendront la candidature ouest-allemande, dans l'espoir d'amener la France et la Chine à se joindre par la même occasion aux discussions de Genève. La monnaie d'échange proposée par l'Ouest n'est guère alléchante : la RFA en échange de la participation de la Hongrie. Après avoir refusé dans un premier temps l'offre occidentale, les Soviétiques reviennent sur leur décision et proposent la participation de la RDA. La proposition est irrecevable. Les deux Allemagnes sont donc tenues à l'écart des pourparlers.

Le désarmement général et complet

La question du désarmement général et complet préoccupe le général Burns ainsi que l'administration Green. Beaucoup d'efforts sont consentis par les Canadiens pour mettre de l'ordre dans les propositions discutées. L'action canadienne se situe à deux niveaux : au sein des consultations entre alliés et au sein du Comité des dix-huit puissances. Nous les traiterons simultanément selon l'importance des questions abordées.

Dans une conférence prononcée devant le Collège de la défense nationale à Kingston[24], Robert Sutherland rappelle, au sujet du désarmement, un mot de lord Palmerston à propos du Schleswig-Holstein : « Il n'y a que trois personnes qui ont compris ce problème : le prince consort qui est mort, un professeur allemand qui est devenu fou, et moi-même, mais j'ai tout oublié. »

Les plans soumis en 1962 ressemblent à ceux qui ont été discutés dans les années cinquante, à cette différence près toutefois que l'accent est mis et sur le désarmement et sur le processus de gestion d'un système international dans la perspective d'un monde désarmé. Ces perspectives par trop universitaires et théoriques n'avaient aucune chance de réussir, du moins dans les années soixante. Les discussions au sein du Comité des dix-huit puissances n'iront d'ailleurs jamais au-delà de la négociation des clauses contenues dans les phases 1 des projets respectifs. Beaucoup de temps sera consacré à l'Organisation internationale de désarmement et aux questions du maintien de la paix certes, mais ces discussions furent vaines. Déjà, à l'été 1962, les Britanniques songent à une série de mesures qui pourraient être regroupées afin de faire l'objet de négociations progressives et séparées. Cette attitude, partagée par les Américains, est tenue secrète afin de ne pas exposer l'Occident aux attaques redoublées de l'URSS. En effet, celle-ci n'aurait certainement pas raté l'occasion de prétendre qu'une telle approche démontrait à qui voulait l'entendre que les Occidentaux n'étaient pas intéressés par la question du désarmement général et complet.

Dans un long document de 12 pages, le Canada soumet le 27 juin 1962 les principaux éléments de la politique canadienne en matière de désarmement général et complet[25]. Dans l'ensemble, on accepte le document de base déposé par les Américains à Genève, on propose certains amendements mineurs, et l'on demande beaucoup d'éclaircissements, notamment sur les questions de la signification des « rampes de lancement fixes » — cette formule est-elle destinée à exclure les rampes de lancement mobiles ? —, de la définition de ce que constituent les « forces armées » — ne vaudrait-il pas mieux préciser que seul un certain pourcentage d'éléments civils peut être comptabilisé dans les forces armées ? —, de la terminologie « à des fins autres que l'utilisation dans des armes » — ne vaudrait-il pas mieux utiliser la terminologie soviétique « à des fins autres qu'une utilisation pacifique » ? —, etc. Le Canada n'aime pas la formule « normes de conduite internationale » qui pourrait prêter le flanc à la critique, car on pourrait supposer qu'il s'agit de normes imposées de l'extérieur, et il souhaite en outre que l'on se penche sur la question de l'interdiction du recours aux armes nucléaires. Sur ce point, les États-Unis ne peuvent donner raison aux Canadiens, car ils avaient déjà retiré une telle clause de la phase 2 de leur projet préliminaire antérieur à la suite des réticences de leurs principaux alliés européens[26]. En définitive, le document canadien et les discussions alliées qui suivent à Washington ne débouchent sur aucune modification sensible du projet de traité américain.

Au sein du Comité des dix-huit puissances, l'action canadienne consiste à établir plusieurs documents de synthèse et de comparaison des plans présentés[27]. On ne peut résumer ici que l'essentiel des propositions[28]. Les deux projets prévoient trois phases dans l'établissement du désarmement général et complet. Du côté soviétique, on demande que le processus soit étalé sur cinq années — quatre dans le plan original. De plus, le plan doit être accepté au départ dans sa totalité. Du côté américain, on prévoit que les deux premières étapes s'étendraient chacune sur trois années, la troisième étape devant être déterminée au moment de la signature du traité.

En matière de réduction des forces classiques, les propositions sont les suivantes :

Proposition américaine du 18 avril	**Proposition soviétique du 15 mars**
Étape 1	Étape 2
É.-U. et URSS : 2,1 millions d'hommes. Autres États, sauf exception : 100 000 hommes ou l'équivalent de 1 pour 100 de la population.	É.-U. et URSS : 1,9 million d'hommes (1,7 dans le plan original). Autres États : à déterminer.

Proposition américaine du 18 avril	Proposition soviétique du 15 mars
Étape 2	Étape 2
É.-U. et URSS : 1,05 million d'hommes. Autres États : à déterminer selon une formule de pourcentage à définir.	É.-U. et URSS : 1 million d'hommes. Autres États : à déterminer.
Étape 3	Étape 3
Seul maintien des forces nécessaires aux besoins de la sécurité intérieure ; et création d'une force de police de l'ONU.	Licenciement des forces armées et abolition des forces de réserve ; et maintien d'armes légères pour la sécurité intérieure.

Quant à la question des véhicules porteurs et de l'armement nucléaire, les deux plans se révèlent diamétralement opposés. Les États-Unis proposent une démarche progressive : réduction de 30 pour 100 dans la première étape, suivie de deux autres réductions successives de 35 pour 100 dans les deux étapes ultérieures. Pour leur part, les Soviétiques suggèrent l'élimination totale de tous les véhicules porteurs au cours de la première phase. Cette disposition est modifiée par la suite, puisque Gromyko accepte, au cours des délibérations de la XVIIe session de l'Assemblée générale, la thèse du « parapluie nucléaire ». Autrement dit, on convient qu'une « dissuasion minimale » est nécessaire à ce moment pour satisfaire aux besoins de la sécurité internationale. D'autres amendements soumis au Comité des dix-huit puissances confirment l'idée de la rétention possible d'armes nucléaires jusqu'en phase 3, mais les conditions de la réalisation de ces propositions n'ont jamais été définies. Les Soviétiques réclament de plus, au cours de la première phase, le démantèlement des bases étrangères et le retrait des troupes qui y sont stationnées.

Les États-Unis élargissent toutefois considérablement la portée de la première phase puisqu'ils proposent la cessation de la production des matières fissiles à des fins militaires, le transfert d'une certaine quantité de matières fissiles à des usages non militaires, l'échange de missions militaires et l'établissement de postes d'observation, la notification au préalable de lancements de missiles ou de véhicules spatiaux, le non-transfert du contrôle de l'arme nucléaire à des États non dotés de celle-ci, l'interdiction des essais nucléaires sous contrôle international effectif et l'interdiction de mise sur orbite d'armes de destruction massive. Sur ces trois derniers points, la proposition soviétique contient aussi des clauses sensiblement semblables — on ne parle pas de contrôle en matière de suspension des essais nucléaires.

Les buts, de part et d'autre, sont donc clairs. Les États-Unis proposent des réductions par pourcentages des véhicules porteurs, ce qui place l'URSS dans une position d'infériorité, les États-Unis disposant d'un nombre de vecteurs beaucoup plus considérable que celui dont est dotée l'URSS. Celle-ci, à son tour, demande le retrait des États-Unis de l'Europe et de l'Asie, ce qui est évidemment inacceptable pour les États-Unis. Comme elle se rend compte assez vite que sa proposition sur l'élimination des véhicules porteurs en l'espace de 15 mois est irréalisable, elle l'adoucit en suggérant la notion d'un «parapluie nucléaire» dont beaucoup de spécialistes parlaient en Occident. À l'époque, une telle démarche relevait de la rêverie. Aujourd'hui, surtout depuis Reykjavik et l'incident de Tchernobyl, on revient lentement à des projets de « dissuasion minimale ». En résumé, des deux côtés, les propositions sont totalement contradictoires, donc irrecevables. On s'oriente donc de plus en plus vers la discussion des mesures partielles de désarmement.

Sur la question des véhicules porteurs, les hautes autorités militaires canadiennes mettent peu de temps à comprendre le sens de la proposition soviétique. En réponse à un télégramme de Burns de Genève, le maréchal de l'air F.R. Miller câble, le 2 avril 1962 : « En bref, si la proposition soviétique est exécutée de bonne foi, cela permettra à l'URSS de dominer la masse continentale euro-asiatique et, si elle est exécutée de mauvaise foi, cela lui assurera la domination du monde[29]. »

Dans son mémoire du 3 mai au ministre, Burns dégage bien la position soviétique[30] :

> En pratique, la Délégation soviétique a tenté d'amener, avec quelque succès, le Comité des dix-huit puissances à discuter du projet de traité soviétique, article par article... Cette démarche a placé la Délégation américaine dans une position tactique et psychologiquement défensive [...] La Délégation soviétique a maintenu que toutes les mesures de désarmement contenues dans son projet de traité étaient interreliées et interdépendantes, c'est-à-dire qu'elles ne pouvaient être discutées sur une base séparée. Cela paraît particulièrement évident [...] en ce qui a trait à l'élimination des véhicules porteurs, au démantèlement des bases étrangères et au retrait des troupes étrangères des bases situées en pays étranger ainsi qu'à la démilitarisation de l'espace extra-atmosphérique, le tout devant intervenir sur une base simultanée.
>
> [...]
>
> Cela explique l'opposition persistante de l'URSS à l'établissement de groupes de travail ou de sous-comités séparés.

Au représentant britannique Michael Wright qui compare le projet américain à un tabouret à trois pieds — le désarmement, la vérification et le maintien de la paix[31] —, le délégué Zorine répond que seules sont stables les chaises à quatre pieds. Son remplacement par Tsarapkine à l'été 1962 introduit un peu plus de flexibilité dans les techniques de négociations, mais en somme, il est évident que les États-Unis et l'URSS ne sont pas plus intéressés au désarmement général qu'une mouche à une araignée. Lorsqu'on fera le bilan de toutes ces négociations au ministère des Affaires extérieures en 1970, on jugera qu'il n'y avait pas de méthode plus efficace pour protéger le caractère « sacro-saint » du statu quo que la tenue de pourparlers sur le désarmement général et complet[32].

Pour leur part, Burns et le ministère des Affaires extérieures tentent d'obtenir de leurs pairs à la Défense, le 22 novembre 1962, quelques précisions sur la façon de procéder à l'élimination des véhicules porteurs ou à l'élimination graduelle des armements nucléaires, tout en protégeant un certain équilibre militaire entre les deux blocs. Un long document est préparé par l'État-major interarmées (JS)[33], le 6 décembre 1962. La Défense y soutient évidemment l'approche des réductions par pourcentages, ce qui donne l'avantage au camp occidental. Cette méthode est à l'inverse de ce que les Occidentaux tentaient d'obtenir des Soviétiques dans les années cinquante. Lorsque ceux-ci proposaient des réductions par pourcentages, ce qui était à leur avantage, l'Ouest réclamait des réductions sur la base de seuils numériques à déterminer. Ce n'est qu'à l'intérieur des négociations SALT que les États-Unis et l'URSS accepteront de négocier sur la base de réductions asymétriques équivalentes ou de seuils numériques satisfaisants pour les deux parties.

Dans le document de la Défense de décembre, on n'aime pas beaucoup le concept, cher à Burns, d'une « dissuasion minimale », et l'on souligne, non sans raison, que le prix du retrait des Américains de l'Europe ne peut être qu'« une substantielle capacité nucléaire européenne et autonome ». Dans l'ensemble, on ne répond à aucune des questions soulevées par Burns ou les Affaires extérieures. La plupart des avis sont à caractère politique. On précise de plus que Genève n'est qu'une opération de propagande et que les problèmes posés ne peuvent être résolus « que par la diplomatie secrète engageant les grandes puissances au premier degré ». Sur ce point, la Défense a raison, mais elle est d'un bien faible secours pour Burns qui doit se défendre dans la fosse aux lions. Celui-ci reviendra en vain sur cette question le 21 mars 1963.

À la suite d'une proposition italienne, le désarmement général et complet fournit l'occasion aux puissances occidentales de créer un groupe d'experts juridiques chargé de se pencher sur l'organisation du désarmement et le maintien de la paix dans un monde désarmé. À l'été 1964, le groupe de travail avait déjà tenu cinq sessions d'études. Bien que les discussions aient été souvent confuses, faute d'un ordre du jour précis ou de conditions politiques préalables, naturellement non définies puisqu'elles ne pouvaient l'être que dans le cadre d'un désarmement véritable, le groupe mettra à contribution de grands juristes internationaux, notamment A.E. Gotlieb du Canada, H.D. Darwin et D.N. Brinson de la Grande-Bretagne, G. Arangio-Ruiz et Giovanni Battaglini d'Italie de même que George Bunn, Richard Gardner et Steven Schwebel des États-Unis. Le principal mandat du groupe fut d'étudier le rôle, la structure et la procédure décisionnelle qui devaient régir le fonctionnement de l'Organisation internationale de désarmement (OID) ainsi que les questions du maintien de la paix et du règlement pacifique des différends.

Certaines questions, bien qu'elles soient théoriques, ne sont pas sans incidence sur les débats au sein du Comité des dix-huit puissances. Par exemple, est-il nécessaire, dans le contexte du désarmement, de modifier l'article 103 de la Charte ? On souligne dans cet article qu'en cas de conflit d'interprétation entre les obligations de la Charte et celles qui découlent d'autres accords, les premières prévaudront. Les « normes de conduite internationale » proposées par les États-Unis sont-elles conformes ou non à la Charte ? En ce domaine, les débats au sein du Comité des dix-huit puissances — la participation canadienne fut essentielle à cet égard — montrent clairement que seules les obligations découlant de la Charte ont force de loi et qu'il ne saurait être question de confier à l'OID un rôle à caractère législatif. Le ministère de la Défense renforcera le point de vue soviétique sur ce point car, dit-on, « il est très improbable que l'on puisse s'entendre sur un accord valable pour interdire l'agression ou la subversion ». Et l'on ajoute : « Toute forme d'influence, y compris l'influence culturelle ou l'assistance économique, constitue en quelque sorte une forme d'agression[34]. »

Le maintien de la paix que les États-Unis souhaitent instituer dans le contexte d'un désarmement général doit-il s'appuyer sur l'article 43 de la Charte ou au contraire être construit, comme les Canadiens le désirent[35], sur la base de contingents nationaux volontairement mis à la disposition de la Force de paix des Nations Unies ? Dans un de ses rapports[36], Burns souligne que le délégué américain Arthur Dean a rejeté, lors de la 55e réunion du Comité des dix-huit puissances, l'article 43 comme constituant une base juridique suffisante, puisqu'à San Francisco cet article n'a pas été conçu dans le cadre du désarmement général et complet. Burns aurait pu ajouter que la rédaction de cet article fut également élaborée avant l'irruption du nucléaire dans le système international.

Autre question, l'ONU doit-elle être dotée d'armements nucléaires pour assurer le maintien de la paix dans un monde désarmé ? Les Britanniques ne veulent pas en entendre parler, l'Inde non plus, et Green encore moins. Les États-Unis se retrouvent donc assez isolés à ce propos. Nous ne pouvons présenter ici les intéressants travaux de ce groupe d'experts. Qu'il suffise cependant de mentionner sa grande utilité pour faciliter une harmonie des points de vue au sein des Délégations occidentales. Et le groupe leur a fourni par la même occasion des munitions importantes pour faire face au barrage des objections soulevées par les Soviétiques. De telles études ne seront pas sans intérêt non plus pour les travaux du Comité des trente-trois qui sera établi à la fin des années soixante afin de renforcer les mécanismes de maintien de la paix de l'ONU.

Sur la question du maintien de la paix, McIlwraith s'en donne à cœur joie[37]. « Dans un monde désarmé, écrit-il, le léopard changera-t-il de taches[38] ? » Il dénonce, non sans raison, les positions « extrêmes et dogmatiques » prises par les deux camps à Genève. Il compare toutes ces questions de procédure nouvelle par rapport aux obligations traditionnelles de la Charte au problème de l'œuf et de la poule : « Est-ce que les normes des individus peuvent être changées par la loi, ou faut-il plutôt, avant de légiférer, attendre que les individus soient prêts à accepter la loi ? » Il conclut que seule la voie mitoyenne peut être défendue et que c'est dans cette optique qu'il faut aborder les questions du maintien de la paix et du règlement pacifique des différends. Entre la thèse soviétique qui réclame, dans un monde désarmé, le seul maintien d'« armes légères[39] » et la thèse américaine qui revendique la constitution d'une force « qu'aucun État ne saurait défier », McIlwraith aboutit à l'argumentation suivante:

> Il faut d'abord accepter que la force de police doive être dotée de suffisamment d'armements pour étouffer un conflit local n'engageant pas les grandes puissances, et ensuite s'assurer qu'elle disposera d'une puissance de dissuasion contre les desseins illégitimes entretenus par une grande puissance. En même temps, il faut bien se rendre à l'évidence: le monde ne pourra pas rester désarmé si l'une ou l'autre des grandes puissances décide de recourir à la force. Par conséquent, il ne faut pas se bercer de vaines illusions qui consistent à croire qu'une force de paix pourrait, dans ces circonstances, maintenir le statu quo.

Voilà en quelques mots tout le problème du désarmement général et complet. En 1988, il n'est pas plus facile de répondre à ces trois interrogations. Comment une force de police peut-elle théoriquement dissuader une grande puissance? De quels armements une force internationale devrait-elle disposer pour empêcher, par exemple, une aggravation du conflit irano-irakien? Et que se passerait-il, même si l'on admet la plus rassurante des hypothèses, si une grande puissance décidait de ne pas respecter les engagements conclus? Sans aller aussi loin que prétendre, comme Raymond Aron, qu'après chaque guerre les combattants se relèveront de leurs cendres pour amasser à nouveau les moyens de se détruire et proposer la convocation d'une conférence sur le désarmement[40], il est clair que la question du règlement pacifique des différends ne peut être abordée, comme le déclarent les tenants de l'école pacifique, que dans le contexte d'un changement de mentalités. Reykjavik et la suite des événements semblent démontrer qu'une métamorphose générale est en train de se produire par rapport aux armes nucléaires: celles-ci sont inutilisables, elles sont militairement absurdes, sauf pour assurer la dissuasion, encore que beaucoup d'auteurs contestent la validité de ces thèses, et il est de toute première urgence de les réduire à leur niveau le plus bas. Inévitablement, l'interrogation se déplace: que nous réserve l'avenir de la technologie? Et dans des conditions changeantes, est-ce à dire que les préventions qui se dessinent aujourd'hui à l'endroit de certaines armes seront les mêmes qui existeront demain?

Pour ce qui est du maintien de la paix, Burns demande de Genève la permission de faire une déclaration à ce propos[41]. Son expérience à la Force d'urgence des Nations Unies (FUNU) et la crédibilité du Canada dans le domaine lui donnent évidemment qualité pour parler avec autorité du *peace-keeping*. Le projet de déclaration est cependant perçu à Ottawa comme susceptible, en pleine crise du Congo, d'aviver les conflits d'interprétations plutôt que les amenuiser. On demande donc à Burns de « mettre la pédale douce[42] ». Le Bureau de l'ONU est d'ailleurs en étroite consultation avec les États-Unis qui préparent un document de travail sur le sujet aux fins de consultations des quatre puissances occidentales à Washington. La question finira par faire l'objet de déclarations éparses au Comité des dix-huit puissances, mais elle ne sera jamais étudiée en profondeur. En novembre 1962, Burns demande que l'on approfondisse le sujet ; on s'en tient toutefois à dire qu'un tel document, s'il doit être produit, doit répondre à quatre objectifs : 1. comparer les plans soviétiques et américains afin d'en dégager les éléments communs et les différences ; 2. voir si la position canadienne est conforme à la position américaine et proposer les modifications que l'on juge souhaitables ; 3. faire la même chose avec la position soviétique ; et 4. rédiger les éléments à inclure dans un projet de traité sur les points que le Canada jugerait importants mais délaissés tout à la fois par les États-Unis et l'URSS[43]. En août 1965, la situation n'a pas évolué[44].

Dans une note adressée au sous-secrétaire[45], Burns reconnaît que la question du désarmement général et complet se trouve dans une impasse totale depuis plusieurs années. Il propose donc une nouvelle approche qu'il souhaiterait soumettre en premier lieu, si elle est approuvée par le gouvernement, au directeur de l'ACDA à Washington, William C. Foster, et par la suite aux Britanniques et aux Italiens. Son texte s'intitule « Le désarmement général et complet ». Le titre est trompeur, car Burns revient sur les concepts de « réductions équilibrées », sur la notion de dissuasion minimale et sur la constitution de « zones dénucléarisées » où il reprend ses thèses de juin 1960[46], à cette différence près qu'il propose d'élargir la zone franche jusqu'à Minsk[47]. Il souhaite que tous ces éléments soient repris à l'intérieur de la phase 1 du projet de traité américain qui pourrait ainsi comprendre, outre les aspects de non-prolifération : 1. un gel vérifié des véhicules porteurs suivi de la destruction des éléments non essentiels au maintien d'une dissuasion crédible — les bombardiers de la vieille génération ; 2. l'élargissement de la zone Rapacki jusqu'à Minsk de façon à éliminer les armements nucléaires tactiques ; 3. des propositions modifiées à l'égard de la réduction des matières fissiles ; et 4. des contrôles budgétaires applicables à l'équipement, au personnel et aux installations militaires. En réalité, il s'agit là d'un regroupement de mesures partielles, dont certaines étaient discutées depuis longtemps au sein du Comité des dix-huit puissances. Burns insistera aussi le lendemain sur la question de la publicité à apporter au commerce des armes à l'égard des pays du Tiers Monde.

D.M. Cornett du Bureau du désarmement, dans une note à B.H. Robinson, fait pertinemment remarquer qu'un tel projet supposerait une architecture totalement nouvelle de la phase 1 du projet américain[48] : « Nous nous sommes limités dans le passé à proposer des modifications mineures à ce projet de traité [...] Je ne vois pas, non plus, comment nous pourrions concilier ces suggestions avec la proposition américaine d'un traité en trois étapes. » Cornett a ici raison. Le menu du jour n'est plus au désarmement général et complet ; il porte essentiellement sur les questions de non-prolifération nucléaire. Par ailleurs, la plupart des questions soulevées par Burns avaient déjà été discutées avec les mesures partielles dont le Comité des dix-huit puissances avait été saisi.

Les mesures partielles de désarmement

Les sujets privilégiés par le Canada sont l'espace extra-atmosphérique, l'arrêt des essais nucléaires et la non-prolifération. Cette liste est arrêtée sous l'administration Diefenbaker dès le début des travaux du Comité des dix-huit puissances. Elle a largement été le fruit des consultations entre Burns et Green. Vers la fin des travaux du Comité des dix-huit puissances, le Canada insistera encore davantage sur deux autres sujets : les armes bactériologiques et chimiques ainsi que le Traité sur les fonds marins. Outre ces grands thèmes, les zones de dénucléarisation et celles de non-nucléarisation ainsi que le contrôle des armements classiques constituent trois dossiers sur lesquels le Canada se penchera avec beaucoup d'attention. C'est donc essentiellement ces dossiers que nous examinerons ici. Avant de les aborder, disons deux mots à propos d'autres questions.

Une question qui n'est pas sans importance pour le Canada est la non-militarisation de l'espace. Les Américains sont outrés par la déclaration de Green du 27 mars 1962[49]. L'ambassadeur américain à Ottawa, T. Merchant, et le ministre Green en discutent[50], en privé, le 3 avril 1962. Les Américains reprochent aux Canadiens de ne pas les avoir consultés à ce propos. Ils disent par surcroît que le projet canadien ne prévoyait pas de fonctions particulières pour la vérification. Green fait remarquer à bon escient que sa déclaration devait être perçue comme telle et non comme un projet. Après tout, ce qu'il demande dans sa déclaration du 28 mars, c'est uniquement de formaliser les aspects des deux traités qui sont les plus prometteurs en matière de non-militarisation de l'espace. Par la suite, Arthur Dean, de la Délégation américaine à Genève, insistera pour que le Comité des dix-huit puissances accepte de se pencher le plus tôt possible sur la question de l'espace extra-atmosphérique, ce à quoi les Soviétiques rétorqueront que le sujet ne peut être discuté que dans le contexte du désarmement général et complet[51]. En juin 1962, Burns est mandaté pour soutenir la proposition indienne selon laquelle les coprésidents seraient chargés de préparer des amendements destinés à être inclus dans les deux projets de traité[52]. Le Comité des dix-huit puissances n'est guère allé plus loin à cet égard. Et à cause de cela, dans son intervention[53] du 26 mars 1964, Paul Martin ne retient pas la question spatiale dans les sept sujets[54] qui lui paraissent propices à des négociations.

Un deuxième point auquel le Canada apportera un effort particulier est celui du recensement de toutes les propositions de 1958 à 1963 présentées par les deux camps et destinées à prévenir une attaque par surprise. Ce document[55] est présenté à Genève, le 16 août 1963. Un élément important qui fait l'objet de discussions est celui de l'établissement de postes d'observation, dont deux sinon quatre pourraient être établis au Canada[56]. Pour compléter un tel réseau de postes d'observation, les États-Unis proposent l'échange de missions militaires entre les deux blocs. Le ministère de la Défense ne pense rien de bon de ce projet qui ne pourrait « que grever davantage les ressources insuffisantes » du Ministère[57]. Il est vrai que cette proposition américaine a surtout pour but de saper la revendication soviétique au sujet du retrait des forces militaires des bases étrangères en légitimant pour les alliances un rôle d'inspection et d'échange d'informations militaires. Le Canada considère néanmoins cette proposition comme susceptible de constituer une « assurance » contre une attaque surprise.

La question de la cessation de production des matières fissiles fait l'objet d'un document britannique[58] à propos duquel les scientifiques canadiens et le ministère de la Défense montrent la plus grande prudence. On ne juge l'hypothèse ni plausible ni réalisable, si ce n'est que dans une phase très avancée du désarmement, une fois que tous les systèmes de vérification seront établis. On manifeste cependant une certaine prudence puisque, dit-on, le Canada n'a pas une vaste expérience en la matière. Tout au plus s'aventure-t-on à faire quelques suggestions dont on ne retrouvera aucune trace par la suite. Par exemple, une longue irradiation des combustibles dans les réacteurs pourrait rendre plus difficile la production du plutonium à des fins militaires. Ou encore on pourrait interdire l'utilisation de réflecteurs dans les réacteurs à uranium naturel, ce qui diminuerait la production possible de plutonium. Les plans de séparation isotopique par processus chimiques pourraient en outre être interdits[59]. En ce domaine, le Canada a raison, mais ce n'est que beaucoup plus tard, avec l'Organisation de l'évaluation internationale du cycle de combustion nucléaire (International Nuclear Fuel Cycle Evaluation, INFCE)[60], que ces négociations interviendront.

Sur les questions politiques à caractère plus vaste, le Canada suit de près la position des alliés de l'OTAN. Ainsi, Burns déclare que la proposition soviétique de février 1963 d'un pacte de non-agression ne relève pas du ressort du Comité des dix-huit puissances et devrait être discutée dans le contexte plus large des grands problèmes politiques européens[61]. Relativement à la question du maintien d'un « parapluie nucléaire » susceptible de garantir à travers les étapes du désarmement une certaine forme de dissuasion nucléaire, Burns réclame sans succès des éclaircissements à la Délégation soviétique[62]. Le sujet d'une « dissuasion minimale » intéressant Burns au plus haut point, il soutient la RAU dans sa demande qu'un groupe de travail soit créé sur la pertinence du maintien de la dissuasion nucléaire dans le cheminement du processus du désarmement[63]. Celui-ci ne sera pas constitué.

Pour ce qui est du budget militaire, les Soviétiques proposent une réduction de 10 à 15 pour 100. Conscient des difficultés, Burns réclame l'uniformisation de la présentation des données budgétaires. Il ne se prononce pas contre la proposition soviétique au contraire des autres Délégations occidentales, mais il ne pense pas toutefois que ces réductions devraient valoir pour tous les États[64]. Lorsqu'en 1964 les États-Unis proposent la destruction d'un certain nombre de B-47 en échange de la destruction d'un nombre équivalent de bombardiers soviétiques Tu-16, Burns demande que cette question soit reliée à la proposition américaine d'un « blocage vérifié » du nombre des véhicules porteurs. Les Britanniques et les Américains firent savoir à Burns qu'ils se consulteraient sur cette question[65]... Cela ne les empêchera pas de revenir avec des propositions semblables en 1966. De tous ces pourparlers, rien de concret ne ressort, si ce n'est le sentiment d'impuissance qu'éprouvent les membres du Comité des dix-huit puissances par rapport aux grandes puissances.

Les prémesures par rapport au Traité de non-prolifération des armes nucléaires

On peut séparer les efforts canadiens en matière de non-prolifération des armes nucléaires selon deux thèmes pratiques : les zones de dénucléarisation en Europe et les zones de non-nucléarisation pour les autres régions du monde. Le premier thème a surtout été discuté à l'intérieur du Comité des dix-huit puissances ; le second aussi, mais il a largement été abordé au moment des délibérations de l'ONU.

En ce qui a trait à la première question, on peut découper le sujet selon l'historique des propositions faites par les délégués du bloc de l'Est. À la première séance du Comité d'ensemble, le 28 mars 1962, les Polonais ressuscitent le projet Rapacki, à cette nuance près que dans une première étape il y aurait un « gel » des effectifs nucléaires dans la région considérée, suivi de leur élimination progressive au cours d'une seconde étape. À la fin de 1963, la Pologne tâte le pouls des Délégations occidentales sur une reprise de cette proposition. Gomulka prononce un discours à ce propos le 28 décembre 1963. Le 29 février 1964, les Polonais se sentent suffisamment en terrain sûr pour proposer : 1. le gel de tous les armements nucléaires dans la région déjà définie à l'intérieur du plan Rapacki des années 1957-1958 ; 2. l'interdiction de production, d'introduction ou d'importation des armements nucléaires dans la région considérée ; 3. la mise sous « garanties » des installations nucléaires en exploitation dans la région ; et 4. l'établissement de postes de contrôle aux principaux points stratégiques afin d'empêcher l'implantation de nouvelles armes nucléaires dans la zone considérée.

En 1965, une nouvelle version du plan Gomulka est présentée. Le nouveau plan, mieux connu sous le nom de son auteur, le plan du professeur Manfred Lachs, ajoute aux anciennes propositions les éléments suivants. En premier lieu, la notion de contrôle développée par les Polonais inclut désormais la « capacité de s'engager dans l'usage[66] » des armements nucléaires. La zone considérée ne recouvre pas toutefois le territoire soviétique, ce qui n'est guère susceptible d'amener l'Ouest à considérer sérieusement cette proposition, étant donné l'allongement toujours plus grand de la portée des vecteurs transportant l'arme nucléaire. Il est vrai que le plan Lachs comprend l'acceptation volontaire des « garanties » de l'Agence internationale de l'énergie atomique ; toutefois, en 1966, et la Pologne et la Tchécoslovaquie et la RFA sont prêtes à se soumettre à ce genre de contrôle.

Dans l'ensemble, les plans polonais visent manifestement à faire échec à trois situations : 1. empêcher la modernisation des forces nucléaires de l'OTAN ; 2. faire échouer le plan de la MLF ; et 3. s'assurer que la RFA ne dispose pas d'une capacité autonome de sélection des objectifs militaires pour les armes atomiques entreposées sur son territoire. Un objectif global toujours présent mais jamais avoué est aussi d'amener la RFA à reconnaître dans un traité la RDA, sans contreparties ni concessions à l'Est. Il faudra attendre l'*Ostpolitik* du chancelier Brandt et les accords de la Conférence sur la sécurité et la coopération en Europe (CSCE) pour que les frontières issues de la Seconde Guerre mondiale soient consacrées dans les textes.

À la suite de consultations au sein de l'OTAN, la plupart des alliés répondent d'une façon uniforme à la note soviétique du 29 février 1964. La stratégie consiste à déplorer les insuffisances du projet et à reporter le blâme sur les Polonais, ce qui était une forme d'invitation à les amener à préciser davantage leurs pensées. La première raison avancée est que le gel des armements nucléaires, s'il ne s'applique pas au territoire soviétique, reviendrait à annuler toute possibilité de riposte tactique nucléaire occidentale. Cet argument est évidemment de poids, et personne à l'Est ne s'est employé à l'infirmer. Par ailleurs, comme le gel ne s'applique qu'aux armes atomiques, on souligne qu'une telle mesure aurait plus de substance si elle était reliée à la proposition occidentale du « blocage vérifié » des véhicules porteurs. Il s'agit là d'une façon habile de renvoyer la balle dans l'autre camp pour l'amener à considérer une proposition occidentale, avec tous les éléments de contrôle qu'elle impliquait. En outre, on signale que les méthodes d'inspection seraient asymétriques étant donné les zones d'inspection à couvrir[67].

En ce domaine, le Canada ne cherche pas à se trouver en flèche par rapport à ses alliés occidentaux. Burns tente de lier la question de la dénucléarisation au problème de la réduction des forces classiques, mais cette stratégie n'est soutenue par personne. Déjà le 5 mars 1963, les hautes autorités militaires canadiennes produisent un rapport sur l'iniquité des réductions des forces classiques en Europe. L'argument se retrouvera aussi plus tard au sein des MBFR. Même si les Soviétiques retirent 22 divisions d'Europe centrale, l'Ouest gardera le dos acculé à la mer, manquant de profondeur de champ pour se défendre, alors que l'URSS disposera d'un vaste territoire pour mobiliser et faire porter, en cas de guerre, ses forces sur le front occidental. Les Affaires extérieures n'acceptent pas cet argument dans la mesure où tout retrait devrait être accompagné de la destruction vérifiée de l'équipement militaire[68]. Toutefois, c'est là poser tout le problème des inspections sur place, ce qui est inconcevable à l'époque.

En matière de non-nucléarisation des autres régions du monde, le Canada est en revanche beaucoup plus imaginatif. Plusieurs propositions sont avancées avant et après la crise de Cuba. Les deux propositions qui retiennent le plus l'attention du Canada sont ironiquement deux résolutions introduites avant la crise de Cuba. Il s'agit de la résolution 1652 (XVI) sur l'Afrique et de la résolution suédoise 1664 (XVI), toutes deux présentées à la fin de l'année 1961 avant que débutent les travaux du Comité des dix-huit puissances. Dans la première, on demande que l'Afrique soit considérée comme une zone dénucléarisée, qu'il n'y ait dans cette région ni essai nucléaire, ni accumulation, ni transport d'armes nucléaires. La France est évidemment visée au premier titre puisqu'elle poursuit ses essais dans le Sahara depuis 1960. La seconde résolution, la suédoise, est plus subtile. On demande au secrétaire général de procéder à une enquête sur les conditions dans lesquelles les pays non dotés de l'armement nucléaire pourraient refuser d'en recevoir à l'avenir sur leur territoire pour le compte d'un autre pays. C'est évidemment là tout le dispositif de l'OTAN qui est remis en cause, en plus des accords NORAD pour le Canada.

Pour des raisons politiques, le Canada s'abstient sur la première résolution. Il s'agit manifestement de ménager les susceptibilités françaises. Les hautes autorités militaires canadiennes, quant à elles, adoptent une attitude pour le moins curieuse, sinon désintéressée. Dans une lettre du 3 octobre 1962 du président des chefs d'état-major interarmes au sous-secrétaire aux Affaires extérieures, on donne le feu vert à ce projet de résolution[69]. De plus, on indique qu'aucune condition n'est désormais susceptible de venir qualifier ce jugement. En d'autres termes, on ne considère pas la force de frappe française comme « influant ou bien sur la sécurité occidentale ou bien sur les intérêts nationaux du Canada ». On estime, au contraire, qu'il y a plus à gagner qu'à perdre à soutenir ce projet. On reconnaît que la France pourrait s'adresser à l'Afrique du Sud pour procéder à des essais d'engins guidés, étant donné sa vaste superficie, mais cette perspective ne semble pas inquiéter les hautes autorités militaires. On insiste surtout sur la nécessité de bien distinguer les zones européennes des autres zones à dénucléariser. Aussi longtemps que cette distinction est maintenue, concluent les hautes autorités militaires, l'Afrique a peu d'importance même pour les bases britanniques ou américaines. Il s'agit là d'un jugement, c'est le moins que l'on puisse dire, à courte vue. Incompréhensible dans le contexte global de la sécurité occidentale, le jugement fait également peu de cas d'un vaste territoire stratégique dont l'importance par rapport au Moyen-Orient deviendra croissante. C'est sans doute là l'unique exemple où Green aura trouvé auprès de la Défense un appui aussi inattendu que peu soigné.

En contrepartie, la résolution suédoise provoque un violent conflit entre la Défense et les Affaires extérieures. C'est finalement Diefenbaker qui tranchera en faveur de la Défense. Les événements se déroulent en trois temps. Dans un premier temps, le sous-secrétaire Robertson, flairant le danger, propose à Green une formule de compromis. À Harkness qui précise que bien que le Canada se soit abstenu jusqu'à maintenant d'acquérir des armements nucléaires, des mesures ont néanmoins été prises pour acquérir des systèmes de frappe modernes et entraîner les forces militaires à leur usage, Robertson propose d'accepter la suggestion de la Défense en la faisant suivre de la phrase suivante :

Mon gouvernement doit évidemment se réserver le droit d'adopter de telles mesures pour la protection de la sécurité canadienne, par des moyens nationaux ou collectifs, selon ce qui doit être considéré à la lumière des événements internationaux[70].

Dans un deuxième temps, Green accepte la formule de son sous-ministre, mais il la fait précéder de la partie de phrase suivante: «Mon gouvernement souhaite qu'aucun changement dans la politique canadienne ne soit nécessaire.» Green s'arroge ici un droit qui n'appartient qu'au Cabinet. Le ministre Harkness s'inquiète à bon droit de cette attitude qu'il dénonce dans sa lettre du 12 mars 1962 à Diefenbaker[71]. Il demande donc l'abrogation de cette phrase.

La troisième phase a lieu le 16 mars. Dans une note au premier ministre, Robertson soutient Green. Il fait savoir à Diefenbaker que la formule proposée constitue déjà un compromis et qu'en l'absence du membre de phrase proposé par Green, le secrétaire général pourrait interpréter la position canadienne comme peu compatible avec le soutien du Canada accordé de longue date aux mesures destinées à empêcher « une plus grande dissémination des armements nucléaires[72] ». Au bas de cette note retournée aux Affaires extérieures, on reconnaît la griffe de B.H. Robinson : « Le premier ministre veut que le membre de phrase souligné — le souhait de Green — soit supprimé.» William Barton, chef par intérim de la Délégation canadienne à New York, est chargé de remettre, le 21 mars 1962, la réponse canadienne au secrétaire général, S. Ù Thant. Elle contient la formule de compromis Harkness-Robertson. Green vient de perdre une importante bataille.

Peu de temps après la crise de Cuba, les projets de non-nucléarisation prolifèrent. Cinq pays d'Amérique latine se prononcent, le 29 avril 1963, en faveur d'un tel projet pour leur continent, d'après une proposition brésilienne soumise en novembre 1962. Ces dispositions mèneront à la signature du Traité de Tlatelolco, du nom de la banlieue de Mexico où il fut signé le 14 février 1967. Le 20 mai 1963, les Soviétiques proposent la dénucléarisation de la Méditerranée, manifestement destinée à interdire aux sous-marins Polaris américains l'accès à cette région. À Genève, on qualifie ce projet de «propagande impudente[73]». Le 28 mai 1963, Kekonnen, le président de la Finlande, propose à son tour une zone dénucléarisée en Scandinavie qui rencontre cependant «peu d'échos[74]».

Dès novembre 1962, le ministère de la Défense n'a aucune objection au projet latino-américain s'il n'est pas en conflit avec les engagements américains dans la région[75]. La base des Bahamas semble causer des problèmes aux yeux des hautes autorités militaires, mais cette objection est retirée par la suite. Le ministère des Affaires extérieures se félicitera évidemment de cette initiative. Quant à la Méditerranée, le premier ministre Pearson déclare en Chambre, le 22 mai 1963, qu'il serait intéressant de voir si les Soviétiques sont prêts à inclure la mer Noire dans leur projet. Selon Pearson, jusqu'à ce que cette proposition soit considérée par l'OTAN, il serait prématuré d'en dire plus long à ce sujet. Une telle proposition n'avait aucune chance d'être acceptée. McIlwraith, du Bureau du désarmement, fait d'ailleurs remarquer qu'elle est bien différente des autres formules antérieurement proposées, puisqu'elle inclut « une vaste superficie en haute mer[76] ». Quant au plan Kekonnen, dans une dépêche[77] expédiée d'Helsinki le 12 juin 1963, l'ambassadeur du Canada souligne que la Finlande sait mieux que quiconque que le projet se verrait opposer une fin de non-recevoir par les autres pays scandinaves. D'après l'ambassadeur, l'objectif est peut-être d'indiquer aux Soviétiques qu'aucune menace ne doit venir de cette région; il faut voir ici une allusion à la menace soviétique. L'ambassadeur se montre toutefois incapable d'apprécier si la Finlande agit en ce domaine comme un état autonome ou plutôt comme le porte-parole de l'URSS.

Dans l'ensemble, la position canadienne en matière de dénucléarisation reposera sur trois principes peu compromettants : 1. le projet doit être acceptable pour les États concernés dans la zone franche proposée ; 2. des dispositions de vérification doivent être mises en place pour s'assurer du respect des engagements ; et 3. aucun avantage unilatéral ne doit résulter de la mise en œuvre de ces projets pour un État ou un groupe d'États[78].

Le contrôle des armes classiques

Dans le cadre des propositions du désarmement général et complet, le général Burns propose, dès l'été 1962, dans sa correspondance avec les ministères à Ottawa, une étude globale sur la question du transfert des armes classiques. Il formule plus précisément trois souhaits : 1. une étude par l'OID sur cette question dans la première phase d'un désarmement ; 2. l'insertion d'une clause dans les projets de traité sur l'inscription obligatoire des transactions militaires au sein d'un registre tenu par l'OID, soit dans la phase 1 ou 2 ; et 3. l'interdiction de tout transfert d'armes en phase 2 ou 3, sans autorisation de l'OID ou de tout autre organe approprié.

Cette proposition se révèle évidemment intéressante à plus d'un titre. En premier lieu, aujourd'hui comme hier, elle est toujours aussi pertinente. En deuxième lieu, elle se démarque considérablement des projets présentés par les États-Unis ou l'URSS en 1962. En troisième lieu, elle s'avère caractéristique d'un État moyen, non impliqué dans le commerce des armes et, par conséquent, peu susceptible d'être touché par l'application de telles mesures restrictives.

Burns ne réussit pas à faire passer ses idées auprès des alliés. Par ailleurs, dans un document fort bien fait de dix pages, les hautes autorités militaires ne manquent pas de souligner les difficultés de la question[79]. On estime que le commerce des armes est avant tout une question qui relève de la guerre froide. On dirait sans doute de nos jours que ce phénomène dépend essentiellement des conflits régionaux, de la capacité d'absorption des pays receveurs et de la qualité de leurs titres de créance. On souligne de plus qu'un comité de l'OTAN s'est déjà penché sur cette question avant la rencontre ministérielle d'Istanbul, au printemps 1960. Les conclusions de ce groupe de travail ne sont guère rassurantes. En résumé, le projet n'est pas sans intérêt s'il s'agit de limiter la liberté d'action de l'URSS, mais il faudrait interdire toute restriction du genre pour les zones occidentales couvertes par des accords de sécurité bilatéraux ou multilatéraux! Autrement dit, la seule règle acceptable est celle des deux poids, deux mesures.

Le projet Burns soulève aussi toute la question du statut, du rôle et des pouvoirs de l'OID en matière de contrôle, de contraintes, de décisions et de normes à établir quant aux pays qui seraient autorisés ou non à recevoir des armes. Là encore, ces questions n'ont jamais été résolues. À ce propos, les hautes autorités militaires pensent que des négociations entre les pays fournisseurs seraient peut-être plus susceptibles d'aboutir à des ententes que l'élaboration d'un projet de traité. Cette observation n'est pas dénuée de fondement. Des négociations bilatérales seront entreprises à ce sujet entre les Américains et les Soviétiques au cours des années soixante-dix. On souligne, en outre, que les pays en voie de développement pourraient interpréter cette initiative comme une tentative pour les confiner à un état d'infériorité technologique permanente. Dans l'ensemble, on croit, à juste titre, que de telles propositions auraient peu d'effet sur la sécurité du Canada. On pense toutefois qu'il n'y a aucune raison particulière qui s'oppose à ce que le Canada prenne une telle initiative même si, à priori, elle ne semble guère promise au succès. On estime au contraire que tous ces efforts se disperseront dans d'interminables discussions et dans la futilité.

Ce projet n'a naturellement aucune suite. Il reste néanmoins que cette proposition a été l'une des mieux étoffées présentées par Burns durant toute la durée de son mandat comme conseiller du gouvernement canadien en matière de désarmement. Ses efforts ne seront pas totalement vains, car la Délégation maltaise, apparemment sans consulter personne, présentera, lors des débats en commission politique de la XXe session de l'Assemblée générale, un projet de résolution par lequel on invitait le Comité des dix-huit puissances à se pencher sur la question de la « publicité » à accorder au trafic des armes classiques. Dans son rapport au sous-secrétaire d'État aux Affaires extérieures, Burns précise que dans l'hypothèse d'un désarmement général il faudra nécessairement étudier les moyens de contrôle quant au commerce des armes avec les pays du Tiers Monde[80].

Le 6 juillet 1967, Burns revient sur cette question au sein du Comité des dix-huit puissances[81]. Il étend la portée de la proposition faite par le président Johnson en juin 1967 relativement au caractère public qui devrait être observé en ce qui a trait à l'exportation d'armes vers le Moyen-Orient. Burns souhaite que des mesures soient prises à l'ONU pour que celle-ci soit « informée » de toute livraison d'armes non seulement vers le Moyen-Orient, mais aussi vers toute autre région du monde. En 1968, le Danemark présente un projet de résolution en vue de rendre obligatoire l'inscription à un registre des Nations Unies des transactions en matière d'armes classiques. Le ministre des Affaires extérieures, Mitchell Sharp, soutient aux

Nations Unies cette proposition dans sa déclaration du 9 octobre 1968. Il se rallie à la nécessité d'instituer un « registre » du commerce des armes en même temps qu'il félicite l'URSS pour sa proposition de « mesures de désarmement régional et de réductions des armements dans diverses régions du monde, y compris le Moyen-Orient ». Le projet de résolution danois sera finalement retiré devant les fortes réticences de certains pays du Tiers Monde.

Au sein du la CCD, on reviendra sur ces questions. On en parle toujours aujourd'hui. La France propose même vers la fin des années quatre-vingt la création d'un « observatoire » destiné à la surveillance de ces opérations. Les idées de Burns, ce vieux militaire de carrière, continuent de lui survivre...

Notes

1. Voir le chapitre 7.
2. ENDC/30.
3. ENDC/2.
4. Nous empruntons cette liste à l'ouvrage *Les Nations Unies et le désarmement, 1945-1970,* p. 137-173.
5. Voir le chapitre 1.
6. M. Tucker (1977).
7. Dossier T, 11 mai 1962. La série 50189 est désignée par le terme « volume » suivi de sa lettre alphabétique, et la série 50271 est désignée par le terme « dossier » également suivi de sa lettre alphabétique. Les autres archives sont mentionnées sous leur cote d'utilisation.
8. Dossier T.
9. En italique dans le texte.
10. Voir le chapitre 1.
11. Dossier 28-West-l-CDA.
12. Note des auteurs : celles d'Hellyer.
13. La version originale indique : « put ourselves on record ».
14. Dossier 28-West-1-CDA, 20 août 1963.
15. Elle est signée par Martin le 17 et expédiée à Hellyer le 23 septembre.
16. 28-West-1-CDA, 2 février 1967.
17. 28-West-1-CDA, 5 avril 1967.
18. 28-4-ENDC.
19. Cette évaluation est conduite par B.A. Keith du 19 au 22 mars 1968.
20. 28-4-ENDC.
21. Dossier T.
22. Dossier T, 19 janvier 1962.
23. Dossier T, 15 février 1962 .
24. Note des auteurs : le texte est anonyme, mais nous avons des raisons de penser qu'il s'agit de Sutherland. Ce texte est joint à une lettre du ministère de la Défense du 23 juin 1964, dossier 28-West-1-CDA.
25. Dossier T.
26. Dossier R, 15 janvier 1962.
27. ENDC/17, 28 mars 1962 ; ENDC/19/Rév. 1, 6 avril 1962 ; ENDC 36/Rév. 1, 20 août 1963 ; ENDC/79, 3 avril 1963.
28. Pour une description complète, voir l'appendice II de l'ouvrage *Les Nations Unies et le désarmement, 1945-1970.*
29. Dossier T.
30. Dossier T.
31. ENDC/P.-V. 40, 27 mai 1962, p. 9-11.
32. 28-4-West-ENDC, 15 avril 1970.
33. Volume D, 7 décembre 1962.
34. Dossier S, 17 mai 1962.
35. Dossier T, mémoire de George Murray, 4 juillet 1962.
36. Dossier T, 20 juin 1962.
37. Volume D, 19 juin 1962.
38. La version originale indique : « Will the leopard change its spots ? »
39. Note des auteurs : la proposition soviétique parle aussi de police des frontières.
40. Cité dans R. Sutherland, 23 juin 1964, 28-West-1-CDA.
41. Dossier T, 7 juin 1962.
42. Mémoire de G. Murray au sous-secrétaire, 12 juin 1962.
43. Dossier T, 6 décembre 1962.
44. 28-4-West-CDA, 11 août 1965.
45. 28-West-1-CDA, 5 janvier 1966.
46. Voir le plan Burns présenté au chapitre 3.
47. 27° de longitude.
48. 28-West-1-CDA, 27 janvier 1966.
49. ENDC/17.
50. Dossier T.
51. Voir dans le dossier T le rapport de Burns, 3 mai 1962.
52. Dossier T, 22 juin 1962, Robertson à Green.
53. ENDC/P.-V. 178.
54. Gel des vecteurs, destruction de bombardiers, non-dissémination, cessation de production de matières fissiles, établissement de postes d'observation, traité

global sur l'arrêt des essais nucléaires et renforcement de la capacité du maintien de la paix de l'ONU.

55. ENDC/110.

56. MDN, *Disarmament Progress Report, N° 36*, 4 février 1964.

57. Dossier T, 18 février 1963, le président des chefs d'état-major interarmes au sous-secrétaire d'État aux Affaires extérieures.

58. ENDC/60, *The Technical Possibility of International Control of Fissile Material Production.*

59. Dossier T, lettre de A.K. Longair, directeur du Conseil de recherches pour la défense, 12 février 1963.

60. Voir le chapitre 7.

61. ENDC/P.-V. 143, p. 5.

62. ENDC/P.-V. 167, 175, 181 et 183.

63. ENDC/P.-V. 285, 24 août 1966.

64. ENDC/P.-V. 172, 184 et 203.

65. 28-4-West-CDA, mémoire à Martin, 1er juin 1964.

66. La version originale indique : « capacity to commit the use ».

67. *Canadian Reply to Polish Memorandum*, Appendice B, CSC 1644-1[JS/DSS], 29 avril 1964.

68. Dossier T, 13 mars 1963, lettre du sous-secrétaire au président des chefs d'état-major interarmes.

69. Dossier N.

70. Dossier U, 22 février 1962.

71. Dossier U.

72. Dossier U.

73. J. Klein, 1964, p. 285.

74. J. Klein, 1964, p. 286.

75 Dossier N, 14 novembre 1962.

76. La version originale indique : « a large area of the high seas ». Dossier N, 11 juin 1963.

77. Dossier N.

78. Directives à la Délégation canadienne, 10 décembre 1964, dossier 28-1-West-CDA.

79. Dossier T, 11 avril 1963, Ottawa à la Délégation de Genève.

80. 28-West-1-CDA, 6 janvier 1966.

81. ENDC/P.-V. 319.

Sources secondaires citées

Bloomfield, Lincoln P., Clemens Jr., Walter C. et Griffiths, Franklin, *Khruschev and The Arms Race: Soviet Interest in Arms Control and Disarmament, 1954-1964,* Cambridge (Mass.), The M.I.T. Press, 1966.

Fontaine, André, *Histoire de la guerre froide, II: de la guerre de Corée à la crise des alliances, 1950-1967,* Paris, Fayard, 1967.

Klein, Jean, *L'entreprise du désarmement, 1945-1964,* Toulouse, Cujas, 1964.

ONU, *Les Nations-Unies et le désarmement, 1945-1970,* New York, ONU, 1971.

Tucker, Michael, *« Canada's Role in the Disarmament Negotiations »,* thèse de doctorat, Toronto, Université de Toronto, 1977.

Merci beaucoup. Désormais, je comprends. La non-prolifération n'est vraiment pas un obstacle à une forme de prolifération.*

7

Le Canada et le Traité de non-prolifération des armes nucléaires

Peu de sujets reliés à l'*arms control* ont fait couler autant d'encre que le Traité de non-prolifération des armes nucléaires signé le 1er juillet 1968 et entré en vigueur le 5 mars 1970. Depuis, trois Conférences d'examen du Traité ont eu lieu : en 1975, en 1980 et en 1985. La quatrième se tiendra en 1990, et en 1995, une cinquième sera convoquée en vue de décider « si le Traité demeurera en vigueur pour une durée indéfinie, ou sera prorogé pour une ou plusieurs périodes supplémentaires d'une durée déterminée ». Selon l'article X du Traité, cette décision sera prise à la majorité des parties au Traité.

Vu rétrospectivement, le Traité de non-prolifération des armes nucléaires n'a pas trop mal vécu. Un État doté d'armes nucléaires est celui qui, selon les termes mêmes de l'article IX, a fait « exploser une arme nucléaire ou un autre dispositif nucléaire explosif avant le 1er janvier 1967 ». L'Inde, quel que soit son statut, ne peut donc pas, selon les termes mêmes du Traité, être considérée comme une puissance nucléaire. Tout ce que l'on peut dire à son sujet, c'est qu'elle a fait exploser en mai 1974 un engin à des fins dites pacifiques. À moins de changer la définition de l'article IX du Traité, il ne saurait donc y avoir, depuis 1967, de prolifération nucléaire juridiquement reconnue. Au moment de la signature du Traité, cinq États avaient

---

* P.E. Trudeau (note manuscrite : 28 janvier 1969).

déjà fait exploser une arme nucléaire, à savoir les États-Unis, l'URSS, la Grande-Bretagne, la France et la République populaire de Chine. Toutefois, seuls les trois premiers ont signé le Traité de non-prolifération des armes nucléaires.

Quant à Israël, ce pays est censé posséder la « bombe ». Les avis sont partagés sur l'Afrique du Sud. On sait aussi que la Suède est passée à un cheveu de se doter d'un armement nucléaire tactique dans les années soixante, que le Pakistan, l'Argentine et le Brésil sont tous des candidats potentiels à l'armement nucléaire, et que de nombreux autres pays, tels que l'Irak et la Libye, auraient peut-être perdu leur virginité nucléaire dans le domaine militaire, n'eussent été des efforts constants de la communauté internationale pour mettre un frein à la prolifération nucléaire. Ce jugement ne constitue en aucun cas un endossement de l'action militaire israéliennne en 1981 contre le centre nucléaire irakien de Tuwaitha, bien au contraire.

Le Traité de non-prolifération des armes nucléaires et certains de ses articles rédigés dans les termes les plus obscurs répondent, cela va de soi, aux exigences des perceptions de leurs rédacteurs. Pour les trois États nucléaires parties au Traité, il s'agit de consacrer le statu quo, bref d'éviter que d'autres n'acquièrent des armes nucléaires qui, chez les premiers, entretiennent tout à la fois leur sécurité et leur angoisse. Le préambule du Traité le précise bien : il faut écarter le risque d'une guerre nucléaire. La seule façon d'y arriver, c'est de geler le statu quo, c'est-à-dire de s'employer à ce que tous les autres États travaillent désormais au seul développement pacifique de l'atome. Les États nucléaires parties au Traité s'engagent donc à ne pas faire ce qu'ils n'avaient pas l'intention de faire de toute façon : céder à quiconque le contrôle de la chose nucléaire. À l'époque, la France ne voit pas pourquoi elle interdirait aux autres ce qu'elle a l'intention de se permettre. Quant à la République populaire de Chine, déjà bien ostracisée, elle n'entend pas se prêter à renforcer l'hégémonie nucléaire des grandes puissances. Dès octobre 1964, dans le désert du Lob Nor, elle procède à son premier essai nucléaire, ce qui cristallisera, chez les deux grands, la volonté d'en arriver à un accord sur cette question.

Depuis Cuba (1962), les grandes puissances sont parfaitement conscientes des inconvénients des risques de guerre nucléaire. Aucun motif sérieux ne peut justifier qu'elles soient entraînées dans les abysses du gouffre nucléaire. La gestion de la politique du « bord du précipice », dans ces conditions, ne peut être que « duopoliste ». L'installation d'un télétype Moscou-Washington et la conclusion du Traité d'interdiction partielle des essais nucléaires ne marquent que les premiers jalons d'une politique destinée à jeter du lest après les grandes tensions de 1962. Par la suite, le secrétaire McNamara s'emploie à codifier les règles du jeu entre les grandes puissances. Dans le Plan unique d'opérations intégrées (Single Integrated Operation Plan (SIOP)), Moscou est retiré de la liste des objectifs stratégiques américains, car en cas de guerre, avec qui négociera-t-on si la hiérarchie politique de l'adversaire est décimée ?

L'URSS et la RPC apparaissent désormais sur les cartes d'état-major comme deux adversaires distincts. Pour ce qui est de la stratégie proprement dite, il faut y introduire la doctrine de la riposte flexible, ce qui signifie qu'en période de guerre chaque cas sera considéré selon ses mérites particuliers avec le souci de montrer le maximum de maîtrise et de contrôle dans la conduite des opérations militaires.

Ces conceptions nouvelles sèment l'émoi au sein de l'Alliance atlantique aux prises à l'époque avec les pires difficultés de coordination stratégique. La rencontre MacMillan-Kennedy, aux Bahamas en décembre 1962, sauve la face des Britanniques qui se voient désormais assortis d'une promesse de coopération américaine en ce qui a trait à l'achat de fusées Polaris. Incapable à la fin des années cinquante d'obtenir du gouvernement américain les mêmes conditions de coopération pour ses sous-marins devant un Congrès réticent et la sourcilleuse défensive de la Commission de l'énergie atomique et du Comité conjoint de l'énergie atomique, la France décide, surtout après l'invitation de McNamara d'y renoncer, de poursuivre seule « l'aventure de la bombe[1] ». La RFA à laquelle on donne à penser sous l'administration Kennedy qu'elle pourrait trouver motif à « sublimation nucléaire » dans le contexte d'une force nucléaire européenne intégrée au sein de l'Alliance atlantique se fera un farouche défenseur du projet de la MLF. À l'été 1964, ce projet a déjà du plomb dans l'aile avec la venue au pouvoir du Parti travailliste de M. Wilson qui annonce qu'il n'y participera pas. Il faut dire ici que le gouvernement MacMillan s'était employé dès 1963 à torpiller la MLF en y susbtituant son propre projet de l'ANF.

Pour leur part, les États-Unis sont partagés sur la route à suivre. En 1964, le chancelier Erhard obtient de Johnson la promesse que tout sera mis en œuvre pour accélérer la constitution d'une MLF avant la réunion du conseil de l'OTAN prévue en décembre. Or, en décembre 1964, il ressort de la rencontre Rusk-de Gaulle que l'Allemagne de l'Ouest ne doit en aucune circonstance avoir « accès » à l'armement nucléaire. Par ailleurs, de Gaulle ne se gêne pas pour faire comprendre à son allié d'outre-Rhin[2] qu'il abrogera le Traité de coopération franco-allemand de 1963 si jamais la RFA participait à la MLF. La constitution d'un groupe d'études, en novembre 1964, sous la direction de Roswell L. Gilpatrick, sur les dangers de la prolifération et l'intensification en 1965 des discussions bilatérales américano-soviétiques sur le sujet marquent les débuts d'une politique américaine nouvelle. La MLF est « sacrifiée sur l'autel de la non-prolifération[3] ». Et l'ACDA et le Département de la défense soutiendront cette nouvelle politique. Ce n'est que très tard, après mars 1966, que le Département d'État acceptera de faire disparaître, dans le projet d'article 1 du traité de non-prolifération des armes nucléaires, la fameuse clause toute théorique de l'option nucléaire européenne. À peu près à la même époque, la constitution, à Bonn, d'un nouveau gouvernement et la note de paix de mars 1966 ouvrent désormais la voie au dépôt d'un projet de traité en bonne et due forme au Comité des dix-huit puissances qui siège à Genève.

Cette gestion surtout bilatérale des grands débats stratégiques qui débouchera finalement sur le Traité de non-prolifération des armes nucléaires sera suivie, avec la présentation du rapport Harmel en décembre 1967 et l'ouverture à l'automne 1973 des doubles conférences CSCE et MBFR, d'une gestion superposée d'alliance à alliance des relations Est-Ouest. Ce phénomème n'est pas sans importance, car il explique en grande partie qu'une saine gestion des relations Est-Ouest ne s'avère possible que lorsque les tentatives bilatérales et multilatérales de ce processus sont parfaitement coordonnées. Une importante césure s'est produite au sein de l'Alliance atlantique au début des années quatre-vingt avec la venue au pouvoir de Reagan. La reprise du dialogue stratégique bilatéral en 1985 suivie de la signature du Traité sur les forces nucléaires à portée intermédiaire (FNI) en juin 1988 pourrait désormais déboucher sur de nouveaux accords à la suite des négociations sur la réduction des armements stratégiques (Strategic Arms Reduction Talks (START)), lesquels pourraient être accompagnés, pour peu que l'Alliance atlantique coordonne ses politiques, par de nouvelles discussions multilatérales d'alliance à alliance sur la réduction des armes classiques.

Pour les États non dotés de l'arme nucléaire, les termes du Traité de non-prolifération des armes nucléaires revêtent également une signification très particulière. Non seulement ils n'entendent pas renoncer aux avantages de la recherche pacifique sur l'atome, mais ils exigent encore que les avantages des applications pacifiques de la technologie nucléaire, y compris les explosions nucléaires, leur soient « accessibles sur une base non discriminatoire » (article V). Ces activités ne peuvent à l'évidence se poursuivre que « sous une surveillance internationale appropriée ». C'est à l'Agence internationale de l'énergie atomique (AIEA) de Vienne, créée en 1957, que revient la responsabilité de vérifier l'exécution des obligations assumées « en vue d'empêcher que l'énergie nucléaire ne soit détournée de ses utilisations pacifiques vers des armes nucléaires ou d'autres dispositifs explosifs nucléaires » (article III). À l'obligation qu'assument selon l'article II les États non possesseurs de ne rechercher en aucun cas et de quelque manière que ce soit à acquérir des armes nucléaires, il existe donc une réciprocité d'obligation de la part des États nucléaires de partager avec d'autres les fruits de leurs recherches à des fins pacifiques. En vertu de l'article VI, les États nucléaires ont aussi l'obligation de poursuivre « de bonne foi des négociations » afin d'aboutir à la cessation de la course aux armements ainsi qu'au désarmement nucléaire « à une date rapprochée ».

Ces quelques lignes résument les principales dispositions du Traité de non-prolifération des armes nucléaires, à l'exclusion de l'article IV qui reste particulièrement ambigu. Dans la première partie de celui-ci, on reconnaît le droit « inaliénable » des États à l'utilisation de l'énergie nucléaire à des fins pacifiques, et cela, « sans discrimination ». Cependant, dans la deuxième partie, on souligne que les États doivent coopérer au développement plus poussé des applications pacifiques de l'atome, « en particulier sur les territoires des États non dotés d'armes nucléaires qui sont parties au Traité ». La coopération avec des États non signataires du Traité n'est donc pas interdite, puisque le « en particulier » constitue un encouragement, et non une exclusion. Plusieurs États fournisseurs de technologie nucléaire, dont le Canada durant un certain temps, continueront donc et continuent encore aujourd'hui de coopérer avec des États non signataires du Traité, pourvu que les modalités soient couvertes par les garanties de l'AIEA. Il en va, pour ces États, de leur intérêt économique.

CROISSANCE CIVILE ET MILITAIRE DE L'ATOME

La première forme de contrôle exercée sur l'atome est le secret. Très rapidement, les alliés qui furent associés à l'élaboration du projet Manhattan sont peu à peu évincés du domaine nucléaire à la suite des restrictions draconiennes imposées par les États-Unis sur le développement de l'énergie nucléaire. Seuls deux pays échappent en partie à la politique du secret : le Canada et la Grande-Bretagne. Nous avons traité du cas du Canada au chapitre 2. Quant à la Grande-Bretagne, elle réussit tant bien que mal au fil des ans à entretenir une certaine forme de coopération avec les États-Unis, encore qu'à certains moments la coopération n'a eu lieu que grâce aux liens particuliers développés entre les leaders de ces deux pays — surtout durant la période MacMillan-Kennedy. Relation privilégiée, peut-être, mais dans tous les cas la coopération est à plusieurs égards maintenue.

On peut dégager différentes étapes en ce qui a trait à la croissance civile de l'atome. Jusqu'à la signature du Traité de non-prolifération des armes nucléaires, les États qui s'engagent dans la voie de la recherche nucléaire le font parfois pour des raisons industrielles, par exemple la France vers le milieu des années cinquante, mais aussi très souvent pour des raisons de prestige et de sécurité. Le coup d'envoi au développement de la recherche nucléaire à des fins pacifiques, c'est-à-dire essentiellement l'exploitation de la puissance électrique à partir de réacteurs nucléaires, intervient en 1963. Cette année-là, le Département de l'énergie aux États-Unis annonce que la centrale d'Oyster Creek (650 mégawatts) sera exploitée au coût de 91 millions de dollars, soit 140 dollars par kilowatt. Ces prévisions par trop optimistes n'en suffisent pas moins pour garnir les carnets de commande de l'industrie nucléaire américaine. Dix ans plus tard, la crise de 1973 fait quadrupler le prix du pétrole. La demande d'uranium et l'intérêt pour l'énergie électronucléaire progressent en conséquence.

En 1979, l'incident de Three Mile Island donne à réfléchir. En avril 1986, Tchernobyl vient confirmer au monde l'étendue des désastres écologiques qui peuvent s'ensuivre d'un accident nucléaire. On s'emploie surtout depuis 1980 à renforcer les mécanismes de sûreté sur les réacteurs nucléaires. En 1987, trois Conventions internationales sont établies sous les auspices de l'AIEA : la Convention sur la notification rapide d'un accident nucléaire, la Convention sur l'assistance en cas d'accident nucléaire ou de situation d'urgence radiologique et la Convention sur la protection physique des matières nucléaires.

En 1987, plus de 400 centrales nucléaires sont en service dans 26 pays, dont 19 au Canada, et assurent environ 16 pour 100 de la production mondiale d'électricité. Du total de la puissance nucléo-électrique mondiale au 31 décembre 1986, 92,9 pour 100 provenaient des pays industriels, le Canada (4,1 pour 100) venant au sixième rang après les États-Unis (30,9 pour 100), la France (16,3 pour 100), l'URSS (10,1 pour 100), le Japon (9,4 pour 10) et la RFA (6,9 pour 100), tandis que la part des pays en développement s'établissait à 7,1 pour 100[4]. À l'automne 1988, on estime la puissance nucléaire installée à 306 544 mégawatts. On pense que le nombre de centrales s'établira à 480 en 1990, et qu'en l'an 2000 la puissance nucléaire installée se situera entre 480 000 et 600 000 mégawatts[5]. Pour les pays industriels, la part du nucléaire dans leur production électrique variera entre 16 et 18 pour 100, même si pour certains ce pourcentage dépasse aujourd'hui le seuil du 50 pour 100 — la France, la Belgique et la Suède notamment.

En 1986, plus de 2 000 inspections ont été réalisées par l'AIEA dans 53 pays différents et dans les quatre États nucléaires qui ont volontairement accepté que les garanties de l'AIEA soient applicables à leurs installations civiles. En 1988, des négociations ont aussi abouti à des accords entre l'AIEA et l'Inde, d'une part, et la République populaire de Chine, d'autre part. Notons aussi que les activités de contrôle de l'AIEA sont considérablement élargies avec les responsabilités nouvelles dont elle hérite à la suite de la signature du Traité de Tlatelolco, en 1967, de la ratification du Traité de non-prolifération des armes nucléaires (TNP) par l'EURATOM en 1975 et par le Japon en 1976, et de la conclusion du Traité de dénucléarisation de la zone du Pacifique Sud, entré en vigueur en décembre 1986 — le Traité de Rarotonga. Des 131 États non nucléaires parties au TNP le 31 décembre 1986, 78 ont signé des accords de garanties avec l'AIEA. Plusieurs de ces États ont toutefois un programme de recherche nucléaire si peu développé qu'aucun accord de garanties ne s'impose avec l'AIEA.

Sur le plan militaire, nous n'avons nul besoin de faire ici l'historique de l'évolution des programmes nucléaires des grandes puissances. Notre seul propos est de mieux cerner les relations étroites qui existent entre la croissance civile de l'atome et le développement des armes nucléaires. La levée du secret sur l'atome pour des raisons de développement industriel, la liberté de circulation de l'information scientifique, la crise du pétrole et la mise au point de nouvelles technologies sont autant de facteurs qui ont contribué à rendre plus facile l'osmose possible entre les activités nucléaires civiles et militaires.

Aussi longtemps que l'on n'en arrivera pas à l'étape de la fusion contrôlée, les seules voies possibles pour un État qui désire accéder au statut de puissance nucléaire consistent d'abord dans la création d'une bombe dite atomique qui pourra par la suite servir de « détonateur » pour la mise au point d'une bombe H, dite thermonucléaire. Or les seules matières connues qui se prêtent bien à une explosion nucléaire sont le plutonium 239 et l'uranium 235. Ni l'un ni l'autre de ces produits n'existent à l'état libre dans la nature. Il faut les créer artificiellement. Pour obtenir du plutonium 239, on doit faire diverger un réacteur durant un certain temps. Les combustibles irradiés seront ensuite retirés du réacteur et acheminés vers des usines de traitement où, par des processus chimiques, on tentera d'isoler le plutonium des autres matières irradiées. Par la suite, avec un peu de chance et beaucoup de prouesses technologiques, on procédera à l'enrichissement isotopique du plutonium 239, c'est-à-dire que l'on tentera d'obtenir une plus large proportion de la teneur 239 par rapport aux autres isotopes du plutonium, surtout le 240 qui se prête mal au contrôle d'une explosion nucléaire étant donné sa tendance à fissionner spontanément.

Quant à l'uranium 235, on ne le trouve qu'à une très faible teneur — 0,7 pour 100 — dans l'uranium 238. Il faut donc transformer le gâteau jaune en hexafluorure d'uranium qui se présente sous forme gazeuse. Ces gaz sont compressés dans des « cascades » successives où les molécules les plus légères (235) sont progressivement recueillies aux dépens des molécules les plus lourdes (238). On enrichit ainsi progressivement la teneur en pourcentage de l'uranium 235, souvent jusqu'à un taux de pureté de 90 pour 100 et plus, si l'objectif visé est la mise au point d'une bombe atomique. Ces usines d'enrichissement isotopique consomment d'énormes quantités d'électricité et sont par conséquent difficiles à camoufler, ne serait-ce qu'à cause des lignes à haute tension qui alimentent ces installations.

La crise du pétrole dans les années soixante-dix et l'apparition de technologies nouvelles d'enrichissement[6] vont relancer le débat sur la nécessité ou non de mettre au point des « surgénérateurs[7] », et de mieux contrôler toutes les installations pouvant servir au « retraitement », ainsi que toutes les technologies dites sensibles. On se demande également s'il ne serait pas judicieux de « dénaturer » certains combustibles, d'interdire certains types de filières nucléaires — certains réacteurs sont de meilleurs producteurs de plutonium que d'autres — et d'internationaliser certains moyens de production, afin de minimiser les risques de prolifération nucléaire que l'extension et le développement de telles technologies pourraient entraîner.

C'est pour toutes ces raisons que fut convoquée, en octobre 1977, la Conférence internationale de l'Organisation de l'évaluation du cycle de combustion nucléaire (INFCE). Cette Conférence se termine sur un échec en février 1980 : on s'entend pour convenir qu'aucune solution technologique miracle n'est en vue. Les problèmes sont de nature politique. Les conclusions techniques portent cependant à réfléchir : en l'an 2000, la production indirecte de plutonium par divergence des réacteurs pourrait être de 250 000 kilogrammes par année, soit une quantité suffisante pour produire 50 000 bombes du type Nagasaki. Néanmoins, cette Conférence démontre l'impérieux besoin de renforcer les garanties nucléaires sur l'exportation de matières fissiles et des technologies dites sensibles. Au demeurant, elle illustrera parfaitement bien les tensions transatlantiques déjà présentes au moment de la négociation du TNP: comment prévenir la non-prolifération nucléaire tout en suffisant aux besoins de sécurité d'approvisionnement énergétique des pays tiers? L'AIEA constituera le Committee on Assurances of Supply (CAS), en juin 1980, pour répondre à ces attentes.

Ces considérations ne resteront évidemment pas sans effet sur l'extension des garanties nucléaires de l'AIEA. Nous examinerons ces questions dans la troisième section du présent chapitre. Notons pour l'instant qu'à la fin de 1986 les garanties de l'AIEA sont appliquées dans 485 installations et 414 autres endroits. Le coût de leur administration s'élève à 38 millions de dollars américains et constitue 35 pour 100 du budget global de l'AIEA. Au total, les garanties de l'AIEA comprennent : 158 tonnes de plutonium, 13 tonnes d'uranium hautement enrichi, 22 000 tonnes d'uranium faiblement enrichi et 33 000 tonnes de matières brutes[8]. Ces chiffres sont évidemment trompeurs, car ils incluent les installations que les pays nucléaires ont volontairement accepté de faire passer sous le contrôle de l'AIEA.

Le contrôle exercé par l'AIEA ne vaut que ce que vaut le plus faible de ses maillons dans la chaîne du processus de vérification. L'une des plus grandes vertus de l'AIEA est néanmoins le pouvoir de dissuasion qu'elle exerce à l'égard de ceux qui auraient tant soit peu l'intention de détourner l'atome à des fins militaires. Au reste, les États les plus inquiétants sont ceux qui ont refusé de signer le TNP. À mesure que le temps progresse, toutes sortes de préventions s'adressent à eux. C'est la raison pour laquelle beaucoup d'États souhaitent désormais l'institution d'un régime de garanties généralisées (Full-Scope Safeguards (FSS)). Un tel régime ne saurait être imposé par la force, mais il pourrait amener les États qui persistent dans leur refus d'adhérer au TNP à réfléchir davantage...

BREF HISTORIQUE DES NÉGOCIATIONS

Déjà en 1958, l'Irlande prend la tête des États réclamant en priorité que soient écartés les dangers de la prolifération nucléaire. En 1961, c'est chose faite avec la résolution 1665 adoptée à l'unanimité, le 4 décembre 1961, lors de la XVIe Assemblée générale des Nations Unies. Nous avons déjà précisé au chapitre 6 l'étendue et la portée de cette résolution. Par bonheur, les États-Unis peuvent s'en accommoder, car elle réclame des États possesseurs qu'ils n'abandonnent pas à personne le « contrôle » qu'ils exercent sur ces armes, ce qui laisse la porte ouverte au projet de Washington de prévoir à l'intérieur de l'Alliance atlantique un plus grand partage des responsabilités en matière de stratégie nucléaire.

Les négociations sur le TNP se poursuivront à l'intérieur d'un groupe restreint constitué des États-Unis, de la Grande-Bretagne, du Canada et de l'Italie[9]. La plupart des politiques seront ainsi coordonnées au sein du Comité des dix-huit puissances et ensuite au sein du Conseil de l'OTAN. En 1967-1968, la RFA se retrouvera complètement isolée, la France refusant de suivre Bonn dans ses réserves à l'endroit du Traité[10].

Entre 1961 et le dépôt à Genève du premier projet[11] de traité américain du 17 août 1965 interviennent, en juillet 1964, la déclaration[12] de l'Organisation de l'unité africaine (OUA), où les auteurs souhaitent renoncer à la fabrication d'armes dans le cadre d'un traité international qui serait conclu sous les auspices de l'ONU, et la résolution[13] de la Commission du désarmement du 15 juin 1965, par laquelle on invite les États à accorder une attention spéciale aux problèmes de non-prolifération ainsi qu'à un programme de « certaines mesures associées ». Cette suggestion contient déjà en germe les obligations qui naîtront pour les puissances nucléaires de négocier « de bonne foi » (article VI du TNP) pour mettre un terme à la course aux armements.

Dans la première version de leur projet, les États-Unis proposent qu'aucun État nucléaire ne transfère d'armes nucléaires sous le « contrôle national » d'un État non nucléaire, soit directement, soit par le truchement d'une alliance militaire, et ils suggèrent d'éviter toute mesure qui conduirait à « l'accroissement du nombre total des États ou des autres organisations possédant le pouvoir autonome d'utiliser des armes nucléaires ». La fameuse « option européenne » vient ainsi d'être affirmée. Les États-Unis peuvent donc poursuivre leur projet de la MLF, pourvu qu'aucun contrôle autonome ne soit cédé à un groupe ou à une organisation indépendante. Bref, ce qu'affirment les États-Unis, c'est que tout en n'abandonnant pas l'ultime droit de veto qu'ils possèdent sur leur armement nucléaire — ce qui, de toute façon, nécessiterait une modification de leur *Loi sur l'énergie atomique* —, leur projet de la MLF ne favoriserait pas l'apparition d'un centre de pouvoir nucléaire indépendant.

L'URSS s'oppose d'autant plus à cette formulation que le Royaume-Uni laisse entendre qu'il subsiste dans le projet américain la possibilité théorique qu'un groupe d'États puisse utiliser des armes nucléaires à la suite d'« une décision majoritaire[14] ». L'URSS choisit le forum de l'ONU pour répondre au projet américain. Le 24 septembre 1965, l'URSS propose certes l'interdiction de tout transfert d'armes nucléaires d'un État possesseur à un État non possesseur, mais réclame, en outre, l'interdiction d'accorder auxdits États ou groupes d'États « le droit de participer à la possession, à la jouissance et à l'utilisation d'armes nucléaires[15] ». Ces exigences mêmes ne satisfont pas l'URSS puisqu'elle veut interdire, au demeurant, « le contrôle de ces armes, de leur mise en place ou de leur utilisation » à des unités ou à des membres des forces armées des États ne possédant pas d'armes nucléaires. L'URSS réclame ainsi un droit de regard sur le problème du partage des responsabilités nucléaires au sein de l'OTAN ainsi que sur les dispositifs de la défense occidentale.

Entre-temps, l'Italie propose au Comité des dix-huit puissances un projet de déclaration de renonciation unilatérale[16] qui engagerait les Etats pour une durée déterminée, sous réserve que des déclarations similaires soient convenues par un certain nombre d'États dans les six mois suivant la signature de la déclaration. En d'autres termes, un moratoire est proposé et les États non nucléaires accepteraient dès lors de soumettre leurs activités nucléaires aux garanties de l'AIEA ou à des « garanties internationales équivalentes », c'est-à-dire, sans le mentionner expressément, celles de l'EURATOM. Cette initiative est aussi connue sous le nom de la proposition Fanfani.

Pour leur part, les pays non alignés du Comité des dix-huit puissances estiment que le TNP n'est pas une fin en soi, mais qu'il devrait plutôt s'inscrire dans un programme de désarmement plus vaste, conformément au mandat du Comité des dix-huit puissances, et être accompagné d'une interdiction complète des essais nucléaires. Ce dernier point sera surtout élaboré par le Nigeria. La Suède adoptera aussi ce point de vue en y ajoutant l'arrêt nécessaire de la production de matières fissiles à des fins militaires. Toutes les conditions sont donc réunies par les neutres et les pays non alignés pour créer un ensemble de pressions susceptibles d'amener les puissances nucléaires à des accords ultérieurs d'*arms control,* en contrepartie des obligations assumées par les États non nucléaires à ne pas chercher à acquérir, ni à fabriquer, ni à posséder d'armes nucléaires.

En commission politique des Nations Unies, la Grande-Bretagne et le Canada soutiennent le projet américain tout en reconnaissant que celui-ci peut être amélioré et « rédigé de manière encore plus serrée », afin d'empêcher toute échappatoire lointaine ou hypothétique. Les Britanniques précisent ainsi qu'ils n'éprouvent aucune affection particulière à l'endroit de l'« option européenne ». À l'Assemblée générale des Nations Unies, on adopte, le 23 novembre 1965, le projet de résolution des huit puissances[17] — les neutres et les pays non alignés du Comité des dix-huit puissances —, par laquelle une série de principes devant présider à l'élaboration du TNP est énoncée, dont l'absence d'échappatoires, l'obligation d'un équilibre acceptable de responsabilités et d'obligations mutuelles entre les États possesseurs et les États non possesseurs, et la mise en œuvre de dispositions acceptables pour assurer l'efficacité du Traité. Les huit puissances non alignées reprendront l'essentiel des dispositions de cette résolution dans le mémorandum commun[18] qu'elles soumettront au Comité des dix-huit puissances, le 19 août 1966.

Devant la réticence de la plupart de ses alliés et les remontrances de l'URSS qui ne cesse de rappeler que la MLF aurait de « sévères et peut-être d'irréparables » conséquences, Washington modifie, le 21 mars 1966, la première version de son projet de traité[19]. La clause originale du non-transfert sous « contrôle national » est maintenue, et l'on précise à l'article IV de la version révisée ce que l'on entend par « contrôle national » : le droit ou la capacité de lancer des armes nucléaires sans la décision concomitante d'un État nucléaire possesseur. Cette clause ne satisfait toujours pas l'URSS, puisque dans l'obligation de non-transfert sous contrôle national, l'expression « ou à toute association d'États non nucléaires » est conservée, ce qui maintient bien vivante la mise en œuvre toute théorique de l'« option européenne ». On parle même dans certains milieux d'« option nucléaire fédérale », ce qui, au regard du droit international, pose la question du droit de succession des États.

À la fin de 1966, ces discussions ne sont plus qu'artificielles puisque Washington s'en remettra, à l'intérieur d'une stratégie de partage des responsabilités nucléaires, à la création du comité McNamara qui se transformera, à l'issue de la réunion du Conseil de l'OTAN, en décembre 1966, en Groupe de planification nucléaire. L'option nucléaire fédérale est bien morte, mais il faudra attendre jusqu'au 24 août 1967 avant que les États-Unis et l'URSS déposent deux projets identiques[20] mais séparés des articles I et II du TNP. Ces deux articles constituent le corps du Traité :

- Article premier

Tout État doté d'armes nucléaires qui est partie au Traité s'engage à ne transférer à qui que ce soit, ni directement ni indirectement, des armes nucléaires ou d'autres dispositifs nucléaires explosifs, ou le contrôle de telles armes ou de tels dispositifs explosifs ; et à n'aider, à n'encourager, ni à inciter d'aucune façon un État non doté d'armes nucléaires, quel qu'il soit, à fabriquer ou à acquérir de quelque autre manière des armes nucléaires ou d'autres dispositifs nucléaires explosifs, ou le contrôle de telles armes ou de tels dispositifs explosifs.

- Article second

Tout État non doté d'armes nucléaires qui est partie au Traité s'engage à n'accepter de qui que ce soit, ni directement ni indirectement, le transfert d'armes ou d'autres dispositifs nucléaires ou du contrôle de telles armes ou de tels dispositifs explosifs ; à ne fabriquer ni à acquérir de quelque autre manière des armes nucléaires ou d'autres dispositifs nucléaires explosifs ; et à ne rechercher ni à recevoir une aide quelconque pour la fabrication d'armes nucléaires ou d'autres dispositifs nucléaires explosifs.

Le Traité ne définit nulle part ce que constitue une « arme nucléaire », contrairement à l'article 5 du Traité de Tlatelolco. Cela tient essentiellement à la difficulté que l'on éprouve à l'époque par rapport à la requête des États non nucléaires de ne pas être tenus à l'écart des progrès sur les explosions nucléaires pacifiques. Or le Traité de Tlatelolco interdit tout engin capable de libérer son énergie d'une façon incontrôlée[21], alors que la *Loi sur l'énergie atomique* des États-Unis fait reposer la définition d'une arme nucléaire sur l'« intention présumée » de la mise au point d'une telle arme. Ainsi, selon Willrich, « les engins Plowshare peuvent être exclus de la définition d'une arme nucléaire selon la loi américaine, mais semblent être couverts par le Traité de Tlatelolco[22] ». Ajoutons que selon l'article 18 du même Traité, les États peuvent, à certaines conditions, mener des explosions nucléaires à des fins pacifiques. La pratique fera cependant que la plupart des États adopteront par la suite la position voulant que l'on ne puisse distinguer une explosion pacifique d'une explosion à des fins militaires. Cette interprétation sera confirmée dans le texte du TNP.

L'article I du TNP n'interdit pas la poursuite de programmes de coopération nucléaire entre États nucléaires, à l'exclusion bien sûr du transfert direct d'armes nucléaires ou de dispositifs nucléaires. Ni les vecteurs ni les systèmes de propulsion ne sont compris dans le Traité. Le 14 mars 1968, le Département d'État américain précise que les systèmes de propulsion nucléaire des navires ne tombent pas sous le couvert du Traité. « Pour les besoins du Traité, ajoute-t-on, un sous-marin à propulsion nucléaire n'est pas « une arme ». » Par conséquent, rien dans le présent Traité « n'interdirait la fourniture de combustibles nucléaires à cette fin[23] ».

L'article II est aussi très clair relativement à la forme d'assistance ou d'aide à ne pas recevoir — celle qui est destinée à des fins militaires — et celle qui peut être reçue, à la condition, bien sûr, que celle-ci soit soumise aux garanties de l'AIEA, selon les termes de l'article III. Dans la première version du projet américain, les États non nucléaires devaient aussi s'engager à ne pas fournir « d'eux-mêmes une assistance » à des pays tiers, destinée à la fabrication éventuelle d'armes nucléaires. Diverses déclarations ont été faites par les coauteurs du Traité à cet égard, ce qui « leur donne un certain poids[24] », mais ni ces déclarations ni le texte officiel des articles ne peuvent englober l'assistance que pourraient choisir de se prêter entre elles des parties non signataires — par exemple, Israël et l'Afrique du Sud. De la même façon, un État non nucléaire partie au Traité s'engage à ne pas recevoir ni à chercher à recevoir une aide quelconque pour acquérir des armes nucléaires ou des dispositifs nucléaires explosifs, mais rien n'est dit de l'aide ou de l'assistance que celui-ci pourrait vouloir envisager à l'endroit d'un pays non signataire. L'article III (2) concerne évidemment les produits tombant sous le coup des interdits d'exportation sans garanties (matières brutes ou produits fissiles spéciaux, etc.), mais tout ce qui se trouve en deçà de ce seuil n'est pas spécifié. On s'efforcera par la suite d'éliminer ces échappatoires grâce aux directives issues du comité Zangger et du Club de Londres.

Le problème des garanties nucléaires, ou le fameux article III, n'aboutit qu'après de longues négociations au sein du Comité des dix-huit puissances. En réalité, il faut attendre jusqu'au 18 janvier 1968 avant que les États-Unis et l'URSS déposent des projets séparés mais identiques[25] comprenant, cette fois, des dispositions relatives à l'article III du TNP. Par la suite, de légers amendements seront apportés aux deux projets qui aboutiront au dépôt, le 11 mars 1968, d'une troisième série de projets identiques mais distincts[26]. Le 10 juin 1968, le texte final du TNP est déposé à Genève. L'Assemblée générale des Nations Unies donne son aval au Traité le 12 du même mois. Le 1er juillet 1968, le TNP est ouvert à la signature des États. Le 5 mars 1970, le Traité entre en vigueur. Le tableau 6 offre un bref résumé des principaux jalons qui ont mené à la signature du TNP.

L'article III dans sa forme finale comprend quatre alinéas. Dans le premier, l'État non nucléaire partie au Traité s'engage à signer un accord de garanties avec l'AIEA. Celles-ci doivent comprendre l'ensemble des activités nucléaires pacifiques dudit État. L'alinéa 2 de l'article III se lit comme suit :

Tout État partie au Traité s'engage à ne pas fournir : a) de matières brutes ou de produits fissiles spéciaux, ou b) d'équipement ou de matières spécialement conçus ou préparés pour le traitement, l'utilisation ou la production de produits fissiles spéciaux à un État non doté d'armes nucléaires, quel qu'il soit, à des fins pacifiques, à moins que lesdites matières brutes ou lesdits produits fissiles spéciaux ne soient soumis aux garanties requises par le présent article.

Il faudra plusieurs années avant que les rédacteurs du Traité s'entendent sur la véritable signification de l'article III (2)b). En réalité, ce n'est que lorsque le comité Zangger et le Club de Londres se réuniront que de nouvelles directives seront émises à ce propos[27]. Il est précisé à l'alinéa 3 que le système des garanties ne doit pas entraver le développement économique ou technologique des parties au Traité, tandis que l'alinéa 4 aborde le problème de la signature de l'accord de garanties avec l'AIEA soit à titre individuel, soit conjointement avec d'autres États en vue de répondre notamment aux besoins d'harmonisation des garanties entre l'AIEA et l'EURATOM.

Les difficultés relatives à l'élaboration de l'article III tiennent tout à la fois à des difficultés Est-Ouest, à des divergences de vues à l'intérieur de l'Alliance atlantique et aux pressions de l'industrie nucléaire. Il est inexact de prétendre, comme Lawrence et Larus, que durant la période des négociations 1965-1967, « ni les États-Unis ni l'URSS ne considèrent comme un sujet d'importance majeure la mise en œuvre d'un système de garanties ou de vérification[28] ». Selon Pendley, Scheinman et Butler, les réticences soviétiques à l'égard des garanties commencent à se dissiper à partir de 1963 et se transforment en un appui ouvert en 1965[29].

Sur ce sujet, tous les auteurs s'entendent pour affirmer que c'est le sacrifice de la MLF qui a arraché l'appui des Soviétiques au projet du TNP[30]. La question de savoir si l'URSS était davantage préoccupée à l'époque par les problèmes de prolifération nucléaire *per se* ou par les dangers du revanchisme allemand reste encore ouverte aujourd'hui. Chose certaine, le contexte international subit alors de profondes transformations. Plusieurs auteurs pensent que le facteur chinois n'a pas été étranger à l'adoucissement de la position soviétique sur le problème des garanties en 1963, Moscou anticipant de toute façon l'explosion nucléaire chinoise de 1964[31]. Durant la même année, le projet de la MLF déchaîne des controverses au sein de l'Alliance atlantique. En outre, les États-Unis commencent à mener des opérations militaires de plus en plus étendues au Viêt-nam du Nord, après la rupture de la trêve à la fin de 1965. Or le déblocage soviéto-américain intervient en 1965. On peut donc penser que la MLF et le Viêt-nam aient été deux éléments qui ont pesé lourd dans la balance des considérations entre Moscou et Washington.

Au milieu de 1967, un deuxième déblocage intervient au sujet de l'article III entre Moscou et Washington[32]. Il est dû à un *quid pro quo*, expression utilisée par Willrich[33], où, en contrepartie de l'accord soviétique à un système généralisé de garanties nucléaires pour les États non nucléaires parties au Traité, l'EURATOM devra, conformément aux termes de l'article III (4) du TNP, conclure un accord avec l'AIEA. Cette disposition est approuvée au Conseil de l'OTAN et, selon Kramish, présentée comme un fait accompli aux pays de l'EURATOM[34]. En réalité, les États-Unis avaient insisté auparavant sur la formule des « garanties nucléaires équivalentes », ce qui pour tous et chacun signifiait l'EURATOM. Durant toute l'année 1966, l'URSS — son projet de traité de 1965 ne contient aucune précision à cet égard — répétera à qui veut l'entendre que seules des « garanties exclusives » de l'AIEA sont acceptables dans le cadre du TNP[35].

En ce qui a trait aux États-Unis, l'évolution de leur politique est plutôt lente et lourde. Le TNP est largement le fruit des efforts de l'ACDA. Le Bureau des affaires européennes du Département d'État tend évidemment à encourager les efforts d'intégration de la communauté européenne et, par conséquent, à protéger le système des garanties de l'EURATOM. Dès le début de 1967, le secrétaire Rusk précise bien que même si les États-Unis n'ont pas de problèmes de crédibilité avec les garanties de l'EURATOM, certains signataires[36] ne seraient peut-être pas tout à fait heureux « d'avoir à dépendre de garanties élaborées d'une façon interne par l'EURATOM[37] ». Pendley, Sheinman et Butler attribuent au président Johnson la responsabilité du déblocage américano-soviétique de la mi-année 1967. Aux prises avec le barrage des critiques intérieures toujours plus nombreuses devant l'enlisement des États-Unis au Viêt-nam, le président Johnson aurait décidé de céder aux exigences de Moscou qui estimait que les garanties de l'EURATOM ne visaient qu'à camoufler les intentions revanchistes de la RFA et n'équivalaient à rien d'autre qu'à un système d'auto-inspection.

Cette volte-face sera particulièrement difficile à accepter pour la RFA. Dans sa note du 25 mars 1966, la RFA précise fort bien qu'elle entend protéger le statut particulier de l'EURATOM, même si elle n'est pas opposée aux garanties de l'AIEA pour ce qui est de ses fournitures nucléaires avec d'autres pays tiers, à condition que la même règle soit applicable pour tous. Six mois plus tard, en septembre 1966, la Tchécoslovaquie, la Pologne et la RDA proposent de faire passer sous le contrôle de l'AIEA l'ensemble de leurs installations nucléaires, pourvu que la RFA agisse de même. Or, à l'époque, la RFA trouve cette proposition inacceptable, car elle ne reconnaît pas la RDA. Sans trop vraiment y croire, elle proposera que les États à l'Ouest et à l'Est consignent, dans des déclarations unilatérales auprès de leurs alliances respectives, sous « contrôle adéquat », leur volonté de ne pas chercher à acquérir des armes nucléaires. Cette initiative se perdra dans la nuit des temps.

Ces tractations sans doute douloureuses au niveau Est-Ouest et au niveau transatlantique déboucheront ainsi sur deux formes de discriminations particulières. La première résulte de l'asymétrie des obligations entre les pays nucléaires et les pays non nucléaires. Alors que les pays non nucléaires doivent soumettre l'ensemble de leurs activités nucléaires aux garanties de l'AIEA, les pays nucléaires, eux, ne subissent aucune contrainte. Plusieurs raisons expliquent

Tableau 6

Liste des principales résolutions et propositions relatives au TNP

Résolutions	
Rés. 1665 (XVI)	Proposition irlandaise sur la non-dissémination des armes nucléaires, 4 décembre 1965.
Rés. 224 (CD)	Résolution de la Commission du désarmement sur les « mesures connexes », 15 juin 1965.
Rés. 2028 (XX)	Proposition des huit puissances sur les principes devant présider à l'élaboration du TNP, 23 novembre 1965.
Rés. 2373 (XXII)	L'Assemblée générale des Nations Unies (AGNU) donne son aval au projet de traité, 12 juin 1968.
Rés. 255 du Conseil de sécurité	Résolution du Conseil de sécurité de l'ONU sur les garanties, 19 juin 1968.
Propositions	
États-Unis	Premier projet de traité contenant les articles I et II, ENDC/152 (17 août 1965).
Italie	Proposition Fanfani, ENDC/157 (14 septembre 1965).
URSS	Projet de traité soviétique soumis à l'AGNU, A/5976 (24 septembre 1965).
États-Unis	Deuxième projet de traité contenant les articles I et II, ENDC/152/Add. 1 (21 mars 1966).
Mémorandum des huit puissances	ENDC/178 (19 août 1966).
États-Unis et URSS	Projets de traité distincts mais identiques contenant les articles I et II, ENDC/192 (24 août 1967) ; ENDC/193 (24 août 1967).
États-Unis et URSS	Projets de traité distincts mais identiques, notamment sur les articles I, II et III, ENDC/192/Rév. 1 (18 janvier 1968) ; ENDC/193/Rév. 1 (18 janvier 1968).
États-Unis et URSS	Projet final du Traité de non-prolifération des armes nucléaires, ENDC 225/(Annexe A) (11 mars 1968).
Traité ouvert à la signature :	1er juillet 1968.
Date d'entrée en vigueur du Traité :	5 mars 1970 (au Canada).
États parties au Traité au 31 décembre 1987 :	134.

les hésitations des pays occidentaux. La première, la plus évidente, c'est que l'URSS n'entend pas accepter à l'époque les garanties de l'AIEA. On ne voit pas pourquoi, dans ces conditions, les États-Unis ou la Grande-Bretagne, sans parler de la France qui ne participe pas aux négociations, auraient pu accepter deux statuts différents de puissances nucléaires. La seconde, tout aussi évidente, c'est que ni les industries nucléaires ni les gouvernements du moment ne souhaitent s'imposer des servitudes quant à leurs importations d'uranium. Les transactions entre les États-Unis et la Grande-Bretagne sont alors libres de tout contrôle. Il n'en est pas de même pour la France, car le Canada décide dès 1965, au grand dam de l'industrie nucléaire canadienne, d'imposer des garanties sur ses exportations d'uranium. Le cas de la France se révélera particulièrement dramatique.

À ce propos, il semble bien que la rencontre de Gaulle-Pearson de janvier 1964 se soit traduite par un échec cuisant. Selon certaines sources, de Gaulle aurait tendu la perche à Pearson en lui faisant remarquer que leurs pays respectifs avaient beaucoup d'« intérêts nationaux » en commun, ce à quoi Pearson aurait répondu qu'en effet le Canada était avant tout un pays « internationaliste[38] ». L'écart entre l'appel gaullien au bilatéralisme franco-canadien et la réplique multilatéraliste de Pearson, ainsi que la volonté de Paul Martin de s'opposer à la prolifération nucléaire — ce qui, en pratique, revenait à s'opposer aux grands desseins nationaux de Paris —, n'étaient pas de nature à faciliter les discussions bilatérales sur les ventes possibles d'uranium à la France. Plusieurs autres raisons militaient également contre une telle aventure, par exemple le fait que Stephen Roman, le président de Denison Mines, ait été de la même circonscription électorale que Pearson[39]. En outre, S. Roman, immigrant catholique, avait peu d'appuis au Cabinet. Son projet fut donc ramené à la case zéro[40].

Les principaux alliés, le Japon et la RFA, auront cependant raison des réticences de Londres et de Washington, car ces deux pays poseront comme condition expresse de leur adhésion au Traité que les États nucléaires acceptent aussi de faire passer sous le contrôle de l'AIEA leurs installations nucléaires civiles. Au début de 1967, le président Johnson fera donc état de son intention de donner suite aux exigences de ses alliés. Il faudra attendre jusqu'en décembre 1985 avant que l'URSS accepte que la réciproque soit aussi vraie chez elle.

La seconde forme de discrimination s'exerce contre les pays européens qui défendent pour la plupart le principe de l'intégration européenne. En soutenant, comme le souhaitaient les Soviétiques, le principe de garanties universellement acceptées, les États-Unis obligeaient ainsi les alliés à se plier aux exigences de Moscou. À cet égard, la position américaine restera ferme tout en faisant preuve d'une certaine souplesse. Ainsi, le Département d'État aura tendance à défendre au sein de l'Administration la nécessité de protéger le système de garanties de l'EURATOM, la Commission de l'énergie atomique américaine ne verra aucune contradiction entre l'existence de deux systèmes de garanties parallèles et le Département d'État conclura finalement que « les deux systèmes sont efficaces[41] ». On finira donc par faire un compromis : le système de l'EURATOM devra satisfaire aux exigences de contrôle de l'AIEA ou, si l'on veut, l'EURATOM conservera son propre système de contrôle, mais celui-ci devra être vérifié à la satisfaction de l'AIEA. Le compromis final américano-soviétique fut donc de prévoir à l'article III (4) la négociation d'un accord séparé entre l'AIEA et l'EURATOM. La présence d'un État nucléaire au sein de l'EURATOM posera des problèmes particuliers. C'est ce qui explique pourquoi les négociations EURATOM-AIEA ne commenceront qu'en 1971. En 1975, la ratification du TNP par l'EURATOM est chose faite. L'adhésion du Japon au TNP suit en 1976.

Avant d'examiner le problème particulier des garanties nucléaires, il faut mentionner deux autres éléments d'importance au cours des négociations : la question des garanties en matière de sécurité *(security assurances)* et le problème des explosions nucléaires pacifiques. Sur le premier point, en dépit de tous les efforts déployés par certains États pour amener les États nucléaires à garantir la sécurité des États non nucléaires qui seraient éventuellement menacés d'armes nucléaires ou de la menace du recours à ces armes, cette question est réglée hors traité par la mise en œuvre de la résolution 255 du Conseil de sécurité de l'ONU votée le 19 juin 1968. Les assurances contenues dans cette résolution[42] ne valent que ce que vaut une résolution du Conseil de sécurité, c'est-à-dire bien peu s'il n'y a pas de consensus au sein des membres permanents du Conseil de sécurité sur l'action à entreprendre ou sur les mesures de coercition à décider en vertu du chapitre VII de la Charte des Nations Unies. Rappelons, en outre, qu'il n'existe pas au sein de l'ONU une définition acceptée de ce que constitue une agression.

Au demeurant, les délibérations de Genève sont très claires à ce sujet. Aucune puissance nucléaire ne tient à se trouver devant un engagement qui pourrait la commettre d'avance à agir dans une situation dont elle ne peut par prévision connaître tous les aboutissements possibles. Le secrétaire Rusk s'empressera d'ailleurs de déclarer devant la Commission américaine sur les relations étrangères que cette résolution ne constituait en aucune façon « des engagements additionnels » à ceux qui existaient à l'époque[43]. Quant à l'URSS, elle proposera en 1966, lors des délibérations au sein du Comité des dix-huit puissances, d'insérer une clause dans le Traité selon laquelle un État peut venir en aide à un État non nucléaire partie au Traité qui ne disposerait pas d'armes nucléaires sur son territoire[44]. Cette proposition ne sera suivie d'aucun effet.

En matière d'explosions nucléaires pacifiques, les États-Unis et le camp occidental s'orientent très vite vers l'impossiblité technique de distinguer ce type d'explosion d'un autre destiné à des fins militaires. En vertu des termes du Traité, même la recherche et le développement sont interdits à ce propos, du moins pour un État nucléaire partie au Traité. Selon que l'on considère les explosions nucléaires pacifiques comme rentables ou non, on peut envisager cet aspect du Traité comme constituant une forme de discrimination. L'idéal serait évidemment que les États nucléaires mettent à la disposition de l'AIEA toute une banque de données et des moyens efficaces pour administrer un service éventuel d'explosifs à des fins pacifiques. Outre le fait que cette hypothèse pourrait constituer, aux termes du Traité, une forme de transfert d'explosifs nucléaires, ce que le TNP interdit formellement, il ne semble pas pour l'instant que quiconque soit désireux de s'orienter dans cette voie, en dépit des efforts faits par le Japon pour démontrer techniquement que de tels engins pourraient peut-être exister[45]. Comme nous l'indiquons au chapitre 9, un nombre impressionnant d'expériences a été réalisé en ce domaine par l'URSS. Pour leur part, les États-Unis tendent à soutenir que de telles expériences ne se révèlent pas rentables et que les dangers qui en résulteraient s'avèrent plus grands que les bénéfices à en retirer. Théoriquement, la question reste ouverte. Politiquement, elle est définitivement scellée pour l'instant.

L'ÉVOLUTION INTERNATIONALE DES GARANTIES NUCLÉAIRES

L'édifice juridique qui soutient l'ensemble des garanties nucléaires tient tout d'abord à la Charte constitutive de l'AIEA, au système de garanties élaboré par cette dernière pour l'exécution de ses fonctions, aux dispositions juridiques héritées du TNP et à l'accord-cadre devant être signé entre l'État signataire du TNP et l'AIEA, ce dernier étant complété par un accord subsidiaire tenu secret entre les deux signataires.

En matière de procédure, un État doit d'abord signer le Traité, ensuite le ratifier, puis signer un accord avec l'AIEA et, enfin, souscrire à un accord subsidiaire : il s'agit ici du point le plus important en ce qui concerne la description technique. Afin de répondre aux exigences de cet accord subsidiaire, on s'est efforcé de standardiser la procédure grâce à des formules types. Certaines descriptions techniques varient forcément d'un pays à un autre, ce que plusieurs déplorent.

Les termes prolifération et non-prolifération n'apparaissent pas dans les statuts de l'AIEA. Celle-ci est née de la proposition Eisenhower « l'atome pour la paix », afin de promouvoir le développement pacifique de l'atome et pour s'assurer qu'il n'y aurait aucun détournement de l'atome à des fins militaires. L'AIEA est une organisation autonome qui fait partie de la famille des organisations internationales, mais non des institutions spécialisées des Nations Unies. Elle possède un grand nombre d'accords de coopération tant avec des organisations intergouvernementales[46] qu'avec des institutions spécialisées des Nations Unies[47], sans compter les 19 organisations non gouvernementales (ONG)[48] auxquelles elle a accordé un statut consultatif.

Si, dans les faits, l'AIEA est le chien de garde du TNP, de l'Organisme pour l'interdiction des armes nucléaires en Amérique latine et aux Caraïbes (OPANAL) (Organismo para la Proscripción de las Armas Nucleares en América Latina y el Caribe, OPANAL), ou Traité de Tlatelolco, et du Traité de Rarotonga — dénucléarisation du Pacifique Sud —, elle n'est pas cependant que cela. Elle a une mission à remplir dans tous les domaines du développement pacifique de l'atome. Ces situations complexes expliquent aussi en grande partie l'échafaudage multiple du système des garanties nucléaires pratiquées par l'AIEA. Il y a, à bien des égards, un enchevêtrement de droits et de devoirs qu'il s'agit d'harmoniser, de respecter et, dans certains cas, d'équilibrer.

Le premier système de garanties élaboré par l'AIEA remonte à 1961 — Information Circular (INFCIRC/26). Ce document est rédigé à la suite de longues négociations qui se poursuivent d'avril 1958 à janvier 1961. Ces négociations s'avèrent particulièrement âpres, car au groupe occidental plus ou moins homogène composé de 17 pays s'oppose le groupe des pays de l'Est mené par l'URSS et appuyé par l'Inde. Dans l'ensemble, il y a ceux qui soutiennent que les garanties de l'AIEA sont indispensables et qu'elles doivent s'appuyer sur un système de contrôle plus ou moins étanche, alors que d'autres, au contraire, maintiennent que la coopération peut être établie sur la base d'une simple promesse de non-diversion à des fins militaires, le principe de l'inspection sur place constituant une violation de la souveraineté territoriale des États. Ainsi, le premier système de garanties de l'AIEA n'est pas né d'un consensus, mais bien plutôt d'une décision majoritaire de son Conseil des gouverneurs[49].

Ce premier document est révisé par la suite à deux reprises, pour englober, en 1966, les installations de retraitement et, en 1968, les usines de combustibles nucléaires. La version révisée — INFCIRC/66/Rév. 2 — fait toujours foi aujourd'hui. Elle vise « toutes les installations principales du cycle du combustible nucléaire, à l'exception des usines d'enrichissement[50] » à diffusion gazeuse. Certaines installations à centrifugeuse à gaz sont cependant sous garanties[51]. En février 1982, le directeur général de l'AIEA a laissé sous-entendre lors de la réunion du Conseil des gouverneurs que la circulaire INFCIRC/66/Rév. 2 pourrait être réexaminée.

Pour s'acquitter des obligations nouvelles qui lui incombent en vertu du TNP, l'AIEA prépare son fameux Livre bleu — INFCIRC/153/Corrigé — adopté en 1970 par son Conseil des gouverneurs. Une querelle reste ouverte sur la valeur relative de ces deux documents, soit l'INFCIRC/66 et l'INFCIRC/153. Certains auteurs prétendent que le premier document ne contient pas de définitions de « conditions techniques objectives » aussi strictes que celles qui sont spécifiées dans le second[52]. Les garanties contenues dans l'INFCIRC/66 de l'AIEA seraient ainsi applicables aux États non signataires du TNP, tandis que les garanties précisées dans l'INFCIRC/153 ne le seraient qu'aux seuls États parties au TNP[53]. D'autres auteurs insistent au contraire sur la nature dynamique du système des garanties de l'AIEA[54].

Le mot de la fin appartient sans doute à L.W. Herron, directeur en 1982 du Bureau juridique de l'AIEA. Celui-ci déclarait à l'époque que le directeur général « ne recommanderait pas au Conseil des gouverneurs l'adoption d'un nouvel accord qui ne contiendrait pas de clauses additionnelles à celles qui sont exprimées dans l'INFCIRC/66», notamment la promesse formelle du non-détournement de matières nucléaires aux fins d'explosifs nucléaires, l'application de techniques de confinement et de surveillance, la conclusion d'un accord subsidiaire, des dispositions expresses pour l'application du droit de «poursuite» en ce qui a trait aux générations subséquentes de matières fissiles, des dispositions pour les transferts technologiques et ceux d'eau lourde, et ainsi de suite. Bref, en dépit des implications juridiques différentes qui découlent des obligations issues de l'INFCIRC/66 et de l'INFCIRC/153, l'AIEA fait une tentative systématique en vue d'harmoniser les obligations contractées, et cela, quel que soit le régime juridique dont elles sont tributaires.

Les négociations au sein de l'AIEA se sont poursuivies grâce aux efforts soutenus du Japon et de la RFA, souvent contre la volonté de plusieurs États encore attachés aux garanties de l'INFCIRC/66. Selon Imai, il était important que la Grande-Bretagne se ralliât à cette façon de voir. En dernière analyse, Imai précise ce qui suit:

> Les conclusions du Comité des garanties déposées et plus tard acceptées par le Conseil des gouverneurs de l'AIEA constituèrent ainsi une révision des garanties de cette dernière. Même si l'on ne parla pas de révision et bien que personne ne prononçât la mort de la circulaire INFCIRC/66/Rév. 2, il était clairement convenu que les accords de garanties à conclure avec l'AIEA dans le cadre du TNP seraient établis sur la base de ce nouveau concept[55].

En ce qui concerne la procédure proprement dite, le négociateur japonais Imai se demande si les rédacteurs du Traité avaient à l'esprit les garanties de l'AIEA — INFCIRC/66 — lorsque tous et chacun insistèrent sur la nécessité de leur existence au sein du Traité. Dans l'état actuel, on ne peut répondre à cette question. Quoi qu'il en soit, il est clair que les négociations ont finalement abouti à la renégociation du système des garanties qui sera finalisé dans le document INFCIRC/153. Ce dernier document sera produit grâce à la méthode de l'«analyse des systèmes» préconisée par le Centre nucléaire allemand de Karlsruhe, l'accent étant mis sur les zones de bilan matières (Material Balance Area (MBA)) et les points stratégiques de contrôle (Key Measurement Points (KMP)), la différence entre les points d'entrée et de sortie pouvant constituer les variations de différence dans les inventaires (Material Unaccounted For (MUF)). Ce système a l'avantage de minimiser la nécessité du facteur humain, ce qui n'est pas sans intérêt pour les pays qui se méfient du système des garanties de l'AIEA sous prétexte qu'il n'est nulle autre chose qu'une forme déguisée d'espionnage industriel.

Au paragraphe 28 de l'INFCIRC/153, on précise l'objectif des garanties: déceler rapidement *(timely detection)* le détournement de quantités considérables *(significant quantities)* de matières nucléaires ou, si l'on veut, «dissuader tout détournement par le risque d'une détection rapide». En ce domaine, l'AIEA n'est pas en mesure de définir dès 1970 la rapidité du délai nécessaire pour «déceler» et à partir de quel moment une quantité devient

« considérable », sinon d'une façon très générale. Elle créera donc en 1975 un Groupe consultatif permanent sur les garanties afin de mieux cerner ces problèmes. D'énormes progrès ont été réalisés grâce à la mise en œuvre du système de détection continue par ordinateur, soit le système informatisé Recover[56].

Au demeurant, c'est en partie pour éliminer des pratiques discriminatoires dans l'application des garanties que les pays fournisseurs nucléaires se sont réunis de 1975 à 1977. Déjà en 1974 la liste des matières tombant sous le coup des garanties de l'AIEA a considérablement été élargie à la suite de la publication, en septembre, de la liste INFCIRC 209 du comité Zangger et des directives du Club de Londres, c'est-à-dire les pays nucléaires fournisseurs, endossées par l'AIEA à la fin de l'année 1977 — INFCIRC 254 — et publiées en janvier 1978. Ces dernières directives pour les transferts (Guidelines for Nuclear Transfers (GNT)) reprennent, en substance, une bonne partie des dispositions arrêtées précédemment par le comité Zangger, mais vont beaucoup plus loin, notamment dans le domaine des technologies dites sensibles. On venait ainsi de donner un contenu précis à l'article III (2 b) du TNP.

Qu'on le veuille ou non, le Traité signé en 1968 n'est pas celui que plusieurs pensaient avoir signé en 1968. En premier lieu, l'INFCIRC/66 est renégociée ; ensuite, le comité Zangger propose une nouvelle liste de produits qui font partie des garanties ; et, enfin, en 1978, l'AIEA fait sienne la liste des produits additionnels établie par le Club de Londres au cours de ses réunions tenues de 1975 à 1977. À tout le moins, il s'agit donc d'un Traité en perpétuelle évolution où l'étau des garanties a peu à peu fait disparaître une à une la plupart de ses échappatoires. C'est sans doute là un signe de la maturité croissante de la communauté internationale. En outre, le Club de Londres aura permis à un État comme la France non signataire du Traité de participer à l'élaboration d'un ordre international nouveau.

LE CANADA ET LA NON-PROLIFÉRATION NUCLÉAIRE

La politique canadienne en matière de non-prolifération nucléaire est tout à la fois relativement ferme, souple et versatile. Elle est ferme, car le Canada estime contraire aux intérêts de la sécurité occidentale que d'autres pays, aussi avancés que lui technologiquement, se dotent d'un armement nucléaire indépendant. Elle est aussi souple, car le pays est parfaitement conscient des difficultés que suscite à l'intérieur de l'Alliance atlantique le projet de la MLF. Enfin, elle est versatile, car lorsqu'il verra que l'on ne pourra logiquement répondre à toutes ses revendications, le Canada se ralliera finalement à la formule du projet de traité déposé par les grandes puissances à Genève. Les efforts du Canada se feront sentir tant pour la question de la prolifération des armes au sein des alliances que pour celle de la prolifération entre États.

Le Canada, la MLF et la non-prolifération

L'un des problèmes les plus épineux auxquels le Canada doit faire face est celui de la prolifération verticale au sein de l'Alliance atlantique. En 1964, la question de l'acquisition de têtes nucléaires sous contrôle américain par le Canada, pour satisfaire à ses engagements au sein du NORAD et de l'OTAN, est réglée. En 1963, l'administration Diefenbaker tombe sur cette question. En pleine campagne électorale, les libéraux de Pearson soutiennent que le Canada doit respecter ses engagements antérieurs[57].

La décision canadienne d'honorer ses engagements envers les États-Unis en 1964 intervient lors des discussions alliées sur la MLF. Or, à ce propos, la politique canadienne ne semble pas s'embarrasser des objections que l'on pourrait soulever à l'étranger. Le premier ministre Pearson déclare à la Chambre, le 5 janvier 1964, que le pays « n'accepterait pas un rôle nucléaire qui ferait du Canada une puissance nucléaire ». Aux yeux du Canada, son acceptation de têtes nucléaires américaines pour son armement ne constitue pas un phénomène de prolifération. Et pourtant, il n'aime pas le projet de la MLF qui aurait pour effet d'accroître au sein de l'OTAN les risques de prolifération verticale, c'est-à-dire la possibilité que d'autres alliés soient aussi dotés d'armes nucléaires sous un contrôle dit de la « double clé » pour suffire aux besoins de la défense occidentale.

À cet égard, il faut reconnaître que la MLF constitue un prodigieux bond quantitatif et qualitatif par rapport à la formule antérieure élaborée à la fin des années cinquante, lorsqu'il s'agissait d'introduire en RFA des armements nucléaires tactiques. À l'époque, la portée de ces armes ne s'étend qu'aux territoires des pays d'Europe de l'Est, à l'exclusion de l'URSS. Il en va tout autrement avec la MLF, car pour la première fois dans son histoire, la RFA serait de la sorte associée à un système d'armes qui pourrait, des profondeurs des mers, porter des coups nucléaires mortels à l'URSS. Il est vrai cependant que quelques années auparavant les fusées Thor et Jupiter venaient d'être installées en Turquie, en Italie et en Grande-Bretagne. Ces armes étaient toutefois destinées à contrer le *missile gap* américain à la suite du lancement du Spoutnik en 1957. Or, pour une raison ou pour une autre, ces systèmes seront démantelés au lendemain de la crise de Cuba. L'URSS voyait donc d'un très mauvais œil que l'Europe soit à nouveau partie prenante avec l'Amérique à l'intérieur de systèmes nucléaires qui pourraient atteindre son territoire. Notons au demeurant que le même scénario se répétera avec les Pershing et les missiles de croisière au début des années quatre-vingt, ce qui amènera l'URSS à la table des négociations et débouchera finalement, après de longues et pénibles négociations au sein de l'Alliance atlantique, sur la signature des accords bilatéraux FNI à Washington en décembre 1987, qui deviendront le Traité sur les forces nucléaires à portée intermédiaire (FNI) à partir de leur ratification en mai et en juin 1988.

Un compromis canado-américain très important sur la MLF intervient à Hyannis Port, en mai 1963, lors de la première rencontre officielle entre le président Kennedy et le premier ministre Pearson. À l'issue de cette rencontre, le communiqué fait état de la volonté des deux chefs d'États d'œuvrer ensemble pour « démontrer leur foi dans l'Alliance atlantique ». Les archives canadiennes sont plus éloquentes : le Canada s'est engagé, à cette occasion, « à ne rien dire ni faire qui puisse entraver les progrès de la MLF ». La position canadienne est donc hypothéquée au départ. Il s'agit là cependant d'une entente entre chefs d'États[58]. Or ni Burns à Genève ni le Bureau du désarmement à Ottawa ne paraîtront affectés outre mesure par cette entente de principe intervenue entre Washington et Ottawa.

Tout se passe ici comme si la question de l'acquisition d'armements nucléaires par le Canada avait largement relevé de considérations de politique intérieure, pour être totalement oubliée quand on décida par la suite d'étudier ces questions au niveau international. On pourrait ici conclure que sans cette entente le Canada n'aurait pas défendu devant le Comité des dix-huit puissances à Genève la thèse selon laquelle la MLF ne constituait pas une forme de prolifération nucléaire. Le Canada venant d'acquérir des armements nucléaires sous double contrôle, il lui aurait cependant été difficile, même s'il l'avait voulu, de soutenir une position radicalement différente pour ses alliés. Il ne pouvait donc en ce domaine avoir deux poids deux mesures, ce qui ne l'obligeait toutefois à rien par rapport à la MLF. Le Canada se tirera élégamment de ce dilemme en disant tout simplement qu'il n'avait pas l'intention d'« ajouter quoi que ce soit à ses responsabilités ou engagements existants[59] ». Cette formule mettait un terme à la participation possible du Canada à la MLF, même si l'on défendait à Genève la thèse selon laquelle ce projet ne constituait pas une forme de prolifération.

Ces paramètres définissent par la suite la position canadienne jusqu'à la signature du Traité de non-prolifération des armes nucléaires. Il s'agit essentiellement d'une position pro-OTAN et anti-MLF. En premier lieu, le Canada déclare qu'en dépit du fait qu'il a des capacités suffisantes pour produire son propre armement nucléaire, il a renoncé à cette option dans le cadre de ses engagements envers l'OTAN et le NORAD. De proche en proche, le Canada prend ainsi la tête des États qui pourraient « jouer un rôle indépendant utile comme puissance moyenne[60] ». En deuxième lieu, il soutiendra les principes de la résolution irlandaise, comme constituant les fondements de sa politique de non-prolifération. Le Canada se dissociera donc, dès qu'il pensera que la chose deviendra possible par rapport aux Américains, de la fameuse « option européenne ». En troisième lieu, le Canada endossera corps et âme la suggestion d'établir à l'intérieur de l'Alliance atlantique un plus grand partage des responsabilités nucléaires. Cette fois, on ne parle plus de la MLF, mais bien plutôt de la constitution d'un comité de planification, ou de ce que McNamara appelait un « comité sélect » qui deviendra en décembre 1966 le Groupe de planification nucléaire de l'OTAN.

À l'été 1964, la Délégation du désarmement à Genève est parfaitement consciente des manœuvres soviétiques visant à prévenir toute forme de prolifération nucléaire, sous forme directe ou indirecte, par des alliances militaires. On craint à cet égard que Moscou ne soutienne ou n'inspire le dépôt à New York de projets de résolutions visant à faire échec au projet occidental. « De telles résolutions, affirme-t-on à Genève, interdirait non seulement la MLF, mais aussi le partage des responsabilités nucléaires, ce à quoi il faut fermement s'opposer[61]. » Un an plus tard, une semaine avant le dépôt à Genève du premier projet de traité américain, Paul Martin, dans une lettre à l'ambassade canadienne à Londres, reconnaît que le projet américain « n'est pas entièrement libre d'un élément de dissémination[62] », mais qu'il faut s'appliquer à prévenir la non-dissémination plutôt que de penser à de lointaines éventualités qui ne pourraient peut-être jamais se réaliser. La volonté de maintenir l'unité dans le camp occidental se trouve cependant tout aussi présente dans l'esprit du ministre des Affaires extérieures, car Martin demande en même temps que l'on ne préjuge pas des solutions qui pourraient être négociées au sein de l'OTAN. De plus, selon lui, si des plans de partage venaient à voir le jour, il reviendrait aux États membres de démontrer que ceux-ci n'impliquent aucune dissémination.

Entre-temps, à Genève, Burns définit fort bien sa position dès le début de l'année 1965. Dans un mémoire adressé au ministre et intitulé « Non-dissémination : 1965 ou jamais », le général Burns pose la question essentielle : qu'est-ce qui empêche le déblocage des négociations sur la non-prolifération ? « C'est le plan américain de la création d'une MLF au sein de l'OTAN », écrit-il, le 23 février 1965. Il demande donc à Paul Martin que le Canada accepte de faire passer ses objectifs de non-dissémination avant ceux de la MLF. Ce faisant, il est parfaitement conscient des difficultés qu'une telle attitude pourrait soulever avec la RFA. Aussi propose-t-il la formation au sein de l'Alliance atlantique d'un directoire stratégique composé des trois puissances nucléaires de l'Alliance atlantique et de la RFA. Ce directoire serait plus particulièrement responsable des « politiques du ciblage et du recours aux armements nucléaires dans le théâtre européen ». Il suggère, en outre, de laisser de côté le projet de la MLF jusqu'à ce que les négociations en cours se traduisent par un échec ou un succès, c'est-à-dire, estime-t-il, jusqu'en mars 1966.

En ce domaine, Burns n'innove pas. Dès le 17 novembre 1964, dans un long télégramme du ministère des Affaires extérieures aux principales missions canadiennes à l'étranger, on insiste sur la nécessité d'éviter une crise à l'intérieur de l'Alliance atlantique, d'adopter une politique à l'égard de la France qui ne soit fondée « ni sur la confrontation ni sur l'exclusion », de prévoir des méthodes « qui permettent d'associer la RFA à un plus grand partage des responsabilités nucléaires au sein de l'Alliance atlantique » et de faire en sorte qu'en contrepartie d'une plus grande association des alliés à la planification stratégique ceux-ci soient amenés à assumer un coût croissant des dépenses militaires de l'Alliance atlantique.

En mai 1963, lors de la réunion du Conseil de l'OTAN à Ottawa, les bombardiers britanniques de la classe V ainsi que trois sous-marins Polaris sont affectés au SACEUR qui sera secondé, dans ses fonctions nucléaires, par un Européen. À sa réunion de juin 1964, le Conseil de l'OTAN décide de la réorganisation de son Groupe de planification nucléaire au sein du Groupe permanent. Cette décision prise par le Comité militaire de l'OTAN vise à faire participer davantage les autres États alliés à la stratégie de l'Alliance atlantique. Dans leur télégramme du 17 novembre, les Affaires extérieures se demandent donc :

a) La France accepterait-elle de la même manière que les Britanniques d'affecter ses forces nucléaires au SACEUR ?

b) Les fonctions du commandant en second du SACEUR ne pourraient-elles pas être élargies pour englober les responsabilités de planification et de coordination nucléaires ?

c) À Ottawa, il fut convenu qu'un petit groupe d'officiers alliés participerait comme représentant du SACEUR à l'élaboration des politiques de planification et de ciblage du SAC à Omaha. Les États-Unis ne pourraient-ils pas ouvrir davantage leurs portes à ce genre d'expérience de manière que les principaux gouvernements de l'OTAN jouent un rôle plus responsable au sein de la stratégie de l'Alliance atlantique ?

d) Le Comité nucléaire qui a joué jusqu'à maintenant un rôle plutôt secondaire au sein de l'OTAN ne pourrait-il pas servir de base pour en assurer sa planification stratégique ?

Le Canada reste donc préoccupé au premier chef par les questions d'un plus grand partage des responsabilités nucléaires au sein de l'Alliance atlantique et de la place relative que la RFA pourrait occuper au sein d'un groupe de planification stratégique et ne s'arrête que très accessoirement aux questions de la MLF. On se demande même, à ce propos, s'il ne vaudrait pas mieux trouver un nouveau nom au projet. On précise aussi dans ce même télégramme qu'il ne serait pas dans l'intérêt du Canada qu'un groupe régional de défense soit constitué, auquel ni la France ni le Canada ne participeraient. Dans son mémoire de février 1965, Burns ne fait donc que reprendre certaines des idées du MAE. Et pourtant, le mémoire de Burns soulève de profondes objections au sein du MAE, tant au Bureau des affaires européennes qu'au Bureau de liaison avec la défense.

Au Bureau de liaison avec la défense, A.R. Menzies rappelle tous les efforts déployés par les États-Unis pour faire comprendre aux Soviétiques le véritable sens de leur proposition sur la MLF. Il précise également que l'ambassadeur Livingston Merchant a aussi fort bien expliqué au gouvernement canadien les objectifs du projet. Il considère donc que la MLF n'est qu'un obstacle parmi d'autres qui restent à surmonter avant d'en arriver à la conclusion d'un Traité de non-prolifération des armes nucléaires. Son argumentation, au reste, est fort habile. Elle se résume aux éléments suivants : si l'URSS croit véritablement que la MLF constitue un danger de prolifération, il en irait de son intérêt de négocier immédiatement et continûment... alors que ce projet est actuellement plus ou moins mis en veilleuse. Or, pour l'instant, elle ne semble pas pressée de négocier[63]...

Quant au Bureau des affaires européennes du Canada, il souligne évidemment le caractère discriminatoire d'un directoire composé de trois puissances nucléaires auquel la RFA serait associée, alors qu'il n'est pas dit que l'Italie ne réclamerait pas le même statut ou même que la France y participerait. On remarque aussi que la MLF n'est qu'un élément de la stratégie de l'Alliance atlantique, que les Britanniques discutent de leur ANF et qu'aucun choix n'a encore été fait en ce qui a trait au caractère multilatéral (MLF) ou multinational (ANF) que pourrait prendre la future force européenne envisagée. À tort ou à raison, A.F. Hart insiste en outre sur le caractère de la nécessaire association *(coupling)* entre l'Europe et les États-Unis qui résulterait de la MLF, puisqu'elle « assurerait la continuation de la présence et de l'influence américaine en Europe[64] ».

Ces quelques réactions indiquent bien que l'unanimité de vues au sein du MAE n'existe pas sur ces questions. Dans l'ensemble, le premier ministre et le ministre des Affaires extérieures se montrent plutôt froids ou négatifs à l'égard de la MLF, tandis que le général Burns y est carrément opposé. Quant au Bureau des affaires européennes et au Bureau de liaison avec la défense, ils sont plus proches des positions soutenues par Washington, ou encore de celles qui sont défendues par leurs principaux alliés. Dans ces conditions, on ne s'étonne pas que le Canada ait précisé au Conseil de l'OTAN, lors de sa réunion de décembre 1964, que la seule position réaliste en la matière était de dire clairement « que l'Occident ni ne s'engage dans la voie de la dissémination des armes nucléaires, ni n'hésite à négocier sérieusement pour l'enrayer ».

Au cours de 1965, les États-Unis abandonnent à toutes fins utiles leur projet de la MLF. Dans leur deuxième projet de traité soumis en mars 1966, la possibilité de l'option européenne reste toujours ouverte. Les jeux sont cependant faits d'avance, car le seul point qui empêche les États-Unis de régler ce problème à la satisfaction des alliés, c'est de trouver au préalable une solution à la question du plus grand partage des responsabilités nucléaires au sein de l'Alliance atlantique. Celle-ci, nous le savons, ne sera résolue qu'à la fin de 1966, ce qui permettra, en août 1967, le dépôt à Genève de projets de traité identiques mais distincts de la part des grandes puissances. D'autres problèmes devaient aussi être résolus, comme nous le verrons dans la section suivante, mais devant l'insistance soviétique selon laquelle le projet de la MLF était radicalement incompatible avec un Traité de non-prolifération, il est clair que le principal obstacle était levé dès lors que l'on avait convenu du décès de l'option nucléaire européenne. Tout le reste était une question de négociations entre la RFA et Washington.

De leur côté, les Canadiens tentent une dernière initiative. Dès le début de 1966, ils font connaître aux États-Unis leur volonté de voir supprimée dans leur projet de traité la clause de l'option nucléaire européenne. Les Britanniques pensent de la même façon. Un problème se pose cependant : en vertu de la version révisée du projet américain, on estime qu'il subsiste une dernière échappatoire, c'est-à-dire l'option nucléaire fédérale. Il ne s'agit plus cette fois d'un vote que pourrait prendre à la simple majorité un groupe d'États européens, mais de toute la question du droit de succession des États. Ainsi, si un État décidait à l'intérieur d'une fédération de renoncer ou de détruire son propre arsenal nucléaire, la fédération ne serait pas pour autant interdite d'armements nucléaires, puisqu'elle récupérerait ainsi les droits des États qui auraient renoncé à leurs armements nucléaires. L'hypothèse, pour théorique et lointaine qu'elle soit, ne préoccupe pas moins le Bureau du désarmement à Ottawa. Celui-ci propose donc d'amender le texte américain de façon qu'aucune puissance ne cède à quiconque le contrôle de ses armes nucléaires, pas plus qu'à une « association d'États[65] », ce qui, naturellement, fermerait définitivement l'option nucléaire européenne, mais non l'option nucléaire fédérale.

À l'époque, les Américains avaient bien d'autres chats à fouetter, dont notamment le retrait annoncé de la France, en mars 1966, de l'organisation militaire de l'OTAN. L'option nucléaire fédérale leur paraît d'autant plus irréaliste que l'on ne parle plus désormais que de partage des responsabilités nucléaires au sein de l'Alliance atlantique. Les Britanniques et d'autres petits États européens ne sont cependant pas loin de penser comme le Canada. À la fin de mai, Ottawa songe donc, de concert avec d'autres pays, à sensibiliser Washington, « à un niveau peu élevé », afin de l'amener à renoncer à toute possibilité d'abandon de son droit de veto sur ses armements nucléaires. Des représentations seront faites à ce propos auprès de l'ACDA à Washington[66]. Le texte proposé pour les articles I et II vise ainsi « à fournir une contribution utile en vue de supprimer l'impasse dans laquelle les négociations se sont engagées[67] ».

Le Canada n'ira pas plus avant en matière de non-prolifération verticale. Par la suite, les événements suivront leurs cours normal. L'option nucléaire européenne et l'option nucléaire fédérale sombrent dans l'oubli. À l'été 1967, les deux puissances déposent leur projet de traité sur les articles I et II du TNP. Un an plus tard, le Traité est ouvert à la signature des États.

En 1968, Trudeau est porté au pouvoir à Ottawa. Comme nous l'avons précisé au chapitre 6, on met à profit cette occasion pour revoir en profondeur les éléments de la politique canadienne en matière de désarmement et d'*arms control*. Les événements de Prague en 1968 mettent temporairement le holà aux efforts de rapprochement décidé entre les grandes puissances lors de la rencontre de juin 1967 entre le président Johnson et son homologue soviétique Kossyguine. En 1969 et en 1970, les points à l'ordre du jour des négociations Est-Ouest sont les SALT discutés à Helsinki, déjà depuis 1969, et les MBFR qui se dessinent à l'horizon. C'est dans ce contexte qu'est acheminée au Bureau du premier ministre la demande des Affaires extérieures invitant le Cabinet canadien à ratifier le Traité de non-prolifération des armes nucléaires.

Le 18 décembre 1968, Mitchell Sharp, ministre des Affaires extérieures, écrit au premier ministre pour lui rappeler que le Cabinet a décidé en juillet 1968 de signer le Traité sans aucune réserve. La question de la ratification n'est plus donc qu'une affaire de procédure, et Sharp propose ainsi dans sa lettre de faire une déclaration en Chambre à cet effet. Au bas de cette lettre figure une série de notes manuscrites du premier ministre. Celui-ci s'interroge sur le sens de l'article II du Traité qui implique le non-transfert d'armes nucléaires à un pays tiers et a du mal à comprendre ce qu'il en est des Bomarc par rapport à cet article. « Est-ce à dire, ajoute Trudeau, que les Soviétiques pourraient installer leurs « Bomarc » à Cuba ? Ne devrions-nous pas par ailleurs mettre à profit cette occasion pour demander aux Américains de les retirer du Canada ? Et qu'en est-il exactement de nos forces nucléaires en Europe[68] ? »

Le 28 janvier 1969, Sharp fournit à Trudeau les précisions qu'il réclame[69]. Il lui explique que l'article II du Traité n'est pas en contradiction avec les accords conclus avec les États-Unis, le 27 septembre 1961 en ce qui a trait aux Bomarc et le 12 juin 1961 pour les CF-101, soit les « Voodoo ». Selon ces ententes[70], et d'après le ministre, la propriété des vecteurs reste sous contrôle canadien, tandis que les têtes nucléaires « sont sous le contrôle des unités militaires américaines stationnées à cette fin en territoire canadien ». Dans la partie supérieure gauche de cette page, on trouve la note manuscrite cinglante de Trudeau que nous avons citée en épigraphe : « Merci beaucoup. Désormais, je comprends. La non-prolifération n'est vraiment pas un obstacle à une forme de prolifération. » Le ministère des Affaires extérieures juge par la suite que fournir des explications supplémentaires au premier ministre ne ferait que renforcer sa conviction que le Traité de non-prolifération des armes nucléaires ne constituait pas un obstacle à la prolifération nucléaire[71]. En avril 1969, le Canada annonce le retrait de son rôle de force nucléaire de frappe en Europe. En juillet 1984, les derniers engins nucléaires air-air Genie sont retirés des escadrilles canadiennes.

L'apport du Canada au Traité de non-prolifération des armes nucléaires

Certains éléments de la politique canadienne relativement au Traité de non-prolifération des armes nucléaires varieront au cours des négociations. Dans l'ensemble, le Canada met cependant l'accent sur l'obligation de conclure un Traité en bonne et due forme[72], sur la réciprocité des obligations entre pays nucléaires et pays non nucléaires, sur les avantages technologiques positifs que devraient recevoir les pays non nucléaires signataires en échange de leur renonciation à l'arme nucléaire, sur l'élimination de la plus grave des échappatoires, soit la clause des « explosions nucléaires pacifiques », et sur les assurances de sécurité que les puissances nucléaires devaient, selon certains, accorder aux signataires du Traité. Ottawa a aussi beaucoup insisté sur la nécessité de prévoir des mesures partielles de désarmement[73], le

Traité de non-prolifération des armes nucléaires n'étant considéré que comme un premier pas dans la poursuite du désarmement.

Pour ce qui est de la procédure, le Canada tient à ce que le forum de Genève soit reconnu comme le lieu «privilégié» des négociations sur le TNP. Il aura donc une attitude plutôt froide à l'endroit de tous les projets qui auraient pu affaiblir le caractère universel d'un Traité. Ottawa restera ainsi réticent à l'égard de la déclaration de l'OUA, de la proposition Fanfani ou du projet allemand de renonciation à l'armement nucléaire de pacte à pacte. Dans certains milieux, on aurait voulu que le Canada prenne de façon officieuse avec d'autres pays, tels que la Suède ou l'Inde, la responsabilité de la négociation d'un Traité en bonne et due forme. L'argument à l'appui d'une telle initiative était que ces deux pays étaient des États à caractère «potentiellement» nucléaire. Par leur renonciation à l'armement nucléaire, ils auraient peut-être ainsi pu servir d'exemple. Le Canada estime à l'époque, non sans raison, qu'il revient aux États nucléaires de définir eux-mêmes ce qu'ils veulent inclure dans leur projet de traité.

Cela n'empêchera pas le Canada, à la demande du général Burns, de préparer un projet de traité qui sera déposé en 1965 à l'intérieur du groupe des quatre à Genève — États-Unis, Grande-Bretagne, Italie et Canada — comme document de discussions[74]. La Grande-Bretagne ayant aussi déposé un document de travail, les deux projets seront donc discutés simultanément et tous deux seront acheminés au Conseil de l'OTAN pour avis.

Au début des années soixante, les puissances nucléaires occidentales hésitent entre deux voies pour prévenir la prolifération: soit par des déclarations volontaires comme celles qui ont été faites par les États-Unis[75] devant l'Assemblée générale des Nations Unies en 1964, soit par la négociation d'un accord international en bonne et due forme, comme la résolution irlandaise de 1961 invitait les États à le faire.

Pour sa part, le Canada se prononce dès mai 1963 en faveur de l'élaboration d'un Traité[76]. Ses arguments sont loin d'être négligeables. En premier lieu, des déclarations volontaires n'entraîneraient pas la mise sur pied de systèmes de contrôle ou d'inspection. En deuxième lieu, la probabilité que d'autres pays comme la RFA ou l'Italie adhèrent à de telles déclarations se révèle plutôt faible. En troisième lieu, le Canada veut voir s'instaurer un régime d'équilibre de droits et devoirs entre les puissances nucléaires et les pays non nucléaires[77]. Or un tel objectif ne saurait être atteint par de simples déclarations. En quatrième lieu, le Canada considère qu'un Traité constituerait un premier pas vers l'établissement de mesures plus concrètes de désarmement général, point sur lequel il insiste depuis l'ouverture des négociations au sein du Comité des dix-huit puissances, à Genève en 1962. Enfin, ce Traité doit être considéré comme une mesure susceptible de mener à la confiance entre États et comme un instrument de détente au niveau des relations Est-Ouest en général.

C'est dans ce contexte que le Canada s'opposera à la tentative américaine en janvier 1964 de s'en remettre à des déclarations unilatérales pour contrer les dangers de la prolifération nucléaire. Cet aspect de la diplomatie canadienne n'empêchera pas les États-Unis de revenir sur cette formule à l'ONU lors de la présentation, en décembre 1964, d'une version modifiée de la résolution irlandaise, insistant cette fois sur la renonciation « à acquérir des armements nucléaires » plutôt qu'« à en acquérir le contrôle ». C'est aussi pour ces raisons que le Canada ne soutiendra pas la proposition Fanfani déposée à Genève contre la volonté canadienne. Pour préserver l'unité occidentale, cette proposition sera accueillie comme un élément « positif » méritant une « étude attentive », mais ni Burns ni le Bureau juridique des Affaires extérieures n'en pensent rien de bon. Une longue étude sur le sujet sera préparée le 8 septembre 1965, à Ottawa. Elle est signée par un haut fonctionnaire revenu depuis peu de son poste à l'extérieur du pays.

On craint à bon droit que la formule italienne soit interprétée comme une tentative déguisée[78] des États-Unis d'en revenir à leur position antérieure d'une politique ayant comme base de simples « déclarations volontaires ». On s'interroge en outre sur la valeur juridique de la proposition Fanfani. S'il est vrai que le « moratoire » proposé par le gouvernement italien aurait force de loi, puisque les déclarations des États seraient consignées au registre des Traités des Nations Unies, il reste que de telles déclarations auraient peu d'effet, advenant une prolifération prochaine. Car il est prévu dans la proposition italienne que si un État acquérait un armement nucléaire, même s'il était non signataire de la déclaration, tous les autres seraient libres de répudier leurs déclarations antérieures. De plus, rien ne permet de penser que tous les autres États souhaiteraient, comme l'Italie, s'imposer un moratoire de dix ans. Selon le nombre d'États acceptant de s'en remettre à cette formule avec des délais différents, on risquerait ainsi de se retrouver dans un « fatras d'obligations enchevêtrées et de périodes incertaines ». Par surcroît, une telle démarche risquerait de créer une diversion par rapport aux objectifs recherchés à l'intérieur d'un Traité de non-prolifération.

Le Canada aura une vision globaliste du problème de la non-prolifération. Dès le début de 1965, Burns souhaite qu'un projet de traité canadien soit soumis au groupe des quatre, afin de stimuler « discussions et réflexions ». Le Bureau du désarmement accorde son appui à Burns. Après avoir diffusé son projet à différents bureaux du ministère des Affaires extérieures, en janvier 1965, et avoir de nouveau consulté Burns sur les améliorations proposées, on transmet le projet pour avis au ministère de la Défense, avec mention que le document pourrait fournir « une indication de la pensée canadienne au niveau gouvernemental[79] ». Le même jour, le texte est aussi communiqué à G. Ignatieff, l'ambassadeur canadien à l'OTAN. Peu après débuteront les consultations sur ce projet à l'intérieur du groupe des quatre, avec les alliés du Canada au sein du Comité des dix-huit puissances et avec d'autres gouvernements durant l'été. En juillet, l'OTAN est saisie à son tour du projet de traité canadien. Celui-ci, daté du 31 mai 1965, comprend six points :

a) un accord de non-dissémination fondé sur la résolution irlandaise 1665 (XVI) qui constitue pour l'instant la seule norme de non-prolifération universellement acceptée;

b) l'élargissement des garanties de l'AIEA à l'intégralité de tous les programmes nucléaires non militaires de tous les signataires nucléaires et non nucléaires, les statuts de l'AIEA constituant le seul instrument multilatéral juridique accepté qui permette de vérifier que des matériaux nucléaires et de l'équipement ne sont pas détournés à des fins militaires;

c) des assurances de sécurité collective selon lesquelles les puissances nucléaires viendraient en aide aux pays non alignés et aux pays neutres non nucléaires pour le cas où ils seraient sujets à une attaque nucléaire;

d) un mécanisme ou une procédure de plainte laquelle, de concert avec les garanties prévues en b), permettrait de vérifier les engagements contractés en vertu de l'alinéa a), plus particulièrement en ce qui a trait à l'interdiction de céder le contrôle d'armements nucléaires à des États non nucléaires;

e) des dispositions sont à prévoir pour la mise en œuvre ou la continuation du Traité si celui-ci recueille un degré suffisant d'adhésion universelle (il est cependant concevable que l'adhésion de la France et de la Chine communiste, comme puissances nucléaires, ne soit pas essentielle, à la condition que tous leurs clients possibles soient inclus parmi les signataires non nucléaires), et:

f) prévoir des sanctions afin de dissuader les États de cesser de se conformer à leurs engagements ainsi qu'une durée définie pour le Traité, afin d'encourager les États nucléaires à faire des progrès tangibles dans la voie du désarmement nucléaire durant cette même période, de crainte que les États non nucléaires n'en viennent à changer d'idée[80].

À peu de chose près, le Canada porte déjà en 1965 la paternité du Traité de non-prolifération des armes nucléaires. Il reprend à l'alinéa a) les principes de la résolution irlandaise de 1961. Tous les États présents à Genève finiront par se rallier à cette formule. L'alinéa b) ne sera jamais vraiment accepté dans le Traité, puisque seuls les États non nucléaires seront tenus de soumettre l'ensemble de leurs programmes civils au contrôle des garanties de l'AIEA. Les États nucléaires signataires finiront tout de même par accepter des garanties volontaires sur leurs propres programmes civils. Il faudra beaucoup de temps avant qu'ils en viennent là, mais dans ce domaine le Canada a pressenti les pressions qui finiraient par s'exercer sur les États nucléaires. En ce qui a trait au mécanisme de contrôle, le Canada aura raison là encore. L'AIEA deviendra le chien de garde du Traité de non-prolifération des armes nucléaires. En revanche, aucune procédure de plainte n'est prévue dans le Traité pour s'assurer que les puissances nucléaires ne transmettent à personne le contrôle qu'elles exercent sur leurs propres armes nucléaires. Les dispositions relatives aux obligations des grandes puissances dans l'alinéa e) deviendront, sous une forme modifiée, l'article VI du TNP. En la matière, le Canada sans aucun doute a été fidèle à son principe de l'équilibre des obligations entre les droits et devoirs des puissances nucléaires et des puissances non nucléaires.

Peu importe ici que le Canada ait volontairement courtisé les pays neutres ou non alignés au sein du Comité des dix-huit puissances. Le simple bon sens et l'équité l'obligeaient à défendre cette position envers et contre tous. De la même façon, le Canada poursuivra son objectif, en accord avec les pays neutres et non alignés, pour imposer aux puissances nucléaires tout au moins des responsabilités morales en matière de désarmement et de cessation de la course aux armements. Le Traité ne respectera cependant pas le désir canadien de lier ces obligations à une période de temps définie. Le Canada ne pourra pas non plus faire valoir son point de vue quant au problème des assurances de sécurité lesquelles, nous l'avons vu, seront réglées hors traité par la résolution 255 du Conseil de sécurité de l'ONU.

Dans un document de travail du 27 juillet 1965, le Canada consignera la plupart des réactions alliées à son projet de traité. La courtoisie nous oblige ici à taire les noms des pays concernés, mais dans l'ensemble la plupart d'entre eux, à l'exception d'un seul non aligné, se sont ralliés à la nécessité du principe des garanties sous la surveillance de l'AIEA. Le problème des assurances de sécurité restera insurmontable pour les puissances nucléaires. Un pays voisin trouvera par ailleurs les dispositions du projet de traité canadien beaucoup trop globalistes, comme si le Canada tentait de résoudre tous les problèmes à la fois. C'était en 1965. Devant les pressions d'autres pays alliés, comme le Japon et la RFA, les attitudes et l'évolution des rapports américano-soviétiques finiront par modifier les préventions qui subsistaient par rapport à la position en flèche défendue par le Canada.

Nous ne présentons que brièvement ici l'évolution du dossier des trois questions jugées les plus importantes par le Canada, soit les garanties nucléaires, le problème des assurances de sécurité à pourvoir à l'endroit des pays signataires non nucléaires et le problème des explosions nucléaires à des fins pacifiques.

Le problème des garanties nucléaires

La clause des garanties nucléaires de l'AIEA n'enthousiasmera guère certains ministères canadiens. Dans un mémoire du 17 septembre 1965 adressé à Paul Martin[81], on apprend que les responsables des programmes de l'énergie atomique du Canada sont réticents à accepter les garanties de l'AIEA sous prétexte que « cela représenterait un surcroît de travail et interférerait avec l'exécution des obligations dont elles ont été investies par le Parlement ». Il faut évidemment lire ici que ces mêmes personnes ne voulaient prendre aucun engagement à cet égard avant de savoir ce que feraient les Américains et sans savoir, non plus, si le programme de garanties de l'AIEA nuirait aux intérêts commerciaux du Canada. Le surcroît administratif est l'argument classique inventé par tous les ministères pour éviter de donner suite à toute décision qu'ils n'aiment pas.

On apprend aussi en avril 1966 que les États-Unis ont reporté à plus tard le dépôt possible de l'article III du projet de traité à cause de l'insistance des Canadiens[82]. Car si les

États-Unis déposent le texte projeté de leur article III, les Canadiens seront dans l'obligation d'expliquer leur point de vue en la matière. Le problème s'avère de taille, car dans le premier projet de traité britannique diffusé aux alliés, on ne retient ni le principe des garanties ni le principe des assurances. Les Britanniques, comme certains éléments au Canada, s'opposent à l'époque au principe que les garanties de l'AIEA soient étendues à leurs activités civiles : en partie parce qu'ils savent que la chose est inacceptable pour l'URSS ; en partie parce que ni les Britanniques ni les Américains ne veulent renoncer à leur option de « garanties équivalentes », de peur de tuer dans l'œuf la possibilité d'une Europe intégrée ; et en partie parce qu'aucun pays ne veut s'exposer à une concurrence économique déloyale. D'autres problèmes tiennent à des considérations strictement techniques : certaines installations nucléaires servent tout à la fois à des fins pacifiques et militaires. Chaque État considère donc comme une prérogative de souveraineté nationale le fait de pouvoir librement déclarer laquelle de ses installations sert à des fins militaires ou non.

Par ailleurs, dans sa déclaration du 3 juin 1965, le premier ministre du Canada a rappelé que la position canadienne est désormais d'appliquer des garanties à tous les transferts de matières ou d'équipement nucléaires à l'étranger. Au cours des négociations en 1966, le Canada continue de défendre le principe de garanties standardisées, soit celles de l'AIEA, aux dépens de toute autre forme régionale de garanties comme celles qui sont pratiquées par l'EURATOM et auxquelles tiennent Washington, c'est-à-dire le Département d'État américain et les alliés européens. En 1967, le sort en est jeté. Le 2 décembre 1967, les États-Unis annoncent leur acceptation des garanties de l'AIEA sur leurs activités nucléaires, à l'exclusion des installations visant la sécurité nationale. Deux jours plus tard, la Grande-Bretagne fait une déclaration analogue.

Le Canada n'est donc guère heureux du caractère discriminatoire de l'article III qui oblige les seules puissances non nucléaires à soumettre l'ensemble de leurs activités pacifiques aux garanties de l'AIEA, mais il se console en déclarant que pour améliorer les chances d'acceptation du Traité auprès des pays du Tiers Monde, « nous avons soutenu l'idée que les puissances nucléaires occidentales fassent des déclarations unilatérales d'intention, séparées mais parallèles au Traité, afin d'accepter volontairement des garanties sur leurs propres programmes nucléaires[83] ». En bref, le Canada reconnaît que c'est là le maximum qui puisse être obtenu, et qu'entre un Traité à caractère universel rejeté par l'Union soviétique et un Traité qui n'imposerait des garanties qu'aux seuls États non nucléaires, avec des obligations morales assumées en supplément par les puissances nucléaires, il n'y avait plus d'hésitation possible.

Le problème des assurances en matière de sécurité

Au sujet des déclarations visant à fournir des assurances à l'endroit des États qui subissent le recours ou la menace du recours à l'armement atomique, le Canada devra encore là mettre de l'eau dans son vin. Lorsqu'en 1965 le Canada soumet son document de discussion du 31 mai sur la non-prolifération, il est conscient des difficultés que son initiative risque de soulever. « Les assurances de sécurité recherchées, peut-on y lire, constituent indirectement une interdiction d'emploi de l'armement nucléaire contre un État non nucléaire, ce qui, à certains égards, est contraire à la doctrine de la dissuasion nucléaire sur laquelle repose la défense occidentale. »

En décembre 1964, le ministre irlandais Aiken demande devant l'AGNU que les États non nucléaires reçoivent des assurances en matière de sécurité, peu importe qu'ils soient menacés d'une façon classique ou nucléaire[84], en contrepartie à leur adhésion à un Traité de non-prolifération des armes nucléaires. En ce domaine, le ministère des Affaires extérieures consulte la Défense sur la politique à suivre. Dès janvier 1965, le ministère de la Défense n'a que peu de bien à dire à ce propos. Il trouve que ces assurances seraient de toute façon problématiques, qu'elles ne pourraient être que « vagues » et que plus elles seraient « englobantes », moins elles auraient de crédibilité. Le vice-maréchal de l'air, W.W. Bean, signant pour le chef d'état-major, déclare formellement : « Il est irréaliste de penser que n'importe quelle puissance nucléaire puisse d'avance s'engager à accepter une promesse de portée aussi générale[85]. » Et les Britanniques et les Américains penseront de la même manière. Néanmoins, Burns se fera le porte-parole des pays neutres et des pays non alignés sur cette question. Il y reviendra fréquemment dans sa correspondance, insistant sur le fait que c'est là une condition *sine qua non* pour amener les autres États à accepter les obligations prévues aux termes du Traité.

En 1966, le Canada est moins sûr de pouvoir arriver à faire figurer cette clause dans le corps du Traité. Tout au plus, peut-être serait-il possible de produire un article général qui en reconnaîtrait le principe[86]. Le maximum que les États-Unis sont prêts à accepter, c'est que tout État obtiendrait un vigoureux appui américain contre « les menaces de chantage nucléaire[87] ». Le Canada tentera pourtant de soutenir le point de vue des neutres et des pays non alignés, même lorsque ceux-ci réclameront que soit adopté le principe de la proposition Kossyguine selon laquelle les puissances nucléaires devraient s'abstenir de recourir à des armes nucléaires contre des États qui ne disposeraient pas en leur sol de telles armes[88].

Le Canada invite les États-Unis à ne pas s'opposer directement à la tentative des neutres, et à rechercher plutôt, « dans le dialogue privé que poursuivent désormais les grandes puissances à ce propos, une formule de rechange qui tienne compte des intérêts des pays non alignés[89] ». À la fin de 1966, le Canada juge cette question encore si importante qu'au vu de l'appui général que recueille la proposition Kossyguine, il serait peut-être bon de prévoir une formule qui contienne « des éléments des deux propositions[90] ». Par ailleurs, le Canada est prêt à voter en faveur d'une telle résolution[91] en commission politique aux Nations Unies, même si les États-Unis devaient s'y opposer[92]. Quelques mois plus tard, Ottawa semble avoir abandonné tout espoir en ce domaine, car on estime que la proposition Kossyguine s'avère de nature «propagandiste» et qu'elle pourrait encourager certains membres de l'OTAN à bannir les armes nucléaires de leur territoire[93].

Les explosions nucléaires pacifiques

Sur la question des explosions nucléaires pacifiques, le Canada, tout comme la Suède d'ailleurs, estime en 1966 «qu'une institution internationale telle que l'AIEA devrait créer un organisme qui serait chargé d'examiner les possibilités de réalisation qu'offriraient les projets envisagés d'explosions nucléaires à des fins pacifiques, de déterminer le prix normal du service ainsi rendu, d'agir comme intermédiaire entre le pays utilisateur et le pays qui fournirait le dispositif nucléaire et de surveiller l'exécution du projet pour s'assurer qu'il soit conçu à des fins exclusivement pacifiques[94]». Pour le Canada, cette formule vise évidemment à rendre accessibles aux pays non nucléaires, sur une base non discriminatoire, les bienfaits des explosions nucléaires aux fins d'exploitation commerciale, telles que le détournement des lits des rivières ou des excavations minières ou pétrolifères.

Cette éventualité semble d'autant plus s'imposer à l'époque que le projet de traité américain permettrait que des explosions nucléaires souterraines aient lieu, dans certaines conditions, sans violation du Traité d'interdiction partielle des essais nucléaires. Le Bureau du désarmement considère cette possibilité comme une «échappatoire béante». On reconnaît qu'il n'existe pas à cet égard de consensus au sein du gouvernement sur la valeur potentielle de telles explosions. Les trois considérations que le Canada jugent importantes sont les suivantes:

a) Nous sommes émus et inquiets à la seule perspective d'une explosion nucléaire pacifique conduite par un pays non aligné et nous pensons qu'il faille clore cette option dans un court délai;

b) Il sera néanmoins important de protéger les intérêts économiques canadiens. À cette fin [...] nous pourrions prévoir que toute mesure destinée à interdire ces explosions nucléaires soit accompagnée de clauses particulières pour la «location» ou le «prêt» d'un dispositif nucléaire à des fins économiques. [Ces explosions] pourraient être réalisées soit sous le contrôle d'un État nucléaire, soit sous le contrôle d'une agence internationale...

c) L'insertion d'une telle clause répondrait aux besoins d'apaiser l'inquiétude des pays non alignés devant le caractère discriminatoire d'une mesure visant à interdire l'option pacifique[95].

En résumé, la conclusion qui se dégage de ce document, c'est qu'il faut interdire l'option dite pacifique tout en prévoyant la possibilité de son existence, à la condition qu'elle ait lieu dans des conditions «contrôlées». À la même époque, le Bureau du désarmement se demande s'il ne vaudrait pas mieux aborder ces questions lors des discussions sur le Traité d'interdiction partielle des essais nucléaires, puisque dans les premières versions de ce Traité, la question avait été laissée ouverte pour ensuite, d'un commun accord entre les grandes puissances, être repoussée. Dès l'automne 1966, les États-Unis décident toutefois qu'il faut interdire les explosions nucléaires à des fins pacifiques. Ils proposent plutôt des « services d'explosions nucléaires ». Il est difficile de savoir ici si le tournant américain a été pris à la suite de considérations de politiques intérieures ou de discussions avec l'URSS. Les hypothèses sont probablement toutes deux plausibles et véridiques. Quoi qu'il en soit, les Américains ont alors décidé, tout comme les Canadiens, que rien ne distingue techniquement un engin nucléaire d'un dispositif nucléaire destiné à des fins pacifiques.

Lors des débats en commission politique, le général Burns ne se privera pas d'établir définitivement, le 25 octobre 1966, la position canadienne. À cette occasion il déclare : « Nous considérons que les États non nucléaires doivent renoncer à leur droit de réaliser des explosions nucléaires pour quelque motif que ce soit[96]. » Malgré la parenté des positions canadienne et américaine à ce sujet, le Canada tient pourtant, précisément afin d'éviter des positions d'influence ou de discrimination par trop flagrantes, à l'« internationalisation d'un service d'explosions nucléaires » où l'AIEA, sans avoir le contrôle de ces services, agirait à titre d'intermédiaire entre l'État « donateur » et l'État « receveur ». C'est en ce sens que s'exprimera le général Burns en commission politique le 7 novembre 1966. Pour le Canada, il en va aussi, si Burns ne le dit pas expressément, de ses préoccupations en matière d'application universelle des garanties de l'AIEA.

Au cours de l'été 1967, le Canada songe à faire des déclarations au sein du Comité des dix-huit puissances pour inviter les États nucléaires à faire davantage, par « des accords séparés mais parallèles au Traité[97] », en vue de rendre accessible aux États ce « service d'explosions » à des fins pacifiques. En février 1968, on apprend que le Bureau du désarmement a déjà préparé une esquisse d'un accord international à ce propos, à la suite de consultations avec d'autres agences et ministères concernés[98]. Le Canada continuera de travailler sur ces questions, mais il faut admettre que l'article V du Traité reste encore aujourd'hui une coquille vide, même si l'on y précise « que des négociations à ce sujet commenceront le plus tôt possible après l'entrée en vigueur du Traité ».

L'application des garanties nucléaires par le Canada

Les principales décisions du gouvernement canadien relatives au Traité de non-prolifération des armes nucléaires sont présentées au tableau 7. Outre l'acceptation et la ratification proprement dite du Traité de non-prolifération des armes nucléaires, les deux décisions les plus marquantes du Canada se situent en juin 1965 et, quelque 11 ans plus tard, en décembre 1976. Dans le premier cas, le Canada décide de soumettre à des garanties toutes les exportations de ses ventes d'uranium à l'étranger[99]. Dans le second cas, tous les transferts nucléaires à l'étranger ne peuvent avoir lieu que si le pays receveur a signé le TNP ou encore s'il a accepté les « garanties nucléaires généralisées » de l'AIEA. En ce domaine, le Canada va aussi loin qu'il le peut. Il réclame aussi depuis des autres États que ceux-ci se mettent à penser comme lui.

Avant de voir l'évolution des événements entre ces deux décisions, revenons un instant sur le délai entre la signature du Traité et sa ratification proprement dite, soit une période de six mois. Aux yeux de l'observateur, ce laps de temps apparaît beaucoup trop long pour un pays qui souhaite être l'un des premiers à signer et à ratifier le Traité en guise d'exemple, et dans le but précis d'amener d'autres pays à faire de même. Les archives nous apprennent la raison de cette lenteur.

Lorsque Mitchell Sharp dépose le Traité en Chambre, il n'en demande pas la ratification, comme la déclaration préparée à son intention par ses fonctionnaires l'invite à le faire. En réalité, le ministre ne veut pas que les débats à la Chambre s'éloignent trop des questions de défense. En effet, celles-ci suscitent les controverses les plus vives, et le ministre préfère sans doute les régler en priorité. De plus, on conseille au ministre de ne pas ratifier le Traité avant que l'une des puissances nucléaires le fasse elle-même, et jusqu'à ce qu'un modèle standard des garanties nucléaires soit élaboré avec l'AIEA. La première condition n'est guère difficile à remplir. Les Britanniques ratifient les premiers le Traité le 27 novembre 1968. Quant à la seconde condition, il semble que cette position ait été arrêtée après les consultations réclamées par la Commission de contrôle de l'énergie atomique. Une fois celle-ci satisfaite et après ses consultations avec l'Énergie atomique du Canada limitée (EACL), le ministère de l'Industrie et du Commerce et celui de l'Énergie, des Transports et des Communications, le Bureau juridique des Affaires extérieures informe le MAE que tous les obstacles ont été levés sur la voie de la ratification.

Au sujet de ce qui s'est passé entre juin 1965 et décembre 1976, le dossier est assez volumineux. Résumons donc les événements. La première obligation dont hérite le Canada en vertu du Traité de non-prolifération des armes nucléaires, c'est d'abord de signer lui-même un accord avec l'AIEA. Contrairement à ce que l'on pourrait penser, certaines difficultés ont subsisté avec l'AIEA jusqu'à la fin des années soixante-dix. Tout baigne dans l'huile lorsqu'il s'agit des relations entre les scientifiques et l'AIEA ou de celles entre le gouvernement canadien et l'AIEA. Il n'en va cependant pas de même avec l'entreprise Eldorado Nuclear qui refusera durant des années de fournir des bilans comptables de ses activités à la satisfaction de l'AIEA[100]. Il faut admettre qu'entre-temps la crise du pétrole de 1973 a considérablement perturbé la loi de l'offre et de la demande d'uranium, que le Canada a été accusé de faire partie d'un cartel international destiné à fixer les prix de l'uranium, probablement parce que des pays voisins pratiquaient une politique de dumping à l'endroit de l'uranium canadien[101] et que, dans ces conditions, Eldorado Nuclear n'avait peut-être pas intérêt à vouloir révéler à l'AIEA la véritable nature des stocks d'uranium dont elle disposait. En 1979 ou en 1980, tous ces problèmes sont réglés à la satisfaction de l'AIEA.

Le deuxième type de problèmes auquel le Canada doit faire face consiste à normaliser tous ses accords bilatéraux en fonction des nouvelles garanties approuvées par l'AIEA[102], afin de faire passer sous le contrôle de cette dernière tous les contrats précédents. L'entreprise est de taille. Le Canada a conclu des accords de vente d'uranium avec la RFA en 1957, avec la Suisse en 1958, avec le Japon et les pays de l'EURATOM en 1959 et avec la Suède en 1962. En matière de réacteurs de recherche, il a un contrat avec l'Inde[103] en 1956 et avec Taiwan[104] en 1969. Quant aux réacteurs de puissance nucléo-électrique, le Canada souscrit à une entente avec le Pakistan[105] en 1959, avec l'Inde en 1962[106] et en 1966[107], et avec l'Argentine[108] en 1973. Le réacteur KANUPP passera sous les garanties de l'AIEA en 1969, le RAPP-2 en 1971 et le CANDU argentin en 1974. Le RAPP-1 est aussi sous contrôle de l'AIEA.

Toutes ces questions illustrent bien les difficultés que tous les autres pays nucléaires fournisseurs connaîtront de la même façon. Aux États-Unis, le Nuclear Non-Proliferation Act de 1978 les obligera aussi à renégocier rétroactivement bon nombre de leurs contrats bilatéraux antérieurs. Au Canada, la renégociation de certains contrats commence dès l'imposition, en 1965, des politiques de contrôle sur l'exportation d'uranium à l'étranger.

En 1965, la France est évidemment désireuse d'acheter de l'uranium canadien aux mêmes conditions que celles qui sont consenties aux États-Unis et à la Grande-Bretagne, c'est-à-dire sans contrôle. Comme nous l'avons vu auparavant, le Canada aurait dit non, peut-être à la suite de pressions américaines. « Frustré », le Canada se serait ensuite tourné contre les États-Unis et, par la même occasion, contre la Grande-Bretagne, pour leur appliquer la même médecine, c'est-à-dire la clause de l'utilisation pacifique[109].

Tout au long des négociations sur le Traité de non-prolifération des armes nucléaires, Burns insistera, depuis Genève, pour que dans ses transactions nucléaires le Canada ne négocie qu'avec des pays qui professent leur intention d'adhérer au Traité. Cette politique sera longue à s'imposer, entre autres choses, parce que personne à l'époque n'est prêt à se soumettre à des restrictions aussi draconiennes devant la concurrence acharnée que commencent déjà à se livrer les pays nucléaires fournisseurs.

En 1968, lorsque vient le temps d'approuver le contenu de l'article III du TNP au Cabinet, le mémoire rédigé par les Affaires extérieures contient les deux explications suivantes :

> b) Nous serions dans l'obligation d'appliquer les garanties de l'AIEA aux transferts de toutes matières brutes ou de matières fissiles spéciales à des pays non nucléaires [...]
>
> f) [...] l'Atomic Energy Advisory Panel, les ministères concernés et les autres bureaux du gouvernement sont d'avis que les garanties du Traité ne gêneront pas d'une façon indue les activités projetées ou existantes du gouvernement canadien ou de l'industrie canadienne dans le domaine nucléaire.

TABLEAU 7

Liste des principales décisions canadiennes relatives aux garanties nucléaires et au TNP

3 juin 1965	Imposition de garanties sur les ventes d'uranium à l'étranger.
13 février 1968	Approbation par le Cabinet de l'article III du TNP.
12 juillet 1968	Le Comité du Cabinet sur les affaires extérieures et la défense nationale recommande au Cabinet l'adoption du Traité.
17 juillet 1968	Le Cabinet donne le feu vert à la signature du TNP.
23 juillet 1968	Le Canada signe le Traité de non-prolifération des armes nucléaires.
29 octobre 1968	Le Traité de non-prolifération des armes nucléaires est déposé en Chambre.
19 décembre 1968	Le Cabinet donne son aval à la ratification du TNP.
8 janvier 1969	Dépôt des instruments de ratification.
5 décembre 1974	Décision du Cabinet sur les garanties nucléaires.
22 décembre 1976	Annonce de la décision du Cabinet intervenue sur les conditions qui régissent désormais les fournitures nucléaires canadiennes à l'étranger.

Au début des années soixante-dix, divers conflits interministériels apparaissent au grand jour. Certains ministères estiment en effet qu'il n'ont pas été suffisamment consultés sur les conséquences commerciales et politiques que l'adhésion du Canada au TNP était susceptible de provoquer pour le pays. En mars 1971, le Bureau du désarmement rédigera à ce propos un mémoire cinglant. Les autres ministères n'ont qu'à s'en prendre à eux-mêmes s'ils n'ont pas fait leur boulot à l'époque, conclut-on essentiellement. On les prie donc de cesser de prendre le ministère des Affaires extérieures comme « bouc émissaire », d'autant que les autres ministères ont été régulièrement informés de tous les progrès des négociations.

Cette attitude tranchante ne règle cependant aucun problème. Car dès 1969, des discussions animées ont lieu sur l'interprétation de l'article IV du Traité[110]. Dans la foulée de la révision de la politique étrangère du Canada, on entreprend également un important réexamen de la politique canadienne en matière de désarmement et de contrôle des armements. À toutes fins utiles, cette étude est terminée à la fin de l'année 1968. On se demande donc, à l'occasion de ce réexamen, ce que l'on doit faire avec les pays qui n'ont pas signé le Traité ou qui n'ont pas l'intention d'y adhérer, ou encore avec ceux qui, sans vouloir y adhérer, ont manifesté, comme l'Australie[111], leur intention d'accepter le système des garanties de l'AIEA.

Bien que le document de travail traite toutes les questions de désarmement — SALT, MBFR et la guerre chimique et biologique (Chemical and Biological Warfare (CBW)) notamment —, on parle en matière de non-prolifération de la nécessité de tenir compte de la position des autres pays fournisseurs, de ne pas négliger les intérêts de l'industrie nucléaire canadienne, de l'impossibilité de définir l'article IV « délibérément rédigé pour signifier toutes choses pour tous les pays[112] » et surtout de la nécessité de faire du TNP un instrument efficace de contrôle de la non-prolifération.

En dernière analyse, le document mille fois revu et corrigé ne fut acheminé pour les discussions au Cabinet que le 7 mai 1969. Bien qu'il subsiste certaines « incertitudes » sur le contenu des garanties que les États signataires du Traité doivent conclure avec l'AIEA, selon ce mémorandum, on reconnaît que la signature du Traité constitue de toute évidence un critère politique déterminant dans l'aide canadienne à octroyer ou à refuser. Toutefois, jusqu'à ce que les garanties de l'AIEA soient définies, on recommande que

> toute demande d'assistance ou d'aide financière — ou encore les deux à la fois — soit examinée sur la base des mérites de chaque cas particulier et à la lumière de toute autre circonstance pertinente, étant entendu que l'on accordera toute l'importance requise à nos obligations découlant du Traité de non-prolifération des armes nucléaires.

Le Canada adopte ici une politique du moindre mal. Car toute autre position en flèche aurait probablement réduit à néant les chances de survie de l'industrie nucléaire canadienne. Le « choc » nucléaire indien amène le Canada à annoncer le 20 décembre 1974 des contrôles plus rigoureux « sur les exportations de matières, de matériel et de techniques nucléaires ainsi que d'eau lourde à destination de tous les États, qu'ils soient dotés ou non d'armes nucléaires[113] ».

Même si des centaines d'articles ont été écrits sur l'explosion nucléaire indienne, nous croyons pertinent de rappeler ici deux faits fondamentaux.

En premier lieu, les rapports abondants des services d'étude des renseignements canadiens[114] tout aussi bien que les nombreuses analyses faites au sein du Bureau économique ou du Bureau du désarmement du ministère des Affaires extérieures ne permettent pas de conclure avec certitude que le gouvernement indien avait l'intention de procéder à l'explosion d'une bombe qu'il qualifiera de « pacifique ». En 1967, on apprend que durant des mois les querelles font rage au sein du gouvernement canadien à ce propos.

Le Canada sait à ce moment que l'Inde « optimise sa production de plutonium », mais les accords sur le réacteur CIRUS interdisent uniquement que le réacteur ou ses produits dérivés — le plutonium — puissent servir à des fins non pacifiques. Or une multitude de raisons scientifiques, comme la mise au point d'une nouvelle génération de réacteurs fonctionnant au plutonium et au thorium, l'Inde étant abondamment dotée de ce dernier minerai, peut justifier la volonté de ce pays de s'engager dans la voie du retraitement du plutonium[115]. Quoi qu'il en soit, des présomptions existent, on pense même que l'Inde a accumulé de petits stocks de plutonium, mais on ignore l'usage qu'elle leur destine. Il n'y a donc pas de certitude. Déjà en 1966, le gouvernement canadien s'était abstenu dans le doute de répondre à une demande de coopération en matière spatiale avec le gouvernement indien[116].

En deuxième lieu, lorsque le premier ministre Trudeau écrit en octobre 1971 à son homologue Indira Ghandi et que le conseiller du premier ministre, Ivan Head, accompagné par Michel Dupuy des Affaires extérieures, se rend en Inde par la suite, l'objectif fondamental du gouvernement canadien est la persuasion par le maintien de la coopération plutôt que la coercition par la menace de la suspension de toute aide canadienne[117]. Cette démarche avait beaucoup plus de chances de réussir que la rupture brutale que certains préconisaient ou auraient voulu voir imposée d'office. L'initiative, il est vrai, échoue. Mais non par manque de bonne volonté de la part du gouvernement canadien.

L'Inde pose un geste de souveraineté en décidant de son propre chef de mettre fin aux assurances de nature politique que recherche le gouvernement canadien. Ce dernier, quant à lui, a aussi le libre choix de la rupture à laquelle le gouvernement indien l'a acculé. En ce domaine, il est intéressant de constater que l'aide nucléaire à l'Inde remonte à la période du gouvernement Pearson. Si celui-ci s'opposait en 1952 à l'entrée de la Grèce et de la Turquie dans l'OTAN sous prétexte que ces gouvernements n'étaient pas des démocraties, il pensait au contraire que l'Inde en était une et qu'il fallait l'encourager dans cette voie par tous les moyens possibles.

L'explosion nucléaire indienne galvanise les efforts de la diplomatie canadienne en faveur de l'imposition de plus stricts contrôles. Le ministre de l'Énergie, des Mines et des Ressources, Donald MacDonald, annonce le 20 décembre 1974 que le Canada exigera à l'avenir du pays receveur l'assurance que l'aide canadienne fournie ne sera pas utilisée « pour fabriquer un dispositif explosif nucléaire, qu'il soit précisé ou non que la mise au point d'un tel dispositif servira à des fins pacifiques[118] ». Le Canada s'oppose ainsi juridiquement à toutes velléités d'intention à cet égard. On étend désormais le champ d'application des garanties à toutes les matières nucléaires importées du Canada ou d'ailleurs mais traitées dans des installations fournies par le Canada, et à toutes les générations des matières fissiles produites à partir de matières canadiennes[119], ce qui revient à affirmer, pour le Canada, un droit de « poursuite ». On souhaite aussi le maintien des garanties pendant la durée de vie de l'équipement et des installations fournis ou sur ceux qui seront construits à partir de la technologie canadienne. Parmi les autres exigences formulées, on note :

- l'application de garanties de rechange dans le cas où l'AIEA serait incapable de continuer à assumer ses fonctions d'application des garanties ;
- un contrôle du retransfert des articles nucléaires d'origine canadienne ;
- un contrôle du retraitement du combustible irradié d'origine canadienne, du stockage subséquent du plutonium séparé et de l'enrichissement supérieur à 20 pour 100 en isotope 235 pour ce qui touche l'uranium d'origine canadienne ;
- l'assurance que des mesures de protection physiques appropriées seront prises[120].

L'ensemble de ces dispositions ferme la porte à la fabrication d'un dispositif nucléaire explosif à partir de la technologie, de matières fissiles ou d'équipement fournis par le Canada. L'Inde, peu après son explosion, reconnaît que le dispositif explosif a été produit à partir du plutonium retiré du CIRUS et alimenté par de l'uranium d'origine non canadienne. Le Canada n'a donc pas de responsabilité directe, sinon celle de l'utilisation de sa technologie alimentée par surcroît, à l'époque, par de l'uranium de provenance non canadienne et de l'eau lourde fournie par les États-Unis. Il ne pouvait y avoir à ce moment de dispositif «pacifique» à caractère plus international.

Pour en terminer avec le cas de l'Inde, notons que le Canada ne perd aucun espoir d'amener celle-ci à résipiscence. Durant toute la période 1974-1976, des négociations se poursuivent pour revoir l'étendue des garanties à appliquer aux trois réacteurs canadiens[121]. Ce n'est que lorsque le gouvernement canadien constate qu'il ne peut arracher une promesse définitive de l'Inde selon laquelle elle ne procéderait plus à aucun essai nucléaire dit pacifique que le Canada met définitivement un terme, en mai 1976, à sa coopération nucléaire avec ce pays, coopération déjà suspendue de toute façon depuis mai 1974. À la même époque, les États-Unis, pour des raisons qui tiennent à leur politique allant dans le même sens que celle des Canadiens, ne peuvent répondre à une demande du gouvernement indien pour approvisionner ses réacteurs en eau lourde. On s'arrangera discrètement pour que celle-ci soit fournie par l'URSS, naturellement sous les garanties de l'AIEA.

L'intégralité de la décision du Cabinet du 5 décembre 1974 ne sera cependant pas tout de suite entièrement révélée. Une partie de la décision a trait à l'aide ou à l'assistance technique. En 1974, le problème reste entier, tout comme en 1969. Dans sa décision de décembre 1974, le gouvernement reconnaît, comme il l'avait fait cinq ans plus tôt, que l'adhésion d'un pays au Traité de non-prolifération des armes nucléaires s'avérera un facteur déterminant dans son choix d'aider ou non ce pays nucléaire. La décision du Cabinet ne vise donc pas à l'exclusion globale; elle ne fait que marquer une préférence. Cependant, la nouveauté réside dans la dispensation de l'aide publique que le Cabinet entend réserver aux seuls signataires du Traité[122]. Autrement dit, il y a une présomption favorable qui s'exerce à l'endroit de ceux qui ont adhéré au Traité, et non une exclusion automatique, tandis que les pays pauvres et qui n'ont pas adhéré au Traité sont *ipso facto* exclus.

Cette partie de la décision de décembre 1974 est tenue secrète durant plusieurs mois. Le Canada craint en effet qu'en la rendant publique il ne s'expose aux dangers de la concurrence des autres États qui, eux, ne s'embarrasseront pas d'autant d'arguties juridiques à l'endroit des pays non signataires du Traité. On souhaite donc la publiciser seulement si d'autres États sont prêts à serrer les rangs avec le Canada pour agir de la même manière. Le 17 avril 1975, on change toutefois d'avis à la suite d'une réunion interministérielle comprenant des représentants de tous les ministères concernés. On estime que le Canada ne perdrait pas beaucoup à s'afficher de cette façon et qu'il pourrait même y avoir des avantages au sujet du crédit que le Canada pourrait en retirer. C'est donc à Allan J. MacEachen que revient l'honneur d'annoncer, à Genève, le 7 mai 1975, lors de la première Conférence d'examen du Traité de non-prolifération des armes nucléaires, la teneur de la partie non annoncée de la décision du Cabinet du 5 décembre 1974.

Les consignes de décembre 1974 s'appliquent à tous les accords antérieurement passés et à ceux qui sont à venir. Le Canada s'oriente manifestement vers l'imposition de garanties généralisées, c'est-à-dire qu'il ne fera de transactions qu'avec un pays dont l'ensemble des activités nucléaires est soumis au contrôle de l'AIEA, soit dans le cadre du TNP, soit autrement. À l'époque, toutefois, personne n'est prêt à aller aussi loin. Le Canada sait pertinemment aussi qu'aucun des grands pays nucléaires fournisseurs ne le suivra en ce domaine. Le contexte international est en pleine évolution. En 1975, il y a non seulement la Conférence d'examen du Traité de non-prolifération des armes nucléaires qui se déroule à Genève en mai, mais il y a aussi le groupe des pays fournisseurs nucléaires qui commence à se réunir pour tenter de trouver une solution aux problèmes du juste équilibre à assurer entre les besoins énergétiques à satisfaire et les contraintes à maintenir en matière de sécurité internationale.

En 1975, le Canada craint évidemment d'être accusé d'avoir fourni plus d'assistance aux pays non signataires qu'aux signataires proprement dits. Pour des raisons historiques qui tiennent aux liens particuliers qu'il a entretenus avec certains pays du Commonwealth ou de l'Amérique latine, ce constat peut paraître sans recours pour le Canada. L'annonce de sa décision de n'accorder de l'aide qu'aux signataires du TNP vise évidemment à corriger cette situation, mais aussi à encourager tous ceux qui ne l'ont pas encore fait à signer le TNP. Par la même occasion, le Canada songe aussi à donner un peu plus de poids à l'article IV du Traité, car il sait pertinemment que ni l'AIEA ni la Banque internationale pour la reconstruction et le développement ne pourraient être d'accord pour affecter des fonds particuliers au développement de la coopération technique sur la seule base du critère discriminatoire de l'adhésion d'un État au TNP. Le Canada est conscient, ce faisant, qu'il pourrait s'attirer des reproches de la part de la France ou d'autres pays intéressés à poursuivre sans encombre leurs programmes de coopération, mais il estime qu'il vaut mieux intervenir que de s'en remettre à une politique du « laisser-faire ».

La ratification du TNP en 1975 par les États membres de l'EURATOM, suivie peu après par celle du Japon, l'échec de la proposition canadienne à la première Conférence d'examen du TNP sur l'application de garanties généralisées comme critère de démarrage de programmes d'aide et l'impossibilité d'arracher à l'Inde une promesse formelle de renonciation à de futurs essais à caractère pacifique sont autant de facteurs qui amènent le gouvernement canadien, en décembre 1976, à opter pour une politique stricte et sans recours :

seuls les États ayant signé le TNP ou ayant accepté des garanties de l'AIEA sur l'ensemble de leurs activités nucléaires peuvent désormais bénéficier des fournitures nucléaires canadiennes. Cette nouvelle politique est annoncée en Chambre par le ministre des Affaires extérieures, Don Jamieson, le 22 décembre 1976.

Le même jour, le Canada met un terme à ses accords de coopération nucléaire avec le Pakistan « qui refuse de soumettre rétroactivement la centrale de Karachi à de nouvelles mesures de garanties et de laisser tomber la construction d'une usine de retraitement [...] entreprise avec l'aide de la France[123] ». De 1975 à 1977, le Canada a conclu six accords de coopération[124]. Tous ces accords resteront fidèles à la politique canadienne de décembre 1974 et leur négociation ou renégociation s'étalera souvent sur de longs mois.

La Communauté économique européenne (CEE) et le Japon poseront des problèmes particuliers au Canada. Avec la CEE, tous les problèmes sont pratiquement réglés à la fin de 1977, à l'exception du droit de consentement préalable exigé par le Canada sur le retraitement et le surenrichissement. À la suite de la rencontre Trudeau-Schmidt de juillet 1977, on s'entend sur une formule intérimaire qui aboutit à la levée de l'embargo canadien à la fin de 1977 et à la signature, le 16 janvier 1978, d'un accord intérimaire Canada-CEE sur les questions de retraitement, dont les dispositions devront être revues une fois qu'auront été déposées les conclusions de l'INFCE. En décembre 1981, la question est définitivement réglée. La formule adoptée comporte

> une description du programme nucléaire actuel et prévu de la CEE, y compris notamment une description détaillée des éléments politiques, juridiques et réglementaires ayant trait au retraitement et au stockage du plutonium. Sur cette base, le Canada a accepté que des matières nucléaires assujetties à l'accord Canada-EURATOM soient retraitées et que du plutonium soit stocké dans le cadre du programme nucléaire actuel et prévu tel qu'il a été décrit et mis à jour périodiquement[125].

Les difficultés avec le Japon tiennent essentiellement au système de doubles contrôles canado-américains, puisqu'une grande partie de l'uranium canadien à destination du Japon est d'abord enrichie aux États-Unis avant d'être expédiée au Japon. Ces inconvénients sont en partie minimisés grâce à un échange de notes datées du 15 novembre 1977 entre le Canada et les États-Unis[126]. Pour le cas où le Japon souhaiterait enrichir à plus de 20 pour 100 son uranium, seul le consentement américain sera exigé. En janvier 1978, le texte de l'accord canado-nippon est renégocié, ce qui permet la reprise des livraisons d'uranium vers le Japon. Cet accord sera finalement ratifié en septembre 1980.

D'autres accords signés entre 1974 et 1977 sont aussi devenus problématiques, mais cette anomalie tenait à des difficultés sur l'autorité compétente interne des États en ce qui a trait aux transferts technologiques. Le cas de la Suisse constitue un exemple[127]. Quant aux accords signés après 1977, il serait trop long d'en dresser ici la liste. Le lecteur pourra consulter à ce propos le *Recueil des Traités du Canada*[128].

LES TROIS CONFÉRENCES D'EXAMEN DU TRAITÉ DE NON-PROLIFÉRATION DES ARMES NUCLÉAIRES

Nous avons rédigé cette brève section à titre de conclusion générale et également afin de fournir une vue d'ensemble de la politique canadienne en matière de non-prolifération. Aux termes de l'article VIII (3) du Traité, les parties tiennent à intervalles réguliers de cinq ans une Conférence d'examen du fonctionnement du Traité. Jusqu'à maintenant trois Conférences d'examen ont eu lieu à Genève :

Date	Présidence	Parties TNP/ Participants TNP	Résultat
Du 5 mai au 30 mai 1975	Inga Thorsson (Suède)	96/58	Déclaration finale
Du 11 août au 7 septembre 1980	Ismat Kittani (Iraq)	114/75	Document final
Du 27 août au 21 septembre 1985	Mohamed Shaker (Égypte)	130/86	Déclaration finale

Les deux plus importantes se tiennent en 1975 et en 1985, la deuxième ne débouchant sur aucune déclaration finale, faute de consensus. Ce critère ne constitue pas cependant la seule façon d'évaluer le succès ou l'échec des pourparlers multilatéraux. Aucune disposition juridique n'oblige les participants à s'entendre sur le texte d'une Déclaration finale. Et d'ailleurs, la première Conférence d'examen aurait pu se traduire par l'absence d'un consensus, n'eût été le travail acharné de la Délégation canadienne qui s'employa à rédiger dans les coulisses un document de synthèse transmis par la suite à la présidente de la Conférence d'examen. Inga Thorsson le présenta comme un document global qui, à son avis, représentait un consensus de ce qui s'était dit et proposé. Les États participants accordèrent leur confiance à la présidente et c'est ainsi qu'émergea la Déclaration finale, malgré les vigoureuses protestations du gouvernement d'Israël qui estimait que les règles élémentaires de la démocratie n'avaient pas été respectées[129] .

L'ambassadeur du Canada pour le désarmement, Doug Roche, reconnaît discrètement, en 1987, le rôle essentiel joué par Inga Thorsson et William Barton lors de la Conférence d'examen de 1975[130]. La deuxième Conférence d'examen connut un sort moins heureux. Bien avant son ouverture, lors des travaux préparatoires, les rumeurs les plus néfastes circulaient selon lesquelles la Conférence d'examen pourrait même être boycottée par les pays du Groupe des soixante-dix-sept. Rien de cela ne se produisit. Dans l'ensemble, beaucoup de sérieux présida aux travaux de la Conférence d'examen. Le Canada et l'Australie jouèrent également un rôle de tout premier plan dans le groupe des pays de l'Ouest. Les États-Unis et l'URSS se contentèrent d'un rôle de second plan, sans doute pour permettre à la soupape de laisser passer suffisamment de récriminations et de frustrations accumulées par les pays non nucléaires devant le peu de progrès accompli par les grandes puissances en matière de désarmement.

La mauvaise humeur des pays du Groupe des soixante-dix-sept se manifesta d'ailleurs assez tôt, puisque lors des travaux préparatoires, ils préférèrent élire à la présidence l'un des leurs, c'est-à-dire le délégué de l'Irak plutôt que le représentant de la Suède qui aurait sans doute aimé assumer encore une fois la présidence de la Conférence d'examen. À mesure que se déroulèrent les travaux, il devenait évident que la Suède perdait de l'influence au profit du Mexique qui tendait à s'affirmer de plus en plus. L'ensemble de la Conférence d'examen se tint sous des auspices peu favorables. Certains pays en avaient contre les grandes puissances, les pays non nucléaires se plaignaient toujours du caractère discriminatoire du Traité, et plusieurs pensaient qu'en adoptant une ligne dure sur l'article VI — amener les grandes puissances à négocier — ils obtiendraient des concessions sur l'article IV, c'est-à-dire sur une libéralisation des conditions de coopération nucléaire à des fins pacifiques. Cette stratégie ne fit que braquer les uns et les autres et déboucha, à toutes fins utiles, sur l'échec de la Conférence d'examen.

On peut aussi se demander si certains pays du Tiers Monde ne voulaient pas tout simplement marquer des points. Le compromis fut recherché jusqu'à la toute dernière minute. Un pays alla même jusqu'à proposer, contre l'avis de ses conseillers les plus immédiats, que l'on accepte de créer à Genève, dans le cadre de la CCD, un groupe de travail chargé de discuter de l'épineuse question de la suspension globale des essais nucléaires. Cette proposition n'était pas sans intérêt, mais elle fut accueillie avec froideur. On la compara même à des « peanuts » qui venaient trop tard. Il faut reconnaître en ce domaine que personne, de toute façon, ne faisait preuve d'un appétit dévorant. N'eût été de l'intransigeance d'un représentant que l'on compte aujourd'hui parmi les grands Prix Nobel de la paix, la formule de la onzième heure aurait peut-être pu réussir.

Il est vrai qu'en 1980 le climat n'était guère propice à la discussion. Un an plus tôt, l'OTAN avait adopté sa politique de la double option, l'URSS venait d'intervenir en Afghanistan, une nouvelle administration américaine à la rhétorique facile et belliqueuse venait d'être installée à Washington, tandis que le conflit Iran-Irak dégénérait en une guerre longue et sanglante et que peu d'espoir était permis quant à la volonté des grands de négocier « de bonne foi » la cessation de la course aux armements.

La troisième Conférence d'examen se déroula dans des conditions plus chaleureuses. Les grandes puissances jouèrent un rôle plus actif, les récriminations des pays du Tiers Monde furent moins violentes, et de tous les éléments déterminants, il semble bien que ce fut la menace à l'horizon d'une prolifération nucléaire certaine qui amena les États du Tiers Monde à mettre en sourdine leurs plus vives rancœurs. Pour la première fois, la majorité des pays participants pouvaient travailler à une cause commune : renforcer le TNP, le seul instrument viable dont dispose la communauté internationale en matière de non-prolifération.

Quant à la substance de ces trois Conférences d'examen, les jugements sont partagés. Celui que porte le Stockholm International Peace Research Institute (SIPRI) (Institut international de recherche sur la paix de Stockholm) sur la première Conférence d'examen est plutôt sévère. Son seul succès est le fait de n'avoir pas éclaté, mais elle n'a pu résoudre les problèmes essentiels à la survie du TNP, à savoir que certaines de ses dispositions étaient contournées[131]. La seule nouveauté, selon le SIPRI, fut l'insistance de la Conférence d'examen à demander des arrangements multilatéraux pour assurer la « protection physique » des matières fissiles, clause que le Canada avait déjà insérée dans sa nouvelle politique de décembre 1974, ainsi que la création éventuelle de centres régionaux sur les cycles du combustible nucléaire.

Pour sa part, le Canada est prêt à soutenir l'idée de l'établissement de centres régionaux de retraitement. Les États-Unis s'élèveront peu après contre ce genre de projet, même s'il sera vigoureusement défendu par certains pays européens et par de hauts fonctionnaires de l'AIEA. De telles usines sont destinées au recyclage des combustibles usés lesquels, une fois qu'ils auront été transformés, serviront à nouveau aux besoins de la production nucléo-électrique. L'intérêt d'une usine régionale par rapport à une usine nationale tient à ce que la première diminue d'autant les risques de prolifération nucléaire, ne serait-ce qu'en vertu de la multiplicité des contrôles multilatéraux qui s'exerceraient sur des installations régionales. L'inconvénient, c'est que personne n'en veut. Par ailleurs, la rentabilité de telles entreprises a été gravement sous-estimée, et plusieurs sont enclins à penser aujourd'hui que les usines de retraitement ne sont pas autre chose que des usines de gestion des « déchets radioactifs ».

En ce qui a trait à la fameuse question des garanties généralisées, ni la première, ni la deuxième, ni la troisième Conférence d'examen ne permettent d'arracher un consensus sur le sujet. Les différences d'opinion à cet égard existent aussi bien au sein du bloc occidental ou du bloc de l'Est qu'au sein du Groupe des soixante-dix-sept. On ne pose donc pas encore comme principe qu'aucune transaction nucléaire ne peut avoir lieu sans que n'ait été remplie au préalable la condition de l'acceptation de telles garanties. Les garanties généralisées constitueraient bien sûr un régime juridique différent de celui du TNP — la différence entre l'INFCIRC/66/Rév. 2 et l'INFCIRC/153 —, mais dans la pratique, la différence entre les deux régimes est assez mince. D'un point de vue politique, il est vrai qu'un tel régime n'est pas aussi absolu que la promesse de ne jamais chercher à acquérir d'armes nucléaires ou de dispositifs nucléaires, comme on le réclame des signataires du Traité à l'article II. Ces nuances expliquent évidemment la stricte condition posée par le Cabinet canadien dans sa décision du 5 décembre 1974.

En matière d'explosions nucléaires pacifiques, le Brésil et l'Inde insistent naturellement, surtout durant la première Conférence d'examen, sur le droit des États de s'en prévaloir, conformément à l'article V du Traité. Aucun progrès ne sera enregistré en ce domaine au cours des trois Conférences d'examen. En 1975, le Canada se montre sensible à ce problème, mais il préfère s'en tenir au statu quo, car toute autre mesure encouragerait les États non nucléaires à développer une curiosité maladive ou injustifiée à l'égard de ces explosions que le Canada juge de toute façon non rentables. À nouveau ici, il semble bien que les revendications des États aient été « dépassées par les événements ». Ce sont les termes mêmes qu'utilisera le directeur général de l'AIEA au cours de la deuxième Conférence d'examen pour décrire l'intérêt décroissant des États par rapport à cette question. Certains États, comme le Japon, estiment qu'il sera peut-être possible de distinguer un jour un dispositif pacifique d'une bombe. Pour l'instant, le dossier est clos, et rien n'indique qu'il sera réouvert dans un proche avenir.

Au cours des trois Conférences d'examen, l'article VI est encore celui qui pose le plus de difficultés. Il sera en grande partie responsable de l'échec de la Conférence d'examen de 1980 qui a eu le malheur, selon le SIPRI, d'intervenir au « mauvais moment ». Durant les trois Conférences d'examen, la politique du Canada à cet égard colle merveilleusement bien à une déclaration que le délégué du Canada, William Barton, fit à la CCD le 20 août 1974. « Ce n'est pas, déclarait-il à l'époque, parce que les puissances nucléaires ne veulent pas voir les conséquences de leurs actes que les puissances non nucléaires sont autorisées à ne prendre aucune mesure pour empêcher la prolifération[132]. » Une telle déclaration indique bien l'étendue du faux débat de ceux qui ont prétendu par la suite qu'à la Conférence d'examen de 1980 les « désarmeurs » s'opposaient aux « utilisateurs pacifiques » de l'atome.

En 1980, le Canada est mieux placé que quiconque pour savoir que l'heure n'est pas à la négociation. Il encouragera néanmoins les États non nucléaires à rappeler aux grandes puissances les obligations morales qu'elles avaient contractées dans le cadre du Traité. En 1985, le Canada insistera avec une vigueur renouvelée sur la nécessité pour les grandes puissances de conclure un Traité sur la suspension globale des essais nucléaires (TIGEN)*.

Dans l'ensemble, au cours des trois Conférences d'examen, le Canada fait porter le poids de ses efforts sur le renforcement positif du TNP, soit par la proposition de mesures incitatives, comme une aide accrue pour les pays qui veulent s'en prévaloir à la condition d'adhérer au Traité, soit par le renforcement de mesures additionnelles qui pourraient être établies dans l'avenir sur une base multilatérale. En ce domaine, le Canada, au même titre que

* L'appellation TIGEN est parfois utilisée dans des textes juridiques français ; en fait, elle correspond au Comprehensive Test Ban (CTB).

les États-Unis depuis mars 1978 — date d'entrée en vigueur du Nuclear Non-Proliferation Act —, est encore à peu près le seul État occidental à tenir bien haut le flambeau des garanties généralisées. Il le porte toujours, sauf qu'après la troisième Conférence d'examen, les États sont de plus en plus nombreux à vouloir conjurer les dangers de la prolifération nucléaire. Le TNP s'avère donc porteur d'une légitimité renouvelée. Il faut aussi noter que la France et la République populaire de Chine ont toutes deux déclaré et répété au fil des ans qu'elles se comporteraient désormais comme des puissances signataires du Traité.

À la suite des accords FNI de décembre 1987 et des accords START à venir, l'ouverture de la quatrième Conférence d'examen prévue pour 1990 augure bien. Comme par le passé, les États tenteront de renforcer les dispositions juridiques du Traité ainsi que les dispositions juridiques parallèles attenantes au TNP. Si jamais des modifications devaient être apportées à cet instrument international, c'est probablement en 1995 que la chose interviendra. Car si, au début des années soixante-dix, le Canada songeait à apporter des amendements au Traité pour en faciliter l'accès ou l'adhésion à certains, il s'est depuis très rapidement écarté de cette option, car tous et chacun se rendent compte qu'ouvrir aujourd'hui le Traité à des amendements, ce serait mettre le doigt dans un engrenage sans fin.

Notes

1. D'après le titre d'un ouvrage collectif publié par Plon en 1985 pour le compte de l'institut Charles-de-Gaulle.
2. W. Schütze, 1987, p. 24.
3. J. Klein, 1987, p. 249.
4. *Bulletin* de l'AIEA (ci-après cité *Bulletin*), vol. 29, n° 2, 1987, p. 40.
5. *Bulletin,* vol. 29, n° 3, 1987.
6. Notamment les processus de séparation isotopique de molécules par irradiation au laser de vapeur atomique (SILVA) (en anglais, AVLIS) et de séparation isotopique de molécules par irradiation au laser (SILMO) (en anglais, MLIS), la séparation moléculaire étant obtenue en jouant sur la différence des résonances nucléaires propres à chaque atome.
7. Dans le cas des « surgénérateurs », il y a plus de plutonium produit que de combustibles « usés », lequel, s'il est récupéré, peut à nouveau servir de combustible nucléaire, d'où le terme de « surgénération ».
8. *Bulletin,* vol. 29, n° 3, 1987, p. 32.
9. B.M. Mazer, 1980-1981, p. 91.
10. W. Schütze, 1987, p. 24.
11. ENDC/152.
12. A/5763.
13. DC/224.
14. *Les Nations Unies et le désarmement, 1945-1970,* p. 274.
15. A/5976.
16. ENDC/157.
17. Rés. 2028 (XX).
18. ENDC/178.
19. ENDC/152/Add. 1.
20. ENDC/192 et 193.
21. Note des auteurs : les opinions divergent ici, car cette clause est complétée par la formule suivante : « et qui possède un ensemble de caractéristiques idoines à des buts de guerre ».
22. M. Willrich, 1969, p. 68.
23. *Ibid.,* p. 69.
24. *Ibid.,* p. 97.
25. ENDC/192/Rév. 1 et ENDC/193/Rév. 1.
26. ENDC/225, Annexe A.
27. Voir la section intitulée « L'évolution internationale des garanties nucléaires ».
28. R.M. Lawrence et J. Larus, 1974, p. 21.
29. R. Pendley, L. Scheinman et R. Butler (1975).
30. Note des auteurs : ce projet serait de toute façon probablement mort de lui-même devant les réticences de certains experts américains et l'emballement de Bonn qui diminuait au fur et à mesure que fusaient les critiques de toutes parts.
31. A. Kramish, 1967, p. 2 ; et R. Pendley, L. Scheinman et R. Butler, 1975, p. 604.
32. R. Pendley, L. Scheinman et R. Butler, 1975, p. 607.
33. M. Willrich, 1969, p. 114.
34. A. Kramish, 1967, p. 4.
35. R. Pendley, L. Scheinman et R. Butler, 1975, p. 606.
36. Sous-entendu le Japon : voir, à cet égard, R. Imai, 1972, p. 14, qui précise que la crédibilité relève avant tout d'un phénomène politique et n'est pas la même chose qu'un niveau d'assurance *(level of confidence)* qui, lui, repose sur des probabilités statistiques certaines.
37. Cité dans R. Pendley, L. Scheinman et R. Butler, 1975, p. 607.
38. Entrevue.
39. Voir, à ce propos, Charlotte S.M. Girard, *Canada and World Affairs, 1963-65,* p. 214-224.
40. Entrevue.
41. R. Pendley, L. Scheinman et R. Butler, 1975, p. 607.
42. Selon le pararaphe 2 de cette résolution, l'intention est exprimée par certains États de fournir ou de prêter assistance immédiate, conformément à la Charte, « à tout État non nucléaire partie au Traité [...] qui serait victime d'un acte ou l'objet d'une

menace d'agression avec emploi d'armes nucléaires ».

43. R. Pendley, L. Scheinman et R. Butler, 1975, p. 609.
44. ENDC/167.
45. R. Imai, 1972, p. 30.
46. L'OUA, l'OPANAL, le Conseil d'assistance économique mutuelle (CAEM), l'EURATOM, etc.
47. L'Organisation internationale du travail (OIT), l'Organisation des Nations Unies pour l'alimentation et l'agriculture (FAO) (Food and Agriculture Organization of the United Nations, FAO), l'Organisation mondiale de la santé (OMS), l'Organisation des Nations Unies pour le développement industriel (ONUDI), etc.
48. Par exemple, le Forum atomique européen, la Confédération européenne de l'agriculture, l'Association du transport aérien international, etc.
49. R. Pendley, L. Scheinman et R. Butler, 1975, p. 603.
50. *Bulletin,* vol. 29, n° 3, 1987, p. 30.
51. *Bulletin,* vol. 24, n° 2, juin 1982, p. 46.
52. L. Scheinman, 1977, p. 71.
53. Pour plus de précisions techniques à ce sujet, voir B. Sanders (1975) et surtout D. Fischer et P. Szasz, 1985, p. 79-80.
54. J. Jennekens, 1987, p. 77.
55. R. Imai, 1972, p. 10.
56. *Bulletin,* vol. 24, n° 2, juin 1982, p. 47.
57. Voir le chapitre 1.
58. Note des auteurs : on en est alors de toute façon à l'heure des ententes et des discussions privées entre chefs d'États. En contrepartie de la décision canadienne de fournir un contingent militaire afin de maintenir dans le cadre de l'ONU la sécurité à Chypre, en mars 1964, le président Johnson aurait demandé à L.B. Pearson ce que son pays pouvait faire pour aider le Canada. Pearson lui aurait répondu que d'importantes négociations commerciales étaient en cours entre les deux pays, plus particulièrement la question de l'établissement d'une zone de commerce en franchise pour l'automobile. Il semble bien, selon Geoffrey A. Pearson (entrevue), fils du premier ministre, que c'est à partir de ce moment-là que fut arraché l'accord américain au pacte automobile.
59. Discours prononcé en Chambre, le 7 juin 1963.
60. 28-7-5, télex du 17 novembre 1964 aux Missions étrangères.
61. 28-7-5, Délégation de Genève au MAE, 27 août 1964.
62. 28-7-5, 11 août 1965.
63. 28-7-5, 29 mars 1965.
64. 28-7-5, 10 mars 1965.
65. 28-7-5, 30 mai 1966, R.D. Jackson à D.M. Cornett.
66. 28-7-5, télex de Washington au MAE, 19 août 1966.
67. 28-7-5-1, 19 août 1966.
68. 28-7-5-1-4, lettre du 18 décembre 1968 à Trudeau.
69. 28-7-5-1-1.
70. D'autres ententes ultérieures, celles du 16 août 1963 et du 17 septembre 1965, viendront compléter ces accords.
71. 28-West-1-CDA, lettre de M.N. Bow à Mitchell Sharp, 22 mai 1969.
72. Un *binding agreement.*
73. La cessation de production de matières fissiles à des fins militaires et la négociation d'un Traité sur la suspension des essais nucléaires souterrains notamment.
74. Un document « notational », c'est-à-dire aux fins de discussion.
75. Note des auteurs : les États-Unis déclarent qu'ils ne feront rien qui soit contraire à la résolution 1665 et invitent l'URSS à donner des assurances analogues ; voir *Les Nations Unies et le désarmement, 1945-1970,* p. 273.
76. Voir la déclaration du ministre Paul Martin en Chambre le 20 mai 1963, et sa déclaration devant le Comité des dix-huit puissances le 26 mars 1964, ENDC/P.-V./178.
77. Voir, à ce propos, la déclaration canadienne du 23 juillet 1964 faite devant le Comité des dix-huit puissances de Genève, ENDC/P.-V./201.
78. Le texte anglais parle de volte-face.
79. Lettre du sous-secrétaire Marcel Cadieux au chef d'état-major, 23 avril 1965.
80. 28-7-5, 31 mai 1965, Paul Martin aux Missions étrangères. Tous ces éléments sont repris par Martin dans son témoignage du 18 juin devant le Comité parlementaire des Affaires extérieures.
81. 28-7-5-1.

82. 28-West-1-CDA, Burns à Ottawa, 18 avril 1966.
83. 28-West-1-CDA, 13 avril 1967.
84. 28-7-5, Bureau du désarmement, L. Houzer, 18 décembre 1964.
85. 28-7-5, 8 janvier 1965.
86. 28-7-5, rapport commun au Conseil de l'OTAN pour la période du 20 février au 3 mars 1966.
87. ENDC/165. Note des auteurs : peu après l'explosion nucléaire chinoise de 1964, le président Johnson avait fait une déclaration similaire, ainsi que l'ambassadeur américain Goldberg durant la XXe session de l'AGNU.
88. ENDC/167.
89. 28-7-5-1, 26 octobre 1966, Délégation de New York au MAE.
90. Bureau du désarmement, document préparé par D.M. Cornett en préparation de la visite de V. David, ministre des Affaires extérieures de la Tchécoslovaquie, prévue du 6 au 11 décembre 1966.
91. A/C. 1/L. 371.
92. 28-7-5-1, MAE à New York, 8 novembre 1966.
93. Joint Canada-USA Ministerial Committee Meeting, 20-22 juin 1967, pas de numéro de dossier, 26 mai 1967.
94. *Les Nations Unies et le désarmement, 1945-1970,* p. 289.
95. 28-7-5, 8 juin 1966.
96. « Canadian Mission to the United Nations », *Press Release,* n° 68, octobre 1966, p. 4.
97. Bureau du désarmement, R.D. Jackson, 14 août 1967, pas de numéro de dossier.
98. 28-West-1-CDA, 23 février 1968 ; voir aussi la note de service ministérielle *(Departmental Memorandum)* du 15 février 1968.
99. Pour le texte de la déclaration, voir *Textes sur la politique étrangère* (ci-après cité *Textes*), MAE, mai 1982, p. 7.
100. Entrevue avec le directeur du Service des garanties nucléaires de l'AIEA, en février 1978.
101. Entrevue.
102. Voir la section sur les garanties nucléaires.
103. Le réacteur CIRUS.
104. Le TRR de 40 mégawatts.
105. Le KANUPP de 137 mégawatts.
106. RAPP-1.
107. RAPP-2.
108. Le CANDU de 600 mégawatts.
109. L. Scheinman, 1971, p. 638.
110. Voir le présent chapitre, p. 233.
111. Ce pays ne ratifiera le Traité qu'en 1973.
112. 28-West-1-CDA, 18 mars 1969.
113. *Textes,* 1982, p. 12.
114. Le Comité mixte des renseignements et la Direction du renseignement scientifique de la Défense.
115. 28-7-5-1, 5 avril 1967.
116. 28-7-5, 28 novembre 1966.
117. Entrevue.
118. *Document de base sur les garanties* (ci-après cité *Document*), 1976, p. 17.
119. H. Galarneau, 1979, p. 110.
120. *Textes,* 1982, p. 13.
121. CIRUS, RAPP-1 et RAPP-2.
122. L'aide pourra venir soit de l'Agence canadienne de développement international (ACDI), soit de la Société pour l'expansion des exportations (SEE).
123. H. Galarneau, 1979, p. 135.
124. Avec l'Espagne, en juillet 1975, et la Suède, en septembre 1977, ces deux accords remplaçant respectivement ceux de 1965 et de 1962 ; avec la Corée du Sud et l'Argentine, en janvier 1976 ; avec la Finlande, en mars 1976, et la Roumanie, en octobre 1977.
125. *Textes,* 1982, p. 18.
126. Voir *Recueil des Traités du Canada,* 1977, n° 35, surtout le paragraphe 4.2.
127. Note des auteurs : voir *Textes,* 1982, pour plus de précisions ; sur la période 1974-1977 et les difficultés relatives à la renégociation des accords, l'article de J.J. Noble (1978) fait autorité.
128. *Recueil des Traités du Canada.*
129. Entrevue avec William Barton.
130. Voir D.B. Dewitt, 1987, p. 167.
131. Voir *SIPRI Yearbook,* 1976, p. 391.
132. CCD/P.-V. 653.

Sources secondaires citées

Bulletin de l'AIEA, vol. 25 à 30, 1983-1988.

Dewitt, David B., *Nuclear Non-Proliferation and Global Security,* London & Sydney, Croom Helm, 1987.

Document de base sur les garanties nucléaires et la politique candienne les concernant, Ottawa, Ministère des Affaires extérieures, 30 janvier 1976, 25 p.

Doern, Bruce G. et Morrison, Robert W., *Canadian Nuclear Policies,* Montréal, Institut de recherches politiques, 1980.

Fischer, David et Szasz, Paul, *Safeguarding the Atom,* London, Taylor and Francis, 1985.

Galarneau, Hélène, « La politique du Canada en matière de contrôle des exportations nucléaires », mémoire de thèse de maîtrise, Québec, Université Laval, 1979.

Girard, Charlotte S.M. (dir.), *Canada in World Affairs 1963-1965,* Toronto, Canadian Institute of International Affairs, 1980.

Imai, Ryukichi, « Nuclear Safeguards », *Adelphi Papers,* n° 86, mars 1972.

Jennekens, Jon, « The IAEA, International Safeguards and the Future of the NPT », dans David B. Dewitt, *Nuclear Non-Proliferation and Global Security,* p. 73-85.

Klein, Jean, *Sécurité et désarmement en Europe,* Paris, Éditions Economica, 1987.

Kramish, Arnold, « The Watched and the Unwatched: Inspection in the Non-Proliferation Treaty », *Adelphi Papers,* n° 36, juin 1967.

Lawrence, Robert M. et Larus, Joel (édit.), *Nuclear Proliferation, Phase II,* Lawrence (Kansas), The University Press of Kansas, 1974.

Mazer, Brian M., « The International Framework for Safeguarding Peaceful Nuclear Energy Programs », *Saskatchewan Law Review,* vol. 45, 1980-1981, p. 83-102.

Morrison, Robert W. et Wonder, Edmond F., *Canada's Nuclear Export Policy,* Ottawa, The Norman Paterson School of International Affairs – Carleton University, coll. « Carleton International Studies » III, 1978.

Noble, John J., « Canada's Continuing Search for Acceptable Nuclear Safeguards », *International Perspectives,* juillet-août 1978, p. 42-48.

Pendley, Robert, Scheinman, Lawrence, avec la collaboration de Richard W. Butler, « International Safeguarding as Institutionalized Collective Behavior », *International Organization,* vol. 29, n° 3, 1975, p. 585-616.

Sanders, Benjamin, *Safeguards Against Nuclear Proliferation,* Stockholm, Almqvist & Wiksell, 1975.

Scheinman, Lawrence, « Security and a Transnational System : The Case of Nuclear Energy », *International Organization,* vol. 25, n° 3, 1971, p. 626-649.

Scheinman, Lawrence, « Safeguarding Reprocessing Facilities : the Impact of Multinationalization », dans Abram Chayes et Lewis W. Bennett, *International Arrangements for Nuclear Fuel Reprocessing,* Cambridge (Mass.), Balinger Publishing Company, 1977, p. 65-79.

Schütze, Walter, « France and Germany : Cooperation and Conflict in Defence and Security », *PSIS Occasional Papers,* n° 2, 1987.

SIPRI Yearbook, 1976 et autres années.

Textes sur la politique étrangère canadienne, Ottawa, Ministère des Affaires extérieures, mai 1982, 26 p.

Willrich, Mason, *Non-Proliferation Treaty : Framework for Nuclear Arms Control,* Charlottesville (Virginia), The Michie Company, 1969.

On trouve des moyens pour guérir de la folie, mais on n'en trouve point pour redresser un esprit de travers.*

8

Le Canada et les armes chimiques et biologiques

Vers la fin des années soixante, plusieurs facteurs contribuent à relancer le débat sur la nécessité de contrôler les armes chimiques et biologiques. L'usage présumé des armes chimiques par la RAU au cours de son intervention dans la guerre civile du Yémen (1963-1967), la présentation du rapport du secrétaire général de l'ONU sur les armes biologiques et chimiques en 1969, l'usage accru par les forces américaines au Viêt-nam de « défoliants » et de « gaz anti-émeutes » ainsi que les difficultés d'interprétation du Protocole de Genève de 1925 sont autant d'éléments qui amènent la communauté internationale à se pencher avec une vigueur renouvelée sur le problème de l'interdiction de ces armes.

Pour des raisons de commodité, nous divisons en deux étapes principales l'examen de ces problèmes. La première étape comprend la période de 1966 à 1972, c'est-à-dire celle qui entoure la négociation de la Convention sur l'interdiction et la mise au point, de la fabrication et du stockage des armes bactériologiques (biologiques) ou à toxines et sur leur destruction que nous désignerons par la Convention sur l'interdiction des armes bactériologiques ou à toxines (CABT), signée le 10 avril 1972 et entrée en vigueur le 26 mars 1975. Quant à la seconde, elle s'étend de 1972 à nos jours. Elle englobe l'ensemble des négociations destinées à produire un instrument juridique de contrôle afin d'aboutir à l'élimination des armes chimiques ; nous l'appellerons la Convention sur les armes chimiques (CAC).

---

* La Rochefoucault, *Maximes, Réflexions morales,* 318.

Ce découpage dans le temps peut, d'un point de vue juridique, s'exposer à la critique. La plupart des discussions ont en effet porté sur l'interdiction tout à la fois des armes chimiques et bactériologiques. Toutefois, 1971 marque un tournant majeur, puisque pour la première fois l'URSS et les pays de l'Est acceptent de discuter séparément de ces deux questions. Cette concession mène très vite à l'adoption, au sein de la CCD, de la CABT. Par la suite, on revient au problème global de la négociation d'une CAC, d'autant que l'article IX de la CABT rappelle aux États qui en sont parties qu'ils doivent « poursuivre dans un esprit de bonne volonté des négociations afin de parvenir, à une date rapprochée, à un accord » sur l'interdiction globale et générale des armes chimiques.

En réalité, un véritable déblocage à ce propos ne se produit qu'en 1984, l'intervention soviétique en Afghanistan ayant à toutes fins utiles gelé l'état des négociations bilatérales sur cette question de 1980 à 1984.

En 1980, conformément aux dispositions de l'article XII de la CABT, une première Conférence d'examen du fonctionnement de la CABT se tient à Genève du 3 au 21 mars 1980. La deuxième Conférence d'examen a lieu dans la même ville du 8 au 26 septembre 1986, date qui marque l'adoption par consensus de la Déclaration finale de cette Conférence d'examen. Une troisième Conférence d'examen doit avoir lieu au plus tard avant la fin de 1991.

CONSIDÉRATIONS GÉNÉRALES

Notre propos n'est pas de faire ici œuvre de spécialiste. L'examen des problèmes reliés à la discussion des armes chimiques et bactériologiques suppose toutefois un mimimum d'entente et, par conséquent, de compréhension sur les termes utilisés. Or, en ce domaine, les difficultés sont nombreuses. Tout d'abord, sur le plan juridique, les spécialistes ne s'entendent pas. Il y a des différences d'interprétation notoires entre ceux qui, d'une part, soutiennent que le recours aux armes chimiques et bactériologiques est interdit en vertu du droit international coutumier et ceux qui, d'autre part, estiment que le Protocole de Genève est de nature purement contractuelle, ce qui n'engagerait que les parties à la Convention.

Sur le plan militaire, le problème est triple. Peut-on logiquement renoncer à ces armes que tous abhorrent, mais que l'on entend néanmoins maintenir dans les arsenaux pour des raisons de dissuasion ? Et à supposer que l'on puisse s'entendre sur le principe de leur élimination, est-ce à dire que les États feront suffisamment confiance aux procédures de vérification pour s'engager jusqu'au bout dans cette voie ? La crainte que ces armes ne s'étendent à d'autres pays ne constitue-t-elle pas, par ailleurs, un motif supplémentaire pour mettre en œuvre des mesures de contrôle qui soient universellement reconnues et qui évitent, par la même occasion, que les dangers de prolifération n'en viennent à menacer, par des moyens chimiques, la sécurité des grandes puissances ?

Considérations juridiques

Tous les juristes s'entendent sur les principaux textes, déclarations et conventions qui constituent les fondements normatifs du droit coutumier international en matière d'interdiction chimique et bactériologique. La Déclaration de Saint-Pétersbourg de 1868, élaborée non par des juristes mais par des officiers militaires, estime contraire aux lois de l'humanité « l'emploi d'armes qui aggraveraient inutilement les souffrances des hommes mis hors combat ». La Déclaration de la Conférence de Bruxelles de 1874 interdit, en vertu de l'article XIII, l'emploi des « poisons ou armes empoisonnées ». La Conférence de La Haye interdit, dans la Déclaration de 1899, « l'emploi de projectiles qui ont pour but unique de répandre des gaz asphyxiants ou délétères », et dans celle du Règlement de 1907 concernant les lois et coutumes de la guerre sur terre, on reprend l'interdiction sur l'emploi « du poison ou des armes empoisonnées » (article 23 a)) ou des armes susceptibles de causer des « souffrances inutiles » (article 23 b)). Bien que la plupart des auteurs n'admettent pas le caractère contraignant de la Déclaration de 1899, la Commission des Nations Unies sur les crimes de guerre en 1948 ne considère pas moins cette dernière Déclaration comme l'une des plus vieilles règles coutumières généralement admises venant confirmer l'interdiction « de l'usage du poison et de substances causant des souffrances inutiles ».

La plupart de ces dispositions sont à la base de l'article 171 du Traité de Versailles, des Traités de paix de 1919, du Traité de Berlin de 1921, du Traité de Washington — notamment l'article 5 — de 1922 qui ne fut jamais ratifié et du Protocole de Genève du 17 juin 1925. Le libellé de celui-ci s'énonce ainsi : Protocole concernant la prohibition d'emploi à la guerre de gaz asphyxiants, toxiques ou similaires et de moyens bactériologiques. Les deux plus importants paragraphes du Protocole de Genève sont les suivants :

> Considérant que l'emploi à la guerre des gaz asphyxiants, toxiques ou similaires, ainsi que de tous liquides, matières ou procédés analogues, a été à juste titre condamné par l'opinion générale du monde civilisé [...]
>
> [...] [les Gouvernements] déclarent que les Hautes Parties contractantes, en tant qu'elles ne sont pas déjà parties à des traités prohibant cet emploi, reconnaissent cette interdiction, *acceptent d'étendre cette interdiction d'emploi aux moyens de guerre bactériologiques* [c'est nous qui soulignons] et conviennent de se considérer comme liées entre elles aux termes de cette déclaration.

Notons immédiatement que le texte anglais se lit comme suit : « Whereas the use in war of asphyxiating, poisonous or *other gases* [c'est nous qui soulignons] ». Étant donné que les textes anglais et français font foi, cette différence sera à la source d'interprétations différentes dans la période de l'après-guerre. Ainsi, les États-Unis qui finissent par ratifier le Protocole de Genève en 1975 se fondent sur la version française du texte pour conclure que seules les armes asphyxiantes et toxiques sont interdites par le Protocole de Genève. Autrement dit, à côté des armes asphyxiantes ou toxiques, il existerait, pour utiliser la terminologie contemporaine, des armes non létales — les armes anti-émeutes et les herbicides — qui ne seraient pas proscrites par le Protocole de Genève. La même distinction pourrait être appliquée aux armes biologiques puisqu'on souhaite étendre l'interdiction chimique aux moyens de guerre bactériologiques. De leur côté, les Britanniques s'en tiennent dans les années trente à la version anglaise restrictive du Protocole de Genève, en ce sens qu'ils déclarent, en novembre 1930, dans un mémoire déposé à la Société des Nations devant la commission préparatoire de la Conférence du désarmement, que toutes les formes d'emploi de gaz sont interdites, y compris les gaz anti-émeutes. Au courant des années soixante, surtout devant les difficultés qu'ils éprouvent à maintenir l'ordre en Irlande du Nord, les Britanniques reviennent sur leur position et adoptent l'interprétation plus libérale des Américains.

Dans l'ensemble, le Protocole de Genève constitue un instrument de non-usage en premier de l'arme chimique ou bactériologique, puisqu'un grand nombre d'États l'ayant signé ont maintenu la réserve de la loi du talion, c'est-à-dire le droit de riposter, de la même façon ou autrement, s'ils sont attaqués par les moyens de guerre proscrits dans le Protocole de Genève. De plus, ce dernier ne s'applique qu'aux États liés entre eux par lui, et non aux États tiers. Pour sa part, le Canada a ratifié le Protocole de Genève le 6 mai 1930.

Selon les thèses juridiques en présence, certains peuvent donc maintenir que le recours aux armes chimiques et bactériologiques est interdit par le Protocole de Genève, sur la base des principes normalement reconnus du droit international coutumier, ce que fera dans les années soixante l'Assemblée générale des Nations Unies, ou prétendre, au contraire, qu'il y a des échappatoires au Protocole de Genève qu'il s'agit de combler par l'élaboration de nouvelles conventions multilatérales. Le Canada, probablement à raison, adoptera cette attitude. Cette position paraît d'autant plus raisonnable qu'à l'époque du Protocole de Genève il n'existe pas encore d'armes bactériologiques notoires et l'on ne connaît pas encore l'existence des herbicides. Remarquons ici que sans l'existence des différences d'interprétation entre les versions française et anglaise du Protocole de Genève, il y aurait bien peu de fondements juridiques pour justifier la différenciation d'interdiction par types d'armes — létales et non létales.

Dans l'avant-propos de son rapport sur les armes chimiques et bactériologiques, le secrétaire général de l'ONU tient d'ailleurs peu compte de cette distinction. Parmi les mesures à prendre pour renforcer la sécurité des peuples du monde, il demande aux États d'affirmer que la prohibition du Protocole de Genève s'applique à l'emploi à la guerre de « tous les agents chimiques bactériologiques et biologiques (y compris les gaz lacrymogènes et autres irritants) existant actuellement ou susceptibles d'être mis au point dans l'avenir[1] ». Cette interdiction de portée universelle n'a jamais été acceptée par de nombreux pays occidentaux. Outre le fait qu'elle constitue un ajout non autorisé qui n'existe pas dans les termes du Protocole de Genève, elle soulève encore tout le problème du caractère non contraignant pour les États qui ne sont pas parties à la Convention.

La question de la différenciation par types d'armes n'est pas sans intérêt par rapport à la Convention sur l'interdiction des armes bactériologiques ou à toxines d'avril 1972. À l'époque où elle est signée, aucun pays ne possède censément d'armes bactériologiques, même si les recherches en laboratoire vont bon train. Quelque temps plus tard, toutefois, les progrès du clonage et du génie génétique sont spectaculaires. On s'efforcera donc de colmater les brèches par une transformation « endogène » des articles de la Convention. Au lieu de les modifier, ce qui aurait entraîné l'ouverture des procédures d'amendement et l'approbation par la majorité des États des changements proposés, on se limitera à confirmer les interprétations dominantes des rédacteurs quant aux articles de la Convention.

Considérations militaires

Les débats sur l'utilité militaire des armes chimiques ont varié dans l'histoire. D'aucuns maintiennent aujourd'hui qu'elles sont d'un bien faible intérêt.

Au cours de la Première Guerre mondiale, on évalue les victimes de l'arme chimique à 1,3 million de personnes, dont à peu près 91 000 cas furent mortels. Lors de la Seconde Guerre mondiale, les armes chimiques, hormis quelques rares exceptions en Pologne — par accident, semble-t-il — et en Crimée, ne furent pas utilisées sur le théâtre européen. Les Italiens y eurent recours durant leur campagne d'Éthiopie en 1936, et les Japonais, contre la Chine, durant et avant la Seconde Guerre mondiale. À la fin des hostilités, les puissances majeures se retrouvent avec des stocks d'armes chimiques considérables : les États-Unis, 135 000 tonnes ; l'Allemagne, 70 000 tonnes ; la Grande-Bretagne, 35 000 tonnes ; et le Japon, 7 500 tonnes[2]. La plupart de ces stocks seront détruits après la Seconde Guerre mondiale, non sans accidents et difficultés techniques dans certains cas. Les chiffres de l'URSS ne sont pas connus pour cette période. En janvier 1988, elle a admis posséder 50 000 tonnes de stocks d'armes chimiques.

Des auteurs prétendent que le débarquement allié en Normandie aurait été rendu beaucoup plus difficile si les Allemands avaient eu recours aux armes chimiques. Lors de l'avance alliée en novembre 1944, Hitler se serait opposé aux avis de Goebbels et d'autres réclamant le recours au *Tabun* pour retarder la marche des armées alliées. Certains prétendent que c'est Hitler lui-même qui voulait recourir à ces armes, mais qu'il en aurait été dissuadé par ses principaux conseillers. On peut penser en ce domaine que la menace alliée de représailles massives « contre-cités » en cas de recours par l'Allemagne à ces armes ait exercé chez Hitler un salutaire effet de dissuasion[3]. Si l'on exclut la Première Guerre mondiale, il semble bien que la plupart des cas d'utilisation d'armes chimiques ne soient intervenus que lorsque l'adversaire ne disposait pas d'armes semblables. Les exemples récents abondent en ce sens et servent d'appui à ceux qui prétendent que ces armes sont de peu d'intérêt sur le plan militaire, mais d'un grand intérêt stratégique quant à la dissuasion.

Au lendemain de la Seconde Guerre mondiale, l'URSS s'est constitué un vaste stock d'armes chimiques à la suite de sa mainmise sur les industries allemandes et de son « enrôlement » de scientifiques allemands à cette fin. Robin Ranger va jusqu'à prétendre que dans les années cinquante la principale dissuasion dont disposaient les Soviétiques par rapport à l'arme tactique nucléaire occidentale reposait sur les armes chimiques. Chose certaine, tous les experts s'entendent aujourd'hui pour affirmer que les stocks soviétiques dépassent largement ceux qui sont détenus par les Occidentaux, c'est-à-dire principalement par les États-Unis et la Grande-Bretagne et accessoirement par la France. Le meilleur spécialiste britannique de ces questions, J.P. Perry Robinson, affirme par ailleurs sans hésitation que dans les doctrines soviétiques récentes on atténue la portée de l'importance ou de l'usage éventuel de l'arme chimique[4]. La RFA semble aussi penser de la même façon[5].

Cette affirmation ne saurait toutefois faire disparaître l'immense disparité du rapport des forces en matière d'armes chimiques. Les stocks des anciennes munitions chimiques américaines varieraient entre 30 000 et 80 000 tonnes. Selon J.P. Perry Robinson, les stocks américains que les États-Unis pourraient mettre en service s'avèrent plus considérables que ce que certaines déclarations américaines laissent croire[6]. Quant à l'URSS, certaines estimations font état d'un potentiel soviétique de 20 à 50 fois supérieur à celui des États-Unis[7]. En vertu de l'entente Kohl-Reagan de Tokyo, en mai 1986, les États-Unis se seraient engagés à retirer d'ici 1992 tous leurs armements chimiques d'Europe en contrepartie du soutien de la RFA à la mise au point par les États-Unis de leurs armes chimiques binaires. Selon des déclarations allemandes au *Bundestag,* il semble bien que cet accord contiendrait quatre clauses essentielles : 1. le retrait d'ici 1992 des armes chimiques américaines en RFA ; 2. aucun déploiement d'armes chimiques binaires américaines en temps de paix ; 3. l'obligation de consultations politiques étroites au sein de l'OTAN, préalables à tout déploiement ; et 4. l'acceptation de déploiement en temps de guerre par un autre pays de l'OTAN. J.P. Perry Robinson conclut à raison que cet accord correspond à l'institution *de facto* d'une zone franche d'armements chimiques en Europe de l'Ouest, excepté la France[8].

Il est vrai que ce canard boiteux résulte des exigences du Congrès américain en matière de fabrication d'armes binaires. En 1985, celui-ci a en effet réclamé qu'aucune production n'ait lieu avant que l'OTAN y ait donné son accord. Le 22 mai 1986, siégeant en session ministérielle, le Comité des plans de défense (CPD) de l'OTAN aurait donné le feu vert sur les armes chimiques dans le cadre de la contribution américaine au programme *Objectifs de forces pour 1987-1992* de l'OTAN. Selon le rapport de la Commission militaire de l'Assemblée de l'Atlantique Nord (AAN) de novembre 1986, seuls le Canada, la RFA et la

Grande-Bretagne se seraient ralliés à cette façon de voir. Tout cela laisse présumer qu'il n'y a pas de « dissuasion chimique » à l'intérieur de l'Alliance atlantique, si ce n'est celle qui est assumée par les États-Unis. Il est possible que ces circonstances expliquent en partie la décision française de novembre 1986 de procéder à la mise au point de ses propres armes chimiques binaires.

Dans ces conditions — la Grande-Bretagne ayant détruit ses stocks — les États-Unis, et peut-être aussi la France, seraient les seuls à pouvoir exercer un droit de « représailles ». J.P. Perry Robinson affirme, sans doute à raison, qu'il existe au sein de l'Alliance atlantique une procédure approuvée de représailles chimiques, conformément aux théories de la riposte souple[9]. Il tend cependant à considérer cette option comme largement problématique, surtout depuis l'entente Kohl-Reagan de 1986. Les États-Unis créent à cette fin l'ogive M 687 dont la production commencée en décembre 1987 est destinée aux canons de calibre de 155 mm et la bombe Bigeye dont l'efficacité a été à plusieurs reprises dénoncée et dont la production a commencé à l'automne 1988. Devant les difficultés d'acheminement rapide de ces armes en Europe, les États-Unis songent aussi à les entreposer, en partie, dans des bâtiments maritimes.

Quant au potentiel chimique du Pacte de Varsovie, on en sait bien peu. Plus de 80 000 officiers ou soldats seraient entraînés à l'usage de ces armes, dont environ 45 000 seraient affectés aux forces de l'armée de terre. Ces chiffres sont évidemment trompeurs, car une grande partie des unités sont entraînées à des fins de décontamination, de reconnaissance ou de protection. Certaines unités, les forces d'intervention spéciales (SPETNAZ) (Voïska Special'-nogo Naznačenija, SPETNAZ), qui relèvent de la Direction du renseignement militaire (GRU) (Glavnoe Razvedyvatel'noe Upravlenie, GRU), pourraient aussi intervenir en mission chimique. S'il existe un intérêt en URSS pour mettre au point des armes binaires, dont les composantes, bien qu'elles soient toxiques, sont relativement inoffensives lorsqu'elles sont tenues séparées, ce pays a toujours démenti l'existence d'un tel programme.

Les États-Unis tiennent essentiellement à mettre au point de telles armes pour deux raisons : d'abord pour se prévaloir des avantages de la dissuasion devant l'immense potentiel soviétique et, ensuite, pour forcer éventuellement l'adversaire à utiliser ses systèmes protecteurs, ce qui gênerait considérablement son avance ou la rapidité de ses manœuvres.

En dehors de ces deux alliances, les risques de prolifération chimique semblent progresser à un rythme rapide. En fait, il ne se passe pas d'années sans allégations d'usage d'armes chimiques par des pays tiers. Tous les ans, le SIPRI dresse une liste impressionnante des cas présumés. Pour 1986 seulement, une douzaine de cas sont recensés dans l'annuaire de 1987. L'inquiétude est particulièrement vive depuis l'usage de ces armes, confirmé par des enquêteurs indépendants, par l'Irak dans son conflit avec l'Iran. Par l'intermédiaire du Club de Bruxelles[10] composé à présent de 19 États, les Occidentaux soumettent désormais à un examen minutieux l'exportation de certaines matières chimiques, soit environ 35 produits, vers d'autres pays. Au contraire du Club de Londres qui réunissait les pays fournisseurs nucléaires de l'Ouest et de l'Est, celui de Bruxelles n'est composé pour l'instant que de pays occidentaux. L'URSS et certains pays de l'Est s'imposent aussi, semble-t-il, des retenues en ce qui a trait à l'exportation des substances chimiques à double usage — pacifique et militaire. Il n'est pas exclu que dans le cadre de la Convention sur les armes chimiques recherchée de nos jours on en arrive à instituer un organe de contrôle mandaté, à l'instar de l'Agence internationale de l'énergie atomique (AIEA), pour exercer un droit de surveillance sur la production ainsi que sur l'exportation et l'importation de certaines matières chimiques. On estime aujourd'hui qu'une bonne vingtaine de pays[11] sont en mesure de produire leurs propres armes chimiques ou bactériologiques. Selon le *Time Magazine,* 16 pays seraient aujourd'hui en possession de la « bombe atomique du pauvre », dont l'Iran, l'Irak, la Libye et la Syrie[12].

L'expérience canadienne en matière d'armes chimiques

Nous ne retraçons que brièvement ici les développements de la politique canadienne en matière d'armes chimiques depuis la Seconde Guerre mondiale jusqu'en 1969. Les autres éléments majeurs seront fournis au fur et à mesure de l'analyse de la politique canadienne de 1969 à nos jours.

C'est sous la tutelle du Conseil de recherches pour la défense, établi en 1947, que la recherche canadienne sur les armes chimiques se développe au Canada. Dès 1941 cependant, les Britanniques et les Canadiens coopèrent déjà à Suffield, en Alberta. Ce centre reste à l'époque actuelle le principal laboratoire où sont étudiées les méthodes de défense contre l'arme chimique. D'autres laboratoires sont ouverts à Kingston et à Shirley's Bay, ainsi qu'une station expérimentale à la Grosse Île, près de Québec. Celle-ci est fermée en 1946, réouverte en 1951, et de nouveau fermée un peu plus tard. C'est à partir de ce poste qu'est créé un important vaccin canadien contre la peste bovine, dont les retombées économiques, selon un observateur, auraient pu justifier l'ensemble du coût de la recherche canadienne sur les armes chimiques durant la Seconde Guerre mondiale[13].

L'apparition de l'arme à hydrogène et de l'armement nucléaire tactique oblige les Canadiens à revoir leur politique en 1955. Un comité, sous la direction du colonel R.P. Harkness, recommande la poursuite de la recherche à des fins défensives, notamment en matière d'équipement de protection, d'identification bactériologique, de décontamination et de traitement médical. La plupart des recherches canadiennes sont effectuées dans le cadre du Programme de coopération technique tripartite institué en 1957, à la suite des Accords des Bermudes, entre les États-Unis, la Grande-Bretagne et le Canada. La coordination des activités chimiques et bactériologiques reste sous la responsabilité du Conseil de recherches pour la défense. En 1965, l'Australie se joint au Programme le transformant ainsi en une coopération quadripartite. Toutefois, sa coordination est établie à partir de Washington.

De 1960 à 1966, différents exercices « Spot-check » démontrent que les Forces armées canadiennes ne pourraient opérer efficacement en cas de guerre conduite par des moyens chimiques[14]. C'est du moins ce qui ressort d'un document soumis au Cabinet le 23 août 1968. On recommande dans ce même mémoire la tenue à Suffield, en septembre 1968, de l'exercice Vacuum destiné conjointement avec des forces britanniques et américaines à « tester » l'équipement de protection canadien. Ce projet intervient tout de suite après l'élection du gouvernement Trudeau et une demande du ministère de la Défense de considérer l'éventualité d'entraîner les Forces armées canadiennes en mission chimique offensive. Le Bureau du désarmement s'inquiète d'autant plus que les réticences canadiennes par rapport à ces armes se font de plus en plus sévères, que les États-Unis s'enlisent au Viêt-nam, que le secrétaire général de l'ONU réclame une étude sur ces questions, et que le réseau anglais de télévision de Radio-Canada, dans l'émission *The Way It Is,* alerte les Canadiens relativement aux dangers des armes chimiques. Le gouvernement canadien maintiendra sa position traditionnelle : la recherche ne doit porter que sur les aspects défensifs de la guerre chimique.

Dans un document du président des chefs d'état-major interarmes daté du 1er mai 1963, on rappelle les principes généraux sur lesquels repose la politique canadienne :

- En aucune circonstance, le Canada ne déclenchera une guerre à caractère nucléaire, biologique ou chimique ;
- Les Forces armées canadiennes pourraient être appelées à participer à une guerre où les armes nucléaires, biologiques ou chimiques seraient utilisées en premier par l'adversaire ;
- Les Forces armées canadiennes vont développer les connaissances et la capacité nécessaires pour se doter de mesures de protection adéquates, ainsi que d'une capacité de représailles qui pourrait rapidement, si besoin est, être mise en œuvre.

On trouve ces directives qui relèvent du simple bon sens dans une lettre du directeur des plans de défense, le brigadier général H. Tellier, adressée le 31 décembre 1968 au Bureau des affaires politiques et militaires du MAE[15]. Ce dernier ajoute que ces directives sont toujours en vigueur et qu'elles n'ont pas changé depuis l'unification des Forces armées canadiennes. On revient aussi dans cette lettre sur la nécessité de se pencher sur l'examen du problème d'entraîner éventuellement les Forces armées canadiennes en mission chimique offensive, probablement, même si on ne le dit pas, pour répondre aux exigences du document de l'OTAN (MC 14/3) approuvé l'année précédente. On peut supputer ici que les États-Unis avaient besoin d'un allié sûr pour faire avancer cette idée au sein de l'OTAN, car on ne voit guère comment le Canada aurait pu réclamer la paternité d'une politique aussi peu canadienne. Au demeurant, on pourrait aussi conclure que la réserve canadienne rattachée au « droit de riposte » pouvait tout aussi bien justifier une telle requête. Quoi qu'il en soit, on opposera une fin de non-recevoir à ce projet. La situation en 1968 ressemble donc un peu à celle de 1987 qui a été décrite auparavant : les États-Unis portent à peu près seuls la responsabilité de la dissuasion chimique au sein de l'Alliance atlantique.

LA CONVENTION SUR L'INTERDICTION DES ARMES BACTÉRIOLOGIQUES OU À TOXINES

Examinons dans une première section les principales dispositions de la Convention sur l'interdiction des armes bactériologiques ou à toxines (CABT), avant de nous attaquer à la politique canadienne en la matière. Le texte définitif est présenté à l'Assemblée générale des Nations Unies le 28 septembre 1971. La CABT est ouverte à la signature des États, le 10 avril 1972, à Londres, à Moscou et à Washington. Le tableau 8 contient une liste des principales résolutions et propositions relatives à l'interdiction des armes bactériologiques ou à toxines.

Quelques mots d'explication s'imposent en matière de terminologie. Le rapport du secrétaire général de l'ONU du 1er juillet 1969 définit les toxines comme des armes chimiques biologiquement produites. Ces substances toxiques sont produites par des organismes vivants — plante, animal ou bactérie —, mais ne peuvent, au contraire des organismes qui les produisent, se reproduire d'elles-mêmes. C'est à la demande des États-Unis que les Britanniques acceptent d'ajouter les toxines à leur projet d'interdiction sur les armes bactériologiques.

Les termes bactériologique et biologique sont utilisés indistinctement dans le corps des textes que nous analysons. Le Protocole de Genève parle d'armes bactériologiques. Ni les Britanniques ni les Canadiens n'aiment beaucoup le terme biologique, car on estime que l'être humain peut aussi être considéré comme un « agent biologique ». On peut arguer, comme les Britanniques ont tenté de le faire, que le terme biologique est plus englobant que le terme bactériologique. En 1968, les Britanniques parlent des armes microbiologiques dans leur premier projet de convention d'interdiction, pressentant en cela les progrès du génie génétique. Une telle terminologie ne réussit pas à s'imposer, car certaines techniques microbiologiques ne font nullement appel à des transformations génétiques. On a donc contourné les difficultés par la formule des armes bactériologiques (biologiques). Les deux termes sont utilisés indifféremment dans la plupart des textes officiels.

Les recombinants d'acide désoxyribonucléique (ADN) ne sont connus qu'à compter du début des années soixante. C'est à partir de ces transformations dans les chaînes ADN que l'on peut aujourd'hui produire des armes comme certaines toxines, mais non toutes, car plusieurs font appel à des processus chimiques ou encore à des techniques de production purement synthétiques. On a résolu cette difficulté dans l'article I de la Convention sur l'interdiction des armes bactériologiques ou à toxines, à la demande des Canadiens, par la formule « quels qu'en soient l'origine ou le mode de production », pour s'assurer que tous les agents microbiologiques ou biologiques ou encore les toxines sont compris dans les termes de la Convention.

Quelles en sont les principales dispositions ? L'article I constitue le corps de la Convention. Il se lit comme suit :

Chaque État partie à la présente Convention s'engage à ne jamais, en aucune circonstance, mettre au point, fabriquer, stocker, ni acquérir d'une manière ou d'une autre, ni conserver :

1) des agents microbiologiques ou d'autres agents biologiques ainsi que des toxines, quels qu'en soient l'origine ou le mode de production, de types et en quantités qui ne sont pas destinées à des fins prophylactiques, de protection ou à d'autres fins pacifiques ;
2) des armes, de l'équipement ou des vecteurs destinés à l'emploi de tels agents ou toxines à des fins hostiles ou dans des conflits armés.

En ce qui a trait aux armes et agents prohibés, notons qu'il n'y a qu'une simple énumération et aucune définition. Les États ne tiennent pas en effet à ce que soit publiée une liste des agents existants et de ceux qui, à l'époque, pouvaient faire l'objet de recherche. Cette lacune est compensée par une extension de l'interdiction qui englobe désormais l'équipement et les vecteurs.

Seule la recherche à des fins prophylactiques, de protection ou à d'autres fins pacifiques est permise. Le caractère vague de la notion de « protection » peut prêter à diverses interprétations. Où commence-t-elle et où finit-elle ? L'interdiction des armes, de l'équipement et des vecteurs « à des fins hostiles ou dans des conflits armés » constitue par ailleurs un élargissement du Protocole de Genève qui ne portait que sur « l'emploi à la guerre ». La formule « à des fins hostiles et dans des conflits armés » laisse clairement entendre que la prohibition comprend tout à la fois les conflits interétatiques et les conflits internes. Les « fins hostiles » visent aussi sans doute à inclure l'hypothèse d'attaques terroristes...

Parmi les autres obligations assumées, les États s'engagent à détruire ou à convertir à des fins pacifiques (article II), dans les neuf mois suivant l'entrée en vigueur de la Convention, les systèmes ou les agents interdits dans l'article I. Une clause de non-transfert des systèmes ou des objets dont il est question à l'article I, calquée sur le Traité de non-prolifération des armes nucléaires, est incorporée à la Convention (article III). L'article V prévoit les modalités de consultation et de coopération à maintenir entre les parties relativement à l'application de la Convention et aux difficultés qui peuvent surgir. Le Canada et la Suède ont particulièrement insisté sur l'incorporation de la formule de « procédure internationale appropriée » dans le cadre de l'ONU et conformément à sa Charte, ce qui ouvre la voie aux pouvoirs du secrétaire général et à tous les organes subsidiaires que l'Assemblée générale ou le Conseil de sécurité pourraient vouloir mandater à cet égard .

Les méthodes de contrôle, soit la plainte et l'enquête, sont décrites à l'article VI. À la suite d'une plainte formulée par un État partie à la Convention auprès du Conseil de sécurité de l'ONU, celui-ci peut entreprendre une enquête. Il n'existe donc pas de système de contrôle international efficace, ni de procédures de vérification. Ainsi, la Convention repose sur la bonne foi des parties et sur leur coopération et leur assistance en matière de violations. Sur le

TABLEAU 8

Liste des principales résolutions et propositions relatives à l'interdiction des armes bactériologiques (biologiques) ou à toxines

Résolutions	
Rés. 2162 B (XXI)	Les États sont invités à se conformer aux stricts principes et objectifs du Protocole de Genève, 5 décembre 1966.
Rés. 2454 A (XXIII)	Demande adressée au secrétaire général de l'ONU en vue d'établir un rapport concis sur les effets de l'emploi éventuel des armes chimiques ou bactériologiques, 20 décembre 1968.
Rés. 2826 (XXVI)	L'Assemblée générale des Nations Unies donne son aval au projet de convention, 6 décembre 1971.
Propositions	
Grande-Bretagne	Projet de convention sur l'interdiction de la guerre microbiologique, ENDC/231 (6 août 1968).
Grande-Bretagne	Projet de convention sur l'interdiction des moyens de guerre biologique, CCD/255 (10 juillet 1969) : Rév. 1 (26 août 1969).
Rapport du secrétaire général de l'ONU	Armes chimiques et bactériologiques et les effets de leur utilisation éventuelle, A/7575 et S/9292 (1er juillet 1969).
URSS et pays de l'Est	Projet de convention sur les armes chimiques et bactériologiques (biologiques) et sur leur destruction, A/7655 (19 septembre 1969). Projet amendé à la CCD le 14 avril 1970 (CCD 285/Corr. 1) et à l'AGNU le 23 octobre 1970 (A/8136).
URSS et pays de l'Est	Projet de convention sur les armes bactériologiques (biologiques) ou à toxines, CCD/325/Corr. 1 (30 mars 1971).
URSS *et al.*, États-Unis *et al.*	Projets de convention distincts mais identiques, CCD/337 (5 août 1971), URSS *et al.* ; CCD/338 (5 août 1971), États-Unis *et al.*
Bulgarie, Canada, États-Unis, Grande-Bretagne, Hongrie, Italie, Mongolie, Pays-Bas, Pologne, Roumanie, Tchécoslovaquie et URSS	Convention sur l'interdiction de la mise au point, de la fabrication et du stockage des armes bactériologiques (biologiques) ou à toxines et sur leur destruction, CCD/353 (28 septembre 1971).
Convention ouverte à la signature :	10 avril 1972.
Date de ratification de la Convention :	18 septembre 1972.
Entrée en vigueur de la Convention :	26 mars 1975 (au Canada).

plan politique, la confiance est cependant renforcée par l'insertion de l'article V aux termes duquel les États peuvent s'engager dans un processus de consultations bilatérales.

Les allégations en la matière seront nombreuses, plus particulièrement en Asie du Sud-Est. Le 26 novembre 1982, un groupe d'experts des Nations Unies soumet son rapport au secrétaire général de l'ONU[16]. Le groupe se révèle incapable de conclure ni dans un sens ni dans l'autre, encore que les soupçons relatifs aux allégations formulées ne puissent être écartés. Du côté canadien, une étude officieuse de G.C. Butler recommande aux Affaires extérieures, en décembre 1981, une investigation plus poussée en la matière. Cette étude est suivie d'une deuxième, largement fondée sur des propos recueillis auprès de réfugiés politiques en Asie du Sud-Est. Dans un troisième rapport, un peu plus officieux cette fois, on note à propos des deux premiers rapports qu'ils faisaient état « d'une très forte probabilité du recours aux armes chimiques dans la région », bien qu'aucune preuve définitive n'ait été obtenue à cet égard[17]. Notons qu'à l'issue d'une enquête réalisée en 1982 par H. Bruno Schiefer, à l'époque directeur du Département de toxicologie à l'Université de Saskatchewan, on souligne que les phénomènes observés ne peuvent être expliqués sur la base de « maladies naturellement produites ». Donc, les soupçons demeurent. J.P. Perry Robinson précise, se fiant en cela à un rapport du président Reagan, qu'il n'y a pas eu, en Afghanistan, au Kampuchéa ou au Laos, en 1984, d'attaques par armes chimiques ou à toxines et qu'auraient diminué, en 1985, les allégations de recours à ces armes dans cette région[18].

Ces rapports ne concernent essentiellement que l'arme chimique. D'autres études ont porté sur les armes biologiques, plus particulièrement sur la question des « pluies jaunes ». En 1982, une équipe canadienne sous l'égide du ministère de la Défense est envoyée en Thaïlande. Les résultats de l'enquête s'avèrent plus positifs que négatifs[19], mais les conclusions sont loin d'être claires. D'autres études américaines sont plutôt non concluantes[20], les mycotoxines décelées pouvant tout aussi bien s'apparenter aux excréments des abeilles à miel de la région. La même conclusion émerge de l'étude du ministère de la Défense en avril 1986[21]. Une étude de 1987 constitue, en ce domaine, celle qui ferait autorité aux yeux des spécialistes[22]. Notons en passant que toutes les études canadiennes, à l'exception de celle de Norman et Purdon publiée au Canada, ont été transmises par le gouvernement canadien au secrétaire général de l'ONU.

J.P. Perry Robinson insiste sur le fait qu'à moins de preuves il sera difficile de faire avancer le débat sur cette question. Tous ces incidents présumés laissent entendre, toutefois, que seule la possibilité pour les enquêteurs de se rendre rapidement sur les lieux pourra pallier les insuffisances de la Convention sur l'interdiction des armes bactériologiques ou à toxines. Lors de la première Conférence d'examen de la Convention en 1980, la question des « procédures internationales appropriées » fut élargie à la possibilité pour un État de réclamer « qu'une réunion consultative ouverte à tous les États parties soit convoquée au niveau des experts », dans un environnement sans droit de veto. À l'époque, le Canada estime que les procédures de vérification sont insuffisantes pour résister à l'usure du temps et à la tentation pour certains États de s'engager éventuellement dans la voie de la production de telles armes[23]. On apporte donc un effort particulier aux questions de la « coopération et de la consultation » ainsi qu'à la plus grande transparence souhaitée du fonctionnement de la Convention.

Le 13 décembre 1982, la Suède avec sa résolution 37/98 C propose la tenue d'une conférence spéciale pour renforcer les procédures du respect de la CABT. La France, quant à elle, par sa résolution 37/98 D, encourage le secrétaire général de l'ONU à faire enquête sur toute activité qui pourrait constituer une entorse au Protocole de Genève ainsi qu'à se constituer un groupe d'experts susceptibles de pouvoir rapidement intervenir à ce propos. Même s'il s'agit, dans ce dernier cas, du domaine des armes chimiques, on constate la tendance à vouloir élargir la question des « procédures internationales appropriées » et à mandater une partie neutre, c'est-à-dire le secrétaire général de l'ONU, pour assumer ces responsabilités.

La Conférence d'examen de 1980 s'ouvre au milieu des accusations portées contre l'URSS sur les incidents de Sverdlovsk où a éclaté, en 1979, une épidémie d'anthrax. Ces mêmes accusations sont reprises par le délégué américain, Donald Lowitz, lors de la seconde Conférence d'examen, en septembre 1986. L'ambassadeur soviétique, Victor Issraelyan, réfute évidemment ces allégations. Pour la première fois, l'URSS fournit une explication officielle : l'épidémie d'anthrax de 1979 aurait été due à la consommation de viande de bœuf contaminée. Ces explications n'ont jamais satisfait les États-Unis. Pendant quelque temps, ceux-ci atténuent la sévérité de leurs propos à ce sujet. Le Département de la Défense américain revient cependant à la charge avec un rapport fort incriminant[24], le 24 mars 1987.

La principale contribution de cette Conférence d'examen a trait à l'article I de la Convention. Alors qu'en 1980 on estimait cet article suffisamment englobant pour comprendre l'évolution des progrès scientifiques, la Déclaration finale de 1986 élargit l'interprétation de l'article I. Celui-ci inclut désormais tous les agents microbiologiques, biologiques et les toxines « naturels ou artificiellement créés ». Par conséquent, les toxines ou leurs analogues synthétiques sont inclus. Cela n'ajoute cependant rien à l'interdiction initiale puisqu'elle précisait déjà que tous les agents étaient inclus, « quels qu'en soient l'origine ou le mode de production ».

En matière de coopération scientifique et d'échanges d'information, la seconde Conférence d'examen s'est prononcée en faveur de la constitution d'un Groupe ad hoc chargé d'examiner ces problèmes. Celui-ci s'est réuni à Genève du 31 mars au 15 avril 1987. En ce qui a trait à l'article 5, on insiste sur la nécessité qu'un groupe consultatif puisse « promptement » être constitué, en cas de requête, et qu'il puisse « étudier tout problème » relatif à la Convention, dans le cadre d'une « coopération mutuelle » des États parties à la Convention[25].

LA POSITION CANADIENNE DE 1966 À 1972

C'est avec la résolution hongroise présentée en commission politique en novembre 1966 que le sujet des armes chimiques et bactériologiques revient sur le tapis des négociations internationales. Le projet de résolution initiale est manifestement destiné à condamner l'usage des armes chimiques par les États-Unis au Viêt-nam. Une série d'amendements soutenus par huit autres pays va jusqu'à réclamer l'interdiction du recours à ces armes « pour détruire des êtres humains et leurs moyens d'existence ». Les délégations occidentales, le Canada, l'Italie, la Grande-Bretagne et les États-Unis présentent des amendements de dernière heure qui, à leur grande surprise, sont acceptés. Cette démarche est à la base de la résolution 2162 B (XXI) du 5 décembre 1966, par laquelle on invite les États à se conformer strictement aux objectifs et principes du Protocole de Genève. On invite aussi les États qui n'en sont pas encore parties à y adhérer.

Jusqu'au 6 août 1968, lorsque les Britanniques déposent un document de travail sur les armes microbiologiques au Comité des dix-huit puissances[26], le Canada fait face à trois choix politiques fondamentaux. Un premier choix serait de mettre à jour et de réviser le Protocole de Genève. Cette option ne paraît guère encourageante, car outre le fait qu'elle rouvrirait le Protocole de Genève à une lourde procédure d'amendement, certains États pourraient profiter de cette occasion pour s'en dissocier ou encore pour n'en accepter que l'interprétation la moins contraignante. La deuxième option consisterait à proposer une Convention entièrement nouvelle qui toucherait tous les aspects de contrôle des armes bactériologiques et chimiques, notamment au sujet de leur possession, de leur production, de leur destruction et du non-recours à ces armes. Cette attitude ne paraît guère réaliste et Burns, à Genève, s'empresse de préciser que dans les circonstances cette approche n'est tout simplement pas négociable, étant donné la vaste étendue des moyens de contrôle qu'une telle Convention impliquerait[27].

Reste la troisième option défendue par les Britanniques : dissocier les négociations sur les armes bactériologiques de celles qui portent sur les armes chimiques. Il est convenu qu'une telle approche ne met pas en doute les fondements ou la valeur du Protocole de Genève de 1925, mais qu'elle doit plutôt être considérée comme un « complément » à cet accord. Encouragés par le rapport du secrétaire général de l'ONU de juillet 1969, les Britanniques font un second pas dans la dissociation des problèmes en déposant formellement à Genève, le 10 juillet 1969, leur projet de convention sur l'interdiction des armes bactériologiques (biologiques).

Cette dernière démarche réduit évidemment les conflits d'intérêts. Pour sa part, le Bureau juridique des Affaires extérieures estime que le Protocole de Genève ne comprend pas les défoliants et les gaz anti-émeutes. Quant au Conseil de recherches pour la défense, il n'est pas sûr que la première option soit la meilleure, car si l'on ouvre ce dossier, cela pourrait mettre fin aux accords de coopération internationale auxquels, pour des raisons scientifiques, il tient beaucoup[28]. Dans ces conditions, le Bureau du désarmement se demande s'il ne vaudrait tout simplement pas mieux s'en remettre à des déclarations unilatérales, destinées à préciser l'interprétation que se font les pays du Protocole de Genève. C'est ce que fera le gouvernement canadien dans sa déclaration à la CCD, le 24 mars 1970.

L'examen de la proposition britannique ne règle cependant pas tous les problèmes. En cas de conclusion d'une convention séparée sur les armes bactériologiques, doit-on, comme dans le Protocole de Genève, maintenir éventuellement ouverte l'option des « représailles » possibles ? Autrement dit, la convention à négocier doit-elle prendre l'allure d'une interdiction non conditionnelle ou faut-il au contraire la calquer sur le Protocole de Genève, c'est-à-dire en faire un instrument international de non-usage en premier ? Il n'est guère difficile de prévoir ce que voulaient les militaires. Le Conseil de recherches pour la défense estime acceptable la négociation d'une convention qui porterait sur l'interdiction globale d'un recours aux armes biologiques[29]. Par ailleurs, la position américaine, n'est guère logique. On prétend que l'interdiction des armes bactériologiques dans le Protocole de Genève est universelle et non restrictive. Les Canadiens ne manquent pas de faire remarquer aux Américains que leur position équivaut aux deux poids deux mesures ou, si l'on veut, elle revient à considérer l'accord de Genève comme deux moitiés de protocole qui peuvent être interprétées de façon différente selon qu'il s'agit des armes chimiques ou bactériologiques.

À la défense de la position américaine, précisons que l'Agence de contrôle des armements et du désarmement (ACDA) fonde son interprétation « sur les travaux préparatoires et l'historique des négociations » du Protocole de Genève[30]. La question paraît ici un peu académique, mais elle n'est pas sans importance quant aux termes qu'il faudra inclure dans les interdictions de la Convention. En effet, si l'on supprime le droit de riposte de même nature, cela signifie aussi que les activités de recherche sur les armes bactériologiques ne sont pas nécessaires, car à quoi bon maintenir un droit de recherche sur des activités qui seront de toute façon interdites ? Ce à quoi les militaires répondent que la recherche à des fins de « protection » doit continuer d'exister.

Entre-temps, M.K. McPhail, du Conseil de recherches pour la défense, est nommé, en janvier 1969, consultant auprès du groupe d'experts chargé par le secrétaire général de l'ONU de réaliser une étude sur les armes chimiques et biologiques. À Genève, Burns n'est guère heureux de cette nomination, car même s'il affirme ne pas connaître le candidat, il ne trouve guère de son goût qu'un représentant d'un grand centre de recherches sur les armes chimiques et biologiques soit choisi pour se pencher sur leur éventuelle élimination. Sur ce point, le Canada a parfaitement raison, puisque l'étude vise précisément à faire la lumière sur des questions techniques, ainsi qu'à « informer » le public des conséquences néfastes du recours à ces armes.

L'avant-propos du rapport du secrétaire général de l'ONU soumis en juillet 1969 pose évidemment un difficile problème pour les autorités canadiennes[31]. Si elles se rallient au vœu du secrétaire général, cela signifierait que le Protocole de Genève de 1925 représente une coutume acceptée du droit international et non un accord de nature contractuelle n'engageant que les parties. De plus, les militaires estiment que les armes chimiques, surtout les gaz anti-émeutes, «peuvent être des moyens de contrôle plus humanitaires, dans certaines circonstances, que le recours pur et simple à la force militaire». La question est donc envoyée au Cabinet pour examen. Le 24 novembre 1969, le mémoire préparé par le MAE à l'intention du Cabinet se lit comme suit:

> Nous recommandons que la Délégation canadienne se prononce en faveur des recommandations du secrétaire général, avec la réserve que les autorités canadiennes considèrent que le recours à des armes chimiques non létales est plus humain, dans certaines circonstances à la guerre, que plusieurs autres armes qui tuent ou causent des souffrances au lieu de rendre [l'adversaire] incapable; qu'il apparaît illogique ou peu réaliste d'interdire l'usage à la guerre des mêmes agents non létaux qui sont utilisés en temps de paix pour le contrôle des émeutes; et qu'à moins que ces anomalies ne soient éliminées dans le projet d'accord international envisagé par le secrétaire général, le Canada devra maintenir ses réserves à ce propos[32].

En réalité, ce mémoire fait suite à une lettre du premier ministre Trudeau adressée, le 15 août 1969, à Mitchell Sharp et l'enjoignant de procéder à un examen de la politique canadienne en la matière. Déjà le 3 juillet 1969, le premier ministre Trudeau a cependant déclaré à la Chambre que cette question faisait l'objet d'un «réexamen». Un remarquable document intitulé «Examen des politiques canadiennes de désarmement et de contrôle des armements relatives à la guerre chimique et biologique» est préparé à ce propos le 4 novembre 1969. Le mémoire du 24 novembre ne fait que reprendre certains éléments de cette reconsidération.

À sa réunion du 9 décembre 1969, le Comité du Cabinet sur les affaires extérieures et la défense confirme les réserves souhaitées par les ministères des Affaires extérieures et de la Défense, soutient le projet britannique d'une convention sur les armes biologiques comme constituant un complément au Protocole de Genève de 1925 et souhaite également que le projet soviétique[33] d'une convention soit examiné avec le plus grand soin afin de proposer des modifications qui pourraient le transformer en un instrument approprié pour renforcer les dispositions du Protocole de Genève sur les questions de la guerre chimique. Deux jours plus tard, soit le 11 décembre, le Cabinet en session plénière confirme ces décisions.

Le 24 mars 1970, le délégué canadien à la CCD, George Ignatieff, déclare[34]:

> Le Canada n'a jamais eu et ne possède pas d'armes biologiques (ni de toxines) et n'a pas l'intention de créer, de produire, d'acquérir, ni d'accumuler de telles armes dans l'avenir.

> Le Canada ne possède pas d'armes chimiques [...] et n'a pas l'intention d'utiliser de telles armes[35] en aucun moment dans l'avenir, à moins que ces armes ne soient utilisées contre ses forces militaires ou contre la population civile du Canada ou de ses alliés. Cette dernière condition est conforme aux réserves que le Canada a exprimées au moment de la signature du Protocole de Genève de 1925. Nous serions prêts à retirer formellement ces réserves si des accords efficaces et vérifiables peuvent être négociés pour détruire tous les stocks et empêcher la mise au point, la production et l'acquisition des armes chimiques.

La position canadienne est ici subtile. Sur la question des armes biologiques, la politique canadienne est claire. La renonciation est totale et aucune réserve n'est maintenue. En matière d'armes chimiques, on confirme l'intention du non-recours à ces armes, ce qui n'est pas difficile puisque le Canada n'en possède pas. On ajoute que seul le droit de « riposte » est maintenu, conformément aux réserves enregistrées par le Canada au moment d'apposer sa signature au Protocole de Genève de 1925. Ottawa va donc beaucoup plus loin que Washington qui soutient que le Protocole n'interdit pas le recours à la guerre aux armes chimiques non létales. On se dissocie donc de Washington tout en admettant la portée pratique du droit de riposte. De plus, on se déclare prêt à supprimer cette dernière réserve en cas de conclusion d'accords efficaces et vérifiables.

R. Ranger prétend qu'une telle déclaration aurait eu beaucoup plus de poids si elle avait été faite par le secrétaire d'État aux Affaires extérieures[36]. Il est vrai qu'entre-temps les critiques internes s'accumulent à vive allure. Le professeur James Eayrs parle de la « téméraire hospitalité » du Canada relativement aux recherches américaines et britanniques, de l'ouverture démontrée à Suffield à ces mêmes alliés « des chambres à gaz et des tunnels de germes » canadiens, tandis qu'Andrew Brewin, du Nouveau Parti démocratique, réclame d'urgence une décision canadienne en la matière, prétextant qu'il est impossible de distinguer les activités défensives et offensives, et que les médias se sont depuis longtemps emparés de cette question. Ranger n'a pas tout à fait tort ici. À la suite de ses entretiens avec le premier ministre à l'ONU, George Ignatieff lui aurait demandé de faire une déclaration d'ouverture à la reprise de la session de la CCD en février 1970. La déclaration canadienne n'ayant pu être approuvée à temps, c'est à Ignatieff que revient le privilège de la lire à la CCD. Il semble bien par ailleurs que le premier ministre n'a pas estimé que cette déclaration contenait les éléments d'une nouvelle politique qui aurait nettement tranché avec le passé.

À ce propos, rappelons que dans sa déclaration du 25 novembre 1969 le président Nixon a déjà annoncé son intention de faire ratifier par son pays le Protocole de Genève, sans toutefois renoncer aux défoliants et aux herbicides, et que dans cette même déclaration il a aussi renoncé à l'option biologique et à toutes les méthodes de guerre biologiques, les seules recherches permises devant être confinées aux problèmes d'immunisation et de mesures de « sécurité » pour les personnes qui travaillent dans les laboratoires. En outre, le président Nixon dépasse le Protocole de Genève puisqu'il s'interdit contre tout pays tiers, signataire ou non du Protocole de Genève, le recours en premier à l'arme chimique à caractère mortifère ou incapacitant[37]. Cette déclaration est complétée par une seconde, le 14 février 1970, où la renonciation est étendue aux toxines. La voie est donc ouverte à la négociation d'une Convention sur les armes biologiques ou à toxines que les États-Unis souhaitent désormais voir ajoutées à la CABT, pour peu que les Soviétiques veulent bien se prêter à la dissociation des problèmes entre les armes bactériologiques et chimiques. Sans doute pour répondre aux critiques selon lesquelles la CCD n'a encore jamais accouché de mesures concrètes en matière de contrôle des armements, l'URSS et les pays socialistes déposent le 30 mars 1971 leur propre projet de convention sur l'interdiction des armes biologiques et des toxines. Le 5 août 1971, deux projets distincts mais identiques sont déposés à Genève par les États-Unis et leurs alliés, d'une part, et l'URSS et les pays d'Europe de l'Est, d'autre part[38]. Après des amendements au projet de convention, celui-ci sera finalement parrainé par 12 États[39] et présenté à l'AGNU le 28 septembre 1971. La résolution 2826 (XXVI) donne son aval à cette Convention. Le 10 avril 1972, la CABT est ouverte à la signature des États. Au début de 1987, 107 États sont parties à cette Convention.

En dépit de l'importance de la déclaration canadienne du 24 mars 1970, George Ignatieff à Genève est loin d'être satisfait. En fait, il n'a jamais accepté la décision du Cabinet de décembre 1969. Il parlera, en privé, d'un «bazardage» de la politique canadienne aux mains du ministère de la Défense. En réalité, il souhaite que les défoliants et les herbicides soient aussi englobés dans la déclaration canadienne. Il n'a pas d'objections à ce que les gaz lacrymogènes soient retenus pour les conflits d'ordre interne, mais il souhaite que l'on sorte de l'ornière traditionnelle des gaz létaux et non létaux, pour en arriver peu à peu à une liste des substances chimiques à interdire. Cette procédure avait été rejetée depuis longtemps par le Conseil de recherches pour la défense qui opinait qu'une telle liste serait inépuisable, en constante évolution et susceptible de créer davantage de problèmes qu'elle n'en résoudrait.

Par ailleurs, d'importantes consultations ont lieu au sein de l'OTAN sur la question des armes chimiques. De son côté, le Canada prépare son Livre blanc de 1971 sur la défense. S'il est question des armes chimiques et du caractère défensif des recherches à Suffield, aucune mention n'est faite des défoliants ou des incapacitants. Les Canadiens et les Britanniques se consultent aussi sur ces questions. Pour sa part, le ministère des Affaires extérieures tend de plus en plus à percevoir les problèmes comme une question relevant de l'opinion publique internationale. En outre, le droit de riposte lui apparaît constituer une option plutôt théorique que réelle. On souhaite donc que cette question soit rediscutée au sein du Cabinet, indépendamment du Livre blanc sur la défense.

En 1971, le Cabinet accepte de revenir sur sa décision. Selon certaines sources, le Cabinet aurait changé d'avis non seulement à cause des protestations de George Ignatieff, mais aussi à cause de celles d'un chimiste reconnu, John C. Polanyi, qui recevra le prix Nobel de chimie en 1986. Les principaux éléments de la décision du Cabinet sont contenus dans la déclaration canadienne faite par l'ambassadeur Ignatieff en commission politique, le 16 novembre 1971. La déclaration est à ce point alambiquée que l'Annuaire des Nations Unies sur le désarmement (1970-1975) n'en fait même pas état. Le *SIPRI Yearbook* de 1972 en fait mention dans une note en bas de page[40] ! Par ailleurs, peu de Canadiens paraissent au courant de cette décision.

En substance, l'ambassadeur du Canada déclare que les « réserves » du Canada en ce qui a trait à l'usage en temps de guerre d'agents chimiques « doivent être abandonnées ». Ignatieff réitère le premier paragraphe de sa déclaration du 24 mars 1970 et ajoute, dans le second paragraphe, que le Canada n'a pas l'intention en aucun moment dans l'avenir « d'avoir recours à des armes chimiques en temps de guerre ». On contredit toutefois cette affirmation en maintenant la clause « à moins que ces armes ne soient utilisées contre les forces militaires ou la population civile du Canada ou de ses alliés ». On réaffirme, en outre, le désir du Canada de renoncer à ses réserves en cas de conclusion d'un accord efficace et vérifiable sur les armes chimiques. La seule nouveauté est la conclusion. « Je pense, Monsieur le Président », poursuit Ignatieff, qu'il est évident que cette déclaration s'applique à tous les agents chimiques et biologiques dont l'usage est envisagé contre des personnes, des animaux ou des plantes. » Le but de cette déclaration est double : supprimer la réserve antérieure pour ce qui est des gaz lacrymogènes et des autres agents anti-émeutes en temps de guerre — entre États — et bien préciser que la renonciation canadienne s'applique tout à la fois aux défoliants et aux herbicides. Quant au caractère contorsionniste de cette déclaration, il est problable qu'elle avait à dessein pour but d'éviter que l'interprétation que le Canada se faisait du Protocole de Genève soit perçue comme étant à caractère universel et non restrictif.

Dans sa correspondance avec les auteurs du présent ouvrage, George Ignatieff fournit une précision supplémentaire sur la vision des choses qu'il avait à l'époque[41]. « Ce qu'il importait d'éviter, écrit-il, c'était qu'en dissociant les armes chimiques des armes bactériologiques, on en arrive ainsi à légitimer les réserves américaines sur les armes chimiques[42]. » Cette attitude est parfaitement défendable. Les archives du ministère de la Défense comme celles du ministère des Affaires extérieures démontrent cependant que l'on était loin d'un consensus sur ces questions. Dans ses mémoires, Ignatieff semble considérer que la direction des politiques sur ces grandes questions fut abandonnée aux autres ministères plus directement concernés[43]. Vu à posteriori, ce jugement apparaît un peu sévère.

La déclaration du 16 novembre 1971 ne reste évidemment qu'une déclaration unilatérale d'intention. Quant au désir affirmé de renoncer à toute réserve en cas de conclusion d'un accord global sur les armes chimiques, on donne ici dans l'évidence. Car si le Protocole de Genève avait prévu un système d'inspection et de contrôle aussi efficace et global que celui que l'on souhaite voir institué encore de nos jours dans le cadre d'une CAC, il est probable que les parties au Protocole de Genève n'auraient pas assorti leur adhésion à celui-ci des réserves que nous connaissons aujourd'hui. Quoi qu'il en soit, si jamais une Convention sur les armes chimiques est conclue dans l'avenir, le Canada devrait divulguer les détails du contenu de sa décision de 1971.

LA CONVENTION SUR LES ARMES CHIMIQUES

Pour certains, la CABT ne représente qu'un bien faible progrès puisque les États parties ne se sont engagés qu'à détruire quelque chose qu'ils ne possédaient pas de toute façon. Ce jugement est probablement vrai pour la plupart des pays, mais ne s'applique sans doute pas aux grandes puissances. En 1969, le président Nixon a ordonné la destruction de tous les stocks biologiques américains. De son côté, l'URSS n'a jamais déposé à Genève un document certifiant la destruction de ses stocks[44]. L'URSS ne pouvait évidemment pas suivre une telle procédure alors qu'elle n'avait jamais reconnu dans le passé posséder de telles armes. La Convention marque néanmoins des progrès considérables dans l'établissement d'un accord multilatéral à caractère contraignant. Le fait que la plupart des États aient signé cette Convention traduit bien le sentiment de la communauté internationale à l'égard de ces armes, dont les effets s'avèrent malaisément contrôlables, imprévisibles et sans doute très difficiles à neutraliser en temps de conflit — à moins de vacciner tous les militaires au préalable —, puisqu'il en irait de l'immunisation des populations sur une vaste échelle, à condition, bien sûr, que l'antidote biologique requis existe ou soit découvert à temps.

Les progrès du génie génétique étant rapides, on peut penser que les armes biologiques, poids pour poids, soient infiniment plus menaçantes que les armes chimiques. De là à affirmer, comme la Suède et le Canada l'ont fait dans le passé, que l'interdiction de telles armes constitue la première mesure de désarmement effective depuis 1945, c'est là un pas un peu vite franchi. C'est pour des raisons morales et humanitaires devant une arme qui pourrait trop facilement et rapidement se retourner contre eux-mêmes que les États ont rapidement avisé au bon sens.

Il en va tout autrement des armes chimiques dont les progrès considérables depuis 1945, notamment en ce qui concerne les neurotoxiques — les agents létaux —, pourraient laisser croire à un usage possible ponctuel en temps de conflit. En ce domaine, il est malheureux de constater que les exemples les plus fréquents d'utilisation présumée de ces armes l'ont été contre un pays, c'est-à-dire l'Iran, qui ne possédait à l'époque aucun moyen de riposte en la matière. À partir de 1969, les États-Unis ne produisent plus d'armes chimiques. Depuis l'accord Kohl-Reagan de 1986, la production d'armes binaires a été approuvée, sur une base certes très limitée et avec de nombreuses réserves, par le Congrès américain. Cette démarche paraît conforme à la stratégie américaine de vouloir en toutes circonstances se prévaloir des avantages de la dissuasion, aussi longtemps que l'adversaire et d'autres pays tiers n'auront pas renoncé, de leur côté, à la possession d'armes chimiques. D'autre part, l'approche ressemble au plan Baruch de 1945 : pas de renonciation, d'interdiction ni d'élimination sans assurance d'un système de contrôle efficace et de vérification de la destruction des stocks existants.

Les négociations sur les armes chimiques

Jusqu'en 1979, les négociations au sein de la CCD tournent autour de trois propositions principales : 1. le projet de convention du 28 mars 1972 des pays socialistes membres de la CCD qui ne fait que reprendre en gros les articles de la CABT[45] ; 2. le document de travail japonais soumis en 1973 qui est, en avril 1974, transformé en projet de convention[46] ; et 3. le projet britannique de convention du 6 août 1976, composé de 17 articles, qui s'efforce d'établir un compromis entre les deux premiers projets[47].

Entre-temps, après la rencontre au sommet de Moscou, en juillet 1974, les grandes puissances sont convenues « de se mettre d'accord sur la possibilité de conclure une initiative commune » dans le but de produire un projet de Convention destiné à interdire les moyens les plus dangereux et les plus létaux de la guerre chimique. La procédure est manifestement conçue en vue de contourner les discussions multilatérales à ce propos au sein de la CCD. En 1975, les États-Unis ratifient le Protocole de Genève avec les réserves que l'on sait. En 1976, des discussions techniques ont lieu entre les grandes puissances, suivies d'une période de négociations bilatérales de 1977 à 1980. C'est au moment de ces négociations qu'un premier pas est franchi le 7 août 1979, lorsque les grandes puissances transmettent au président du Comité du désarmement (le CD) un rapport commun[48] sur les progrès de leurs consultations bilatérales sur les armes chimiques amorcées depuis août 1976.

En janvier 1980, les négociations sont dans l'impasse. Deux éléments expliquent une telle situation : le manque de progrès sur les questions de vérification et l'intervention soviétique en Afghanistan. En fait, elles reprennent en juillet[49], mais la nouvelle administration Reagan ne juge pas à propos de poursuivre plus avant à cause de l'impossibilité d'une entente en matière de vérification.

Le CD tire profit de cette impasse en 1980, pour créer son propre Groupe de travail ad hoc sur les armes chimiques. Le Canada, à la suite du Japon, de la Suède et de la Pologne, assume la présidence — D.S. McPhail — de ce Groupe en 1983. Dans son rapport, il dresse une liste des « dispositions essentielles à inclure dans un projet de convention », après un examen attentif des textes et propositions[50]. Ce déblocage de la situation est largement dû aux efforts de la diplomatie canadienne qui obtient de la sorte que pour la première fois on passe au sein du CD d'une stratégie de délibération-élaboration à une stratégie de négociations proprement dites. Sur certaines questions, on va même jusqu'à affirmer que les points de convergence se révèlent plus considérables que cela n'apparaît de prime abord. McPhail[51] estime particulièrement importants les projets américain et soviétique[52], car dans ce dernier, pour la première fois, on reste éventuellement ouvert au principe de l'inspection sur place. À la suite d'une proposition de la présidence du Groupe de travail ad hoc sur les armes chimiques, on décide d'établir quatre sous-groupes de contact dont les responsabilités sont ainsi réparties :

- sous-groupe A : les stocks existants ;
- sous-groupe B : les dispositions de vérification et de respect de la Convention ;
- sous-groupe C : l'interdiction d'emploi ;
- sous-groupe D : les définitions.

En 1984, la Conférence du désarmement (la CD) crée son propre organe subsidiaire sur les armes chimiques, chargé de rédiger les principaux éléments d'un projet de convention « à l'exclusion de sa rédaction finale ». Cet organe devient le Comité ad hoc sur les armes chimiques qui établira, à son tour, trois groupes de travail — A, B et C — chargés respectivement d'étudier l'étendue de la Convention sur les armes chimiques et ses problèmes de définition, le problème de l'élimination des stocks et des installations, et toutes les questions relatives au respect de la Convention.

Le 18 avril 1984, les États-Unis, par l'intermédiaire du vice-président Bush, soumettent un projet de convention sur l'interdiction globale des armes chimiques[53]. Les dispositions du projet comprennent les éléments suivants : mise au point, production, acquisition, rétention, transfert et destruction des stocks. Le projet prévoit un système d'inspections obligatoires par mise en demeure *(challenge)*. Au moment d'écrire ces lignes, non seulement la position des États-Unis a très peu bougé depuis, mais les Soviétiques s'en sont sensiblement rapprochés.

Le 15 juillet 1986, la Grande-Bretagne présente une formule de rechange[54] : le système d'inspection est obligatoire, sauf dans de rares cas jugés exceptionnels. Elle estime que le droit de refuser une inspection peut être légitime dans certaines circonstances. L'État soupçonné devra cependant démontrer qu'il continue de respecter les termes de la Convention et proposer à cet égard d'autres méthodes susceptibles de donner satisfaction à l'État demandeur. Les Soviétiques se sont évidemment ralliés à cette proposition britannique lors d'un discours prononcé le 3 novembre 1986, en commission politique, par le représentant Issraelyan à l'ONU. Le 10 novembre, le ministre Chevardnadze accepte aussi comme base de discussion la proposition britannique. En réalité, l'appui soviétique à la proposition britannique remonte à juillet 1986 au sein de l'atelier C du Comité ad hoc sur les armes chimiques.

Le 6 août 1987, le ministre Chevardnadze fait volte-face. Il accepte à Genève le principe d'inspection par mise en demeure, sans droit de refus. Des précisions supplémentaires sont fournies à ce sujet quelques jours plus tard par le délégué Nazarkin.

Les prédictions tournent depuis à l'optimisme réservé. Dans le rapport soumis par le Comité ad hoc sur les armes chimiques en 1987, un projet de convention de 56 pages sur les armes chimiques est annexé. Beaucoup de difficultés restent encore à aplanir. Elles portent sur les problèmes de définition des armes chimiques — notamment la question des « précurseurs », c'est-à-dire des composantes destinées à entrer dans la fabrication des armes binaires —, sur la déclaration relative à la localisation des installations chimiques que les Soviétiques et les Américains accepteront peut-être de divulguer avant même l'entrée en vigueur de la Convention, mais non peut-être la France pour des raisons de sécurité[55], sur la vérification des stocks déclarés et de la cessation de production et, surtout, sur les modalités des méthodes de contrôle et de vérification.

Les autres difficultés de taille concernent les structures de l'organisation qui sera responsable du contrôle des activités chimiques. Au sein de l'organisation projetée, le principal organe de contrôle prévu est son Comité consultatif, composé de tous les États parties à la Convention. Celui-ci pourrait éventuellement se réunir une fois l'an, émettre des directives générales, élire les membres du Comité exécutif et procéder périodiquement à l'examen du fonctionnement de la Convention. Les Soviétiques souhaitent que le Comité consultatif fonctionne sur la base d'un consensus, ce qui leur donnerait un droit de veto, alors que la plupart des autres États proposent un processus décisionnel sur la base d'une simple majorité des membres présents et votants dans certains cas, et sur la base d'une majorité des deux tiers des membres présents et votants dans d'autres cas. Ce Comité consultatif serait analogue au conseil des gouverneurs de l'Agence internationale de l'énergie atomique.

Par ailleurs, le Comité consultatif élirait un organe exécutif appelé le Conseil exécutif — les termes sont ici contradictoires. Celui-ci serait bien sûr le chien de garde du Comité consultatif. Il serait chargé de l'application et du respect de la Convention sur les armes chimiques par les États membres, donc essentiellement de la mise en œuvre et de l'application des clauses de vérification. Le mode décisionnel du Conseil exécutif présente les mêmes difficultés que celui du Comité consultatif. Pour sa part, la Grande-Bretagne suggère un Conseil exécutif composé de deux paliers : le premier serait élu par le Comité consultatif sur la base du principe d'une répartition géographique équitable, tandis que le second serait constitué des représentants des pays ayant la plus vaste base industrielle chimique. Un Secrétariat permanent serait également établi. Le projet de convention prévoit l'élimination des armes chimiques étalée sur une période de dix ans.

Les statuts des organes de contrôle restent évidemment à définir. Les difficultés ne sont cependant pas insurmontables, puisqu'on songe à s'inspirer de ceux qui gouvernent les activités de l'AIEA. Sur le plan politique cependant, cet organe irait beaucoup plus loin que l'AIEA, car l'inspection par mise en demeure pourrait être applicable à n'importe quelle installation soupçonnée d'activités illicites ou proscrites par la CAC.

La politique canadienne sur les armes chimiques

La question de l'interdiction des armes chimiques fait déjà partie, lors de la déclaration commune soviéto-américaine du 19 septembre 1961, des obligations assumées par les grandes puissances en vue d'en arriver à un accord à ce propos. Les deux projets de 1962 des grandes puissances d'un traité de désarmement général et complet incluent l'élimination des armes chimiques dans les différentes étapes projetées du désarmement[56]. Au sein du Comité des dix puissances, on étudie également, dans le cadre des propositions de désarmement général et complet, la question de l'élimination des armes chimiques. Ce sera la première occasion que le Canada aura de se pencher sérieusement sur le problème.

De Genève, le 25 juillet 1960, le général Burns propose de faire insérer dans le projet de traité soviétique du 2 juin 1960, ainsi qu'à une date ultérieure dans le projet américain, une clause de « déclaration volontaire » par laquelle les États accepteraient d'interdire la mise au point et la production de ces armes ainsi que leur usage[57]. Plus précisément, les États s'engageraient, dans la phase 1, à prendre note du Protocole de Genève et, pour ceux qui en font partie, à en réaffirmer l'acceptation. En phase 2, les États déclareraient leur volonté de ne pas produire d'armes chimiques ou bactériologiques, de ne pas en stocker et de ne pas y recourir. En phase 3, les stocks seraient éliminés. Selon le général Burns, le tout devait être fait dans l'esprit de renforcer le Protocole de Genève et d'en étendre la portée aux opérations de mise au point, de production et d'accumulation, c'est-à-dire de stockage. M.F. Yalden, du Bureau du désarmement, avait déjà préparé à la même époque un document de synthèse sur les aspects juridiques du Protocole de Genève.

Dès février 1960, le Conseil de recherches pour la défense aborde la question des méthodes de contrôle. Après avoir examiné les trois techniques de contrôle les plus prometteuses — le bilan-comptable des matières, les méthodes de détection technique et l'inspection —, le Conseil conclut qu'il est « extrêmement difficile et très douteux qu'un système efficace puisse être mis sur pied[58] ». Le 12 février 1960, l'État-major interarmées distingue le contrôle « positif » — la certitude de détection — du contrôle « négatif », où la possibilité de détection, sans être grande, exercerait néanmoins un effet de dissuasion. On estime donc qu'une telle proposition n'est peut-être pas inacceptable. De plus, on a tendance à considérer les armes chimiques à l'époque comme n'étant « pas plus efficaces qu'une grosse bombe ». Notons ici que les notions de contrôle positif et négatif n'ont pas perdu toute validité. Les négociateurs se heurtent aujourd'hui au problème de la définition du degré d'« intrusion » qui sera jugé nécessaire pour répondre tout à la fois aux besoins de sécurité et à ceux de la protection des secrets industriels. Différentes formes de contrôle pourraient être envisagées pour satisfaire à ces exigences contradictoires.

En dernière analyse, l'État-major interarmées estime qu'un contrôle négatif serait possiblement praticable en ce qui a trait aux armes chimiques. On pense que la chose est par ailleurs impossible pour les armes biologiques, et l'on se demande s'il ne vaudrait pas mieux renoncer à ces discussions de peur qu'en s'engageant dans des négociations les parties soient forcées à révéler des détails de nature technique[59].

Le 9 septembre 1960, l'État-major interarmées se penche sur les propositions Burns et Yalden[60]. On estime qu'en phase 1 la proposition Burns ne créerait pas de difficultés puisque cela équivaudrait à substituer une obligation de nature contractuelle à ce qui constitue la pratique de la politique américaine, soit le non-recours aux armes chimiques en premier. Le texte insiste sur les besoins de la recherche tout en dégageant le paradoxe suivant:

> la recherche médicale «pacifique» peut tout aussi bien déboucher sur la mise au point d'agents bactériologiques plus efficaces et sur les moyens de les propager, tandis que les moyens de créer une défense peuvent paraître très offensifs. Les effets d'interdiction portant sur des mesure défensives pourraient accroître la valeur militaire des armes bactériologiques et chimiques. Cela pourrait engager certains États à violer l'accord.

Cette constatation s'avère d'autant plus pertinente qu'elle correspond au jugement que plusieurs portent sur la CABT aux États-Unis. Là, on considère pour l'instant cet accord comme «sans espoir». Il est probable que seule la négociation d'une Convention sur les armes chimiques pourra pallier certaines insuffisances de la CABT, mais non toutes, notamment au sujet de l'inclusion des toxines dans la CAC. À priori, il n'y a pas de difficultés juridiques à ce qu'un même produit tombe sous le coup de deux conventions différentes.

En conclusion, l'État-major interarmées estime que les propositions Burns et Yalden ne s'opposent pas aux exigences de la sécurité occidentale. Si le but est d'en arriver à un accord Est-Ouest tangible sans trop se soucier de la signification d'un tel accord, on estime que les propositions ont un certain «mérite». Reste à savoir, selon les auteurs de l'étude, si les États-Unis y accorderont leur appui. Lorsqu'on connaît à posteriori les difficultés des négociations actuelles et celles qui ont entouré la négociation d'une CABT, on comprend que Burns n'ait pu avancer beaucoup en la matière.

Les initiatives de Burns se révèlent intéressantes à plus d'un titre. Il avait sans doute en tête toute la tradition du droit humanitaire. Comme nous l'avons signalé plus haut, la Déclaration de Saint-Pétersbourg a été rédigée par des militaires et non par des hommes politiques. Burns n'aime pas la guerre, et encore moins les armes nucléaires. Il a des réactions viscérales à ce dernier propos[61]. Son attitude à l'endroit des armes chimiques est cependant beaucoup plus cohérente.

La constitution d'un ordre international stable, fondé sur le respect du droit international, et d'un ordre juridique démocratique où le respect du droit primerait celui de la force n'est pas étranger à la création des Nations Unies, au développement de la coopération internationale fondée sur l'égalité et la justice sociale, et aux espoirs de l'établissement d'une communauté internationale régie par les principes d'un monde nouveau, reposant sur la diplomatie parlementaire plutôt que sur ceux de la *Realpolitik* lesquels, lorsqu'ils s'effondraient, menaient le monde à la ruine et à la guerre.

Tous les espoirs fondés à San Francisco seront l'un des leitmotive de la politique canadienne après la Seconde Guerre mondiale. La guerre froide viendra fixer des limites précises à ce genre d'espoirs. Vers la fin des années soixante, le Canada, sans totalement renouer avec sa philosophie de l'après-guerre, ne tentera pas moins de voir les problèmes d'abord dans le contexte de la responsabilité d'un gouvernement à l'égard de sa propre population et, ensuite, par rapport aux besoins de la communauté internationale. Or celle-ci ne se limite pas aux pays Est-Ouest, mais s'étend plutôt à l'ensemble des axes Est-Ouest et Nord-Sud. Cette perspective n'aura jamais été autant développée au Canada que sous l'administration Trudeau.

En ce qui a trait aux armes bactériologiques et chimiques, il est difficile de savoir si le Canada aurait adopté une attitude différente si le gouvernement Diefenbaker avait été au pouvoir à la fin des années soixante. Diefenbaker se méfiait des grandes puissances et se disait, dans le contexte de la politique intérieure, le défenseur des minorités et un promoteur des grands projets sociaux. Seul le farouche anticommunisme de Diefenbaker, allié à son provincialisme un peu attardé, distinguera celui-ci des administrations libérales successives. À cet égard, Trudeau se trouve à l'antipode de Diefenbaker. Nationaliste dans l'âme, mais internationaliste d'esprit, il ne croit ni à la guerre froide ni à la force pour régler les différends internationaux.

La tradition juridique n'a jamais été étrangère à la pratique de la politique internationale du Canada, les valeurs Nord-Sud non plus. À la fin des années soixante et au début des années soixante-dix, ces facteurs s'avèrent primordiaux dans l'élaboration de la politique canadienne. Ils se doublent paradoxalement d'un intérêt accru pour tout ce qui concerne la protection de la souveraineté du Canada, soit la défense, les matières premières, la culture et le territoire.

La question des armes bactériologiques et chimiques tombe tout droit dans la vieille tradition du droit des gens et des peuples, dans la vieille coutume du droit humanitaire et dans la vieille tradition du respect des libertés individuelles devant la raison d'État. Au début des années soixante-dix, la politique canadienne se situe à la charnière de tous ces phénomènes. Le Canada ne tranche pas, il ne fait qu'établir un équilibre entre les besoins de la sécurité du monde occidental et son profond désir d'éliminer les armes bactériologiques et chimiques des arsenaux.

En ce qui a trait aux archives, la période la plus fascinante sur les armes chimiques est évidemment celle qui englobe les années 1966 à 1972. Par la suite, les discussions tendent à devenir plus techniques. De 1972 à 1980, lorsque piétinent les négociations, le Canada se contente de rappeler à Genève les grands objectifs canadiens ainsi que la priorité attachée à l'élimination de telles armes. Un intérêt renouvelé pour les problèmes de vérification permet cependant au gouvernement canadien de mieux faire valoir son point de vue à compter du début des années quatre-vingt.

Les secteurs privilégiés de la vérification seront à ce moment-là les essais nucléaires souterrains, l'espace extra-atmosphérique et les armes chimiques. S'il faut prononcer un jugement d'ensemble sur la politique canadienne relativement aux armes chimiques, on peut, sans risque de se tromper, conclure que celle-ci repose sur deux postulats fondamentaux : en premier lieu, le développement d'instruments de contrôle juridiques susceptibles de renforcer la coopération internationale ainsi que son développement sur la base de la justice et de l'équité et, en second lieu, sa compétence technique.

Pour ce qui est du deuxième point, rappelons qu'entre 1970 et 1987 d'importants faits se produisent quant à la structure même des négociations. D'abord en 1969, le Comité des dix-huit puissances est élargi pour devenir la Conférence du Comité du désarmement[62]. En 1975, cinq nouveaux membres sont admis : les deux Allemagnes, l'Iran, le Pérou et le Zaïre. En 1979, la CCD devient le Comité du désarmement (le CD) composé des 5 États nucléaires et de 35 autres États non nucléaires. Le Comité du désarmement change de dénomination en février 1984 : il devient la Conférence du désarmement (la CD). Le Canada tentera de développer des relations particulières avec le Japon, les Pays-Bas, la Norvège et la Suède.

Tous ces événements ne sont pas sans incidence sur la politique canadienne. D'autres États industriels déposent très souvent d'importants documents de travail qui constituaient jusqu'alors l'apanage de l'expertise canadienne. Les Allemands qui reconnaissent en privé, en 1975, l'importance de la contribution canadienne — notamment sur la question de la définition des armes chimiques et de leur toxicité — joueront par la suite un rôle de plus en plus actif. Il en va ainsi de nombreux autres pays, comme la France qui interviendra, dès son retour au sein du forum de Genève, avec de plus en plus d'autorité.

Le tableau 9 fait état des principaux documents sur les armes chimiques soumis par le gouvernement canadien de 1972 à 1987. On constate que d'importants documents techniques sont présentés avant 1980, notamment sur la question de la toxicité et de la létalité des produits entrant dans la composition des armes chimiques — CCD 387, 414 et 473. Le Canada propose donc un instrument de mesure du caractère dangereux des armes chimiques à partir de leur toxicité. On en arrive ainsi, à titre illustratif, à suggérer un seuil supérieur et un seuil inférieur de toxicité, selon une formule qui tient compte de la concentration létale définie comme la probabilité que la substance chimique provoque la mort dans 50 pour 100 des cas, en fonction de la dose inhalée par minute et de sa concentration par mètre cube. Dans leur rapport sur les progrès de leurs négociations bilatérales en 1979, les grandes puissances reprendront ces formules en considérant la létalité selon qu'il s'agit de substances inhalées ou de substances absorbées par pénétration percutanée[63].

Quatre documents sont présentés sur les méthodes de vérification après 1980, alors qu'il n'y en a qu'un seul avant 1980. Il est vrai que le document CD 275 comprend toute la gamme des activités de vérification. Ce texte constitue en réalité une révision du document CD 99 présenté antérieurement. Il regroupe néanmoins plusieurs analyses de diverses propositions en matière de vérification sur les armes chimiques. Le gouvernement canadien a mis à jour ce document en juillet 1987. Il comprend trois volumes[64].

En matière de vérification, le Canada souhaite qu'un système réellement efficace de contrôle tienne compte de quatre facteurs : 1. le principe de l'équité ; 2. la non-discrimination ; 3. la réciprocité ; et 4. la préservation de la souveraineté nationale[65]. En 1980, on propose un système de vérification élargie, en s'inspirant de celui de l'AIEA[66]. En 1984, l'ambassadeur canadien, J. Alan Beesley, insiste sur le fait que la création d'un organe de vérification efficace constitue sans doute le prix à « payer » pour assurer la tranquillité d'esprit des États et favoriser le développement d'une confiance réciproque. « À ce problème, il n'y a, conclut-il, aucune solution de rechange[67]. »

L'expertise canadienne quant à la vérification continue de se faire sentir. En 1986, le Canada publie un *Manuel pratique de la vérification d'allégations d'utilisation d'armes chimiques ou biologiques* — élaboré en collaboration avec l'Université de Saskatchewan —, qui sera remis au secrétaire général de l'ONU et déposé par la suite à la Conférence du désarmement[68]. De plus, le Canada dépose un bilan de toutes les propositions présentées devant la CD sur les armes chimiques de 1983 à 1985[69]. Le 20 mai 1987[70], à la suite d'un contrat avec l'institut Armand-Frappier de Montréal, le ministre des Affaires extérieures, Joe Clark, remet au secrétaire Pérez de Cuéllar la dernière nouveauté en matière de vérification : un système portatif destiné à déceler la présence de mycotoxines T-2 dans le sang humain[71] .

Sur le chapitre de la classification chimique, le Canada propose en 1986 une nouvelle nomenclature[72], s'appuyant sur l'expertise des *Chemical Abstracts Service of Columbus,* dans l'Ohio, de préférence à celle qui est empruntée par le Comité ad hoc sur les armes chimiques à l'Union internationale de chimie pure et appliquée (UICPA). Bien qu'elle ne donne pas la composition structurelle chimique des produits, la formule canadienne a au moins le mérite de simplifier considérablement les difficultés inhérentes à toute nomenclature chimique.

En juillet 1987, le Canada et la Norvège s'unissent pour présenter un bilan de leurs efforts en matière d'enquête et de procédures à suivre en cas d'allégations d'armes chimiques. On propose que ces procédures soient annexées à l'article IX de la Convention sur les armes chimiques.

Tableau 9

Principaux textes et documents présentés par le Canada sur les armes chimiques au sein de la CCD, du CD et de la CD

CCD 300	WP* on the Verification and Prohibition of the Development, Production, Stockpiling and the Use of Chemical and Biological Weapons (6 août 1970).
CCD 334	WP on Atmospheric Sensing and Verification of a Ban on Development, Production and Stockpiling of Chemical Weapons (8 juillet 1971).
CCD 387	WP on Toxicity of Chemical Substances, Methods of Estimation and Applications to a Chemical Control Agreement (24 août 1972).
CCD 414	The Problem of Defining Chemical Substances in a Treaty Prohibiting the Development, Production and Stockpiling of Chemical Weapons (21 août 1973).
CCD 433	The Problem of Defining Compounds Having Military Significance as Irritating and Incapacitating Agents (16 juillet 1974).
CCD 434	Destruction and Disposal of Canadian Stocks of World War II Mustard Agent (16 juillet 1974).
CCD 473	WP on Use of Measurements of Lethality for Definition of Agents of Chemical Warfare (26 août 1975).
CD 113	Organization and Control of Verification Within a Chemical Weapons Convention (8 juillet 1980).
CD 117	Definitions and Scope in a Chemical Weapons Convention (10 juillet 1980).
CD 167	Verification and Control Requirements for a Chemical Arms Control Treaty Based on an Analysis of Activities (26 mars 1981).
CD 173	Disposal of Chemical Agents (3 avril 1981).
CD 275	Compendium of Arms Control Verification Proposals (2e éd.) (7 avril 1982).
CD 313	A Proposed Verification Organization for a Chemical Weapons Convention (16 août 1982).
CD 677	Letter Dated March 11 1986 Addressed to the Secretary-General of the Conference on Disarmament from the Permanent Representative of Canada to the Conference on Disarmament, Transmitting a Handbook for the Investigation of Allegations of the Use of Chemical and Biological Weapons (12 mars 1986).
CD 679	Identification of Chemical Substances (13 mars 1986).
CD 689	Letter dated April 10 1986 Addressed to the Secretary-General of the Conference on Disarmament from the Permanent Representative of Canada to the Conference on Disarmament, Transmitting a Compendium of All Chemical Weapons Documentation of the Conference During the Period 1983-1985 (11 avril 1986).

CD 766	Canada and Norway: The Chemical Weapons Convention. Proposal for an Annex to Article 1X Concerning Verification of Alleged Use of Chemical Weapons (2 juillet 1987).
CD 770	Letter Dated July 10 1987 Addressed to the Secretary-General of the Conference on Disarmament from the Permanent Representative of Canada Transmitting a Research Report Entitled: «Verification: Development of a Portable Trichothecene Sensor Kit for the Detection of T-2 Mycotoxin in Human Blood Samples» (14 juillet 1987).
CD 771	Letter Dated July 10 1987 Addressed to the Secretary-General of the Conference on Disarmament from the Permanent Representative of Canada Transmitting Compendia on Chemical Weapons Comprising Plenary Statements and Working Papers from the 1986 Session of the Conference on Disarmament (14 juillet 1987).

* WP = working paper.

Il est indéniable que la multiplication des efforts et la coopération accrue entre les États en matière de contrôle et de vérification sont les éléments les plus positifs susceptibles d'agir comme un frein, dans l'avenir, contre la prolifération menaçante des armes chimiques. Nous trouvons désolant de voir qu'il ait fallu constater l'existence de cette menace croissante avant que les grandes puissances commencent véritablement à rapprocher leurs points de vue à cet égard.

Quant au Canada, il reste fidèle à ses vieilles traditions du droit humanitaire et d'une expertise technique qui, rappelons-le, remonte à la coopération avec ses alliés au moment de la Seconde Guerre mondiale. Il s'agit en tout cas ici d'un exemple où le Canada a tenté systématiquement de promouvoir les forces de la paix plutôt que celles de la confrontation.

Notes

1. A/7575 et S/9292.
2. Voir *The Problem of Chemical and Biological Warfare,* vol. 1, Stockholm, Swedish International Peace Research Institute, 1971, p. 304.
3. E.M. Spiers (1986).
4. *SIPRI Yearbook,* 1986, ch. 8.
5. Voir J. Krause, 1986.
6. *SIPRI Yearbook,* 1986, p. 168.
7. *Assemblée de l'Atlantique Nord,* Commission militaire, novembre 1986, p. 13-15.
8. *SIPRI Yearbook,* 1987, p. 102.
9. Il s'agit ici du fameux document MC 14/3 approuvé par l'OTAN le 22 septembre 1967 et revu depuis et corrigé maintes fois.
10. Quelquefois appelé le groupe australien du fait qu'il a été convoqué et présidé par un représentant de l'Australie.
11. Les estimations varient entre 20 et 40 pays.
12. 11 janvier 1988, p. 24.
13. R. Ranger, 1976, p. 22.
14. Dossier 28-6-6, mémoire du 23 août 1968 au Cabinet.
15. Dossier 28-6-6.
16. A/37/259.
17. J.J. Norman et J.J. Purdon (1986).
18. *SIPRI Yearbook,* 1986, p. 163.
19. *An Epidemiological Investigation of Alleged CW/BW Incidents in South East Asia,* Ottawa, NDHQ (Surgeon General Branch), août 1982.
20. T. Seeley *et al.* (septembre 1985).
21. Voir J.J. Norman et J.J. Purdon (1986).
22. M. Meselson, J. Guillemin et J.P. Perry Robinson (1987).
23. P. Gizewski (septembre 1986).
24. Voir *The Arms Control Reporter,* 701.B.31.
25. Pour un examen plus minutieux des attitudes du Canada lors des deux Conférences d'examen, nous renvoyons le lecteur à l'étude Gizewski (septembre 1986). Dans le *SIPRI Yearbook* de 1987, où ces aspects sont traités par J. Goldblat aux pages 409 à 414, le lecteur trouvera aussi une analyse des principaux éléments de la seconde Conférence d'examen.
26. ENDC/231.
27. 28-6-6, 1er avril 1968.
28. 28-6-6, H. Sheffer à D.M. Cornett, 4 septembre 1968.
29. 28-6-6, A.K. Longair à M. Bow, 11 février 1969.
30. 28-6-6, Bureau du désarmement au Bureau juridique, 20 février 1969.
31. Voir la section sur les considérations juridiques.
32. 28-6-6.
33. Note des auteurs : il s'agit du plan des pays du bloc de l'Est soumis à l'AGNU, le 19 septembre 1969.
34. CCD/P.-V./460, p. 14-15.
35. Note des auteurs : les Forces armées canadiennes devraient puiser aux stocks américains pour se prévaloir en temps de guerre du droit de la riposte chimique.
36. R. Ranger, 1976, p. 46.
37. Note des auteurs : l'OMS classe les armes chimiques en trois catégories : les armes létales, les incapacitants et les irritants. Dans le corps du texte, une quatrième catégorie chimique est expressément ajoutée : les herbicides.
38. CCD/338 et 337.
39. CCD/353, voir le tableau 8.
40. À la page 515.
41. Ignatieff, 9 janvier 1988.
42. La version originale indique : « What I and a number of delegations were concerned about was, that in taking separate action on biological weapons (originally linked in the Geneva Protocol of 1925), we would not be legitimizing chemical weapons by introducing reservations to the reaffirmation of the Geneva Protocol in deference to American prejudices on the subject. »
43. G. Ignatieff, 1985, p. 251-252.
44. Voir G. Ignatieff, 1985, p. 252.
45. CCD/361.
46. CCD/420.
47. CCD/512.

48. CD 48, dont le texte est reproduit dans le *SIPRI Yearbook,* 1980, p. 373-375.
49. G.K. Vachon, mars 1982, p. 105.
50. CD 416, 23 août 1983, le rapport aussi incorporé dans le rapport final CD 421.
51. CD/P.-V. 195.
52. CD 343 et CD 294.
53. Le fameux document CD 500 qui est toujours à l'ordre du jour à Genève.
54. CD 715.
55. La France insiste notamment sur les dangers du terrorisme et sur sa volonté de se constituer des stocks dits de sécurité.
56. Voir le chapitre 6.
57. Dossier 50271-K-40.
58. Lettre de G.S. Field, datée du 11 février 1960, au directeur du JBMDS (voir le chapitre 1 sur le JBMDS), pas de numéro de dossier.
59. Pas de numéro de dossier: la lettre est datée du 12 février avec la cote CSC 2196-2 (JBMDS) et aurait été, d'après une note manuscrite, jointe à une lettre de Miller, président des chefs d'état-major interarmes, adressée au MAE.
60. Pas de numéro de dossier, mais on retrouve les propositions sous la même cote à la Défense.
61. Voir le chapitre 4.
62. Voir le chapitre 6.
63. Voir *SIPRI Yearbook,* 1980, p. 373.
64. Voir A. Crawford *et al.* (1987).
65. CD 333.
66. CD 113.
67. CD/P.-V. 262, p. 50.
68. CD/677.
69. CD/689.
70. Le 10 juillet à la CD, voir CD 770.
71. L'appellation anglaise est la suivante: Portable Trichotecene Sensor Kit for the Detection of T-2 Mycotoxin in Human Blood Samples.
72. CD 679.

Sources secondaires citées

Assemblée de l'Atlantique Nord (AAN), Commission militaire, « Rapport intérimaire de la sous-commission sur la défense classique : stratégies et concepts opérationnels nouveaux », Bruxelles, novembre 1986.

Butler, G.C., *Report on Use of Chemical Warfare in South-East Asia,* note adressée aux Affaires extérieures, 2 décembre 1981.

Crawford, Alan, MacKinnon, Gregor, Hanson, Lynne et Morris, Ellis, *Compendium of Arms Control Verification Proposals,* 3 vol., Ottawa, Operational Research and Analysis Establishment (ORAE), juillet 1987.

Gizewski, Peter, « Biological Weapons Control », *Issue Brief* No. 5, Ottawa, Canadian Center for Arms Control and Disarmament, septembre 1986.

Ignatieff, George, *The Making of a Peacemonger,* Toronto, UTP, 1985.

Krause, J., *Optionen Chemischer Kriegfürung in der Strategie des Warschauer Pakts,* Ebenhausen, Stifttung Wissenschaft und Politik, rapport n° SWP-AZ 2481, août 1986.

Meselson, Matthew, Guillemin, Jeanne et Perry Robinson, J.P., « Yellow Rain, the Story Collapses », *Foreign Policy,* n° 68, automne 1987, p. 100-117.

Norman, J.J. et Purdon, J.J., *Final Summary Report on the Investigation of « Yellow Rain » Samples from Southeast Asia,* Ottawa, Centre de recherches pour la défense, février 1986.

Ranger, Robin, « The Canadian Contribution to the Control of Chemical and Biological Warfare », *Wellesley Paper,* n° 5, 1976.

Schiefer, H.B., *Study of the Possible Use of Chemical Warfare Agents in Southeast Asia : A Report to the Department of External Affairs,* Ottawa, 1982.

Seeley, Thomas D. *et al.,* « Yellow Rain », *Scientific American,* vol. 253, n° 3, septembre 1985, p. 128-137.

SIPRI, *The Problem of Chemical and Biological Warfare : The Rise of CB Weapons,* vol. 1, Stockholm, Almqvist & Wiksell, 1971.

Spiers, Edward M., *Chemical Warfare,* London, MacMillan Press, 1986.

Vachon, Gordon K., « Le contrôle des armements et les armes chimiques », *Études Internationales,* vol. XIII, n° 1, mars 1982, p. 97-109.

Ayant choisi d'embrasser l'innocence, nous avons aussi choisi l'ignorance. Le premier parti est peut-être une vertu, mais le second ne l'est pas et il faudrait peut-être se garder de l'étaler.*

9

En quête du Graal ou à la recherche d'un CTB

De 1957 à 1988, aucune question n'aura aussi régulièrement préoccupé le Bureau du désarmement et du contrôle des armements que la cessation globale des essais nucléaires. Car sans essais, de quelles certitudes les grandes puissances pourraient-elles se réclamer pour garantir qu'en tout temps et en toutes circonstances elles pourront bénéficier des vertus de la dissuasion ? Ce jugement classique, aujourd'hui contesté par plusieurs, est-il encore valable à l'aube des années quatre-vingt-dix ? Quelles que soient les réponses apportées à ces questions, il reste que l'interdiction des essais est et a toujours été conçue comme une méthode efficace pour priver d'« oxygène » les grands laboratoires de recherche ainsi que les grandes industries responsables de la mise au point des armes de demain. Tous et chacun, les grandes puissances incluses, se réclament d'un CTB**. Il y a loin cependant de la coupe aux lèvres et la distance qui sépare les grandes puissances à ce propos est encore considérable et parsemée d'écueils. La quête du Graal continue, mais toutes les tentatives jusqu'à maintenant entreprises se sont soldées par des échecs successifs. Ce thème de la « résurrection manquée », c'est-à-dire les échecs successifs pour en arriver à un CTB, semble aujourd'hui démenti depuis la reprise des pourparlers bilatéraux à ce propos.

---

* F.R. Miller (chef d'état-major), 28 avril 1966.

** CTB = Comprehensive Test Ban.

CONSIDÉRATIONS GÉNÉRALES

Il est absolument impossible de donner une vue d'ensemble du dossier des essais nucléaires sans s'interroger sur les effets des radiations ionisantes, sur les raisons technologiques qui ont amené les puissances à s'engager dans la course au perfectionnement toujours plus poussé des armes, ainsi que sur les difficultés de la détection sismique des explosions nucléaires souterraines. Seule la compréhension de ces problèmes peut permettre de se frayer un chemin à travers le dédale d'incertitudes et de contradictions que charroie avec lui le débat sur la suspension des essais nucléaires.

Les radiations ionisantes

Le malaise profond que ressent l'humain par rapport aux radiations tient au mystère de l'atome, à la connaissance récente qu'il en a, aux maladies comme le cancer et la leucémie qui, pour plusieurs, semblent vouer à une mort certaine ceux ou celles qui en sont victimes, aux horreurs de la guerre atomique engendrées par le spectre d'Hiroshima et de Nagasaki, ainsi qu'à la méconnaissance qu'a le public en général de ces phénomènes. Des zones grises subsistent sur le caractère létal ou nocif de certains types de radiations, mais dans l'ensemble on est beaucoup mieux renseigné aujourd'hui sur le sujet qu'on ne l'était au début de l'âge atomique.

Le terme radiation recouvre un ensemble de phénomènes dont les mieux connus sont les rayonnements électromagnétiques qui s'étendent des ondes radio jusqu'aux rayons X et aux rayons gamma, en passant par les micro-ondes, l'infrarouge et l'ultraviolet. Outre ces rayonnements, il existe aussi des rayonnements nucléaires qualifiés de radiations ionisantes, puisqu'elles provoquent l'apparition de particules chargées, les ions, dans les matériaux touchés. Les principaux types de radiations inonisantes sont les particules alpha, bêta et les neutrons et, à un degré moindre, les rayonnements gamma et les rayons X. Chacun de ces types de radiations a ses propres caractéristiques. Les atomes qui possèdent ces propriétés sont dits radioactifs.

Le rayonnement alpha est composé de noyaux d'hélium, le rayonnement bêta est formé d'électrons, tandis que le rayonnement gamma consiste en une vibration électromagnétique de très courte longueur d'onde, de même nature que la lumière ou les rayons X. Le rayonnement gamma est toujours associé à une désintégration alpha ou bêta. Le pouvoir de pénétration de ces rayonnements dépend surtout de leur type. Une particule alpha énergétique est arrêtée par la surface de la peau et pénètre jusqu'à un ou deux centimètres d'eau ; un rayonnement gamma ou un neutron est capable de passer à travers le corps humain ou de pénétrer profondément un bloc de béton de un mètre d'épaisseur.

Dans la gamme des radiations électromagnétiques, certaines peuvent causer des brûlures ou des dommages biologiques si la chaleur est suffisante pour brûler les tissus, par exemple les micro-ondes. Au-delà de l'ultraviolet, les rayonnements inonisants peuvent être dommageables même s'ils ne causent pas d'échauffements excessifs. Les dommages biologiques dépendent de la quantité d'énergie transmise à l'échelle des cellules individuelles, de la manière et du taux ou du débit de la transmission.

Pour mesurer l'exposition aux rayonnements, on se sert de deux unités : le rad et le rem. Le rad mesure l'absorption d'énergie seulement : 0,01 joule par kilogramme de substance exposée. Le rem — *roentgen equivalent man* — tient compte de la manière dont l'énergie est transmise. Il s'agit donc d'un facteur de qualité. Par exemple, une dose de un rad de neutrons rapides est dix fois plus dommageable biologiquement qu'un rad de rayons X. Une dose exprimée en rem signifie donc l'équivalent rad multiplié par un facteur de qualité. Le rem est divisible en millième, c'est-à-dire en millirem, d'où la mesure traditionnelle du mrem qui constitue l'unité de base communément acceptée par la Commission internationale de protection radiologique (CIPR). Les doses de mrem peuvent être calculées par seconde, par heure, par jour ou par année. Selon la CIPR, la dose pour assurer la sécurité du public ne doit pas dépasser 500 mrem par année (mrem/a).

Dans son environnement, l'humain est naturellement exposé à des radiations ionisantes. Celles-ci sont de nature externe — l'espace et les rayons cosmiques, ainsi que le sol — ou interne. Leur intensité varie selon les conditions locales. Par exemple, au Canada, on estime à environ 100 mrem/a la dose moyenne des radiations du milieu ambiant que reçoit tout habitant du pays[1]. Au Kerala, en Inde, cette dose est estimée à 400 mrem/a, à cause de la proportion élevée de thorium radioactif dans le sol[2]. Les doses internes absorbées par inhalation ou ingestion varient aussi selon les aliments et les liquides consommés, et la qualité de l'air respiré. Le mode d'habitation influe aussi puisque de nombreux radio-isotopes sont présents dans les matériaux de construction. Les doses de rayonnement peuvent ainsi varier de 30 à 50 mrem/a pour une habitation en bois, de 50 à 100 mrem/a pour une construction en briques et de 70 à 100 mrem/a pour une construction en béton. Les limites de la dose d'irradiation jugée acceptable par la CIPR excluent les rayons X médicaux, parce que ceux-ci sont considérés comme un choix personnel. Ils peuvent atteindre 20 mrem pour un examen des dents — la bouche au complet —, 40 pour une radiographie des poumons, 100 pour l'abdomen, 300 pour l'estomac et 600 pour l'intestin grêle.

Le fait de vivre à proximité d'une centrale nucléaire peut être à l'origine d'une dose équivalente à 1 mrem/a. Un voyage par avion Londres-New York provoque en moyenne l'absorption d'une dose de 4 mrem, quantité équivalente à celle qui était due aux retombées radioactives[3], au Canada, en 1975. D'une façon générale, l'Agence internationale de l'énergie atomique (AIEA) estimait dans les proportions suivantes, en 1979, les sources d'irradiation moyenne pour un individu : milieu ambiant, 67,6 pour 100 ; irradiation médicale, 30,7 pour 100 ; industries nucléaires, 0,15 pour 100 ; retombées radioactives, 0,6 pour 100 ; travailleurs de l'énergie nucléaire, 0,45 pour 100 ; autres sources, 0,5 pour 100.

Notons enfin que depuis 1985 le système international d'unités (SI) s'en remet au gray (Gy) et au sievert (Sv) comme étalons de base pour le calcul des radiations ionisantes. Le Gy est l'unité de mesure pour la dose d'irradiation absorbée par n'importe quelle matière, vivante ou inerte. Un Gy équivaut à 100 rads. Quant au sievert, cette dénomination est désormais utilisée pour mesurer le degré d'irradiation dans le tissu humain ou animal. Un Sv équivaut à 100 rems. Selon les anciennes mesures, une dose de 400 à 450 rems pour l'ensemble du corps était considérée comme mortelle[4]. C'est donc dire que de 4,0 à 4,5 Sv constituent pour la personne le seuil d'irradiation mortel et que le seuil de tolérance permis par la CIPR est environ le centième de la dose considérée comme mortelle. Une dose de 100 à 200 rems provoque la maladie des rayons, mais ces doses sont rarement fatales. En 1954, lors des essais dans les îles Marshall, 64 des 267 personnes exposées aux retombées radioactives furent soumises à ce genre de dose[5]. Il y eut récupération dans tous les cas. Dans l'industrie nucléaire, où les normes sont dix fois moins sévères pour les professionnels que pour le public, il est d'usage courant de considérer comme dose limite acceptable les taux suivants d'irradiation[6] :

- 50 mSv/a (5 rems) pour l'ensemble du corps ;
- 30 mSv (3 rems) pour les principaux organes générateurs du sang, pour toute période consécutive de 14 semaines ;
- 6 mSv (0,6 rem) pour les yeux ou les gonades (les organes sexuels), durant une période de deux semaines ;
- 750 mSv/a (75 rems) pour les mains ;
- 380 mSv/a (38 rems) pour l'avant-bras ;
- 40 mSv (4 rems) pour les pieds ou les chevilles, durant une période de deux semaines.

Ces calculs ne valent que pour les radiations très pénétrantes —gamma, rayons X et neutrons. Le taux d'irradiation permis est plus élevé pour les rayonnements bêta, gamma ou rayons X à faible énergie. Par ailleurs, des échelles différentes de tolérance sont prévues en fonction du sexe des membres du personnel de l'industrie nucléaire.

D'autres unités de mesure sont aussi utilisées pour mesurer le rayonnement émis plutôt que celui qui est absorbé. Le becquerel (Bq), par exemple, correspond à une désintégration nucléaire par seconde, ce qui est minime. Cette unité de mesure remplace désormais le curie (Ci) qui correspond à 3,7 désintégrations par seconde multipliées par 10 à la puissance 10, soit 37 milliards de désintégrations par seconde. Le becquerel est de plus en plus utilisé pour désigner le degré d'activité des nucléides radioactifs contenus dans les aliments, les produits laitiers, les boissons et l'air. Des tables de conversion existent pour transformer les mesures becquerel en unités sievert. Le mégacurie (MCi) et le millicurie (mCi) sont aussi des mesures fréquemment usitées.

Toutes ces considérations techniques ne sont pas inutiles pour juger de la difficulté d'apprécier les différentes études sur les effets somatiques ou génétiques des essais nucléaires réalisés dans l'atmosphère. Les effets somatiques apparaissent pendant la vie de l'individu exposé. Les effets génétiques sont transmis à sa descendance. De longs débats subsistent sur les conséquences génétiques des radiations ionisantes. Les doses d'irradiation reçues varient selon l'altitude de la déflagration nucléaire, la distance du point d'explosion, la direction des vents, le degré de protection fourni par l'environnement — montagnes, vallées, plaines, etc. —, le degré d'exposition de l'individu et les parties du corps exposées.

Sur une période de 30 ans, c'est-à-dire de 1955 à 1985, A.C. McEwan du National Radiation Laboratory de Christchurch, en Nouvelle-Zélande, a évalué les deux pics d'activités maximums du strontium 90 dans les retombées nucléaires comme étant de 700 MBq/km^2 à Milford Haven, en Grande-Bretagne, durant les années 1962-1963, et de 130 MBq/km^2 en Nouvelle-Zélande durant la période 1964-1965[7]. Le degré d'activités bêta enregistré depuis 1976 dans l'atmosphère se situerait en deçà du seuil détectable (0,3 MBq/m^3).

En matière d'effets somatiques, on mentionne fréquemment, outre la maladie des rayons, les cas de leucémie et de cancer. Le rapport d'un Groupe d'experts des Nations Unies[8], reprenant en cela une étude réalisée en 1977 par le Comité scientifique des Nations Unies pour l'étude des effets des rayonnements ionisants (UNSCEAR) (United Nations Scientific Committee on the Effects of Atomic Radiation, UNSCEAR)[9] estime à 145 mégatonnes (Mt) le total des produits de fission libérés par tous les essais nucléaires réalisés dans l'atmosphère entre 1945 et 1976[10].

En évaluant à deux ou trois morts pour chaque 10 000 manrads[11] de dose collective reçue par l'ensemble de la population mondiale, le rapport estime que l'ensemble des essais nucléaires pourrait être à l'origine de 150 000 morts prématurées d'ici l'an 2000. S'il est vrai qu'au moment d'une explosion nucléaire un rad équivaut à toutes fins utiles à un rem, il ne saurait en être ainsi lorsqu'il s'agit de calculer les effets génétiques et somatiques des retombées radioactives. De plus, même si une moyenne statistique est ici concevable, la base des calculs est soumise à d'innombrables aléas, dont le plus important est l'infime probabilité que les retombées aient été réparties uniformément dans la biosphère. Enfin, de telles mesures ne permettent pas de dissocier les cas « naturels » de cancer de ceux qui pourraient résulter d'une exposition aux radiations ionisantes produites par les explosions nucléaires. C'est donc avec une certaine circonspection et quelque prudence qu'il faut accueillir ces chiffres.

De tous les produits de fission, les radio-isotopes les plus dangereux dans l'industrie nucléaire sont le tritium avec une demi-vie radioactive de 12 ans, l'iode 131 dont la période radioactive est de 8 jours, l'argon 41, le krypton et l'argon, ces deux derniers ayant une période radioactive pouvant varier de quelques heures à plusieurs jours. Ces produits se retrouvent surtout dans les gaz. Dans les liquides, le césium 134 et 137 ainsi que le cobalt 60 sont les éléments contre lesquels il importe de se prémunir. L'eau tritiée[12] constitue aussi un problème en soi. Les oxydes de tritium n'émettent pas de rayonnement gamma et ses particules bêta sont très peu pénétrantes. Mais l'inhalation de vapeur d'eau tritiée ou encore son absorption par ingestion ou inhalation sont extrêmement dangereuses, car le tritium se répand très rapidement dans l'ensemble du corps humain. Heureusement, la demi-vie « biologique » de l'eau dans le corps humain dure seulement une semaine, car la moitié de l'eau du corps humain est échangée tous les sept jours. Le tritium est donc presque intégralement éliminé avant sa désintégration. Il en va différemment pour le plutonium. La manutention de ces produits est donc soumise aux contraintes les plus sévères.

L'accident nucléaire le plus grave de l'histoire atomique est évidemment la fusion du cœur de la centrale de Tchernobyl qui, à la suite de l'explosion de l'enceinte du bâtiment, ce qui ne s'était pas produit à Three Mile Island, a donné lieu à la constitution d'un panache de gaz et de poussières radioactifs sur une altitude de 1 500 à 3 000 pieds. Ce panache fut par la suite à l'origine des nuages de contamination à longue distance. La Finlande et la Suède ont été les deux pays étrangers les plus touchés par les retombées radioactives à l'extérieur des pays du bloc socialiste. Il semble bien que les Soviétiques aient rapidement procédé à l'ensemencement des nuages à l'iodure d'argent autour de Tchernobyl pour empêcher que les précipitations locales n'entraînent une insoutenable concentration de débris radioactifs dans la région de l'Ukraine. Il s'agit d'un mal pour un bien, car si les habitants régionaux ont été moins durement touchés, la population plus éloignée, elle, a eu droit à une plus forte dose de retombées radioactives. Au bas mot, la facture des réparations de Tchernobyl se serait élevée pour l'URSS à 8 milliards de roubles, soit environ 16 milliards de dollars canadiens.

Les émissions quotidiennes de débris radioactifs — sans les gaz rares — dans l'atmosphère par le réacteur accidenté de Tchernobyl auraient été de 12 MCi/jour, le premier jour de l'explosion, comparativement à 0,1 MCi/jour, le dixième jour[13]. L'intensité des doses de radiations reçues au sol du fait du panache radioactif aurait été par ailleurs assez vive. Selon l'ancien directeur de la fondation Curie, « elles auraient été de l'ordre de 200 rads à 1 kilomètre, de 30 rads à 5 kilomètres, de 1 rad à 30 kilomètres et de 0,1 rad à 100 kilomètres[14] ». Le responsable américain des greffes de la moelle épinière qui s'est rendu à Moscou au lendemain de Tchernobyl, le docteur Robert P. Gale, évalue à 12 000 l'excès de cas de cancers prématurés, dû à Tchernobyl[15]. D'autres estimations font état de chiffres pouvant varier entre 2 500 et 75 000 au cours des 50 prochaines années[16]. C'est là un prix très élevé à payer pour un accident industriel dont il importe de ne pas sous-estimer l'importance ni de la surestimer.

Dans son premier rapport remis à l'AIEA à Vienne sur l'accident de Tchernobyl, l'URSS a insisté sur les dangers spécifiques « aux installations nucléaires en temps de guerre » et a affirmé que l'accident « rend la guerre encore plus absurde et inadmissible ». Cette déclaration ne relève pas de la simple propagande. Plusieurs études soviétiques insistent depuis Tchernobyl sur la fragilité de la structure industrielle de l'Europe advenant même une guerre livrée par des moyens purement classiques.

Le cas de Tchernobyl et les études réalisées depuis, au Canada, donnent à penser que toute la vallée du Saint-Laurent serait particulièrement vulnérable en cas d'accident nucléaire sérieux dans la région de l'Est américain, voire en Ontario. Notons toutefois que les enceintes bétonnées des réacteurs américains fournissent une marge de sécurité autrement plus efficace que celle qui existait dans le complexe de Tchernobyl abritant quatre réacteurs d'une puissance de 1 000 mégawatts chacun.

Les essais nucléaires ou la course au perfectionnement des armes

De 1945 au 1er juillet 1987, on a procédé à 1 645 essais nucléaires connus[17] qui se répartissent ainsi : 487 essais ont eu lieu dans l'atmosphère et 1 158 sous terre, dont un réalisé par l'Inde en mai 1974. Plus de 80 pour 100 de la totalité des essais nucléaires réalisés dans l'atmosphère l'ont été par les États-Unis et l'URSS[18]. En matière d'essais nucléaires souterrains, la même image se dégage : 89 pour 100 des essais sont dus aux États-Unis et à l'URSS, la Grande-Bretagne, la France et la République populaire de Chine (RPC) comptant pour 1,6, 8,5 et 0,7 pour 100 de ces 1 158 essais[19].

Quant à la puissance mégatonnique de tous les essais nucléaires réalisés, on en est réduit à des estimations. Selon Norris, Cochran et Arkin, la puissance totale des essais nucléaires réalisés par les États-Unis serait estimée à 173 mégatonnes pour la période de 1945 à juillet 1986[20]. Les essais américains réalisés avant 1963 compteraient pour près de 80 pour 100 de ce total[21]. Par ailleurs, Sands, Norris et Cochran estiment à 473 mégatonnes l'ensemble de la puissance des explosions nucléaires réalisées par l'URSS, 95 pour 100 de ces explosions — environ 452 mégatonnes — ayant eu lieu dans l'atmosphère avant la conclusion en 1963 du Traité d'interdiction partielle des essais nucléaires[22]. Somme toute, les Russes et les Américains auraient ainsi procédé durant les périodes citées à des essais nucléaires totalisant une puissance cumulative de 646 mégatonnes, soit environ 50 000 fois plus que l'explosion de la bombe d'Hiroshima[23].

En matière d'essais nucléaires souterrains, il semblerait, selon G. Allen Greb, que l'ensemble de la puissance estimée ait été surévaluée par un facteur de 20 pour 100[24] et, selon Lynn R. Sykes, par un facteur de 30 pour 100[25]. Tous les essais souterrains incluent les 71 essais américains réalisés de 1957 à 1973 dans le cadre du projet Plowshare[26], ainsi que la centaine d'essais exécutés du côté soviétique à des fins pacifiques, la plupart du temps à l'extérieur des deux polygones d'essais traditionnels situés l'un à Semipalatinsk, et l'autre en Novaïa Zemlia. Le nombre des essais nucléaires atmosphériques et souterrains connus pour la période de 1945 à 1963 et de 1963 à juillet 1987 apparaît sous forme graphique aux histogrammes 1 et 2.

La France a déclaré en 1974 qu'elle mettait fin à ses essais nucléaires dans l'atmosphère. Quant à la RPC, le numéro un chinois Zao Zi-Yang a annoncé, le 21 mars 1986, que son pays ne procéderait plus à des essais nucléaires dans l'atmosphère[27]. Les grandes puissances et la Grande-Bretagne ayant cessé leurs essais atmosphériques depuis 1963, la planète semble donc être affranchie de cette source de radioactivité à caractère militaire qui, selon plusieurs, est à l'origine de nombreuses morts prématurées.

On peut tirer plusieurs conclusions en matière d'essais nucléaires à partir des histogrammes 1 et 2. La première, la plus évidente, c'est que loin de mettre un terme aux essais nucléaires, le Traité d'interdiction partielle des essais nucléaires de 1963 n'a fait que relancer la course au perfectionnement des armes. En effet, les essais souterrains ont été deux fois plus nombreux que ceux qui ont été réalisés dans l'atmosphère. Ce Traité fait suite par ailleurs à l'une des périodes d'essais les plus intenses en fréquence et en puissance explosive jamais réalisées depuis les débuts de l'âge atomique. De novembre 1958 à septembre 1961, le moratoire fut respecté. Dans les 16 mois qui ont suivi, les deux grands ont procédé à plus de 200 essais nucléaires sous terre et dans l'atmosphère, c'est-à-dire au rythme d'une explosion tous les 2,5 jours[28]. On peut supputer ici que les grandes puissances ont procédé aux essais des types d'engins mis au point durant la période du moratoire.

La seconde conclusion est la commodité: le Traité tripartite de Moscou (ou PTBT) était d'autant plus facile à accepter pour les États cosignataires du Traité que ceux-ci avaient les moyens de poursuivre sous terre, en dépit des coûts plus élevés qu'une telle démarche impliquait, leurs rivalités atomiques et, par conséquent, leur course à la supériorité technologique. Dès 1962, par exemple, les États-Unis étaient prêts à signer un tel Traité puisque durant la même année ils avaient réalisé 58 essais sous terre comparativement à 38 dans l'atmosphère. Notons de plus les quelques essais nucléaires britanniques dans le polygone d'essai du désert du Nevada, ce qui fait que les chiffres américains sont légèrement gonflés d'autant. Les avis sont donc partagés quant au jugement d'ensemble à porter sur ce Traité. D'après Raymond Aron, ce document est «l'un des traités les plus vides de l'histoire diplomatique[29]». Pour d'autres, au contraire, il signifie un premier pas dans la voie du désarmement.

Il ne fait aucun doute non plus que les grandes puissances avaient aussi à l'esprit, lorsqu'elles ont ratifié ce document, d'éviter toute prolifération nucléaire ultérieure. Pour des raisons tout à la fois humanitaires, économiques et politiques, la France et la RPC, non signataires du Traité de 1963, se sont ralliées tardivement à la politique des essais sous terre. Tout cela ne signifie cependant pas qu'en cas d'accord soviéto-américain sur une suspension globale des essais ces deux États se mettraient nécessairement au même pas de danse que celui des grandes puissances. L'argument invoqué en 1963 en vue de mettre un frein à la prolifération nucléaire ne vaudrait donc que pour les États qui ne se seraient jamais encore engagés dans la voie de la mise au point d'un armement atomique national. Et il n'est pas dit qu'un État décidé à assurer coûte que coûte sa sécurité ne choisirait pas de défier l'opinion publique internationale, plutôt que de rester passif devant les besoins de garantir les conditions de sa survie. Les préventions qui s'exerceraient contre un tel État seraient fortes certes, mais elles ne seraient jamais autre chose que cela.

En troisième lieu, on constate à l'histogramme 2 que le moratoire soviétique unilatéral de 1985, cinq fois renouvelé jusqu'à la reprise des essais par Moscou en février 1987, n'est venu qu'après la mise en œuvre sans précédent d'une série d'essais nucléaires soviétiques souterrains. Une puissance ayant réalisé la plupart de ses essais est évidemment bien venue de proposer à l'autre un moratoire qui, une fois accepté, ne peut que retarder cette dernière dans la poursuite de son programme de développement ou en cours d'étude.

En quatrième lieu, enfin, d'énormes progrès technologiques ont été réalisés entre 1963 et 1988. Les grandes puissances sont aujourd'hui en mesure d'extrapoler, grâce à la simulation par ordinateur, des données dont seule l'expérimentation par de nombreux tests empiriques aurait pu autrefois assurer la vraisemblance statistique. Les grandes puissances en sont aujourd'hui arrivées à un tel stade de maturité nucléaire que la poursuite de leurs essais n'a probablement plus qu'un effet décroissant marginal quant aux besoins de perfectionnement de leurs armes nucléaires offensives.

On peut se demander dans ces conditions pourquoi les grandes puissances ont continué leurs expériences nucléaires souterraines au rythme d'environ 17 essais par année pour les États-Unis durant la période de 1977 à 1986 et, durant la même période, d'environ 21 expérimentations annuelles en moyenne pour l'URSS (voir l'histogramme 2). On en est réduit à des conjectures en ce qui a trait à l'URSS, étant donné le peu de détails qui a filtré sur les buts scientifiques de leurs expérimentations nucléaires. Du côté américain, l'information dont on dispose est la plupart du temps de seconde main, mais elle suffit aux besoins de la présentation d'une image générale du pourquoi des essais nucléaires souterrains.

Des 830 essais nucléaires recensés par Norris, Cochran et Arkin, ceux-ci estiment que 75 pour 100 d'entre eux étaient destinés à assurer la mise au point de nouveaux types

HISTOGRAMME 1

Histogramme des essais nucléaires connus de 1945 au 5 août 1963

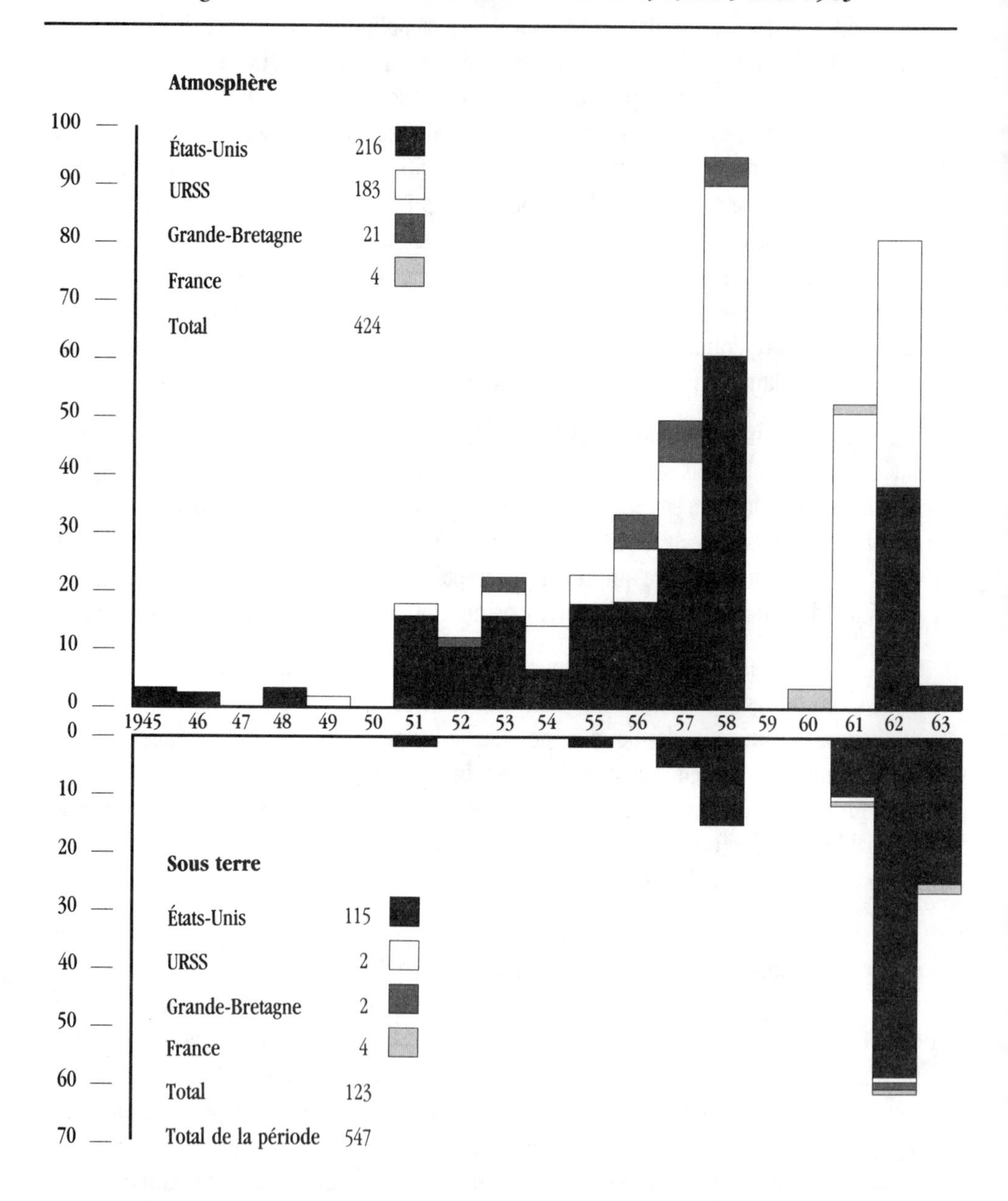

Note : Les États-Unis ont réalisé au moins un essai sous l'eau en 1946, en 1955 et en 1962 ; et au moins deux essais sous l'eau en 1958. Ces expérimentations sont comptabilisées dans la section des essais nucléaires dans l'atmosphère. L'URSS a aussi réalisé au moins un essai sous l'eau en 1955, en 1957 et en 1961.

Source : Tableau compilé d'après les données citées dans Goldblat-Cox, 1988, p. 402-404.

Nombre d'essais par pays et par année

		États-Unis	URSS	Grande-Bretagne	France
Essais dans l'atmosphère	1945	3			
	1946	2			
	1947	0*			
	1948	3			
	1949	0	1		
	1950	0	0		
	1951	15	2		
	1952	10	0	1	
	1953	11	4	2	
	1954	6	7	0	
	1955	17	5	0	
	1956	18	9	6	
	1957	27	15	7	
	1958	62	29	5	
	1959	0	0	0	
	1960	0	0	0	3
	1961	0	50	0	1
	1962	38	43	0	0
	1963	4	0	0	0
			165		
			18	(de 1949 à 1958, années non connues)	
	Total	216	183	21	4 = 424
Essais sous terre	1951	1			
	1955	1			
	1957	5			
	1958	15			
	1961	10	1		1
	1962	58	1	2	1
5 août	1963	25	0	0	2
	Total	115	2	2	4 = 123
	Total de la période 547				

* Absence d'année = aucun essai.

HISTOGRAMME 2

Histogramme des essais nucléaires connus depuis le 5 août 1963 jusqu'au 1er juillet 1987

Atmosphère :	63	**Sous terre :**	1 035	Total de la période : 1 098
États-Unis	0	États-Unis	493	
URSS	0	URSS	421	
Grande-Bretagne	0	Grande-Bretagne	17	
France	41	France	95	
RPC	22	RPC	8	
		Inde	1	

Atmosphère

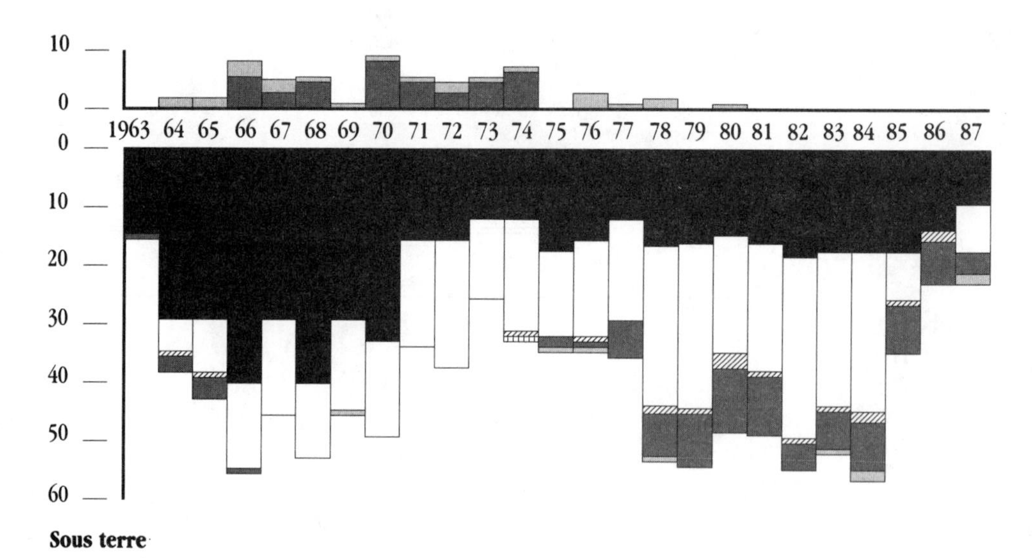

Sous terre

Note : Les explosions groupées sont comptabilisées comme une seule explosion.
Les chiffres américains sont légèrement gonflés du fait que depuis 1962 tous les essais britanniques ont été réalisés à l'emplacement d'expérimentation du Nevada.
La France a cessé ses essais dans l'atmosphère en 1974.
La Chine a annoncé en 1986 qu'elle ne procéderait plus à des essais dans l'atmosphère.

Source : Tableau compilé d'après les données citées dans Goldblat-Cox, 1988, p. 402-404.

Nombre d'essais par pays et par année

		États-Unis	URSS	Grande-Bretagne	France	RPC	Inde	
Essais dans l'atmosphère	1964					1		
	1965					1		
	1966				5	3		
	1967				3	2		
	1968				5	1		
	1969				0	1		
	1970				8	1		
	1971				5	1		
	1972				3	2		
	1973				5	1		
	1974				7	1		
	1976				0	3		
	1977				0	1		
	1978				0	2		
	1980				0	1		
	Total				41	22		= 63
Essais sous terre	1963	14			1			
	1964	29	6	1	3			
	1965	29	9	1	4			
	1966	40	15	0	1			
	1967	29	17	0	0			
	1968	39	13	0	0			
	1969	29	16	0	0	1		
	1970	33	17	0	0	0		
	1971	15	19	0	0	0		
	1972	15	22	0	0	0		
	1973	12	14	0	0	0		
	1974	12	19	1	0	0	1	
	1975	17	15	0	2	1	0	
	1976	15	17	1	1	1	0	
	1977	12	18	0	6	0	0	
	1978	16	28	2	7	1	0	
	1979	15	29	1	9	0	0	
	1980	14	21	2	11	0	0	
	1981	16	22	1	10	0	0	
	1982	18	31	1	5	0	0	
	1983	17	27	1	7	1	0	
	1984	17	28	2	8	2	0	
	1985	17	9	1	8	0	0	
	1986	14	0	1	8	0	0	
	1987	9	9	0	4	1	0	
	Total	493	421	17	95	8	1	= 1 035

Total de la période: 1 098

d'ogives[30]. Cette proportion atteint 85 pour 100 si l'on inclut dans ces essais l'étude des effets nucléaires des armes elles-mêmes — dans l'eau, sous terre ou à haute altitude. Bien que les chiffres varient d'un auteur à l'autre, on semble s'entendre dans l'ensemble sur le fait que cette proportion se situe entre 75 et 85 pour 100 de la totalité des essais. Selon J. Carson Mark, ancien directeur de la section théorique du Los Alamos National Laboratory, jusqu'à 800 des quelque 850 essais américains auraient été réalisés aux fins de programme de mise au point d'armes, soit plus de 90 pour 100 du total[31]. Le reste des essais a surtout été consacré à l'étude des effets des explosions nucléaires à des fins pacifiques, à l'amélioration du programme VELA destiné à expérimenter la capacité de détection des essais nucléaires par satellites, à tester la sécurité et la fiabilité des ogives[32], ainsi que leur capacité de résistance physique au choc, au stockage et au transport, et à créer des dispositifs plus sécuritaires pour les détonateurs de leurs engins nucléaires.

En somme, les constatations suivantes semblent faire consensus chez les experts. Un État qui commence à produire un armement nucléaire ne peut avoir une certitude mathématique de fiabilité de son arme qu'à partir d'un seuil d'environ 100 tonnes de matière fissile[33]. Pour un État qui choisirait de s'engager clandestinement dans la voie de la constitution d'un arsenal nucléaire, cette proportion est évidemment très élevée et d'autant plus coûteuse que le seuil critique d'une bombe est estimé à plus ou moins une dizaine de kilogrammes, selon qu'il s'agit de plutonium 239 ou d'uranium enrichi. Malgré cette affirmation, un État peut probablement produire une série d'armes du type Hiroshima ou Nagasaki sans nécessairement passer par la voie des essais. La difficulté principale réside dans la possibilité d'obtenir une réaction critique en un temps extrêmement court, ce qui dépend en dernière instance du mécanisme d'implosion de la bombe — ou d'explosion, si le mécanisme consiste à projeter par canons à haute vélocité plusieurs masses sous-critiques l'une contre l'autre. Plus le temps réalisé sera court — les calculs se font ici au milliardième de seconde ! —, moins grande sera l'incertitude à propos du rendement de la bombe. Même les grandes puissances ont dû réaliser des essais en ce domaine lorsque pour des raisons de sécurité elles ont décidé de remplacer les dispositifs classiques des mécanismes de détonation de la bombe par des explosifs dits non sensitifs (Insentive High Explosive (IHE))[34], ce qui diminue d'autant la possibilité d'explosion accidentelle d'une bombe par choc, lorsqu'un bombardier s'écrase par exemple, ou encore si un dépôt d'armes est soumis à une onde de choc violente.

En deuxième lieu, des essais sont absolument nécessaires si un État décide de s'engager dans la voie du thermonucléaire. D'après Westervelt, l'amélioration du rapport poids/puissance est une science empirique qu'aucun calcul ni projections statistiques en laboratoire ne peuvent remplacer[35]. Le dopage des armes *(boosting)* a permis d'augmenter l'efficacité des armes à fission dans le rapport poids/puissance par un facteur de 100[36]. C'est dans ce domaine en particulier que les essais ont été les plus nombreux. Il est probable que les grandes puissances maîtrisent aujourd'hui parfaitement bien ce phénomène.

En 1983, à peu près la moitié des 25 000 unités constituant les stocks nucléaires américains avaient plus de 20 ans d'âge[37]. Devant les progrès de la technologie, les États-Unis ont décidé de moderniser leur arsenal afin de répondre aux besoins sans cesse changeants de leur stratégie. On estime en moyenne qu'il faut entre cinq et dix essais avant de pouvoir procéder à la « certification » d'un nouveau design d'ogives — cette proportion peut être plus élevée pour un pays débutant. Il ne faut pas confondre ici la nomenclature de la centaine d'armes du type nucléaire dans l'arsenal américain avec le design proprement dit qui fait appel, lui, à des types physiques de configuration du dispositif nucléaire. Même s'il existe une centaine d'ogives particulières, elles pourraient probablement être regroupées sous une douzaine ou plus de designs particuliers. Aux États-Unis, les têtes du MINUTEMAN III (335 Kt), du TRIDENT II (450 Kt) et de la bombe stratégique B-83 (1,2 Mt) ont toutes été expérimentées avant l'entrée en vigueur, le 31 mars 1976, du Traité sur la limitation des essais souterrains d'armes nucléaires (Treaty on the Limitation of Underground Nuclear Weapon Tests ou Threshold Test Ban Treaty (TTBT)) imposant une limite de 150 kilotonnes aux essais nucléaires souterrains. Du côté soviétique, on constate la même chose en ce qui a trait au développement de leurs ogives pour les SS-17 modèle 2, les SS-18 modèle 1 et les SS-19 modèle 3, ainsi que pour les têtes mirvées des SS-17 modèle 3, des SS-18 modèle 4 et des SS-19 modèle 3[38]. C'est donc dire que la plupart des engins considérés comme modernes dans la panoplie des grandes puissances ont été expérimentés il y a de cela une bonne dizaine d'années.

Les expérimentations souterraines actuelles portent évidemment sur les armes de l'avenir, soit celles de troisième génération. En ce domaine, l'article de Theodore B. Taylor fait autorité[39]. En d'autres termes, la création de nouveaux designs fait appel à des configurations physiques particulières afin d'améliorer l'efficacité des armes à énergie dirigée. Il s'agit donc ici essentiellement de la guerre de l'espace, même si certains types d'essais peuvent avoir des implications sur le plan stratégique ou tactique. Une interdiction globale des essais nucléaires influerait probablement très peu sur la capacité stratégique ou tactique des grandes puissances de se livrer un combat nucléaire, mais elle aurait pour effet de sérieusement entraver la mise au point d'armes destinées à la défense contre-missile. Comme les essais nucléaires dans l'espace sont interdits tant par le Traité de 1963 que par de nombreux autres instruments juridiques[40], la question qui se pose est de savoir, en premier lieu, si les États peuvent recréer sous terre des conditions qui existent dans le vide de l'espace extra-atmosphérique et, en second lieu, à partir de quel seuil d'explosion il serait nécessaire d'expérimenter en la matière.

C'est malheureusement la seule faiblesse du dernier ouvrage de Goldblat-Cox. Aucun designer d'armes n'était présent, en octobre 1986, au colloque tenu à Montebello dont leur ouvrage est issu, encore que de nombreux scientifiques relevant des grands laboratoires américains y participaient. On en est donc réduit aux conjectures. Il est probable que le seuil des 150 kilotonnes suffit aujourd'hui largement aux puissances nucléaires, étant donné les connaissances antérieures accumulées, pour créer leurs armes de l'avenir. Selon Jeremy K. Leggett, du Royal School of Mines de l'Imperial College of Science and Technology à Londres, les tests mêmes du laser à rayons X à pompage nucléaire, projet cher à Edward Teller, auraient été réalisés à un seuil proche des 150 kilotonnes fixé par le TTBT[41]. Si l'on tient compte par ailleurs du fait que la puissance effective d'une explosion nucléaire réalisée dans des conditions maximales de « découplage[42] » peut réduire par un facteur de 10 la puissance détectée de l'explosion — et peut-être même par un facteur pouvant varier entre 50 et 100, si l'explosion se révèle d'une très faible ampleur, par exemple en deçà du seuil d'une kilotonne —, on est en droit de se demander si même un seuil de 15 à 20 kilotonnes constituerait, toujours pour les grandes puissances, un obstacle majeur à la mise au point de leurs armes à énergie dirigée. Selon V. Goldanskii, de l'Académie des sciences de Moscou, plus de 60 pour 100 des essais nucléaires américains réalisés entre 1980 et 1984 se situaient en deçà du seuil de 20 kilotonnes et, de ce pourcentage, plus des deux tiers des essais réalisés atteignaient entre 5 et 20 kilotonnes[43].

Ainsi, ce n'est qu'à partir d'un seuil de 5 kilotonnes qu'un Traité deviendrait vraiment significatif. Selon certains, par ailleurs, il semblerait difficile d'amorcer une réaction thermonucléaire explosive sans disposer d'un détonateur atomique d'au moins 5 kilotonnes. Un seuil aussi bas aurait donc probablement le mérite d'interdire la mise au point d'armes thermonucléaires par d'autres pays. L'institution d'un Traité fixant des quotas d'explosion et des seuils de puissance inférieurs aux accords aujourd'hui en vigueur entraverait bien sûr le cours des recherches actuelles, mais les grandes puissances pourraient éventuellement le contourner si elles décidaient d'y mettre le prix. Une telle démarche pourrait toutefois indiquer que les grandes puissances ont l'intention de freiner le rythme de développement de leurs arsenaux de demain. Elle constituerait donc en ce sens un acquis et ouvrirait, en plus, la voie à d'autres accords possibles.

La détection sismique

La détection sismique s'avère un sujet relativement complexe. Nous nous permettons donc de mettre à contribution le lecteur, afin de lui faciliter la tâche. Par exemple, imaginons ce dernier tenant un crayon au centre d'une table munie d'une immense feuille de papier blanc et autour de laquelle sont réunis trois autres joueurs, Pierre et Paul au nord et au sud, et Jean à l'ouest. Tandis que le lecteur tient la pointe de son crayon appuyée à la verticale du centre de la table, Pierre et Paul impriment à la table un mouvement de va-et-vient dans la direction nord-sud. Le résultat sera un trait noir sur le papier blanc, dont la dimension variera en hauteur selon le déplacement nord-sud imprimé à la table par Pierre et Paul. Reprenons la même expérience, à cette différence près toutefois que Jean tire aussi, à vitesse constante, le papier blanc de son côté, tandis que Pierre et Paul continuent d'imprimer à la table un mouvement de va-et-vient en direction nord-sud.

Dans ces conditions, une série de traits en dents de scie apparaîtront sur le papier, due aux mouvements imprimés à la table par Pierre et Paul, tandis que le déroulement du papier par Jean fera apparaître sous le crayon une médiane d'ouest en est. La courbe sinusoïdale ainsi tracée sera plus ou moins serrée selon la vitesse de déroulement du papier. Plus la vitesse sera rapide, moins les traits en direction nord-sud seront resserrés entre eux. Ces rapports entre les deux variables permettent d'établir les relations suivantes : la hauteur des dents de scie à partir de la médiane marque l'amplitude des oscillations ; le nombre d'oscillations tracées dépendra évidemment de la vitesse du déroulement du papier ; et la périodicité du phénomène permettra d'en établir la fréquence.

La fréquence n'est donc autre chose que le nombre de vibrations par unité de temps. L'unité de fréquence est le hertz (Hz). La période échappe évidemment à l'expérience immédiate puisqu'elle est fonction du temps. Au lieu de parler de vitesse de déroulement du papier, on parlera de longueur d'onde pour définir la période. Celle-ci nous est donnée par le temps que met une oscillation pour parcourir un cycle complet, c'est-à-dire du début de la médiane jusqu'à son retour en passant par le sommet de la crête et son creux. En d'autres termes, la période est mathématiquement la réciproque de la fréquence ou, si l'on veut, la fréquence d'un phénomène périodique est égale à l'inverse de la période de ce phénomème, de telle sorte que :

$f = \frac{1}{T}$ ou $T = \frac{1}{f}$, où f dénote la fréquence et T le temps de la période.

L'exemple des trois joueurs ne fait que reprendre en gros le fonctionnement d'un sismomètre, mais alors l'appareil de lecture est fixé dans le roc solide. Un sismomètre enregistre les mouvements de la terre. Ces appareils disposent d'une capacité de lecture tout à la fois dans le sens vertical et horizontal des ébranlements de la terre .

En physique, n'importe quel ébranlement en un point d'un milieu se transmet de proche en proche à tous les points du milieu. Le fait de jeter une pierre à la surface d'une eau tranquille produit une onde de propagation. Chaque point de la surface du liquide, au moment où l'onde l'atteint, subit un mouvement oscillatoire perpendiculaire à la surface du liquide, donc à la direction dans laquelle l'onde se propage. On dit de ces ondes qu'elles sont *tranversales*. Il existe aussi des ondes *longitudinales*, les ondes sonores par exemple, qui impriment aux points d'un milieu dans lequel elles se déplacent des mouvements parallèles à la direction de leur propagation.

Ainsi, lorsqu'un joueur de timbale frappe avec un maillet la peau tendue de son instrument, celle-ci subit une onde de propagation transversale. Le son sera cependant réfléchi plusieurs fois à l'intérieur de la caisse de résonance de l'instrument. Les ondes sonores à l'intérieur se propagent d'une façon longitudinale. Notre planète est aussi une véritable table d'harmonie, sauf que son milieu est loin d'être homogène.

À toutes fins utiles, la Terre correspond à une sphère d'un rayon approximatif de 6 500 kilomètres et d'une circonférence de 40 000 kilomètres. Cette sphère se compose de trois parties : la croûte, le manteau et le noyau. On peut aussi diviser le noyau en deux parties, le noyau extérieur et le noyau intérieur. La croûte et le manteau forment la lithosphère, c'est-à-dire la partie solide par opposition au noyau qui est plus ou moins liquide — le magma — ou gazeux. La lithosphère s'étend juqu'à une profondeur de 70 kilomètres.

En matière de détection sismique, les ondes importantes sont de deux sortes. Il y a tout d'abord les ondes de volume[44], c'est-à-dire les ondes primaires (ondes P, pour *pressure*) et les ondes secondaires ou ondes de cisaillement (ondes S ou Shear). Ensuite, on distingue les ondes de surface qui se subdivisent en ondes Rayleigh et en ondes Love. Comme leur nom l'indique, les ondes de volume se propagent à travers l'ensemble du manteau et sont souvent réfléchies ou diffractées par le noyau, ce qui provoque, à une distance angulaire comprise entre 100 et 140 degrés du noyau de la Terre, une zone d'ombre où toute détection sismique est nulle. Quant aux ondes de surface qui naissent essentiellement des interactions entre les ondes de volume, elles se transmettent en périphérie du manteau, c'est-à-dire à la surface de la Terre, sur de très longues distances, parfois juqu'à 10 000 kilomètres[45].

Les ondes de volume, surtout les ondes P, sont les plus rapides. Elles se propagent exactement comme le son, donc comme des ondes de compression, dans le sens longitudinal. Elles sont émises dans une gamme de fréquences comprises entre 0 et 100 hertz. Pour leur part, les ondes de cisaillement, les ondes S, se propagent d'une façon transversale. Elles sont donc moins rapides que les ondes de compression, et leur vitesse de propagation est d'environ 60 pour 100 de celle des ondes P. Pour obtenir une estimation approximative de la distance entre le sismomètre et le phénomène observé, on se fie à l'étude des délais d'arrivée entre les différents types d'ondes.

En revanche, les ondes de surface se propagent à la vitesse de 3 à 4 kilomètres par seconde, ce qui correspond à une longueur d'onde de 60 à 80 kilomètres[46]. Elles sont plus lentes que les ondes de volume, elles se propagent sur de longues distances, et leur atténuation, c'est-à-dire la diminution de leur amplitude, est fonction de la racine carrée de la distance, au contraire des ondes de volume dont l'amplitude est tout simplement fonction de la distance. Tout cela signifie qu'à une grande distance de l'épicentre d'un ébranlement quelconque, les ondes de surface seront prédominantes.

Les explosions nucléaires et les tremblements de terre se distinguent par la quantité relative d'ondes de volume et de surface produites. Une secousse tellurique produira, en règle générale, plus d'ondes de surface et moins d'ondes P. Autrement dit, l'onde primaire P due à une explosion nucléaire est plus élevée que cela n'est le cas pour un tremblement de terre, d'une part, et les ondes résultant d'une explosion nucléaire s'avèrent, en principe, d'une plus haute fréquence et d'une plus courte durée, d'autre part. Ces principes ne valent évidemment que dans des conditions générales bien définies et pour des valeurs en magnitude qui se situent au-dessus du bruit microsismique environnant.

À faible amplitude, la lecture est plus difficile. Il faut séparer les bruits de fond comme ceux qui sont produits par les mouvements des océans, par le vent, par les applications industrielles telles les explosions de dynamitage, et ainsi de suite. Des tables des temps de propagation à l'intérieur de la terre s'avèrent aussi un instrument utile en ce domaine. Il est clair que le milieu terrestre est loin d'être homogène : par exemple, le granite est un excellent propagateur d'ondes, ce qui ne sera pas le cas des milieux sablonneux. Enfin, plus les stations sismographiques seront nombreuses et de bonne qualité, mieux on sera en mesure, par triangulation ou par d'autres méthodes, de déterminer l'épicentre d'une explosion et sa magnitude.

L'échelle de Richter est l'unité de mesure communément utilisée pour déterminer la magnitude d'une explosion ou d'un tremblement de terre, c'est-à-dire l'énergie dégagée au foyer. Il s'agit d'une échelle logarithmique à l'intérieur de laquelle chaque degré franchi multiplie par un facteur de 10 la valeur de l'amplitude précédente. L'échelle n'a ni valeur minimale ni valeur maximale. La magnitude du tremblement de terre la plus élevée enregistrée durant notre siècle se situe à 8,9 ; et l'on arrive aujourd'hui à mesurer assez facilement des amplitudes inférieures à 1 sur l'échelle de Richter. Le nombre 4 sur l'échelle de Richter mesure un léger tremblement de terre. À 5, il est très fort, à 7 il est désastreux, et à 8 il se révèle catastrophique. Si l'on devait calculer l'énergie en équivalent d'explosifs, nous pourrions affirmer que, dans des conditions idéales, 1 kilo de TNT est égal à la magnitude de 1, 10 kilotonnes à la magnitude de 4,5 — dans du granite —, 20 kilotonnes à la magnitude de 5, 1 mégatonne à la magnitude de 6 et 60 000 mégatonnes — 60 000 bombes de 1 mégatonne — à la magnitude de 8[47]. Puisqu'à la magnitude de 1, il y a environ 700 000 tremblements de terre par an, et près de 50 000 dans la gamme située entre les magnitudes de 3 et 3,9[48], on comprend aisément, dans ces conditions, qu'à faible amplitude il soit plus difficile de distinguer une explosion nucléaire d'un tremblement de terre.

D'après le ministère des Affaires extérieures[49], le camouflage d'une explosion peut être obtenu selon les quatre méthodes de dissimulation suivantes :

- Signaux sismiques maintenus sous le niveau de « bruit » microsismique ;
- Essais pratiqués dans une zone propice aux tremblements de terre ou bruits pseudo-normaux créés en même temps que l'explosion pour masquer celle-ci ;
- Polygone choisi de telle manière que le signal traverse une région absorbante de la croûte terrestre ; ou
- « Découplage » partiel ou complet de l'explosion à partir de son milieu environnant solide immédiat, en faisant détoner l'engin dans une vaste caverne artificielle.

La plupart des tremblements de terre ne peuvent cependant pas être confondus avec des explosions nucléaires. À plus de 10 kilomètres de profondeur par exemple, on est assuré qu'il s'agit d'un séisme naturel, car personne n'a encore pu creuser à de telles profondeurs. Selon Sykes et Evernden, plus de 90 pour 100 des tremblements de terre se produisent à une profondeur plus grande que 10 kilomètres[50]. En outre, un épicentre, c'est-à-dire le point situé sur la surface terrestre directement à la verticale de l'hypocentre qui marque le foyer de l'explosion ou de la secousse tellurique, dont les coordonnées géographiques se situeraient dans la masse océanique serait presque nécessairement un tremblement de terre, puisque là encore les frais de forage en pleine mer pour dissimuler dans les fonds marins une explosion nucléaire seraient tout à fait prohibitifs. Ce n'est donc que pour les cas limites à faible amplitude et pour des essais réalisés à faible profondeur qu'il est nécessaire d'avoir recours à des techniques de discrimination.

L'ennemi des sismologues est évidemment l'explosion « découplée » de son milieu environnant. On peut par exemple utiliser des cavernes comme celles qui ont été formées au cours d'extraction de sel dans des mines. Par ailleurs, ces cavités sont souvent utilisées comme endroits de stockage pour le gaz, le pétrole ou des résidus radioactifs. Elles peuvent donc servir à camoufler des explosions. Certaines cavernes en URSS ont un diamètre de 10 à 100 mètres pouvant contenir en volume de 20 000 à 1 000 000 de mètres cubes[51]. Un État pourrait aussi choisir de réutiliser une cavité antérieurement formée par une explosion nucléaire. C'est ce qu'ont fait les États-Unis en décembre 1966, lors de l'essai d'un engin de 0,38 kilotonne — l'essai Sterling. Ils vérifièrent ainsi que le signal sismique était 70 fois plus faible[52].

Cependant, d'énormes progrès ont été réalisés dans le domaine de la sismologie. Les découvertes les plus récentes nous obligent à revoir, entre autres, les données de l'essai Sterling. D'après le réexamen de ces données et à la suite de nouveaux calculs théoriques, Sykes estime que l'« étouffement » de l'explosion aurait été diminué par un facteur de 10, si la lecture des ondes avait été faite dans la gamme des hautes fréquences comprises entre 15 et 30 hertz[53]. Les nouvelles techniques en sismographie attachent une importance particulière à la lecture des ondes de haute fréquence comprises entre 10 et 50 hertz, car elles se propagent aussi bien, donc aussi loin, que leurs compagnes de basse fréquence dans la lithosphère. Les gains ainsi obtenus s'avèrent considérables, car les bruits de fond sismique, qui sont nombreux dans le spectre de basse fréquence, sont beaucoup plus faibles dans la gamme de haute fréquence. L'analyse spectrale devient ainsi l'un des instruments les plus utiles pour distinguer l'explosion nucléaire du tremblement de terre.

Parmi les autres méthodes de discrimination communément utilisées, notons le critère m_b : M_s ou, si l'on veut, les valeurs de la magnitude des ondes de volume (*body wave*, d'où le petit b) sur les valeurs de la magnitude des ondes de surface. Ces rapports pour une explosion nucléaire souterraine sont très différents de ceux qui sont obtenus pour un tremblement de terre à faible profondeur. La procédure consiste à comparer les ondes primaires, les ondes P, d'une période d'environ 1 seconde par rapport aux ondes de surface Rayleigh d'une période d'environ 20 secondes. La plupart des ébranlements, s'ils tombent dans la partie positive de la pente dans le diagramme de dispersion, peuvent être considérés comme une explosion nucléaire, et comme un tremblement de terre, s'ils tombent du côté négatif de la pente[54]. L'inconvénient est que ces différences tendent à disparaître pour les tremblements de terre à forte profondeur.

Dans tous les cas, le rapport des ondes de volume sur les ondes de surface et les progrès récents en matière de discrimination spectrale dans la gamme des hautes fréquences semblent constituer les techniques les plus sûres et les plus fiables pour distinguer la nature des ébranlements terrestres, c'est-à-dire l'explosion nucléaire du tremblement de terre. La qualité des informations sera d'autant plus grande que des recoupements seront possibles entre les réseaux sismographiques périphériques d'un pays et ses propres réseaux nationaux. Selon Lynn R. Sykes, un consensus existe au sein de la communauté internationale des experts selon lequel il est possible de distinguer une explosion nucléaire, même « découplée », d'un tremblement de terre à partir de la valeur d'une explosion de 10 kilotonnes, si les sismographes sont extérieurs au pays[55]. Cette certitude peut aussi être obtenue à partir du seuil de 1 kilotonne, si les données périphériques peuvent être comparées à celles des stations internes du pays où l'explosion a eu lieu. Le Canadien Peter W. Basham et le Suédois Ola Dahlman se montrent également formels : « la technologie existe pour créer un système international de vérification sismique [...] le système peut être conçu pour répondre à n'importe quelle exigence politique[56] ».

Les efforts internationaux en matière de détection sismique

La résolution de tous ces problèmes repose donc sur l'institution d'un système international de vérification, où toutes les données seraient échangées en temps réel, et auquel tous les principaux pays concernés participeraient. On est encore loin de cet objectif, mais les progrès accomplis dans les négociations sont de bon augure.

On peut distinguer trois étapes principales dans l'évolution de ce dossier. La première étape remonte à la Conférence d'experts sur la détection des essais nucléaires. Cette Conférence se tint à Genève du 1er juillet au 21 août 1958. Les conclusions de la Conférence d'experts furent rediscutées au sein de la Conférence sur la cessation des essais d'armes nucléaires, aussi appelée la Conférence tripartite — États-Unis, Grande-Bretagne et URSS —, qui s'ouvrit à Genève, le 31 octobre 1958, et dont les travaux se poursuivirent par intermittence jusqu'à la fin de l'année 1961. Le 29 janvier 1962, la Conférence sur la cessation des essais d'armes nucléaires était ajournée *sine die* tandis que les questions dont elle était saisie étaient renvoyées, en mars 1962, à un sous-comité du Comité des dix-huit puissances.

Lors de la Conférence d'experts sur la détection des essais nucléaires qui regroupait huit pays[57], quatre de l'Ouest et quatre de l'Est, on avança l'hypothèse qu'il était possible de distinguer les explosions nucléaires, comprises entre 1 et 5 kilotonnes, des tremblements de terre, à la condition de disposer d'un vaste réseau de 170 postes d'observation terrestres, complété par une dizaine de postes d'observation maritimes, et d'un système d'inspection sur place pour les cas ambigus[58]. Dans l'intervalle entre la première Conférence de nature technique et les discussions politiques tripartites, de nouvelles expériences permirent de constater qu'il était possible de camoufler des essais nucléaires grâce à la méthode du « découplage ». Lors des réunions tripartites politiques, on convint en mars 1960 d'un accord de principe sur la possibilité de rédiger un Traité interdisant les essais nucléaires souterrains d'une magnitude supérieure à 4,75 — l'équivalent d'une explosion d'environ 20 kilotonnes —, ainsi qu'un moratoire sur les essais souterrains d'amplitude inférieure, et sur la possibilité de mettre en œuvre un programme de recherche commun sur la mise en évidence et la détection des essais nucléaires souterrains[59]. Le dernier obstacle tenait au nombre d'inspections sur place requises : les États-Unis en réclamaient sept par année, l'URSS n'était prête qu'à en consentir deux ou trois.

L'échec de la Conférence au sommet de Paris en 1960, la reprise des essais nucléaires, en 1961, et la signature, au lendemain de la crise de Cuba, du Traité d'interdiction partielle des essais nucléaires mirent un point final à cette première étape des négociations.

La deuxième étape est largement due au développement des efforts nationaux en matière de détection sismique. Les États-Unis mettent au point les satellites VELA ainsi que leur programme LASA, ce dernier étant abandonné en 1978 ; les Britanniques, avec des stations au Canada, en Écosse, en Australie et en Inde, s'orientent vers des systèmes à détection télésismique — détection à des distances supérieures à 3 000 kilomètres —, tandis qu'en 1967 est complété le premier réseau de détection sismique standardisé, le World Wide Standardized Seismograph Network (WWSSN), mettant à contribution 60 pays dotés de 125 postes d'observation sismique au total.

Ces initiatives sont largement appuyées par des pays comme la Suède qui convoque une réunion d'experts à Tällberg, en 1968, à l'invitation du SIPRI, et par le Canada qui parraine avec de nombreux autres pays à l'Assemblée générale des Nations Unies, en 1969, la résolution 2604 A (XXIV), par laquelle on invitait les États à faire rapport au secrétaire général au sujet des capacités techniques sismologiques dont ils disposaient pour participer à la constitution éventuelle d'un réseau international de détection sismique. Ainsi, 45 États fournirent des renseignements sur l'état de leurs installations et 22 États informèrent le secrétaire général[60] qu'ils ne disposaient d'aucune capacité technique en la matière[61]. Malheureusement, très peu de données filtrèrent sur l'état technique des stations sismographiques dans les pays du bloc socialiste.

Dans la foulée de tous ces efforts nationaux, la Suède élabora son propre programme de détection sismique, et la Norvège, dotée de plaques tectoniques stables, inaugura en 1971 son programme NORSAR qui a récemment été complété par le système NORESS, capable de détecter, dans la gamme des hautes fréquences, des magnitudes égales à 2,5 à des milliers de kilomètres de son point de départ. Au Canada, le nombre de stations sismologiques dépasse la centaine. Dans le cadre du Regional Seismic Test Network (RSTN) à Albuquerque, au Nouveau-Mexique, le Canada dispose de deux unités télécommandées de détection sismologique, dont l'une est située à Red Lake en Ontario, et l'autre près de Yellowknife. Toutes les données sismiques sont transmises à Albuquerque par le satellite WESTAR.

Étant donné que la structure géologique du Bouclier précambrien canadien ressemble aux formations continentales sur lesquelles repose la plus grande partie du continent eurasiatique, de telles expériences « constituent un champ d'expérimentation permettant d'en apprendre beaucoup au sujet des techniques sismologiques rapprochées qui sont susceptibles de s'appliquer à un réseau télécommandé à l'intérieur de l'URSS[62] ». En matière de détection sismique, il ne faudrait pas non plus oublier les efforts faits par la France, la Chine, la RFA et l'Australie, pour ne mentionner que ces pays.

La troisième étape dans la poursuite des efforts internationaux commence en 1976, avec la constitution au sein de la CCD à Genève d'un Groupe ad hoc sur la vérification sismique dont l'initiative revient à la Suède, et s'étend jusqu'à nos jours. Ce groupe mieux connu sous le vocable Groupe d'experts scientifiques (GES) était composé en 1986 de 26 pays participants, encore que tous n'y sont pas toujours présents. Le GES se réunit en règle générale deux fois par année, à Genève, durant une période de deux semaines. Le GES a soumis son premier rapport[63] à la CCD en mars 1978, son deuxième[64] en juillet 1979 et ses troisième[65] et quatrième[66] rapports en mars 1984 et en août 1986. Deux autres rapports d'étapes ont été déposés en 1987.

Dans l'état actuel des négociations, le GES propose essentiellement l'établissement d'un système international de vérification sismique à trois paliers. Le premier palier serait articulé autour d'un système mondial télécommandé, composé d'une cinquantaine ou plus de stations « primaires » standardisées. Au deuxième palier, des réseaux nationaux régionaux viendraient compléter l'analyse des résultats télésismiques obtenus au palier 1. Cette étape est particulièrement importante pour raffiner l'analyse, c'est-à-dire pour établir une distinction entre l'explosion nucléaire et une secousse tellurique. Enfin, le palier 3 serait constitué par les réseaux de détection des grandes puissances et complété par des arrangements spéciaux entre les États-Unis et l'URSS[67]. Plusieurs pays, dont notamment la RFA et l'Australie, demandent qu'il y ait un échange de données complètes entre les paliers 2 et 3, afin d'éviter que les grandes puissances n'en viennent à considérer leurs propres installations comme des réseaux purement nationaux.

À titre d'organe international constitué d'experts scientifiques, le GES est en mesure de proposer la mise en œuvre immédiate des paliers 1 et 2 du système de vérification international. La plupart des pays soutiennent cette attitude. L'inauguration du palier 3 ne pourrait cependant avoir lieu que dans le cadre des négociations globales sur un CTB. Celles-ci ont repris en 1987 lors des négociations bilatérales américano-soviétiques. En 1988, on en était encore de part et d'autre à vérifier la fiabilité des réseaux de détection respectifs au cours d'expériences communes réalisées à Semipalatinsk et au Nevada.

LA NÉGOCIATION DU TRAITÉ D'INTERDICTION PARTIELLE DES ESSAIS NUCLÉAIRES DE 1963

L'abondante littérature sur la négociation du Traité d'interdiction partielle des essais nucléaires nous oblige ici à aller au plus court. Nous nous limitons donc à un bref rappel historique de la trame des négociations, suivi de l'examen de la politique canadienne.

Rappel historique des négociations

Pendant les années cinquante et jusqu'après la crise de Cuba, l'irruption du thermonucléaire et de la balistique dans les rapports américano-soviétiques fait sombrer le système international entier dans l'une des périodes les plus obscurantistes de toute l'histoire de la guerre froide. La sécurité des deux blocs prime toute autre considération. Les arguments moraux et scientifiques se révèlent d'un bien faible secours pour amener les grandes puissances à résipiscence. De part et d'autre, la propagande marque le pas. On crée au nom de la sécurité et de la dissuasion des armements inutiles[68] ; l'URSS veut mettre à l'épreuve les dirigeants de l'empire américain que ce soit à Berlin ou à Cuba ; on cherche à se gagner la confiance des États tiers ; et l'ONU connaît l'une des pires crises de son histoire.

L'opinion publique proteste, tandis que les grandes puissances testent leurs engins, leurs missiles et leur volonté. Par la bouche de son premier ministre Nehru, le gouvernement indien propose le premier, en avril 1954, un « accord de statu quo[69] » sur les essais nucléaires. Cette question sera par la suite régulièrement reprise à l'Assemblée générale des Nations Unies. En juillet 1956, les Britanniques souhaitent l'établissement de discussions privées avec les Américains à propos de la « restriction des essais ». Selon Greb, cette initiative est rejetée par les États-Unis[70]. Dans leur proposition-fleuve que les Occidentaux soumettent, à Londres, au sein du sous-comité de la Commission du désarmement, le 27 août 1957, la question de la suspension des essais nucléaires figure parmi la dizaine de mesures partielles suggérées dans le cadre d'un désarmement général et complet[71]. La question reste donc liée à la réalisation d'accords globaux. Les États-Unis s'en tiendront à cette position jusqu'au 31 octobre 1958, date qui marquera l'ouverture officielle de la Conférence d'experts sur la détection des essais nucléaires. Les travaux de cette Conférence d'experts fondèrent leur analyse sur la série des essais Rainier. Cette base plutôt fragile fut par la suite dénoncée par plusieurs[72], à la suite des essais de la série Hardtack d'octobre 1958. On venait de découvrir qu'il était possible d'étouffer la puissance d'explosion des essais nucléaires.

Dès le 8 avril 1958, dans sa correspondance avec Khrouchtchev, le président Eisenhower avait souhaité l'ouverture de « discussions techniques » sur le sujet. Le 22 août 1958, dans des déclarations séparées, les Britanniques et les Américains s'étaient prononcés en faveur de l'ouverture de « négociations formelles » sur la cessation des essais nucléaires. La Conférence tripartite s'ouvre à Genève le 31 octobre 1958 dans des conditions peu propices, car les Soviétiques ont repris leurs essais en septembre. Ils les poursuivront jusqu'au 3 novembre 1958, date où l'URSS accepte de suspendre ses essais, après la Grande-Bretagne qui l'avait fait le 23 septembre et les Américains le 30 octobre. De novembre 1958 à septembre 1961, au moment de la reprise des essais par les Soviétiques, le monde bénéficiera du plus long moratoire jamais observé avant la conclusion formelle en 1963 du Traité interdisant les essais d'armes nucléaires dans l'atmosphère, dans l'espace extra-atmosphérique et sous l'eau (ou Traité d'interdiction partielle des essais nucléaires (TIPEN)) (Treaty Banning Nuclear Weapon Tests in the Atmosphere, in Outer Space and Under Water) (ou Partial Test Ban Treaty (PTBT)). Les sigles TIPEN et PTBT désignent donc une même réalité.

Lorsque les Soviétiques reprennent leurs essais à l'automne 1961, ils les justifient en prenant pour prétexte les essais nucléaires français dans le désert du Sahara en 1960. Pris par surprise, les Américains ne recommenceront les leurs que le 25 avril 1962. Ces conditions ne sont guère favorables à l'avancement des travaux du Comité des dix-huit puissances depuis peu saisi de l'étude de ces problèmes. Les huit pays non alignés qui avaient une dizaine de jours plus tôt, soit le 16 avril 1962, présenté leur mémorandum[73] contre la volonté des grandes puissances[74] se virent d'abord opposer une fin de non-recevoir pour ensuite apprendre que leur document serait considéré comme « base de nouvelles négociations ». Des divergences Est-Ouest subsistaient sur la question de savoir si, dans le mémorandum soumis par les pays non alignés, les dispositions au sujet des inspections sur les lieux étaient censées avoir un caractère obligatoire ou facultatif.

Cette question constituait bien sûr le fond du débat. À trois reprises, les États-Unis avaient suggéré de dissocier les essais souterrains de la question globale de la suspension des essais dans les trois autres environnements, à savoir dans l'espace, sous l'eau et dans l'atmosphère. Ces propositions avaient été avancées par le président Eisenhower le 13 avril 1959 et le 11 février 1960[75], ainsi que dans les propositions anglo-américaines du 27 août

1962. À l'époque, les Soviétiques avaient refusé de se prêter à cette initiative sous prétexte que les essais nucléaires souterrains étaient exclus des propositions occidentales. C'est pourtant ce qu'ils finirent par accepter à Moscou, en juillet 1963, lorsque le négociateur américain Averell Harriman, pourtant mandaté pour négocier la suspension globale des essais nucléaires, n'obtiendra que l'accord soviétique à un Traité d'interdiction partielle des essais nucléaires[76].

En réalité, les deux grands décidèrent de composer avec les événements. Après la crise de Cuba, il fallait faire des concessions et donner un début de satisfaction à l'opinion publique internationale qui réclamait à cor et à cri l'interdiction des essais nucléaires. De plus, on sait aujourd'hui que de part et d'autre cette décision avait été imposée par les politiciens contre la volonté des militaires. Les témoignages et dépositions des experts, en tout cas aux États-Unis, montrent noir sur blanc que ce n'est qu'à la suite d'assurances formelles apportées par l'administration américaine que le Congrès s'était finalement rallié à l'idée de ratifier ce Traité. Signé à Moscou le 5 août 1963, le Traité entrait en vigueur le 10 octobre 1963, après la déposition des instruments de ratification dans les trois capitales.

Le Traité d'interdiction partielle des essais nucléaires (TIPEN*), mieux connu sous le nom du Partial Test Ban Treaty (PTBT), résulte essentiellement de la volonté des deux grands de s'entendre sur un sujet qui préoccupait au plus haut point les groupes de pression, les mouvements pacifistes tels le Campaign for Nuclear Disarmament (CND) et le groupe Pugwash — du nom du lieu au Canada où des scientifiques dévoués à la paix se rencontrèrent pour la première fois —, ainsi que l'opinion publique en général qui s'inquiétait à bon droit des effets nocifs et délétères du «poison atomique». Les deux grands désormais convaincus après Cuba de la nécessité d'éviter une guerre nucléaire finissaient ainsi par reconnaître le bien-fondé de la modération internationale, sans pour autant bouger d'un iota sur la nécessité de maintenir une dissuasion nucléaire qui seule pouvait garantir à leurs yeux leur sécurité.

La position canadienne depuis 1956 jusqu'au PTBT

Lors du débat au sein de la Commission du désarmement en 1956, l'Australie, le Canada, les États-Unis, la France et la Grande-Bretagne ont proposé qu'un accord sur le désarmement soit fondé sur les trois principes directeurs suivants:

> Le programme devrait prévoir, à des étapes convenables et avec les garanties nécessaires, l'arrêt de l'accumulation des stocks d'armes nucléaires, l'affectation à des usages pacifiques de toutes les matières nucléaires produites dans l'avenir et l'imposition de limitation aux essais d'armes nucléaires[77].

---

* Le signe TIPEN est quelquefois utilisé dans des textes juridiques français, notamment dans l'*Annuaire français de droit international*.

Cette position occidentale très prudente et qui le restera jusqu'en octobre 1958 avait cependant du plomb dans l'aile. En juillet 1956, le souhait britannique d'avoir des consultations privées avec les Américains sur ces questions fournira au Canada l'occasion de revoir en profondeur sa politique générale sur la cessation des essais nucléaires.

Dès le début de 1956, le ministre Pearson s'inquiète des insuffisances de la politique américaine devant la vague de protestations mondiales que soulèvent les essais nucléaires. Dans un mémoire au sous-secrétaire Léger, John W. Holmes signale que le ministre a exprimé ses inquiétudes à ce propos, précisant « qu'il ne suffit pas de dire que leur interdiction devrait se faire dans le cadre d'un accord global sur le désarmement[78] ». À la même époque, les militaires ne sont guère emballés par l'idée de toute contrainte qui pèserait sur la mise au point d'armes nouvelles. Dans un texte préparé par la Direction du renseignement scientifique de la Défense (Defence Scientific Intelligence), sous la direction de J.C. Arnell à l'intention du Comité mixte des renseignements (JIC), on souligne le 4 avril 1956 que les essais nucléaires sont nécessaires à la mise au point des armes, que les victimes de tels essais seraient en nombre négligeable, que la Grande-Bretagne ne se rallierait pas à cette idée aussi longtemps qu'elle n'aurait pas procédé à ses propres essais thermonucléaires, qu'il serait dérisoire d'interdire les essais thermonucléaires sans y inclure l'interdiction d'essais d'armes à fission[79] et, enfin, qu'il y avait peu de danger immédiat de contamination radioactive, bien que le sujet fasse l'objet d'un réexamen constant[80]. À la décharge de la Direction du renseignement scientifique de la Défense, notons que le document contenait aussi un bon nombre d'arguments plaidant en faveur d'un soutien canadien à l'interdiction éventuelle des essais. Dans l'ensemble toutefois, le plateau de la balance penchait nettement du côté du statu quo, c'est-à-dire envers la poursuite des essais. Le JIC entérinera les vues de la Direction du renseignement scientifique.

Au Bureau de l'ONU, Marcel Cadieux qui à ce moment-là suggérait d'ouvrir l'Arctique aux Américains pour les aider à poursuivre leurs essais en toute quiétude[81] transmet à Jules Léger une note lui suggérant de se rallier aux vues du JIC contre un soutien canadien sur l'interdiction des essais nucléaires. Cette note file entre les mains de John W. Holmes avec la mention : « Je crains de n'avoir pas eu le temps de l'étudier attentivement, mais je ne veux pas la retarder outre-mesure[82]. » Cinq jours plus tard, Jules Léger transmet son avis au ministre Pearson en lui disant qu'il serait difficile dans les conditions actuelles de ne pas appuyer le JIC dans sa démarche, même si ce Comité n'a pas tenu compte des propositions discutées au sein de la Commission du désarmement et eu égard aux fortes oppositions intérieures aux États-Unis sur ce sujet. Il ajoute cependant que cela ne signifie pas que la question de l'interdiction des essais ne devrait pas constituer un objectif global pour l'Ouest. Selon lui, la Délégation canadienne à l'ONU devrait en outre appuyer l'idée de la « surveillance » et de la « réglementation » des essais, deux idées-forces qui apparaissent en phase 1 des dernières propositions américaines au sous-comité de Londres et en phase 2[83] du projet de désarmement franco-britannique, puisque les Britanniques ne veulent pas entendre parler d'une suspension proche des essais étant donné leur programme d'essais qui se déroulera dans les mois à venir[84].

Jules Léger tente ici de ménager la chèvre et le chou, d'éviter des dissensions sérieuses au sein des pays membres du sous-comité de Londres tout en insistant sur la nécessité pour l'Ouest de sortir de la « diplomatie défensive » dans laquelle il s'est enfermé. Tous les arguments humanitaires que Léger trouve par ailleurs « authentiques » chez les pays qui les invoquent sont régulièrement rappelés dans ses notes au ministre Pearson. Paul Martin, alors ministre de la Santé et du Bien-être social, n'est pas loin non plus de penser la même chose. Le 17 juillet, il rappelle en Chambre que le Canada est en faveur de la suspension des essais nucléaires[85] et considère avec intérêt la suggestion d'établir un comité d'experts chargés d'étudier les moyens de limiter les essais « quant au nombre et à leur nature ».

Le 18 juillet, dans un long mémoire adressé au ministre Pearson, Jules léger fait le point :

> L'interdiction globale de tous les essais nucléaires, comme proposition isolée, présenterait un nombre important de problèmes. Elle se heurterait à des objections politiques soviétiques, si elle devait être assortie de contrôles efficaces. Elle comporterait des difficultés techniques de contrôle qui ne seraient sans doute pas réglées à la satisfaction des États-Unis. Tous les chefs des trois armes s'y opposeraient peut-être, tandis que les États-Unis et la Grande-Bretagne s'y opposeraient sans doute vigoureusement.
>
> Un accord sur la limitation et la réglementation des essais permettrait de répondre en partie ou en totalité à ces objections [...] Des limitations quant à la puissance et à la fréquence des explosions ne devraient pas rencontrer la même résistance auprès des chefs des trois armes réunies qu'une interdiction totale. La Grande-Bretagne et les États-Unis se sont exprimés en faveur de limitations sous certaines conditions. Et les objectifs que nous pourrions atteindre en donnant notre appui à une interdiction globale des essais pourraient bien être réalisés par une politique de limitations[86].

Jules Léger termine son mémoire en précisant qu'il faudrait s'employer à persuader les États-Unis et la Grande-Bretagne du bien-fondé de la position canadienne, afin d'amener les alliés à modifier leur attitude sur le fait qu'une interdiction n'est possible que dans le cadre d'un accord global sur le désarmement. Ce mémoire sera transmis non seulement à Pearson mais aussi au ministre Paul Martin, à la suggestion de Cadieux à laquelle John W. Holmes concourra. Tout est donc prêt pour une modification importante de la politique canadienne. On parlera plus tard dans les textes d'une réglementation auto-imposée *(self-denying ordinance)* pour les puissances nucléaires. Deux réserves sont cependant exprimées : il faut consulter les hautes autorités militaires et attendre que les Britanniques aient procédé à leurs essais projetés.

Lorsque dans la troisième semaine de mai les Canadiens apprennent par la presse étrangère que les Britanniques songent non seulement à des négociations trilatérales sur le sujet, mais aussi à dissocier la question de l'ensemble du dossier du désarmement, Jules Léger fulmine sur cette absence de consultations[87]. Sur ce point, les Britanniques seront rabroués par les Américains. En réalité, les Britanniques songent à des limitations, mais non à une interdiction globale des essais. Cet incident ne fera qu'accélérer le rythme du réexamen de la politique canadienne et tout sera mis en branle pour y donner suite[88].

Les travaux se poursuivront durant tout l'été 1956. Les principaux participants seront certes le ministère de la Défense et, au premier titre, les chefs des trois armes et le Conseil de recherches pour la défense, mais aussi Chalk River, le ministère de la Santé et du Bien-être social et bien sûr le ministère des Affaires extérieures. Les opinions seront aussi variées que diversifiées. Les jugements dans l'ensemble sont sains et correspondent à ce que l'on pouvait attendre des gens de cette époque, c'est-à-dire que l'on ne savait rien ou très peu, que le ministre de la Défense se retranchait derrière ses positions traditionnelles, que Chalk River était réticent à formuler une opinion définitive sur les dangers de la radioactivité, et que le ministère de la Santé et du Bien-être social faisait preuve de la plus grande circonspection, tout comme le ministère des Affaires extérieures.

Relativement à la question de la contamination radioactive, de longs débats s'engagent au sein du Conseil de recherches pour la défense. On parle de taux de concentration maximale admissible (CMA)[89] au sujet duquel le directeur A.K. Longair souligne qu'il existe de « légitimes différences d'opinions », Chalk River étant plus réticent que d'autres à minimiser les dangers à long terme de la radioactivité. À tout bien considérer, on estime que durant la seule année 1954 les essais américains ont libéré au moins 50 mégatonnes de matières fissiles dans l'atmosphère, peut-être même davantage[90]. Le Conseil de recherches pour la défense propose donc comme définition d'un seuil acceptable qu'une limite annuelle de 50 mégatonnes ou de 250 mégatonnes pour une période de cinq ans soit fixée, mais qu'il serait inutile de penser à un seuil de 1 mégatonne comme méthode de limitation des essais, puisque dans l'ensemble c'est l'accumulation globale de la radioactivité qui est d'une importance capitale dans la détermination des dangers pour la santé. Dans l'hypothèse où le seuil de 250 mégatonnes n'aurait pas été atteint dans une première période quinquennale, la différence ne devrait pas être reportée sur la seconde qui suivrait. Sur ce point, le Conseil de recherches pour la défense a sans doute raison, mais la procédure est artificielle et ne convainc guère.

Dans des documents ultérieurs, on soulignera que ces données avaient été fournies en fonction de l'information reçue des alliés du Canada. Pourtant aucun chiffre n'est cité si ce n'est ceux qui ont été avancés par les Britanniques dans leur Command Paper 9780 ou par les

Américains dans les *Proceedings of the National Academy of Science*[91]. On soulignera aussi dans le document de la Défense l'importance que pourraient avoir les armes nucléaires pour la défense stratégique, d'abord en matière aérienne où les têtes nucléaires d'interception seraient de l'ordre de quelques centaines de kilotonnes, ensuite en matière de défense anti-missile où l'interception pourrait se faire à une vingtaine de milles d'altitude avec des têtes mégatonniques[92].

Tous ces arguments seront évidemment repris dans la chaîne de la hiérarchie militaire allant de l'État-major interarmées au président des chefs d'état-major interarmes jusqu'aux bureaux des ministres intéressés[93]. Les véritables recommandations sont faites à la 597e réunion du Comité des chefs d'état-major interarmes, le 3 octobre 1956. On rappelle tout d'abord que le Canada devrait soutenir une politique d'essais minimums afin d'assurer l'efficacité des armes dont dépend la sécurité de la zone OTAN, qu'une limite globale sur les essais est acceptable pourvu qu'elle réponde aux besoins de l'OTAN sans mettre en danger la santé publique à travers le monde, et que l'on est d'accord sur le principe d'un système d'enregistrement des essais au préalable auprès d'un comité international qui sera par la suite responsable de vérifier, sauf erreur, les essais déclarés.

Trois recommandations sont faites. Seule la première constitue effectivement une recommandation puisque les deuxième et troisième ne font que répéter l'accord de principe des chefs d'état-major interarmes sur la mise en place d'un système de surveillance internationale des essais et l'établissement d'un seuil annuel supérieur à 50 mégatonnes pour les essais nucléaires. Dans la première, on prend note de la nécessité éventuelle d'armes mégatonniques pour la défense du Canada et l'on demande d'examiner si cela risque d'influer en quoi que ce soit sur les politiques antérieurement adoptées en fait de besoins atomiques. Le ministère de la Défense réussit ainsi le tour de force de transformer une demande de limitation des essais en une maximisation de ceux-ci et en une revendication pour davantage d'armes nucléaires.

Dans son rapport au ministre Pearson sur cette réunion, R.M. MacDonnell qui signe pour Léger fait une analyse un peu trop détachée des problèmes :

> Selon les vues les plus modérées, il semblerait que pour ceux qui fixent le seuil tolérable des radiations à un bas niveau et qui insistent sur les dangers des doses cumulatives, on a déjà atteint le point où les essais nucléaires doivent cesser. Même les plus « optimistes » ne détermineraient ce seuil à ne pas dépasser que d'ici à quelques années.
>
> Le ministère de la Santé et du Bien-être social préférerait ne pas adopter une position immédiate sur ces questions, car durant les trois ou quatre prochaines semaines, il y aura toute une série de rencontres internationales à ce propos [...]
>
> À la base de l'attitude du ministère de la Défense réside la conviction que seuls des armements atomiques, peut-être d'une forte puissance explosive, peuvent assurer une défense efficace du Canada contre certaines formes d'attaques atomiques qui sont aujourd'hui en pleine

évolution [...] Et parce qu'ils ne disposent pas de renseignements véritablement canadiens en la matière sur les effets des explosions nucléaires, ils sont enclins à penser que nous devons nous rallier aux recommandations particulières faites par les Britanniques ou les Américains[94].

Personne ne met ici sa conscience à l'encan, mais il ne pouvait y avoir de plus élégante façon de noyer le poisson. La diplomatie est un art certes, mais la recherche de la vérité aurait dû passer ici avant le souci de camoufler l'ignorance feinte en une vertu d'accommodation. MacDonnell prétend que la réunion a sensibilisé les militaires au besoin d'accorder une plus grande attention aux dangers de la radioactivité « comme une cause rapprochée » dans l'élaboration de leur politique. Celle-ci pourrait ainsi être révisée au fur et à mesure que davantage d'information deviendrait disponible. Que chez les militaires les besoins de la sécurité aient prévalu sur des considérations d'ordre moral ou scientifique, cela ne fait aucun doute. De là à conclure cependant qu'ils ne disposaient d'aucun renseignement sur les effets des explosions nucléaires et que, par conséquent, ils préféraient suivre la ligne du parti, c'est-à-dire celle de l'Alliance atlantique, c'était fournir un alibi à la Défense dont elle n'avait nullement besoin pour en arriver à des conclusions qui chez elle étaient, de toute façon, depuis longtemps arrêtées.

Quoi qu'il en soit, faute de pouvoir obtenir un consensus sur une proposition de limitation des essais quant à leur puissance d'explosion et à leur fréquence, et devant les incertitudes que les milieux scientifiques entretiennent à l'égard du seuil de radioactivité acceptable ou inacceptable pour la santé publique[95], les Affaires extérieures songent à consulter les capitales étrangères avant de solliciter tout autre avis auprès du ministère de la Défense[96]. Le 29 octobre, en réponse au Bureau de l'information du Ministère qui demande au Bureau de l'ONU si la déclaration du ministre Martin en juillet en Chambre tient toujours, Cadieux signale que la position canadienne est toujours la même, mais que la déclaration du 1er août du ministre Pearson a ajouté un élément nouveau, puisque celui-ci a repris en Chambre les déclarations britanniques selon lesquelles l'interdiction globale des essais devrait faire partie d'un accord sur le désarmement mais que, faute d'une entente globale, des négociations pouvaient intervenir sur leur limitation.

Le gouvernement canadien n'ira guère plus loin en 1956. Les télégrammes de novembre expédiés à la Délégation canadienne à New York en vue de la préparation des interventions devant l'Assemblée générale des Nations Unies feront état d'une réglementation auto-imposée ainsi que du soutien canadien à une politique restrictive en matière d'essais. Le Canada continuera de suivre régulièrement les débats et d'intervenir sur le sujet, mais sa position d'ensemble restera la même. Des limitations et des restrictions sont souhaitées pour des raisons humanitaires. Il faudra attendre le déblocage de la Conférence d'experts sur la détection des essais nucléaires ainsi que l'ouverture de la Conférence tripartite sur la cessation des essais d'armes nucléaires avant que quelque chose de neuf se produise.

C'est en matière de contrôle que le Canada laissera passer une occasion inattendue. Lors des études sur cette question en 1958, le Conseil de recherches pour la défense fait une longue analyse de la situation. Parmi les 170 postes de contrôle terrestres suggérés à Genève, le Conseil estime que ce serait un « partage honnête » que d'en prévoir 5 au Canada, une trentaine de scientifiques devant être assignés à chacune des stations de détection, sans compter le personnel de bureau. Le Canada souhaite que l'organisme chargé de la surveillance des essais soit rattaché à l'ONU et non à l'AIEA. On estime en effet que l'AIEA n'est pas mandatée pour ce genre de mission et qu'il vaudrait mieux faire rapport au secrétaire général de l'ONU plutôt qu'à un organisme qui n'est pas une institution spécialisée des Nations Unies[97].

Cette attitude se défend d'autant mieux que les Britanniques souhaitent la constitution d'un corps de techniciens nationaux. Les Canadiens n'ont rien contre le projet, à la condition que leur allégeance aux Nations Unies soit nettement définie. Le 12 novembre 1958, Zimmerman, président du Conseil de recherches pour la défense, souligne ce qui suit :

> Si nous devions écouter les Britanniques, le Canada ne contribuerait à ce système que de l'espace et de l'argent [...] De plus, les stations sismiques sous contrôle national viendraient compléter les informations obtenues des postes de détection autorisés [...] Est-ce à dire que les stations nationales existantes devront continuer de fonctionner à côté du réseau prévu par les Britanniques ? [...] Il serait plus économique que les réseaux nationaux soient intégrés aux dispositifs internationaux prévus par les Britanniques, et dont la mise en œuvre s'étalerait sur une période de cinq ans.

Le 9 janvier 1959, Zimmerman précise davantage la position canadienne dans une lettre adressée à Norman A. Robertson :

> Il faudrait que le Canada se réserve le droit d'approuver le type d'équipement qui sera installé au Canada et que l'on puisse en toute liberté faire fonctionner n'importe quel autre type de dispositifs techniques, pourvu que ceux-ci ne nuisent pas à l'efficacité du système de contrôle envisagé.

Les études en sont là et les négociations internationales à un point mort lorsque le 28 avril 1960 le ministre Green reçoit un message du premier ministre Harold MacMillan invitant le Canada à développer, de concert avec les Britanniques, un « programme de recherches coordonnées » dans le but d'améliorer les méthodes de détection sismique des essais nucléaires inférieurs à la magnitude de 4,75 sur l'échelle de Richter. Howard Green transmettra fidèlement au premier ministre Diefenbaker le contenu de la lettre de MacMillan, mais il la fera suivre, le 14 mai, d'un mémoire au Cabinet où il se prononcera sur le contenu de la demande britannique.

Quelle était cette demande ? On voulait deux choses essentiellement. La première, c'est que l'on puisse établir en sol canadien un poste de contrôle sismologique principal qui servirait avant tout de station expérimentale. En deuxième lieu, le système projeté serait articulé autour d'une vingtaine de stations montées sur des affûts mobiles, des camions en l'occurrence, chacune des stations étant tributaire de 3 ou 4 techniciens, tandis que 16 seraient affectés à la station expérimentale principale devant être de veille 24 heures sur 24. Le coût envisagé du système : 7 millions de dollars ou 2,5 millions de livres sterling.

Cependant, le hic du problème était que pour valider la fiabilité d'un tel système, il fallait procéder à des essais nucléaires. Or en ce domaine Green rappelle à Diefenbaker sa déclaration en Chambre du 2 août 1958, selon laquelle le Canada pourrait envisager de participer à l'établissement d'un réseau international de détection sismique, mais cela était bien avant que certains réalisent, selon Green, que la chose pourrait nécessiter des essais nucléaires supplémentaires. Or, d'après Green, la politique canadienne fait preuve d'une « opposition irréductible à tous les essais ».

Green aura gain de cause au Cabinet. La question est considérée à la fin du mois de mai 1960, mais on ne voulait pas donner suite à une telle requête à moins qu'elle n'eût été formulée conjointement par les États-Unis, la Grande-Bretagne et l'URSS ! Le Canada venait ainsi de rater une occasion unique de poursuivre un dialogue bilatéral qui aurait pu déboucher sur la constitution du premier noyau d'un réseau de détection sismologique à caractère bilatéral, et dont les principaux aspects auraient pu être multilatéralisés par la suite. En voulant se déclarer plus catholique que le pape, le ministre Green a oublié, ce faisant, que l'Église ne peut pas fonctionner sans vicaire. Il a préféré le statut de nonce apostolique au vicariat que lui réclamaient à bon droit les Britanniques.

Tout indique ici que l'initiative britannique était sincère. Au demeurant, on ne décèle rien dans les archives qui puisse laisser croire qu'il s'agissait d'une tentative déguisée de la part des Britanniques pour amener Green à de meilleurs sentiments sur la chose nucléaire ou encore pour procéder à des essais nucléaires sous le couvert de dispositifs techniques dont il importait de démontrer l'efficacité. Leurs accords bilatéraux avec les Américains leur permettaient immanquablement depuis 1958 d'aller de l'avant en la matière.

De 1960 à 1963, les Canadiens tenteront d'approfondir les aspects techniques reliés aux problèmes de la détection des essais nucléaires souterrains et de faire sentir leur influence au sein des négociations du Comité des dix-huit puissances. Jusqu'à la chute du gouvernement Diefenbaker, la Défense et les Affaires extérieures s'orienteront dans des directions diamétralement opposées, les couples Harkness-Green et Miller-Burns tirant à hue et à dia, tandis que Diefenbaker deviendra, à cause de son incapacité d'arbitrer un conflit, le héros déchu d'une pièce dont il ne maîtrisait pas la trame[98].

À la Défense, Zimmerman déplore le manque de spécialistes canadiens. Il y a bien, dans les services, un ancien Britannique qui a œuvré en son temps dans les programmes de mise au point des armes nucléaires, mais il n'est plus à jour sur ces questions. Zimmerman souhaite donc sur ces questions le resserrement des liens avec Londres et Washington. Une politique de limitation des essais ne ferait pas du reste nécessairement reculer la menace d'une guerre. Cela pourrait même déboucher sur des résultats contraires, car seule une politique de dissuasion peut garantir la sécurité de l'Occident. On retrouve l'essentiel de ces propos dans le document *Disarmament and Deterrence* approuvé par les chefs d'état-major interarmes à leur 662e réunion scindée en deux sessions les 9 et 13 juin 1960. On s'éloigne donc passablement des politiques militaires de 1956.

Le 30 janvier 1961, l'État-major interarmées produit un rapport intéressant sur la cessation des essais nucléaires qui sera repris et mieux étoffé encore le 30 juin 1961. Ce document est un modèle de précision digne d'une montre suisse... ou d'un état-major militaire. Les arguments que l'on présente à l'époque conservent encore aujourd'hui, du moins aux yeux de certains, leur caractère d'actualité. On insiste sur la valeur des essais tout à la fois pour des raisons stratégiques, économiques et politiques. Dans le domaine stratégique, il s'agit: de déterminer la capacité des engins nucléaires en mission ABM; d'améliorer les techniques de miniaturisation; de produire des engins plus discriminants dans leurs effets — on parle déjà de la bombe à «neutrons» dans les textes; de mieux apprécier l'effet des explosions sous l'eau ainsi que sur les systèmes d'alerte et de communications dans l'espace; de déterminer l'efficacité des engins, leur durée de vie et la nécessité, le cas échéant, de les remplacer; d'apprécier la fiabilité des systèmes à sûreté intégrée *(failsafe systems)*, c'est-à-dire les techniques de verrouillage et de déverrouillage électronique; et, enfin, de déterminer la résistance des silos bétonnés. Dans le domaine économique, des essais sont nécessaires afin de mettre au point éventuellement des systèmes de propulsion nucléaire, de conduire des expérimentations à des fins pacifiques et de réduire les frais de production grâce à l'utilisation de matériaux moins onéreux et à une diminution des quantités de matières fusibles utilisées. On insiste en outre sur la nécessité de la poursuite des essais en vue d'améliorer l'efficacité des systèmes de détection sismologique. Toutes ces raisons démontrent à l'évidence que le ministère de la Défense était remarquablement bien informé sur toutes les questions qui lui tenaient à cœur, mais qu'il cessait de l'être lorsque d'autres venaient contrarier ses vues.

Mort-né à la suite de la décision des Soviétiques d'en sortir en claquant la porte[99], le Comité des dix puissances ne s'est jamais vraiment préoccupé des questions de la cessation des essais nucléaires. On parlait en 1960 de désarmement général et complet. Lorsqu'en mars 1962 les travaux du Comité des dix-huit puissances débuteront, il devenait d'autant plus urgent d'étudier cette question que les essais avaient repris du côté soviétique en 1961 et que les Américains s'apprêtaient à reprendre les leurs en avril 1962, au large des îles Christmas. Les États-Unis sont donc particulièrement conscients des difficultés diplomatiques dans lesquelles les plongerait la reprise de leurs essais. Ainsi, on s'emploie à Washington à prévenir les coups, ce qui donnera lieu à de longs entretiens[100] entre le secrétaire d'État Rusk et l'ambassadeur canadien Heeney à Washington, le 10 avril 1962.

Les États-Unis s'inquiètent à tort ou à raison de l'initiative des huit pays neutres qui sera prise le 16 avril et dont ils ont été informés d'avance, ainsi que les Soviétiques, par le délégué indien Arthur Lall, décision qui sera critiquée par la suite par plusieurs pays non alignés[101]. Washington se demande aussi si le Canada n'avait pas l'intention de coparrainer une proposition avec la Suède, membre du groupe des huit pays non alignés au Comité des dix-huit puissances, sur la question des essais nucléaires. Le secrétaire Rusk s'était même entretenu de la chose par téléphone avec le ministre Green dans la semaine précédente. Heeney rappela donc à son interlocuteur que le Canada n'avait pas l'intention de cosigner ce mémorandum, même s'il en trouvait le contenu « constructif » et susceptible de favoriser un rapprochement entre les deux parties. Il lui fit part en outre des craintes de Green selon lesquelles la reprise des essais pourrait ramener le monde aux pires heures de la guerre froide, les négociations sur le désarmement en étaient désormais à un « stade critique » et qu'il importait d'en arriver rapidement à des accords, ne fussent-ils que partiels.

Pour sa part, Rusk alla à la rescousse de la politique américaine. Il rappela aux Canadiens que depuis le mois de mars 1961 les États-Unis avaient entrepris un réexamen majeur de la question et qu'ils avaient considérablement réduit leurs exigences en matière de contrôle, au risque de perdre la face auprès du Comité conjoint sur l'énergie atomique. Ainsi, plus d'une vingtaine de modifications auraient été apportées à leur projet dont la plus importante consistait évidemment en leur ralliement à un projet d'interdiction globale des essais, tout comme le président Kennedy l'avait exprimé dans sa déclaration du 2 mars 1962. Ce changement radical avait pour effet pratique de réduire le nombre des inspections réclamées à 1 sur 20 au lieu de 1 sur 5 dans le cas des événements suspects. En outre, la majorité des stations sismologiques seraient relocalisées et la plus grande partie du territoire de l'URSS ne contiendrait plus désormais que trois postes d'écoute sismologique. En cas d'inspection, il n'y aurait pas plus que deux millièmes du territoire soviétique ouvert à des yeux étrangers. En dépit de toutes ces avances, Gromyko aurait fait savoir à Rusk, à Genève, qu'un seul homme « pourrait ramener des informations secrètes dommageables à l'URSS ».

En réalité, l'entretien Rusk-Heeney visait deux choses. La première était d'informer les Canadiens qu'un système de contrôle auquel participeraient des ressortissants des pays non alignés serait inacceptable pour les États-Unis, ce qu'Ottawa savait déjà. La seconde était plus importante : il s'agissait d'éviter que les pays non alignés ne se retirent du Comité des dix-huit puissances une fois que les États-Unis auraient procédé à la reprise de leurs essais. Le même message provient de Londres, le 11 avril. En termes peu diplomatiques, nous pourrions paraphraser la dépêche de la façon suivante : Ne laissez pas paniquer les pays non alignés ; tenez-les occupés ! Il est vrai que le Canada cherchera l'appui des neutres au sein du Comité des dix-huit puissances et qu'il ne se gênera pas dans les années soixante pour solliciter activement leur concours. Londres et Washington n'avaient donc pas tout à fait tort de compter sur la collaboration des Canadiens, d'autant que les Soviétiques cherchaient à amener les neutres à se retirer du Comité des dix-huit puissances[102]. Il est toutefois douteux qu'après avoir préparé un long mémorandum sur la cessation des essais nucléaires les pays non alignés eussent véritablement pensé à se retirer du Comité des dix-huit puissances. L'attitude des deux grands à bien vouloir considérer le document comme « base de négociation », alors qu'ils s'y étaient violemment opposés en privé avant sa déposition, a sûrement été plus déterminante pour maintenir ces pays à la table des négociations que la modeste influence du Canada au sein du Comité des dix-huit puissances.

Le jour de la reprise des essais par les Américains, soit le 25 avril 1962, le premier ministre Diefenbaker exprimera le « profond regret » du Canada devant un tel geste. Il insistera aussi sur le mémorandum des pays non alignés qui constituait à ses yeux un effort sincère afin d'en arriver à un compromis. La même opinion sera exprimée par l'Assemblée générale des Nations Unies lors de sa XVIIe session, le 6 novembre 1962, dans sa résolution 1762 B. Le mémorandum des huit pays non alignés y est adopté comme « base de négociation ». On insiste de plus pour que les essais cessent immédiatement, ou au plus tard le 1er janvier 1963. Or, fait significatif, cette résolution qui intervient quelques jours après la crise de Cuba est parrainée conjointement par les États-Unis et la Grande-Bretagne. En réalité, les discussions continueront au sein du Comité des dix-huit puissances lors de la reprise des travaux en 1963, mais elles porteront sur l'interdiction complète des essais dans tous les milieux. Nous avons par ailleurs déjà rappelé à la section intitulée « La continuité de la politique canadienne (1962-1969) », au chapitre 6, le mémorandum du 28 mai 1963 au Cabinet relativement à la question des essais nucléaires. Dans ce document, on demande d'éviter toute pression auprès des États-Unis et de la Grande-Bretagne en vue de les amener à accepter des Soviétiques des propositions qui seraient inacceptables à leurs yeux. Le Canada a mis de l'eau dans son vin ; il est tenu au courant de l'évolution du dossier américano-soviétique. Désormais, il n'est plus permis de se fourvoyer. Le 10 juin, on annonce que les États-Unis, l'URSS et la Grande-Bretagne sont convenus de discuter à Moscou à la mi-juillet...

En dix jours à Moscou, les négociations trilatérales sont bouclées. Un premier Traité que le monde attendait depuis 1954 est enfin signé en août 1963. Seules quelques explosions — ô combien modestes comparativement à celles des grandes puissances ! — viendront troubler par la suite l'air de notre planète. En effet, la puissance mégatonnique des essais nucléaires français et chinois compte pour environ 13 pour 100 de tous les essais réalisés dans l'atmosphère depuis 1945. Ce bilan n'est guère troublant par rapport aux essais des deux grands. Dans une lettre de A.K. Longair, du Conseil de recherches pour la défense, adressée au général Burns à Genève, le premier dresse un bilan des matières radioactives dispersées dans l'atmosphère :

- jusqu'en 1958 : 92 mégatonnes de produits de fission ;
- URSS (1961) : 25 mégatonnes de produits de fission ;

- États-Unis (1962) : 10 mégatonnes (estimation établie en mai 1962 à partir d'hypothèses pessimistes sur les essais américains).

Les retombées des essais nucléaires de 1945 jusqu'au moratoire de 1958 auraient constitué, toujours selon Longair, 5 pour 100 de l'ensemble des radiations naturelles en provenance de l'environnement[103]. Le Canada a ratifié le TIPEN, le 28 janvier 1964, date de son entrée en vigueur au Canada.

L'INSAISISSABLE TIGEN

Peu de sujets auront autant préoccupé la communauté internationale que la recherche d'un Traité d'interdiction globale des essais nucléaires (TIGEN*) — ou Comprehensive Test Ban (CTB). L'Assemblée générale des Nations Unies est revenue régulièrement sur ce sujet, les forums multilatéraux de négociation s'y sont penchés avec le plus grand sérieux, le Canada comme bien d'autres pays a toujours insisté sur le caractère prioritaire de cet objectif, tandis que tous les textes et traités importants signés depuis 1963 renvoient constamment les grandes puissances à leurs responsabilités en la matière : mettre un terme au perfectionnement de leurs armes nucléaires. En ce domaine, de deux choses l'une : ou bien les grandes puissances cesseront de croire aux vertus de la technologie pour assurer leur sécurité et, dans ces conditions, il faudrait qu'un changement fondamental de mentalités intervienne pour qu'elles soient amenées à penser ainsi ; ou bien elles aviseront, pour perpétuer le statu quo, à d'autres formules qui n'emprunteraient rien au nucléaire et dans ces circonstances elles pourraient renoncer de bonne grâce à la « chose » nucléaire dont personne ne veut, si ce n'est elles-mêmes dans leur frayeur paralysées.

Les plus hasardeux sont peut-être ici les plus réfléchis ; et les moins périlleux les moins avertis. Car la crainte du péril nucléaire peut inviter à la sagesse certes, mais l'absence de péril pourrait tout autant mener à d'autres types d'aventures dont il n'est pas dit qu'elles s'avéreraient moins ruineuses ou onéreuses pour l'humanité, avec cette nuance cependant que l'humanité tout entière ne mettrait pas nécessairement sa survie en danger.

Bref aperçu des négociations

De 1963 à 1988, les efforts n'ont pas manqué pour tenter d'amener les grandes puissances à mettre un terme à leurs essais nucléaires. La plupart des discussions se sont déroulées, lorsqu'elles avaient lieu, aux niveaux onusien, multilatéral, trilatéral et bilatéral.

---

* Le sigle TIGEN est quelquefois utilisé dans des textes juridiques français, notamment dans l'*Annuaire français de droit international.*

À compter de 1957, la question de la cessation des essais nucléaires est inscrite à l'ordre du jour de l'Assemblée générale des Nations Unies. Depuis la conclusion du TIPEN en 1963 jusqu'à la fin de l'année 1987, près d'une cinquantaine de résolutions sont adoptées[104] ! La première intervention marquante de l'ONU se situe le 16 décembre 1969, lorsqu'à la demande du Canada et d'autres pays, l'Assemblée générale prie le secrétaire général de faire parvenir aux États une demande relativement à la divulgation de certains renseignements dans le contexte de la création d'un échange mondial de données sismologiques[105] ; et la seconde, le 16 avril 1980, avec la publication du rapport du secrétaire général sur l'interdiction globale des essais nucléaires[106]. Dans leurs conclusions, les experts de cette étude soulignent que l'interdiction complète des essais est considérée « comme la première et la plus urgente des mesures à prendre » en vue de faire cesser la course aux armements nucléaires.

Pour ce qui est de la procédure, les Nations Unies, en dépit de leurs exhortations constantes, n'avaient toujours pas obtenu en 1988 que le Groupe ad hoc sur la cessation des essais nucléaires, créé sur la base d'un consensus[107], le 21 avril 1982, soit formellement chargé de négocier un Traité en bonne et due forme sur la suspension globale des essais nucléaires. Ce vœu déjà formulé en 1980 à l'égard du forum qui l'avait précédé, soit le Comité du désarmement, pourrait peut-être connaître un début de satisfaction dans l'avenir, si jamais les grandes puissances devaient donner suite à leurs déclarations de 1987 et à celles du sommet de Moscou de 1988 à l'effet de conclure ultimement et par étapes un TIGEN. Pour l'instant, nous n'en sommes pas là, puisque ni l'Ouest ni l'Est ne s'entendent sur le mandat à confier à cet organe. De plus, le rôle du Groupe ad hoc sur la cessation des essais nucléaires ne pourrait être important qu'à posteriori, car les grandes puissances n'accepteront que ce qu'elles auront au préalable convenu entre elles.

En ce qui a trait aux divers forums de négociations multilatérales, c'est encore le GES, chargé de l'étude des problèmes de vérification, qui a accompli les progrès les plus remarquables. Tous les travaux des différents forums, peu importe qu'il s'agisse du Comité des dix-huit puissances ou de leurs successeurs, la CCD, le CD et la CD, indiquent bien par ailleurs que les problèmes sont d'ordre politique et non d'ordre technique.

Historiquement, il faut aussi noter que la question a grandement fluctué au fil des ans selon l'évolution des grands dossiers internationaux. Au lendemain du PTBT, les discussions à l'ordre du jour portaient sur les questions de la non-prolifération nucléaire. Dans son préambule, le PTBT fait mention de l'obligation dévolue aux grandes puissances de rechercher l'interdiction de tous les essais nucléaires dans tous les milieux à tout jamais. Au moment de la signature du Traité de non-prolifération des armes nucléaires (TNP), les grandes puissances se sont engagées à négocier de bonne foi la cessation de la course aux armements, ce qui signifiait aux yeux des autres États l'arrêt des essais nucléaires. Cette revendication restera constante au cours des trois Conférences d'examen du TNP.

À la fin des années soixante, l'intérêt se déplace vers la réduction des armements offensifs dans le cadre des négocations SALT. Le président Gerald Ford s'emploiera à continuer l'œuvre de son prédécesseur Richard Nixon, car, si ce dernier penchait en faveur d'un TIGEN, il n'en pensait pas moins que seuls les dossiers prioritaires pouvaient retenir son attention, c'est-à-dire les négociations SALT[108]. Cette bilatéralisation du dialogue stratégique allait déboucher sur une série de rencontres au sommet ainsi que sur la conclusion d'accords inachevés sous Nixon, à savoir la conclusion du TTBT[109] du 3 juillet 1974 sur les essais nucléaires souterrains limitant à 150 kilotonnes le seuil des explosions nucléaires permis et son complément, le Traité sur les explosions nucléaires souterraines à des fins pacifiques[110], signé le 28 mai 1976.

Dans le cas du TTBT, il a été négocié en cinq semaines, car les grandes puissances n'avaient rien d'autre à se mettre sous la dent lors du sommet de Moscou préparé précipitamment en juillet 1974. Cette limite quelque peu arbitraire de 150 kilotonnes semblait représenter ce que les militaires étaient prêts à accepter à l'époque, c'est-à-dire qu'ils ne voulaient pas prendre le risque de tester des têtes nucléaires à moins du tiers de la puissance réelle prévue[111]. Au demeurant, l'URSS poursuivait alors un important programme d'explosions nucléaires à des fins pacifiques. Les deux questions furent donc clairement dissociées, et les négociations bilatérales au sujet du Traité sur les explosions nucléaires souterraines à des fins pacifiques ne débutèrent qu'en octobre 1974.

Le même seuil de 150 kilotonnes prévaut pour les explosions nucléaires souterraines uniques à des fins pacifiques, avec cette réserve qu'elles doivent avoir lieu dans les polygones d'essais autres que ceux qui ont été désignés dans le TTBT de 1974, c'est-à-dire qu'elles ne peuvent intervenir dans des endroits normalement utilisés pour des essais à des fins militaires. Les « explosions groupées » d'une puissance cumulative globale supérieure à 150 kilotonnes sont aussi interdites, si les dispositifs nucléaires ne sont pas séparés par plus de 40 kilomètres[112] ou si les explosions successives sont réalisées dans un délai égal ou inférieur à cinq secondes. Le Protocole du Traité sur les explosions nucléaires souterraines à des fins pacifiques (Treaty on Underground Nuclear Explosions for Peaceful Purposes ou Peaceful Nuclear Explosions Treaty (PNET)) précise enfin que les parties au Traité ne doivent retirer aucun avantage militaire des essais réalisés à des fins pacifiques. Aucun des deux Traités n'a jamais été ratifié par les États-Unis, bien que les deux parties en aient respecté les termes à toutes fins utiles. En 1988, les deux grands en sont encore à faire des tests de validation de leurs systèmes de vérification — le système CORRTEX — au Nevada et à Semipalatinsk, afin de donner suite éventuellement à ces Traités et de les soumettre à leur procédure de ratification respective. En outre, la rédaction des textes sur la validation des systèmes de vérification pour donner un sens au Protocole du PNET serait pratiquement terminée. Les Soviétiques ont insisté pour que l'on étudie d'abord les questions litigieuses ou laissées en suspens dans le Protocole du Traité de 1976 avant de passer à l'examen du Protocole du TTBT.

La communauté internationale a certes applaudi à ces nouveaux instruments de contrôle juridique, mais la plupart des États ont estimé qu'ils allaient non seulement à l'encontre d'un TIGEN, mais encore qu'ils risquaient d'en retarder la réalisation. À l'automne 1977, les négociations tripartites — États-Unis, Grande-Bretagne et URSS — reprirent sous Carter. Dans ses mémoires, l'ex-président Carter rappellera que Gromyko et lui-même avaient décidé en septembre 1978 de conclure d'abord un accord SALT qui serait suivi par la suite d'un TIGEN. Les événements d'Afghanistan de 1979 et des difficultés intérieures américaines finiront par faire sombrer les négociations dans l'impasse la plus totale.

Pourtant, d'importants progrès auraient été réalisés dans le cadre de ces négociations trilatérales. Dès 1976, l'URSS avait fini par accepter le principe d'inspections sur place (On-Site Inspections (OSI)), voire les inspections par mise en demeure *(challenge inspection)* . Par la suite, les trois parties se seraient entendues pour créer, tester et produire en commun des systèmes de détection inaltérables, les fameuses boîtes noires proposées par le mouvement Pugwash dès le début des années soixante. Dans leur rapport trilatéral au Comité du désarmement[113], les trois puissances se contentèrent de signaler « que des négociations étaient en cours » à propos des National Seismic Stations (NSS) et que d'importantes questions — notamment la question de l'échange mondial de données sismologiques, le problème de la composition d'un comité d'experts et la question des OSI — avaient fait l'objet de progrès qui sortaient de l'ordinaire.

On sait aujourd'hui que dans le cours des négociations le TIGEN qui devait être de durée indéfinie fut ramené par Carter à une durée de cinq ans et, finalement, à une durée de trois ans. Les vacillations de la politique américaine, les pressions bureaucratiques et celles des grands laboratoires de recherche finiront par « consumer littéralement » le TIGEN[114]. De leur côté, les Soviétiques ne se gêneront pas pour insister sur l'établissement, dans les territoires des trois parties, d'un nombre égal de stations de détection sismologique. Dix stations sismologiques en Grande-Bretagne, c'en était trop pour les Britanniques ! Les Soviétiques voulaient-ils se venger des Occidentaux pour démontrer que le véritable problème était de nature politique et non technique, ou s'étaient-ils tout simplement désintéressés d'un TIGEN (ou CTB) dans l'attente de l'installation d'une nouvelle administration à Washington ?

Quoi qu'il en soit, les négociations furent ajournées en novembre 1980. Elles furent officiellement rompues en 1982, lorsque les États-Unis décidèrent sous Reagan que leur sécurité exigeait la poursuite des essais nucléaires souterrains. En 1986, des contacts reprirent à ce sujet entre les grandes puissances et un premier déblocage intervint lors de la rencontre Chevardnadze-Shultz, en septembre 1987. Les deux grands venaient de passer du stade de la consultation à un stade de négociations formelles. C'est là du moins le sens du communiqué commun du 17 septembre 1987. En janvier 1988, des équipes techniques ont procédé à des visites respectives de leurs polygones d'essais. En août 1988, les premiers essais communs étaient réalisés afin de tester la fiabilité de leurs systèmes de détection respectifs. Dans la foulée de ces expériences, et si elles se révèlent positives, les deux grands devraient s'employer à faire ratifier, selon leur propre procédure, les deux Traités de 1974 (TTBT) et de 1976 (PNET). Si l'on se fie à la Déclaration de Moscou de juin 1988, ce n'est qu'étape par étape qu'interviendront des négociations globales sur la limitation et, ultimement, sur la cessation complète des essais nucléaires. On peut donc s'attendre que soient rapidement renégociés les Protocoles des Traités de 1974 et de 1976, et que par la suite les deux grands s'entendent sur un accord START et, éventuellement, sur la poursuite des pourparlers pour éliminer « à tout jamais » les essais nucléaires souterrains. En ce domaine, s'il fallait risquer une prédiction, on pourrait peut-être espérer de nouvelles réductions dans les seuils permis des explosions nucléaires souterraines, à des niveaux bien inférieurs à la puissance de la bombe d'Hiroshima.

La position canadienne de 1963 à 1978

Jusqu'à la première session extraordinaire des Nations Unies sur le désarmement en 1978, la position canadienne en matière de conclusion d'un TIGEN passera par diverses phases dont les plus importantes seront celles de 1966, de 1969 et de 1974. On pourrait qualifier ces phases par trois mots : prudence, ouverture et compromis. L'année 1963 marque aussi un tournant important puisque les libéraux remplacent les conservateurs au pouvoir. À l'optimisme un peu béat de Green qui était incapable d'apprécier la distance de la coupe aux lèvres en matière de paix et de sécurité internationales succédera une politique canadienne pragmatique qui, peu à peu, étoffera tous ses arguments à partir de positions scientifiques solides, à mesure que sa compétence progressera en matière de détection sismique.

Relativement à la question de la cessation des essais nucléaires, aucun progrès politique véritable ne sera enregistré au fil des sept années d'existence du Comité des dix-huit puissances. Les neutres tenteront d'insister sur la mise en œuvre de trois ou quatre inspections par année, un peu à la façon dont on envisage aujourd'hui les mesures susceptibles de mener à la confiance (MDC)[115]. Le général Burns avait la même opinion en mars 1963 : personne ne peut vraiment prétendre que deux ou trois inspections par année pourraient porter atteinte à la sécurité des États[116]. Dans l'ensemble, et jusqu'en 1969, la position du Canada sera toutefois de soutenir la recherche d'un TIGEN (ou CTB) dans le cadre de procédures négociées et dans le contexte d'un système de vérification efficace.

La phase de prudence

Les trois principaux schèmes de discussion durant les années soixante porteront sur l'inspection par mise en demeure et sur la création d'un « club de détection sismique », ces deux propositions ayant été avancées par la Suède en 1965[117], ainsi que sur le concept de « seuil » à l'origine proposé par le mouvement Pugwash en 1961 et en 1962[118], repris par l'Éthiopie en 1964[119], ainsi que par le Mexique et la RAU en 1965, cette dernière soutenant cette position essentiellement pour empêcher Israël d'expérimenter ses propres engins. À tout bien considérer pourtant, le concept de « seuil » sera surtout défendu par les neutres, à l'exception de la Suède qui s'y opposera parce qu'elle estimait comme bien d'autres pays que de telles mesures ne répondaient qu'à moitié à l'objectif de la cessation globale des essais nucléaires.

La Suède tentera d'amener le Canada à s'exprimer contre cette idée de « seuil ». Le général Burns se limitera à dire, à la fin de la session de 1965, que ce concept était « intéressant » tout en admettant « qu'il était nécessaire d'en connaître tous les détails » avant de le rejeter[120]. Tout en considérant l'idée « attrayante », les Britanniques y voyaient de « sérieuses objections », les États-Unis étaient prêts à réévaluer leur position sans « grand enthousiasme », mais n'entendaient faire aucune concession sur les questions d'inspection, tandis que lord Chalfont, citant Kossyguine, aurait fait savoir que les Russes n'étaient pas « entichés de cette subtilité[121] ». L'attitude de la Délégation de Genève en la matière a été de considérer cette idée comme une « position de repli[122] », car Burns estime à raison qu'une telle approche ne ferait qu'encourager le raffinement des techniques de « découplage ». Burns pense toutefois que la position occidentale devient de plus en plus insoutenable et rigide.

À Ottawa, on entreprend un examen de la question sans grand succès. Le 30 mai 1966, le directeur général du Bureau du désarmement, D.M. Cornett, conclut qu'après de nombreuses consultations avec les scientifiques, ceux-ci ne sont pas en mesure de se prononcer avec autorité sur le sujet, étant donné qu'ils ne disposent pas d'informations qui puissent infirmer ou contredire celles qui ont été fournies par les États-Unis. Il note dans sa réponse que « les pressions pour modifier notre attitude viennent surtout, ce qui est compréhensible, de nos négociateurs de Genève ». Dans son mémoire du 14 juin adressé au ministre des Affaires extérieures sur l'état des négociations sur le désarmement, Marcel Cadieux ira dans le même sens :

> Nous avons réexaminé notre politique mais nous sommes persuadés que nous ne devons pas dévier de notre position classique à l'effet d'insister sur un système de vérification efficace comprenant des inspections sur place. Agir autrement serait peu sage car nous ne disposons pas d'informations particulières sur le sujet et, de plus, il n'existe pas au Canada de fortes pressions en faveur d'un CTB.

En réalité, ce réexamen est largement dû aux besoins canadiens d'en savoir davantage par rapport aux rumeurs persistantes qui circulent à l'étranger sur les progrès de la détection sismique. Les réticences des fonctionnaires à Ottawa sont fondées. Dès le 22 mars 1966, H.B. Robinson signe pour le sous-secrétaire une série de lettres adressées à la Défense[123] et aux services sismologiques du ministère des Mines et des Relevés techniques, dirigés à l'époque par Kenneth Whitham, un sismologue de réputation internationale. Toutes ces lettres constituent un véritable appel à l'aide. Onze questions bien précises sont adressées à Miller, les dix premières portant sur les techniques de détection, et la onzième sur les avantages militaires que procurent les essais. Dans une deuxième lettre à Whitham, le 26 avril 1964, le sous-secrétaire précise que le gouvernement canadien ne peut procéder « diplomatiquement » jusqu'à ce que soit éclairci le contexte scientifique relatif à ces questions.

Le maréchal de l'air Miller s'en tiendra à sa position arrogante citée en exergue — il faudrait se garder d'étaler notre ignorance ! — et insistera sur la nécessité de poursuivre les essais pour mettre au point des armes en mission ABM. Il reviendra d'ailleurs sur ce point dans sa lettre du 18 avril au sous-secrétaire d'État : « sur ce sujet [améliorer les capacités de détection aux dépens des inspections sur place] il ne nous appartient pas de défier les Américains ou de nous rallier aux neutres comme la Suède en tentant de saboter la position américaine[124] ». Dans ses discussions privées du 15 avril avec D.M. Cornett, Longair, du Conseil de recherches pour la défense, sera plus prudent. Il défendra les mêmes arguments à l'appui d'une défense ABM avec cette nuance cependant qu'il ne pensait pas que des essais étaient nécessaires pour améliorer les têtes nucléaires installées sur les missiles américains et qu'un système ABM efficace contre l'URSS était « irréalisable[125] ». Il y avait manifestement en ce domaine des divergences de vues entre les hautes autorités militaires et l'intendance scientifique, car pour Miller, une défense ABM était définitivement possible : les contraintes étaient de nature économique mais non technique. Longair se sentit sans doute obligé par respect pour la hiérarchie d'exprimer verbalement sa position aux Affaires extérieures.

Au ministère des Mines et des Relevés techniques, c'est le sous-ministre adjoint à la recherche, J.M. Harrison, qui répondra, le 7 avril, à la lettre d'interrogations des Affaires extérieures du 22 mars :

> Il n'y a pas eu de recherche ni de programme d'évaluation au sein de notre Ministère sur un sujet aussi complexe. Tout cela est regrettable, mais il en est ainsi et nous ne pouvons donc fournir que des réponses générales à vos questions. De plus, nous ne disposons d'aucun élément sur les vertus d'un système d'inspection sur place.

En d'autres termes, ce Ministère n'est pas en mesure d'évaluer la différence d'appréciation qu'ajouterait aux instruments de détection un système d'inspection sur place.

En matière technique, la réponse du ministère des Mines et des Relevés techniques est aussi un appel à l'aide pour un meilleur équipement et de plus gros investissements. Le jugement est formel :

> En décuplant les investissements, les frais d'équipement en ordinateurs et le personnel, nous obtiendrons une amélioration de la détection d'une demi-magnitude, c'est-à-dire qu'en multipliant par dix les efforts occidentaux, la meilleure probabilité de détection descendra à trois magnitudes et demie, bien que cela ne soit pas certain.

Et pour citer A.K. Longair du Conseil de recherches pour la défense, son appréciation qui est aussi celle de l'Observatoire fédéral est que « les pessimistes aux États-Unis estiment qu'avec l'aide du système LASA il sera possible de réduire les 250 événements annuels non identifiés en URSS de 80 à 55 ». Cela signifie que la capacité d'dentification passe de 68 pour 100 à 78 pour 100 ou à une amélioration de 10 parties sur 68, c'est-à-dire 15 pour 100.

Une réunion d'experts canado-américains est organisée le 4 mai afin de clarifier tous les concepts en vogue à l'époque — inspection par mise en demeure, club de détection nucléaire et notion de seuil[126]. Participent à ces consultations, du côté américain, l'ambassadeur C. Timberlake de l'ACDA, Robert A. Frosch de l'Agence des projets de recherche de haut niveau (ARPA) (Advanced Research Project Agency, ARPA), Stephen Lukasik du Département de la Défense — Bureau de la détection sismique — et John L. Gawf, premier secrétaire à l'ambassade américaine. Les représentants des Affaires extérieures à cette rencontre sont H.R. Robinson, D.M. Cornett, J.P. Chioler ainsi que les deux spécialistes Longair et Whitham, respectivement du Conseil de recherches pour la défense et de l'Observatoire fédéral. Relativement au club de détection sismique, on apprend que les États-Unis ne s'y opposent pas à la condition que l'organisme qui en serait éventuellement responsable ne se prononce pas sur les essais souterrains, qualité qui devrait relever des organismes nationaux selon les États-Unis. Avant qu'un tel club puisse posséder sa propre banque de données et d'analyse, il serait nécessaire d'en examiner toutes les implications. Le but de ces consultations vise surtout à informer les Canadiens de la position américaine en matière de détection sismique avant la première rencontre entre experts projetée en mai 1966 à Stockholm.

En matière technique, on apprend que les États-Unis comptent beaucoup sur la capacité technique de leur système LASA dont la lecture sismologique serait théoriquement d'un ordre capable de reconnaître une magnitude de 2,6, ainsi que sur leur système VELA qui absorbait entre 80 et 85 pour 100 des frais de leur programme de recherche. Ces révélations sont quelque peu étonnantes à l'époque, car dans les milieux diplomatiques de Genève on espérait en arriver éventuellement à un traité interdisant les essais nucléaires en deçà d'un seuil de 4,5 ou 4,7. On saura cependant beaucoup plus tard que le système LASA américain n'avait pas complètement répondu aux attentes des États-Unis. Lorsque H.R. Robinson s'informera des changements que la mise en œuvre d'un tel système pourrait apporter, les États-Unis préciseront qu'il pourrait contribuer à diminuer le nombre d'inspections sur place exigé, avant qu'eux-mêmes acceptent un traité d'interdiction.

Dans l'ensemble, la position américaine s'avère très claire. Les États-Unis ne sont pas contre l'idée d'une coopération internationale accrue en matière d'échanges de données sismologiques, pourvu que seuls les États aient qualité pour se prononcer sur les événements perçus, ce à quoi la Suède, à l'origine de cette proposition, ne s'opposait pas à l'époque. Quant à un Traité autorisant la poursuite des essais en deçà d'un seuil à convenir, Washington pensait comme Burns : cela ne ferait qu'encourager les opérations de « découplage ». On n'aimait pas non plus particulièrement l'idée d'inspection par mise en demeure, car elle ferait porter le poids de la preuve sur la mauvaise partie, ne résoudrait pas les problèmes d'inspections sur place et serait sans doute rejetée par l'URSS qui n'y avait manifesté aucun intérêt. Par ailleurs, les États-Unis ne pouvaient pas complètement s'opposer à un réseau de détection sismologique international puisqu'ils recherchaient l'appui de leurs alliés pour installer chez eux leurs appareils LASA. On discuta aussi à l'occasion de cette réunion de l'ordre du jour de la rencontre de Stockholm.

Dans ces conditions, les Canadiens continueront d'appuyer les États-Unis. En juin 1966, on acceptera le principe d'inspection par mise en demeure à la condition que cette formule ne soit pas un substitut au principe d'inspection sur place, ce qui équivalait en fait au statu quo[127].

À l'automne 1966, les premiers changements d'attitude viendront de Londres, à l'issue de la Conférence des premiers ministres du Commonwealth. Le secrétaire Brown, du Foreign Office, penche en effet du côté de la thèse du fonctionnalisme scientifique, car il estime que la position américaine est « indéfendable et non nécessaire » en ce qui a trait aux inspections sur place[128]. Le télex 288 d'Ottawa à Londres daté du 28 septembre indique bien par ailleurs qu'il s'agit d'une « surprise » pour le Canada, puisque lors de la rencontre des experts au sein de l'OTAN, les Britanniques n'avaient pas soufflé mot de cette nouvelle tangente. Le 12 octobre, Ottawa reconnaît que d'importants progrès ont été réalisés en matière de détection sismique grâce à la capacité d'identification positive qui résulte de la discrimination possible entre les tremblements de terre et les explosions nucléaires souterraines[129]. Le mot de passe de tous les sismologues de l'époque était effectivement : « Pas d'ondes de Love dans les explosions[130]. » Malheureusement, on allait découvrir plus tard que cela n'était pas toujours le cas. Dans un mémoire présenté au ministre des Affaires extérieures en vue de la préparation de sa visite en Europe[131], on précise que le Canada ne doit pas être plus « royaliste que le roi » et qu'il n'insiste plus depuis quelques mois sur le principe d'inspection sur place au vu de la possibilité d'une modification prochaine de la position américaine en ce domaine. On note en outre l'intérêt renouvelé pour d'éventuelles installations de « boîtes noires » devant les progrès de la technologie moderne.

La phase d'ouverture

Durant 1967 et 1968, les discussions feront rage au sein de la communauté scientifique sur les progrès de la technologie. En janvier 1967, lors d'une rencontre à Washington entre le général Burns et des représentants de la haute direction des politiques américaines en matière d'*arms control*[132], Herbert Scoville, à l'époque directeur adjoint du U.S. Department of Science and Technology, confirme les récents progrès technologiques en matière de détection sismique, à savoir la certitude de pouvoir distinguer une explosion d'un tremblement de terre à compter d'une magnitude de 4,5 comparativement à 4,75 dans le passé. Des « boîtes noires » subissent des essais un peu partout au Nouveau-Mexique, en Utah et en Alaska. Ces dispositifs pourraient être d'un certain intérêt pour garder « honnêtes » les Soviétiques, car il est facile, selon Scoville, de falsifier des données sismologiques.

Du côté suédois, on tire profit de ces arguments pour relancer l'idée d'étendre aux essais souterrains le PTBT de 1963. Les Suédois estiment que la capacité de discrimination positive est tellement élevée que la marge d'appréciation d'erreur est désormais négligeable. Ces considérations ne sont pas partagées par les Canadiens[133]. En octobre 1967, Ottawa soutient Washington dans son projet d'attribuer à l'Organisation météorologique mondiale (OMM) la responsabilité de l'établissement d'un réseau de détection sismique[134], bien que Whitham estime que cela pourrait sensiblement grever la capacité de communication de cette Organisation[135]. Ce projet était né à toutes fins utiles du rapprochement réalisé aux États-Unis entre les différents organismes chargés de la détection sismique, notamment l'Environmental Sciences Agency et d'autres. Jusqu'alors, le Canada transmettait ses données sismiques par l'intermédiaire des canaux de communications de l'ambassade américaine.

Un tel projet marquait donc les débuts de l'internationalisation des données sismiques, projet auquel l'URSS pourrait participer sans trop de frais tout en ayant accès à toutes les autres données mondiales qui relèveraient ainsi du domaine public. Washington venait donc donner un sens au projet du « club de détection sismique ». Lors de la seconde réunion du groupe d'experts sismologiques organisée d'avril à juin à Stockholm, par le SIPRI, on insista sur la poursuite des recherches en matière de détection sismique et sur l'élaboration d'un réseau de coopération internationale. Avant cette réunion à Stockholm, les scientifiques canadiens estimaient que même en disposant de cinq ou six inspections sur place par année, il n'y avait pas plus de 10 pour 100 de probabilités de détecter physiquement un essai souterrain à l'intérieur d'une zone où plus de 200 tremblements de terre intervenaient chaque année[136]. De plus, on continuait de penser que des problèmes subsistaient sur la capacité d'identification positive des explosions comprises « entre 4 et 20 kilotonnes au mieux, et entre 20 et 60 kilotonnes au pire[137] » et que, par conséquent, il n'y avait pas lieu de modifier la politique canadienne au sujet de la nécessité d'inspection en cas de conclusion d'un CTB.

En février 1968, Carlson insiste sur le fait que la position du Canada est peut-être trop « alignée » sur celle des États-Unis, car les Suédois mettent l'accent sur un CTB comme une mesure partielle de désarmement dont il faudrait discuter une fois le TNP signé. Or personne ne veut d'un *vacuum* à Genève, mais les Américains ne souhaitent pas non plus qu'un CTB soit inscrit à l'ordre du jour des négociations. « Ne pourrait-on pas soutenir ce point de vue, se demande Carlson, sans entraîner la colère des Américains, d'autant que les Britanniques paraissent assez flexibles en la matière ? » Sur ce dernier point, Carlson a raison car durant l'année 1967 le Cabinet britannique pensait qu'un CTB sans inspection valait mieux qu'aucun

CTB. De plus, Londres considérait une telle éventualité comme un exercice susceptible de jeter un «pont» entre l'Est et l'Ouest. Les Canadiens ne seront mis au courant de cette décision qu'en novembre 1968[138], c'est donc dire que publiquement les Britanniques continuaient de soutenir le point de vue américain, mais qu'en privé ils appuyaient les efforts suédois destinés à faciliter la négociation d'un CTB.

Ces secrets d'alcôve diplomatique ne tomberont pas dans l'oreille d'un sourd, car les Canadiens suivront les Britanniques en ce domaine en 1969. Dès 1968 toutefois, les interrogations canadiennes se font plus pressantes. À l'issue d'une rencontre Cornett-Whitham-Longair sur les progrès de la détection télésismique et les méthodes d'identification positive des essais nucléaires[139], Whitham semble croire que des progrès importants pourraient être faits par les Canadiens dans le domaine des «aides au diagnostic». «Le problème, confie ce dernier, est que les Américains ne se satisferont pas d'une méthode d'identification positive qui repose sur le calcul des probabilités[140].» Whitham n'en pense pas moins, avec Thirlaway, sismologue britannique, qu'il serait possible de ramener la plage d'incertitude pour les événements suspects jusqu'à la magnitude de 4 — de 1 à 3 kilotonnes dans le granite —, comparativement à celle des 20 à 60 kilotonnes qui avait été antérieurement estimée, alors que les Américains considèrent que cette méthode d'identification positive s'écroule en deçà de 10 kilotonnes[141]. Whitham juge cependant inutile de s'engager dans une bataille de chiffres avec les Américains qu'il croit «mathématiquement corrects» ainsi qu'avec d'autres pays, notamment la Suède qui fonde ses chiffres à l'époque sur des données qui se situent à la fin de la courbe des probabilités de distribution[142] ou dont l'échantillonnage est, si l'on veut, insuffisant[143]. Ainsi, la réunion de Stockholm paraît avoir confirmé les Canadiens dans leur certitude que les chiffres pouvaient être d'un certain secours pour régler des problèmes politiques.

À cette même réunion, Whitham rappelle que le Canada ne le cède à personne en matière de détection sismique. Il souligne cependant que les dispositifs canadiens ont théoriquement atteint leur limite de détection et qu'il faudra investir davantage si le Canada veut se maintenir dans la course, probablement un million de dollars pour trois ans. Sur les questions essentielles, Whitham juge que tout CTB serait un geste politique, les risques de détection étant infiniment plus grands que la probabilité qu'un État puisse impunément procéder à des essais. Personne n'estime probable un changement d'attitude dans la politique américaine, même à l'ère post-Nixon, étant donné les recherches intensives que poursuit Washington en matière de défense ABM. Whitham juge néanmoins que les risques d'évasion d'un CTB ne sont pas plus grands que ne l'étaient en 1963 les risques que des essais nucléaires dans l'atmosphère passent inaperçus, ce dont Longair se dissocie. Ce dernier pense toutefois qu'il en irait des intérêts américains de conclure un CTB puisqu'un «gel de la situation» permettrait à Washington de conserver son avance en matière de vecteurs à têtes multiples indépendamment guidées (Multiple Independently Tangetable Reentry Vehicle (MIRV)).

Les experts canadiens n'ont donc plus la même assurance formelle qu'en 1966. Impossible scientifiquement en 1966, le CTB devient en 1968 un geste politiquement concevable et admissible. Lors de l'examen général de la politique étrangère du Canada réclamée sous le gouvernement Trudeau, les Affaires extérieures s'appuieront donc essentiellement sur les déclarations de Whitham pour modifier leur politique. Dans le document intitulé *Disarmament Policy Review: Comprehensive Test Ban (CTB),* on peut lire cette déclaration de Whitham :

> À mon avis, la plupart des éléments qui font encore l'objet de controverses au sujet d'un CTB sont politiques [...]
>
> En bref, un acte de foi politique m'apparaît constituer un risque scientifique raisonnable mais non quantitativement défini. Je doute qu'il soit sensé de continuer à utiliser la sismologie comme chat à fouetter à ce sujet. Il n'y a pas de contradictions entre ces déclarations et des avis formels objectifs quant aux explosions de faible puissance qui continuent à constituer un problème insoluble sans inspections. C'est pourquoi ce problème est tellement délicat[144].

Le 12 février 1969, Whitham suggère des modifications dans le mémorandum préparé à l'intention du Cabinet[145]. Il est clair à ses yeux qu'un réseau international de détection sismique peut augmenter considérablement les chances de détection sismique, surtout à la suite des progrès de la technologie. Il estime cependant que ces risques sont minimisés si cette coopération est établie. Il suggère donc que le Canada mette de côté son attitude rigide du passé sur la question des inspections. Comme à la même époque l'ère est à la détente et que les négociations SALT vont bon cours, les Affaires extérieures décident de battre le fer pendant qu'il est chaud.

En mai 1969, l'Énergie atomique du Canada limitée mène une bataille d'arrière-garde sur la question des inspections sur place[146], mais il est déjà trop tard devant les pressions conjuguées des Affaires extérieures et du ministère des Mines et des Relevés techniques. Le Cabinet prend sa décision le 29 juin 1969. Il estime que le Canada doit continuer de jouer un rôle de tout premier plan en matière de vérification sismologique, que les fonds nécessaires doivent être approuvés pour faciliter la recherche en ce domaine, qu'éventuellement le territoire canadien doit être utilisé aux fins « d'exercices de vérification »[147] et que le Canada doit cesser d'insister au sujet des inspections sur place comme préalables à la négociation d'un CTB sans pourtant l'annoncer à ses alliés. La question reste toutefois liée aux progrès des négociations SALT puisque avant de souligner fortement l'urgence d'un CTB, il faut que des progrès soient réalisés au niveau bilatéral.

Cette phase d'ouverture est sans doute liée aux préoccupations du premier ministre Trudeau qui veut voir le Canada investir davantage de ressources en matière d'*arms control*. Il ne voit pas de plus pourquoi le Canada ne se servirait pas de ses connaissances scientifiques pour faire progresser la cause d'un CTB — ce que Tucker décrit comme l'aspect « catalytique » de la diplomatie canadienne[148] —, encore que dans l'esprit du premier ministre les négociations SALT lui apparaissent prioritaires, ce qui revient à dire qu'il ne fallait pas mettre en danger ces négociations avant de mettre l'accent sur un CTB.

La phase des compromis

Cette décision du Cabinet marque l'intérim entre le départ du général Burns à la fin de 1968 et l'arrivée de George Ignatieff comme nouvel ambassadeur du Canada sur les questions de désarmement. Celui-ci n'est pas très heureux que le Canada, au lieu de soutenir la Suède dans la négociation d'un CTB, se limite à dire que la vérification sismologique constitue encore la meilleure méthode pour en arriver progressivement à un CTB. C'est néanmoins sur ces différents aspects que le Canada continuera de faire sentir son influence jusqu'en 1978.

De 1969 à 1978, en effet, les documents de travail présentés par le Canada sont nombreux. Nous en dressons la liste au tableau 10. Les plus importants sont évidemment ceux d'août 1969 et d'août 1970 — ENDC/251/Rév. 1 et CCD/305. Dans le premier cas, on spécifie les détails techniques que doivent comprendre les réponses des États sur la demande du secrétaire général de l'ONU relativement aux installations et à l'équipement techniques dont ils disposent en matière de détection sismologique, conformément à la résolution 2604 A (XXIV) du 16 octobre 1969 de l'Assemblée générale des Nations Unies. Le second document est évidemment le plus pertinent puisqu'il contient une appréciation de la capacité des États en ce domaine, sur la base des renseignements fournis par le secrétaire général. Au moment de la préparation de cette appréciation, le Canada disposait des réponses de 54 pays[149]. Les conclusions les plus importantes de cet examen s'énoncent ainsi :

> En bref, l'ensemble des stations sismologiques peuvent détecter les ondes P (ondes de volume) des tremblements de terre et des explosions souterraines intervenant n'importe où dans l'hémisphère nord jusqu'à concurrence de la magnitude de 4,0-4,2 [...] Si nous devons exprimer cette formule selon une probabilité de détection de 90 pour 100 d'un événement avec au moins cinq stations, la limite de détection la plus basse dans l'hémisphère nord se situe entre les magnitudes de 4,5 et 4,7[150].
>
> L'identification constitue un problème beaucoup plus aigu. La capacité de détection d'une onde Rayleigh (onde de surface) d'un *tremblement de terre* [c'est nous qui soulignons] se situe généralement entre les magnitudes de 4,6 et 5 dans l'hémisphère nord avec une définition de probabilité analogue de 50 pour 100 (la conversion a été faite ici en magnitude d'ondes de volume). Une amélioration de 0,4 degré de magnitude est possible pour certains emplacements, et de 0,2 à 0,3 degré de magnitude supplémentaire pour certaines stations selon les parcours sismologiques et les capacités de filtrage correspondantes. Il existe donc une capacité pouvant potentiellement s'étendre de la magnitude de 4,0 à la magnitude de 4,4 pour assurer avec une probabilité de 50 pour 100 la détection des ondes de surface Rayleigh

des tremblements de terre, bien qu'il faille ici quelque peu assouplir la définition utilisée. Encore là, ces appréciations passent aux magnitudes comprises entre 4,5 et 4,9 si elles sont exprimées en fonction d'une probabilité de détection de 90 pour 100.

Le chiffre correspondant pour la détection des ondes de surface Rayleigh dues à une *explosion* [c'est nous qui soulignons], ainsi que pour assurer leur identification positive est d'une magnitude plus élevée, c'est-à-dire qu'elles sont comprises entre les magnitudes de 5,0 et de 5,4 à un niveau de 50 pour 100 de probabilité de détection, et à une demi-magnitude supérieure si cette probabilité doit passer à 90 pour 100. Des recherches plus poussées [...] pourraient abaisser de 0,6 degré de magnitude ces estimations, pourvu que l'on assouplisse encore la rigueur des définitions. La magnitude de 4,75 est équivalente à une puissance d'explosion comprise entre 8 et 20 kilotonnes dans le granite[151].

On ne saurait dire ici des scientifiques canadiens de l'époque qu'ils vulgarisaient à outrance. La première chose qu'affirme ce rapport, c'est qu'il faut d'abord assurer la détection proprement dite d'un événement sismique, et qu'à l'intérieur de ce phénomème plus vaste il faut aussi disposer de techniques d'identification positive entre un tremblement de terre et une explosion nucléaire. En deuxième lieu, il faut comprendre que cette appréciation générale de la situation ne vaut que pour l'ensemble des systèmes nationaux analysés, ce qui explique le caractère prudent de certains chiffres. En troisième lieu — et cette constatation découle de la précédente —, la certitude empirique de discrimination positive entre un tremblement de terre et une explosion nucléaire n'existe qu'à partir de la magnitude de 4,75. Cela ne signifie en aucun cas que des systèmes de détection plus avancés, par exemple ceux des Américains, n'obtenaient pas à l'époque de meilleurs résultats. Les frais impliqués auraient cependant été prohibitifs pour la plupart des États. En quatrième lieu, les Canadiens se sont toujours abstenus à l'époque de mettre en parallèle, comme le feront les Suédois[152], des magnitudes d'ondes de surface Rayleigh et des équivalences en seuil kilotonnique, car si les théories de la sismologie laissaient alors présager des résultats de la sorte, ces derniers ne reposaient en rien sur des données empiriquement démontrées[153].

L'exception est bien sûr la mesure communément admise de la magnitude de 4,75 (m_b) pour une explosion variant entre 8 et 20 kilotonnes dans le granite du Nevada, donc pour les plaques tectoniques nord-américaines au sujet desquelles on disposait à ce moment de données empiriques certaines. La probabilité de 90 pour 100 par méthode d'identification positive fut par la suite établie à la magnitude de 4,2 en 1971, c'est-à-dire entre 5 et 10 kilotonnes pour l'hémisphère nord, toujours dans l'hypothèse où ces explosions seraient réalisées dans du granite et sous réserve d'investissements mineurs dans l'amélioration des techniques sismologiques[154]. Or, en ce domaine, les mesures varient d'un pays à un autre et seule une bonne connaissance de la région permet de jouer sur le calcul des probabilités. De plus, la comparaison à l'époque entre les ondes de volume et les ondes de surface échappait encore à l'analyse spectrale dans la gamme des ondes de haute fréquence[155].

Tableau 10

Liste des principaux documents de travail présentés par le Canada au Comité des dix-huit puissances et à la Conférence du Comité du désarmement pendant la période 1969-1978

ENDC 248	WP* Listing Canadian Seismological Research (21 mai 1969) (reprise, avec résumés, du document ENDC 244 déposé le 17 avril précédent).
ENDC 251 et ENDC 251/Rév. 1	WP on Requests to Governements for the Provision of Certain Information in the Context of Setting Up a World-Wide Exchange of Seismological Data (23 mai 1969 et 18 août 1969).
CCD 305	WP on Seismological Capabilities in Detecting and Identifying Underground Nuclear Explosions (10 août 1970).
CCD 327	WP on Seismological Capabilities in Detecting and Identifying Underground Nuclear Explosions (29 juin 1979) ; Add. 1 présenté le 7 juillet 1971.
CCD 336	WP on Possible Progress Towards the Suspension of Nuclear and Thermonuclear Tests (22 juillet 1971).
CCD 376	WP on Measures to Improve Tripartite Cooperation (Canada, Japan and Sweden) in the Detection, Location and Identification of Underground Nuclear Explosions by Seismological Means (20 juillet 1972).
CCD 378	WP Containing Bibliography of Department of EMR Papers Relevant to Seismological Verification Problems (25 juillet 1972).
CCD 380	WP on an Experiment in International Cooperation : Short-Period Seismological Discrimination of Shallow Earthquakes and Underground Nuclear Explosions (27 juillet 1972).
CCD 406	The Verification of a Comprehensive Test Ban by Seismological Means (10 juillet 1973).
CCD 457	WP Reporting the Summary Proceedings of an Informal Scientific Conference held 14-19 April 1975 to Promote Canadian-Japanese-Swedish Cooperation in the Detection, Location and Identification of Underground Nuclear Explosions by Seismological Means (14 juillet 1975).
CCD 490	The Verification of a Comprehensive Test Ban by Seismological Means (20 avril 1976).

*** WP = working paper.**

Lorsque les États-Unis et l'URSS signeront le TTBT de 1974, les Canadiens, les Suédois et les Japonais ne manqueront pas de souligner[156] que l'information sur les essais de calibrage prévus dans le Protocole à ce Traité serait d'un indispensable secours pour améliorer les techniques de vérification sismologique. On attend à peu près les mêmes résultats des systèmes de vérification par palier actuellement envisagés à l'intérieur de la CD[157], pour peu que les Soviétiques veulent bien y collaborer. Au début des années soixante-dix, toutefois, on ne fait que commencer à mesurer l'immensité des problèmes de la détection sismologique. En 1976, les Canadiens présenteront un autre texte important faisant état des dernières connaissances en matière de techniques d'évasion[158]. Il ne fait aucun doute que la compétence canadienne en la matière a été d'une qualité exceptionnelle et qu'elle a constitué, comme l'a si bien dit Tucker à l'époque, « la clé de voûte de notre diplomatie[159] ». Ce savoir-faire en la matière se poursuit aujourd'hui grâce aux investissements consentis, à la collaboration indéfectible de la Direction de la Physique du Globe qui a supplanté l'ancien Observatoire fédéral et aux décisions prises sous le gouvernement Trudeau de mettre l'accent sur tous les aspects de la vérification en matière d'*arms control*.

Relativement aux efforts politiques au sein de la CCD, le Canada est revenu en 1971 à certaines idées défendues en 1956 par le gouvernement canadien, notamment la possibilité d'ouvrir la voie à un CTB par la conclusion de « mesures intérimaires » portant sur la limitation des essais les plus élevés en puissance explosive[160], tout en insistant sur la publicité des essais qui devraient être annoncés d'avance ainsi que sur l'amélioration des techniques de vérification sismologique. Cette proposition visait bien sûr à rappeler les grandes puissances à leurs responsabilités. Les Soviétiques ont rejeté cette proposition en septembre 1971[161]. Le Canada restait ainsi fidèle à sa décision de 1969 qui consistait à ne pas réclamer d'inspection sur place, puisque aucune difficulté d'interprétation ne subsistait dans la gamme des explosions à forte puissance.

Toutefois, les événements se précipitent en 1971 et en 1972. Les grandes puissances ne manifestent aucun intérêt pour un CTB, et les Soviétiques dans leurs déclarations publiques soulignent qu'ils ne s'associeraient à ce genre de Traité que si toutes les autres puissances nucléaires acceptaient d'y adhérer. Or la France et la RPC sont toujours tenues à l'écart des négociations à Genève et rien n'indique qu'elles soient le moindrement désireuses de se joindre à ce forum de négociations. Par ailleurs, les Américains préparent leurs essais ABM à Amchitka — l'essai Cannikin notamment —, dans le but de mettre au point une tête nucléaire pour leur fusée Spartan. Les Français poursuivent leurs expériences dans le Pacifique, ce qui soulève une vague de protestations en Australie et en Nouvelle-Zélande, tandis que le Canada vote en Chambre, le 15 octobre 1971, une résolution présentée par le ministre Mitchell Sharp par laquelle on demandait particulièrement aux États-Unis d'annuler leurs essais projetés en Alaska. Le texte de cette résolution, votée à l'unanimité moins une voix[162], sera par la suite officiellement transmis à Washington. L'opposition du Canada résultait principalement de son antipathie cent fois affirmée contre la poursuite des essais et de ses préoccupations en matière d'environnement pour un endroit sismique au large de ses côtes et de son territoire jugé peu stable par plusieurs. Le 22 février 1971, une note de protestation officielle sera transmise à Washington, par laquelle on précisait la position canadienne[163].

Cet ensemble de considérations amènera le Canada à appuyer l'Australie et la Suède, en décembre 1971, lors de la XXVIe session de l'Assemblée générale des Nations Unies, notamment au sujet de la résolution 2828 C, par laquelle on invitait les grandes puissances, particulièrement les parties au PTBT, à prendre immédiatement, de façon unilatérale ou après des négociations, « des mesures restrictives » tendant à suspendre les essais d'armes nucléaires, à les limiter ou à en réduire l'importance. Hormis les deux résolutions de 1969 et de 1970 présentées par le Canada afin de faciliter l'étude technique des problèmes de vérification sismique, le pays s'était limité jusqu'alors à voter en faveur des résolutions sur la cessation des essais nucléaires. La résolution 2828 C marquait donc un tournant dans le durcissement de l'attitude canadienne, dans la mesure où Ottawa acceptait désormais de prendre la tête de file de ceux qui réclamaient une position plus tranchée. La même attitude sera maintenue en 1972 avec la résolution 2934 B (XXVII), sauf que l'invitation de suspendre les essais sera étendue à tous les milieux, ce qui était une manière inavouée de singulariser la France et la RPC.

Les interventions de la fondation Greenpeace dans le Pacifique en 1972 ainsi que les attitudes virulentes des gouvernements australien et néo-zélandais contre les essais nucléaires dans le Pacifique allaient ajouter un barreau à l'échelle de la fermeté canadienne. À la suite d'une recommandation faite par un haut fonctionnaire, le 10 janvier 1973, le Canada célèbre à sa façon le 10e anniversaire du PTBT en parrainant à l'Assemblée générale des Nations Unies avec l'Australie, la Suède et un certain nombre de pays de la région du Pacifique la résolution 3078 B du 6 décembre 1973. Dans ce texte, le Canada souligne sa profonde inquiétude devant la continuation des essais, demande à nouveau que l'on mette fin à tous les essais dans tous les milieux et insiste enfin pour que tous les États qui procèdent encore à des essais dans l'atmosphère — c'est-à-dire la France et la RPC pour ne pas les nommer — les cessent « immédiatement ».

Sur la première résolution de 1971, la France, les États-Unis, la Grande-Bretagne et l'URSS s'étaient abstenus. En 1972, la France et la RPC avaient voté contre la résolution, tandis que la Grande-Bretagne, l'URSS et les États-Unis s'abstenaient. Sur la troisième résolution, la RPC et la France votaient contre; l'URSS, les États-Unis et la Grande-Bretagne s'abstenaient avec 53 autres pays, tandis que 65 pays votaient en faveur de la résolution. Le Canada, devant le puissant lobby diplomatique de la France aux Nations Unies, venait d'essuyer une cuisante défaite. Ce sont en tout cas les conclusions que le ministère des Affaires extérieures en tira. Il est vrai que lorsque le Canada parrainait des résolutions dans le passé, c'était parce qu'il estimait largement partagée la légitimité de ses gestes.

Personne n'avait pensé à souligner que les tests chinois dans l'atmosphère étaient infiniment plus dommageables pour l'hémisphère nord que les tests français dans l'hémisphère sud. Quoi qu'il en soit, la France prit ombrage de cette double discrimination : pourquoi singulariser les essais dans l'atmosphère alors que les grandes puissances poursuivaient les leurs sans relâche sous terre et à une cadence autrement plus martelée que celle qui était adoptée par la France ? De plus, lorsque la Chambre des communes condamna à trois reprises en 1973 les essais nucléaires français tout en passant sous silence ceux de la RPC, Paris interpréta ce geste comme inamical à son endroit.

Pour certains, ce fut la goutte d'eau qui fit déborder le vase. Paris ne se priva pas par ailleurs de jeter de l'huile sur le feu. N'ira-t-on pas jusqu'à mettre en doute en des termes à peine voilés la légitimité d'Ottawa dans son éventuelle capacité de représenter le Québec à l'étranger, voire jusqu'à s'opposer aux demandes du Canada à la recherche à l'époque d'un accord-cadre avec la CEE ? Peu importe les circonstances, le Bureau de l'Europe avait d'autant plus tendance à prendre au sérieux les représentations françaises que l'on s'efforçait alors de négocier un lien contractuel avec la CEE, que Paris se battait pour obtenir au sein de l'OTAN la reconnaissance de la contribution de sa force de frappe à la dissuasion de l'Alliance atlantique — ce qu'elle obtiendra d'ailleurs lors de la réunion du Conseil de l'OTAN à Ottawa en 1974 — et qu'elle s'était formellement engagée à mettre au point ses armes thermonucléaires au courant de la décennie soixante-dix.

Ces événements diplomatiques allaient amener le Canada à tempérer sa position. Tandis que le gouvernement canadien pensait jusqu'alors pouvoir discuter de ces questions sur la base d'une politique généreuse de principe sans mettre ses intérêts en jeu, il venait de découvrir que cela n'était pas ou n'était plus le cas. En février 1974, on estimait que les risques causés à l'environnement par les essais nucléaires français étaient minimes comparativement aux risques politiques que faisait courir le maintien tranché de l'attitude canadienne envers la France. En outre, même la Nouvelle-Zélande et l'Australie semblaient vouloir taire leurs propos les plus virulents à cet égard, sans doute dans l'attente de l'opinion de la Cour internationale de La Haye sur la légalité des essais nucléaires français. À la fin d'avril 1974, le Cabinet avisa donc à de nouvelles politiques.

En quelques mots, on décida de faire un compromis. Le Canada ne pouvait évidemment pas abandonner son soutien global à l'objectif de la cessation complète de tous les essais nucléaires par toutes les puissances nucléaires et dans tous les milieux. Il devait donc soutenir cet objectif devant la Conférence du Comité du désarmement et appuyer les résolutions qui iraient dans ce sens à l'ONU. Dans le cadre général de cet objectif il n'avait cependant plus l'obligation d'insister « démesurément » sur l'urgence de mettre fin aux essais nucléaires dans l'atmosphère. De plus, en matière d'*arms control* et de désarmement, on devait accorder la priorité aux grandes négociations stratégiques, tels les SALT et le renforcement du Traité de non-prolifération des armes nucléaires, ce qui signifiait à toutes fins utiles que l'on devait accorder à un CTB moins d'importance que dans le passé. En d'autres termes, les grands dossiers stratégiques devaient maintenant recevoir la plus grande priorité canadienne, et non plus un CTB considéré en soi et isolément.

La déclaration très réservée de Mitchell Sharp du 21 juin 1974 allait refléter ce nouvel état de réflexions. Le gouvernement canadien déplore bien sûr les essais nucléaires réalisés dans l'atmosphère au cours des derniers jours qui ont précédé cette déclaration — celle de Sharp —, mais il se réjouit surtout du fait que la France ait annoncé que ceux-ci seraient les derniers et espère que la Chine adoptera la même attitude dans l'avenir, ce qui était une façon de corriger aux yeux de la France l'omission de 1973 qui l'avait singularisée de la sorte. En outre, le Canada invite les États-Unis et l'URSS à conclure un CTB — les grandes puissances sont donc ramenées à leurs responsabilités —, ce qui était une façon de corriger le caractère discriminatoire qui avait été pratiqué à l'endroit de la Chine et de la France un an plus tôt. Tout cela démontre que les communiqués les plus anodins sont souvent noyés dans la diplomatie la plus subtile. Le 9 décembre 1974, le Canada n'a pas non plus cosigné l'unique résolution 3257 (XXIX) présentée par l'Australie et la Suède ainsi que par 14 autres pays, par laquelle on condamnait tous les essais d'armes nucléaires dans tous les milieux. En revanche, lors des XXXe et XXXIe sessions de l'Assemblée générale des Nations Unies en 1975 et en 1976, le Canada continua de soutenir les propositions australo-néo-zélandaises[164], selon lesquelles la CCD devait accorder « la priorité la plus élevée » à la conclusion d'un CTB.

Plusieurs faits importants allaient par ailleurs reléguer un CTB à l'arrière-plan de l'actualité internationale. L'explosion nucléaire indienne de mai 1974 et la signature du «traité surprise» de juillet 1974, le TTBT, démontraient, d'une part, l'urgence de s'attaquer aux problèmes des explosions nucléaires pacifiques, c'est-à-dire d'éliminer les échappatoires au TNP; et, d'autre part, la bonne volonté des grandes puissances qui, sans informer aucun de leurs alliés, venaient ainsi de répondre aux objectifs du Canada qui réclamait quelques années auparavant une politique de retenue et de restrictions à l'égard des essais nucléaires souterrains.

La décision du Cabinet en avril 1974 n'était pas cependant que de la poudre aux yeux. Elle faisait suite à une longue analyse de la situation stratégique et à un réexamen de la politique canadienne en matière de CTB. Ce réexamen avait commencé modestement dès 1972[165] et s'était poursuivi avec plus de vigueur au courant de l'année 1973. Plusieurs facteurs militaient en faveur d'un assouplissement de la politique canadienne.

On admettait désormais que le problème était politique et qu'il ne relevait plus de la bonne volonté des petites ou moyennes puissances. Les études techniques sur la vérification sismique, disait-on, avaient atteint un stade de maturité qu'il serait dorénavant difficile de dépasser. L'argument technologique qui aurait pu servir de « catalyseur » commençait donc à s'effriter, devant la position monolithique adoptée par les grandes puissances et la volonté déterminée de la France et de la Chine de poursuivre leurs essais, mais aussi et surtout devant l'irrépressible besoin qu'éprouvaient les grandes puissances de perfectionner leurs armes au nom de la sécurité et d'une stabilité de la dissuasion sans cesse à rétablir. De plus, les

États-Unis insistaient à l'époque sur le fait que des essais nucléaires se révélaient indispensables au maintien de la sécurité de l'Alliance atlantique.

Si dans le passé on pensait qu'un CTB ouvrirait éventuellement la voie à d'autres accords plus généraux, on estimait que les grandes négociations SALT étaient peut-être désormais le préalable à un CTB. En outre, les liens formels autrefois assumés entre un CTB et un éventuel TNP cédaient lentement le pas à d'autres considérations, telle la nécessité de rendre les explosions nucléaires pacifiques accessibles, sous surveillance internationale, aux pays tiers dont les économies devenaient subitement grevées par la crise du pétrole de 1973.

La logique formelle ou la rationalité de l'argumentation canadienne se trouvait donc peu à peu inversée. Déjà dans sa décision du Cabinet en 1969, le Canada avait reconnu que les négociations SALT pourraient bien être déterminantes dans l'évolution du dossier du CTB. On renouait donc avec cette tradition stratégique qui consistait à penser qu'aussi longtemps que les grandes puissances n'opéreraient pas d'importantes réductions quantitatives et qualitatives dans leurs propres arsenaux stratégiques, les chances d'en arriver à un CTB seraient plutôt minces sinon inexistantes. En d'autres termes, il s'agissait de prendre la bête par les cornes et non plus par des moyens détournés. En 1974, le Canada cédait aux pressions de la France certes, mais il n'est pas sûr qu'il n'aurait pas abouti aux mêmes conclusions à la suite du réexamen en profondeur de sa politique.

La logique qui allait présider au développement de la stratégie canadienne d'« asphyxie » présentée lors de la première session extraordinaire des Nations Unies sur le désarmement (SENUD I) en 1978 était exactement la même. Le terme anglais *suffocation* avait été pour la première fois énoncé par Klaus Goldschlag — un brillant fonctionnaire canadien et diplomate dont la carrière fut abruptement interrompue à la suite d'une malheureuse intervention chirurgicale à l'étranger — lors de discussions privées à un colloque auquel participait le premier ministre. L'image lui plut ; elle fut donc par la suite reprise. Elle avait au demeurant le mérite de bien souligner l'urgente nécessité de contenir la course aux armements dans ses aspects les plus globaux. Elle correspondait en outre à l'une des idées maîtresses du Livre blanc de 1970, selon laquelle le Canada ne pouvait laisser aux grandes puissances le soin de déterminer seules le rythme des progrès sur le désarmement ou l'arrêt de ceux-ci.

Comme dans l'esprit des autorités canadiennes la stratégie d'«asphyxie» était mise de l'avant dans l'espoir que des accords SALT II seraient sous peu conclus et qu'un CTB suivrait par la suite, il était donc normal qu'un CTB figurât en tête de liste des quatre mesures proposées. Les autres comprenaient: l'interdiction d'essai en vol de nouveaux véhicules porteurs; l'interdiction de production de matières fissiles à des fins militaires; et la limitation suivie d'une réduction progressive des dépenses militaires. Tout cela n'avait rien de nouveau en soi, mais on espérait de l'interaction de ces différents éléments l'«asphyxie» progressive de la course aux armements, c'est-à-dire un «gel technologique». Comme l'écrira G.H. Pearson par la suite, il ne s'agissait pas de «renverser» le processus de la course aux armements, mais bien plutôt de le «mâter»[166]. Parallèlement à ces mesures, l'Est et l'Ouest devaient s'entendre pour stabiliser la situation par le truchement de réductions progressives dans leur budget militaire et leurs établissements militaires classiques.

De 1963 à 1978, il y avait donc une logique interne qui sous-tendait l'ensemble de la politique canadienne en matière de CTB. Au début de cette période, on en était encore au Moyen Âge en ce qui a trait aux techniques de détection sismique. La prudence s'imposa donc jusqu'en 1967-1968. Dès que le Canada vit cependant que les techniques de vérification progressaient à grands pas, il amorça un premier virage en abandonnant en 1969 ses prétentions à un système de vérification à toute épreuve, estimant que les risques encourus en matière de sécurité étaient minimes comparativement aux avantages politiques que procurerait à l'Occident un accord sur la suspension globale des essais nucléaires. Cette période correspond véritablement à l'ère de la Renaissance où tous les espoirs sont permis. Toutefois, la déception est grande, car on se rend compte que la technologie ne peut résoudre des problèmes politiques que d'autres s'emploient à cultiver à loisir par la poursuite de leurs essais. Le Canada généralise par la suite son opposition de principe à tous les essais, cédant de la sorte un peu trop facilement aux revendications des groupes de pressions pacifiques à travers le monde, sans pourtant se rendre compte que les moins coupables prendraient fortement ombrage de cette forme de discrimination particulière. Un changement de cap intervient en 1974, mais il est dû en grande partie à un réexamen de la situation générale qui amène le Canada à penser que l'on ne peut aborder le problème d'un CTB en vase clos. Cette situation débouche naturellement sur la stratégie d'« asphyxie » de 1978, défendue avec vigueur par le premier ministre Trudeau lors de la première session extraordinaire des Nations Unies sur le désarmement.

L'indéfectible appui canadien (1978-1988)

La stratédie d'« asphyxie » produira d'autant moins d'effets qu'un peu plus tard une administration à la rhétorique belliqueuse prendra le pouvoir à Washington. Les négociations trilatérales déjà ajournées en 1980 recevront leur coup de grâce lorsque les États-Unis, sous la présidence Reagan, annonceront publiquement que la poursuite des essais était nécessaire à leur sécurité et à celle de l'Alliance atlantique. À la fin de l'année 1982, un ministre de l'Ouest canadien obtiendra une réunion du Cabinet sur les questions soulevées par les mouvements de paix au Canada. Par ailleurs, des démarches seront entreprises au Bureau du premier ministre pour promouvoir ce qui deviendra par la suite la célèbre initiative de paix de Pierre Elliott Trudeau.

Les Affaires extérieures s'inquiéteront à raison de cette requête qui, si elle avait été poursuivie isolément par ceux qui l'avaient à l'origine conçue, aurait risqué de discréditer la position du Canada au niveau international. Elle fut donc récupérée par les Affaires extérieures, c'est-à-dire par McEachen, qui créera un groupe de travail à ce propos et dont naîtront les dix principes qui allaient constituer le fer de lance de cette initiative[167]. À cet égard, il ne fait aucun doute que le Canada s'inquiétait très sérieusement de la tournure que prenait la politique américaine aux États-Unis. Le discours du premier ministre, prononcé le 16 mai 1982 à l'Université de Notre-Dame, contient en germe la philosophie politique qui allait inspirer son initiative de paix. En bref, le premier ministre craignait que les grandes puissances ne perdent la maîtrise des nombreux conflits qui les séparaient et que ceux-ci ne dégénèrent en une confrontation violente entre l'Est et l'Ouest. Il s'alarmait en outre du fossé qui allait s'approfondissant au sein de l'Alliance atlantique sur la manière de négocier avec l'Est et sur l'absence de progrès en matière de MBFR.

Les Soviétiques n'étaient certes pas malheureux de trouver au Canada un appui aussi fidèle à la recherche d'une politique active en matière de désarmement, mais ils tentaient aussi, il faut bien en convenir, de comprendre le système politique américain et surtout de savoir ce qui avait bien pu se passer à Washington pour qu'ils soient ainsi voués aux gémonies et tenus responsables de tous les maux de la guerre froide. Des contacts privés furent même recherchés avec d'anciens fonctionnaires du Bureau du premier ministre qui avaient été depuis quelque temps déjà promus à d'autres fonctions. L'objectif était sans doute de voir de part et d'autre si l'on ne pouvait pas trouver un terrain d'entente commun pour relancer le dialogue Est-Ouest.

Durant la période 1978-1988, l'appui canadien à la conclusion d'un CTB restera indéfectible. Le Canada continuera comme par le passé de faire porter son action à tous les niveaux. Au début des années quatre-vingt, l'Assemblée générale des Nations Unies prit sur elle de faire avancer les choses en réclamant la constitution d'un Groupe ad hoc sur la cessation des essais nucléaires au sein du CD. Le 17 juillet 1981, à la suite de l'examen général de la politique canadienne en matière de sécurité et de contrôle d'armements par le Cabinet, le secrétaire d'État Mark MacGuigan fit parvenir à son homologue américain, Alexander Haig, une lettre par laquelle on affirmait l'attachement canadien à la stratégie d'« asphyxie », l'espoir que des négociations SALT reprendraient sous peu et que dans la foulée de ces discussions les négociations tripartites sur un CTB seraient réouvertes. On soulignait aussi que le CD devrait se voir octroyer un véritable rôle de négociation. Devant l'opposition des grandes puissances, le CD assuma ses responsabilités en créant en avril 1982 son propre Groupe ad hoc sur la cessation des essais nucléaires, en vertu des pouvoirs que lui conférait le paragraphe 120 du Document final de la SENUD I. En février 1982, le Canada estimait qu'il était bon de donner suite à ces propositions « comme manière de procéder » ou tout simplement pour aborder des problèmes qui ne l'auraient pas déjà été au niveau bilatéral[168]. Le ministre McEachen félicita le CD, le 1er février 1983, pour cette initiative, mais on fut incapable par la suite de s'entendre même sur la possibilité d'étendre le mandat du Groupe ad hoc sur la cessation des essais nucléaires au-delà des problèmes de vérification[169]. Le 26 avril 1984, le représentant canadien à la CD, l'ambassadeur J. Alan Beesley, conclura que les discussions sur le mandat du Groupe ad hoc s'étaient « à ce point raréfiées qu'elles étaient presque artificielles[170] ».

Dans ces conditions, le Canada n'avait plus qu'à se rabattre sur sa politique antérieure visant à privilégier au sein du GES les discussions techniques aux dépens des grands problèmes politiques dont la substance et l'ordre du jour lui échappaient. Le premier ministre Trudeau avait d'ailleurs demandé dans son allocution devant la SENUD II que le système d'échange international des données sismisques (International Seismic Data Exchange (ISDE)) entre en vigueur avant même la signature d'un éventuel CTB. Cette attitude sera constante dans la diplomatie canadienne au fil des années quatre-vingt. Le Canada n'en suggérera pas moins, en février 1982, la conclusion d'un « accord de deuxième phase » visant à fixer un seuil sur les explosions nucléaires souterraines[171]. Ottawa se réjouira donc de l'initiative du TTBT et, à Washington, il en encouragera la ratification, malgré certains critiques qui prétendaient qu'agir de la sorte ne ferait que légitimer les explosions nucléaires souterraines et miner les fondements mêmes d'un CTB[172].

La SENUD II fournit par ailleurs au Canada l'occasion « d'institutionnaliser et d'accroître » davantage son rôle en matière de vérification, un domaine qui avait déjà été privilégié dans le discours du Trône d'avril 1980. Conformément à une décision du Cabinet, le secrétaire d'État aux Affaires extérieures (SEAE) décrira le 16 juillet 1982 les principaux secteurs où le Canada entendait disposer d'un savoir-faire privilégié, à savoir la sismologie, les garanties nucléaires, la télédétection, les satellites de communication, la toxicologie et les mesures de protection contre les armes chimiques. Déjà, en juin 1981, le Cabinet avait décidé d'étudier la possibilité d'entraîner au Canada, avec la collaboration d'autres pays, des spécialistes des pays en voie de développement en matière de sismologie et d'améliorer ainsi ses programmes de vérification au coût de 200 000 dollars par année.

En 1985, le ministère des Affaires extérieures accordait l'octroi d'un contrat de deux ans à des chercheurs de l'Université de Toronto, afin de faciliter la détection sismique dans la gamme des hautes fréquences, une opération destinée bien sûr à améliorer les techniques de discrimination entre les explosions nucléaires de faible amplitude et les petits tremblements de terre[173]. En octobre 1986, un premier atelier technique qui réunissait 43 participants de 17 pays se tint à Ottawa en vue d'étudier les questions relatives à la création et à l'exploitation d'un réseau sismique mondial. Un tel réseau n'aurait pas pour but de se prononcer sur la nature d'un événement sismique, mais bien plutôt de garantir les conditions d'un partage de tous les renseignements et données afin de faciliter la vérification d'un CTB, par des méthodes sismiques. Depuis 1986, les Soviétiques se montrent par ailleurs moins réticents à cette idée.

À l'intérieur de son programme de vérification, la vérification sismique demeure au deuxième rang des priorités canadiennes, immédiatement après les armes chimiques. C'est là du moins le sens des propos tenus par l'ambassadeur Beesley auprès de la CD, le 4 avril 1985. Et pour joindre le geste à la parole, le gouvernement canadien annonçait le 7 février 1986, par la bouche de son secrétaire d'État aux Affaires extérieures, Joe Clark, que l'ensemble sismologique de Yellowknife serait modernisé au coût de 3,6 millions de dollars au cours des années 1986 à 1989. Ce geste correspond au souci du Canada, est-il besoin de le préciser, d'être le premier dans la course à la vérification d'un accord éventuel sur la conclusion d'un CTB.

Soulignons également que lors des deux Conférences d'examen du Traité de non-prolifération des armes nucléaires en 1980 et en 1985, le Canada insistera avec une vigueur particulière sur la nécessité d'un CTB[174]. Cet accord reste évidemment l'un des objectifs fondamentaux de la politique étrangère du Canada depuis qu'un ambassadeur, peut-être distrait mais qui ne prisait guère les adverbes, remplaça dans une allocution prononcée devant la CD le terme «éventuellement fondamental» par «fondamental». Le Canada s'est toujours réservé cependant une certaine marge de flexibilité. Ainsi, dans son allocution d'août 1986 devant la CD, le secrétaire d'État Joe Clark déclarera: «Le Canada estime qu'une approche progressive sera nécessaire pour qu'une interdiction complète des essais nucléaires devienne réalité[175].» Ces propos seront repris par l'ambassadeur de Montigny Marchand devant le même forum international, le 10 mars 1988, en insistant sur une approche étape par étape ainsi que sur de «nouvelles limitations touchant les essais nucléaires».

Notes

1. *Énergie nucléaire au Canada,* 1975, p. 10.
2. *Radiation-A Fact of Life,* IAEA, 1979, p. 6.
3. *Énergie nucléaire au Canada,* 1975, p. 11.
4. Environ la moitié des individus meurent généralement dans les 30 jours qui suivent l'irradiation ; à 1 000 rems la probabilité est que tous mourront.
5. S. Glasstone, 1964, p. 592.
6. J.M. White, 1983, p. 14-15.
7. Dans J. Goldblat et C. Cox, 1988 (ci-après cité Goldblat-Cox), p. 83-84.
8. *Étude d'ensemble sur les armes nucléaires — Comprehensive Study on Nuclear Weapons,* 1981, p. 86.
9. UNSCEAR : United Nations Scientific Committee on the Effects of Atomic Radiation.
10. Note des auteurs : il ne faut pas confondre ici la puissance mégatonnique totale dégagée par les essais et celle qui provient des produits de fission, ceux-ci étant essentiellement créés par les détonateurs des bombes à fusion.
11. Cette unité est une « dose collective » basée sur le produit de la dose moyenne reçue multipliée par le nombre de personnes exposées : ainsi 10 000 manrads est équivalent à 1 rad pour 10 000 personnes ou à 10 rads pour 1 000 personnes.
12. *Tritiated water* ou eau lourde irradiée.
13. J.-C. Roy, 1987, p. 7.
14. R. Latarjet, 1986, p. 673.
15. *New York Times,* 16 février 1987, p. 10.
16. *New York Times,* 26 avril 1987, p. 31.
17. États-Unis, 824 essais ; URSS, 606 essais ; Grande-Bretagne, 40 essais ; France, 144 essais ; RPC, 30 essais ; Inde, 1 essai.
18. Les proportions pour la Grande-Bretagne, la France et la Chine étant respectivement de 4,3, 9,2 et 4,4 pour 100.
19. Voir R.S. Norris et R. Ferm dans Goldblat-Cox. Les données de Norris et Ferm tiennent compte du document de base publié par le Département de l'énergie américain : « Announced United States Nuclear Tests, July 1945 through December 1986 ».
20. R.S. Norris, T.B. Cochran et W.M. Arkin, 1986, p. 56.
21. Ils sont évalués à 138 mégatonnes.
22. J.I. Sands, R.S. Norris et T.B. Cochran, 1986, p. 49.
23. La puissance réelle effective de la bombe d'Hiroshima était de 13 kilotonnes.
24. Dans Goldblat-Cox, p. 112.
25. Dans Goldblat-Cox, p. 151.
26. Le projet d'ensemble ne fut abandonné qu'en 1977 ; voir I.Y.P. Borg dans Goldblat-Cox, p. 66.
27. Le dernier essai nucléaire chinois dans l'atmosphère remonte à 1980.
28. R.S. Norris et R. Ferm dans Goldblat-Cox, p. 401.
29. Cité dans J. Klein, 1964, p. 298.
30. R.S. Norris, T.B. Cochran et W.M. Arkin, 1986, p. 55.
31. Dans Goldblat-Cox, p. 37.
32. Selon Norris, Cochran et Arkin, on compte 33 essais au total de 1945 à 1986, c'est-à-dire en moyenne moins de 1 par année.
33. Selon D.R. Westervelt dans Goldblat-Cox, p. 49.
34. Voir Goldblat-Cox, p. 36.
35. Dans Goldblat-Cox, p. 56.
36. On considère ici la bombe fission-fusion-fission qui consiste soit à renforcer l'enveloppe de la bombe par de l'uranium 238 qui devient fissile sous l'effet des neutrons extrêmement rapides donc très énergétiques de la fusion, soit à prévoir l'injection de gaz fusibles à l'intérieur d'une bombe à fission.
37. J. C. Mark dans Goldblat-Cox, p. 39.
38. R.S. Norris et R. Ferm dans Goldblat-Cox, p. 401.
39. T.B. Taylor (1987).
40. Voir à ce sujet le chapitre 10.
41. Dans Goldblat-Cox, p. 231.
42. Voir la section suivante.
43. Dans Goldblat-Cox, p. 334.
44. En anglais « body-wave ».
45. Note des auteurs : l'ensemble sismologique de Yellowknife se trouve à moins de 10 000 kilomètres des

principaux emplacements d'essais nucléaires du Nevada aux États-Unis, de Novaïa Zemlia et du Kazakhstan oriental en URSS, de Lob Nor en Chine et de l'atoll de Mururoa en Polynésie française. Voir B. North (1987).

46. Voir E. Johannisson dans Goldblat-Cox, p. 384-385.
47. Voir S. Ortoli, 1986, p. 25. À noter que le tremblement de terre le plus élevé (magnitude de 8) du siècle au Canada a eu lieu dans les îles de la Reine-Charlotte en Colombie-Britannique le 22 août 1949.
48. *Ibid.*
49. MAE, *Vérification sismique,* 1986, p. 40.
50. L.R. Sykes et J.F. Evernden, 1982, p. 141.
51. J.K. Leggett dans Goldblat-Cox, p. 217.
52. S. Ortoli, 1986, p. 25.
53. L.R. Sykes dans Goldblat-Cox, p. 149.
54. D.C. Fakley dans Goldblat-Cox, p. 163.
55. Dans Goldblat-Cox, p. 150-151.
56. Dans Goldblat-Cox, p. 187.
57. Les huit pays sont : les États-Unis, la Grande-Bretagne, la France et le Canada, à l'Ouest, et l'URSS, la Pologne, la Roumanie et la Tchécoslovaquie, à l'Est.
58. Basham et Dahlman dans Goldblat-Cox, p. 171.
59. *Ibid.*
60. Rapport du secrétaire général, A/7967.
61. Basham et Dahlman dans Goldblat-Cox, p. 173.
62. MAE, *Vérification sismique,* 1986, p. 48.
63. CCD/558.
64. CD/43.
65. CD/448.
66. CD/720.
67. Pour une description du fonctionnement de ces trois paliers, voir Basham et Dahlman dans Goldblat-Cox, p. 180-186.
68. La bombe soviétique de 1961 d'une puissance de 58 mégatonnes, par exemple. Note des auteurs : l'ambassadeur soviétique A. Aroutunian, à Ottawa, lors d'un entretien avec George Ignatieff, lui aurait dit que les explosions nucléaires étaient beaucoup plus efficaces, comme instrument de dissuasion, que l'acheminement de chars blindés américains à Berlin. Dossier 50271-M-40, 9 mai 1962.
69. Mieux connu en anglais sous le vocable d'un *standstill agreement.*
70. G.A. Greb, 1988, p. 96.
71. Voir le chapitre 3.
72. G.A. Greb, 1988, p. 99.
73. ENDC/28.
74. S. Ahmed, 1967, p. 65.
75. G.A. Greb, 1988, p. 102.
76. *Ibid.*
77. Cité dans *Les Nations Unies et le désarmement, 1945-1970,* p. 199.
78. Dossier 50271-A-40, 20 janvier 1956.
79. Note des auteurs : il est difficile de savoir à la lecture des archives d'où la Direction du renseignement scientifique de la Défense pouvait tenir cette idée. Comme nous le verrons sous peu, la politique canadienne à l'effet de vouloir imposer des quotas tant par rapport au nombre qu'à la puissance des explosions a pu être perçue comme s'appliquant aux seuls essais thermonucléaires.
80. JIC 174/1 (56), 4 avril 1956.
81. Voir le chapitre 3, à la section intitulée « Les réactions canadiennes ».
82. Dossier 50271-A-40, 12 avril 1956.
83. Note des auteurs : tout cela changera et variera au fil des propositions officielles ; la Grande-Bretagne parlera à certains moments de phase 3 et quelquefois de phase 1 dans ses discussions au sein du sous-comité.
84. Dossier 50271-A-40, 16 avril 1956.
85. *Hansard,* p. 6050.
86. Dossier 50271-A-40, 18 juillet 1956.
87. Mémoire du 26 juillet de Léger à Pearson.
88. Lettre de E.H. Gilmour du Bureau de l'ONU au capitaine F.W.T. Lucas de l'État-major interarmées, le 3 août 1956.
89. En anglais : Maximum Permissible Concentration (MPC).
90. Mémoire du Conseil de recherches pour la défense, 31 août 1956, pas de numéro de dossier.
91. *Proceedings of the National Academy of Science,* juin 1956.
92. Note des auteurs : nous conservons l'expression mégatonnique trouvée à l'origine dans les textes et

remplacée par la formule *large yield atomic warheads* par le président des chefs d'état-major interarmes, le général Charles Foulkes.

93. 50271-B-40, 14 septembre; ce document a une rubrique intitulée « Canadian Atomic Weapons Requirement Policy ».
94. Dossier 50271-B-40, 5 octobre 1956.
95. Note des auteurs: les débats sur le strontium ne paraissent pas poser trop de difficultés; beaucoup d'incertitudes subsistent en revanche quant aux dangers du césium.
96. Mémoire de Cadieux à Léger, le 1er octobre.
97. Lettre du président du Conseil de recherches pour la défense, M. Zimmerman, à John W. Holmes, 7 octobre 1958; dossier du MDN 1644-1.
98. Voir le chapitre 1.
99. Voir le chapitre 5.
100. Télex de Washington aux AE, 12 avril 1962, pas de numéro de dossier.
101. S. Ahmed, 1967, p. 29.
102. Voir le chapitre 6.
103. Dossier 50271-T-40, 22 mai 1962; la lettre du 9 mai est rattachée à ce dossier.
104. 27 novembre 1963, 1910 (XVIII) ; pas de résolution en 1964 à cause des difficultés relatives à l'article 19 de la Charte; 3 décembre 1965, 2032 (XX) ; 5 décembre 1966, 2163 (XXI) ; 19 décembre 1967, 2343 (XXII) ; 20 décembre 1968, 2455 (XXIII) ; 16 décembre 1969, 2604 A/B (XXIV) ; 7 décembre 1970, 2663 A/B (XXV) ; 16 décembre 1971, 2828 A/B/C (XXVI) ; 29 novembre 1972, 2934 A/B/C (XXVII) ; 6 décembre 1973, 3078 A/B (XXVIII) ; 9 décembre 1974, 3257 (XXIX) ; 11 décembre 1975, 3478 (XXX) ; 10 décembre 1976, 31/66 et 14 décembre 1976, 31/89; 12 décembre 1977, 32/78; 14 décembre 1978, 33/71 C; 11 décembre 1979, 34/73; 12 décembre 1980, 35/145 A/B; 9 décembre 1981, 36/84; 9 décembre 1982, 37/72 et 37/73; 15 décembre 1983, 38/62, 38/63 et 38/72; 12 décembre 1984, 39/52, 39/53 et 39/60; 12 décembre 1985, 40/80 A/B, 40/81 et 40/88; 3 décembre 1986, 41/46 A/B, 41/47 et 41/54; 30 novembre 1987, 42/26 A/B et 42/27. Pour une analyse du contenu des résolutions de l'Assemblée générale de 1963 à 1979, voir le rapport du secrétaire général de l'ONU, A/35/257, 23 mai 1980, p. 18.
105. Voir ci-dessus la section intitulée « Les efforts internationaux en matière de détection sismique ».
106. A/35/257 et CD/86.
107. Note des auteurs: dans la foulée des résolutions 35/145 A, 36/84 et 36/87 par lesquelles on réclamait incessamment la création d'un tel Groupe de travail.
108. Voir G.A. Greb, 1988, p. 104.
109. Ce document a été publié sous les doubles cotes A/9698 pour l'ONU et CCD/431 pour la Conférence du Comité du désarmement.
110. A/31/125.
111. Note des auteurs: la plupart des engins mis au point par les États-Unis à l'époque avaient une puissance projetée pouvant varier entre 350 et 450 kilotonnes.
112. Les segments de droite de tous les points reliés entre eux.
113. CD/130, 30 juillet 1980, p. 10.
114. G.A. Greb, 1988, p. 109.
115. Voir le mémorandum des trois pays non alignés, l'Égypte, l'Éthiopie et le Nigeria, du 10 juin 1963, ENDC/94.
116. ENDC/P.-V./104: voir M. Tucker, 1982, p. 123.
117. Voir C/C1/ P.-V. 1385 et le rapport A/35/257, p. 21.
118. ENDC/P.-V. 98, p. 16.
119. ENDC/144, p. 11.
120. Dossier 28-8-4-1, 25 avril 1966.
121. Télex 79 de Genève, 28 février 1966.
122. Dossier 28-8-4-2, lettre de Burns à Ottawa, 27 mars 1966.
123. À Miller et à Longair.
124. Dossier 28-8-4-2.
125. Dossier 28-8-4-2, 18 avril 1966.
126. Dossier 28-8-4-2.
127. « Preparations for Resumed Session of ENDC », 8 juin 1966, pas de numéro de dossier.
128. Télex 4027 de Londres à Ottawa, 28-8-4-2.
129. Note des auteurs: il s'agit ici de la désormais classique distinction entre les ondes de volume (P et S) et les ondes Love (et aussi Rayleigh) ; voir, à ce propos, la section intitulée « La détection sismique ».
130. Voir S. Ortoli, 1986, p. 21.

131. Dossier 28-8-4-2, pour la visite projetée du ministre en Europe du 4 au16 novembre.
132. 28-West-1-Can, rapport de A. de W. Mathewson à D.M. Cornett, 13 janvier 1967.
133. 28-8-?, numéro illisible, discussions canado-suédoises, voir le mémorandum du 31 août 1967.
134. Dossier 28-8-4-2, 19 octobre 1967.
135. Pour plus de détails, voir la section intitulée « La détection sismique ».
136. 28-8-4-2, mémo de S.F. Carlson à Cornett, 2 février 1968.
137. 28-8-4-2, pas de date, mémo de A.D. Morgan à Cornett : *CTB: Next Steps*.
138. Télex 5570, 21 novembre 1968.
139. Note des auteurs : cette rencontre fait suite à la lettre de Whitham à Cornett à laquelle est attachée une étude de Whitham sur le problème de la détection télésismique.
140. Note des auteurs : il s'agit de comparer la carte générale d'une région donnée *(master earthquake)* par rapport au nombre de cas suspects isolés. Or, en ce domaine, les relevés sismologiques varient d'un emplacement à un autre.
141. 28-8-4-2, 15 juillet 1968.
142. 28-8-4-2, lettre du 7 mai 1969 à Bow.
143. Voir, à ce propos, CCD/306.
144. Dossier 28-8-4-2, pas de date.
145. 28-West-1-CDA, Whitham à Mac N. Bow, directeur général du Bureau du désarmement.
146. 28-8-4-2, 5 mai 1969.
147. Note des auteurs : cette décision renverse évidemment la décision Green-Diefenbaker de mai 1960.
148. M. Tucker, 1982, p. 123. Note des auteurs : cette caractéristique que Tucker fait remonter au début des années soixante et qu'il emprunte, il est vrai, à George Ignatieff (1974) ne convient véritablement à la diplomatie canadienne qu'à partir des années 1968 et 1969.
149. Il y a en réalité 48 pays, car 6 avaient fait savoir qu'ils préféraient échanger des données sismologiques sur une base volontaire.
150. Note des auteurs : la définition utilisée dans le rapport fait état d'une probabilité d'intervalle de 50 pour 100, soit une demi-magnitude, avec un maximum de cinq stations ayant une capacité de localisation correspondante comprise entre 20 et 45 kilomètres.
151. CCD/305, p. 2-3.
152. Dans leur document CCD/306.
153. Note des auteurs : ce qui permettait en même temps une certaine flexibilité pour le cas où des progrès théoriques auraient été plus rapides que prévus.
154. Voir CCD/327.
155. Voir la section intitulée « La détection sismique ».
156. Dans le document CCD/457.
157. Voir la section intitulée « Les efforts internationaux en matière de détection sismique ».
158. Les explosions multiples et les techniques de masquage, voir CCD/490.
159. M. Tucker, 1981, p. 648.
160. Voir CCD/336, p. 2.
161. G. Ignatieff, 1974, p. 707.
162. 38 libéraux, 11 conservateurs, 7 néo-démocrates et 2 créditistes.
163. Voir *International Canada,* mars 1971, p. 68.
164. Les résolutions 3478 et 31/89.
165. Notamment avec le document « The Comprehensive Test Ban - Its Possible Significance for Nuclear Arms Control » rédigé en mars 1972.
166. G.H. Pearson (1985).
167. Voir, à ce propos, le remarquable article de H. von Riekhoff et J. Sigler (1985).
168. CD/P.-V. 156, p. 9-10.
169. CD/P.-V. 189, p. 20.
170. CD/P.-V. 262, p. 53.
171. CD/P.-V. 156, p. 11.
172. W. Epstein (1985).
173. Voir la section intitulée « La détection sismique ».
174. Voir le chapitre 7.
175. MAE, *Supplément au Bulletin du désarmement,* Ottawa, hiver 1986-printemps 1987.

Sources secondaires citées

Ahmed, Samir, « The Neutrals and the Test Ban Negotiations : An Analysis of the Non-Aligned States' Efforts between 1962-1963 », *Occasional Paper No. 4,* New York, Carnegie Endowment for International Peace, 1967.

Énergie nucléaire au Canada, Toronto, Association nucléaire canadienne, 1975.

Epstein, William, « Test Ban - First Step to Disarmament », *International Perspectives,* mai-juin 1985, p. 21-24.

Glasstone, Samuel, *The Effects of Nuclear Weapons,* Washington, USAEC, 1964.

Goldblat, Jozef et Cox, David (édit.), *Nuclear Weapon Tests: Prohibition or Limitation?* Oxford, Oxford University Press, 1988 (Une étude CIIPS-SIPRI).

Greb, G. Allen, « Survey of Past Nuclear Test Ban Negotiations », dans J Goldblat et D. Cox, *ibid.,* p. 95-117.

IAEA, *Radiation — A Fact of LIfe,* Vienne, 1979.

Ignatieff, George, « Canadian Aims and Perspectives in the Negotiation of International Agreements on Arms Control and Disarmament », dans R.ST. Macdonald *et al.* (édit.), *Canadian Perspectives on International Law and Organization,* Toronto, University of Toronto Press, 1974, p. 690-725.

Klein, Jean, *L'entreprise du désarmement,* Toulouse, Cujas, 1964.

Latarjet, Raymond, « Sur l'accident nucléaire de Tchernobyl », *Politique Étrangère,* n° 3, 1986, p. 669-677.

Norris, Robert S., Cochran, Thomas B. et Arkin, Willam M., *Known U.S. Nuclear Tests : July 1945-October 1986,* Washington, Natural Resources Defense Council, 1986.

North, Bob, « Pour mieux détecter les explosions nucléaires », *GEOS,* vol. 16, n° 1, hiver 1987, p. 1-5.

Ortoli, Sven, « Essais nucléaires : le détecteur de mensonges des géophysiciens », *Science et Vie,* n° 829, 1986, p. 16-26 et 175.

Pearson, Geoffrey H., « Trudeau Peace Initiative Reflections », *International Perspectives,* mars-avril 1985, p. 3-6.

Riekhoff, Harald von et Sigler, John, « The Trudeau Peace Initiative : The Politics of Reversing the Arms Race », dans Brian W. Tomlin et Maureen Molot, (édit.), *Canada Among Nations 1984 : A Time of Transition,* Toronto, James Lorimer and Company, 1985, p. 50-69.

Roy, Jean-Claude, *L'accident nucléaire de Tchernobyl et son impact sur la région de Québec,* Québec, Université Laval, Département de chimie, 1987.

Sands, Jeffrey I., Norris, Robert S. et Cochran, Thomas B., *Known Soviet Nuclear Explosions : 1949-1985 (Rev 2, June 1986),* Washington, Natural Resources Defense Council, 1986.

Sykes, Lynn R. et Evernden, Jack F., « The Verification of a Comprehensive Nuclear Test Ban », *Scientific American,* octobre 1982, p.139-147.

Taylor, Theodore B., « Third-Generation Nuclear Weapons », *Scientific American,* vol. 256, n° 4, 1985, p. 30-39.

Tucker, Michael J., « Canada's Role in the Disarmament Negotiations », thèse de doctorat, Toronto, Université de Toronto, 1977.

Tucker, Michael J., « Canada and Arms Control : Perspectives and Trends », *International Journal,* vol. 36, n° 3, été 1981, p. 635-656.

Tucker, Michael J., « Canada and the Test-Ban Negotiations : 1955-71 », dans Kim Richard Nossal, *An Acceptance of Paradox : Essays on Canadian Diplomacy in Honour of John W. Holmes,* Toronto, Canadian Institute of International Affairs, 1982, p. 114-140.

United Nations, *Comprehensive Study on Nuclear Weapons. Study Series 1,* New York, ONU, 1981 (A/35/392).

Vérification sismique, Brochure sur la vérification n° 1, Ottawa, Ministère des Affaires extérieures, 1986.

White, J.M., *An Introduction to Radiation Protection Principles,* Chalk River, Chalk River Nuclear Laboratories, 1983.

C'est le propre inéluctable de l'homme que de travailler à des tâches qu'il ne peut compléter durant la courte période de son existence...*

10

Le Canada et l'espace extra-atmosphérique

Les conséquences économiques, militaires, stratégiques et juridiques de l'utilisation de l'espace extra-atmosphérique (EEA) sont apparues au grand jour dès le lancement spectaculaire du premier Spoutnik soviétique en octobre 1957. L'URSS, la première, a mis sur orbite, dans l'ordre, « un chien, un homme, et une femme ». Dès 1958, un premier Colloque international sur le droit de l'EEA se tenait à La Haye[1]. La même année, à la suite d'une initiative du secrétaire d'État John Foster Dulles, l'Assemblée générale des Nations Unies demandait dans sa résolution 1348 (XIII) la création d'un Comité ad hoc sur les utilisations pacifiques de l'espace. Le 12 décembre 1959, c'est chose faite. Avec la résolution 1472 (XIV), le Comité des utilisations pacifiques de l'espace extra-atmosphérique (CUPEEA) est créé, conformément aux pouvoirs de l'Assemblée générale qui a qualité pour établir tous les organes subsidiaires nécessaires à son fonctionnement. Par la suite, le CUPEEA créera plusieurs sous-comités, dont le plus important sera naturellement son sous-comité juridique.

L'importance économique de l'espace n'est plus à démontrer. Les dépenses spatiales mondiales à des fins pacifiques s'élevaient en 1987 à 55 milliards de dollars américains, tandis que le personnel concerné regroupait plus de un million de personnes[2]. Le Comité de la recherche spatiale (Committee on Space Research (COSPAR)) du Conseil international des unions scientifiques (CIUS) soumettait son rapport au sous-comité scientifique et technique du CUPEEA sur les progrès de la recherche spatiale en 1987[3]. Dans tous les domaines —

* Reinhold Niebuhr.

observation de la Terre, de son atmosphère et des planètes du système solaire ; en astrophysique, dans le domaine des plasmas, des sciences de la vie et des matériaux créés dans l'espace —, la quantité des projets et le nombre des pays qui y sont associés progressent à une allure fulgurante. On peut tirer les mêmes conclusions du rapport présenté au CUPEEA par la Fédération internationale d'astronautique (FIA), le 7 janvier 1988, sur les réalisations marquantes de la technologie spatiale en 1987[4].

Situé en 1986 au huitième rang pour les dépenses consacrées à la recherche spatiale en tant que pourcentage du produit national brut (PNB), le Canada est devenu un partenaire de tout premier plan dans le domaine de l'utilisation pacifique de l'espace. Sa coopération à caractère bilatéral — avec sept pays essentiellement, ainsi qu'avec l'Agence spatiale européenne (ASE) — et multilatéral recoupe, au total, une trentaine de projets[5]. C'est donc dire l'importance économique que revêt l'espace pour le Canada qui entend retirer de ses investissements des dizaines de milliards de dollars au cours de la prochaine décennie[6].

Dans le domaine stratégique, l'espace étant devenu « les yeux et les oreilles » des grandes puissances, celles-ci observent de là-haut avec intérêt, militairement parlant, tout ce qui bouge et se meut sur terre. Ce qui peut servir la paix, par exemple les satellites météorologiques et les satellites d'observation, peut aussi servir à la guerre. On parle de stabilité si ces dispositifs renforcent les moyens de vérification positive et de dispositifs agressifs s'ils devaient servir à des fins militaires. Comme pour toute technologie, seule la finalité de l'usage qu'on lui réserve peut en déterminer le caractère agressif ou pacifique. Les juristes ont donc fort à faire pour assurer la régulation des activités dans l'espace sur un sujet aussi délicat et contesté.

Nous ne tenterons pas ici de dégager les implications stratégiques de l'espace[7] que tous et chacun connaissent assez bien, et pour lesquelles le droit est d'un bien faible secours, mais nous mettrons plutôt en relief les rapports étroits qui existent entre le droit international et l'*arms control*. Nous verrons dans une première section quelle est la portée des principaux instruments juridiques qui régissent les activités des États en matière d'utilisation pacifique de l'espace. Nous étendrons cette analyse aux principaux accords en vigueur en matière de contrôle et de restriction des activités militaires des États dans l'EEA. Enfin, dans une troisième partie, nous nous interrogerons sur la portée de l'action diplomatique canadienne pour prévenir une course aux armements dans l'espace ainsi que pour en limiter les dimensions les plus extravagantes.

LE DROIT SPATIAL

Les principales sources du droit spatial sont la Charte des Nations Unies, les principaux textes et traités qui régissent les activités des États en matière d'utilisation pacifique des États, la jurisprudence qui, en ce domaine, est pratiquement inexistante et les principes généraux du droit international reconnu par les nations civilisées. Les aspects les plus importants touchent aux deux premiers points, et le quatrième pose des problèmes particuliers quant à ce qui constitue les normes de droit affirmées et celles qui sont acceptées par les États dans la conduite de leurs relations.

En ce qui a trait aux Nations Unies, tous les juristes s'entendent pour affirmer la prééminence des articles 2 (4) et 51 de la Charte. L'article 2 (4) interdit le recours à la force ou la menace du recours à la force. Aucun vaisseau spatial ne saurait donc faire l'objet d'un acte d'agression de la part d'un État membre de l'ONU. L'article 51 reconnaît par ailleurs aux États le droit à la légitime défense. Dans l'état actuel du droit international, aucune disposition juridique ne saurait enlever aux États le droit de riposter ou de se défendre contre un acte d'agression. La légitime défense n'ayant jamais été définie par les Nations Unies, on peut supposer que tout État agressé a le pouvoir de détruire les objets spatiaux d'un autre État qui l'aurait attaqué. Toutefois, là où les juristes ne s'entendent pas, c'est sur la question de savoir si ce droit de riposte ne s'applique qu'aux seuls vaisseaux à caractère militaire. Selon Danielsson, il est inconcevable que le droit à la légitime défense puisse être invoqué contre des vaisseaux à caractère non militaire[8]. Cet avis n'est pas partagé par tous, car plusieurs satellites sont conçus comme des « multiplicateurs de force » — les satellites de navigation et de communication, par exemple —, ce qui laisse une marge de manœuvre d'appréciation fort subjective pour l'État agressé. Par contre, d'autres satellites sont protégés, comme nous aurons l'occasion de le voir dans la section suivante, par des accords bilatéraux.

Un second aspect propre à l'ONU est le caractère contraignant ou non contraignant des actions posées par l'ONU ou par certains de ses organes. En la matière, seuls trois types d'intervention peuvent être faits par l'ONU. L'Assemblée générale des Nations Unies dispose d'un pouvoir de recommandation, mais non d'un pouvoir de décision — sauf sur les questions internes qui relèvent de sa compétence, son budget par exemple —, réservé au Conseil de sécurité en vertu des dispositions contenues dans le chapitre VII de la Charte. En matière d'arbitrage, de médiation ou de conciliation, le secrétaire général de l'ONU peut par ailleurs attirer l'attention du Conseil de sécurité en vertu des pouvoirs qui lui sont conférés par l'article 99 de la Charte. De plus, la Cour internationale de La Haye peut être saisie d'une action et rendre un arrêt, dont le caractère n'est obligatoire que si les États se sont entendus au préalable pour respecter le jugement de la Cour.

Comme le droit international ne repose que sur ce qui a été accepté par les États, ceux-ci disposent donc de tous les privilèges nécessaires pour conclure sur une base volontaire tous les accords qu'ils jugent souhaitables pour donner suite par exemple à une résolution de l'Assemblée générale des Nations Unies. Le domaine du maintien de la paix constitue la meilleure illustration de cette lente transformation de l'ONU. Ainsi, comme l'Assemblée générale n'a qu'un pouvoir de recommandation, lorsque le temps fut venu de mettre sur pied la Force d'urgence des Nations Unies (FUNU), à Suez, en 1956, deux séries d'accords juridiques parallèles furent conclus pour donner suite à la résolution de l'Assemblée générale. D'une part, le secrétaire général a conclu des accords bilatéraux avec l'État hôte, c'est-à-dire avec l'Égypte seule, puisque Israël ne voulait pas entendre parler d'une force de maintien de la paix sur son territoire. Dans ces accords, on définit les conditions d'implantation et de fonctionnement de la FUNU sur le territoire de l'Égypte, notamment la question de l'application de la Convention sur les privilèges et les immunités diplomatiques pour les soldats faisant partie de la FUNU. D'autre part, tous les États participant à la FUNU ont signé avec l'ONU, qui est une personne de droit international, des accords de participation *(Participating States Agreements).* Toutes ces considérations n'ont pas été sans importance lorsque le président Nasser réclama le retrait des Casques bleus de l'ONU en 1967. Certains juristes auraient voulu que l'ONU maintienne ses Casques bleus en Égypte, tandis que d'autres ont affirmé qu'une fois le consentement égyptien à la présence de la FUNU retiré, l'ONU n'avait plus qu'à répondre au vœu égyptien, ce qu'elle fit d'ailleurs.

On retrouve aujourd'hui ces mêmes débats à propos du droit de l'espace. Quelle est ainsi la valeur juridique des résolutions acceptées à l'unanimité par le CUPEEA? Force nous est ici de conclure que les rédacteurs de la Charte n'ont jamais pensé octroyer à l'Assemblée générale ou en l'occurrence à ses organes une fonction législative et qu'en dépit du fait que certaines résolutions répondent à des critères d'universalisme et d'acceptation mondiale, elles ne peuvent remplacer la pratique courante entre les États, c'est-à-dire celle de n'être liés que par les accords auxquels ils ont librement souscrit. L'opinion de la majorité mondiale ne constitue pas en ce domaine une vérité juridique; elle n'exprime que des normes générales qu'il serait souhaitable que les États acceptent de pratiquer entre eux sur la base d'accords ou de conventions dûment signés.

Les choses sont-elles cependant différentes lorsqu'il en va d'une Déclaration de principes, comme celle de décembre 1963 qui fut adoptée par l'Assemblée générale des Nations Unies à l'unanimité[9]? Le fait que le Canada ait affirmé à l'époque que cette Déclaration «reflétait le droit international tel qu'il était couramment accepté par les États membres[10]» constitue-t-il une codification du droit international? Les États qui se sont ainsi prononcés sur cette Déclaration ne sont-ils pas liés réciproquement du fait du consentement volontaire accordé à l'interprétation obligatoire de cette résolution? En d'autres termes, cette Déclaration de principes ne serait pas obligatoire parce qu'elle a été adoptée à l'unanimité, mais plutôt parce qu'elle constituerait un prononcé *(statement)* du droit international coutumier, ce qui revient à dire qu'elle aurait été obligatoire avant même d'être adoptée.

Cette attitude qui était aussi celle des États-Unis à ce moment laissait la porte ouverte à nombre d'interprétations juridiques. Les États se sont donc employés à codifier par traités la

Tableau 11

Principaux textes et résolutions relatifs au droit de l'espace extra-atmosphérique

Résolutions

Rés. 1721 A (XVI)	Utilisation de l'EEA pour le bien de l'humanité et non-appropriation nationale (20 décembre 1961).
Rés. 1884 (XVIII)	Interdiction de mise sur orbite d'armes nucléaires ou d'armes de destruction massive (17 octobre 1963).
Rés. 1962 (XVIII)	Déclaration de principes juridiques relativement à l'EEA (13 décembre 1963).

Traités et accords

Traité sur l'espace extra-atmosphérique: Traité sur les principes régissant les activités des États en matière d'exploration et d'utilisation de l'espace extra-atmosphérique, y compris la Lune et les autres corps célestes (Aux Nations Unies, rés. 2222 (XXI), 14 décembre 1966).

Date de signature: 27 janvier 1967 — **Date d'entrée en vigueur**: 10 octobre 1967

Accord sur le sauvetage et le retour des astronautes: Accord sur le sauvetage des astronautes, le retour des astronautes et la restitution des objets lancés dans l'espace extra-atmosphérique (Aux Nations Unies, rés. 2345 (XXII), 19 décembre 1967).

Date de signature: 22 avril 1968 — **Date d'entrée en vigueur**: 3 décembre 1968

Convention sur la responsabilité internationale: Convention sur la responsabilité internationale pour les dommages causés par des objets spatiaux (Aux Nations Unies, rés. 2777 (XXVI), 29 novembre 1971).

Date de signature: 29 mars 1972 — **Date d'entrée en vigueur**: 1er septembre 1972

Convention sur l'immatriculation: Convention sur l'immatriculation des objets lancés dans l'espace extra-atmosphérique (Aux Nations Unies, rés. 3235 (XXIX), 12 novembre 1974).

Date de signature: 14 janvier 1975 — **Date d'entrée en vigueur**: 15 septembre 1976

Accord sur la Lune: Accord régissant les activités des États sur la Lune et les autres corps célestes (Aux Nations Unies, rés. 34/68, 14 décembre 1979).

Date de signature: 5 décembre 1979 — **Date d'entrée en vigueur**: 11 juillet 1984 plupart des déclarations contenues dans les trois principales résolutions des Nations Unies sur l'EEA. Dans la première résolution (1721 (XVI), décembre 1961), on affirme que la Charte de l'ONU et le droit international s'appliquent à l'EEA et aux corps célestes, ce qui va de soi. La nouveauté réside cependant dans la clause de la non-appropriation nationale de l'EEA et des corps célestes qui peuvent être «librement explorés et exploités» par tous les États et pour le bien-être de toute l'humanité. Hurwitz soutient que les grandes puissances sont liées par cette résolution parce qu'elles ont déclaré y souscrire comme s'il s'agissait de principes de droit coutumier[11]. La querelle est ici nettement dépassée puisque le Traité sur l'EEA de 1967 confirmera de toute façon ces principes. Par la résolution 1884 (XVIII), on demande aux États de s'abstenir de mettre sur orbite autour de la Terre des objets porteurs d'armes nucléaires ou de destruction massive, d'installer de telles armes sur les corps célestes, ou encore de les placer de toute autre manière dans l'EEA. Cette résolution n'ayant pas été rédigée sous forme de principes, il est douteux qu'elle ait un caractère contraignant. Elle a cependant aussi été reprise dans l'article IV du Traité sur l'EEA, ce qui la rend contraignante pour les États signataires du Traité.

La résolution 1962 (XVIII) de décembre 1963 s'avère de loin la plus importante, car il s'agit d'une Déclaration des principes qui doivent régir les activités des États dans la poursuite de leurs activités spatiales. On y rappelle tous les principes contenus dans les résolutions antérieures — le fait que l'espace est le patrimoine de toute l'humanité, la libre exploration de l'espace sur la base de l'égalité et de la non-discrimination, l'interdiction de mise sur orbite d'armes nucléaires ou de destruction massive et l'obligation de respecter la Charte des Nations Unies et le droit international dans la poursuite des activités spatiales —, tandis qu'apparaissent les éléments nouveaux suivants : la nécessité d'inscrire la responsabilité internationale pour les activités découlant d'activités nationales ; la nécessité de retourner à l'État propriétaire les composantes spatiales qui peuvent être récupérées par un tiers État ; le principe de non-interférence avec les activités poursuivies par d'autres États ; et le principe de coopération et d'assistance mutuelle, les astronautes étant considérés comme des « émissaires de l'humanité ». Tous ces principes seront repris dans le premier Traité sur l'EEA de 1967 qui constitue la *Magna Carta* ou, si l'on veut, la Charte constitutive du droit de l'EEA.

Le Traité sur l'EEA[12] se compose de 17 articles et d'un long préambule où l'on reconnaît l'intérêt commun de toute l'humanité dans les progrès de l'exploration et de l'utilisation de l'espace extra-atmosphérique à des « fins pacifiques ». Tous les principes de la Déclaration de décembre 1963 se retrouvent dans le corps du texte. Seul l'article IV régit des activités à caractère militaire ; il reprend en partie la résolution 1884 de l'Assemblée générale des Nations Unies d'octobre 1963, qui vient elle-même se greffer sur un accord antérieurement conclu entre les deux grands sur l'interdiction de mettre sur orbite des armes nucléaires ou de destruction massive. Étant donné l'importance de cet article, nous le citons intégralement :

Les États parties au Traité s'engagent à ne mettre sur orbite autour de la Terre aucun objet porteur d'armes nucléaires ou de tout autre type d'armes de destruction massive, à ne pas installer de telles armes sur des corps célestes et à ne pas placer de telles armes, de toute autre manière, dans l'espace extra-atmosphérique.

Tous les États parties au Traité utiliseront la Lune et les autres corps célestes exclusivement à des fins pacifiques. Sont interdits sur les corps célestes l'aménagement de bases et d'installations militaires et de fortifications, les essais d'armes de tous types et l'exécution de manœuvres militaires. N'est pas interdite l'utilisation du personnel militaire à des fins de recherche scientifique ou à toute autre fin pacifique. N'est pas interdite non plus l'utilisation de tout équipement ou de toute installation nécessaire à l'exploration pacifique de la Lune et des autres corps célestes.

Dans la première phrase de l'article IV, on parle de l'interdiction d'armes nucléaires ou de destruction massive autour de la Terre, sur les corps célestes ou dans l'espace extra-atmosphérique. Dans le deuxième paragraphe, on précise que la « Lune et les autres corps célestes » ne peuvent être utilisés par les États parties au Traité qu' « exclusivement à des fins pacifiques ». L'établissement de bases militaires, d'installations ou de fortifications militaires ainsi que l'expérimentation de tous types d'armes et la conduite de manœuvres militaires sont formellement interdits sur « des corps célestes ».

Certains ont soutenu que cet article, conjointement avec d'autres du Traité sur l'EEA, imposait une « complète démilitarisation de l'espace ». Outre le fait qu'une telle interprétation ne correspond pas à l'esprit des auteurs du Traité lorsqu'ils l'ont négocié — autrement, ils ne se seraient pas donné la peine de spécifier les interdictions applicables « aux corps célestes » —, il faut bien comprendre que tout ce qui n'est pas formellement interdit par le Traité tombe sous le régime de la permissivité. De la même façon, s'il est précisé que les corps célestes doivent servir « exclusivement à des fins pacifiques », alors que le Préambule du Traité parle de l'exploitation de l'espace à des « fins pacifiques », on est en droit de se demander ce que signifie ici l'ajout de l'adverbe « exclusivement », sinon qu'il n'est applicable qu'aux seuls corps célestes[13].

De plus, on est en droit de se demander si la Lune est un corps céleste, puisqu'on parle dans un nombre considérable d'articles du Traité « de la Lune et d'autres corps célestes ». Selon Hurwitz, cette omission de la part des Américains était délibérée[14]. Cette ambiguïté sera supprimée avec l'Accord sur la Lune de 1979 où il est spécifié à l'article 3 (1) que la Lune doit servir à des fins « exclusivement pacifiques ».

Comme nous le verrons dans la section suivante, bien d'autres accords sont venus compléter le Traité sur l'EEA en matière d'*arms control*. Ce premier Traité constitutif du droit de l'espace fut largement négocié au sein du CUPEEA. Il est cependant intéressant de noter que ce Traité interdit tout système ABM ou antisatellites (Anti-Satellite (ASAT)), voire l'essai de toute arme même à caractère classique, sur la Lune ou les autres corps célestes. On peut supposer toutefois que les grandes puissances n'ont jamais songé de toute façon à installer de tels systèmes aussi loin de leur portée «pratique».

Tous les autres accords juridiques sont venus compléter ou renforcer ce premier Traité du droit de l'espace. Ainsi, l'Accord sur le sauvetage et le retour des astronautes en 1968 constitue une élaboration des articles V et VIII du Traité sur l'EEA; la Convention sur la responsabilité internationale en 1972 est une élaboration de ses articles VI et VII; la Convention sur l'immatriculation des objets lancés dans l'espace extra-atmosphérique en 1975 représente une élaboration de ses articles V et VIII; tandis que l'Accord sur la Lune de 1979 reprend certains articles du Traité sur l'EEA de 1967 où la Lune est mentionnée dans certains cas précis en plus de la création d'un régime juridique particulier pour ce satellite de la Terre. À propos du Traité sur l'EEA et des trois autres qui ont suivi, Magdelénat écrit:

> Il faut remarquer que les quatre premiers textes sont en fait le produit d'accords entre les deux puissances spatiales, exerçant leur suprématie sur le droit comme sur la technologie. On peut concéder qu'il y ait eu une plus large participation de la part d'autres États dans le cas de l'Accord sur la Lune. Ce dernier pas minime est certainement inspiré par l'analogie du sujet avec le droit de la mer où le duopole des deux grands est érodé depuis beaucoup plus longtemps[15].

À ce bilan, il faut ajouter l'élément suivant: au 31 décembre 1987, seuls quelques États avaient signé et ratifié l'Accord sur la Lune[16]. Dans l'ensemble, l'évolution du droit de l'espace, sur la base des accords jusqu'à maintenant analysés, permet d'affirmer l'existence des règles générales suivantes:

- l'utilisation de l'espace et son exploration doivent servir au bien-être de l'humanité et ne servir qu'à des «fins pacifiques»;
- les règles du droit coutumier en ce qui a trait aux activités militaires sur la Terre ainsi que la Charte des Nations Unies sont applicables au droit de l'espace;
- l'espace et les autres corps célestes ne peuvent faire l'objet d'une appropriation nationale, tandis que tous les États ont le droit de les explorer librement;
- les États portent la responsabilité internationale de leurs activités nationales poursuivies dans l'espace et sur les corps célestes, et ne doivent pas faire interférence avec les activités des autres États;
- la mise sur orbite d'armes nucléaires ou de destruction massive autour de la Terre, sur la Lune ou sur les autres corps célestes est interdite, ainsi que les emplacements militaires, les installations ou les fortifications militaires sur la Lune ou les autres corps célestes;
- l'utilisation de personnel militaire dans l'espace est permis.

En ce qui concerne l'utilisation pacifique de l'espace, deux écoles de pensée ont vu le jour. L'interprétation soutenue par les États-Unis est que l'usage pacifique s'avère tout simplement « non agressif », tandis que l'URSS prétend que la connotation du terme signifie « non militaire »[17]. Le document déposé par le Canada à la CD[18] en juillet 1986 précise qu'entre le concept de l'« usage militaire de l'espace » *(military use of space)* qui, pour plusieurs États, apparaît acceptable et le concept d'« armage » de l'espace *(weaponization of space)* qui semble pour plusieurs inacceptable paraît se situer le concept de la « militarisation de l'espace ». Ce dernier concept semble suggérer une présence militaire moins forte que l'« armage de l'espace » — que l'on nous pardonne ce néologisme ! —, mais plus forte que ce que sous-entend l'« usage militaire de l'espace ». Toutefois, pour certains États, la militarisation de l'espace a trait à n'importe quel usage militaire de l'espace. Il est clair en ce domaine qu'une clarification des concepts s'impose. Par analogie avec le droit aérien, c'est le critère de l'utilisation qui est faite d'un avion qui constitue le « facteur décisif »[19]. Il semble qu'il faille par conséquent s'interroger plutôt sur la finalité des dispositifs à caractère militaire dans l'espace.

La difficulté sémantique de définir des termes binaires ou « dipôles » autrement que l'un par rapport à l'autre restera toujours irrésolue, car il s'agit invariablement d'une question de degré. En fait, nous sommes en présence ici d'une mesure ordinale et non d'une mesure cardinale. C'est donc selon la fonction, c'est-à-dire à partir de la finalité des dispositifs mis dans l'espace que l'on peut opérer des distinctions. Le fait que les grandes puissances aient décidé par exemple de protéger leurs moyens techniques nationaux (National Technical Means (NTM)) par des accords bilatéraux ou des traités constitue encore la meilleure preuve que seule cette voie se révèle exploitable.

En outre, convenons que l'utilisation de ces termes est toujours ambiguë. On peut avancer que la militarisation de l'espace a commencé avec le lancement du premier Spoutnik soviétique. Les points inscrits à l'ordre du jour de l'Assemblée générale des Nations Unies ou de la CD font par ailleurs état de la « prévention d'une course aux armements dans l'espace extra-atmosphérique » que plusieurs opposent au concept de la nécessité de « mettre un terme à la course aux armements sur Terre ». La prévention signifierait donc qu'il n'y aurait pas eu encore de militarisation de l'espace. Cela est aussi faux que si l'on inscrivait à l'ordre du jour de l'Assemblée générale la question de la prévention d'une course aux armements sur mer, sous prétexte qu'il n'y aurait pas en ce domaine de rivalités qui tiendraient d'une course aux armements.

Somme toute, une démilitarisation implique un processus de ralentissement ou d'inversion de quelque chose qui serait déjà militarisé. Plusieurs traités de démilitarisation ont d'ailleurs eu lieu dans l'histoire. La non-militarisation fait appel à une absence d'armes et, en la matière, le concept de « non-armage » de l'espace a au moins le mérite de signifier quelque chose par opposition au terme flou « militarisation ». Mais encore là, nous traitons des concepts qui relèvent eux aussi de termes binaires, car le « non-armage » ne peut être défini que par rapport à l'« armage », ce qui soulève toutes les questions relatives au « plus ou moins », au « moins que plus », au « plus que moins », au « plus grand que » et au « plus petit que ». Il vaut donc mieux en prendre son parti et n'avoir recours à ces termes que lorsqu'ils peuvent éclairer l'état des connaissances.

LE DROIT SPATIAL ET L'*ARMS CONTROL*

Une multitude d'accords sont venus compléter les dispositions du droit international en matière de contrôle de l'EEA. Nous nous excusons ici auprès des juristes de dissocier les traités généraux qui régissent le droit spatial des accords plus particuliers sur le contrôle des armements conclus pour la plupart entre les grandes puissances. La raison est que nous nous permettons de parler de régimes de contrôle en ce qui a trait à l'EEA, expression qui possède sûrement une connotation et une signification différentes pour les juristes qui ont jusqu'à maintenant surtout été habitués à la terminologie courante des régimes juridiques définis comme l'ensemble d'un « corpus » de dispositions juridiques applicable à un domaine particulier. En ce sens, on peut parler du régime juridique de la mer ou du régime de l'espace. Nous entendons par régimes de contrôle l'ensemble des dispositions à caractère politique, économique ou militaire, et dont les principales fonctions consistent à assurer une régulation des activités dans l'espace, cette régulation devant correspondre tout à la fois à des considérations technologiques, juridiques, économiques et stratégiques.

Avant de parler de régimes de contrôle, il est nécessaire de donner un bref aperçu des autres dispositions juridiques qui influent sur les activités des États dans la poursuite de leurs objectifs spatiaux. Certaines activités à caractère militaire sont interdites dans l'espace, tandis que d'autres sont tolérées. Pour décrire ces dernières, la tendance dans les textes semble être de parler d'activités à caractère militaire « conformes »[20] au droit international[21]. Ainsi,

- l'usage de personnel militaire dans l'espace est permis selon le Traité sur l'EEA de 1967 ;
- l'utilisation de satellites militaires aux fins de vérification d'accords d'*arms control* est permise en vertu du Traité concernant la limitation des systèmes de missiles antimissiles ou Traité ABM de 1972, des accords SALT I et SALT II, du TTBT de 1974 et de son complément sur les explosions nucléaires à des fins pacifiques, c'est-à-dire le PNET de 1976, et du Traité sur les FNI signé le 8 décembre 1987 et ratifié lors du sommet de Moscou à l'été 1988 ;
- le recours à des satellites d'alerte avancée *(early-warning)*, de communication et de navigation et des satellites météorologiques est aussi permis ou requis en vertu

des accords de 1971 sur l'amélioration des télétypes de communication directe entre Moscou et Washington[22], des accords de 1971 sur les mesures destinées à réduire les risques de déclenchement d'une guerre nucléaire[23], des accords de 1973 sur la prévention d'une guerre nucléaire[24] et des accords de 1987 sur les Centres de réduction des risques nucléaires (Nuclear Risk Reduction Centres (NRRC))[25].

Par ailleurs, dans la mesure où certaines activités sont proscrites par des accords internationaux, le Canada en conclut que ces activités ne sont pas conformes au droit international. Ainsi, sont interdits :

- les essais nucléaires dans l'atmosphère ou l'espace extra-atmosphérique en vertu du PTBT de 1963 ;
- les actions d'interférence avec les « capteurs » *(sensors)* de l'espace destinés à vérifier des accords d'*arms control,* conformément aux traités et accords définis plus haut, ainsi qu'à l'article 35 de la Convention sur les télécommunications internationales en 1973, laquelle a été complétée par la Convention de Nairobi de 1982[26] ;
- la mise sur orbite d'armes nucléaires ou de destruction massive en vertu du Traité sur l'EEA de 1967, de l'Accord sur la Lune de 1979 et des accords SALT II de 1979 en ce qui a trait à la mise sur orbite partielle d'armes nucléaires, soit les systèmes de bombardement à orbite fractionnaire (Fractional Orbital Bombardment System (FOBS)) ;
- les actes hostiles ou l'usage de la force sur la Lune ou sur les autres corps célestes au sein du système solaire, ou sur les orbites qui les entourent, conformément à l'Accord sur la Lune ;
- l'installation de bases militaires ou la conduite de manœuvres et d'essais militaires sur les corps célestes ou sur les orbites qui les entourent, conformément au Traité sur l'EEA de 1967 et à l'Accord sur la Lune ;
- la mise au point, l'expérimentation ou le déploiement de systèmes ABM ou de leurs composantes dans l'espace, conformément au Traité ABM de 1972 ;
- la guerre mésologique, c'est-à-dire le recours hostile ou militaire à des techniques de modification de l'environnement, conformément à la Convention sur l'interdiction d'utiliser des techniques de modification de l'environnement à des fins militaires ou toutes autres fins hostiles (ouverte à la signature à Genève le 18 mai 1977, entrée en vigueur le 5 octobre 1978)[27].

En l'espace de 30 ans, le droit international aura donc produit une multitude d'accords régissant les activités des États en matière d'utilisation de l'espace. Les problèmes qui restent à résoudre s'avèrent cependant considérables, et c'est manifestement dans le domaine de l'*arms control* que les difficultés sont les plus épineuses. Nous reproduisons au tableau 12 ce qui nous apparaît aujourd'hui constituer les quatre régimes de contrôle particuliers applicables aux activités des États dans l'espace. Ce sont : 1. le régime de la permissivité qui dépend essentiellement de l'évolution de la technologie ; 2. le régime des obligations positives où le droit excelle ; 3. le régime des exclusions qui dépend largement de la volonté politique des États ; et 4. le régime des restrictions qui résulte lui aussi des contraintes que les États acceptent de s'imposer dans la poursuite de leurs activités spatiales.

Les principes du droit de l'espace s'appliquent évidemment à tous ces régimes, mais il n'y a pas, à proprement parler, d'« emprise » directe du droit sur le secteur de la permissivité, à moins que l'activité n'ait expressément été permise au préalable, comme la dérogation à l'utilisation de personnel militaire dans l'espace. Faisons une analogie avec l'avortement par exemple. Peu de pays le tolèrent, mais des législations particulières peuvent s'imposer lorsque la pratique devient généralisée. Dans ces conditions, l'État peut soit libéraliser ses lois, soit les restreindre s'il estime nécessaire d'enrayer cet usage. Sur le plan international, le droit ne peut certes pas « légiférer » d'avance sur quelque chose qui n'existe pas, mais il peut cependant poser des normes ou établir des principes qui devraient guider ou orienter les États dans leur conduite et dans un secteur déterminé. Il peut aussi interdire certains types d'activités. C'est ce qu'il a fait avec le Traité sur l'EEA.

Selon le tableau 12, le clivage le plus naturel consiste évidemment à distinguer les fonctions d'« armage » de celles de « non-armage ». Nous préférons ce terme aux qualificatifs de « pacifique » ou de « non pacifique », car il n'est pas dit, par exemple, qu'en tout temps et en tout lieu un système ABM serait nécessairement non pacifique[28], alors qu'un tel dispositif constituerait certainement un « armage » de l'espace. Pour ajouter à la défense de ces termes, précisons que l'« armage » risque d'être nuisible aux États et à leur environnement, tandis que le contraire a plus de chances de leur être bénéfique.

Le droit se trouve souvent à la remorque de la pratique, ou en retard par rapport aux dernières créations technologiques. Il s'avère cependant d'une remarquable agilité lorsqu'il s'agit de codifier le passage du régime de la permissivité à celui des obligations positives. Ainsi, les juristes ont eu tôt fait de reconnaître la nécessité de tenir les États responsables des dommages ou des torts causés aux États tiers dans la poursuite de leurs activités spatiales. Par ailleurs, l'immatriculation des objets spatiaux vise non seulement à assurer une certaine forme de connaissance sur les activités qui se déroulent dans l'espace — à en croire cependant les rapports d'immatriculation envoyés au secrétaire général de l'ONU, tous les véhicules ne servent qu'à des fins pacifiques ! —, mais aussi à faciliter la procédure d'identification des débris ou des objets spatiaux revenant sur terre en cas de demande d'indemnisation ou de requête pour dommages et intérêts.

La chute de débris radioactifs du satellite COSMOS 954 en territoire canadien a entraîné deux démarches parallèles : d'une part, une demande d'indemnisation pour les opérations de « nettoyage » et, d'autre part, le dépôt au sous-comité du CUPEEA d'un

TABLEAU 12

Les différents régimes de contrôle de l'espace extra-atmosphérique

« Non-armage »

1. PERMISSIVITÉ
- Sources d'énergie nucléaire.
- Utilisation de personnel militaire.
- Satellites d'observation à caractère militaire.

2. OBLIGATIONS POSITIVES
- Responsabilité internationale.
- Sauvetage et retour des astronautes.
- Non-interférence.
- Immatriculation des véhicules spatiaux; PAXSAT et autres satellites de vérification?

« Armage »

3. EXCLUSIONS
- Bases ou manœuvres militaires sur la Lune ou sur d'autres corps célestes; mise sur orbite d'armes nucléaires ou de destruction massive.
- Guerre mésologique.
- Essais nucléaires dans l'atmosphère ou dans l'espace extra-atmosphérique.
- Déploiement de systèmes ABM dans l'espace.

4. RESTRICTIONS
- Traité ABM de 1972.
- Systèmes ASAT?
- Technologies exotiques?

document de travail sur l'élaboration d'un régime international pour assurer l'utilisation en toute sécurité de sources d'énergie nucléaire dans l'espace[29]. En avril 1981, l'URSS accepta de verser 3 millions de dollars en règlement final de toutes les questions reliées à la désintégration de son satellite, le matin du 24 janvier 1978. Le Canada a assumé la plupart des frais relatifs aux opérations de « nettoyage », estimés à 14 millions de dollars; la réclamation présentée ne portait que sur 6 millions de dollars.

Le régime des obligations positives constitue sans aucun doute le domaine où le droit a une longueur d'avance sur ce que les États se montrent souvent prêts à accepter ou à concéder dans les textes. Par exemple, la proposition française de créer une Agence internationale de satellites de contrôle (AISC), voire la proposition soviétique de créer une Agence spatiale internationale[30], ou encore la proposition canadienne de satellites internationaux de vérification constituent autant de régimes particuliers dont on peut entrevoir les bénéfices à long terme qui en résulteraient pour la stabilité du système international tout comme pour le bien-être de l'humanité. En ce domaine, il est curieux que personne n'ait encore proposé un régime d'assurances universel en matière de responsabilité internationale. Il y a 30 ans, un tel projet aurait été d'autant plus utopique que les grandes puissances n'étaient pas disposées à payer à d'autres ce qu'elles auraient dû débourser de toute façon en cas d'accident, mais il le deviendra moins dans l'avenir si le nombre d'États engagés dans l'exploration de l'espace continue de croître au rythme des années soixante-dix. Il ne s'agirait pas ici de «nationaliser» la Lloyd's de Londres, mais bien plutôt de prévoir un régime équitable d'assurances dont les bénéfices — s'il y en a! — pourraient éventuellement servir de fonds de soutien pour le développement d'autres activités spatiales, plus particulièrement pour les pays moins bien nantis en ressources ou en technologie.

Le régime des restrictions marque bien les limitations que les États sont prêts à s'imposer dans la conduite de leurs activités spatiales stratégiques. Le seul instrument connu en ce domaine est le Traité ABM du 26 mai 1972[31], complété par le Protocole du 3 juillet 1974[32], limitant à un seul emplacement, au lieu des deux prévus à l'origine du Traité, la zone de défense ABM permise. Dans ce Traité, la défense ABM n'est pas interdite, elle est tout simplement limitée. En outre, même si la durée prévue du Traité est illimitée, chacune des parties peut s'en retirer si elle estime que ses «intérêts suprêmes» sont menacés. Enfin, le Traité est ouvert aux amendements et à une procédure d'examen quinquennale (article XIV).

Les juristes souhaitent évidemment transformer toutes ces «restrictions» en interdictions, c'est-à-dire en «exclusions» pour être fidèle à notre propre terminologie, mais les États ne s'orienteront pas nécessairement vers cette voie. Ils pourraient abroger le Traité, l'amender, le compléter, voire le proroger pour une nouvelle période. Un nouveau Traité ABM pourrait même voir le jour à l'occasion de la mise au point de nouvelles technologies dites exotiques. Si cela devait se produire, il est probable que les grandes puissances conviendraient encore une fois de restrictions à respecter en fonction du réaménagement de leurs responsabilités stratégiques. De plus, rien ne s'oppose en principe à ce qu'un même objet — la défense ABM — tombe sous le coup de deux conventions différentes.

Il en va de même des systèmes antisatellites qui existent déjà et qui, pour l'instant, ne sont sujets à aucune restriction, sauf celles qui découlent des accords ABM, en dépit des efforts constants de la communauté internationale pour amener les deux grands à s'imposer des contraintes en la matière. À la défense de la communauté internationale, précisons ici qu'il ne s'agit pas seulement de la sécurité des deux grands ou de la stabilité de la dissuasion nucléaire entre l'Est et l'Ouest, mais aussi et surtout de la protection des cibles que constituent les satellites des États tiers. Or, nous le verrons, aucune approche en particulier n'est susceptible de satisfaire aux conditions de sécurité recherchée en la matière. On peut penser que l'approche des obligations positives conjuguée à des restrictions librement acceptées par les deux grands et à certaines formes d'interdictions relativement à la défense ABM soient encore la meilleure façon d'apporter un début de solution à ces délicats problèmes.

Quant au régime des exclusions, il faut s'en féliciter certes, mais on doit admettre par la même occasion qu'il représente bien peu, c'est-à-dire ce que les grandes puissances avaient décidé de ne pas faire de toute façon. La seule exclusion dont les deux grands ont peut-être aujourd'hui à se repentir est celle de l'interdiction de déploiement de systèmes ABM dans l'espace. C'est ici le point sensible et également la raison principale pour laquelle il est si difficile de s'entendre sur un sujet aussi contesté, à savoir ce que peuvent réserver pour la stratégie de l'avenir les promesses ou les illusions des technologies nouvelles qui se dessinent à l'horizon.

Pour clore cette section sur le droit spatial et l'*arms control,* notons que le régime de la permissivité s'impose souvent dans les faits avant même que le droit ait eu son mot à dire. Dans les années trente, les juristes de droit public ne songeaient pas à interdire la bombe atomique ! Il n'est pas dit qu'un dialogue accru entre la science et le droit résoudrait tous les problèmes, mais il obligerait peut-être les uns et les autres à devancer de 20 ans ou plus les prochaines découvertes de la science, ce qui pourrait donner un sens à une certaine forme de codification dans le domaine de la permissivité. Par ailleurs, le domaine des exclusions relève essentiellement de la volonté des grandes puissances. En la matière, si les juristes acceptaient de passer un peu moins de temps à s'interroger sur tout ce qu'ils devraient ou pourraient interdire et pensaient davantage à la façon pratique de donner un sens aux restrictions que tous et chacun souhaitent, un meilleur équilibre serait peut-être assuré entre ce qui « est » et ce qui « doit être », c'est-à-dire entre la réalité et les normes. Il faut ici convenir que le Traité sur les FNI a dépassé en imagination tout ce que les juristes avaient pu jusqu'alors concevoir en matière de vérification ! C'est donc dire que des études sérieuses s'imposent au sujet de la vérification, et le fait que le Canada et la Grande-Bretagne, pour ne mentionner que ces deux pays, aient décidé de mettre l'accent sur la création de travaux ou d'instituts de vérification est le signe le plus positif de l'évolution des choses relativement à l'*arms control*[33]. De la même façon, il faut aussi reconnaître que le domaine des obligations positives pris dans le sens des droits et devoirs des États est et reste la *res* privilégiée du droit international. Nous ne voulons pas ici cantonner les juristes à l'intérieur d'un domaine particulier, mais bien plutôt souligner la nécessité d'un plus grand décloisonnement entre la science, la politique et le droit.

L'*ARMS CONTROL* ET L'ESPACE

Bref aperçu des négociations

Pour des raisons de clarté, nous séparons la question des négociations sur les armes ASAT des autres considérations relatives au respect du Traité ABM et à la non-militarisation de l'espace. Auparavant, nous devons cependant dire un mot de la procédure à l'ONU puisque ces deux questions sont intimement liées sous un même point de l'ordre du jour.

À l'ONU même, la question de la non-militarisation de l'espace revient régulièrement depuis qu'à la demande des pays occidentaux elle a été inscrite à l'intérieur du point plus vaste du « désarmement général et complet ». Le 9 décembre 1981, l'Assemblée générale des Nations Unies adoptait ainsi la résolution 36/97 C sur « la prévention d'une course aux armements dans l'espace extra-atmosphérique », par laquelle on demandait aux États, en particulier à ceux qui disposent de moyens spatials majeurs, d'œuvrer à cette fin, et au Comité du désarmement d'étudier, à compter du début de sa session de l'année 1982, la question de la négociation d'accords efficaces et vérifiables destinés à prévenir une course aux armements dans l'EEA, « en considérant toutes les propositions actuelles et futures destinées à répondre à cet objectif ». Cette résolution est depuis reprise avec des variantes à chaque Assemblée générale[34], dans le but d'amener la CD à se doter d'un véritable mandat de négociation.

En 1983, un premier déblocage intervient avec la volonté des États-Unis et de la Grande-Bretagne d'accepter la création d'un Groupe ad hoc sur cette question, pourvu que son mandat ait un caractère « pragmatique ». Comme de leur côté les pays de l'Est voulaient à la même époque confier à la CD la tâche de négocier un Traité en bonne et due forme sur la prévention d'une course aux armements dans l'espace, aucun accord ne fut possible sur cette question. Ce n'est finalement que le 29 mars 1985 qu'un Groupe ad hoc fut finalement établi au sein de la CD, conformément au paragraphe 120 du Document final de la première session extraordinaire de l'Assemblée générale des Nations Unies sur le désarmement. La CD reprenait ainsi la procédure qu'elle avait suivie pour établir un Groupe ad hoc sur la cessation des essais nucléaires[35].

Dans sa décision du 29 mars, la CD précisait que le Groupe ad hoc « prendrait en considération tous les accords existants, toutes les propositions existantes et toutes les initiatives futures » dans le but d'établir son rapport sur ces questions. Les pays socialistes et plusieurs pays non alignés déclarèrent à cette occasion qu'ils n'étaient satisfaits de cette formule que dans l'hypothèse où elle mènerait à de véritables négociations dans un délai rapproché. Dans sa résolution de novembre 1987, l'Assemblée générale rappela que la CD, à titre d'organe multilatéral de négociation, « a la responsabilité principale de négocier un ou des accords multilatéraux, selon le cas », pour prévenir une course aux armements dans l'espace extra-atmosphérique.

Notons ausssi que du 9 au 21 août 1982 se tenait à Vienne la deuxième Conférence internationale des Nations Unies sur l'exploration et les utilisations pacifiques de l'espace extra-atmosphérique (UNISPACE 82) (United Nations Conference on the Exploration and Peaceful Uses of Outer Space, UNISPACE 82). Dans son rapport final, la Conférence insistait sur les dangers que représentait l'extension de la course aux armements à l'EEA et exhortait « toutes les nations », plus particulièrement les grandes puissances, à œuvrer en commun pour prévenir cette éventualité[36]. Dans une Déclaration séparée, le Groupe des soixante-dix-sept a réclamé « l'interdiction de tous les essais, de l'emplacement ou du déploiement de toute arme dans l'espace extra-atmosphérique », invitant par la même occasion « les deux principales puissances spatiales » à entamer des négociations à cet effet.

Enfin, nous tenons à souligner un dernier point. Bien que les propositions onusiennes en matière d'*arms control* sur l'espace extra-atmosphérique soient relativement récentes, il ne faudrait toutefois pas oublier que le premier véritable effort occidental remonte à 1957. En effet, dans leur proposition-fleuve du 29 août 1957 présentée au sein du sous-comité de la Commission du désarmement à Londres, les quatre puissances occidentales proposèrent la création « d'un comité technique chargé d'étudier les modalités d'un système d'inspection par lequel on assurerait que l'envoi d'objets dans l'espace extra-atmosphérique n'aurait pas d'autres fins qu'exclusivement pacifiques et scientifiques[37] ». Cette proposition qui, à l'époque, faisait partie d'une douzaine d'autres mesures partielles aurait vite sombré dans l'oubli — même si elle contenait en germe la suggestion d'immatriculation des objets spatiaux —, n'eût été du lancement du premier Spoutnik soviétique quelques mois plus tard.

La question devenait donc d'une urgence primordiale lors de la XIIe Assemblée générale des Nations Unies. Les archives canadiennes à ce propos sont assez cocasses. Avant octobre 1957, les États-Unis voulaient reprendre cet élément de la proposition occidentale dans une résolution à présenter devant la XIIe session de l'Assemblée générale. Les Britanniques s'y opposèrent violemment, plus particulièrement leur ministère de la Défense, car ils craignaient qu'une telle proposition n'en vienne à geler la supériorité soviétique en la matière, outre le fait d'entraver éventuellement la mise au point ou l'usage par les Britanniques de missiles balistiques à moyenne portée (Medium Range Ballistic Missile (MRBM)). Les États-Unis furent plutôt réticents devant cette perspective, comme d'ailleurs la France et le Canada. À cause de la farouche opposition des Britanniques, il fut finalement convenu de supprimer cet aspect de la proposition lors d'une réunion officieuse entre les Délégations occidentales. Le lancement du Spoutnik allait évidemment faire revenir les Américains sur cette façon de concevoir les choses. Il était désormais impossible que l'on se présentât à l'Assemblée générale les mains vides, et ce ne fut qu'après de longues discussions avec les Britanniques que l'on en revint finalement à la terminologie originale de la proposition occidentale d'août 1957[38].

Au sein des différents organes multilatéraux de négociation, la question de la limitation des armes spatiales n'a fait l'objet que de discussions épisodiques, et cela eut lieu presque uniquement dans le cadre de propositions générales reliées aux questions du désarmement partiel. Nous rappelons ici la demande canadienne du ministre Green qui souhaitait dans sa déclaration du 27 mars 1962 que l'espace ne soit utilisé qu'à de seules fins pacifiques[39]. William Epstein conclura dans un article publié dans *Perspectives Internationales*[40] que le Canada préféra par la suite abandonner son droit de parole en la matière aux seules grandes puissances, et cela, jusqu'au moment de la SENUD I. Ce jugement quelque peu sévère est vrai historiquement, mais il faut bien constater qu'à l'époque l'espace constituait un monopole des grandes puissances et que les États, en dépit de leurs efforts incessants pour obtenir à la CD un mandat de négociation sur cette question, n'étaient toujours pas arrivés à leurs fins en 1988.

Les négociations ASAT (1978-1985)

Hormis les grands pourparlers stratégiques — SALT I, SALT II, START et les Nuclear and Space Talks (NST) — et ceux qui durant l'administration Carter ont porté sur les systèmes ASAT, il n'y a jamais eu à strictement parler de négociations bilatérales entre les grandes puissances pour éliminer ce que l'on convient désormais d'appeler les systèmes antisatellites (ASAT). Et le seul accord d'importance qui concerne indirectement les systèmes ASAT est le Traité ABM de 1972 que nous aurons l'occasion d'examiner dans la prochaine section. Depuis la reprise des pourparlers bilatéraux en janvier 1985, qui faisait suite au retrait des Soviétiques des autres forums bilatéraux de négociations en septembre et en décembre 1983 — les négociations FNI et les négociations START —, les débats ont porté essentiellement sur les liens à établir entre des accords START et le Traité ABM, ainsi que sur la suite à donner à ce Traité.

Nous ne savons à peu près rien sinon très peu des pourparlers bilatéraux entre l'URSS et les États-Unis durant les années 1978 et 1979. Trois sessions de discussions auraient eu lieu successivement à Helsinki, à Berne et à Vienne[41]. Au cours de ces entretiens, des progrès auraient été réalisés sur la définition de ce que pouvait constituer un geste de « non-hostilité » *(no-hostile act)*, accompagnée de « règles du jeu » applicables à leurs activités spatiales[42]. Selon Stares, ces pourparlers se seraient heurtés à deux obstacles majeurs : les Soviétiques auraient insisté pour inclure la navette spatiale américaine dans le cadre d'un accord recherché sur les systèmes ASAT, d'une part, et pour exclure de ces discussions les satellites des États tiers — comprendre la Chine ? —, d'autre part. À l'occasion de ces entretiens, les États-Unis auraient aussi proposé un moratoire de « durée limitée » sur les essais ASAT, ce que les Soviétiques auraient en grande partie respecté de 1978 à 1980[43]. L'intervention soviétique en Afghanistan et la venue au pouvoir de l'administration Reagan mirent provisoirement fin à ces discussions bilatérales.

Officiellement, les pourparlers ne reprirent à ce sujet que lors de l'ouverture des négociations NST en mars 1985. Il est difficile de connaître l'importance qu'a pu prendre le débat ASAT à l'intérieur des discussions NST puisque celles-ci ont essentiellement porté sur les START et le Traité ABM. Comme nous ne disposons d'aucune information privilégiée en la matière, nous devons donc suspendre ici l'analyse des discussions ASAT. Avant de faire le point sur l'évolution des négociations NST, il faut toutefois rappeler quelques éléments qui ont balisé le débat ASAT entre 1980 et 1985.

Dès 1981, les Soviétiques déposent à l'ONU leur premier projet de traité sur « l'interdiction de placer des armes de quel type que ce soit dans l'espace extra-atmosphérique[44] ». Dans l'article 1 de ce projet de traité, on souligne l'interdiction de mettre sur orbite des armes de « quel type que ce soit », y compris « les véhicules spatiaux habités réutilisables », ce qui, pour les Soviétiques, était une façon de dire qu'ils considéraient la navette spatiale américaine comme une arme ASAT virtuelle. De la même façon, ils déposèrent le 23 août 1983 un deuxième projet de traité, plus global que le premier, sur l'interdiction du recours à la force dans l'espace et de l'espace contre la Terre[45]. Dans les engagements prévus pour les États aux termes de l'article 2 de ce projet de traité, on proposait l'interdiction de mise au point ou d'essai de nouveaux systèmes ASAT et la destruction des systèmes ASAT alors existants. On incluait dans ce projet de traité non seulement les armes dans l'espace et de l'espace vers la Terre, mais aussi les armes de la Terre vers l'espace puisque le projet envisageait l'élimination des armes antisatellites basées à terre.

Alors que jusqu'au début des années quatre-vingt les Soviétiques avaient maintenu que ces questions devaient relever des pourparlers bilatéraux entre les grandes puissances, ils modifiaient leur position en 1983 pour présenter à l'ONU des projets de traité qui étaient manifestement davantage destinés à contenter l'opinion publique et à gêner les États-Unis dans la mise au point de leurs systèmes ASAT plutôt qu'à faire aboutir une véritable négociation sur ce sujet. De leur côté, les États-Unis insistèrent dès janvier 1983 sur le fait que des discussions ASAT devaient se dérouler dans le cadre du CD à Genève plutôt que sur une base bilatérale[46], ce qui était une indication que les États-Unis avaient perdu tout espoir d'en arriver rapidement à une entente. Cette impression sera confirmée dans la présentation du rapport de l'administration Reagan du 31 mars 1984 au Congrès sur la politique américaine au sujet du contrôle des armes ASAT[47], où il était spécifié qu'une interdiction des armes ASAT était difficilement vérifiable et que toute proposition devait être compatible avec les intérêts des États-Unis en matière de « sécurité nationale ».

Par ailleurs, d'autres événements à caractère politique, économique et technologique allaient venir compliquer à souhait le débat sur l'interdiction des armes ASAT. L'initiative de défense stratégique (IDS) annoncée en mars 1983 venait à toutes fins utiles sonner le glas des négociations sur les systèmes ASAT, car toute arme ABM, capable d'intercepter ou de détruire un engin balistique sur sa trajectoire, peut évidemment intercepter, détruire ou endommager un satellite, en vertu du principe selon lequel « qui peut le plus peut le moins ». Cette constatation découle tout simplement du fait qu'il y a moins de paramètres à analyser pour un satellite que pour un engin balistique, notamment en fonction de la prévision des orbites. Les négociations sur l'espace allaient donc prendre un tour nouveau, le respect du Traité ABM de 1972 devenant désormais un objectif prioritaire dans la recherche d'accords d'*arms control*.

En outre, l'imposition d'un moratoire unilatéral par l'URSS sur les essais ASAT, en août 1983, amènera le Congrès américain à lier la poursuite des essais ASAT à la réalisation de progrès dans le domaine de l'*arms control*[48]. Le Congrès américain passera d'une politique d'imposition de quotas à une politique d'interdiction complète des essais ASAT durant l'année financière 1986 — cette interdiction ne s'appliquant qu'aux F-15 et non aux essais d'autres systèmes contre des cibles fictives ou réelles dans l'espace —, dès lors que l'administration américaine décréta qu'aucun progrès n'était possible en l'absence de procédures de vérification contraignantes.

Les essais américains ASAT les plus nombreux furent reliés au système relatif au véhicule autoguidé miniaturisé (Miniature Homing Vehicle (MHV)). Celui-ci s'articule autour de petits missiles largués à haute altitude par des avions F-15 spécialement convertis à cette fin, et qui s'orientent par mode de guidage infrarouge vers le satellite qui sera détruit par des moyens purement classiques, en l'occurrence par le déploiement d'un essaim de billes métalliques qui viennent le percuter de plein fouet. À l'origine, les États-Unis prévoyaient se doter de deux escadrons de F-15 en mission ASAT, l'un sur la côte Est et l'autre sur la côte Ouest. Il semble à présent que seule la base Langley sur la côte Est sera désormais retenue et que le nombre des 112 intercepteurs ASAT prévus au départ sera aussi réduit à 35[49]. D'autres spécialistes de la question vont même jusqu'à penser que les systèmes ASAT, établis à la base de Langley, ne deviendront jamais opérationnels étant donné le refus du Congrès américain d'autoriser en mission réelle les essais du véhicule miniature lancé des airs (Air-Launched Miniature Vehicle (ALMV)).

Devant les difficultés techniques qu'a rencontrées ce programme, on pense de plus en plus à créer en parallèle des systèmes ASAT basés à terre, mettant à profit les technologies dites exotiques actuellement à l'étude dans le cadre du programme d'initiative de défense stratégique (IDS), telles que les lasers et les faisceaux à particules. Notons que les États-Unis travaillent à la mise au point de quatre autres options : le projet Émeraude à base de laser, le projet sur le laser à électrons libres (LEL), le projet du sous-système d'interception exoatmosphérique des véhicules de rentrée (Exoatmospheric Reentry Vehicle Interceptor Subsystem (ERIS)) succédant à l'expérience HOE (Homing Overlay Experiment (HOE)) et le projet sur un engin destructeur par énergie cinétique basé dans l'espace (Space-Based Kinectic Kill Vehicle (SBKKV)). Tous ces systèmes sont mis au point dans le cadre de l'IDS, mais ils pourraient sans doute être utilisés en mission ASAT.

Pour leur part, les États-Unis voient l'URSS comme étant le seul pays à disposer d'une capacité ASAT opérationnelle. Selon certains auteurs, celle-ci serait plutôt rudimentaire, tandis que le département de la Défense américain dans son rapport de 1988, *Soviet Military Power,* lui attribue des qualités « loin d'être primitives ». Quoi qu'il en soit, il s'agit du complexe de Tyuratam qui abrite les fusées SL-11, lesquelles peuvent mettre sur orbite coorbitale des véhicules d'interception dont les mécanismes de destruction reposent sur le principe d'essaim de pastilles métalliques qui détruisent leur cible par simple percussion. L'inconvénient d'un tel système est qu'il faut souvent attendre que la cible se soit inscrite sur sa deuxième orbite avant que l'on puisse procéder à l'interception proprement dite. Les États-Unis pensent en outre que l'intercepteur ABM Galosh a une capacité inhérente d'interception ASAT à basse altitude et que les Soviétiques disposent aussi d'une capacité d'irradiation terrestre des satellites américains dans l'espace, principalement à Sary Shagan[50] et peut-être aussi à Dushanbe, près de la frontière soviéto-afghane, dont les coordonnées géographiques en font l'emplacement de l'URSS le plus rapproché des trajectoires orbitales équatoriales.

Sur le plan multilatéral, les États ne sont pas restés cois devant l'affermissement du programme de l'IDS aux États-Unis. Cette question a soulevé de violentes dissensions à l'intérieur de l'Alliance atlantique. Sur la question du Traité ABM, la plupart des alliés ont réclamé de la part des Américains un strict respect de l'accord de 1972. En outre, plusieurs États pensaient presque qu'il fallait, en matière de propositions de contrôle des armements dans l'espace, accorder une priorité absolue à l'interdiction des armes ASAT. Cette attitude sera caractéristique de la plupart des pays occidentaux siégeant au sein du Comité de désarmement, surtout durant les années 1980 à 1984.

Dès 1978, le Canada avait proposé l'interdiction de mise au point de systèmes ASAT contre les satellites sur orbite haute lors de la SENUD II. Par la suite, l'Italie présenta devant le Comité du désarmement en 1979 un projet de traité qui contenait une disposition à l'effet d'interdire les « engins conçus à des fins offensives », ce qui incluait, selon toute probabilité, les systèmes ASAT[51]. Par ailleurs, la France ne se priva pas de présenter en juin 1984 au sein de la Conférence du désarmement des propositions visant à interdire les systèmes ASAT[52]. Paris souhaitait :

- la limitation très stricte des systèmes antisatellites, y compris notamment la prohibition de tous ceux qui seraient susceptibles d'atteindre des satellites sur orbite haute, dont la préservation est la plus importante du point de vue de l'équilibre stratégique ;
- l'interdiction, pour une période de cinq ans renouvelable, du déploiement — au sol, dans l'atmosphère ou dans l'espace — de systèmes d'armes à énergie dirigée, capables de détruire des missiles balistiques ou des satellites à grande distance et, comme corollaire, l'interdiction des essais correspondants ;
- le renforcement du système existant de déclaration, chaque État ou organisme lanceur s'engageant à fournir des informations plus détaillées sur les caractéristiques et les missions des objets lancés de façon à améliorer les possibilités de vérification ;
- l'engagement des États-Unis et de l'URSS d'étendre à l'égard des satellites des pays tiers les dispositions qui touchent à l'immunité de certains objets spatiaux, dont ils sont déjà convenus sur le plan bilatéral[53].

À l'été 1984, le Canada aurait souhaité pouvoir déposer à Genève des propositions semblables, mais il en fut empêché à la dernière minute, à la suite d'une intervention étrangère faite en haut lieu. Toutes les difficultés auxquelles furent soumis les pays qui avaient décidé de faire des interventions progressistes à Genève étaient dues au fait que la CD n'avait toujours pas reçu de mandat officiel pour négocier des mesures d'*arms control* relatives à l'espace extra-atmosphérique, d'une part, et au fait que lorsque les États-Unis s'étaient ralliés en 1983 à l'idée de soutenir la création d'un Comité ad hoc sur le sujet — la prévention d'une course aux armements dans l'espace —, ils l'avaient fait à la condition que toutes les propositions occidentales appelées à être déposées soient antérieurement discutées pour avis — lire pour approbation — avant d'être rendues publiques, d'autre part. La France fut sévèrement rappelée à l'ordre, tandis que le Canada n'osa pas aller au-delà des bornes qu'on lui demanda de ne pas dépasser...

Dans l'ensemble, si la plupart des pays occidentaux s'inquiétaient à bon droit de l'absence de progrès au sein de la CD sur les questions de l'espace extra-atmosphérique, il n'en restait pas moins qu'à l'été 1984 les États-Unis et l'URSS avaient repris contact afin d'étudier les moyens pour empêcher une course aux armements dans l'espace. La seule chose que les États-Unis souhaitaient, c'était la reprise des pourparlers sans condition. L'unique objectif poursuivi par l'URSS consistait aussi en la reprise des pourparlers, mais à la condition que ceux-ci soient liés à un moratoire sur les armes ASAT. Les entretiens de septembre permirent de « parler pour parler » ou de « s'entendre pour s'entendre » sur la nécessité de reprendre les discussions. Le véritable déblocage de la situation se produisit lors de la rencontre Shultz-Gromyko en janvier 1985. À l'issue de ces discussions, les deux parties étaient convenues que les négociations porteraient sur un ensemble de questions concernant l'espace et les armements nucléaires stratégiques, étant entendu que toutes les questions seraient considérées et étudiées dans leurs interrelations. Le 12 mars 1985 s'ouvrait ainsi à Genève la première phase des pourparlers NST.

Les NST et le Traité ABM

Il n'est pas de notre ressort d'aborder ici les discussions sur la réduction des armements stratégiques. Nous insisterons donc sur l'évolution du Traité ABM de 1972 qui constitue toujours l'une des pièces maîtresses dans l'architecture du droit de l'espace extra-atmosphérique.

Trois événements majeurs allaient conférer à ce dossier une importance cruciale dans les négociations sur la prévention d'une course aux armements dans l'EEA. Le premier est évidemment le fameux discours du président Reagan sur l'IDS, prononcé le 23 mars 1983. Le deuxième est un corrolaire du premier : il s'agit du « concept stratégique » du conseiller présidentiel Paul Nitze, destiné à faciliter une période de transition entre une dissuasion fondée sur des armes nucléaires stratégiques offensives et celle qui serait éventuellement fondée sur des armes stratégiques défensives. Enfin, le dernier élément s'avère le plus important. Il implique l'abandon juridique de l'interprétation restrictive du Traité ABM par l'administration Reagan.

Commençons immédiatement par les deux premiers éléments qui sont les plus faciles à saisir. Dans son discours de mars 1983 largement improvisé, parce qu'il fut le fruit des avis de quelques conseillers présidentiels sans que l'Administration ou les différents ministères intéressés n'eussent été consultés, le président Reagan souhaitait libérer le monde des armes nucléaires puisque celles-ci deviendraient « impotentes ou désuètes » si les promesses de la technologie devaient permettre de créer un bouclier spatial capable de les arrêter, de les intercepter ou de les détruire. Cette vision par trop optimiste de la technologie allait inspirer le fameux « concept stratégique » *(U.S. strategic concept)* de Paul Nitze, à l'époque conseiller aux négociations de Genève auprès du secrétaire Shultz. Élaboré à la fin de l'année 1984 et officiellement présenté en janvier 1985, le « concept stratégique » tenait en quatre phrases :

> Durant les dix prochaines années, nous tenterons d'en arriver à une réduction radicale dans le nombre et la puissance des armes offensives et défensives existantes et envisagées, ainsi qu'à une stabilisation de la relation entre les armes nucléaires offensives ou défensives, soient-elles basées à terre ou dans l'espace. Il faut désormais penser à l'aménagement d'une période de transition vers un monde plus stable, à des niveaux considérablement réduits d'armements nucléaires et avec une capacité élargie de dissuasion qui serait fondée sur des systèmes de défense non nucléaires contre des armes offensives non nucléaires. Cette période de transition devrait mener à l'éventuelle élimination des armements nucléaires, tout à la fois offensifs et défensifs. Un monde exempt d'armes nucléaires constitue l'ultime objectif auquel nous-mêmes, l'URSS et toutes les autres nations peuvent se rallier[54].

Par ailleurs, les États-Unis ne se priveront pas de reprendre cette terminologie ronflante dans un projet de traité de quatre pages, déposé à Genève, le 22 janvier 1988, dans le cadre des pourparlers sur les armes nucléaires et spatiales (Nuclear and Space Talks, NST). Le projet s'intitulait « Treaty between the United States of America and the Union of Soviet Socialist Republics on Certain Measures to Facilitate the Cooperative Transition to the Deployment of Future Strategic Ballistic Missile Defenses[55] ». Cette stratégie, pour coûteuse qu'elle soit, représente l'indubitable avantage de ne pas exposer la planète à sa disparition totale, en cas de guerre entre les grandes puissances. Elle ne résout pas la question de savoir s'il ne vaudrait pas mieux tout simplement désarmer ou renoncer à l'idée de se faire la guerre, la seconde hypothèse étant une conséquence naturelle de la première, tandis que la première ne serait pas nécessairement une condition essentielle à la seconde, puisqu'en temps de crise ou de conflit l'une ou l'autre des grandes puissances pourrait reprendre la course aux armements. En fait, ce concept repose essentiellement sur l'illusion de croire que les promesses de la technologie apporteront une solution à des problèmes politiques : comment peut-on se sentir en sécurité avec une technologie nouvelle alors que le spectre même de la « guerre impensable » s'éloigne et que revient en force la notion de sécurité fondée sur des calculs de maximisation des avantages de l'un et de minimisation de ceux de l'autre ?

Cette stratégie de transition correspond évidemment à une redéfinition unilatérale des « règles du jeu nucléaire » qui, même si à long terme elles peuvent correspondre aux intérêts réciproques des grandes puissances, n'en constituent pas moins un renversement de la notion de dissuasion fondée sur la vulnérabilité réciproque, c'est-à-dire sur le suicide mutuel. Les nouveaux penseurs de l'administration Reagan ont beau rétorquer que la dissuasion est désormais « malade » ou, si l'on veut, qu'elle n'est guère plus crédible puisqu'elle se révèle absurde, et donc irrationnelle, ils oublient de ce fait que c'est précisément parce que la guerre est absurde et irrationnelle que la dissuasion opère. Que l'on veuille s'éloigner des théories sur la destruction mutuelle assurée (Mutual Assured Destruction (MAD)) qui avaient été consacrées dans les premiers accords SALT I, ce qui avait au moins le mérite de présenter l'URSS comme une puissance mondiale sur un pied d'égalité avec les États-Unis — d'où la notion de parité nucléaire qui entraînait avec elle la notion de responsabilité nucléaire —, pour se diriger vers une situation de survie mutuelle assurée (Mutually Assured Survival (MAS)), tout cela est fort compréhensible, à la condition que les Soviétiques se mettent à penser comme les Américains. Or, cela ne s'est pas encore produit. De plus, les Soviétiques continuent de soutenir que des accords START sont impossibles sans des accords limitant la défense ABM.

Nous sommes cependant loin en 1988 de l'état de psychose qu'avait entraîné avec elle l'IDS américaine de 1983. Mais les Soviétiques pourraient éventuellement s'orienter vers des technologies plus défensives dans l'avenir, et il n'est pas dit que les grandes puissances ne finiront pas par s'entendre sur des accords visant à permettre, tout en la limitant, une forme de défense stratégique qui serait fondée sur de nouvelles technologies. Un tel réaménagement de leurs responsabilités stratégiques, qui se ferait probablement dans la foulée d'un relâchement des tensions et de la poursuite active d'une détente marquée au sceau de la coopération positive, pourrait à long terme aider les grandes puissances à se prémunir contre un accident technique ou encore leur fournir une certaine forme d'assurance par rapport aux menaces émanant d'un État tiers.

Une complète réorientation de la stratégie vers des armes purement défensives n'aurait évidemment aucun sens, car outre le fait qu'elle plongerait le monde dans une nouvelle course aux armements, elle serait aussi dénuée de tout fondement : contre quoi se protégerait-on dans l'hypothèse d'un monde où les armes nucléaires stratégiques seraient éliminées ? Toute période de transition, quelle que soit l'orientation que l'on entende lui imposer pour la faire sortir des paradigmes dominants d'aujourd'hui, ne peut se faire que lentement et à petits pas. En bref, l'issue du débat ne peut avoir lieu qu'entre deux pôles : une transition coopérative ou conflictuelle.

On ne saurait dire que le langage utilisé par l'administration américaine et destiné à convaincre, il est vrai, un public intérieur ait facilité les choses aux Soviétiques en la matière. L'Organisation pour l'initiative de défense stratégique (Strategic Defense Initiative Organization (SDIO)) s'est employée systématiquement à présenter des projets tous plus grandioses les uns que les autres, avec comme résultat que chez l'adversaire soviétique dont on aurait pu attendre une certaine forme de compréhension, on n'a trouvé que rancœur, amertume et incompréhension. En outre, la situation pouvait rester à la rigueur tolérable aussi longtemps que l'on ne s'en tenait qu'aux mots, mais elle a sombré dans l'incohérence et la provocation dès le jour où l'on s'est employé à réinterpréter des traités qui avaient été jusque-là parfaitement clairs.

Nous ne voulons pas faire ici le procès de ceux qui ont demandé à être entendus. Ni prétendre qu'il ne faille pas accorder d'importance à la parole du Diable quant à l'interprétation que Dieu avait à l'esprit lorsque le Traité ABM fut conclu. Ce serait faire trop d'honneur aux uns, et enorgueillir les autres. En fait, le débat se résume à la situation suivante : on peut mettre au point toute arme qui n'est pas expressément interdite par le Traité, soutiennent les uns, tandis que les autres prétendent que l'on ne peut mettre au point que ce qui a été expressément permis. La première interprétation saute à pieds joints dans une forme de laxisme et de permissivité. De plus, on s'accroche désespérément à des textes dont l'interprétation refusée par l'un dans le passé est devenue aujourd'hui le prétexte à une réinterprétation par l'autre[56]. Dans le second cas, on s'en remet à l'esprit du Traité et à l'interprétation dominante que l'on en avait lorsqu'il fut signé[57].

Pour voir clair à ce propos, il est nécessaire de rappeler les principales dispositions du Traité ABM et d'examiner l'évolution des rapports américano-soviétiques en la matière.

L'essence même du Traité ABM est défini dans son article V. Les parties s'interdisent de créer, de tester ou de déployer des systèmes ABM ou des composantes qui pourraient être basés sur mer, dans l'air, dans l'espace ou sur une base mobile terrestre. Par ailleurs, l'article 1 interdit tout système ABM destiné à assurer « la défense du territoire » ou d'« une région » de l'une ou l'autre des parties au Traité, mais il tolère deux exceptions : la protection des capitales ou d'une zone abritant des silos, les zones étant définies dans les deux cas comme pouvant avoir un rayon de 150 kilomètres. La protection de ces deux zones ne peut se faire évidemment qu'à partir d'installations terrestres fixes. Un examen parallèle de ces deux articles va donc au cœur des débats : le Traité ABM est un traité d'interdiction des systèmes ABM, mais il est « permissif » en ce qui a trait aux deux cas d'exception mentionnés ci-dessus.

Une Déclaration commune D est cependant ajoutée au Traité relativement aux autres principes physiques (Other Physical Principles (OPP)) — lire les technologies exotiques —. C'est cette Déclaration en particulier qui servira de prétexte aux Américains pour réinterpréter le Traité. On précise que si jamais des systèmes ABM fondés sur d'autres principes physiques venaient à voir le jour et comprenaient « des composantes pouvant se substituer à un intercepteur ABM, à un lanceur ABM ou à un radar ABM », des limitations précises sur de tels systèmes et leurs composantes feraient l'objet de discussions conformément à l'article XIII relatif aux procédures de consultation et à l'article XIV quant aux procédures d'amendement du Traité. Le texte de cette Déclaration commune D commence cependant par le membre de phrase suivant: «Afin de répondre à leurs obligations de ne pas déployer de systèmes ABM et leurs composantes, sauf comme disposé dans l'article III du Traité». Or, l'article III ne fait que définir les conditions de fonctionnement des systèmes ABM pour les zones tolérées dans l'article I.

Jusque-là, les choses sont relativement claires. Les technologies exotiques ne sont pas interdites, puisqu'elles peuvent faire l'objet de discussions et d'accords pour répondre aux exigences de la défense ABM dans les deux zones tolérées. Presque tous les juristes s'entendent là-dessus: les technologies exotiques sont permises, mais uniquement dans ces deux cas d'exception définis, c'est-à-dire pour les systèmes terrestres fixes[58] et uniquement lors de consultations et d'éventuels amendements au Traité. Les choses se gâtent toutefois lorsqu'il s'agit de lire la Déclaration commune D conjointement avec l'article II du Traité ABM.

Il faut ici distinguer deux niveaux d'analyse différents. Le premier concerne les intentions des rédacteurs du Traité, le second la forme ambiguë de l'article II du Traité. Pour ce qui est du premier élément, le conseiller juridique du Département d'État, Abraham Sofaer, maintient qu'une lecture attentive des archives démontre que certains négociateurs ont tenté d'amener les Soviétiques à accepter la thèse de l'interdiction totale de systèmes fondés sur d'«autres principes physiques», mais «les archives démontrent qu'ils ont échoué dans cette tâche et que nous n'aurions jamais pu imposer une telle restriction aux Soviétiques[59]». Dans l'esprit du conseiller juridique, les technologies exotiques sont permises parce que les Soviétiques ont refusé de se rallier à l'idée de les interdire. De plus, il estime qu'il faut lire cette Déclaration conjointement avec l'article II du Traité qui dispose qu'un système ABM est «un système destiné à neutraliser les éléments des missiles stratégiques balistiques dans leur trajectoire et composé, dans le cas actuel [*currently consisting of*], des intercepteurs ABM [...], [des] lanceurs ABM [...], et [des] radars ABM». Le débat change ici de plan, car il s'agit de connaître la signification exacte de *currently consisting of.* S'agit-il d'une terminologie particulière qui ne serait applicable qu'aux seules armes existantes à l'époque, et dans ce cas il s'agirait d'une interprétation restrictive, ou au contraire est-il question d'une terminologie extensive destinée à englober aussi les armes de l'avenir?

Sur ce point, il est inutile d'épiloguer. L'administration américaine a pris position sur la question, du moins relativement au langage juridique du Traité ABM. Dans son rapport d'avril 1987 au Congrès, le Département de la Défense américain précise que selon une *stricte interprétation* du Traité ABM, «la mise au point et l'expérimentation de systèmes ABM basés sur d'autres principes physiques ne sont permises que pour les systèmes terrestres fixes ou leurs composantes[60].» À ce propos, presque tout le monde est d'accord. Et le même rapport précise par ailleurs ce que constitue une *interprétation élargie* du Traité: «les systèmes ABM basés sur d'autres principes physiques, c'est-à-dire autres que l'intercepteur ABM, que le lanceur ABM ou le radar ABM ainsi que les composantes qui pourraient venir se substituer à l'intercepteur ABM, au lanceur ABM ou aux radars ABM, peuvent être mis au point et expérimentés, mais non déployés, quel que soit leur mode d'établissement[61] ».

Selon Strobe Talbott, l'expression *currently consisting of* avait été ajoutée à la demande de Raymond Garthoff qui faisait partie de l'équipe des négociateurs américains au moment de la conclusion du Traité ABM[62]. Et selon le témoignage de Garthoff, cette expression avait à l'époque un sens extensif, c'est-à-dire qu'elle était applicable aux armes de l'avenir. L'administration Reagan en a décidé autrement.

Nous terminons l'examen des principales dispositions du Traité ABM en rappelant les conclusions qu'en tirait Paul Nitze dans son discours prononcé devant un groupe de juristes à New York, le 31 octobre 1986 :

- premièrement, le Traité ABM ne limite pas la mise au point et l'expérimentation d'engins qui ne sont ni des composantes de systèmes ABM ni des substituts à ces composantes ;
- deuxièmement, le Traité permet l'expérimentation d'engins testés en mode non ABM, par exemple contre les satellites. Les termes « expérimenté en mode ABM » ont fait l'objet d'un accord secret en 1978 au sein de la Commission consultative — issue des accords SALT — à Genève ;
- troisièmement, le Traité permet l'expérimentation de certains systèmes ABM de la génération de 1972 ;
- quatrièmement, le Traité permet l'expérimentation de systèmes fondés sur des principes physiques autres que ceux qui étaient en vigueur en 1972. En d'autres termes, la Déclaration commune D permet la mise au point et l'expérimentation de systèmes ABM spatiaux ainsi que de leurs composantes qui sont fondés sur d'« autres principes physiques ».

Par ailleurs, les partisans de l'école restrictive tirent les conclusions suivantes de l'analyse du Traité ABM. Celui-ci réclame :

- l'interdiction de la mise au point, de l'expérimentation et du déploiement de systèmes ABM basés dans l'espace ou de leurs composantes, peu importe qu'il s'agisse de technologies traditionnelles ou exotiques. Cette interdiction s'applique à tous les systèmes ABM ou à leurs composantes, à l'exception des systèmes ou des composantes terrestres fixes ;
- l'interdiction du déploiement de systèmes terrestres fixes ABM ou de leurs composantes, à l'exception d'un seul emplacement désigné[63] dont le centre serait situé au cœur d'une capitale nationale ou d'un polygone abritant des silos et dont le rayon

ne serait pas supérieur à 150 kilomètres, cet endroit ne devant pas abriter plus de 100 intercepteurs ;

- la non-interdiction de la mise au point ou de l'expérimentation de systèmes terrestres fixes ABM ou de leurs composantes, selon les technologies traditionnelles et aux endroits habituels des essais ;
- l'interdiction du déploiement de technologies ABM exotiques terrestres fixes, et même aux endroits habituels des essais, sauf après discussion ou accord avec l'autre partie ;
- l'interdiction de transformation *(upgrading)* de missiles, de lanceurs et de radars non ABM en capacité ABM, ou de leur expérimentation en mode ABM et, peut-on argumenter par inférence, la limitation sur des composantes transformées qui ne soient ni des missiles, ni des lanceurs, ni des radars de sous-systèmes ABM en capacité ABM ;
- aucune interdiction sur les activités de recherche[64].

Ainsi, le Traité ABM constitue sans doute l'un des instruments les plus ambigus sinon les plus mal rédigés de toute l'histoire des négociations de l'*arms control* depuis 1945. En 1972, il avait au moins le mérite de vouloir stabiliser la dynamique du rapport entre les armes offensives et les armes défensives. Le Traité est ouvert tous les cinq ans à une procédure d'examen. Lors du premier examen en 1977, les deux parties sont convenues « que ce Traité fonctionnait effectivement [...] qu'il servait les intérêts de sécurité des deux parties, qu'il diminuait les risques de déclenchement d'une guerre nucléaire, qu'il facilitait les progrès d'une réduction et d'une limitation subséquente des armes stratégiques offensives, et qu'aucun amendement n'était nécessaire à cette époque[65] ». En 1982, bien que les parties aient réaffirmé leurs engagements aux buts et aux fins du Traité, il n'y a pas eu, à proprement parler, d'appréciation commune de l'efficacité du Traité.

Quant à la procédure d'examen du Traité en 1987, tout ce que l'on sait, c'est qu'à l'intérieur des négociations NST un Groupe de travail a été créé sur les questions de définition reliées au Traité ABM. Cet examen s'avère d'autant plus délicat que les grandes puissances sont proches d'un accord sur la réduction de leurs armements stratégiques et que les deux questions — la réduction des armements stratégiques et les cas relevant de l'IDS — sont désormais intimement liées.

Nous ne pouvons donc ici que faire le point sur l'état des négociations bilatérales. Lorsque le président Reagan annonce au début d'octobre 1987 que les États-Unis s'en remettront désormais à une définition « large » du Traité ABM, un tollé général de protestations s'élève à travers le monde, et plus particulièrement au sein de l'Alliance atlantique. Devant les violentes critiques alliées, l'Administration finit par céder aux pressions du Département d'État et annonce qu'elle s'en tiendra à une stricte interprétation du Traité ABM en matière de politique générale *(as a matter of policy)*, mais non en matière d'obligations juridiques *(but not as a matter of legal obligation)*[66]. Vu à posteriori, on peut évidemment se demander si cette réinterprétation était vraiment nécessaire, puisque tous les essais ABM prévus au programme américain jusqu'en 1989 ne contournaient pas, au prix, il est vrai, d'innombrables pirouettes technologiques, le Traité ABM[67].

En mai 1986, les Soviétiques avaient demandé à Genève que la clause du « retrait » possible prescrite dans le Traité ABM ne soit pas exercée durant une période de 15 à 20 ans, quoiqu'en privé les Soviétiques auraient déclaré pouvoir se satisfaire d'une durée de non-retrait pendant 10 ou 15 ans[68]. En juillet 1986, dans une lettre adressée au secrétaire général Gorbatchev, le président Reagan proposait d'observer le Traité ABM durant une période de cinq à sept ans dans l'optique « large » du Traité, suivie de la liberté de déployer une défense antimissile. En octobre 1986, lors de la rencontre au sommet de Reykjavik, le président Reagan proposait substantiellement la même chose, mais acceptait d'étendre à dix ans la période d'observation du Traité. En d'autres termes, comme l'amiral John Poindexter le confirmera plus tard, les États-Unis offraient de ne pas se retirer du Traité pendant dix ans, à la condition que l'URSS en acceptât une interprétation élargie[69]. En décembre 1987, lors du sommet de Washington, les deux parties sont convenues de respecter le Traité comme il avait été signé en 1972, « pendant que les parties poursuivraient leurs recherches, leur mise au point et leurs expérimentations nécessaires, comme cela est permis par le Traité ABM ». De plus, l'URSS a demandé que les États-Unis ne se prévalent pas d'une clause du Traité — celle du retrait possible — pour « une durée convenue ». Toutefois, les États-Unis ont uniquement promis de ne pas se retirer du Traité avant la fin de l'année 1994, alors que Moscou demandait que le délai de non-retrait fût porté à neuf ou dix ans.

Le 22 janvier 1988, les États-Unis ont déposé à Genève un projet de traité sur la défense et l'espace qui reprenait, selon eux, l'essentiel des dispositions convenues à Washington. Le 15 mars 1988, ils ajoutaient à ce projet de traité un protocole sur la « prévisibilité » en vertu duquel les grandes puissances échangeraient des données sur une base annuelle au sujet de leurs programmes de défense spatiale, conviendraient de visites réciproques de leurs installations et assisteraient aux essais respectifs exécutés dans le cadre de leur programme de défense stratégique. Au début de mai 1988, c'était au tour des Soviétiques de présenter leur propre document de travail. Celui-ci reprenait essentiellement leurs thèses antérieures du lien à maintenir entre un tel projet et la signature d'accords START, en plus d'une interprétation stricte du Traité ABM. La Déclaration commune de Moscou fait état, tout au plus, de l'élaboration d'un projet de texte qui se traduira sous la forme d'un Protocole associé au Traité ABM de 1972.

Entre-temps, à Washington, on continue de favoriser une interprétation « large » du Traité au sujet des obligations juridiques contractées. En 1986, dans sa Déclaration sur les conséquences pour l'*arms control* (Arms Control Impact Statement (ACIS))[70] s'appliquant à l'année financière 1987, le gouvernement américain a spécifié pour la première fois que l'interprétation « large » était « parfaitement justifiée ». Dans la *Loi sur l'approbation des dépenses militaires*[71] pour l'année 1988, le Comité des Forces armées de la Chambre des représentants[72] a cependant fait inclure une clause selon laquelle les dépenses n'étaient approuvées qu'en fonction du strict respect du Traité ABM. Depuis quelques années déjà, un conflit latent se dessine donc entre le Congrès et l'Exécutif à propos de l'IDS.

Les Soviétiques quant à eux s'en tiennent toujours au lien entre des accords START et le Traité ABM qu'ils espèrent introduire directement dans le corps du texte des accords START. Ils voudraient ainsi insérer une clause voulant que des accords START cesseraient d'exercer leurs effets si l'une ou l'autre des parties violait les dispositions du Traité ABM[73].

Les liens ASAT-ABM

Nous avons choisi de faire ressortir brièvement les liens entre les systèmes ASAT et ABM dans le but de faciliter au lecteur une meilleure compréhension des enjeux politiques entre les grandes puissances certes, mais aussi par rapport aux États tiers qui entendent légitimement assurer la sécurité de leurs propres satellites.

Sur le plan du droit international, notons qu'outre les débris d'objets dans l'espace qui résultent de son utilisation pacifique la plupart des essais ASAT ou ABM réalisés dans l'espace s'avèrent aussi une source de pollution inquiétante tout à la fois pour les États tiers et les grandes puissances. Dans l'espace proche de la Terre, il y aurait actuellement plus de 7 000 objets de plus de 20 centimètres, ce chiffre étant le seuil de « visibilité » des radars existants. Selon un rapport établi par le Comité de la recherche spatiale[74], de ces 7 000 objets,

> environ 23 pour 100 proviennent de la charge utile de satellites, 10 pour 100 sont dus à la combustion d'étages de fusées de lancement, 62 pour 100 à des fragments, tandis que 5 pour 100 seulement sont des satellites « actifs » ; environ 50 objets semblent contenir des matières radioactives. Les débris d'objets spatiaux comprennent non seulement des fragments d'étages de fusée ayant explosé ou des débris de satellites, mais également une profusion de débris d'enveloppes de lentilles et d'instruments de précision et d'attaches diverses [...] Outre ces fragments de dimensions assez importantes, il existe environ 2 000 objets de 10 à 20 centimètres, et environ 50 000 de 1 à 10 centimètres. Au-dessous du centimètre, on estime qu'il y aurait des millions ou des milliards de fragments de métal et de peinture de l'ordre du millimètre ou plus petits encore. (Il ne faut pas oublier qu'un fragment de métal de 0,5 millimètre animé d'une vitesse moyenne de 30 000 kilomètres par heure pénétrerait facilement la combinaison spatiale d'un cosmonaute et pourrait même le tuer.)

Les auteurs du rapport concluent que le flux de débris d'origine anthropique est plus considérable que celui des météoroïdes naturels. En outre, c'est entre 350 et 1 250 kilomètres d'altitude que l'on trouve la plus forte concentration de fragments et de débris, et c'est dans cet intervalle qu'évoluent la plupart des satellites, la navette spatiale et les stations spatiales. On note enfin que l'essai d'un armement ASAT dans lequel le satellite SOLWIND a été détruit a produit 257 fragments «observables» et un nombre beaucoup plus grand de débris «non observables». Même si la probabilité de collision avec des micrométéorites est faible, il faut bien ici convenir que la probabilité de collision avec des débris d'objets spatiaux est loin d'être négligeable. Avec le lancement d'une centaine de satellites par année en moyenne, il va de soi que notre planète pourrait être entourée d'ici la fin du siècle d'une ceinture de débris spatiaux dont le rythme progresse de façon exponentielle. Par ailleurs, l'Union astronomique internationale (UAI) a plusieurs fois dénoncé cette situation comme faisant obstacle aux observations à partir du sol.

Nous citons ici ces quelques extraits du rapport pour bien souligner la faiblesse du droit international par rapport aux activités spatiales des États. La Convention sur la responsabilité civile est un instrument relativement utile lorsqu'en cas d'accident on peut identifier l'origine nationale des débris retombant sur terre, mais lorsqu'il s'agit d'un accident dans l'espace, il est bien évident que l'établissement de la preuve relève de la plus pure fantaisie, car il est impossible d'identifier ou d'immatriculer chaque grain de peinture qui flotte à l'état libre dans cet environnement. Une Convention sur la protection de l'environnement spatial ne résoudrait pas tous les problèmes, mais on pourrait peut-être de la sorte fixer des limites aux essais ABM, ASAT ou autres afin d'éviter la prolifération de débris spatiaux d'origine anthropique.

Sur le plan du contrôle des armements, notons que certaines activités ASAT sont déjà soumises à des dispositions des instruments juridiques mentionnés ci-dessus. Par exemple, le PTBT de 1963 interdit toute explosion nucléaire dans l'espace. De plus, le Traité sur l'EEA de 1967 interdit la mise sur orbite d'armes nucléaires, tandis que le Traité ABM de 1972 interdit de tester des systèmes ASAT en mode ABM. Au-delà de ces considérations, bien peu de contraintes s'exercent cependant sur la mise au point de systèmes ASAT.

Si, dans l'ensemble, il est improbable qu'un système élaboré à des fins ASAT puisse servir à des fins ABM à moins de procéder véritablement à des interceptions en mode ABM, l'inverse est moins vrai, car les armes laser ou à énergie dirigée envisagées pour l'avenir, que le Traité ABM interdit à moins de consultations et d'accords entre les deux parties, du moins si l'on s'en tient à une interprétation stricte du Traité, pourraient devenir de redoutables instruments ASAT. Des essais ont déjà été réalisés dans le cadre du programme HOE. D'autres essais le seront aussi dans celui du programme ERIS, mais avec une seule tête d'interception afin de ne pas contrevenir aux dispositions du Traité ABM. Il n'est pas interdit de penser que plusieurs de ces essais pourraient satisfaire aux besoins d'un programme ASAT.

L'hypothèse la plus consternante est sans doute qu'avant 1984 les États-Unis pensaient vraisemblablement pouvoir expérimenter des parties d'essais ABM sous le couvert d'essais ASAT, mais qu'après l'imposition d'une interdiction des essais ASAT par le Congrès américain, c'est désormais sous le couvert d'essais IDS conduits dans le cadre d'une interprétation élargie du Traité ABM que Washington peut désormais procéder à des essais IDS aussi destinés à servir à des fins ASAT. Cependant, la version officielle est que l'on peut expérimenter en mode non ABM des parties de systèmes destinées à des missions ASAT, peu importe que ces essais soient réalisés à partir de l'espace ou de bases terrestres. Dans son rapport au Congrès, l'Organisation pour l'initiative de défense stratégique a précisé que « l'interception de certaines cibles orbitales simulant des armes antisatellites est parfaitement compatible avec le Traité ABM[75] », aussi longtemps que les dispositifs concernés ne peuvent pas se substituer à des composantes ABM ou qu'ils ne sont pas expérimentés en mode ABM. C'est d'ailleurs exactement ce que firent les États-Unis avec leur essai du 5 septembre 1986, mieux connu sous le nom de « Delta 180 » ou « Vector Sum ». Durch conclut que cet essai a tout simplement démontré que les États-Unis disposaient désormais d'une capacité d'interception coorbitale semblable à celle que possèdent les Soviétiques. Une partie de l'expérience consistait pourtant à étudier le comportement des objets « lourds » et « légers » dans l'espace de façon à élaborer une capacité future de discrimination entre des « leurres » et des « cibles réelles » dans l'espace.

On peut avancer ici une hypothèse de travail. Étant donné les efforts constants déployés par les grandes puissances pour exploiter les technologies de l'avenir, et surtout les difficultés de distinguer désormais les différentes technologies ABM et ASAT qui tendent à se confondre de plus en plus, surtout en ce qui a trait à la détection, à l'acquisition des cibles, au pistage et à la destruction de cibles sur orbite basse, il est probable que les grandes puissances s'emploieront à résoudre en priorité les problèmes reliés aux accords START et à la défense ABM et que ce n'est que par la suite qu'elles s'attaqueront aux restrictions éventuelles à apporter aux systèmes ASAT.

Parallèlement à ce dialogue bilatéral, les grandes puissances doivent dorénavant compter avec le nombre accru de pays qui s'engagent dans l'exploitation pacifique de l'espace. Ces pays entendent légitimement assurer l'immunité de leurs satellites et plusieurs solutions peuvent être envisagées, notamment des restrictions aux « voies d'accès » aux satellites par des véhicules spatiaux habités, l'extension généralisée de la Convention sur la responsabilité civile aux expérimentations à caractère militaire, l'amélioration des dispositions juridiques en ce qui a trait à la non-interférence, et l'élaboration, pourquoi pas, de mesures susceptibles de mener à la confiance destinées à faciliter une plus grande transparence en matière d'activités spatiales, telles que la définition de zones de sécurité ou de temps de séjour maximum d'un vaisseau spatial dans une zone critique. En ce domaine, il est probable qu'aucune mesure ne soit satisfaisante, mais un ensemble de mesures conjuguées pourrait mener à un partage plus équitable des responsabilités et devoirs en matière d'exploitation spatiale.

LA POSITION CANADIENNE

Tout comme nous l'avons fait dans la section précédente, nous étudierons ici séparément l'action canadienne en matière de contrôle d'armes antisatellites et celle qui a porté sur des considérations plus vastes, entre autres celles qui se rapportent à l'IDS et au Traité ABM. De plus, le Canada met l'accent depuis le début des années quatre-vingt sur les problèmes généraux de vérification en matière de maîtrise des armements. L'espace n'est évidemment pas exclu de ces considérations, et c'est donc dans cet ordre que nous aborderons les problèmes.

Le Canada et les armes ASAT

Les premières propositions canadiennes d'importance sur l'espace extra-atmosphérique remontent au discours du premier ministre Trudeau prononcé en 1982 lors de la deuxième session extraordinaire des Nations Unies sur le désarmement (SENUD II). Le premier ministre manifesta à cette occasion sa crainte que la course aux armements ne soit étendue à l'espace et proposa donc, dans son discours du 18 juin 1982, l'élaboration d'un Traité visant à interdire la mise au point et le déploiement de « toute arme destinée à être employée dans l'espace ». Manifestement, le Canada entendait s'opposer ainsi à la mise au point de tout système ASAT ou ABM qui pourrait fonctionner à base de technologies nouvelles, en particulier les armes à énergie dirigée.

Dès sa réunion au lac Louise en septembre 1980, le Cabinet reconnaissait la nécessité de pousser plus loin les efforts canadiens en matière d'*arms control*. Cette question fut reconnue comme une « priorité gouvernementale » lors du discours du Trône en 1980. Le 23 avril 1981, à l'issue d'une réunion interministérielle des sous-ministres, on reconnut qu'il fallait définir, en consultation avec les États-Unis, les moyens par lesquels on pourrait limiter ou restreindre « les utilisations militaires de l'espace ». Le 12 mai 1982, on reconnaît à l'issue d'une réunion consultative sur le désarmement[76] ce qui avait déjà été convenu par le Cabinet à sa réunion du lac Louise, à savoir que « l'EEA constituait un domaine où il était urgent de soumettre des mesures de contrôle supplémentaires ». Parmi les mesures qui seront mises en évidence, on retrouve la proposition de créer un vaste programme de recherche sur la vérification que nous traiterons à la section intitulée « Le Canada et la vérification spatiale ».

Le Canada n'a pas pour autant de véritable stratégie sur la question de la maîtrise des armements dans l'espace. Bien au contraire, car lors de la réunion du Comité du Cabinet sur les affaires extérieures et la défense, le 8 juin 1981, on s'en tient toujours à la stratégie d'« asphyxie » élaborée en 1978, tout en précisant que les efforts canadiens ne peuvent intervenir d'une façon unilatérale, mais bien plutôt dans le cadre de mesures ou d'accords convenus sur une base multilatérale. La réunion du 8 juin s'avère néanmoins importante, car on obtient ainsi l'autorisation d'entreprendre des études, en collaboration avec une ou plusieurs sociétés, sur la valeur des satellites d'observation de la Terre comme techniques de l'*arms control*. Par ailleurs, il faut aussi reconnaître que la réunion interministérielle d'avril 1981 eut des effets bénéfiques puisque tout semble indiquer que c'est à partir de ce moment que le feu vert fut aussi donné pour entreprendre une étude qui allait devenir en 1982 l'une des principales contributions canadiennes au Comité du désarmement.

En effet, le Canada dépose au CD, le 26 août 1982, son document intitulé « L'*arms control* et l'espace extra-atmosphérique[77] ». Largement préparé par le Centre d'analyse et de la recherche opérationnelle du ministère de la Défense, dirigé à l'époque par George Lindsey, le document contient des précisions quant aux caractéristiques des systèmes de satellites selon leurs fonctions « stabilisantes » ou « déstablisantes » par rapport à l'*arms control* ou à la gestion des crises. Étant donné que la plupart des satellites militaires sont reconnus comme des « instruments de vérification nationaux » (NTM) et que ceux-ci participent de la stabilité de l'équilibre nucléaire, il s'ensuit que des mesures ASAT seraient particulièrement « déstabilisantes ».

Dès le sommet de Williamsburg en mai 1983, le premier ministre Trudeau avait encouragé les puissances occidentales « à se mettre en quatre pour faire davantage en faveur de la paix[78] ». Ce à quoi Margaret Thatcher aurait rétorqué que « Monsieur Trudeau serait sans doute un réconfort pour le Kremlin[79] ». La proposition d'interdire les systèmes ASAT pour les satellites inscrits sur orbite haute allait évidemment constituer un point dominant de l'initiative de paix Trudeau, quoiqu'elle ne fît pas partie des cinq points présentés dans son discours prononcé à l'Université de Guelph, le 27 octobre 1983. En réalité, c'est quelques jours plus tard, soit le 13 novembre, que le premier ministre choisira de s'expliquer sur le sujet. Dans son discours prononcé à l'hôtel Reine-Elisabeth, à Montréal, Pierre Elliott Trudeau déclara :

> Je songe donc à une entente pour interdire l'essai et le déploiement de systèmes anti-satellites à haute altitude. De telles armes, en effet, menacent l'ensemble des moyens de communication dont nous dépendons pour gérer les crises. Que — pendant un conflit — l'une ou l'autre des parties en présence soit privée de son réseau de commandement au moment même où le maintien de la stabilité dépendrait précisément de sa capacité de prévoir, de réagir et de ne pas céder à la panique pour riposter à l'aveuglette[80].

Nous avons déjà évoqué au chapitre 9 les principales raisons qui avaient inspiré le premier ministre dans son initiative de paix de 1983. Il reprendra dans ce même discours l'essentiel des idées qu'il avait livrées à Guelph :

> Mais, si nous parvenons à donner une impulsion politique à l'idée de faire asseoir les cinq Grands à une même table de négociation ; si nous obtenons un nouvel engagement politique à l'égard du Traité sur la non-prolifération ; si nous redonnons un élan aux négociations de Vienne sur la question de l'équilibre des forces classiques et du relèvement du seuil nucléaire en Europe ; si, enfin, nous nous appliquons à restreindre les progrès qualitatifs dans le

domaine de la technologie stratégique de façon à faciliter ou à favoriser la vérification, alors nous aurons suscité une approche vraiment globale des problèmes de paix et de sécurité.

C'est évidemment avec des sentiments plus que mitigés que Washington accueillera les propos du premier ministre. À l'époque, les Américains voulaient d'autant moins s'engager dans des négociations sur les systèmes ASAT que le dialogue avait été rompu au niveau bilatéral ou était sur le point de l'être puisque les Soviétiques se retirèrent de la table des négociations de Genève en décembre 1983. De plus, les systèmes ASAT à l'étude aussi bien aux États-Unis qu'en URSS ne valaient que pour les satellites sur orbite basse. On se demandait donc ce qu'une proposition d'interdiction de systèmes ASAT pour les orbites basses pouvait bien avoir à faire avec la réalité, tandis que pour d'autres États une telle proposition équivaudrait à « fragmenter » ou à « stratifier » l'espace, alors que l'on n'en était pas encore arrivé à délimiter même la frontière entre l'espace aérien et l'espace extra-atmosphérique[81].

La réalité en ce domaine est sans doute que les États-Unis ne voulaient même pas considérer cette proposition de peur d'ouvrir la voie à des discussions plus générales sur les systèmes ASAT. Dans des conversations entre deux hauts fonctionnaires, l'un américain, l'autre canadien, un représentant du Conseil national de sécurité (National Security Council (NSC)) américain aurait demandé si les Canadiens songeaient aussi à considérer les « jambes des cosmonautes » comme des systèmes ASAT, puisque celles-ci pourraient effectivement propulser hors de son orbite basse n'importe quel satellite et, par conséquent, le neutraliser[82]. Il est bien évident que si les Américains peuvent à partir de leur navette spatiale ramener sur terre un de leurs satellites, ils pourraient tout aussi bien faire de même avec les satellites des pays tiers.

À Moscou, on ne manifestera pas non plus un enthousiasme délirant pour la proposition canadienne. Lors de consultations bilatérales canado-soviétiques tenues dans cette ville en juin 1984, on apprit ainsi que si l'URSS n'avait pas réservé un accueil plus chaleureux à la proposition canadienne, c'était parce qu'on avait cessé de croire au dialogue bilatéral américano-soviétique et que l'on pensait qu'il était inutile de le poursuivre dans ces conditions, surtout avec un pays qui n'avait comme seule intention que l'accès à la supériorité stratégique.

Les Canadiens n'en persisteront pas moins dans leur attitude. Ottawa fera part à l'OTAN de sa proposition en février 1984, et le 11 avril 1984 celle-ci fera l'objet de longues consultations à Bruxelles. Ottawa savait cependant depuis le rapport du 31 mars 1984 du président Reagan au Congrès, que sa proposition se heurterait aux réticences américaines en ce qui a trait aux problèmes de vérification, que cette question était désormais inéluctablement liée aux systèmes ABM et que même si les États-Unis étaient prêts à reconnaître un certain mérite à la proposition canadienne, ils jugeraient indispensable de pouvoir disposer d'une capacité ASAT pour assurer en cas de conflit leur maîtrise sur les mers et océans.

Entre-temps, le premier ministre Trudeau avait déjà annoncé en Chambre, le 9 février 1984, son intention de déposer à Genève le projet canadien sur l'interdiction de mise au point de systèmes ASAT pour les satellites sur orbite haute. À Genève, tout en sachant pertinemment qu'une telle proposition se heurterait au refus des Américains, on n'en pensait pas moins que si le projet devait être déposé, il faudrait agir vite et assurer un miminum de temps entre le dépôt de la proposition et les consultations à entreprendre pour pouvoir formellement agir ainsi. La machine fut donc mise en marche, en dépit d'un imbroglio entre Genève et le ministère des Affaires extérieures. La querelle était purement sémantique. Les instructions d'Ottawa précisaient de diffuser la proposition ; or, à Genève, on ne diffuse pas un document, on le dépose ! On était en mai 1984.

À l'intérieur du ministère des Affaires extérieures, certains craignaient qu'une telle proposition n'en vienne à mettre en danger la coopération canadienne avec les États-Unis, d'autant que des négociations étaient en cours au sujet de la station spatiale américaine, que Washington manifestait un intérêt un peu trop marqué pour l'espace canadien dans la perspective où un système ABM serait éventuellement établi aux États-Unis, et que le NORAD faisait l'objet d'une réorganisation profonde puisqu'on allait sous peu procéder à l'établissement, à Colorado Springs, d'un Commandement spatial (Space Command (SPACECOM)). Dans l'ensemble, on estimait toutefois qu'il fallait aller de l'avant, d'autant plus que pour une fois les deux principaux ministères — les Affaires extérieures et la Défense — étaient totalement d'accord sur le fait que les systèmes ASAT à haute altitude étaient de nature « déstabilisante ».

Le 10 juillet 1984, le Cabinet endosse l'idée de déposer à Genève le document canadien. Le premier ministre, en l'occurrence John Turner qui assumait l'intérim depuis que Pierre Elliott Trudeau s'était formellement retiré comme chef du Parti libéral, n'ose pas prendre de décision ferme devant les rapports contradictoires en provenance de l'étranger. À Genève, on sait qu'il faut agir avec célérité. Comme la session de la CD tire à sa fin, il faut procéder. Mais comme la date de diffusion d'un document est celle où le document en question est formellement déposé, on joue d'ingéniosité auprès du Secrétariat de la CD en lui demandant d'attribuer d'avance un numéro d'ordre de dépôt à la proposition canadienne. Cette procédure permettrait au Canada d'intervenir à la toute fin de la session, c'est-à-dire de gagner du temps en attendant que le premier ministre prenne sa propre décision. L'inconvénient de cet artifice est qu'il oblige le Canada à informer d'avance ses alliés de son intention de dépôt. Nous passons outre ici aux sentiments que le président de la CD pouvait éprouver à l'égard de cette ingénieuse procédure canadienne.

À l'ambassade du Canada à Washington, on sait fort bien cependant que la proposition canadienne ne sera guère prisée par l'administration Reagan. Les recommandations sont d'autant plus négatives que d'importantes questions de quotas sur l'importation d'acier canadien font l'objet d'intenses discussions au Congrès américain. On estime donc que le temps n'est pas mûr pour procéder. En outre, on sait que le dialogue bilatéral entre les États-Unis et l'URSS se poursuit et que la proposition canadienne risquerait de faire le jeu des Soviétiques[83]. Par ailleurs, dès le 6 juillet, Washington avait clairement fait connaître sa position au premier ministre à Ottawa. Le 7 août, dans un second document adressé cette fois au ministre Jean Chrétien, on tient Ottawa au courant des derniers résultats des négociations américano-soviétiques. Soutenu en cela par ses principaux conseillers, le ministre Chrétien commence toutefois à s'impatienter des tergiversations canadiennes et informe le premier ministre Turner, le 14 août 1984, qu'il faut maintenir la décision du Cabinet de juillet et ne pas trop s'inquiéter de la mauvaise humeur éventuelle de Washington. Cet avis n'est évidemment pas partagé par le ministère de la Science et de la Technologie qui, quatre jours plus tard, manifeste en des termes peu mesurés sa surprise aux Affaires extérieures quant à l'absence de consultations sur la façon de procéder à Genève.

À Genève, tout est prêt. L'ambassadeur canadien s'en remet à la procédure dont nous avons fait état ci-dessus. Le 24 août, on attend avec impatience les directives du premier ministre. Le 26 août, la réponse est connue. On ne dépose pas ! Les lignes téléphoniques entre Ottawa et Washington ont grésillé... Il est naturellement plus simple, lorsqu'il s'agit de Bechtel à Bechtel, de discuter d'un tel à un tel ! Ottawa a sans doute jugé prudent de céder à Washington, alors que la campagne électorale fédérale battait son plein... En septembre 1984, le Parti conservateur de Mulroney était élu par une écrasante majorité...

On n'entendra plus parler par la suite de la proposition canadienne. On se ralliera désormais aux efforts internationaux au sein de la CD pour proposer des accords de garantie au sujet de l'immunité des satellites[84], ce qui est loin de constituer en soi une demi-mesure, puisque dans l'attente des résultats des négociations bilatérales entre les grandes puissances, c'est à peu près la seule voie qui reste encore ouverte pour faire avancer les choses en la matière.

Le Canada, l'IDS et le Traité ABM

La première prise de position du gouvernement conservateur sur la question de l'IDS et de son incidence sur le Traité ABM remonte au 21 janvier 1985. À la Chambre des communes, le secrétaire d'État aux Affaires extérieures, Joe Clark, se félicite que le président Reagan ait affirmé que les États-Unis « n'iraient pas au-delà de la simple recherche sans discussions et négociations[85] ». Lors du premier sommet Shamrock à Québec en mars 1985, la Déclaration commune fera état de la recherche américaine en matière de l'IDS. « En ce domaine, nous sommes convenus, soulignent les deux gouvernements, que cet effort reste prudent, respectant en cela les dispositions du Traité sur les missiles antibalistiques [Traité ABM]. »

Ces deux premières déclarations interviennent avant que le gouvernement canadien ait été mis au courant des véritables intentions américaines au sujet de l'IDS. C'est en effet le 26 mars 1985 que le secrétaire américain de la Défense invitera officiellement tous les alliés de l'OTAN à se joindre aux efforts américains, en matière de recherche, cette proposition étant malheureusement assortie d'une clause de « suite à donner » dans les 60 jours. Cette clause maladroite sera par la suite retirée. De plus, l'Alliance atlantique soutiendra la position américaine, puisque la plupart des pays, le Canada y compris, estimaient que la recherche ne pouvait véritablement faire l'objet de vérification sérieuse.

Au Canada, le ministère de la Défense aurait été mis au courant des intentions américaines, avant même que l'offre américaine ait été rendue publique, la consigne étant bien évidemment de rester « bouche cousue »[86], même à l'égard des autres autorités gouvernementales. Cette façon de procéder, sans doute très américaine mais qui visait peut-être à utiliser le Canada comme plate-forme d'essai avant d'étendre la proposition de collaboration à tous les autres alliés de l'OTAN, fut une source d'embarras pour le gouvernement canadien qui s'empressa, dès que l'offre devint publique, de mandater un haut fonctionnaire, Arthur Kroeger, et d'autres collègues pour donner leur opinion et avis au premier ministre sur les questions de l'IDS[87]. On doit donc à la manière de procéder américaine l'intervention personnelle du premier ministre. Le rapport Kroeger fut remis au cours de l'été au Bureau du premier ministre après de longues consultations à Washington et auprès des principales capitales européennes.

Le rapport Kroeger contenait quatre options fondamentales allant du « non ferme » à une « pleine participation », en passant par une participation minimale des industries canadiennes aux projets de recherche américains ou par une spécialisation canadienne en matière de détection spatiale pour suppléer dans l'avenir aux dispositifs du système d'alerte du Nord (North Warning System (NWS))[88]. Au sein de la bureaucratie, il fut impossible de s'entendre sur la rédaction commune d'un projet interministériel relativement aux problèmes fondamentaux que soulevait l'invitation américaine, officielle cette fois, de mars 1986. À notre connaissance, il n'existe pas non plus de document global qui expliquerait la décision qu'allait prendre le Cabinet en septembre 1985. C'est donc dire que dans l'ensemble la décision canadienne fut largement politique. L'absence d'un consensus dans la bureaucratie permettait ainsi au pouvoir politique d'avoir les coudées franches.

Durant l'été 1985, de nombreuses dépositions eurent lieu à travers le pays, l'immense majorité des témoins se prononçant contre l'IDS, à l'exception de l'ancien sous-ministre de la Défense, C.R. Nixon, qui insistait sur les bénéfices scientifiques et technologiques que retirerait le Canada d'une collaboration plus poussée avec les États-Unis. Le Comité mixte extraordinaire du Sénat et de la Chambre des communes sur les relations extérieures du Canada rendra son rapport intérimaire le 23 août 1985, en recommandant que le gouvernement « ne prenne aucune décision définitive [...] avant d'avoir obtenu les renseignements additionnels nécessaires concernant les incidences stratégiques, financières et économiques[89] », relativement à l'IDS. Le 7 septembre 1985, le gouvernement canadien fera connaître en Chambre la décision du Cabinet. Le premier ministre Mulroney déclarera à cette occasion :

> le gouvernement canadien en est venu à la conclusion que les politiques et priorités du Canada ne justifient pas un effort de gouvernement à gouvernement pour appuyer la recherche effectuée dans le cadre de l'IDS.

De cette déclaration, il faut retenir quatre mots : les « politiques et priorités » et de « gouvernement à gouvernement » sur lesquels nous reviendrons. Le Canada était ainsi devenu le sixième pays, après la Norvège, l'Australie, la France, le Danemark et la Grèce, à décliner l'invitation américaine à participer directement à des travaux de recherche avancée en matière de défense stratégique. Entre-temps, le ministre Clark s'était déjà prononcé, en octobre 1985, devant le Comité permanent sur les affaires extérieures et la défense, en faveur d'une interprétation restrictive du Traité ABM. En janvier 1986, Joe Clark réaffirmait avec vigueur que le Traité ABM devait être strictement appliqué. Il ajoutait : « Nous continuerons à exhorter les parties à ce Traité à ne rien faire qui puisse nuire à leur intégrité [et] à s'efforcer de renforcer leurs dispositions et leur [valeur][90]. »

En juin 1986, le Comité mixte extraordinaire du Sénat et de la Chambre des communes (ou Comité Simard-Hockin) dans son rapport sur les relations extérieures du Canada précisait qu'il fallait multiplier les efforts pour en arriver à des « mesures connexes » visant à améliorer la stabilité stratégique. Le Comité mixte s'en tenait toutefois à une stricte interprétation du Traité ABM, puisque, selon lui, ce Traité interdisait tous les travaux sur les systèmes défensifs, « sauf la recherche fondamentale[91] ». Cette affirmation n'était évidemment pas fondée, car le Traité ABM, en vertu de son article IV, permet la modernisation des systèmes traditionnels — y compris la mise au point et les essais —, aux emplacements des polygones d'essais.

Six mois plus tard, soit en décembre 1986, le ministre Joe Clark précisait que le libellé du Traité ne mentionnait pas directement la « recherche ». À son avis, il revenait donc aux deux parties de s'entendre sur l'esprit véritable du Traité. Jusqu'en octobre 1986, l'interprétation américaine des dispositions du Traité ABM relativement à la recherche et au développement (R et D) était conforme à celle qu'en avait donnée en 1972 le négociateur Gerard Smith devant le Comité sénatorial américain sur les Forces armées :

> Les interdictions de mise au point contenues dans le Traité ABM commencent à un point du processus de mise au point où les essais sont poursuivis soit sur un prototype, soit sur un modèle rudimentaire. Il fut convenu des deux côtés que l'interdiction de « développement » s'appliquait aux activités décrites à partir de l'instant où une composante s'éloignait de la recherche en laboratoire ou du stade des essais pour entrer dans le domaine des essais

opérationnels proprement dits, où que ceux-ci interviennent. Un élément important qui a mené à cette définition est le fait que les processus de mise au point initiaux, tels que les essais en laboratoire, entraîneraient des difficultés pour la vérification par des moyens techniques nationaux. Des échanges avec la Délégation soviétique ont permis de s'assurer que cette définition correspondait aussi à celle que les Soviétiques donnaient au terme « développement »[92].

À la suite de la rencontre de Reykjavik, Paul Nitze prononça son fameux discours du 31 octobre 1986 dont nous avons cité de larges extraits dans la section intitulé « Les NST et le Traité ABM ». Hormis le paragraphe qui traitait d'« autres principes physiques » et dont l'interprétation constituait un élargissement du Traité ABM, il n'y avait guère de nouveautés dans ce discours. Toutefois, Paul Nitze spécifiait que la recherche incluait « l'élaboration conceptuelle et les essais réalisés tout à la fois à l'intérieur et à l'extérieur des laboratoires ». Il est difficile de savoir si le conseiller Nitze faisait ainsi disparaître la distinction entre les essais proprement dits et les essais en mission réelle *(field testing)*. Nous rappelons en outre que Nitze précisait par la même occasion que l'expérimentation « en mode non ABM » avait fait l'objet d'un accord secret en 1978.

À la fin de l'année 1986, le gouvernement canadien allait donc réitérer le vœu que les deux parties s'en tiennent à une stricte interprétation du Traité ABM, mais le ministre Clark ajoutait :

> L'URSS et les États-Unis pourraient posséder des documents secrets précisant les détails d'autres accords qu'ils auraient conclus au sujet de la recherche. Seuls ces deux pays le savent. Tout ce que nous pouvons demander, c'est que le Traité ABM soit respecté intégralement et que l'on y adhère strictement. Telle est la position du gouvernement du Canada[93].

Cette déclaration est venue à point nommé sortir le gouvernement canadien d'un bien mauvais pas. Outre le fait que le Comité mixte extraordinaire du Sénat et de la Chambre des communes et même le gouvernement canadien n'étaient pas autorisés à tirer des conclusions aussi fermes par rapport à l'ensemble des dispositions permises et interdites par le Traité ABM, il n'en restait pas moins que le Canada avait décidé de s'en tenir tout au long des débats à l'esprit plutôt qu'à la lettre du Traité ABM. Il se dissociait probablement à cet égard d'une étude entreprise par le Bureau juridique des Affaires extérieures, à la fin de l'année 1986, dans laquelle on estimait que d'un côté comme de l'autre on avait autant de raisons valables de soutenir une thèse plutôt que l'autre. Sur le plan juridique au demeurant, on aurait pu tout aussi bien invoquer l'argument de la pratique des États au sujet de l'interprétation du Traité pour remarquer l'absence de déclarations à ce propos, ce qui aurait mené à la même ambiguïté. La position officielle du Canada en ce domaine est cependant qu'il ne lui revient pas d'interpréter des Traités qui ont été signés par d'autres. Il est vrai qu'Ottawa souhaite de façon générale un strict respect des Traités, mais comme il s'est déjà depuis le début prononcé sur le caractère «prudent» de la recherche sur l'IDS, on ne voit pas ce que pourraient lui reprocher les États-Unis qui se servent désormais de cette carte maîtresse pour négocier avec l'URSS, carte que lui fournit, il faut bien le dire, l'Alliance atlantique tout entière. On peut d'ailleurs se demander si toute la question de l'IDS n'avait pas précisément comme principal objet l'intention des États-Unis d'obtenir l'appui de l'Alliance atlantique pour négocier en position de force avec Moscou !

Grâce à une fuite du *Washington Post*[94], on savait déjà que le ministre Clark, dans sa lettre du 7 février 1987 au secrétaire Shultz, avait demandé le strict respect du régime des accords existants sur le contrôle des armements. On aura probablement aussi souligné à cette occasion que tout déploiement de systèmes basés dans l'espace signifierait la fin du Traité ABM. Lorsqu'au cours du mois de mars 1987, le conseiller présidentiel Paul Nitze vint s'entretenir à Ottawa avec le ministre Clark de l'ensemble du dossier, celui-ci saisit l'occasion pour bien signifier aux États-Unis la position canadienne. Le débat se démarquait cependant quelque peu du plan juridique, puisqu'on ajoutait désormais que «toute mesure unilatérale qui viendrait de l'une ou l'autre partie au Traité et qui pourrait influer sur l'équilibre stratégique actuel inquiéterait vivement le Canada[95]». Il faut mentionner à ce propos que le secrétaire Clark avait déjà demandé, le 5 janvier 1987, que les États-Unis ne dépassent pas les limites convenues dans SALT II, relativement à la mise en fonction d'un bombardier B-52 équipé de missiles de croisière. En d'autres termes, le Canada demandait à nouveau au gouvernement américain de ne pas modifier unilatéralement les «règles du jeu nucléaire» et de ne rien faire qui puisse modifier l'équilibre des forces en sa faveur.

L'attitude du Canada relativement au Traité ABM sera donc sensiblement la même tout au long des débats au sein de l'Alliance atlantique, avec quelques nuances cependant qui finiront par s'imposer progressivement. Dans une première étape, le Canada demande aux États-Unis une «stricte adhésion» au Traité ABM. Par la suite, le Canada se prononce en faveur d'une «stricte interprétation» du Traité ABM, sans se soucier des arguments juridiques qui penchent en faveur d'une interprétation ou d'une autre, puisque cela relève de ceux qui ont signé le Traité ABM. Enfin, dans un troisième temps, on élargit le débat à l'ensemble de l'*arms control,* processus déjà amorcé par le rapport du Comité mixte extraordinaire du Sénat et de la Chambre des communes de 1986 qui réclame des «mesures connexes» en matière de maîtrise des armements. Le Canada renouvelle donc sa fidélité à un ensemble de dispositions juridiques qui constituent, à ses yeux, un «régime» particulier à ne pas altérer.

En ce qui concerne l'IDS, l'évolution du dossier s'avère plus complexe. La décision du Cabinet de septembre 1985 ne révèle, en fait, que la pointe de l'iceberg. Il est clair que le Canada voulait dire non à l'IDS tout en souhaitant minimiser les conséquences négatives d'un tel geste. On s'emploie donc, par la formule de « gouvernement à gouvernement », à maintenir la virginité canadienne. En même temps on ne décourage toutefois pas l'entreprise canadienne, et l'on s'emploie même, dans la lettre du ministre Erik Nielsen adressée à son homologue américain, Caspar Weinberger, le 7 septembre 1985, à souligner « que les institutions et les entreprises privées désireuses d'y prendre part [allaient] continuer de pouvoir le faire[96] ». On ajoutait que le gouvernement était résolu à renforcer sa coopération avec les États-Unis en matière de recherche et continuerait de faire bon accueil « à tout arrangement futur de recherche coopérative avec les États-Unis, toujours en conformité avec l'intérêt national du Canada et avec ses priorités sur le chapitre de la recherche et du développement ». La position canadienne en la matière n'a pas changé depuis.

Il faut cependant convenir ici que la décision de septembre 1985 ne faisait que relancer la balle dans le camp du ministère de la Défense, car qui décidera des « politiques et priorités » du gouvernement ? Il y a bien sûr un lien très étroit entre l'IDS et le NORAD, ne serait-ce qu'en vertu des technologies qui se recoupent, et dans certains cas on distingue difficilement la défense stratégique de la défense tactique aérienne. Sur ce plan, deux problèmes se posent. Si les entreprises peuvent participer à des projets de recherche, est-ce à dire qu'en aucun cas elles ne pourraient bénéficier de subventions gouvernementales pour réaliser leurs objectifs, surtout si ceux-ci touchent à la défense stratégique ou à une partie de la défense aérienne dans le cadre du NORAD ? Et d'autre part, si le gouvernement a décidé qu'il ne participerait pas à l'IDS, qu'en est-il de nos représentants militaires au sein du NORAD où toutes les opérations, au niveau opérationnel, ne peuvent pas être aussi facilement distinguées ?

Dans le premier cas, c'est l'industrie qui doit pouvoir disposer de directives fermes pour savoir à quel saint se vouer en matière de planification et de recherche, mais la publication de directives générales n'entraînerait-elle pas le gouvernement à prêter le flanc à la critique selon laquelle tout en ayant dit non, le gouvernement pourrait dire oui ? Dans le second cas, il serait plus qu'ingénu de penser que nos représentants militaires au sein du NORAD puissent opérer autrement que sur la base « du besoin de savoir[97] » ! On peut supposer ici que tous ces problèmes ont fait l'objet de longues négociations entre le ministère des Affaires extérieures et celui de la Défense au cours des années 1987 et 1988. Il est bien évident, en ce domaine, que le problème deviendra crucial dans les années quatre-vingt-dix, si le gouvernement américain devait opter pour le déploiement de systèmes ABM destinés à protéger ses silos, certaines bases ou encore certains systèmes névralgiques tels que les systèmes de commandement, de contrôle, de communication et de renseignements (Command, Control, Communications (d'où le C au cube) and Intelligence, C^3I). Pour l'instant et d'ici là, le gouvernement pourra continuer à maintenir la fiction de la séparation entre le NORAD et l'IDS ! Tout cela n'a pas trop mal réussi au gouvernement canadien...

Le Canada et la vérification spatiale

À la suite de la réunion du lac Louise en 1980, du discours du Trône de cette même année ainsi que de la réunion du Cabinet en juin 1981, plusieurs champs d'intérêt furent retenus afin de bien souligner les domaines de la maîtrise des armements sur lesquels le gouvernement canadien devait faire porter le poids de ses efforts. La détection sismique et l'espace extra-atmosphérique furent à l'époque plus particulièrement soulignés, sous réserve de la disponibilité des fonds nécessaires à la mise en œuvre de ces programmes. Par ailleurs, l'avis d'une ou de plusieurs sociétés pouvait être sollicité afin d'accroître le savoir-faire canadien en la matière. Lors de la session consultative sur le désarmement qui se tint aux Affaires extérieures le 12 mai 1982, plusieurs suggestions furent faites au Cabinet, dont la création d'un institut de vérification. Des documents font état d'une somme de dix millions de dollars qui aurait pu être affectée à la réalisation de cet institut.

Tous les secteurs prioritaires furent mis en évidence dans le discours prononcé à Pugwash, le 16 juillet 1982, par le ministre Mark MacGuigan[98]. Entre-temps, le premier ministre Trudeau avait déjà souligné dans son allocution prononcée lors de la SENUD II l'intention du Canada « d'institutionnaliser et d'accroître » son rôle en matière de vérification. Malheureusement, la suite des événements ne permit pas de dégager les fonds nécessaires à la réalisation d'un projet aussi peu typique de la façon canadienne de procéder... On dut donc se rabattre sur la formule de l'établissement d'un programme de vérification interministériel. C'est ainsi qu'est née, le 20 février 1984, l'« Unité de recherche sur la vérification » au sein du Bureau du contrôle des armements et du désarmement du MAE. Par ailleurs, le programme de recherche au sein de cette « Unité de recherche » avait débuté dès octobre 1983, car à l'issue de sa réunion du 7 juillet 1983, il avait été prévu de dégager des fonds spéciaux pour augmenter le « rôle canadien croissant » en matière de vérification. Un budget de un million de dollars par année est désormais dévolu à l'« Unité de recherche sur la vérification ».

Quant à la vérification spatiale proprement dite, le premier problème auquel le Canada dut se frotter fut la proposition française[99] soumise par la France à la SENUD I relativement à la création d'une Agence internationale de satellites de contrôle (AISC)[100]. Les organisations non gouvernementales ainsi que plusieurs personnalités canadiennes, notamment George Ignatieff, John C. Polanyi et Franklyn Griffiths de Toronto, furent particulièrement sensibles à cette proposition française. Aux Affaires extérieures, l'intérêt à l'égard de l'étude de cette question diminua du jour où l'on fit savoir au Canada qu'il était impossible de déléguer un expert consultant au Groupe de travail chargé d'examiner à Genève la proposition française, de peur que la chose n'entraînât les autres pays intéressés (l'URSS ?) à se réclamer du même statut, ou à tout le moins à vouloir s'insérer dans tous les groupes de travail relatifs à l'étude de cette proposition. Le Canada aurait bien sûr souhaité déléguer à Genève un expert technique. La seule requête adressée au Canada fut de déléguer un conseiller juridique, et cette offre fut par la suite — sans doute à regret! — retirée.

Il faut constater néanmoins que le Canada entretenait de sérieux doutes sur le caractère réalisable de cette entreprise. Le coût global du projet était estimé à six milliards de dollars. Il était donc difficile de concevoir comment les Nations Unies pourraient entreprendre, sans le concours des grandes puissances, un projet d'une aussi vaste envergure. Si, d'autre part, les grandes puissances devaient être appelées à financer la création d'un tel projet, on ne concevait pas, à juste titre, qu'elles puissent y trouver leur intérêt, car leurs satellites de vérification dépasseraient naturellement de loin les capacités de détection qui pourraient être établies par d'autres. Le ministère de l'Énergie, des Mines et des Ressources proposa par ailleurs le plus sérieusement du monde, puisque les satellites seraient sans doute vulnérables dans l'avenir, de réaliser un tel système de vérification à partir de moyens tout simplement aériens! L'entreprise serait ainsi infiniment moins coûteuse[101] ! L'histoire ne nous dit pas ce que pensa le ministère des Affaires extérieures de cette appréciation plutôt saugrenue...

Au demeurant, les avantages et les inconvénients de cette proposition ont été clairement établis dans un document du ministère des Affaires extérieures du 15 octobre 1979. L'un des problèmes les plus délicats reste évidemment, comme le rappelait un article paru dans le *San Francisco Chronicle*[102], que les États sont désireux d'obtenir des photographies de leurs reliefs géophysiques mais non celles qui montrent leurs installations militaires, tandis que les États avoisinants souhaitent le contraire, c'est-à-dire obtenir des renseignements à caractère militaire mais non économique. Quant aux conclusions préliminaires du Groupe d'experts chargés d'étudier la proposition française à Genève, elles ont été transmises au secrétaire général de l'ONU dans son rapport du 14 août 1979[103]. Le rapport final établi sous la présidence d'Hubert G. Bortmeyer, de France, fut transmis au secrétaire général le 6 août 1981[104]. Le projet AISC prévoyait la mise en œuvre d'un programme international en trois phases : 1. création d'un Centre de traitement des données images (Image-Processing and Interpretation Center (IPIC))[105] ; 2. établissement de stations au sol destinées à recevoir et à transmettre les données; 3. mise sur pied des installations nécessaires au lancement de satellites. Lors de la SENUD II, la France déclara qu'elle « continuerait d'œuvrer en faveur d'une proposition [...] qui s'inscrit dans l'évolution des technologies et dans la perspective proche d'élargissement du club spatial[106] ».

Pour sa part, le Canada s'intéressera dès le début des années quatre-vingt à son propre projet de satellite de vérification. En mai 1981, à la suite d'une réunion interministérielle des sous-ministres, on suggère au Cabinet d'étudier avec une ou des sociétés les moyens de limiter ou de contraindre une course aux armements dans l'espace. C'est de ces premiers contacts qu'est né le projet PAXSAT qui se subdivisera par la suite en deux sous-projets : 1. PAXSAT A, destiné à traiter les problèmes de vérification espace-espace ; et 2. PAXSAT B, pour assurer une vérification espace-terre. La brochure *Recherche sur la vérification* publiée en décembre 1986 par le ministère des Affaires extérieures concluait qu'il était possible de distinguer à partir de l'espace les satellites civils des systèmes à caractère militaire et que la réalisation d'un tel satellite pourrait se faire en prenant pour point de départ des « composantes dont disposent déjà les agences spatiales civiles de pays autres que les superpuissances[107] ». Pour ce qui est des modalités techniques de PAXSAT A, elles ont été brièvement décrites dans une brochure intitulée *PAXSAT* et publiée par SPAR Aérospatiale en novembre 1984. On y précise qu'une étude des traités démontre qu'il existe des scénarios qui pourraient supposer « la nécessité de la vérification et l'éventualité d'un système PAXSAT[108] ».

PAXSAT B est naturellement destiné à assurer la vérification d'accords de désarmement régional. Dans l'un et l'autre cas, le Canada a fait savoir que tous ces systèmes sont destinés à la vérification multilatérale et qu'en aucun cas il ne pensait se prévaloir d'une forme de vérification unilatérale. Il s'agit ici de deux exemples typiques de la science au service de la politique et du développement d'une compétence technique qui peut servir de « catalyseur » dans certaines discussions techniques ou multilatérales. Le Canada devra évidemment attendre qu'une demande soit formulée en ce sens par la communauté internationale, même si jusqu'à maintenant les grandes puissances n'ont pas encore manifesté d'intérêt pour confier à d'autres la responsabilité de vérification d'éventuels accords sur la limitation des armements, ou encore même si de mauvaises langues ont prétendu que PAXSAT A serait bien davantage une arme ASAT qu'un système de vérification pacifique.

C'est aussi dans le cadre de son programme de vérification que le Canada a financé d'importantes études auprès de l'Institut et Centre de recherche de droit aérien et spatial (ICRASL) de l'Université McGill. Les deux documents déposés à Genève comptent parmi les importantes réalisations de ce Centre[109]. De plus, l'ambassadeur du Canada à la CD, J. Alan Beesley, a présenté le 4 juillet 1985 un recueil complet des documents de travail et des débats de la CD ayant trait à l'espace extra-atmosphérique[110]. Le Canada reprenait ainsi la démarche qu'il avait suivie pour les armes chimiques et bactériologiques.

Afin de concilier les aspects juridiques et techniques des problèmes de vérification dans l'espace, le Canada prendra l'initiative de convoquer à Montréal les chefs de Délégation et les observateurs à la Conférence du désarmement. Cet atelier se tint en mai 1987 : y participèrent des représentants de 35 autres pays ainsi qu'un membre du Secrétariat de la CD. À l'occasion de cette rencontre, Jean-Guy Hudon, secrétaire parlementaire du SEAE, fit la déclaration suivante le 15 mai 1987 :

> En octobre 1985, le très honorable Brian Mulroney a retenu la prévention de la course aux armements dans l'espace extra-atmosphérique comme l'un des six objectifs précis du Canada dans le domaine du contrôle des armements et du désarmement. Je voudrais en outre rappeler le point de vue du gouvernement du Canada, qu'a exprimé récemment notre

ambassadeur à la Conférence, M. J. Alan Beesley, à savoir que les efforts bilatéraux des États-Unis et de l'URSS pour prévenir une course aux armements dans l'espace extra-atmosphérique ne vont pas et ne doivent pas aller à contre-courant des efforts multilatéraux de la Conférence... Le contrôle des armements a toujours eu, en rapport avec l'espace extra-atmosphérique, une large dimension multilatérale, qui, à notre avis, prend de l'importance. En fait, nous croyons que l'approche à « deux volets » envisagée est complémentaire et d'une importance cruciale pour l'étude internationale de cette question[111]...

Dans une allocution prononcée le 8 novembre 1986 à Edmonton, le directeur du Bureau du contrôle des armements et du désarmement, Ralph Lysyshyn, précisait que le Canada avait opté pour la vérification, « en tant que contribution pratique à la résolution des problèmes que suscitent les négociations du contrôle des armements ». En réalité, cette priorité s'inscrit dans la foulée de longs efforts déployés par la Canada pour faire inscrire cette question à l'Assemblée générale des Nations Unies. Après avoir vainement attiré l'attention sur cette question en 1980 et en 1984, le Canada obtenait un vif succès, le 16 décembre 1985, avec son projet de résolution 40/152 (O) intitulé « La vérification sous tous ses aspects »[112].

Par cette résolution, tous les États étaient invités à communiquer au secrétaire général de l'ONU, au plus tard le 15 avril 1986, leurs vues et suggestions sur les principes, les procédures et les techniques de vérification. Cette résolution fut adoptée par consensus. Dans la lettre du 14 avril 1986 transmise par son gouvernement en réponse à cette résolution, le Canada précisait que la vérification devait remplir trois fonctions : « décourager le non-respect des obligations contractées, renforcer la confiance et évaluer les traités[113] ». Dans ce document fort significatif, le Canada dégageait, sans se prononcer, trois approches conceptuelles au problème de la vérification : 1. le concours multilatéral des États qui auraient les moyens de s'acquitter de la vérification ; 2. la création d'une Organisation internationale de vérification (OIV) qui pourrait avoir des responsabilités « générales » de surveillance par rapport aux accords internationaux conclus ; ou encore 3. une OIV spécialisée pour des fonctions de surveillance particulière, les armes chimiques par exemple.

Afin de passer de la théorie à la pratique, le Canada suggérait d'étudier la possibilité de confier un rôle accru en la matière à l'Assemblée générale des Nations Unies et à la Commission du désarmement, d'examiner l'hypothèse que des pays ou des groupes de pays qui ont une compétence reconnue en matière de vérification offrent leurs services à la communauté internationale pour la vérification d'accords multilatéraux, et il proposait que l'ONU se penche enfin sur les questions des structures, des procédures et des techniques pouvant être conçues ou mises au point pour l'établissement d'une OIV, et ce, « en faisant appel à l'abondante documentation établie au fil des ans à la Conférence du désarmement et ailleurs ».

La question est depuis régulièrement reprise à l'Assemblée générale. Dans les résolutions 41/86 Q du 4 décembre 1986 et 42/42 F du 30 novembre 1987, on prie la Commission du désarmement de parachever son examen de la question de la vérification au cours de sa session de 1988 ; on invite les États qui ne l'ont pas encore fait à bien vouloir transmettre leurs réponses au secrétaire général conformément à la résolution 40/152 (O) ; et l'on décide d'inscrire à l'ordre du jour de la XLIIe session de l'Assemblée générale le point suivant : « La vérification sous tous ses aspects ».

Ainsi, en matière de vérification spatiale comme en matière de vérification générale, le Canada a pris la tête du peloton des États soucieux de trouver des solutions partielles à des problèmes globaux. Il est clair que tout progrès dépendra essentiellement de la volonté politique des États et de la part de la créativité qu'ils seront prêts à accorder dorénavant au droit de l'espace et à la vérification proprement dite.

Notes

1. J.-L. Magdelénat, 1980, p. 63.
2. A. Simon (1988).
3. A/AC. 105/399, 16 décembre 1987.
4. A/AC. 105/400.
5. Avec les *États-Unis* : Alouette, ISIS (satellites internationaux d'études de l'ionosphère), STT (satellite de techniques de télécommunication), LANDSAT (satellite d'observation de la Terre), satellites météorologiques, SSM (satellite pour le service mobile), COSPAS/SARSAT (programme de satellites de recherche et de sauvetage soviétique, équivalent du système SARSAT), CANADARM, RADARSAT, UARS (satellite de recherche de la haute atmosphère), la science spatiale et la station spatiale ; avec le *Japon* : EXOS-D (physique de la magnétosphère et des aurores polaires), JERS-1 (satellite d'exploration des ressources terrestres), MOS-1 (satellite d'observation de la mer) et télédétection ; avec l'*URSS* : COSPAS/SARSAT et INTERBALL (études magnétosphériques : le Canada fournit les appareils d'imagerie ultraviolette d'études des aurores polaires ; avec l'*ASE* : les projets CTS, OLYMPUS, ERS-1 (télédétection), le Programme de développement de charges utiles et d'expérimentation de véhicules spatiaux et d'expérience (PSDE) (Payload and Spacecraft Development and Experimentation Program, PSDE), le Programme préparatoire d'observation de la Terre (EOPP) (Earth Observation Preparatory Program, EOPP) et HERMES (navette spatiale française) ; avec la *Grande-Bretagne* : le Canada poursuit des études en commun sur le RADARSAT ; avec la *France* : SPOT (satellite probatoire d'observation de la Terre), WIND II/UARS (dispositif d'imagerie des vents qui sera intégré au UARS) et COSPAS/SARSAT ; et, enfin, avec la *Suède* : VIKING (satellite suédois de science spatiale) et GEODE (expérience d'élaboration des matériaux dans l'espace). Toutes ces données sont tirées de *Place au Canada dans l'espace,* publié par le Comité interministériel sur l'espace, Ottawa, s.d.
6. A. Legault, 1988, p. 431.
7. Voir G. Lindsey (1988).
8. S. Danielsson, 1984, p. 1.
9. Voir le tableau 11.
10. La version originale indique : « reflected international law as it was currently accepted by Member States », cité dans B.A. Hurwitz, 1986, p. 24.
11. B.A. Hurwitz, 1986, p. 19.
12. Voir la dénomination officielle au tableau 11.
13. Sur ce long débat juridique, voir le texte canadien « Terminology Relevant to Arms Control and Outer Space », CD/716, 16 juillet 1986.
14. B.A. Hurwitz, 1986, p. 61.
15. J.-L. Magdelénat, 1981, p. 63.
16. Le Chili, les Pays-Bas, les Philippines et l'Uruguay.
17. B.A. Hurwitz, 1986, p. 59.
18. CD/716, p. 4.
19. D. Goedhuis, cité dans B.A. Hurwitz, 1986, p. 71.
20. La version originale indique : « consistent with ».
21. Voir *SIPRI Yearbook,* 1986, p. 463.
22. *Agreement Between the USA and the USSR on Measures to Improve the Direct Communications Link,* 30 septembre 1971.
23. *Agreement on Measures to Reduce the Risk of Outbreak of Nuclear War,* 30 septembre 1971.
24. *Agreement on the Prevention of Nuclear War,* 22 juin 1973.
25. *NRRC — Nuclear Risk Reduction Centers,* 15 septembre 1987. Note des auteurs: cette liste s'inspire largement du texte canadien CD/618 que nous nous sommes permis de mettre à jour pour tenir compte des accords FNI et des accords NRRC. De plus, les accords NRRC réaffirment les obligations des grandes puissances quant aux accords du 30 septembre 1971 sur l'amélioration des télétypes entre Moscou et Washington et à ceux du 25 mai 1972 sur la prévention des incidents en haute mer (Agreement Between the Government of the United States of America and the Government of the Union of Soviet Socialist Republics on the Prevention of Incidents on and over the High Seas).
26. Voir T. Beer, 10 septembre 1985, p. 196, et S. Danielsson, 1984, p. 2.

27. *Convention on the Prohibition of Military or Any Other Hostile Use of Environmental Modification Techniques,* 18 mai 1977, en vigueur le 5 octobre 1978.
28. Sur les fonctions de stabilisation et de déstabilisation, voir l'article de G. Lindsey (1983).
29. Voir J. Reiskind (1981) et J.A. Beesley, D.W. Sproule et M. Collins (1988).
30. A/40/192, 16 août 1985.
31. En vigueur le 3 octobre 1972.
32. En vigueur le 24 mai 1976.
33. Voir J.K. Leggett et P.M. Lewis (1988).
34. 9 et 13 décembre 1982, 37/83 et 37/99 D; 15 décembre 1983, 38/70; 12 décembre 1984, 39/59; 12 décembre 1985, 40/87; 3 décembre 1986, 41/53; 30 novembre 1987, 42/33.
35. Voir le chapitre 9.
36. A/Conf. 101/10 et Corr. 1 et 2.
37. Voir le chapitre 3 sur la proposition occidentale d'août 1957.
38. Note des auteurs: tous ces événements sont relatés dans une note du Bureau de l'ONU à A. Gotlieb du Bureau juridique du MAE, 16 janvier 1958, dossier 50189-40; la note se terminait par le jugement suivant: « à l'avenir il serait sans doute souhaitable que les puissances occidentales rediscutent cette question non pas comme un problème juridique, mais bien comme un problème politique dans le cadre plus vaste d'accords sur le désarmement! » À pareille époque, le général Foulkes défendait auprès de Léger les mêmes arguments sur les vertus des MRBM (lettre du 5 septembre 1958 à Jules Léger, dossier MDN, CSC 16444, numéro du volume illisible).
39. Voir au chapitre 6 la section intitulée « Les mesures partielles de désarmement ».
40. Voir le numéro de mars-avril 1980.
41. À Helsinki, du 8 au 19 juin 1978; à Berne, du 23 janvier au 19 février 1979; et à Vienne, du 23 avril au 17 juin 1979.
42. Nous empruntons à P.B. Stares (1983) ces quelques détails historiques.
43. *Ibid.,* p. 6.
44. *Draft Treaty on the Prohibition of the Stationing of Weapons of any Kind in Outer Space,* annexé à la lettre du 10 août 1981 adressée au secrétaire général de l'ONU, A/36/192.
45. *Draft Treaty on the Prohibition of the Use of Force in Outer Space and from Outer Space to Earth,* annexé à la lettre du ministre Gromyko adressée, le 23 août 1983, au secrétaire général de l'ONU, A/38/194; voir aussi CD/476.
46. Déclaration du directeur Kenneth Adelman de l'ACDA; voir *The Arms Control Reporter,* p. 104.347.
47. *Report to the Congress on US Policy on ASAT Arms Control, 31 March 1984.*
48. CD/420.
49. Voir *SIPRI Yearbook,* 1987, p. 68.
50. *Soviet Military Power,* 1988, p. 65.
51. Voir S. Danielsson, 1984, p. 4.
52. CD/P.-V./263, 12 juin 1984.
53. Voir *The United Nations Disarmament Yearbook,* vol. 9, 1984, p. 362.
54. P. Nitze, 1985, p. 372.
55. Voir *The Arms Control Reporter,* p. 575.B.292.
56. Voir, en ce domaine, l'article du conseiller juridique du Département d'État américain, Abraham Sofaer (1986).
57. Note des auteurs: sur ce dernier point, voir l'analyse fort lucide de A. Chayes, A.H. Chayes et E. Spitzer (1986).
58. Notons toutefois ici que le paragraphe d) de la Déclaration commune ne spécifie aucun théâtre de déploiement — air, mer, terre ou espace.
59. Déposition de Sofaer devant le sous-comité Arms Control International Security and Science du Comité des affaires étrangères de la Chambre des représentants, en octobre 1985.
60. Voir la page 1 de l'appendice D du rapport.
61. Note des auteurs: cette définition constitue aussi une interprétation osée de l'article V du Traité qui interdit la mise au point, l'expérimentation ou le déploiement de systèmes ABM ou de ses composantes qui soient établis sur mer, dans l'air, dans l'espace extra-atmosphérique, ou qu'ils soient mobiles. Nous ne touchons pas à ces aspects qui nous entraîneraient dans de trop longs développements, mais nous reviendrons à la section intitulée « Le Canada, l'IDS et le Traité ABM » sur les dispositions du Traité ABM relativement à la recherche.
62. *Times,* 23 mars 1987.

63. Note des auteurs : cet examen incorpore évidemment les dispositions du Protocole au Traité de 1974 qui limite à un seul emplacement les systèmes ABM ; voir, à ce propos, le chapitre 9.
64. A. Chayes, A.H. Chayes et E. Spitzer, 1986, p. 214-215.
65. Communiqué du 21 novembre 1977 de la Commission consultative permanente américano-soviétique établie en vertu des accords SALT.
66. Voir, en ce domaine, l'analyse de W.J. Durch, 1987, p. 23.
67. *Ibid.,* p. 29.
68. *Ibid.,* p. 24.
69. *Ibid.*
70. Arms Control Impact Statement (ACIS).
71. En anglais, Defense Authorization Bill.
72. En anglais, House Armed Services Committee.
73. R. Einhorn, 1988, p. 395.
74. COSPAR, A/AC. 105/403, p. 3.
75. W.J. Durch, 1987, p. 34.
76. En anglais, Special Disarmament Advisory Session.
77. CD/320.
78. La version originale indique : « We should be busting our asses for peace ».
79. Voir J.J. Noble (1989). Note des auteurs : c'est aussi à cette date que Noble fait remonter les débuts de l'initiative de paix Trudeau.
80. *Déclarations et Discours,* 83/20, 13 novembre 1983, p. 6.
81. Voir, en ce domaine, I. Vlasic (1988).
82. Document du ministère des Affaires extérieures, 30 janvier 1984.
83. Voir ci-dessus la section intitulée « Les négociations ASAT (1978-1985) ».
84. Voir CD/P.-V. 347, 13 mars 1986.
85. *Débats,* 21 janvier 1985, p. 1502.
86. Entrevue et *New York Times*, 29 mars 1985.
87. Déclaration du premier ministre Brian Mulroney en Chambre, le 18 avril 1985.
88. Entrevue.
89. Rapport intérimaire du Comité mixte extraordinaire du Sénat et de la Chambre des communes sur les relations extérieures du Canada, 23 août 1985, p. 125.
90. *Débats,* 23 janvier 1986, p. 10101.
91. Comité mixte extraordinaire du Sénat et de la Chambre des communes sur les relations extérieures du Canada, *Interdépendance et Internationalisme,* juin 1986, p. 54.
92. US Senate, Committee on Armed Services, *Hearings on the Military Implications of the SALT Agreements, 92nd Congress, 2nd session,* 18 juillet 1972, p. 377.
93. *Débats,* 1986, p. 581.
94. 8 février 1987.
95. *Déclarations et Discours,* 87/14, 5 mars 1987.
96. Déclaration du 7 septembre 1985, *Bulletin du désarmement,* automne 1985, p. 7.
97. La version originale indique : « on the need-to-know basis ».
98. Voir au chapitre 9 la section intitulée « L'indéfectible appui canadien (1978-1988) ».
99. A/S-10/AC. 1/7.
100. Il s'agit ici du projet AISC.
101. Lettre du 20 août 1979 adressée à G.H. Pearson.
102. 29 novembre 1978.
103. A/34/540 Annexe.
104. A/AC. 206/14.
105. Image-Processing and Interpretation Center (IPIC).
106. Rapport de la SDEDSI, 1983, p. 69-70.
107. Voir la page 37 de la brochure.
108. Voir la page 7 de la brochure.
109. CD/618 du 23 juillet 1985 et CD/716 du 16 juillet 1986.
110. CD/606.
111. Cité dans le *Bulletin du désarmement,* été-automne 1987, p. 15.
112. Projet appuyé par les pays suivants : l'Australie, la Belgique, le Cameroun, le Costa Rica, la Grande-Bretagne, l'Italie, le Japon, la Nouvelle-Zélande, la République fédérale d'Allemagne et la Turquie.
113. *Bulletin du désarmement,* été-automne 1986, p. 9.

Sources secondaires citées

Arms Control Reporter (The), divers numéros.

Beer, Thomas, « Arms Control in Outer Space — Military Technology vs. International Law », *Arms Control*, vol. 6, septembre 1985, p. 153-202.

Beesley, Alan J., Sproule, D.W. et Collins, Mark, « L'apport du Canada au droit spatial et au contrôle des armements dans l'espace extra-atmosphérique », *Études Internationales*, vol. XIX, n° 3, septembre 1988, p. 501-517.

Chayes, Abram, Chayes, Antonia Handler et Spitzer, Eliot, « Space Weapons : The Legal Context », dans Franklin A. Long, *Weapons in Space*, p. 193-218.

Danielsson, Sune, « Examination of Proposals Relating to the Prevention of An Arms Race in Outer Space », *Journal of Space Law*, vol. 12, printemps 1984, p. 1-11.

Durch, William J., « The Future of the ABM Treaty », *Adelphi Papers no 223*, été 1987, p. 80.

Einhorn, Robert, « Strategic Arms Reduction Talks : The Emerging Start Agreement », *Survival*, septembre-octobre 1988, p. 387-401.

Hurwitz, Bruce A., *The Legality of Space Militarization*, Amsterdam, North-Holland, 1986.

Legault, Albert (édit.), « L'espace extra-atmosphérique et le Canada », *Études Internationales*, vol. XIX, n° 3, septembre 1988, p. 429-517.

Leggett, Jeremy K. et Lewis, Particia M., « Verifying a START Agreement », *Survival*, vol. XXX, n° 5, septembre-octobre 1988, p. 409-429.

Lindsey, George, « The Military Uses of Outer Space and Arms Control », *Canadian Defence Quarterly*, vol. 13, n° 1, 1983, p. 9-14.

Lindsey, George, « L'espace : rôle auxiliaire ou quatrième arme ? », *Études Internationales*, vol. XIX, n° 3, septembre 1988, p. 451-467.

Long, Frank A., Hafner, Donald et Boutwell, Jeffrey (édit.), *Weapons in Space*, New York, W.W. Norton & Company, 1986.

Magdelénat, Jean-Louis, « Perspectives du droit spatial », dans *International Law and Canadian Foreign Policy in the 1980s*, Ottawa, United Nations Association in Canada and Canadian Council on International Law, 1981, p. 63-72.

Nitze, Paul, « The Objectives of Arms Control », dans Melvin Small et David J. Singer, *International War : An Anthology and Study Guide*, Illinois, Dorsey Press, 1985, p. 363-376.

Noble, John J., « La politique étrangère américaine de 1980 à 1988 : l'héritage reaganien », *Actes du XXe Congrès du Centre québécois de relations internationales, Québec*, 1989 (à paraître).

Pike, John, « Anti-Satellite Weapons and Arms Control », *Arms Control Today*, vol. 13, n° 11, décembre 1983, p. 1-7.

Reiskind, Jason, « Toward a Responsible Use of Nuclear Power in Outer Space — The Canadian Initiative in the United Nations », *Annales de droit aérien et spatial*, vol. VI, 1981, p. 461-474.

Société pour le développement des études de défense et de sécurité internationale (SDEDSI), *La crise du désarmement ; la deuxième session extraordinaire de l'Assemblée générale des Nations Unies sur le désarmement*, Grenoble, SDEDSI, 1983.

Simon, Alain, « L'importance économique de l'espace : situation internationale », *Études internationales*, vol. XIX, n° 3, septembre 1988, p. 435-450.

SIPRI Yearbook, divers numéros.

Sofaer, Abraham, « The ABM Treaty and the Strategic Defense Initiative », Harvard Law Review, vol. 99, n° 8, juin 1986, p. 1972-1985.

Stares, Paul B., « Outer Space : Arms or Arms Control », *Arms Control Today*, vol. 11, n° 6, juillet-août, 1981, p. 1-3.

Stares, Paul B., « Déjà vu : The ASAT Debate in Historical Context », *Arms Control Today*, vol. 13, n° 12, décembre 1983, p. 2-7.

United Nations Association in Canada, *International Security of Outer Space, Proceedings of a Conference held at McGill University on 16-17 March 1984*, Ottawa, United Nations Association in Canada, 1984.

Vlasic, Ivan, « Le droit international et les activités spatiales : le point de la situation », *Études internationales*, vol. XIX, n° 3, septembre 1988, p. 467-477.

*La diplomatie, c'est l'art de dire « bon chien, bon chien » jusqu'à ce que l'on trouve une pierre à portée de la main**.

11

La tortue et les blindés : le Canada et les négociations MBFR

Dans la perspective du contrôle des armements, l'Europe constitue un lieu paradoxal. Considérée depuis le début de la guerre froide comme le foyer de la confrontation Est-Ouest, la péninsule européenne et particulièrement sa zone centrale présentent une concentration d'équipement et de personnel militaire, unique au monde. Financièrement, cela représente environ la moitié des dépenses militaires mondiales. Cependant, une guerre, à cet endroit, paraît impossible à la fois en raison des destructions inacceptables qu'elle entraînerait et de sa nucléarisation probable.

L'Europe est donc moins le pré carré d'une confrontation militaire ou d'un face-à-face tendu et hostile que d'une compétition technostratégique, c'est-à-dire d'une « stratégie des moyens », qui se traduit par l'accumulation et le perfectionnement incessant des armements, réglée par les impératifs de la politique diplomatique et les contraintes budgétaires. Par ailleurs, le vieux continent est un milieu politique fluide et complexe ; c'est l'Europe des patries dominée par les égoïsmes nationaux. Selon les termes, toujours pertinents, de lord Castlereagh :

---

* Traduction libre de la phrase de Wynn Cotlin : « Diplomacy is the art of saying « nice doggy » until you can find a rock. »

> Il est impossible de ne pas comprendre que la réorganisation et le redéploiement d'une force [militaire] de cette taille, pour des États aussi nombreux et aussi différents par leur situation, leurs ressources, leurs frontières et leur capacité de réarmement, présentent un problème de négociation extrêmement complexe[1].

Pourtant, malgré le fait que la paix armée, depuis 1945, ait constitué une garantie de sécurité plus fiable en Europe que partout ailleurs dans le monde, malgré le nœud gordien que constituent les questions de désarmement dans ce contexte, l'entreprise du contrôle des armements y a prospéré avec un rare bonheur, et cela depuis les débuts de la guerre froide.

Mais les paradoxes ne s'arrêtent pas là. En effet, depuis le « décollage » des grandes négociations européennes, vers le milieu des années soixante, la structure que forment les différents forums de contrôle des armements, au lieu d'évoluer vers un système intégré, continue à présenter toutes les caractéristiques d'un casse-tête désordonné et incomplet :

> Cette structure très désordonnée révèle le fait qu'il n'existe aucun concept d'ensemble reliant ces différentes activités, aucun plan occidental relatif aux négociations du contrôle des armements avec l'Est, pas plus qu'une couverture complète de tous les aspects de la confrontation Est-Ouest[2].

En 1988, cinq grandes négociations — à vocation régionale — se déroulent en Europe. Elles portent dans l'ordre sur la réduction des forces armées classiques (les MBFR), les mesures susceptibles de mener à la confiance (MDC) dans le cadre de la Conférence sur la sécurité et la coopération en Europe (CSCE), les mesures de confiance et de sécurité (MDCS) lors de la Conférence sur le désarmement en Europe (CDE) — ou Conférence de Stockholm —, les forces nucléaires à portée intermédiaire (FNI) et les armes chimiques à l'occasion de la Conférence sur le désarmement (CD).

Cependant, ces cinq négociations diffèrent quant à leur structure, à leurs règlements, à leur participation et à leur portée géographique. Certaines sont multilatérales, d'autres bilatérales, d'autres encore d'alliance à alliance. Certaines couvrent une zone restreinte, d'autres incluent l'Europe de l'Atlantique à l'Oural ou même la planète. Certaines portent sur le personnel militaire, d'autres sur l'équipement, d'autres encore sur les déploiements, les manœuvres ou encore les comportements politiques.

Plus encore, de nombreux problèmes ne sont abordés directement dans aucun de ces forums : les forces maritimes et aériennes, les défenses aériennes, les armes nucléaires tactiques et les avions porteurs d'armes nucléaires. De plus, même si une interdiction globale des armes chimiques est activement négociée à la Conférence sur le désarmement, il n'existe aucun forum purement européen qui traite cette question, alors même que l'OTAN et le Pacte de Varsovie détiennent les stocks les plus importants de ces armes.

Finalement, il faut bien reconnaître que l'entreprise du contrôle des armements en Europe, depuis trois décennies, n'a produit que bien peu de résultats. Comme l'a noté Borawski :

> Malgré l'existence de plusieurs accords [...] relatifs à la limitation des essais nucléaires, au déploiement [des armes atomiques] et à la prolifération verticale ou horizontale, et malgré un certain rapprochement Est-Ouest à la fin des années soixante du fait de l'*Ostpolitik* et de la détente, le continent continue à abriter la plus prodigieuse concentration d'armes et de soldats de la planète[3].

Le présent chapitre comporte trois parties. La première aborde l'origine des négociations de Vienne, de 1966 à 1973. La seconde présente les principales propositions introduites de 1973 à 1986. Elle s'articule elle-même en trois sections chronologiques : les positions initiales (1973-1976), la longue marche (1974-1979) et des négociations moribondes (1980-1986). La dernière partie, quant à elle, présente une analyse d'ensemble de la négociation qui conclut le chapitre.

En ce qui concerne le Canada et son rôle au sein des MBFR, le lecteur notera rapidement que la place qu'a occupée Ottawa, autant à Bruxelles qu'à Vienne, est relativement discrète en ce qui a trait à la substance, aux initiatives politiques ou même à la gestion générale des négociations. Et de ce point de vue, il faut souligner d'emblée que les documents diplomatiques sont extrêmement avares d'information au sujet d'une position canadienne précise relativement aux MBFR. Bien que le chapitre s'appuie beaucoup sur les archives des Affaires extérieures, la place qu'y occupe le Canada est donc très discrète.

Nous avons attaché à la première partie une description du rôle canadien dans la genèse des MBFR, et une évaluation générale de la politique canadienne à ce sujet conclut la troisième partie.

L'ORIGINE DES MBFR ET LE CANADA

Les antécédents des MBFR

Pour la sécurité européenne, l'année 1966 peut sans conteste être considérée comme une année clé. En effet, c'est au 23e congrès du Parti communiste de l'Union soviétique (PCUS) en mars et en avril 1966 qu'est adopté le principe d'une Conférence multilatérale sur la sécurité et la coopération en Europe. Le président Johnson, quant à lui, proposait dans un discours, le 7 octobre, parmi un ensemble de mesures pour favoriser la détente en Europe, la réduction mutuelle et équilibrée des forces armées du Pacte de Varsovie et de l'OTAN :

> Si la conjoncture politique le permettait, on pourrait envisager une réduction progressive et équilibrée du niveau des forces de part et d'autre, cette réduction pourrait —parallèlement

aux autres mesures que j'ai mentionnées — contribuer à créer graduellement un environnement politique tout à fait différent en Europe[4].

Ces deux événements donnaient le coup d'envoi au processus qui, sept ans plus tard, allait aboutir aux négociations MBFR et à celles de la CSCE.

Pourtant, ni le principe d'un système de sécurité européen ni la réduction des troupes ne constituaient réellement des concepts nouveaux. Depuis le début des années cinquante, l'un et l'autre font partie en effet de l'arsenal des propositions soviétiques en fait de désarmement et de contrôle des armements. L'ancêtre de la CSCE est ainsi la proposition soviétique d'un traité intereuropéen de sécurité collective (1954-1955) qui, avec des variations, se retrouve dans le discours de Rapacki à l'ONU, en décembre 1964, et dans le communiqué du Comité consultatif politique (CCP) du Pacte de Varsovie, le 20 janvier 1965. Pour sa part, la réduction des troupes et des armements en Europe trouve son origine dans les propositions de Boulganine du 2 juillet 1955, faites à la Conférence au sommet de Genève (et renouvelées à Londres en 1956)[5], puis surtout dans le fameux plan Rapacki qui prévoyait la dénucléarisation des deux Allemagnes et la réduction des forces armées en Europe centrale, en octobre 1957 et en novembre 1958.

À titre d'exemple, la proposition de Khrouchtchev, le 18 septembre 1959, à l'Assemblée générale des Nations Unies prévoyait :

- la création d'une zone de contrôle et d'inspection et une réduction des effectifs des troupes étrangères stationnées sur les territoires des pays intéressés de l'Europe occidentale ;
- la création, en Europe centrale, d'une zone dénucléarisée ;
- le retrait de toutes les troupes étrangères du territoire des États européens et la suppression des bases militaires en territoires étrangers ;
- la conclusion d'un accord de non-agression entre les États membres de l'OTAN et du Pacte de Varsovie ;
- un accord en vue de prévenir toute attaque par surprise d'un État contre un autre.

Ces thèmes récurrents — qui comprennent la dénucléarisation ou le désarmement des deux Allemagnes, le retrait des troupes étrangères et aussi la dissolution des alliances, l'acceptation *de facto* du statu quo politique et des accords de non-utilisation de l'arme atomique — se retrouvent ainsi jusqu'à la déclaration de Bucarest, lors de la rencontre du CCP du Pacte de Varsovie, le 8 juillet 1966[6] et à celle de Karlovy Vary, à l'occasion de la rencontre des partis communistes (PC) européens du 26 avril 1967[7]. Il est donc logique d'en déduire que la Conférence sur la sécurité et la coopération en Europe (CSCE) ainsi que la réduction des forces sont des initiatives est-européennes et des constantes de la politique soviétique en Europe. Par ailleurs, la nature politique de ces propositions n'est guère contestable : le retrait des troupes et des bases étrangères, en particulier, vise précisément les États-Unis. Ainsi, l'URSS a affirmé à propos de ces troupes que si leur rôle défensif était négligeable, elles pouvaient être utilisées à des fins d'agression, y compris pour une attaque surprise, elles menaçaient la sécurité des pays où elles étaient installées et elles constituaient une ingérence dans les affaires intérieures des autres États en servant la politique des néocolonialistes[8].

La mention des « néocolonialistes » ne laisse subsister aucun doute sur l'origine des forces militaires concernées. De façon similaire, le désarmement de l'Allemagne, la dissolution des alliances et l'acceptation du statu quo politique constituent définitivement des propositions à caractère politique et peu réalistes.

L'origine des MBFR chez les Occidentaux

De leur côté, les Occidentaux ont unanimement refusé ces propositions jusqu'au début des années soixante, en arguant que la résolution des problèmes territoriaux issus de la Seconde Guerre mondiale avait priorité sur le contrôle des armements en Europe[9]. Deux facteurs précis viendront changer cette attitude : tout d'abord, le début de la détente soviéto-américaine fit prendre conscience à l'OTAN qu'un changement significatif de la situation, en fait de sécurité, se préparait en Europe. Illustrée par les premiers traités d'*arms control*, cette évolution fut entérinée au sein de l'Alliance atlantique par l'acceptation, en décembre 1967, du rapport Harmel sur les futures tâches de cette dernière. Le rapport en question prenait acte des nouvelles conditions de la sécurité européenne, soulignait la complémentarité des concepts de sécurité et de détente et préconisait la création d'un ordre européen pacifique, fondé sur la coopération Est-Ouest et la réduction des forces armées du Pacte de Varsovie et de l'OTAN. Les MBFR étaient ainsi scellées dans les politiques de l'Alliance atlantique. Cependant, le second facteur avait un caractère plus inquiétant. Depuis 1966, l'administration américaine remettait en effet en question sa politique de stationnement des forces militaires en Europe. Une telle remise en question avait pour origine une série de causes dont les principales étaient :

- l'engagement militaire américain en Asie du Sud-Est ;
- l'opposition croissante du public américain aux dépenses militaires et aux surengagements des États-Unis à l'extérieur *(overcommitment abroad)* ;
- le développement des crises internes aux États-Unis (le problème des Noirs et le mouvement de protestation des jeunes) ;
- les problèmes de la balance des paiements américaine ;
- les conflits de compétence entre le Congrès (particulièrement le Sénat) et l'Exécutif en matière de sécurité ;
- l'attitude critique des Européens à l'égard des États-Unis au sein de l'Alliance atlantique (le retrait de la France en 1966).

Le catalyseur le plus remarquable de cette crise fut sans doute l'attitude du Sénat, et plus précisément du sénateur Mansfield, qui, d'août 1966 à 1977, ne cessa de s'en prendre à l'Exécutif afin d'obtenir un retrait au moins partiel des troupes américaines en Europe. En effet, la balance des paiements américaine était régulièrement en déficit d'environ trois milliards de dollars au cours de ces années et, ce qui contribuait de façon considérable à ce déséquilibre, les sorties de devises subséquentes au stationnement des troupes américaines en Europe étaient estimées à environ 1 280 millions de dollars par an (de 700 à 900 millions de dollars uniquement pour la RFA)[10]. Dès 1961, considérant que les sorties de devises pour les forces américaines stationnées en Europe constituaient un élément anormal, la RFA, en particulier, avait tenté de compenser régulièrement les pertes américaines par des achats d'armes annuels de l'ordre de 350 à 400 millions de dollars et, à partir de 1966, par des achats de bons du Trésor américain pour une valeur de 500 millions de dollars[11], ce qui revenait *de facto* à un prêt à terme. Cela n'empêcha ni les attaques massives du sénateur Mansfield, dont les arguments favoris étaient l'absence de menace soviétique et l'ingratitude européenne, ni les retraits unilatéraux qui firent passer le total des troupes américaines stationnées en Europe de 408 000 personnes, en 1962, à 310 000, en 1976.

Donc, dès 1966, les Européens, et tout particulièrement la RFA, se virent menacés par des réductions qui risquaient d'affaiblir encore leur défense et d'éliminer un des éléments essentiels de leur sécurité : la présence militaire américaine. Prise à partie lors de la Conférence tripartite de Londres au sujet des mesures compensatoires[12], la RFA avait déjà réalisé que la seule solution de rechange aux retraits unilatéraux américains était des réductions mutuelles touchant à la fois le Pacte de Varsovie et l'OTAN[13]. C'est pourquoi, dès le discours de Johnson, le gouvernement de Bonn devint un des promoteurs des MBFR, ce dont témoignent les nombreux discours de W. Brandt (ministre des Affaires étrangères, à cette époque) qui concevait d'ailleurs les MBFR comme un prolongement de sa politique de détente *(Ostpolitik)*.

De son côté, le gouvernement américain n'envisageait pas encore sérieusement des négociations MBFR. Très curieusement, le discours Johnson ne mentionnait les MBFR que par accident : le président s'était servi d'un document de travail interne de Z. Brzezinski parce qu'il trouvait l'exemple des réductions mutuelles approprié au contexte de son discours, sans penser que ce qui n'était en fait qu'une déclaration « atmosphérique » serait pris par les Européens comme un énoncé politique. En effet, le gouvernement américain, divisé par des courants d'opinion divergents et accaparé par le problème vietnamien et par la préparation des SALT (mises en chantier dès janvier 1967) qu'il ne veut pas mettre en danger par l'ouverture d'un second forum, fait preuve d'un grand scepticisme quant à la viabilité même d'éventuelles négociations MBFR. Par contre, les dirigeants américains verront dans ces négociations un argument de poids à opposer aux partisans des réductions unilatérales. La nécessité de conserver de bonnes relations atlantiques les force d'ailleurs à adopter une attitude conciliante ; mais, dans l'ensemble, les États-Unis avanceront vers les négociations « à reculons ».

Au sein même de l'Alliance atlantique, la situation n'est guère plus claire[14]. Certains pays comme l'Italie, la RFA et la Belgique se montrent favorables à l'idée ; d'autres sont sceptiques (les États-Unis et la Grande-Bretagne) et d'autres se révèlent hostiles (la France, la Grèce et la Turquie). Et les études faites, dès l'été 1968, au sein de l'Alliance atlantique ne favorisent guère l'obtention d'un consensus[15]. En effet, ces analyses soulignent, d'une part, l'infériorité militaire de l'OTAN, donnant ainsi des arguments aux adversaires du concept des réductions, et elles proposent, d'autre part, des modèles qui sont soit avantageux pour l'Alliance atlantique et non négociables par rapport au Pacte de Varsovie, soit négociables mais désavantageux pour l'OTAN. De plus, ces analyses purement militaires qui mettent en évidence les faiblesses de la défense européenne vont ancrer une certaine perception des choses selon laquelle les MBFR devraient régler les problèmes militaires de l'OTAN. Ainsi, selon R. Burt : « Le souci d'améliorer — ou à la limite de conserver — les capacités de défense classique de l'OTAN devint par conséquent l'objectif majeur de l'Ouest dans le cadre des MBFR[16]. »

La faveur accordée à cet objectif « indirect », ajoutée aux résultats ambigus des analyses et, finalement, les divergences d'opinions politiques en matière de sécurité ne favorisèrent donc guère l'émergence d'une stratégie occidentale commune. Pourtant, avant même le résultat des études susmentionnées, les ministres des Affaires étrangères de l'OTAN, réunis à Reykjavik en juin 1968, annoncent aux pays membres du Pacte de Varsovie qu'ils sont prêts à entamer des pourparlers portant sur la réduction des troupes en Europe, puis, après une interruption due aux événements tchèques, ils réitéreront leur « signal » à Rome, en mai 1970, précisant les principes clés qui devront guider les négociations, en particulier :

- les réductions mutuelles des forces doivent être compatibles avec les intérêts vitaux de la sécurité de l'Alliance atlantique et ne doivent pas entraîner de désavantages militaires pour l'une ou l'autre partie, compte tenu des différences qui proviennent de considérations géographiques ou autres ;
- les réductions des forces doivent s'établir sur une base de réciprocité et être échelonnées et équilibrées quant à leur ampleur et au rythme de leur exécution ;
- les réductions des forces doivent être appliquées aux forces stationnées et nationales ainsi qu'à leurs systèmes d'armes dans la zone concernée ;
- une vérification et des contrôles appropriés sont nécessaires pour assurer le respect des accords au sujet des réductions mutuelles et équilibrées des forces[17].

Tout en constituant un premier pas vers une conception plus homogène des MBFR, ces principes ne laissent pas moins subsister des divergences fondamentales perceptibles dans les lacunes qu'ils comportent. Ainsi, même s'il est question du respect des intérêts vitaux de l'Alliance atlantique, ceux-ci ne sont pas définis. La RFA avait proposé, sans succès, de mentionner que la solidarité des membres de l'Alliance atlantique ainsi que la construction européenne ne devraient pas être négativement touchées par les MBFR. Dans le même sens, Bonn avait suggéré que l'on tienne compte dans les négociations des principes de la détente et de la défense commune ainsi que de la possibilité de créer un lien tangible entre la CSCE et les MBFR, d'introduire le concept de mesures de confiance (MDC) et de donner la priorité à la réduction des forces offensives. Il fut malheureusement impossible d'obtenir un accord sur ces questions. L'Alliance atlantique partait donc d'un pas vacillant sur la route des négociations.

Les réactions du Pacte de Varsovie

De son côté, le Pacte de Varsovie réagit d'abord au signal de Reykjavik avec hostilité. Dans une déclaration du ministère est-allemand des Affaires étrangères, le malheureux Brandt se voit taxé de militarisme ; quant à la sécurité européenne, toujours d'après le même texte, elle devrait prioritairement être garantie par « le désarmement de la plus puissante et de la plus agressive des armées européennes — commandée d'ailleurs par des généraux « nazis » [sic] — : la *Bundeswehr* ouest-allemande[18] ». La revue *Dokumentation der Zeit* répétait en mai 1969 que « le problème fondamental, comme l'a souligné le 9e Plénum, reste l'élimination de l'*Ostpolitik* expansionniste [sic] de Bonn et de ses exigences revanchardes[19] ». Pis encore, Otto Winzer, de la RDA, affirmait, le même mois :

> Nous considérons la reconnaissance du statu quo territorial issu de la Seconde Guerre mondiale, la normalisation juridique des relations entre les États européens, le devoir de défendre les droits des autres peuples sur la scène mondiale ainsi que la limitation des armements et le désarmement comme des éléments essentiels et indissociables de la sécurité européenne[20].

Sur un ton plus modéré, l'appel de Budapest, le 17 mars 1969, renvoie en matière de sécurité aux mesures proposées à Bucarest deux ans auparavant. Par ailleurs, les pays membres du Pacte de Varsovie répètent dans cet appel ce qu'ils rediront à la rencontre des ministres des Affaires étrangères à Prague, le 31 octobre 1969, à savoir que la CSCE a la priorité sur la limitation des armements. En d'autres termes, le Pacte de Varsovie adopte l'attitude même que les Européens ont conservée pendant plus de dix ans : le règlement politique passe avant le désarmement. De façon plus caractéristique encore, les pays de l'Est se refusent à considérer les MBFR comme le dernier avatar du plan Rapacki — leur propre création — alors que personne ne se hasarderait à contester leur filiation aujourd'hui. Visiblement, le Pacte de Varsovie n'est donc pas désireux de changer une situation militaire qu'il domine ; par contre, la reconnaissance juridique des frontières de 1945 — et donc la CSCE — ne lui est certainement pas indifférente. Dans ce cadre, les MBFR peuvent cependant avoir une utilité tactique. C'est probablement le sens qu'a la Déclaration de Budapest, le 22 juin 1970, soit un mois après le signal de Rome, qui, en mentionnant la proposition occidentale, demande

> que soit étudiée au sein de l'organisme créé à la Conférence paneuropéenne, ou sous toute autre forme acceptable pour les États intéressés, la question de la réduction des forces armées étrangères stationnées sur le territoire des États européens[21].

Cependant, même si la coopération culturelle, économique et technologique avec l'Est est inscrite à son ordre du jour du 5 novembre 1969, l'OTAN ne considère pas encore le moment venu d'accepter la tenue de la CSCE. En décembre 1970, le Conseil de l'OTAN se contente donc de réitérer les signaux de Rome et de Reykjavik et — fait à remarquer — il adopte le Programme européen d'amélioration de la défense (EDIP) (European Defence Improvement Programme, EDIP) en vue de rationaliser la défense européenne. Cependant, le Traité du 12 août 1970 entre la RFA et l'URSS et le Traité entre la République fédérale d'Allemagne et la République populaire de Pologne (le 7 décembre 1970) ont déjà commencé à changer qualitativement la situation : le Pacte de Varsovie, en l'occurrence la Pologne et l'URSS, obtient la reconnaissance par la RFA des frontières fixées à Potsdam en 1945. L'Accord quadripartite sur Berlin du 3 septembre 1971 et, plus tard, le Traité sur les bases des relations entre la République fédérale d'Allemagne et la République démocratique allemande (le 21 décembre 1972) confirmeront cette évolution en reconnaissant les frontières de la RDA et en ouvrant, après 25 ans, les frontières entre « frères séparés ». En fait, le Pacte de Varsovie a donc obtenu dès 1970 ce qu'il cherchait, mais la CSCE et l'appât que constituent les MBFR conservent leur importance afin de multilatéraliser l'*Ostpolitik*. En mars 1971, au 24e Congrès du PCUS, Brejnev relance donc le projet des MBFR en mentionnant le démantèlement des bases étrangères et la réduction des forces armées en Europe centrale.

Le discours que Brejnev fera deux mois plus tard à Tbilissi est pourtant plus révélateur. En effet, le 19 mai 1971, l'administration Nixon fait face à un vote décisif au Sénat : le sénateur Mansfield a proposé une résolution exigeant le retrait de 50 pour 100 des troupes américaines stationnées en Europe. Or, le 14 mai, à Tbilissi, Brejnev se déclare prêt à « goûter le vin des négociations » ; la résolution Mansfield sera battue par 61 voix contre 36. Il est impossible de nier la corrélation des deux événements. Brejnev serait donc, paradoxalement, venu en aide à l'administration américaine ? S'agit-il d'une coïncidence ou d'un geste prémédité ? À notre sens, ce type de discours n'est pas fortuit. On peut donc logiquement en déduire que l'URSS a trouvé un certain intérêt aux MBFR et qu'elle ne souhaite pas un retrait unilatéral et draconien des troupes américaines. En fait, cette spéculation a un certain poids, car un retrait brutal des États-Unis pourrait forcer les Européens, et plus particulièrement la RFA, à s'armer davantage et peut-être même à penser à s'unir. Il est possible aussi que, dès cette époque, les Soviétiques aient perçu les MBFR comme un moyen d'influencer la politique de l'Alliance atlantique, tout en retardant un accord en matière de réductions ; mais cela reste une hypothèse.

Les dernières étapes

Le 11 juin 1971, Brejnev répète son appel. À Lisbonne, le même mois, le Conseil des ministres de l'OTAN, sur une proposition commune danoise, hollandaise et canadienne, décide de l'envoi d'un représentant pour sonder les intentions du Pacte de Varsovie : ce sera Manlio Brosio, ancien secrétaire de l'OTAN. Cependant, les États-Unis ne sont pas encore prêts à négocier : leur première étude sérieuse en ce qui concerne les réductions ne sera terminée qu'à la fin de l'année. De plus, d'autres membres sont sceptiques quant au degré de préparation des Soviétiques ; de son côté, W. Brandt, au cours d'un voyage en Crimée en septembre 1971, arrive pourtant à faire accepter aux Soviétiques un accord de principe sur quatre points :

- tous les pays européens intéressés doivent être parties aux négociations, aux côtés des Soviétiques et des Américains ;
- les réductions ne seront pas limitées à la RFA et à la RDA ;
- les troupes nationales seront incluses dans les réductions ;
- le rapport de forces militaires doit rester le même[22].

Par ailleurs, la RFA désire absolument un prolongement politique aux MBFR ; en d'autres termes, les MBFR et la CSCE doivent être liées concrètement. Absorbés par les négociations SALT qui ont débuté en 1969, les États-Unis déclinent cette proposition, craignant sans doute un blocage des futures négociations. Pour sa part, le Pacte de Varsovie entérine, en novembre et en décembre 1971, les principes admis en Crimée : les accords ne devront être désavantageux ni pour le Pacte ni pour l'OTAN ; les troupes nationales et stationnées seront incluses dans les réductions ; et il est précisé que les négociations ne seront pas une prérogative des blocs militaires, mais des États participants. Cependant, la mission Brosio est tout simplement ignorée, et l'on accorde toujours la priorité à la CSCE. Visiblement, les Soviétiques attendent, avant de s'engager, la visite du président Nixon à Moscou, prévue pour mai 1972. C'est en effet le 26 de ce mois que seront signés les accords SALT qui ont bien sûr la priorité absolue. À partir de ce moment, les événements se précipitent : le 30 mai, le secrétaire d'État américain Rogers annonce à l'OTAN que les deux Conférences (celle de la CSCE et celle sur les MBFR) seront préparées parallèlement ; elles n'auront pas de lien thématique, si ce n'est les MDC, qui seront traitées dans la première corbeille des négociations CSCE portant sur les questions de sécurité — les deuxième et troisième corbeilles des négociations CSCE portant respectivement sur les questions économiques et les questions humanitaires. Le lien entre les deux Conférences CSCE et MBFR sera donc essentiellement chronologique. Au cours des pourparlers officieux, en septembre 1972, Nixon, Brejnev et Kissinger mettent au point les derniers détails : les pourparlers préliminaires de la CSCE auront lieu dès l'automne 1972, ceux des MBFR débuteront en janvier 1973. En fait, le 15 novembre, une semaine avant l'ouverture des pourparlers concernant la CSCE, l'OTAN — à l'exception de la France qui refuse le principe des MBFR — envoie l'invitation officielle aux pays membres du Pacte de Varsovie afin d'entamer les pourparlers préliminaires des négociations MBFR, le 31 janvier. Le lieu choisi, après quelques tergiversations, sera Vienne. Cette invitation est acceptée trois semaines après l'accord fondamental Bonn-Pankow. Les pourparlers débuteront donc à la date prévue et les négociations proprement dites commenceront le 30 octobre 1973.

La position canadienne durant la phase préparatoire des négociations (1966-1973)

Compte tenu de l'intérêt manifeste du Canada pour un rapprochement Est-Ouest, et cela depuis 1964, il est frappant de constater que, dans les archives, la première mention d'une réduction des armements classiques en Europe date du 12 janvier 1967. Dans une lettre que le général Burns adresse alors au ministre adjoint du ministère des Affaires extérieures, il constate avec pessimisme que dans la conjoncture il ne faut guère s'attendre à un déblocage à ce sujet. Comme le souligne Burns : « Il ne semble pas que la politique américaine favorise l'ouverture prochaine des négociations relatives à la réduction mutuelle des troupes[23]. »

Cela est notable, car, le 19 décembre de l'année précédente, le ministre Martin, faisant état de la réunion ministérielle de l'OTAN tenue quelques jours auparavant, disait :

> Il serait bon de ne pas perdre de vue les possibilités d'une réduction progressive des forces occidentales et soviétiques en Europe centrale. Ensuite, si des occasions se présentaient, nous saurions quelle proposition raisonnable formuler et à quelle mesure réciproque nous devons nous attendre de l'autre camp[24].

Dans une certaine mesure, cette rhétorique vague ainsi que le retard de l'Administration par rapport au ministre soulignent le fait que le Canada, à l'instar de la plupart des membres de l'Alliance atlantique — à l'exception de la RFA —, était à la fois sceptique et peu préparé pour répondre aux initiatives américaines de 1966. Cela paraît naturel, à seconde vue, dans la mesure où le Canada étant un acteur militaire mineur sur la scène européenne, l'initiative, en cette matière, ne lui appartient pas. Et même, compte tenu de la modestie du rôle militaire canadien en Europe, toute velléité de désengagement comportait le risque de ternir une image et une réputation encore relativement intactes.

La politique canadienne à l'égard des MBFR se développera donc sous le signe d'un intérêt discret, mais surtout du scepticisme et de la plus extrême prudence.

L'année 1967, en particulier, sera marquée par les premières polémiques concernant le bien-fondé d'un retrait canadien de l'OTAN, et ces débats iront en s'amplifiant durant les quatre années suivantes, avec l'arrivée au pouvoir de Pierre Elliott Trudeau, ainsi que le retrait unilatéral de la moitié des forces terrestres canadiennes d'Europe, en 1969. Par conséquent, la mouvance et l'incertitude qui entourent la politique extérieure canadienne durant ce laps de temps accentueront encore la circonspection des diplomates canadiens.

Pendant la période préparatoire des MBFR, alors que des pays comme la RFA vont produire littéralement des centaines d'études spécialisées sur la question, le Canada demeurera donc, avant tout, un spectateur discret, assistant aux réunions d'experts de l'Alliance atlantique, sans réellement s'engager. Comme le souligne judicieusement, à ce propos, une lettre de N. Bow, datée du 2 mai 1969 :

> La réduction équilibrée des forces demeure d'un intérêt particulier pour le Canada, mais pour ne pas porter préjudice à la proposition, nous devrions peut-être laisser d'autres pays prendre l'initiative et appuyer cette dernière afin de ne pas avoir l'air de prêcher de façon trop évidente pour notre paroisse[25].

Du reste, les diplomates canadiens à l'OTAN seront d'ailleurs amenés à se désolidariser de leurs alliés lorsqu'en 1968 la RFA introduira une résolution destinée à empêcher les retraits unilatéraux de troupes. En effet, comme le souligne un mémorandum des Affaires extérieures du 18 juin 1968, la politique canadienne n'exclut pas — et pour cause — les réductions unilatérales. L'ambassadeur R. Campbell annoncera ainsi, le 30 août 1968, au Comité militaire de l'OTAN que le Canada refuse de geler ses forces au niveau actuel[26]. À ce sujet, il remarquera en outre quelques mois plus tard que le Canada fait face à un dilemme. « Comment pourrions-nous, dit-il, avoir un rôle significatif en matière de réduction mutuelle des forces classiques si nous agissons à l'encontre des intérêts de l'Alliance atlantique ? » Dans ces circonstances, le problème du Canada sera simplement de conserver la confiance de ses partenaires[27].

Le chercheur est donc bien en peine de mettre en évidence, dans les archives, une seule initiative canadienne ou même une contribution importante en matière d'analyse dans le domaine des MBFR, du moins jusqu'à l'automne 1969. À l'été de cette année, la politique canadienne de contrôle des armements est en effet examinée par le Cabinet et, dans ce cadre, le premier ministre demande une évaluation de la position canadienne relativement à la réduction des forces classiques en Europe. De plus, sous la pression américaine, les choses bougent à Bruxelles, et une prise de position canadienne est requise pour la réunion ministérielle de l'OTAN, en décembre.

Mais il y a un problème : les Affaires extérieures craignent que le Cabinet ne se saisisse de cette occasion pour élaborer une position « spécifiquement canadienne » qui, dans le contexte, pourrait être mal perçue à Bruxelles. Cette inquiétude est fort bien exprimée par Ross Campbell, dans une lettre adressée à N. Bow, le 14 novembre 1969. Il y dit, entre autres :

> Certains ne veulent peut-être pas comprendre que l'OTAN est un forum important du contrôle des armements, mais il y va de la responsabilité du Ministère de s'assurer que ce message soit transmis. Le gouvernement doit accepter ce fait et ne doit pas craindre de travailler avec l'OTAN et par son intermédiaire, sans essayer de faire croire que ces problèmes sont traités ailleurs. Mon argument se résume à ceci : je veux que le gouvernement du Canada reconnaisse l'importance de l'OTAN dans le domaine du contrôle des armements. L'une des décisions politiques qui a été prise à l'issue de l'examen effectué cette année est que nous devrions participer aux activités de l'OTAN en matière de désarmement. Nous l'avons fait, et cela dans des domaines bien plus importants pour la paix que ceux dont débat la CCD. Pourquoi ne pas mettre notre gouvernement dans la confidence[28] ?

L'attitude du premier ministre et du Cabinet à l'égard de l'OTAN n'est cependant pas le seul problème des Affaires extérieures. En effet, le ministère de la Défense nationale, durant cette même période, semble réticent à accorder son appui au projet. Comme le note le sous-secrétaire d'État aux Affaires extérieures, N. Bow, le 9 janvier 1970 :

> Nous sommes en conflit avec le ministère de la Défense [...] il ne veut pas mettre à notre disposition des officiers dans le cadre d'un projet que le ministre ne favorise pas et pour lequel notre propre Ministère hésite à nommer un fonctionnaire compétent. Bien sûr, le motif réel de la résistance croissante du ministère de la Défense nationale et d'autres organismes gouvernementaux réside dans le fait que notre Ministère n'a pas accordé lui-même la priorité et les ressources humaines nécessaires à l'exécution de notre travail dans le domaine du contrôle des armements et du désarmement[29].

C'est donc dans un contexte difficile que la position canadienne relative aux MBFR voit le jour à la fin de l'année 1969. Le Cabinet approuve ainsi une position ferme et favorable aux réductions afin que l'OTAN émette un signal clair et distinct, destiné au Pacte de Varsovie. Concurremment, c'est aussi à ce moment que commenceront à se mettre en place, à Ottawa, les mécanismes de coordination destinés à élaborer et à superviser la politique canadienne dans le secteur des MBFR. Seront créés, en particulier, trois groupes mixtes (qui réunissent les Affaires extérieures et la Défense nationale) : le Groupe de travail technique MBFR, le Groupe de travail relatif aux répercussions politiques des MBFR pour le Canada et le Comité de direction politique[30]. Cependant, cela ne signifie pas que les activités canadiennes à Bruxelles vont s'intensifier de façon remarquable ; c'est du moins ce qui apparaît à la lecture des archives. Ces dernières reflètent, avant tout, le statut du Canada qui assiste, en spectateur, au lent processus qui, trois ans plus tard, débouchera sur les négociations de Vienne. En effet, jusqu'en 1972, l'OTAN sera handicapée par les hésitations et les divisions des alliés en ce qui a trait à l'élaboration d'une position commune, et même Washington semble traîner les pieds[31]. Comme le résume un télégramme de cette période :

> Le travail a manqué d'orientation et de direction. Une approche « à la pièce » a donné peu à peu aux discussions une tournure négative, en partie à cause de la position dominante de certains militaires dans le Groupe de travail technique MBFR — militaires qui sont fondamentalement opposés aux réductions des forces de quelque nature que ce soit — mais aussi parce que les pays européens ont été obnubilés par le besoin d'empêcher des retraits unilatéraux hâtifs de la part des États-Unis et que, par conséquent, ils n'ont pas considéré les avantages concrets que représenteraient des réductions parallèles de la part des Soviétiques. Le résultat de tout cela est que l'on a perdu de vue les objectifs politiques majeurs qui devraient orienter notre approche des MBFR[32].

C'est dans ce contexte — et, on s'en rappellera, deux mois après le discours de Brejnev au 24e Congrès du PCUS — que se situe le voyage du premier ministre Trudeau à Moscou, dans un concert de rumeurs voulant que le Canada puisse jouer un rôle décisif dans l'ouverture des négociations MBFR. Cependant, si l'on en croit le résumé des conversations du premier ministre à Moscou :

> L'essentiel des « discussions » relatives aux MBFR et à la CSCE s'est résumé à entendre répéter les propositions soviétiques en faveur des pourparlers sur la réduction des forces armées (décrites par Kossyguine comme des « forces armées étrangères » lors d'un déjeuner au Kremlin). Mais malgré de nombreux efforts, il fut impossible d'amener les Soviétiques à être plus précis[33].
>
> Malgré les questions très précises du premier ministre en ce qui a trait à la position soviétique et à son éventuel développement, rien de bien précis n'est sorti de la discussion bien que les interlocuteurs du premier ministre aient toujours insisté sur le sérieux des propositions soviétiques[34].

Par conséquent, bien que Pierre Elliott Trudeau ait spécifié qu'il ne servirait pas de médiateur entre l'OTAN et le Pacte de Varsovie, sa visite paraît décevante malgré le communiqué commun qui la conclut.

La seconde initiative que prend le Canada, cette année-là, est la proposition qu'introduit Mitchell Sharp à la réunion ministérielle de l'OTAN, à Lisbonne, en juin 1971. À cette occasion, le ministre propose d'envoyer un représentant de l'Alliance atlantique à Moscou pour examiner, avec l'URSS et d'autres pays, « la possibilité d'entreprendre les négociations [MBFR] le plus tôt possible, en partant de principes convenus[35] ». Les 4 et 5 octobre, une réunion spéciale des ministres adjoints de l'OTAN ratifie le choix du secrétaire sortant de l'Alliance atlantique, M. Brosio, pour cette mission d'exploration. Cependant, malgré l'intensification des contacts URSS-Canada, la visite de Kossyguine à Ottawa, en octobre 1971, et la rencontre Sharp-Gromyko à New York, le 2 octobre 1971, la mission Brosio est perçue par Moscou comme « une tentative maladroite de faire traîner les choses[36] » et, en février 1972, l'ambassadeur canadien à Moscou notera : « Je pense que l'on peut conclure au décès de la mission Brosio — si, en fait, elle a jamais vécu. Le problème maintenant est de savoir comment l'enterrer[37] ! »

C'est donc sans intervention canadienne que la situation débloquera, en septembre 1972, lorsque H.A. Kissinger obtient des Soviétiques une date pour le début des pourparlers préliminaires sur les MBFR ainsi que pour la CSCE.

Cela entamera une période de discussions intenses à Bruxelles ; en effet, de très nombreux différends subsistent entre les membres de l'Alliance atlantique, à propos du secteur géographique dans lequel s'appliqueront les réductions des forces qui devront être limitées en priorité et du statut de pays tels que la Turquie, la Grèce et l'Italie dans les futures négociations. De plus, les réticences évidentes du Pacte de Varsovie, lors des pourparlers préliminaires à Vienne, de janvier à mai 1973, ne faciliteront pas les choses :

C'est une situation désagréable et malheureuse qui résulte de la tendance qu'a l'OTAN de repousser les décisions importantes jusqu'à la dernière minute. On doit donc admettre qu'il n'existe pas véritablement de politique alliée à l'égard des MBFR, ni en général, ni en particulier[38].

C'est pourtant durant cette période, comme l'a remarqué M. Tucker, que le Canada interviendra avec le plus de force dans le processus des MBFR. En effet, alors que les pourparlers préliminaires de la CSCE s'achèvent à Helsinki, les Soviétiques n'ont toujours pas annoncé leur accord relativement à la date d'ouverture des négociations de Vienne, et l'on peut croire que leur intention est de forcer une conclusion rapide de la CSCE *avant* même que les MBFR aient commencé. La délégation canadienne à Helsinki est donc informée, le 4 juin 1973, que le Canada n'approuvera pas la date d'ouverture de la CSCE avant que les Soviétiques ne se soient engagés en faveur des MBFR:

> L'intervention du Canada à ce sujet au Conseil de l'OTAN et à Copenhague allait constituer — pour autant qu'on le sache — le premier exemple d'une prise de position ferme du Canada à propos des MBFR, question qui divisait les États-Unis et les alliés[39].

Au même moment, la position finale du Canada relativement aux directives MBFR de l'Alliance atlantique prend forme et sera entérinée, le 1er juin 1973, par le premier ministre. En substance, on souligne que:

- les MBFR sont probablement le seul moyen d'assurer que le retrait inévitable des troupes américaines d'Europe s'accompagne de réductions équivalentes du côté soviétique;
- la stabilité de l'équilibre des forces en Europe est garante du climat de détente politique, et rien ne doit être fait pour perturber cette stabilité;
- il est donc dans l'intérêt du Canada d'assurer que sa politique, en matière de MBFR, n'influe pas sur ses relations avec ses alliés et qu'en particulier toute forme d'unilatéralisme soit évitée.

Dans ce contexte, deux solutions s'offrent au Canada: promouvoir la réduction des forces canadiennes parallèlement à celle des forces américaines ou bien appuyer la position qui semble émerger à Bruxelles, c'est-à-dire donner la priorité aux retraits américains et soviétiques en repoussant la réduction des autres contingents à plus tard.

À ce sujet, on précise que le Canada pourrait exiger d'être inclus, avec les États-Unis, dans les premières réductions, mais on émet toutefois des réserves:

> Une telle démarche — alors que nous venons à peine de réduire nos forces de moitié en Europe — ne manquerait pas de remettre en question le sérieux de nos engagements pour la sécurité européenne. Cela pourrait avoir des conséquences très fâcheuses dans nos relations politiques et économiques avec nos alliés européens et particulièrement avec les membres de la CEE[40].

De plus, si des réductions limitées s'appliquaient aux forces canadiennes, celles-ci ne toucheraient que quelques centaines d'hommes et ne représenteraient donc qu'une économie insignifiante. Ainsi, on recommande que le Canada s'abstienne de participer à la première phase des réductions MBFR. En outre, le ministère des Affaires extérieures et celui de la Défense nationale — qui ont mis au point, en commun, la position canadienne — concluent : « Notre recommandation, quant aux MBFR, est de poursuivre — de concert avec nos alliés — une politique positive, mais prudente, visant des objectifs limités et suivant une démarche graduelle[41]. »

En d'autres termes, il semble bien que les choix politiques faits à l'été 1973 clôturent la période d'unilatéralisme et de flottement entamée au printemps 1968. Alors que les négociations de Vienne allaient s'ouvrir quelques mois plus tard, le gouvernement libéral a apparemment réalisé, peut-être confusément encore, qu'il ne pouvait mener une politique de contrôle des armements viable en Europe, tout en négligeant ses responsabilités militaires à l'égard de ses alliés :

> Ainsi, en 1973, le Canada a jugé opportun de revenir à la philosophie pearsonienne de « contrepoids » européen, et cela non seulement dans le cadre de l'Europe au sens large, mais plutôt de l'Europe-OTAN dont l'accès dépendait d'une contribution militaire canadienne substantielle ou au moins visible[42].

La période préparatoire des MBFR nous montre donc que la politique canadienne s'est élaborée non à partir d'un intérêt particulier pour les négociations, mais plutôt comme un sous-produit du débat plus vaste qui a opposé, au cours de cette période, les atlantistes et les unilatéralistes au sein du gouvernement. Dans cette perspective, les MBFR ont sans aucun doute servi de cas d'espèce pour montrer au Cabinet qu'il existait une relation fondamentale entre les questions de sécurité militaire, le désarmement et les relations économiques avec les partenaires européens du Canada, et que le gouvernement était simplement tenu de respecter cette filiation s'il voulait promouvoir sa fameuse « troisième option ». Par ailleurs, l'ironie de la chose est que cet exercice de pédagogie diplomatique a probablement contribué à convaincre le ministère de la Défense nationale que les négociations de Vienne, entre autres, s'avéraient d'un grand intérêt, ne serait-ce que pour modérer l'antipathie que le gouvernement Trudeau avait amplement exprimée à l'égard du fait militaire.

LE MARATHON DE VIENNE : LES PROPOSITIONS MBFR DE 1973 À 1986

Le cadre des négociations

Le 30 octobre 1973, cinq ans après le signal de Reykjavik, les négociations « sur la réduction mutuelle des forces et des armements ainsi que des mesures associées en Europe centrale» débutent à Vienne. Avec un brin d'optimisme, l'ambassadeur des Pays-Bas avait déclaré, quelques mois auparavant :

> Messieurs, je suis content de vous annoncer que nous sommes en avance par comparaison au fameux Congrès de Vienne de 1814. Ce Congrès, que l'on a parfois appelé le «congrès dansant», dut attendre neuf mois avant que se tienne sa première séance plénière. Notre rencontre est réellement une conférence de travail, et nous avons mis seulement trois mois pour en arriver au même point[43].

En fait, si les négociations MBFR avaient pris de l'avance sur l'illustre Congrès, elles la perdront rapidement. Comme chacun le sait, les négociations de Vienne ont perduré jusqu'au 2 février 1989... mais sans valse.

Les participants directs aux négociations sont au nombre de 11 : 7 pays membres de l'Alliance atlantique et 4 du Pacte de Varsovie. Ensemble, ils définissent une zone restreinte de l'Europe centrale dans laquelle s'appliqueraient les réductions. Les participants indirects, quant à eux, constituent un groupe de huit pays (cinq de l'OTAN, trois du Pacte de Varsovie) qui, tout en ayant choisi de ne pas soumettre leur territoire à d'éventuelles réductions, considéraient que leur sécurité était en jeu et qu'ils devaient être des spectateurs actifs aux négociations.

Malgré les 19 États concernés, les MBFR ne constituent pas des négociations multilatérales, mais bien des négociations d'alliance à alliance. Dans cette perspective, les mécanismes de coordination mis en place à Vienne et à Bruxelles se révèlent d'un grand intérêt pour comprendre la dynamique des pourparlers.

Pour l'OTAN, par exemple, le Conseil de l'Atlantique Nord (North Atlantic Council (NAC)), réunissant les ministres des 16 pays membres, est l'organe de décision suprême. Il est assisté par le Comité politique au niveau élevé (SPC) (Senior Political Committee, SPC), composé des représentants permanents (PERMREP) (Permanent Representation, PERMREP) et du Groupe de travail technique MBFR (MBFR WG), lui-même articulé en sous-groupes spécialisés. Le Comité politique au niveau élevé a pour tâche de coordonner la politique de l'Alliance atlantique et de rédiger les directives destinées aux organes de celle-ci, à Vienne. Le Groupe de travail technique MBFR et ses sous-groupes, quant à eux, ont la charge des études militaro-techniques, sous la supervision du Comité militaire de l'OTAN et avec l'appui des ressources du Grand quartier général des puissances alliées en Europe (SHAPE) (Supreme Headquarters Allied Powers in Europe, SHAPE), du Commandement suprême des forces alliées en Europe (SACEUR) et des pays membres. À Vienne, le Groupe ad hoc (Ad Hoc Group (AHG)), composé des 12 alliés de l'OTAN, décide des tactiques de négociation et des activités quotidiennes d'après les directives du Conseil de l'Atlantique Nord et les instructions reçues des différentes capitales. Il se réunit deux ou trois fois par semaine et est assisté par un groupe de travail dont la tâche principale est de réviser les discours présentés en séance plénière.

Finalement, des rencontres — irrégulières et non officielles — appelées « trilatérales » ont lieu entre les acteurs occidentaux les plus importants, à savoir les États-Unis, la République fédérale d'Allemagne et la Grande-Bretagne.

Le Pacte de Varsovie possède des mécanismes de coordination similaires, bien que l'on n'en connaisse pas les détails. Par exemple, il a son propre Groupe ad hoc et les négociateurs du Pacte de Varsovie se rencontrent régulièrement à Moscou ou lors des réunions du Comité consultatif politique, qui est l'équivalent du Conseil de l'Atlantique Nord.

Pour leur part, les organismes de négociation se divisent en trois éléments ou niveaux. Le premier est constitué par les sessions plénières, soit le forum le plus élevé des pourparlers. Comme le souligne un mémorandum daté de 1978 : « C'est une réunion plutôt formelle et stylisée qui comprend habituellement une déclaration préparée et lue chaque semaine, alternativement par un porte-parole de l'Est et de l'Ouest[44]. »

En fait, les sessions plénières constituent une plate-forme qui formalise les positions des deux alliances, les détaille et les prépare pour « consommation publique » lors des conférences de presse.

En pratique, le véritable travail de négociation a lieu aux deux niveaux suivants : celui des réunions officieuses et des contacts bilatéraux. Chaque semaine, en effet, certains participants directs aux négociations (dont les États-Unis, l'URSS et quatre autres pays choisis) se rencontrent de façon à pouvoir sonder leurs positions mutuelles en dehors du cadre très rigide des sessions plénières. Les contacts bilatéraux entre représentants de l'Est et de l'Ouest ont une fonction similaire, plus discrète, mais non moins importante.

Les MBFR ont donc vu la mise en place d'une structure de négociation complexe qui, du côté de l'OTAN, avait pour objectif premier d'assurer l'unité des politiques de l'Alliance atlantique en matière de contrôle des armements. Cela était essentiel car, comme nous le verrons, les divergences de vue parmi les Occidentaux étaient nombreuses et profondes.

Les positions initiales

Lorsque s'ouvrent les pourparlers de Vienne, l'OTAN vient à peine de s'entendre sur un ensemble de directives communes ; celles-ci sont essentielles dans la mesure où elles guideront les positions occidentales pour les 13 années à venir.

En pratique, on précise que les MBFR ont pour objectif de réduire la confrontation militaire entre l'Est et l'Ouest, *mais non au détriment de la capacité de défense de l'Alliance atlantique.* Les réductions, s'il y a lieu, auraient pour cadre l'Europe du centre, mais certaines mesures susceptibles de mener à la confiance (mesures associées) pourraient s'appliquer à une zone plus large (comprendre la Hongrie). De plus, même si la zone de réductions demeure restreinte, il est essentiel de ne pas créer un régime spécial en Europe du centre (entendre l'Allemagne). Par ailleurs, la sécurité des pays périphériques (l'Italie, la Grèce et la Turquie) devra être prise en considération. Pour leur part, les réductions devraient limiter les asymétries quantitatives qui favorisent le Pacte de Varsovie et réduire le handicap géographique de l'OTAN. Elles devraient se dérouler prudemment en deux phases, à commencer par les États-Unis et l'URSS, et *ne devraient pas dépasser au total 10 pour 100 des forces de l'Alliance atlantique.* Le but précis des réductions serait d'arriver à la parité avec les forces du Pacte de Varsovie, le plafond mutuel souhaité étant de 700 000 hommes (forces terrestres). Les unités concernées seraient rapatriées dans leur pays d'origine, mais, dans le cas des États-Unis, leur matériel lourd pourrait demeurer dans la zone de réductions, compte tenu de la distance qui les sépare de l'Europe. En outre, le plafond numérique de 700 000 hommes serait collectif en vue de permettre aux différents participants de se partager les réductions en toute liberté. Finalement, les mesures de stabilisation associées aux réductions pourraient comprendre :

- des contraintes concernant les mouvements de troupes vers la zone de réductions et à l'intérieur de celle-ci ;
- la notification des manœuvres ou des déplacements de troupes dans la zone ;
- des limites portant sur la taille des manœuvres ;
- l'échange d'observateurs, etc.[45].

En fonction de ces paramètres, trois possibilités avaient été considérées sur la base d'une proposition américaine du 30 avril 1973[46] :

- Option I : une réduction, par étape, de 10 pour 100 des forces de l'OTAN en commençant par les États-Unis (80 000 hommes environ), accompagnant une diminution de 13 pour 100 des forces du Pacte de Varsovie, en commençant par l'URSS (112 000 hommes environ) ;
- Option II : une réduction de 16,6 pour 100 des forces américaines et soviétiques pour atteindre le fameux plafond commun (32 000 pour les États-Unis ; 65 000 pour l'URSS) ;
- Option III : une offre complémentaire (à l'option I ou II) impliquant la réduction mutuelle d'armements que chacune des parties considérait comme menaçants chez son adversaire. Cela comprenait, pour l'OTAN, 1 000 têtes nucléaires, 36 missiles Pershing et 54 F-4 Phantom ; et pour le Pacte de Varsovie, une armée blindée, soit 1 700 chars et 60 000 hommes.

Plusieurs remarques s'imposent d'emblée par rapport à ces propositions et aux directives qui les sous-tendent. Tout d'abord, l'option I était inacceptable dans la mesure où les MBFR avaient pour rôle fondamental de limiter strictement, sinon d'empêcher, les réductions des forces d'Europe occidentale et non de les promouvoir ; or, dans ce cas, c'était bien ce type de réductions qui prenaient la première place (réductions européennes : 60 000 hommes,

États-Unis : 20 000 hommes). Les options II et III constitueront donc logiquement la base de négociation de l'OTAN, et cela pour les quatre années à venir.

Mais, plus fondamentalement, le fait majeur que trahissent ces données est que l'Alliance atlantique ne croyait pas initialement à une limitation importante des forces du Pacte de Varsovie, mais beaucoup plus à un accord rapide et modeste qui aurait eu, avant tout, l'avantage d'être négociable.

C'est dans ce sens qu'il faut interpréter le choix du nombre d'effectifs comme unité de réduction, au lieu des armes et de l'équipement. Sur le plan pratique, si ceux-ci avaient dû être inclus dans la position de l'OTAN, ils auraient en effet soulevé de graves problèmes. Compte tenu des asymétries qualitatives et quantitatives entre les arsenaux des deux alliances, ils auraient rendu les comparaisons extrêmement complexes : peut-on, par exemple, échanger des tanks contre des avions, de l'artillerie contre des hélicoptères, etc. ? Il est donc clair que si l'Alliance atlantique voulait obtenir rapidement un résultat, elle devait présenter une formule à la fois simple et presque symétrique. Or, la comparaison des forces qui avaient servi de base aux propositions précédentes montrait clairement que dans la zone des réductions la supériorité du Pacte de Varsovie était loin d'être manifeste (OTAN : 802 000 hommes, Pacte de Varsovie : 834 000 hommes). Et, comme le confirme un commentaire canadien : « dans la zone où doivent s'effectuer les réductions, l'asymétrie entre l'OTAN et le Pacte de Varsovie, en matière d'effectifs, est négligeable par rapport à celle qui existe en matière de chars, de transport de troupes et d'artillerie[47] ».

Autrement dit, compte tenu des données disponibles à l'été 1973, l'OTAN aurait pu être en mesure de présenter au Pacte de Varsovie une proposition tout à fait négociable qui n'aurait exigé qu'une seule concession de l'URSS : une réduction modeste (65 000 hommes) mais deux fois plus importante que celle des États-Unis (32 000 hommes).

Au lieu de cela, l'Alliance atlantique adopte une position beaucoup plus dure dans sa proposition du 22 novembre. En effet, elle demande au Pacte de Varsovie de retirer une armée blindée, alors que l'OTAN pourrait éviter de réduire ses effectifs par unités. De plus, l'équipement américain resterait stocké sur place alors que celui des Soviétiques devrait quitter la zone. À ce propos, on exige des Soviétiques qu'ils retirent 1 700 tanks, un élément directement repris de l'option III.

Que s'est-il passé ? Peut-on avancer, comme le prétendent certains, que l'Alliance atlantique, simplement prise de court par la proposition soviétique du 8 novembre, a été victime de sa hâte[48] ? Ou doit-on supposer que l'objectif de l'OTAN n'était plus le même ? À l'appui de cette dernière hypothèse, on peut souligner qu'en fait quelque chose avait changé sur le plan de la politique interne américaine : le 26 septembre 1973 le sénateur Mansfield réussit en effet à faire voter par le Sénat un amendement qui exigeait de réduire de moitié les troupes américaines déployées à l'extérieur des États-Unis. Ce vote sera rapidement renversé, mais il était évident que l'attitude du Congrès américain à l'égard des coupures unilatérales n'avait pas été fondamentalement touchée par la perspective d'un accord MBFR. Comme l'a noté Keliher: « Les événements de l'été et de l'automne 1973 ont clairement montré aux alliés et à l'Est plus particulièrement que le gouvernement américain entamerait les négociations MBFR sous la menace des législateurs du Congrès[49]. »

En d'autres termes, si les offensives du sénateur Mansfield ne pouvaient être tempérées par un accord rapide et modeste et si, par ailleurs, les Soviétiques, compte tenu de la précarité de la situation américaine, étaient en mesure d'attendre d'autres concessions de la part des Occidentaux, il devenait impératif de bloquer les négociations dès le départ, en attendant que la situation politique devienne plus favorable.

L'instrument utilisé à cette fin fut une révision des données concernant le rapport des forces dans la zone de réductions. En effet, jusqu'à l'été 1973, ces données montraient qu'il existait un équilibre presque parfait sur le plan des effectifs, du moins si l'on se fie au tableau 13 A. Or, soudainement, l'OTAN modifie son évaluation, le 30 octobre et le 16 novembre 1973. Le tableau 13 B illustre cette modification.

Tableau 13 A

Équilibre des forces dans la zone de réductions, en date du 30 avril 1973

(effectifs des forces terrestres)

	OTAN	PACTE DE VARSOVIE
Forces stationnées	341 000 hommes (États-Unis: 191 000)	390 000 hommes (Soviétiques)
Forces nationales	461 450 hommes	444 000 hommes
TOTAL	802 450 hommes	834 000 hommes

* Source: Document du ministère des Affaires extérieures, Dossier 27-4-NATO-l-MBFR,1973.

Tableau 13 B

Équilibre des forces dans la zone de réductions, en date du 16 novembre 1973

(effectifs des forces terrestres)

	OTAN	PACTE DE VARSOVIE
TOTAL	777 000 hommes (dont 193 000 Américains)	925 000 hommes (dont 460 000 Soviétiques)

* Source: Document du ministère des Affaires extérieures, Dossier 27-4-NATO-l-MBFR, 1973.

De façon précise, le Pacte de Varsovie se voyait attribuer environ 90 000 soldats supplémentaires dont 70 000 Soviétiques[50]. D'emblée, les négociations devenaient donc « beaucoup plus difficiles » et exigeaient, en particulier, des concessions supplémentaires de la part de l'Est, ce qui explique la radicalisation de la proposition initiale des Occidentaux. En fait, un faux départ satisfaisait particulièrement l'OTAN, et l'on peut même se demander si les Soviétiques n'avaient pas eux-mêmes intérêt à collaborer à cette entreprise, ne serait-ce que pour éviter des retraits américains unilatéraux et massifs qui auraient pu influer dangereusement sur les perceptions européennes de la stabilité militaire sur le continent[51].

La proposition initiale du Pacte de Varsovie, déposée le 8 novembre 1973, ne contenait en fait aucun élément attrayant pour l'OTAN, mais reflétait par contre la vision soviétique de la situation en Europe centrale. En substance, on proposait de réduire globalement les forces des deux alliances de 17 pour 100, en trois étapes, *mais sur la base d'un accord unique.* Comme, selon les Soviétiques, une situation de parité existait dans la zone, les réductions auraient été à peu près équivalentes de part et d'autre. Par ailleurs, elles auraient été proportionnelles à la part des forces nationales stationnées dans chacune des alliances. Autrement dit, si la RFA et l'URSS déployaient respectivement 50 pour 100 des forces de l'OTAN et du Pacte de Varsovie, elles effectueraient la moitié des coupures envisagées. De plus, les effectifs réduits auraient été démobilisés et leur équipement stocké ou détruit. Les forces stationnées auraient été ramenées dans leur pays avec leur équipement, et les réductions se seraient faites en général par unités et non par une diminution des niveaux d'effectifs. La proposition du Pacte de Varsovie différait donc de celle de l'OTAN sous quatre aspects principaux :

1. les réductions devaient être effectuées proportionnellement comme si un équilibre des forces existait d'ores et déjà ;
2. les réductions devaient s'appliquer individuellement à chaque pays, créant *de facto* des plafonds nationaux ;
3. il y aurait un seul accord pour l'ensemble des réductions, et non deux accords, le premier servant de test pour le second ;
4. finalement, les armements devraient être réduits parallèlement aux effectifs[52].

Cela démontre clairement que les objectifs du Pacte de Varsovie (ou ceux de l'URSS) étaient avant tout politiques, comme ceux de l'OTAN d'ailleurs. Il n'était pas question dans ce sens, et par principe, de reconnaître à l'OTAN « un droit à l'asymétrie » fondé sur les conditions géographiques de la sécurité occidentale.

Par ailleurs, si les Soviétiques voulaient limiter la présence américaine en Europe, leur but premier était de contraindre la *Bundeswehr,* et il est pertinent de constater que, dans le cadre de la proposition du 8 novembre, la RFA aurait dû réduire ses forces de 74 000 hommes, soit 17 pour 100[53].

En outre, le caractère de « relations publiques » de toute l'opération est mis en évidence par le fait que la proposition soviétique a été transmise à la presse occidentale dès la mi-novembre alors que les deux parties s'étaient entendues à Vienne pour garder confidentiels les propositions et l'ensemble des négociations. À partir du début de décembre 1973, la presse de l'Est présente de longues analyses de l'offre du Pacte de Varsovie et du caractère inacceptable de la proposition occidentale. En ce qui concerne la proposition même, les Soviétiques reconnaissent d'ailleurs que la première phase des réductions (20 000 hommes) a une valeur avant tout symbolique[54] ; on peut également dire la même chose des mesures de vérification qu'ils envisageaient. En effet, ces mesures s'avèrent avant tout discrétionnaires, politiques et fondées sur la bonne foi des parties. Les mesures d'information et de consultation incluses dans la proposition offrent de plus la possibilité de soulever des controverses publiques propices à une « offensive de paix ». On peut ainsi facilement imaginer qu'une mesure semblable aurait donné au Pacte de Varsovie l'occasion d'interpeller l'OTAN chaque fois qu'une réorganisation de la défense occidentale aurait été projetée.

De façon évidente, l'Est et l'Ouest ont donc rendu leur position de départ réciproquement inacceptables, et leur attitude n'évoluera que très progressivement durant les sept années suivantes.

La longue marche (1974-1979)

En fait, de 1974 à 1979, si l'on ne tient pas compte des modifications mineures, l'OTAN présentera une seule proposition nouvelle, le Pacte de Varsovie, deux. D'ailleurs, celle de l'Alliance atlantique correspond à l'option III déjà envisagée au printemps 1973 ; elle sera déposée le 16 décembre 1975 et annulée en décembre 1979 lorsque l'Alliance atlantique décidera de retirer unilatéralement 1 000 têtes nucléaires d'Europe, dans le cadre de la modernisation des forces de dissuasion de l'OTAN. Sur le plan militaire, les Occidentaux continuent donc de caresser l'idée du retrait d'une armée blindée soviétique ou, à la limite, de cinq divisions blindées (proposition occidentale du 19 avril 1978 modifiée).

Du côté soviétique, on répond à l'option III, le 19 février 1976, en proposant un accord cadre exécutoire en deux phases. La première impliquerait une réduction de 30 000 hommes pour les États-Unis et pour l'URSS et s'accompagnerait, de part et d'autre, du retrait :

- de 300 chars ;
- de 54 avions porteurs d'armes nucléaires (F-4 et Fitter) ;
- de 36 missiles sol-air (Nike-Hercules et SAM 2) ;
- d'un nombre non précisé de têtes nucléaires.

Les réductions de la phase 1 se feraient par unités complètes et les unités rapatriées seraient dissoutes (ce qui serait invérifiable du côté soviétique). Un accord sur la première phase aurait impliqué pour tous les autres participants des réductions nationales de 15 pour 100 (hommes et matériel) durant la phase 2, les États-Unis et l'URSS ne subissant, bien sûr, que 13 pour 100 de réductions dans cette phase. Tout comme en 1973, la proposition soviétique est déposée dans un contexte hautement politique, une campagne de presse étant orchestrée à l'Est pour démontrer les concessions que fait le Pacte de Varsovie. Le dépôt de la proposition concorde aussi avec un discours de Brejnev, une semaine plus tard, le 24 février, au 25e Congrès du PCUS. Une fois de plus, la confidentialité des négociations n'est pas respectée. En adoptant lui aussi l'option nucléaire, l'Est démontre qu'il a saisi la formule occidentale pour en faire un levier politique qui lui permettrait d'exiger que les armes nucléaires sous contrôle partiel de la *Bundeswehr* soient incluses dans la deuxième phase de réductions[55]. D'ailleurs, malgré leur équivalence numérique, les divers éléments matériels soumis à la phase 1 constituent un marché de dupes sur le plan technique, qui impose soit de lourdes réductions à l'OTAN, soit un échange pour du matériel soviétique en voie de remplacement. De plus, si les 15 pour 100 de réductions correspondent d'assez près aux réductions que les États-Unis étaient prêts à effectuer, ils représentent toutefois un pourcentage beaucoup plus élevé pour les alliés européens, étant donné que l'OTAN envisageait pour eux une réduction finale de 10 pour 100 tout au plus[56].

Par contre, la seconde proposition du Pacte de Varsovie, déposée le 8 juin 1978, paraît nettement plus sérieuse, probablement en raison du contexte particulier de la période (SENUD I, SALT II et rapprochement germano-soviétique). Ses points principaux se résument de la façon suivante :

- les effectifs globaux des forces terrestres et des forces aériennes des États du Pacte de Varsovie et de l'OTAN seront ramenés à 900 000 hommes ;
- seules les forces terrestres de chaque participant seront réduites (de 11 à 13 pour 100 selon les pays). Dans leur ensemble, les États socialistes réduiraient leurs forces de 105 000 hommes et les participants occidentaux de 91 000 hommes, ce qui ramènerait les effectifs globaux des forces terrestres à 700 000 hommes de part et d'autre ;
- les réductions ne porteront que sur certains types d'armements ; les États-Unis retireront les 1 000 ogives nucléaires et les systèmes d'armes visés dans leur proposition du 16 décembre 1975, et l'Union soviétique s'engage à évacuer de la zone en question 1 000 chars et 250 véhicules de combat de l'infanterie ;
- dans un premier temps, seuls l'URSS et les États-Unis réduiront leurs forces terrestres au prorata de leurs effectifs en Europe, c'est-à-dire dans un rapport de 2 à 1 (30 000 et 14 000 hommes). Pendant la deuxième phase, tous les États participants, dont

  les États ouest-européens qui fournissent les deux tiers des forces armées de l'OTAN stationnées en Europe centrale diminueront leurs forces terrestres au prorata de leurs effectifs de façon à conserver à l'issue des deux étapes l'équilibre approximatif actuel à un niveau plus réduit[57].

Il est donc clair que si l'Est n'accepte toujours pas le principe des asymétries, le concept des plafonds collectifs égaux est admis. En outre, l'URSS accepte, symboliquement au moins, des réductions qui équivalent au double de celles des États-Unis, et les 1 000 blindés constituent certainement un beau geste, même si le Pacte de Varsovie n'a pas précisé le type de tanks qu'il était prêt à sacrifier. Mais la concession la plus importante s'avère probablement l'acceptation du principe selon lequel « les partenaires de chacun des deux groupements militaires seront libres d'équilibrer les réductions unilatérales supplémentaires de leurs alliés à condition qu'aucun État ne puisse atteindre ni dépasser le niveau qu'il avait avant[58] ».

En somme, les Soviétiques se montrent prêts à accorder une certaine souplesse à l'Alliance atlantique en ce qui a trait aux ajustements qu'elle serait amenée à faire dans les différents contingents nationaux. Mais il n'en demeure pas moins que le Pacte de Varsovie continue à insister sur le fait que :

- les réductions de chaque État doivent être proportionnelles à sa part dans les forces de chaque alliance ;
- chaque État doit annoncer, dès la première phase, l'ampleur de ses réductions.

Comme précédemment, les Soviétiques jouent du mégaphone, et la période 1978-1979 est ponctuée par une série de gestes dont le but est visiblement de porter la question du désarmement en Europe sur la place publique. Ainsi, le 23 novembre 1978, le Comité consultatif politique du Pacte de Varsovie se dit en faveur d'une Conférence sur le désarmement en Europe (CDE) ; une semaine plus tard, soit le 30 novembre à Vienne, l'Est tente de bloquer politiquement la planification à long terme de l'OTAN en proposant un gel collectif des niveaux de forces des deux alliances. À nouveau, les 5 et 6 décembre 1979, le Pacte de Varsovie réitère son appel pour la tenue d'une CDE dont la première étape porterait sur les mesures susceptibles de mener à la confiance. Enfin, le 6 décembre 1979, à Berlin, Brejnev annonce une série de mesures unilatérales qui comprennent un retrait soviétique de 20 000 hommes et de 1 000 tanks de la RDA, et une limitation des manœuvres militaires. Ce retrait se déroule comme une opération publicitaire, où des journalistes occidentaux sont invités à observer des retraits partiels.

C'est dans ce contexte que le 17 décembre 1979 l'Alliance atlantique introduit la première modification substantielle de sa position depuis 1973. En effet, après sept ans de négociations difficiles à Bruxelles, les membres de l'OTAN sont arrivés à s'entendre sur une liste de mesures associées précises qu'ils sont prêts à proposer au Pacte de Varsovie. Celles-ci comprennent, entre autres choses :

1. La notification préalable des exercices effectués hors garnison par des unités d'une dimension égale ou supérieure à la division (10 000 hommes).
2. Un échange obligatoire d'observateurs pour surveiller les exercices ayant fait l'objet d'une notification[59].
3. La notification, avec préavis de un mois, des mouvements de troupes à l'extérieur vers la zone de référence, si les effectifs sont égaux ou supérieurs à ceux d'une division.
4. L'installation d'observateurs permanents à des points fixes (ports, aéroports et nœuds de communication routiers et ferroviaires) pour surveiller le mouvement des troupes qui entrent dans la zone et la quittent, ces mouvements s'effectuant par des points d'entrée et de sortie déterminés au préalable.
5. Le droit d'effectuer des inspections par des groupes terrestres mobiles ou des vols d'observation à basse altitude dès lors qu'une activité suspecte est observée dans la zone. On fixerait un quota d'inspections annuelles (18), mais celles-ci devraient pouvoir être déclenchées dans les heures qui suivent la demande d'autorisation[60].

De plus,

6. les deux alliances échangeraient annuellement des données détaillées concernant la structure et les effectifs de leurs unités jusqu'au niveau du bataillon ;
7. le brouillage des moyens techniques nationaux (NTM) (c'est-à-dire les satellites d'écoute et d'observation, la reconnaissance électronique, etc.) serait interdit ;
8. un Comité consultatif serait créé pour débattre des questions d'observation du Traité.

Par contre, sur le plan des réductions, la proposition de décembre 1979 s'avère nettement plus modeste que les offres occidentales précédentes. La première phase des réductions aurait touché 13 000 soldats américains et 30 000 soldats soviétiques. Ces réductions seraient faites entièrement par unités du côté soviétique (trois divisions). Les États-Unis, quant à eux, auraient effectué les deux tiers de leurs coupures par unités et un tiers par réductions individuelles. L'exécution de la phase 1 aurait aussi compris l'établissement de plafonds résiduels pour les troupes soviétiques et américaines dans la zone MBFR. Dans la phase 2, qui aurait comme précédemment fait l'objet d'un deuxième accord, l'OTAN et le Pacte de Varsovie auraient réduit leurs forces aux plafonds communs de 700 000 hommes (forces terrestres) et de 900 000 hommes (forces terrestres et aériennes combinées). Le lien entre la phase 1 et 2 aurait reposé, comme auparavant, sur la simple promesse des deux alliances de poursuivre les négociations.

Dans l'ensemble, on revient donc au principe d'origine d'une réduction symbolique limitée aux États-Unis et à l'URSS, et la nouveauté réside essentiellement dans la mise en vedette des mesures associées dont l'adoption par l'OTAN reflète sans aucun doute le scepticisme croissant des Occidentaux à l'égard de la formule des réductions d'effectifs.

Cette nouvelle approche avait-elle des chances d'agréer au Pacte de Varsovie ? On peut en douter. En effet,

> l'URSS s'est toujours opposée au contrôle sans désarmement où elle voit un subterfuge inventé par les Occidentaux pour se procurer à bon compte des informations sur la capacité militaire du camp socialiste et une légalisation de l'espionnage. Il était donc inévitable que la proposition occidentale suscite des réactions négatives[61].

Des négociations moribondes

À partir de 1980, et jusqu'à la Déclaration de Budapest qui symbolise, en 1986, un changement fondamental de la situation, neuf « nouvelles » propositions ou modifications (six du Pacte de Varsovie, trois de l'OTAN) seront présentées à Vienne. Par exemple, le 10 juillet 1980 (voir le tableau 14), le Pacte de Varsovie modifie son offre de réductions déposée en 1978. Si l'on tient compte des retraits unilatéraux soviétiques de l'année précédente, la phase 1 comprendrait des coupures de 13 000 hommes pour les États-Unis et de seulement 20 000 hommes pour l'URSS. Par ailleurs, en se fondant sur un concept ouest-allemand, on suggère qu'après la phase 2 aucune force nationale ni stationnée n'aurait le droit de représenter plus de 50 pour 100 des forces totales de l'alliance à laquelle elle appartient. Cependant, cet assouplissement de l'approche soviétique vise très probablement à exploiter une divergence au sein du gouvernement de Bonn. En effet, le chancelier H. Schmidt avait lancé cette idée lors d'un débat au *Bundestag,* le 9 mars 1979, pour, malheureusement, se faire désavouer immédiatement après par son ministre des Affaires extérieures, H.D. Genscher. Ce dernier avait refusé d'adopter le concept proposé par Schmidt ou même de le transmettre à l'OTAN[62].

En prolongement de ce geste, le Pacte de Varsovie propose, en novembre 1980, d'étaler les réductions de la phase 1 sur trois ans et de geler collectivement les forces des deux alliances durant cette période. Mais il est clair que le but de cette offre consiste à freiner toute expansion quantitative ou qualitative des forces de l'OTAN durant ces trois années, en échange de réductions symboliques. Bref, il s'agit encore une fois d'un marché de dupes.

Le 19 décembre 1980, le Pacte de Varsovie répond finalement aux mesures associées de l'OTAN par sa propre formule. Celle-ci comprend précisément :

- la notification mutuelle du début et de la fin des réductions ;
- l'échange de listes décrivant les unités réduites ainsi que les forces résiduelles des deux alliances ;
- la création de postes de contrôle temporaires destinés à observer les réductions ;

- un échange d'information destiné à vérifier et à assurer la bonne exécution du Traité ;
- un échange de données concernant les forces américaines et soviétiques qui seraient réduites dans la phase 1 ;
- la mise à jour régulière des données précédentes ;
- la notification des manœuvres dont les effectifs seraient égaux ou supérieurs à 20 000 hommes (30 jours de préavis) ;
- la notification des mouvements de troupes supérieurs à 20 000 hommes ;
- la notification des entrées et sorties de la zone de réductions ;
- une limitation des grandes manœuvres à 40 000 ou 50 000 hommes ;
- une clause de vérification autorisant l'usage des moyens techniques nationaux (NTM) et interdisant leur brouillage ;
- un mécanisme de consultation en cas de différend à propos de l'observation du Traité ;
- la création d'une Commission consultative à cet effet[63].

On voit donc, de nouveau, que si le Pacte de Varsovie a formellement rapproché sa position de celle de l'Alliance atlantique en acceptant le principe des mesures associées, il n'a pas bougé sur le fond, c'est-à-dire sur son refus d'admettre les inspections sur le terrain ainsi que les postes d'observation permanents. Par ailleurs, ces diverses modifications seront intégrées dans le projet de traité que le Pacte de Varsovie dépose en février 1982. Ce dernier n'offre donc rien de neuf par rapport à la proposition de 1978, à l'exception d'une garantie prévoyant que les troupes touchées par les réductions ne seront pas redéployées dans le voisinage des États périphériques.

Le 12 juillet 1982, l'OTAN répond aux initiatives précédentes du Pacte de Varsovie en déposant, pour la première fois depuis 1973, un projet de traité. Cependant, il ne se démarque que très peu en substance de la proposition de 1979. En effet, on retrouve l'objectif maintenant familier des plafonds de 700 000 et de 900 000 hommes, même si, cette fois-ci, les réductions doivent s'effectuer en quatre phases réparties sur sept ans. On retrouve aussi la phase 1 qui doit comprendre des réductions soviétiques et américaines de 30 000 et de 13 000 hommes respectivement. Donc, aucune nouveauté dans ce projet de traité qui constitue simplement un avatar de la stratégie adoptée en 1979 et poursuivie jusqu'en 1985. En fait, il s'agit seulement de faire accepter aux Soviétiques un ensemble de mesures associées qui permettraient à l'OTAN d'avoir une connaissance approfondie des forces du Pacte de Varsovie dans la région de l'Europe centrale et même dans la partie européenne de l'URSS. L'absence d'innovations est d'ailleurs compréhensible si le dépôt du projet de traité est conçu avant tout comme un geste politique à court terme visant à annuler les initiatives qu'a prises le Pacte de Varsovie au cours des deux années précédentes.

Tableau 14

Les négociations de Vienne : la négociation sur la réduction mutuelle des forces et des armements ainsi que les mesures associées

Création :

Après des consultations préliminaires de janvier à juin 1973, les négociations ont commencé le 30 octobre 1973 ; elles se sont achevées le 2 février 1989.

Mandat :

Négocier la réduction des forces armées ainsi que certaines mesures, dites associées, dans la zone de l'Europe centrale comprenant la Belgique, le Luxembourg, les Pays-Bas, la Pologne, la RDA, la RFA et la Tchécoslovaquie.

Composition :

- Participants directs : Belgique, Canada, États-Unis, Grande-Bretagne, Luxembourg, Pays-Bas, Pologne, RDA, RFA, Tchécoslovaquie et URSS.
- Participants indirects : Bulgarie, Danemark, Grèce, Hongrie, Italie, Norvège, Roumanie et Turquie.

Déroulement :

Trois sessions par année, d'une durée approximative de deux mois chacune.

Siège de la négociation :

Palais de la Hofburg, à Vienne.

Principales propositions échangées à Vienne (1973-1986)

OTAN	Pacte de Varsovie
Proposition du 22 novembre 1973	Projet de traité du 8 décembre 1973
Proposition du 16 décembre 1975 (option III)	Proposition du 19 février 1976
Proposition du 19 avril 1978	Proposition du 8 juin 1978
Proposition du 20 décembre 1979	Proposition du 10 juillet 1980
Proposition du 21 juillet 1981	Proposition du 18 février 1982
Projet de traité du 12 juillet 1982	Proposition du 17 février 1983
Proposition du 19 avril 1984	Projet de traité du 23 juin 1983
Proposition du 5 décembre 1985	Proposition du 14 février 1985
	Proposition du 20 février 1986

17 février 1987 : Début des pourparlers du Groupe des vingt-trois pour trouver une formule de remplacement aux négociations de Vienne. On parlait alors de négociations sur la stabilité classique (Conventional Stability Talks (CST)) prévues pour le printemps 1989. Le sigle CST a été de courte durée, tout comme son successeur CAFE portant sur la réduction des forces armées classiques en Europe (Conventional Armed Forces in Europe (CAFE)) désormais remplacé par le sigle CFE dont la dénomination reste la même. On a en effet jugé dans certains milieux que les CAFE de Vienne ne faisaient pas sérieux.

Visiblement, les négociations de Vienne sont maintenant en période d'essoufflement, et les répliques de l'Est, les 17 février et 23 juin 1983, semblent prouver le désintérêt grandissant de l'URSS pour le forum viennois et la possibilité d'un accord MBFR. En effet, les nouvelles offres du Pacte de Varsovie montrent bien que celui-ci a peu d'espoir d'obtenir des garanties de réductions allemandes importantes, autrement que sous la forme d'une promesse vague de l'OTAN de respecter la « proportionnalité » dans les coupures de chaque État membre. En retour, l'Est cherche lui aussi à échapper aux aspects les plus contraignants d'un accord, notamment en proposant que les réductions de la phase 1 (à propos des États-Unis et de l'URSS) aient lieu « par l'exemple » et non dans le cadre d'un traité. Cela permettrait effectivement de contourner la question d'un accord sur les données des forces de chaque alliance, laissant ainsi en suspens la question de l'équilibre réel des forces en Europe centrale. Au demeurant, les mesures de vérification avancées par le Pacte de Varsovie s'avèrent encore une fois très symboliques. Elles comprennent par exemple l'invitation, *sur une base volontaire,* d'observateurs aux réductions, l'établissement, *après la période de réductions,* de quatre postes de contrôle permanents et la possibilité d'inspections mais *avec droit de refus*.

Par contre, une nuance de souplesse s'inscrit dans l'offre occidentale du 19 avril 1984. Tout en prolongeant la proposition de 1979, elle innove en limitant la nécessité d'un échange de données aux troupes combattantes et aux forces de soutien américaines et soviétiques. De plus, ces données n'auraient pas à être d'une précision absolue, et une marge d'incertitude de 10 à 15 pour 100, à propos des effectifs, semblerait acceptable à l'OTAN. Finalement, l'Ouest accepterait que les réductions, de part et d'autre, aient lieu à 90 pour 100, par unités. Cependant, comme le note Jean Klein, le libéralisme de l'OTAN doit être nuancé par sa fermeté sur le plan des mesures associées qui demeurent le cheval de bataille des Occidentaux[64].

N'oublions pas non plus que cette période s'inscrit dans le cadre d'un refroidissement majeur des rapports Est-Ouest, et que l'arrivée des missiles de croisières sol-sol (Ground Launched Cruise Missile (GLCM)) et des Pershing en Europe, vers la fin de l'année 1983, inflige un camouflet cinglant aux Soviétiques qui, depuis cinq ans, se sont évertués à contrer la modernisation des forces nucléaires de l'Alliance atlantique.

Il n'est donc pas surprenant d'assister à un durcissement supplémentaire de la part du Pacte de Varsovie. Les pays socialistes rejettent ainsi sans nuances la dernière offre occidentale, et leur proposition suivante, le 14 février 1985, constitue, à tous égards, un pas en arrière dans les négociations. Ils reviennent, entre autres choses, à l'idée d'une phase 1 sans accord sur les chiffres, réalisée dans le cadre d'un traité et non plus « par l'exemple ». En outre, le gel des forces armées qui devrait précéder la phase 2 serait accompagné d'un engagement d'arrêter le déploiement des missiles nucléaires à portée intermédiaire. Cela est évidemment tout à fait irrégulier dans la mesure où ces armes ne font pas partie des sujets discutés à Vienne.

À la suite de l'arrivée au pouvoir de Michael Gorbatchev et dans le cadre du premier sommet soviéto-américain de novembre 1985, un modeste effort de rapprochement sera cependant effectué. Le 5 décembre 1985, l'OTAN dépose sa dernière proposition MBFR. Elle contient, entre autres, l'offre d'une réduction symbolique des forces américaines et soviétiques (respectivement 5 000 et 11 500 hommes) pour la phase 1, sans accord sur les données. Cette réduction serait accompagnée d'un gel du reste des effectifs pour une période de deux ans. Toutefois, en vue de compenser l'absence d'accord sur l'estimation des forces résiduelles, l'OTAN exige à présent le droit à 30 inspections sur le terrain durant la période de réductions.

Le 20 février 1986, le Pacte de Varsovie répondra à cette initiative en acceptant les paramètres généraux de la phase 1 (taille des réductions, durée de la période intérimaire et gel des effectifs). Cependant, il continue d'exiger le retrait de l'équipement lourd des unités réduites et persiste à refuser le principe des inspections par mise en demeure ainsi que l'échange des données détaillées qui serait conditionnel à la phase 2. L'Est motive son refus en disant que les mesures de vérification doivent être proportionnelles à la taille des réductions. Or, comme ces dernières seraient symboliques dans la phase 1, les mesures de vérification qui y seraient associées devraient avoir le même caractère. Cette proposition, tout comme celles qui ont été avancées depuis 1983, exprime le pessimisme des Soviétiques quant à la possibilité d'aboutir à un accord.

Au début de 1986, les négociations MBFR sont donc pratiquement à l'agonie. Et, de fait, c'est en dehors de leur cadre que le contrôle des armements classiques en Europe sera relancé au printemps 1989. Le dossier de la stabilité militaire sur le continent va en effet entrer dans une nouvelle phase qui porte l'empreinte du nouveau leadership soviétique. Cette étape dont la substance n'est encore qu'en gestation déborde cependant le propos du présent chapitre, et nous nous limiterons ici à faire l'autopsie des pourparlers de Vienne tels qu'ils se sont déroulés de 1973 à 1986.

L'AUTOPSIE D'UNE NÉGOCIATION : LES MBFR ET LE RÔLE DU CANADA

« Pourquoi le contrôle des armements est-il un sujet si ennuyeux ? » Cette exclamation ironique de L. Freedman pourrait bien servir d'épitaphe aux MBFR. En effet, les négociations, qui tardent encore à expirer, ont offert pendant quinze ans l'image d'un duel diplomatique « au ralenti » qui n'a produit qu'une longue série de propositions ambiguës et sans grande envergure. Dans cette perspective, la lecture des archives officielles canadiennes montre clairement que l'Est et l'Ouest portent de façon égale la responsabilité de ces résultats décevants.

Les archives révèlent aussi qu'à quelques rares exceptions près, personne, ni à l'Est ni à l'Ouest, n'a cru à un accord même sous la forme très modeste d'un SALT traditionnel. Par conséquent, les MBFR ont rapidement pris la forme d'un lent rituel dont le seul objet était de donner l'illusion du mouvement.

En fait, conserver l'initiative tactique est devenu le leitmotiv des deux parties, et cela a constitué un problème particulier pour l'OTAN, compte tenu de la lenteur des mécanismes de consultation de l'Alliance atlantique et des divergences politiques en Europe de l'Ouest.

Le risque qu'impliquait une telle politique résidait cependant dans l'usure progressive des arguments, répétés année après année, sapant ainsi la crédibilité publique des négociations. Le véritable danger était évidemment que les MBFR débouchent ainsi sur une impasse, non à cause d'une détérioration des rapports Est-Ouest, mais simplement faute d'arguments ou de nouvelles idées.

Le développement des pourparlers de Vienne et leur dérive apparente appellent cependant une explication de fond. Pourquoi les négociations MBFR sont-elles devenues ce rituel interminable ? Et pourquoi les positions initiales des deux parties ont-elles été maintenues avec autant de rigidité ?

Les motifs des Soviétiques sont assez clairs. Selon un délégué canadien :

> Je persiste à croire que [1.] les pourparlers MBFR n'ont jamais permis d'espérer plus que ce que les Russes nous offrent depuis longtemps, c'est-à-dire une petite réduction asymétrique, politiquement symbolique, mais insignifiante sur le plan militaire ; [2.] les MBFR ne ressemblent pas aux SALT, c'est-à-dire qu'ils ne constituent pas un processus, parce que les Russes sont forcés — en accord avec ce qu'ils considèrent être un impératif de leur politique de sécurité — de maintenir en Europe centrale une force militaire suffisamment importante afin d'assurer que l'Allemagne demeure divisée à jamais et que les points clés situés sur les voies historiques des invasions en Europe orientale et centrale restent à jamais sous contrôle soviétique. Toute réduction importante des forces soviétiques en Europe orientale et centrale menacerait des avantages que les Soviétiques ont gagnés au prix de leur sang durant le second conflit mondial, et l'URSS ne prendra pas un tel risque dans un avenir prévisible. D'après cette analyse, les MBFR ont été mal conçus depuis l'origine, et je ne souhaite pas avoir à justifier ces pourparlers auprès de l'instance ministérielle pour la bonne raison qu'ils ne mèneront jamais à des réductions mutuelles des forces militaires en Europe centrale[65].

Dans cette perspective, si nous considérons les chiffres, les données occidentales montraient, en 1981, que le Pacte de Varsovie aurait dû réduire ses forces de 280 000 hommes pour atteindre les plafonds collectifs de 700 000 hommes (troupes terrestres) et de 900 000 hommes (forces aériennes et terrestres combinées). Pour sa part, l'Ouest n'aurait effectué que le tiers des réductions exigées par le Pacte de Varsovie. Par conséquent, l'asymétrie et l'ampleur des coupures demandées aux pays socialistes auraient soulevé de graves problèmes. De façon plus précise, disons que la part que les Soviétiques auraient assumée dans ces réductions se serait élevée à 130 000 hommes en forces terrestres seulement. Et si ces réductions avaient été effectuées par unités — comme le demandait l'OTAN —, cela aurait entraîné le retrait de 13 divisions soviétiques sur 26 dans la zone de réductions. Un tel geste aurait signifié une diminution radicale de la puissance militaire et politique de l'URSS en Europe centrale, tout en comportant des risques à long terme. De toute évidence, une telle demande n'était donc pas négociable dans la période englobée par les MBFR.

On peut d'ailleurs ajouter que, même si les évaluations des services de renseignements occidentaux avaient comporté une marge d'erreur de 30 pour 100, le Pacte de Varsovie aurait tout de même dû retirer 200 000 hommes et l'URSS, 100 000 hommes, soit 10 divisions. En d'autres termes, pour des raisons militaires et politiques évidentes, l'URSS et, par extension, les pays de l'Est ne pouvaient pas accéder à de telles demandes.

Compte tenu de leur vulnérabilité géopolitique, les pays occidentaux avaient d'aussi bonnes raisons que le Pacte de Varsovie de ne pas abandonner les principes rigides et paradoxaux qu'ils avaient adoptés en 1973. En fait, les autorités militaires de l'OTAN s'étaient montrées très sceptiques dès le départ quant à la viabilité des réductions sous quelque forme que ce soit. Comme l'avait exprimé un responsable du Groupe de travail MBFR: « On peut douter qu'un modèle acceptable de MBFR puisse être mis au point dans la mesure où le déséquilibre des forces est trop important[66]. »

Ce à quoi on peut ajouter, sans entrer dans le détail de l'équilibre des forces en Europe, que la perception, par l'OTAN, de ses faiblesses militaires s'est sérieusement aggravée durant les années soixante-dix.

Il était donc d'une importance fondamentale pour les Occidentaux de ne pas céder à la tentation de réductions faciles. On peut d'ailleurs se demander pourquoi l'OTAN a offert d'entamer des négociations en position de faiblesse alors que sa situation exigeait sans doute plus de défense que de contrôle des armements.

Les raisons qui ont motivé un tel choix sont clairement mises en évidence dans les archives canadiennes, et elles correspondent étroitement à ce que l'on sait déjà dans les milieux bien informés:

- Les pourparlers MBFR, lancés à la suite du rapport Harmel, ont été conçus comme la réplique occidentale au projet de Conférence sur la sécurité européenne qui n'avait pas de contenu militaire. En tant que tel, leur but était de désigner les véritables causes de l'insécurité en Europe, dans une perspective occidentale.
- De façon plus importante encore, les initiatives de l'OTAN durant cette période ont été motivées par les fortes pressions politiques en faveur de la détente et du rapprochement Est-Ouest.

- Finalement, les offensives de Mansfield au Sénat avaient poussé le président américain à adopter les MBFR pour éviter les réductions unilatérales que le Congrès semblait vouloir lui imposer. Bien sûr, il faut ajouter à cela que les troupes américaines en Europe avaient déjà été réduites de 416 000 hommes, en 1962, à 296 000 hommes, en 1970, et que l'Angleterre, la Belgique, les Pays-Bas et le Canada avaient suivi cet exemple. La menace d'autres retraits constituait donc une perspective inquiétante, et les MBFR offraient paradoxalement un moyen pratique de « soigner la gangrène de l'Alliance atlantique ».

Ainsi, par opposition au Pacte de Varsovie dont les politiques et les stratégies à l'égard des MBFR sont demeurées relativement stables, les facteurs militaires, économiques et politiques qui ont déterminé les politiques de l'Alliance atlantique au sujet des négociations de Vienne ont été à la fois plus complexes et plus contradictoires. En fait :

> Depuis le début des négociations, on a réalisé qu'il était extrêmement difficile d'atteindre *tous* les objectifs des MBFR contenus dans les « critères de Rome ». L'Alliance atlantique n'a pas réussi à s'entendre sur la façon de rendre les réductions « substantielles et importantes » tout en ne réduisant pas la sécurité de l'OTAN ; et cette position devenait intenable lorsqu'on comprenait que la sécurité *militaire* de l'OTAN ne devait pas être touchée par les réductions. Les études faites à Bruxelles, à l'époque, ont montré que toute réduction alliée se ferait au détriment de l'Ouest si elle n'était pas accompagnée de réductions beaucoup plus importantes de la part du Pacte de Varsovie. Si ces analyses étaient correctes — ce qui est le cas — les décideurs auraient dû réaliser qu'il était impossible d'arriver à des réductions substantielles et importantes tout en conservant une sécurité équivalente[67].

D'ailleurs, la lecture des directives initiales (document 83 du Comité militaire de l'OTAN, 1973) de l'Alliance atlantique au sujet des MBFR reflète clairement les contradictions et les ambiguïtés qui ont influé, dès le départ, sur les stratégies de négociation de l'OTAN. Par exemple, on peut douter d'une politique de contrôle des armements qui précise d'emblée que l'amélioration des capacités de défense de l'Alliance atlantique constitue un de ses principaux objectifs. On peut aussi se demander comment il est possible de restreindre la zone de réductions tout en prenant en considération la sécurité des États périphériques. De plus, il faut aussi se rappeler que les mesures associées, qui deviendront centrales pour l'OTAN dans les années quatre-vingt, seront laissées dans le vague pendant six ans, du fait des réticences de certains pays alliés à leur égard.

On peut donc vraisemblablement avancer que l'OTAN a entrepris les négociations de Vienne du mauvais pied. En effet, elle était à la fois mal préparée et même divisée : certains pays, tels les États-Unis, étaient prêts à arrondir les angles pour que les négociations aillent bon train ; d'autres, tels la Grande-Bretagne, l'Italie et la Turquie, étaient pour le moins réticents ; et d'autres, enfin, tels le Canada et la RFA, se situaient entre les deux extrêmes. Bien sûr, ces positions nationales ont évolué depuis cette époque, mais les discussions de forme ou de fond se sont prolongées jusqu'aux années quatre-vingt. Voilà pourquoi les alliés ont eu de plus en plus de mal à définir précisément leur position quant aux paramètres de la négociation, à se départir des directives de 1973 bien qu'elles fussent bancales et à procéder à une révision détaillée de leur politique.

Par conséquent, les négociateurs canadiens à Vienne, souvent laissés dans le vide du fait des désaccords à Bruxelles, ont perdu le contrôle tactique des pourparlers au profit du Pacte de Varsovie qui, même sans ébrécher les positions occidentales, a marqué plus d'un point en matière de « diplomatie publique ». Ainsi, selon un diplomate canadien à l'âme poétique :

> The Ad Hoc Group turned their eyes to Brussels,
> Although it is not known for speedy hustles,
> Spare us, we cried this Brussels bickering
> Western hopes are faintly flickering
> Send us guidance — we'll always deliver
> But give us a tank and not a flivver.
>
> Le Groupe ad hoc MBFR s'est tourné vers Bruxelles,
> Qui pourtant n'est pas réputé pour son esprit de décision
> Épargnez-nous, avons-nous imploré, vos discussions tâtillonnes,
> Des espoirs occidentaux viennent d'être faiblement ranimés
> Envoyez-nous vos directives — nous ne vous décevrons pas,
> Mais donnez-nous de l'artillerie et non un lance-pierres[68].

Hélas, la plupart du temps, les directives de Bruxelles n'arrivaient pas et si, par exception, le Conseil de l'Atlantique Nord obtenait un consensus, il n'aidait guère les négociateurs occidentaux. En fait, l'impression qui se dégage du flot ininterrompu de mémorandums et de télégrammes officiels est celle d'une répétition fastidieuse de faits et d'arguments usés. Et cela reflète dans un sens l'absence de leadership sinon la paralysie des politiques de l'Alliance atlantique relativement aux MBFR, jusqu'au début des années quatre-vingt. Comme l'a résumé notre diplomate poète, à la fin de la 25e session des négociations, en décembre 1981 :

> A weary round flat and zero
> Without a cause or a hero...
> Face facts, council, and not theory
> The ammo's gone, troops are weary
> We've said it all, ambitions gone
> It's two years since the sun last shone.
>
> Une session déprimante, sans intérêt et non productive
> Vois les choses en face, Conseil, et oublie la théorie
> Il n'y a plus de munitions et les troupes sont lasses,
> Tout a été dit, il n'y a plus d'espoir,
> Et le soleil n'a plus brillé depuis deux ans[69].

Ainsi, durant la période examinée ici, les divergences entre alliés se sont accentuées, car plusieurs d'entre eux avaient le sentiment d'être dans un cul-de-sac. Certains pays, par exemple la RFA, qui voulaient à tout prix protéger ce qu'ils considéraient comme des intérêts vitaux, ont raidi leur position alors que d'autres, tels les Pays-Bas, favorisaient un rapprochement avec les pays de l'Est et étaient prêts, dans ce but, à faire des concessions que d'autres auraient jugées inacceptables. Comme le note le rapport de la 26e session produit immédiatement après le dépôt de la proposition de février 1982 du Pacte de Varsovie :

> Si le but de l'Est était d'utiliser la proposition du 18 février pour semer la zizanie, il y est parvenu. Une énergie considérable a été dépensée et d'âpres discussions ont ponctué l'analyse des propositions de l'Est. Les deux rapports ont partagé le Groupe ad hoc d'après ses divisions traditionnelles. Les conservateurs étaient menés par la Grande-Bretagne et l'Italie. Les Pays-Bas avaient nettement pris la tête de ceux qui perçoivent certaines qualités dans les propositions de l'Est ; le Canada s'est placé quelque part au milieu par conviction, mais aussi dans l'espoir de jouer un rôle actif de conciliation et d'arbitrage[70].

On peut facilement imaginer les difficultés qu'ont éprouvées les diplomates canadiens pour présenter l'apparence d'un front uni et pour contrer tant bien que mal les tactiques de la partie adverse, surtout dans le cadre du système de consultation complexe de l'Alliance atlantique et du système non moins complexe des négociations elles-mêmes.

En ce qui a trait aux problèmes, on peut souligner aussi que les principaux thèmes, sur lesquels l'OTAN avait fondé sa stratégie pendant 15 ans, se sont avérés moins solides qu'il n'y paraissait. En fait, le caractère graduel des réductions, le principe des plafonds collectifs, la question des données, les mesures associées, la vérification, etc., se sont révélés non pas des forteresses logiques imprenables, mais des glacis vulnérables invitant les offensives diplomatiques du Pacte de Varsovie.

Au sujet de la question des armements, par exemple, pourquoi l'Est devrait-il retirer ses blindés et laisser l'OTAN stocker son équipement dans la zone de réductions ? Pourquoi échanger une armée blindée contre quelques systèmes nucléaires obsolètes ? Pourquoi l'OTAN pourrait-elle simplement réduire ses niveaux d'effectifs tandis que le Pacte de Varsovie était tenu de retirer ses troupes par unités ? Quelle serait la garantie qu'un deuxième accord de réductions suivrait la phase 1 ? Et comment le Pacte de Varsovie aurait-il l'assurance que tous les membres de l'OTAN assumeraient une part équitable des réductions ? Toutes ces faiblesses ont évidemment fourni des munitions aux pays socialistes, et la question des données ne fait certainement pas exception à la règle, et elle mérite, d'ailleurs, qu'on s'y arrête. Bien sûr, les évaluations de l'OTAN concernant le Pacte de Varsovie étaient relativement fiables : il existait vraiment des asymétries en faveur des pays de l'Est, et les estimations des services de renseignements occidentaux ne paraissent pas gonflées artificiellement[71]. L'OTAN semblait donc se baser sur des données très solides pour prétendre amener le Pacte de Varsovie à admettre sa supériorité militaire. Malheureusement pour l'Alliance atlantique, le problème était plus complexe que cela. La question des chiffres était en effet une « boîte » de Pandore qui allait hanter toute la durée des négociations.

En premier lieu, il faut souligner que, malgré l'accord général existant à Bruxelles sur l'évaluation des forces du Pacte de Varsovie, la vérité absolue n'existe pas en matière de renseignements. Selon les propos de J. Dean : « Malgré la compétence professionnelle avec laquelle l'évaluation des forces du Pacte de Varsovie a été effectuée, cette évaluation n'en contient pas moins une marge d'erreur considérable[72]. » Et cette marge d'erreur a été évaluée à 10 pour 100 environ, ce qui signifie que la « supériorité » du Pacte de Varsovie pouvait se situer entre 50 000 et 150 000 hommes. Par conséquent, les pays socialistes n'eurent aucun mal à avancer que les chiffres de l'OTAN étaient erronés, car le niveau des effectifs du Pacte de Varsovie avait été surévalué.

En second lieu, il était difficile pour l'OTAN de préciser où se situaient les erreurs dans les données du Pacte de Varsovie, dans la mesure où l'Alliance atlantique elle-même était réticente à présenter ses propres chiffres. À titre d'illustration, l'OTAN a mis 11 mois avant de suivre l'exemple du Pacte de Varsovie lorsque celui-ci présenta un tableau général de ses effectifs, en février 1976, et elle mit 7 mois pour offrir l'évaluation occidentale des forces de l'Est. En fait, lorsque l'ambassadeur Tarasov proposa à nouveau d'analyser en détail les chiffres de l'OTAN sur le Pacte de Varsovie en mars 1981, l'Ouest offrit seulement de discuter de dix chiffres portant sur les forces soviétiques, et cela un à un.

Les réticences de l'OTAN dans cette affaire trouvaient donc leur source autant dans la crainte de révéler l'origine de ses renseignements que dans les hésitations de certains pays à soumettre leurs données nationales à l'examen du Pacte de Varsovie. Présenter en détail les effectifs allemands, par exemple, était perçu comme une façon d'accorder un droit de regard aux Soviétiques sur les forces de la *Bundeswehr*. L'Alliance atlantique se trouvait donc devant un choix épineux, et le compromis qui en résulta devait malheureusement émousser considérablement l'argument de la supériorité numérique de l'Est.

Dans l'ensemble, même si l'on admet que les principes de base à partir desquels s'est élaborée la politique de l'Alliance atlantique à l'égard des MBFR étaient en quelque sorte imposés par les circonstances, on ne peut prétendre que les tactiques et les stratégies de négociation de l'OTAN aient été des modèles d'efficacité, même si, en fin de compte, les MBFR constituent une sorte de victoire pour l'Alliance atlantique, dans la mesure où l'Ouest a maintenu tant bien que mal son unité pendant 15 ans. Les pourparlers de Vienne n'en sont pas moins un exemple probant de manque de leadership politique. En effet, à l'exception de trop brèves périodes, les MBFR sont demeurées dans les coulisses de la scène politique ; une négociation « oubliée » qui fut laissée aux « techniciens » alors même qu'elle avait besoin de direction politique.

Cela pourrait bien sûr amener un observateur à s'interroger sur l'utilité générale des pourparlers de Vienne. Les négociateurs ont-ils perdu leur temps pendant 15 ans? Nous répondrons par la négative, et ce pour cinq raisons.

Premièrement, d'un point de vue occidental, les alliés ont beaucoup appris des pays socialistes dans un domaine qui leur était virtuellement fermé auparavant, soit celui de la défense classique. Aucun véritable secret n'a été échangé, mais les deux parties ont été amenées à mieux comprendre les perceptions et les préoccupations de l'autre camp. On pourrait même avancer que si les doctrines militaires et les déploiements de chaque alliance sont amenés progressivement à s'adapter les uns aux autres, dans la perspective d'une plus grande stabilité militaire en Europe, cela se fera grâce au dialogue entamé à Vienne, en 1973.

Deuxièmement, même si les MBFR n'ont que très rarement fait la manchette, elles ont été traitées de façon régulière, particulièrement en Europe; c'est ainsi qu'une part croissante du public a été informée des problèmes et des questions militaires qui sous-tendent la doctrine européenne. Les stratégies et les forces des deux alliances sont maintenant connues du public, et les MBFR ont certainement contribué à cette prise de conscience.

Troisièmement, les pourparlers de Vienne ont donné l'occasion d'une consultation approfondie et quelquefois difficile entre alliés, pour ce qui est de leur politique de défense et de leur conception du contrôle des armements. Dans ce contexte, l'Alliance atlantique a dû s'efforcer d'élaborer des positions communes, des stratégies et des tactiques de négociation. Cela a engagé l'ensemble de l'Alliance atlantique — politiciens, militaires et diplomates — dans un effort commun pour déterminer des priorités et choisir des approches. Bref, les MBFR ont été un exercice de coordination politique très utile.

Quatrièmement, les négociations ont aussi stimulé un examen minutieux de l'équilibre militaire en Europe. Alors qu'auparavant les Occidentaux s'étaient contentés des données les plus imprécises, les MBFR les ont forcés à analyser la « menace » de façon détaillée. Cela a donc favorisé une révision des méthodes d'évaluation des renseignements, à Bruxelles, dans la perspective d'une plus grande rigueur; et l'on peut même ajouter qu'aux fins de comparaison avec l'Est, l'OTAN a été amenée à mieux connaître ses propres forces.

Cinquièmement, toujours du point de vue occidental, l'OTAN a certainement beaucoup appris dans l'art de négocier collectivement comme une seule entité. Cela, semble-t-il, a surtout été sensible à Vienne, «sur le terrain»; et, d'après les archives, les membres du Groupe ad hoc MBFR ont été généralement impressionnés par le degré de cohésion qu'arrivait à maintenir l'équipe de l'OTAN.

Finalement, 20 ans après le signal de Reykjavik, les pressions politiques en faveur de réductions unilatérales continuent à s'effectuer aux États-Unis ainsi que dans plusieurs autres pays. Et l'on peut sans doute dire que si ces pressions ont fait long feu, c'est en partie grâce aux négociations de Vienne. En effet, les MBFR ont soulevé publiquement une question encore pertinente aujourd'hui du côté occidental : pourquoi un membre de l'Alliance atlantique plutôt qu'un autre serait-il autorisé à réduire ses forces ? Fort heureusement, les unilatéralistes n'ont pas encore trouvé de réponse satisfaisante à cette question[73].

Le rôle du Canada dans les négociations de Vienne (1973-1985)

Nous avons tenté de montrer dans la première partie du présent chapitre que le Canada, surtout en raison du contexte changeant de sa politique intérieure, n'avait joué qu'un rôle mineur durant la période préliminaire des MBFR, c'est-à-dire du signal de Reykjavik au lever du rideau de Vienne, en octobre 1973. Cette attitude se perpétuera de 1973 à 1985, sans grands changements.

Sur le plan politique, d'abord, les MBFR n'ont jamais occupé les devants de l'actualité politique à Ottawa, sauf dans leur période initiale. En cela, le Canada ne diffère pas de la majorité des pays de l'Alliance atlantique. Dans ce sens, les MBFR n'ont guère attiré l'attention du gouvernement canadien qui, dès le début, s'est cantonné dans une politique d'appui aux négociations, sans grande particularité.

Comme le résume un mémorandum adressé au premier ministre, avant sa tournée européenne en octobre 1974 :

> Le Canada fut l'un des premiers promoteurs des MBFR, et cela pour plusieurs raisons. D'abord, le gouvernement canadien considérait que les négociations devraient favoriser l'instauration d'un dialogue Est-Ouest en matière de sécurité européenne, ce qui en soi devait promouvoir la compréhension politique ; les négociations MBFR constitueraient un élément complémentaire de la détente politique et leur résultat devrait être un banc d'essai de la détente. En second lieu, le Canada jugeait que les MBFR seraient le meilleur moyen d'assurer que le retrait inévitable des troupes américaines soit accompagné par des retraits soviétiques, et que cela se réaliserait dans un forum multilatéral — ce qui rassurerait les alliés européens des États-Unis. Finalement, le Canada considérait que les discussions relatives aux MBFR elles-mêmes permettraient de renforcer ses relations bilatérales avec les pays de l'Europe de l'Ouest[74].

Les MBFR sont donc considérées avant tout comme un complément à la politique européenne du Canada, mais aussi comme un problème qui relève d'abord des Européens eux-mêmes :

> En définissant notre position à l'égard des MBFR, il semblerait souhaitable de garder à l'esprit nos engagements relatifs à la sécurité européenne, notre politique en faveur de la détente Est-Ouest, mais aussi les considérations suivantes :

a) l'administration de Washington subit les pressions du Congrès qui désire un retrait des forces américaines d'Europe ;
b) nos alliés européens, compte tenu de leur situation géographique, seront beaucoup plus touchés par les résultats des MBFR que les États-Unis ou le Canada ;
c) l'objet principal de notre rôle dans l'OTAN est de renforcer nos liens politiques et économiques avec l'Europe ; et
d) parmi l'ensemble des forces de l'OTAN qui seraient touchées par les MBFR, celles du Canada sont les plus petites, après celles du Luxembourg. À la lumière de ces considérations, il nous semble indiqué de continuer à respecter les directives suivantes du Cabinet :

> Pour ce qui est de la contribution du Canada à la politique de l'Alliance atlantique à l'égard des MBFR, il devrait continuer de tenir un rôle constructif mais discret, en faisant des suggestions substantielles et réfléchies au moment opportun, mais en évitant de prendre parti dans les domaines où les États-Unis et nos alliés européens seraient divisés[75].

Sur cette base, le Canada s'est donc exclu des débats les plus substantiels à propos des MBFR, montrant clairement que son rôle était de promouvoir l'unité de l'Alliance atlantique et non de défendre des intérêts qu'il aurait pu percevoir comme vitaux. Autrement dit :

> Le Canada vise à contribuer de façon constructive à l'établissement d'un consensus, mais il ne juge pas opportun de suggérer des changements dans la position de l'Alliance atlantique, car il considère que les initiatives dans ce domaine sont du ressort des membres européens de l'OTAN pour lesquels l'enjeu politique et militaire des MBFR est plus considérable[76].

Cela ne signifie pas toutefois que le Canada est demeuré indifférent pendant 15 ans, bien au contraire. En effet — et à nouveau les documents diplomatiques le confirment — les représentants canadiens ont fréquemment adopté une attitude critique, cherchant à stimuler quelque dynamisme à Vienne et à Bruxelles. Au Conseil de l'Atlantique Nord, le Canada a ainsi été un des premiers à insister pour que la position de l'Alliance atlantique à l'égard des MBFR soit régulièrement révisée de façon critique, afin de conserver la crédibilité de la politique de l'OTAN aux yeux du public[77].

De plus, à deux reprises au moins au cours des négociations, le premier ministre est intervenu directement en vue de susciter un renouveau d'attention politique pour les MBFR. Au printemps 1978, par exemple, durant le sommet de l'OTAN, Pierre Elliott Trudeau a vigoureusement appuyé l'initiative de son homologue britannique afin « d'insuffler un regain d'énergie » dans les négociations de Vienne. En substance, il s'agissait de convoquer une réunion des ministres des Affaires extérieures de l'Alliance atlantique, dès que des progrès importants seraient enregistrés dans les pourparlers. Bien sûr, les progrès en question ne se matérialisèrent pas.

Par ailleurs, à l'automne 1983, dans le contexte de la « sortie » soviétique des négociations de Genève et de Vienne, le premier ministre relançait l'idée d'un sommet des ministres de l'OTAN qui se tiendrait au printemps 1984, au Canada, sur la question des MBFR. L'idée fut toutefois unanimement rejetée par les gouvernements consultés ; en effet, le concept était déjà usé et sans grand intérêt politique puisque les négociations allaient reprendre, sans intervention externe, en avril 1984.

Dans l'ensemble, malgré le peu de succès de ces modestes initiatives, on ne peut donc dire que le Canada soit demeuré politiquement inactif. Par contre, il ne faudrait pas non plus rendre un hommage excessif au leadership canadien de cette période. En effet, on constate ironiquement qu'un des intérêts majeurs du premier ministre pour les négociations de Vienne était qu'elles lui fournissaient un motif éventuel de réduire à nouveau le contingent canadien de l'OTAN. Ainsi, lorsqu'en 1973 on demanda au premier ministre de renoncer à des réductions canadiennes dans la première phase d'un accord MBFR, il se déclara d'accord pourvu que toutes les parties intéressées sachent bien que d'ici 1976 les tanks canadiens seraient remplacés par des forces légères mobiles, compatibles avec celles qui étaient stationnées au Canada, et que cela n'empêcherait pas le Canada d'envisager le retrait de ses troupes au cours des phases subséquentes des négociations[78].

L'ironie de la chose est évidemment qu'en 1988 les tanks canadiens étaient toujours en Europe et que si des réductions avaient été effectuées à l'époque, elles n'auraient touché que quelque 300 soldats canadiens...

Cependant, précisons de façon plus sérieuse que si la valeur de l'engagement politique du Canada dans les MBFR peut être débattue, le travail technique fourni par l'équipe diplomatique canadienne à Vienne, à Bruxelles et à Ottawa est loin d'être négligeable. En résumé, cette équipe comprenait, en particulier, le Bureau des relations avec la défense aux Affaires extérieures (qui a succédé au Bureau de liaison avec la défense), la Direction des politiques sur les questions du contrôle des armements nucléaires (DNACPOL) (Division of Nuclear and Arms Control Policy, DNACPOL) à la Défense nationale ainsi que les représentants permanents du Canada à l'OTAN et l'équipe de négociation à Vienne. En tout, cela représente, encore aujourd'hui, cinq ou six personnes alors que, par comparaison, la Délégation américaine à Vienne occupe à elle seule une vingtaine de personnes. Soulignons par ailleurs que le Bureau des relations avec la défense qui coordonne l'ensemble du dossier MBFR ne spécialise qu'un seul fonctionnaire en cette matière et ne dispose d'aucun groupe d'experts *(think tank)* pour contribuer à l'analyse de la substance des négociations.

Il est donc remarquable qu'avec une équipe aussi réduite le Canada ait pu effectuer un suivi très fidèle des pourparlers de Vienne. Le travail fourni se reflète dans la taille même des dossiers MBFR : environ 200 000 pages de documents dans les archives des Affaires extérieures.

De plus, l'importance pratique du rôle canadien dans la gestion diplomatique et l'appui logistique et administratif a été clairement reconnue par les diplomates de l'OTAN à Vienne.

Par conséquent, même si l'impact des politiques canadiennes sur les négociations MBFR est impossible à mesurer, on peut certainement avancer que le travail de fourmis effectué par les diplomates du Canada mériterait certainement quelques louanges... que les médias ne leur offriront pas.

Notes

1. Cité dans L. Brady et J. Kaufman, 1985, p. 189.
2. J. Dean, 1987, p. 93.
3. L. Brady et J. Kaufman, 1985, p.189.
4. Keesing's Contemporary Archives, 1965-1966, p. 21672.
5. *Les Nations Unies et le désarmement, 1945-1970*, 1971, p. 57-62.
6. B. von Rosenbladt, 1971, p. 28.
7. *Ibid.*
8. *Les Nations Unies et le désarmement, 1945-1970*, 1971, p. 80.
9. B.M. Russet et C.C. Cooper, 1966-1967, p. 37.
10. J. Newhouse *et al.*, 1971, p. 106 et 128.
11. H. Haftendorn, 1974, p. 468, note 25.
12. *Ibid.*, p. 242-243.
13. *Ibid.*, p. 243-245.
14. *Ibid.*, p. 256-257.
15. *Ibid.*, p. 247, 251-255.
16. R. Burt, 1976, p. 20.
17. *Livre Blanc* (RFA), 1971-1972, p. 11.
18. NATO-Einmischung in DDR Angelegenheiten rechtswidrig, p. 238.
19. H. Blaesio et K. Wohlgemut, 1969, p. 10.
20. O. Winzer, 1969, p. 9.
21. A. Legault et M. Lachance, 1978, p. 248.
22. H. Haftendorn, 1974, p. 249.
23. MAE, dossier 27-4-NATO-l-MBFR, 12 janvier 1967.
24. *Débats*, 19 décembre 1966, p. 11281.
25. MAE, dossier 27-4-NATO-l-MBFR, 2 mai 1969.
26. MAE, dossier 27-4-NATO-l-MBFR, 30 août 1968.
27. MAE, dossier 27-4-NATO-l-MBFR, 28 avril 1969.
28. MAE, dossier 27-4-NATO-l-MBFR, 14 novembre 1969.
29. MAE, dossier 27-4-NATO-l-MBFR, 9 janvier 1970.
30. MAE, dossier 27-4-NATO-l-MBFR, 27 octobre 1972.
31. MAE, dossier 27-4-NATO-l-MBFR, 29 mars 1971.
32. MAE, dossier 27-4-NATO-l-MBFR, 23 mars 1971.
33. MAE, dossier 27-4-NATO-l-MBFR, 20 mai 1971.
34. MAE, dossier 27-4-NATO-l-MBFR, 20 mai 1971.
35. M. Sharp (1971).
36. MAE, dossier 27-4-NATO-l-MBFR, 15 octobre 1971.
37. MAE, dossier 27-4-NATO-l-MBFR, 9 février 1972.
38. MAE, dossier 27-4-NATO-l-MBFR, 15 mai 1973.
39. M. Tucker, s.d., p. 38.
40. MAE, dossier 27-4-NATO-l-MBFR, 1er juin 1973.
41. *Ibid.*
42. M. Tucker, s.d., p. 40.
43. MAE, dossier 27-4-NATO-l-MBFR, 14 mai 1973.
44. MAE, dossier 27-4-NATO-l-MBFR, 4 juillet 1978.
45. MAE, dossier 27-4-NATO-l-MBFR, 18 octobre 1973.
46. MAE, dossier 27-4-NATO-l-MBFR, 1er juin 1973.
47. MAE, dossier 27-4-NATO-l-MBFR, juin 1973.
48. J. Keliher, 1980, p. 53.
49. *Ibid.*, p. 48.
50. J. Dean, 1987, p. 15.
51. J. Keliher, 1980, p. 48.
52. J. Dean, 1987, p. 158.
53. J. Keliher, 1980, p. 64-65.
54. *Ibid.*, p. 54.
55. *Ibid.*, p. 103.
56. *Ibid.*, p. 70.
57. J. Klein, 1987, p. 81.
58. *Ibid.*
59. Ces deux mesures s'appliqueraient à l'ensemble de l'Europe, afin de tenir compte de la sécurité des pays périphériques *(flank countries)*.
60. J. Klein, 1987, p. 85-86.
61. *Ibid.*, p. 84.
62. T. Hirschfeld, 1986, p. 9; et J. Klein, 1987, p. 88.
63. Voir S. Canby, dans E.C. Luck, 1983, p. 201.
64. J. Klein, 1987, p. 98.
65. MAE, dossier 27-4-NATO-l-MBFR, 29 juin 1981.
66. MAE, dossier 27-4-NATO-l-MBFR, 5 novembre 1970.
67. MAE, dossier 27-4-NATO-l-MBFR, avril 1973.
68. MAE, dossier 27-4-NATO-l-MBFR, rapport de fin de session, 1981.

69. *Ibid.* (Il s'agit ici de la dernière initiative de l'OTAN en décembre 1979.)

70. MAE, dossier 27-4-NATO-l-MBFR, rapport de la 26e session, février 1982.

71. MAE, dossier 27-4-NATO-l-MBFR, 3 décembre 1981.

72. MAE, dossier 27-4-NATO-l-MBFR, 15 octobre 1981.

73. MAE, dossier 27-4-NATO-l-MBFR, 22 mai 1976.

74. MAE, dossier 27-4-NATO-l-MBFR, 7 octobre 1974.

75. *Ibid.*

76. *Ibid.*

77. MAE, dossier 27-4-NATO-l-MBFR, 5 décembre 1974.

78. MAE, dossier 27-4-NATO-l-MBFR, 1er juin 1973.

Sources secondaires citées

Blaesio, H. et Wohlgemut, K., « Sozialistische Staaten und Europaïsche Sicherheit », *Dokumentation der Zeit*, vol. 21, n° 12, mai 1969, p. 10.

Brady, L. et Kaufman, J., *NATO in the 1980's*, New York, Praeger, 1985.

Burt, R., « New Weapons Technologies : Debate and Directions », *Adelphi Paper*, n° 126, 1976, p. 20.

Canby, S., « Arms Control, CBMs and Verification », dans E.C. Luck, *Arms Control, The Multilateral Alternative*, New York, New York University Press, 1983, p. 201.

Dean, J., *Watershed in Europe*, Washington (DC), Lexington Books, 1987.

Haftendorn, H., *Abrüstung und Entspannungspolitik*, Düsseldorf, Bertelsmann Universitätsverlag, 1974.

Hirschfeld, T., « MBFR in Eclipse », *Arms Control Today*, oct. 1986, p. 9.

Keesing's Contemporary Archives, 1965-1966, New York.

Keliher, J., *The Negotiations on MBFR*, New York, Pergamon Press, 1980.

Klein, Jean, *Sécurité et désarmement en Europe*, Paris, Éditions Economica, 1987.

Legault, Albert et Lachance M., « Les MBFR », *Études Internationales*, vol. 9, n°s 2-3, juin-septembre 1978, p. 248.

Livre blanc (RFA), 1971-1972, Ministère de la Défense, Bonn.

NATO-Einmischung in DDR Angelegenheiten rechtswidrig, *Aussenpolitische Korrespondenz*, vol. 12, n° 28, juillet 1968.

Newhouse, J. *et al.*, *US Troops in Europe*, Washington (DC), Brookings Institution, 1971.

ONU, *Les Nations Unies et le désarmement, 1945-1970*, New York, ONU, 1971.

Rosenbladt, B. von, *Die Haltung der DDR in der Frage der MBFR*, SWP-AP 1063, Eggenberg, polycopié, 1971.

Russet, B.M. et Cooper, C.C., « Arms Control in Europe », *Monograph Series in World Affairs*, vol. 14, n° 2, 1966-1967, p. 37.

Sharp, Mitchell, « Maintenir la solidarité de l'Alliance nord-atlantique », *Déclarations et Discours*, 71/24, 27 septembre 1971.

Tucker, M., « Canada and MBFR », inédit, s.d.

Winzer, Otto, « Die DDR : ein Stabiler Faktor für Frieden und Sicherheit », *Dokumentation der Zeit*, vol. 21, n° 14, juillet 1969, p. 9.

Tout est distance —, et nulle part ne se ferme le cercle.*

12

Une question de confiance

Le Canada et les aspects militaires de la CSCE

Si les MBFR, comme nous l'avons vu au chapitre 11, n'ont constitué qu'un exercice diplomatique à portée restreinte dont la fonction principale a été de discipliner l'Alliance atlantique pendant 15 ans en fait de contrôle des armements classiques, la Conférence sur la sécurité et la coopération en Europe (CSCE), qui en est maintenant à sa quatrième Conférence — Helsinki-Genève, Belgrade, Madrid et Vienne —, représente une matière à la fois plus riche et surtout plus évolutive (voir les tableaux 15 et 16).

Au terme de 15 années, le processus entamé à Helsinki à l'automne 1972 a en effet produit plusieurs accords significatifs dans des domaines aussi variés que les droits de la personne, la coopération économique, la circulation de l'information et les mesures de confiance (MDC), accords qui s'appliquent à l'ensemble des 35 États européens de « l'Atlantique à l'Oural ».

À ce titre, la CSCE peut être probablement considérée comme une des rares négociations Est-Ouest productives de l'après-guerre, mais aussi comme le forum dont le

* « Alles ist weit —, und nirgends schließt sich der Kreis. » R.M. Rilke, *Les sonnets à Orphée.*

contenu répond le mieux à une conception large de la sécurité, intégrant la coopération interétatique sous tous ses aspects. En fait, on peut même avancer que le système de la CSCE, compte tenu de son endurance et de sa souplesse, constitue l'embryon d'un véritable régime de sécurité européen défini comme un ensemble évolutif de principes et de normes, soit un code de comportement interétatique dont l'objet est de contrôler les conflits dans le cadre de l'interdépendance[1].

Le but du présent chapitre n'est pas de refaire l'histoire de la CSCE. D'excellents volumes ont été écrits à ce sujet, et nous y renvoyons le lecteur[2]. De plus, nous avons déjà présenté de façon détaillée les origines du processus de la détente en Europe (1966-1972) à propos des négociations de Vienne.

Nous nous attacherons plutôt ici à tracer le développement d'un des thèmes de la CSCE, ce qu'il est convenu d'appeler les mesures de confiance (MDC). Ces dernières constituent en effet le seul élément précisément militaire des négociations et symbolisent donc leur rattachement concret au processus de contrôle des armements en Europe. Par surcroît, il n'existe que très peu de textes qui traitent en profondeur l'évolution des aspects militaires de la CSCE d'Helsinki (1972) jusqu'à Vienne (1989). Le présent chapitre et le suivant (chapitre 13) tentent donc de remédier à certains manques, surtout sur le plan de l'histoire diplomatique, et proposent d'effectuer un bilan synthétique du processus des négociations de la CSCE et de ses réalisations sur le plan militaire dans la perspective de la diplomatie canadienne.

La démarche que nous adopterons suivra fidèlement la chronologie de la CSCE et s'articulera en trois parties traitant successivement les négociations de l'Acte final d'Helsinki (1972-1975), la Conférence de Belgrade (1977-1978) et celle de Madrid (1980-1983). On abordera au chapitre 13 les négociations de Stockholm (1984-1986) qui, en substance, représentent la suite de celles de Madrid et s'achèvent par la rencontre de Vienne (1986-1989) qui ouvre la porte aux futurs pourparlers sur la réduction des forces armées classiques en Europe (CFE).

Au cours de cette analyse, trois points retiendront particulièrement notre attention :

- la mise au point des positions de l'Alliance atlantique en ce qui a trait aux mesures de confiance (MDC) ;
- le déroulement des négociations proprement dites (en fait de tactiques et de stratégies) ;
- les prises de position canadiennes et l'apport du Canada à l'intérieur des négociations.

TABLEAU 15

La CSCE et ses Réunions de suivi

La Conférence d'Helsinki

Réunion préparatoire:
du 22 novembre 1972 au 8 juin 1973, à Dipoli;
Phase I:
du 3 au 7 juillet 1973, à Helsinki;
Phase II:
du 18 septembre 1973 au 21 juillet 1975, à Genève;
Phase III:
du 30 juillet au 1er août 1975, à Helsinki;
Acte final d'Helsinki:
1er août 1975.

La Conférence de Belgrade ou la première Réunion de suivi

Réunion préparatoire:
du 15 juin au 5 août 1977;
Conférence:
du 4 octobre 1977 au 9 mars 1978.

La Conférence de Madrid ou la deuxième Réunion de suivi

Réunion préparatoire:
du 9 septembre au 10 novembre 1980;
1re session: du 11 novembre au 22 décembre 1980;
2e session: du 17 janvier au 8 avril 1981;
3e session: du 4 mai au 28 juillet 1981;
4e session: du 27 octobre au 18 décembre 1981;
5e session: du 9 février au 12 mars 1982;
6e session: du 9 novembre au 17 décembre 1982;
7e session: du 8 février au 25 mars 1983;
8e session: du 19 avril au 9 septembre 1983.

La Conférence de Vienne ou la troisième Réunion de suivi

Réunion préparatoire:
du 23 septembre au 6 octobre 1986;
1re session: du 4 novembre au 19 décembre 1986;
2e session: du 27 janvier au 10 avril 1987;
3e session: du 5 mai au 31 juillet 1987;
4e session: du 27 septembre au 18 décembre 1987;
5e session: du 22 janvier au 25 mars 1988;
6e session: du 5 mai 1988 au 19 janvier 1989 (document de clôture approuvé le 15 janvier 1989).

Date prévue de la quatrième Réunion de suivi de la CSCE: 24 mars 1992, à Helsinki.

TABLEAU 16

La Conférence sur la sécurité et la coopération en Europe (CSCE)

Création et déroulement :

Après des consultations préliminaires (les pourparlers multilatéraux préparatoires de Dipoli) de novembre 1972 à juin 1973, la CSCE s'ouvrira en juillet 1973 pour se terminer à l'été 1975. Trois Réunions de suivi (*Review ou Follow-up Meetings*) ont eu lieu successivement à Belgrade (1977-1978), à Madrid (1980-1983) et à Vienne (1986-1989).

Mandat :

Discuter et négocier les questions relatives à la sécurité européenne (les principes des relations interétatiques et les mesures de confiance), la coopération économique scientifique et technique ainsi que les problèmes de l'environnement, la coopération dans le domaine humanitaire et dans d'autres secteurs (recommandations finales des consultations d'Helsinki ; Dipoli, juin 1973).

Composition :

Les 33 pays européens moins l'Albanie, plus les États-Unis et le Canada.

Principales propositions :

A. **Helsinki-Genève (1972-1975)***

1. Pourparlers multilatéraux préliminaires (PMP) à Dipoli (propositions déposées le 1er février 1973) :

CESC/HC/10, Suisse ;
CESC/HC/11, URSS ;
CESC/HC/28, URSS ;
CESC/HC/28 add., RDA ;
CESC/HC/13, Roumanie ;
CESC/HC/17, Belgique ;
CESC/HC/20, Autriche ;
CESC/HC/21 corr. 1, Suède ;
CESC/HC/22, Suisse ;
CESC/HC/23, Yougoslavie ;
CESC/HC/24, Pays-Bas ;
CESC/HC/25, Espagne ;
CESC/HC/26 rév. 2, Espagne ;
CESC/HC/29, Turquie.

2. Phases I et II (juillet 1973 - juillet 1975)

CSCE/I/3 (4 juillet 1973), URSS ;
CSCE/II/C/8 (28 septembre 1973), Roumanie ;
CSCE/I/30 (7 juillet 1973), Turquie ;
CSCE/I/18 (5 juillet 1973), Grande-Bretagne ;
CSCE/II/C/8 (28 septembre 1973), Roumanie ;
CSCE/II/C/9 (23 octobre 1973), Suède ;
CSCE/II/C/11 (21 janvier 1974), RFA ;
CSCE/II/C/12 (4 février 1974), Grande-Bretagne ;
CSCE/II/C/13 (19 février 1974), NNA ;
CSCE/II/C/16 (8 mars 1974), Espagne ;
CSCE/II/C/14 (7 mars 1974), comparaison des propositions soviétiques, occidentales et NNA ;
CSCE/II/C/4 (26 septembre 1973), Norvège.

B. **Belgrade (1977-1978)**

CSCE/BM/11 (2 novembre 1977), Canada, Grande-Bretagne, Hollande et Norvège;
CSCE/BM/6 (24 octobre 1977), NNA: Autriche, Chypre, Finlande, Liechtenstein, Suède, Suisse et Yougoslavie;
CSCE/BM/5 (24 octobre 1977), URSS;
CSCE/BM/S/1 (24 octobre 1977), Roumanie;
CSCE/BM/9 (28 octobre 1977), URSS;
CSCE/BM/14 (4 novembre 1977), les pays occidentaux moins la Grèce et la Turquie;
CSCE/BM/18 (4 novembre 1977), NNA;
CSCE/BM/40 (11 novembre 1977), Tchécoslovaquie et RDA;
CSCE/BM/41 (11 novembre 1977), Tchécoslovaquie;
CSCE/BM/45 (11 novembre 1977), Bulgarie;
CSCE/BM/46 (11 novembre 1977), Bulgarie;
CSCE/BM/50 (11 novembre 1977), RDA;
CSCE/BM/56 (11 novembre 1977), Roumanie;
CSCE/BM/67 (12 novembre 1977), l'Ouest moins la France, la Suisse, la Suède, l'Autriche et le Liechtenstein.

C. **Madrid (1980-1983)**

CSCE/RM/6 (8 décembre 1980), Pologne;
CSCE/RM/7 (9 décembre 1980), France;
CSCE/RM/17 (11 décembre 1980), Yougoslavie;
CSCE/RM/18 (11 décembre 1980), Yougoslavie;
CSCE/RM/21 (12 décembre 1980), NNA;
CSCE/RM/27 (12 décembre 1980), Yougoslavie;
CSCE/RM/31 (15 décembre 1980), Roumanie;
CSCE/RM/33 (15 décembre 1980), Roumanie;
CSCE/RM/34 (15 décembre 1980), Suède;
CSCE/RM/39 (16 décembre 1981), NNA;
CSCE/RM/39 rév. (15 mars 1983), NNA.

*** Cette liste ne fait état que des documents disponibles aux archives du MAE.**

Quant à la problématique relative à ces trois points, nombre de questions réapparaissent à plusieurs reprises, et nous voudrions immédiatement attirer l'attention sur elles:

- Quel est le statut des MDC quant au contrôle des armements en Europe? Sont-elles un prélude, un complément ou un substitut à la réduction des armements? Représentent-elles la solution à tous les obstacles auxquels doit faire face le contrôle des armements en Europe?
- Par opposition aux négociations d'État à État (SALT ou FNI) ou d'alliance à alliance (MBFR), la CSCE, que l'on perçoit comme un forum multilatéral, a-t-elle réellement promu l'influence des petites et moyennes puissances en matière de sécurité?

En d'autres termes, le processus de la CSCE a-t-il favorisé l'expression d'une plus grande diversité de points de vue? A-t-il, de ce fait, accru la souplesse des négociations et favorisé la réalisation de compromis avec l'Est ? Pour un État comme le Canada, un forum multilatéral tel que la CSCE offre-t-il une plate-forme politique plus prometteuse en matière de pouvoir, d'initiative ? Et concrètement, comment le Canada a-t-il tenté d'exploiter cette situation ?

À la suite de ces interrogations, voici les hypothèses que notre développement tentera d'appuyer. Au cours de la période 1970-1980, les mesures de confiance n'ont constitué ni une nouvelle « théorie » ni une nouvelle pratique du contrôle des armements, mais beaucoup plus un espace de négociation politico-symbolique qui a permis la poursuite du dialogue Est-Ouest en matière de sécurité militaire européenne. Dans ce cadre, l'avantage des MDC résidait précisément dans leur nature floue, évolutive et pourtant technique qui a permis leur adaptation progressive aux besoins des négociations. Il est donc erroné de vouloir analyser les MDC en dehors du contexte diplomatique qui les a vues naître. Elles ont été avant tout l'instrument d'une stratégie indirecte de négociation qui a permis aux 35 États européens de traiter les questions militaires sans s'embourber dans les multiples problèmes qu'ont rencontrés les négociateurs de Vienne. Il faut ajouter à cela que les MDC, même si leur origine demeure incertaine, ont joué principalement à l'avantage des pays occidentaux. En effet, ceux-ci ont pu, par leur intermédiaire, souligner pendant plus de dix ans les responsabilités soviétiques relativement à la confrontation armée en Europe, en notant le manque de transparence de leurs activités militaires, tout en évitant d'aborder la question de l'équilibre des forces en Europe. De plus, du fait de leur caractère plus « technique » ou plus concret, les MDC ont servi de contrepoids aux mesures strictement déclaratoires proposées par l'Est. Contrairement à ce qu'avancent de nombreux auteurs, les MDC n'ont donc que peu de chances, du moins jusqu'à maintenant, d'empêcher une attaque par surprise ou de réduire les risques d'une guerre « accidentelle » ou même de constituer un obstacle à la mise en pratique de la doctrine Brejnev. Pour l'instant, elles ne représentent ni un substitut ni un complément au contrôle des armements. Tout au plus peut-on les apparenter à un prélude aux futurs pourparlers CFE.

En ce qui concerne la nature du processus de la CSCE, et dans le contexte des négociations des MDC, nous tenterons de montrer que loin d'avoir constitué un forum multilatéral, la CSCE est demeurée une négociation de bloc à bloc. La seule différence qui distingue le processus de la CSCE des pourparlers MBFR est qu'il a permis la cooptation de pays tels que la France et les pays neutres et non alignés (NNA) (Neutral and Non Aligned Countries, NNA) au sein d'un bloc occidental élargi. En d'autres termes, tout en favorisant l'expression de points de vue plus divers, le processus de la CSCE n'en a pas moins été encadré, arbitré et orienté de façon décisive par les décisions prises au sein de l'Alliance atlantique. La beauté de la chose réside dans le fait que les groupes occidentaux (NNA, CEE et OTAN) ont su dépasser la contradiction existant entre une trop grande diversité de positions et un excès de discipline, en autorisant un ensemble d'initiatives « indépendantes » qui n'en répondaient pas moins, en somme, à des critères agréés et compris par la majorité des pays occidentaux. En évitant les rigidités d'une confrontation soviéto-américaine, la CSCE a donc pu ménager un espace de négociation qui, tout en laissant une marge de manœuvre appréciable aux Européens, leur a permis de présenter un front relativement flexible et raisonnablement uni devant l'Est.

Enfin, à propos du Canada, il serait raisonnable de s'attendre que sa diplomatie profite du cadre plus souple de la CSCE afin de faire valoir son initiative et sa compétence en matière de contrôle des armements. De façon assez surprenante, nous verrons que ce n'est pas le cas — du moins dans le domaine des MDC — et que, dans l'ensemble, si le Canada a joué son rôle traditionnel d'intermédiaire avec brio, il n'a guère mis en valeur sa créativité ou ses connaissances techniques. En fait, on peut avancer que le Canada n'a réalisé que tardivement l'importance des MDC et que son attitude générale a été marquée de la même discrétion qui a caractérisé sa participation aux MBFR. Après tout, les questions militaires demeurent l'affaire des puissances militaires, et le Canada ne compte pas en Europe parmi ces dernières. Il semble donc erroné de penser que le Canada ait défini son rôle en matière de contrôle des armements d'après la marge de manœuvre que lui offrait la CSCE. Sur ce plan, l'intérêt plus marqué que le Canada a montré pour les questions relatives aux droits de la personne paraît indiquer que sa politique à l'égard de la CSCE a été plus influencée par l'attention privilégiée que le public canadien prêtait à ces questions que par sa liberté d'action diplomatique ou une « certaine idée » de sa mission en matière de contrôle des armements.

LES ACQUIS D'HELSINKI (1972 -1975)

Les origines de la notion de MDC : une idée à la recherche d'une théorie

Contrairement à certains thèmes dont les antécédents conceptuels facilitent l'interprétation contemporaine, l'origine des mesures de confiance (MDC) est relativement peu éclairante par rapport à leur développement récent au cours des années soixante-dix et quatre-vingt. Cela est en soi intéressant à noter. En effet, l'apparition de la notion de MDC dans les années cinquante ne relève pas d'une théorie particulière visant à la promotion de la confiance qui se serait développée à partir de là de façon continue. Les MDC sont plutôt le fruit de la conjoncture diplomatique et peuvent être perçues comme des appendices techniques aux plans de désarmement de l'époque. Leur tour de scène rapide et peu remarqué peut se résumer comme suit. Les Soviétiques sont les premiers à proposer, dans le cadre d'un plan de désarmement général et complet, le 10 mai 1955, que les réductions d'armements soient accompagnées par la mise en place d'un système de « postes de contrôle dans les grands ports, aux nœuds ferroviaires sur les autoroutes et les aérodromes ». De plus, un organe international de contrôle, établi par les signataires, « aurait le droit d'exiger que les États lui fournissent tous les renseignements nécessaires sur la mise en œuvre des mesures de réduction d'armements et des forces armées, et aurait, sans entraves, accès aux documents concernant les crédits affectés par les États aux besoins militaires». Finalement, l'organe de contrôle disposerait du droit d'inspection sur une base permanente, «dans la mesure nécessaire pour assurer que tous les États appliquent le programme de désarmement[3]». Ces propositions d'ordre complémentaire avaient explicitement pour rôle de pallier le «manque de confiance» international en permettant la vérification des mesures de désarmement, et on les retrouve sous une forme ou une autre dans plusieurs des propositions soviétiques de 1955 à 1964.

Du côté occidental, la notion de MDC se trouve implicitement dans la proposition dite Open Skies avancée par le président Eisenhower, le 21 juillet 1955, au sous-comité de la Commission du désarmement. Selon ce plan, les États-Unis et l'URSS

> devaient échanger des renseignements sur l'importance numérique, l'organisation du commandement et le déploiement des effectifs, des unités et du matériel de toutes les principales forces terrestres, navales et aériennes, et une liste complète des usines, des établissements et des installations avec indication de leur emplacement. Pour vérifier les renseignements, on posterait des observateurs sur place et l'on organiserait des reconnaissances aériennes sans entraves mais accompagnées[4].

En outre, même si ces mesures étaient désignées comme des méthodes de contrôle, elles constituaient la *condition préalable* à un accord de désarmement. Ces mesures furent d'ailleurs reprises dans la proposition 914 (X), adoptée à l'Assemblée générale des Nations Unies le 16 décembre 1955. Celle-ci incluait ainsi, pour la première fois, un élément intitulé «mesures propres à créer un climat de confiance[5]».

Malgré l'idée un peu saugrenue de promouvoir la confiance internationale au plus fort de la guerre froide, la notion de MDC avait donc vu le jour, et des débats discrets à son sujet se poursuivirent jusqu'au début des années soixante, d'abord à la Conférence d'experts sur la prévention des attaques par surprise à Genève (1958), puis au sein du Comité des dix puissances ainsi qu'aux Nations Unies. Le plan américain de désarmement général et complet du 25 septembre 1961 prévoyait ainsi la modification préalable des mouvements et des manœuvres militaires, et le projet de traité du 18 avril 1962 y ajoutait un élément concernant l'échange des missions militaires.

Dans le cadre d'un projet similaire, les Soviétiques introduisaient, en juillet 1962, l'idée d'une interdiction des mouvements et des manœuvres militaires internationaux de grande envergure, la notification des grandes manœuvres nationales et l'échange de missions militaires.

Finalement, dans une proposition déposée au Comité des dix-huit puissances le 2 décembre 1962, les Américains avançaient un ensemble de mesures destinées à réduire le risque de guerres accidentelles ; elles méritent d'être citées car elles préfigurent très bien le type de mesures qui seront envisagées à la CSCE, dix ans plus tard. Elles comprenaient, entre autres :

1. la notification, avec sept jours de préavis, des manœuvres et des mouvements militaires principaux, autant du point de vue terrestre que du point de vue aérien et naval. Les notifications auraient dû inclure des renseignements à propos du type d'activités militaires, de la taille des unités, des dates relatives au début et à la fin des activités, de leur localisation géographique et de leur destination en cas de mouvement ;
2. la création d'un centre destiné à distribuer l'information échangée ;
3. l'établissement de postes d'observation fixes dans les principaux ports, aux nœuds ferroviaires, aux croisements des principales autoroutes et dans les aéroports ainsi que des visites occasionnelles dans les centres de transport où des postes fixes ne seraient pas installés ;
4. des mesures d'observation aérienne ;
5. des équipes d'observation terrestre mobiles ;
6. un système d'observation par radar ;
7. des contacts directs entre les organisations militaires, ce qui comprendrait l'échange de missions militaires dont une des fonctions serait l'observation de certaines activités précises ;
8. l'établissement d'un système de communication d'urgence, de gouvernement à gouvernement[6].

Au début des années soixante, le concept de MDC avait donc acquis une certaine valeur d'usage, dans le cadre des discussions sur le désarmement, et son emploi permet de déduire que ses auteurs le concevaient soit comme un instrument de contrôle ou de vérification devant accompagner ou suivre les réductions d'armements (version soviétique), soit comme un prélude ou même une condition préalable au désarmement dont le but premier serait de limiter les risques d'une guerre involontaire ou accidentelle (version américaine). Une « boîte à outils » de mesures variées — et plus ou moins claires — avait été mise au point, mais, notons-le, sans qu'il soit prouvé que les techniques ainsi définies pouvaient remplir les fonctions auxquelles on les destinait. De plus, ces mesures ne représentaient en elles-mêmes que des éléments secondaires des plans de désarmement soviétiques et occidentaux, et il est significatif à ce titre que la proposition Open Skies et la Conférence d'experts sur la prévention des attaques par surprise aient été rapidement reléguées au musée du désarmement. La notion de MDC allait donc disparaître de la scène aussi rapidement qu'elle y était apparue, sans même donner son nom au seul accord qu'elle avait inspiré, celui du « téléphone rouge », en juin 1963. Au terme de leur première phase d'existence, les MDC n'étaient donc qu'une esquisse de concept qui semblait destinée à ne mériter qu'une mention en bas de page dans l'histoire du désarmement.

Le développement des MDC à la suite du rapport Harmel (1968-1971)

Après être tombées dans l'oubli pendant quelques années, les mesures de confiance allaient timidement reparaître au sein de l'Alliance atlantique, au cours des discussions qui ont accompagné et suivi la rédaction du rapport Harmel. Ainsi, au cours d'une réunion d'experts du désarmement en mars 1967, les représentants de la RFA, de la Belgique et de la Hollande soulignent déjà que tout accord de réduction des forces armées devrait être accompagné de certaines mesures destinées à annuler l'instabilité résultant d'une réduction éventuelle des forces militaires. Dans ce contexte, ils suggèrent que ces mesures prennent la forme d'un système de postes d'observation, installés de part et d'autre de la ligne de démarcation[7].

Parmi les études entreprises par l'OTAN dans la perspective des futures négociations MBFR, on retrouve dès cette époque la mention de mesures de confiance telles que des échanges d'observateurs, la notification des mouvements ou des manœuvres militaires, un système de communication d'urgence, des échanges de missions militaires, des échanges d'information et un système de postes d'observation[8]. Cependant, compte tenu des problèmes que l'Alliance atlantique rencontre pour définir sa politique de *réduction équilibrée* des forces militaires en Europe, le thème des mesures de confiance ne semble pas avoir suscité autant d'attention que les modèles de réduction eux-mêmes. Seuls les Belges — d'après les documents disponibles — paraissent avoir étudié la question plus sérieusement. À la suite de leurs discussions avec des experts polonais, ils introduisent ainsi un plan de gel des forces qui serait accompagné de :

1. la négociation d'accords ad hoc, visant à garantir le règlement des différends internationaux par des moyens pacifiques ainsi que le respect des principes du non-recours à la force ou à la menace de la force dans les relations internationales et de la non-ingérence dans les affaires intérieures des États, conformément à la Charte des Nations Unies ;
2. la prévention des risques de déclenchement, en Europe, de guerres accidentelles, à la suite d'erreurs de calcul ou d'attaques par surprise, par la mise en place d'un dispositif ad hoc comprenant notamment l'établissement d'un système adéquat de postes d'observation[9].

Cependant, l'idée d'un gel des forces ne plaît guère aux alliés et le concept d'accords politiques portant sur le non-recours à la force semble directement inspiré par l'Est. La proposition belge ne sera donc pas retenue. Les MDC disparaissent à nouveau des préoccupations majeures de l'Alliance atlantique — à l'exception d'une mention des MDC dans le communiqué de l'OTAN du 5 mars 1969 — pour ne reparaître qu'en 1971. À partir de là, elles connaîtront une double évolution, d'une part sous la forme des « mesures associées » au sein des MBFR et, d'autre part, sous le titre de « certains aspects militaires de la sécurité », dans le contexte de la CSCE. (Voir plus loin la section intitulée « L'émergence des MDC dans le cadre de la CSCE (1971-1972).)

Dans le cadre des MBFR, le développement des MDC s'inspirera de l'idée allemande d'une *approche progressive* des négociations. Celle-ci fait précéder les réductions proprement dites d'accords préalables sur les principes de la négociation et sur des contraintes portant sur les mouvements des forces militaires. En d'autres termes, il devient de plus en plus apparent, pour l'Alliance atlantique, que des réductions à la fois avantageuses et négociables se révéleront très difficiles à définir, et l'on peut lire ce qui suit dans un mémorandum de juin 1971 : « Comme il est évident que l'OTAN ne peut changer la géographie de l'Europe à son propre avantage, il faut que les responsables alliés élaborent des mesures complémentaires ou des contraintes, ou les deux, dont l'objet serait de minimiser les asymétries géostratégiques qui existent actuellement[10]. »

Dans cette perspective, les Américains proposeront, dès l'année suivante, de mettre l'accent sur ces mesures :

> Nous devrions chercher à définir des mesures complémentaires appropriées dont les objectifs seraient de réduire les dangers d'une erreur de calcul par l'une ou l'autre des alliances qui pourrait mal comprendre les intentions adverses et de diminuer les risques d'une attaque par surprise. Ces contraintes pourraient fournir un critère qui permettrait une interprétation opportune et plus sûre des activités militaires de part et d'autre. Ces contraintes auraient une valeur intrinsèque mais assureraient aussi qu'un accord de réduction serait fidèlement observé[11].

De telles mesures avaient plus précisément pour objet d'empêcher que les Soviétiques ne contournent un éventuel accord MBFR en redéployant leurs forces à l'extérieur de la zone de réductions. Elles devaient aussi viser à compenser les avantages que sa situation géographique conférait au Pacte de Varsovie, en ce qui a trait à son potentiel de mobilisation rapide, et fournir des indications préalables à ce sujet quant à ses intentions. Comme le soulignent les directives de l'OTAN, à la veille des pourparlers des MBFR :

> Ces mesures pourraient inclure la notification préalable des mouvements des forces, la limitation de leur taille et la durée de leur séjour. Les réductions des forces, quant à elles, même si elles pouvaient être vérifiées adéquatement, pourraient être appuyées par des mesures de ce type afin de contrôler l'accès de forces militaires dans la zone de réductions. Les contraintes portant sur les mouvements pourraient aussi jouer un rôle important dans la phase préalable des réductions[12].

En conséquence, l'Alliance atlantique développa peu à peu quatre thèmes connexes sous l'étiquette de « mesures associées » :

1. *Les mesures de stabilisation précédant les réductions :* leur but serait de susciter la confiance en réduisant les risques de malentendus ainsi que les activités militaires ambiguës, facilitant ainsi les accords sur d'autres mesures. Ces mesures de stabilisation pourraient inclure :

a. la notification préalable des mouvements des forces soviétiques et américaines dans la zone (y compris la rotation du personnel militaire);
b. la notification préalable des exercices importants par tous les participants;
c. des limites portant sur le lieu, le nombre et la durée des exercices importants organisés par tous les participants;
d. l'échange d'observateurs, par tous les participants, aux exercices importants.

2. *Les mesures de stabilisation devant accompagner les réductions* (applicables aux forces soviétiques et américaines) pourraient comprendre:
   a. la limitation des mouvements des forces vers la zone;
   b. la limitation des mouvements des forces à travers les frontières de la zone;
   c. un accord garantissant le respect du niveau des forces américaines et soviétiques établi lors des réductions.
3. *Les clauses de garantie* (non circumvention provisions): leur objet serait d'assurer qu'un accord ne pourrait être contourné par une augmentation des forces soviétiques en Hongrie.
4. *Les mesures de vérification:* leur objectif serait d'assurer que les clauses de l'accord soient respectées, de susciter la confiance et de renforcer les mécanismes d'alerte si les forces du Pacte de Varsovie venaient à augmenter de façon inattendue[13].

Apparemment, l'Alliance atlantique semblait donc avoir développé et raffiné son approche des MDC: leur justification était plus claire, leur définition relativement plus précise, et elles avaient été intégrées à la démarche d'ensemble de l'OTAN par rapport aux MBFR.

Cependant, selon les données disponibles, aucune étude de fond n'avait été effectuée à leur sujet, et les alliés ne paraissaient pas avoir réalisé que certaines des mesures envisagées seraient difficilement acceptables pour l'Alliance atlantique elle-même et qu'elles exigeraient, de toute façon, des modifications ou des précisions importantes. On ne sera donc pas surpris que l'OTAN mette plus de cinq ans pour s'entendre sur un ensemble de mesures associées, d'ailleurs plus modestes que celles qui avaient été prévues à l'origine. Il serait erroné d'avancer que les «réflexions» entreprises à l'OTAN à propos des mesures associées aient pu nourrir ou stimuler les efforts occidentaux quant aux MDC dans le cadre de la CSCE. Au contraire, compte tenu de la priorité accordée par l'OTAN aux MBFR ainsi que des préventions alliées à discuter de contrôle des armements dans un forum regroupant 35 pays, il apparut nécessaire — comme nous le verrons — de ne pas proposer de MDC substantielles lors de la CSCE, et cela dans le but précis de ne pas provoquer d'interférence avec les pourparlers de Vienne. Le lien entre Vienne et Helsinki sera donc coupé pour des raisons politiques, et l'on peut le regretter dans la mesure où les éléments les plus dynamiques des MDC resteront le monopole des MBFR, c'est-à-dire d'une négociation mort-née. Ces derniers propos exigent quelques éclaircissements historiques que nous présentons immédiatement.

L'émergence des MDC dans le cadre de la CSCE (1971-1972)

L'idée d'aborder « certaines questions militaires » au sein de la CSCE fut avancée, d'après les témoignages disponibles, par le ministre des Affaires extérieures belge, à la réunion ministérielle de l'OTAN de décembre 1971. La suggestion fut retenue par le Conseil de l'OTAN et le communiqué émis à l'issue de la réunion fit dûment référence à la poursuite des études sur le sujet[14].

Le titre très vague adopté par le Conseil de l'OTAN pour désigner cet élément de l'ordre du jour reflétait d'ailleurs les divergences de vues exprimées à ce sujet. La majorité des alliés s'accordait à penser qu'une Conférence portant sur la *sécurité* en Europe n'aurait guère de sens si elle n'abordait pas la situation militaire, mais pour la Belgique ainsi que pour plusieurs des membres de l'Alliance atlantique, un lien direct entre la CSCE et les MBFR devait être créé à cette fin. Il aurait pu prendre la forme d'une déclaration commune relative aux MBFR et aux principes des futures négociations de Vienne ou bien, plus simplement, d'une « bénédiction » des 35 en faveur du désarmement en Europe. Cependant, les États-Unis se montraient très sceptiques à cet égard et la France, qui avait refusé dès l'origine de participer aux pourparlers de Vienne, s'y était absolument opposée.

Pour d'autre pays, les questions militaires devaient être abordées à l'occasion de la CSCE, par l'intermédiaire des mesures de confiance, en particulier :

- la notification des manœuvres et des mouvements militaires ;
- l'échange d'observateurs aux manœuvres ;
- des contraintes sur les mouvements des forces dans certaines zones ;
- différentes mesures de surveillance[15].

Mais ces deux options présentaient des risques. En effet, il paraissait inacceptable de laisser aux pays non membres des deux alliances (c'est-à-dire les NNA) le pouvoir de dicter les principes des MBFR et il était hors de question de négocier à la CSCE certaines MDC qui auraient pu influer sur les capacités de défense occidentales.

À la suite de ce débat, la Délégation américaine à Bruxelles fera circuler un projet de directive qui constituera la base de la position alliée à la CSCE. Esquissé dès l'été 1972, le projet soulignait que certaines MDC pouvaient être considérées avec profit à la CSCE. Pour les États-Unis, des MDC de nature modeste pouvaient promouvoir la stabilité et amener les Soviétiques à se montrer plus ouverts quant à leurs activités militaires en Europe. Sur le plan tactique, si l'Alliance atlantique se montrait favorable aux MDC, elle pourrait encourager les NNA et permettre à certains pays de l'Est de jouer un rôle plus indépendant. Enfin, cela permettrait d'obtenir un ordre du jour plus équilibré à la CSCE. L'utilité des MDC ayant été ainsi établie, le projet américain n'en soulignait pas moins une série de neuf critères auxquels devaient satisfaire ces mesures :

1. maintenir le niveau de sécurité de l'Alliance atlantique ;
2. renforcer la confiance et la stabilité, promouvoir la détente et améliorer les relations avec l'Est ;
3. s'harmoniser avec les mesures adoptées dans le cadre des MBFR ;
4. s'appliquer à l'ensemble de l'Europe et non seulement à des zones sélectionnées ;
5. être suffisamment simples pour ne pas entraîner de longues négociations ;
6. ne pas interférer avec les plans de renforcement et les manœuvres de l'OTAN ;
7. n'exiger que des mesures de vérification minimales ;
8. ne pas exiger la création d'un organisme de supervision permanent ;
9. présenter une formulation claire pour éviter les malentendus[16].

Durant l'été et l'automne 1972, un ensemble de MDC furent examinées à l'OTAN dans cette perspective, et la plupart furent rejetées parce qu'elles ne répondaient pas aux critères susmentionnés. Les deux mesures retenues furent la notification des manœuvres et des mouvements militaires de grande envergure et l'échange d'observateurs aux manœuvres, sur une base équitable. Ces deux concepts étaient donc extrêmement modestes ; mais, plus encore, leur définition précise demeurait problématique. Qu'entendait-on par manœuvre « de grande envergure » ? Quelle était la différence entre une manœuvre et un exercice ? Qu'est-ce qui constituait un mouvement ? Comment définir un échange « équitable » d'observateurs ? La position de l'OTAN était loin d'être claire sur ces points et sur bien d'autres ! L'Alliance atlantique allait donc entrer dans les pourparlers préliminaires de la CSCE sans y être suffisamment préparée. Mais cela n'est pas nouveau, si l'on se rappelle les MBFR...

Les pourparlers multilatéraux préliminaires de Dipoli (novembre 1972-juin 1973)

Le 22 novembre 1972, le premier acte de la CSCE s'ouvrait à Dipoli, un des faubourgs d'Helsinki. Pour la première fois depuis 1945, l'ensemble des États européens ainsi que les États-Unis et le Canada allaient tenter de définir globalement les principes de leurs relations futures, et cela constituait une expérience nouvelle à plus d'un titre. De façon plus précise, la confusion — au moins apparente — allait devenir, dès le départ, la marque de commerce diplomatique du processus de la CSCE. Comme le note un diplomate canadien :

> À Dipoli, 35 nations se rencontrent quotidiennement sans ordre du jour, sans liste d'interventions et sans autres objectifs que de discuter des questions relatives à la sécurité et à la coopération européennes qui pourraient être prises en considération à la CSCE. Ces pourparlers ne sont donc pas du tout structurés, et il est difficile de décrire ce qui s'y déroule à quelqu'un qui n'en a pas été témoin. Le drame quotidien que l'on observe lorsque cent

diplomates entrent dans une salle, s'asseyent et que le président demande : « Qui veut prendre la parole ? » mérite d'être vu : Qui cela va-t-il être ? Le représentant du Liechtenstein ? de San Marino ? du Saint-Siège ? Le caractère extrêmement pénible de ces pourparlers ne peut être perçu que si l'on imagine, par exemple, une discussion de 30 minutes en réunion plénière, portant sur l'opportunité d'un débat au sujet d'une pause café[17].

Malgré leur caractère confus et lent, les négociations progressent cependant. En particulier, les nombreuses propositions relatives à la sécurité ont été regroupées dans une des quatre « corbeilles » qui structureront la future négociation (la corbeille 1). Celle-ci contient, en plus des MDC que nous avons déjà mentionnées :

- les principes devant guider les relations interétatiques ;
- les mesures d'exécution relatives à ces principes ;
- les questions du lien entre la CSCE et les MBFR ;
- la résolution pacifique des différends ;
- la question de la sécurité méditerranéenne et du Moyen-Orient ;
- plusieurs propositions de déclaration concernant la réduction des armements.

En février 1973, on trouve 16 propositions avancées par 12 États dans la corbeille 1[18]. Peu d'entre elles survivront aux pourparlers multilatéraux préliminaires (PMP), mais d'emblée elles indiquaient déjà fort bien les orientations principales de certains participants. Par exemple, les Soviétiques et les membres du Pacte de Varsovie semblaient avoir accepté le principe des MDC (la proposition de la RDA les mentionnait explicitement), mais ils avaient aussi insisté sur le fait que ces mesures étaient secondaires par rapport aux principes des relations interétatiques. De plus, ils avaient clairement souligné que les MDC considérées à la CSCE ne devaient contenir ni des contraintes ni des propositions de réduction. L'OTAN et le Pacte de Varsovie semblaient donc s'entendre sur la nature des mesures à envisager ainsi que sur la séparation des pourparlers d'Helsinki et de Vienne[19].

Tout en acceptant aussi l'idée des MDC, les principaux NNA — la Suède et la Yougoslavie avec l'appui de la Roumanie — regrettaient l'absence d'un lien plus substantiel entre les aspects politiques et militaires de la sécurité. Pour eux, les MDC envisagées s'avéraient insuffisantes, et ils auraient souhaité pouvoir considérer certaines contraintes ou limitations relatives au mouvement des forces militaires de même qu'un engagement ferme en faveur de la réduction des armements en Europe. Ainsi, les Suédois favorisaient une telle option et avaient même indiqué leur intérêt pour des mesures de contrainte militaire dans le secteur de la Baltique. Pour sa part, la Yougoslavie avait proposé que la CSCE étudie des mesures contraignantes telles que :

- un plafond sur la taille des manœuvres ;
- l'interdiction des manœuvres à proximité des frontières ;
- un gel des troupes étrangères stationnées en territoire européen[20].

Par ailleurs, certains pays européens avaient soulevé le problème épineux de l'extension des MDC à la Méditerranée, et cette question allait hanter la CSCE jusqu'en 1983. Malgré ces divergences, il apparut rapidement que seules les mesures acceptables aux yeux des deux alliances seraient retenues, et dès le 30 mars 1973, un texte à cet effet était accepté *ad referendum* par l'ensemble des participants, puis complété deux mois plus tard. L'ordre du jour formel de la CSCE comprendrait des propositions sur la notification des manœuvres de grande envergure et sur l'échange d'observateurs « dans des conditions mutuellement acceptables », mais on se limiterait à étudier la question de la notification des mouvements militaires[21]. La position des deux grands s'était donc imposée aux 35.

Le Canada, quant à lui, était demeuré quasiment muet durant les débats précédents. En effet, comme le note un diplomate dans un rapport, en mai 1973 :

> Je crois qu'il serait juste de dire que jusqu'à présent nous n'avons pas discuté à fond de la politique que le Canada devrait adopter à propos des mesures de confiance, dans le cadre de la CSCE. Au lieu de cela, nous nous sommes contentés d'opiner aux politiques élaborées à Bruxelles et de réagir de façon ad hoc aux problèmes particuliers lorsqu'ils sont apparus[22].

Plus encore, l'attitude canadienne révélait un désintérêt et un scepticisme à l'égard des MDC, dans le cadre de la CSCE :

> Jusqu'à présent, la pratique canadienne suggère que nous avons respecté environ quatre principes de base en ce qui concerne les MDC. Tout d'abord, nous sommes restés discrets puisque ce sont les Européens qui, en priorité, doivent promouvoir la confiance entre eux. Cette discrétion peut aussi être justifiée dans le but de réserver l'influence canadienne pour des sujets jugés plus importants au Canada, tels que l'encouragement des relations humaines, notamment la réunion des familles. Deuxièmement, il a été jugé — probablement avec raison — que des progrès plus tangibles en matière de désarmement pouvaient être effectués dans le cadre des MBFR et, par conséquent, nous avons estimé que tout facteur qui pourrait freiner les MBFR devrait être exclu de la CSCE, si cela est possible. Les deux derniers principes découlent, en partie, des deux premiers : nous ne voudrions pas aller au-delà des MDC qui ont été déposées à Helsinki, et nous souhaitons que les MDC soient aussi limitées que possible (d'ailleurs, il semblerait que certains s'attendent que les MDC issues de la CSCE soient anodines de toute façon). En résumé, l'approche canadienne semble être fondamentalement négative, si ce n'est que nous reconnaissons l'intérêt plus poussé que les Européens ont en la matière[23].

Deux ans après le début des discussions alliées relatives aux MDC en prévision de la CSCE, les diplomates d'Ottawa réalisaient donc l'absence d'une politique nationale claire à cet égard, et même si la situation canadienne n'est pas tout à fait atypique, on peut se demander combien de gouvernements occidentaux partageaient cette attitude à la fois apathique et indifférente. En effet, si l'on en juge d'après le niveau d'activité des instances politiques et militaires de l'OTAN à la veille de l'ouverture formelle de la CSCE, une seule étude relative aux MDC était en cours et rien d'autre n'était planifié à ce sujet[24].

La négociation des MDC d'Helsinki à Helsinki (1973-1975)

La phase I de la CSCE : Helsinki (du 3 au 7 juillet 1973)

Le 3 juillet 1973, la phase inaugurale de la CSCE s'ouvrait à Helsinki et, malgré le caractère formel de cette occasion, plusieurs propositions substantielles furent avancées dans le domaine des MDC.

Les Britanniques, qui prenaient ainsi l'initiative pour le camp occidental, justifiaient l'importance des MDC en soulignant que le but de la notification préalable des manœuvres et des mouvements militaires était de clarifier les intentions des États qui entreprenaient de telles activités et de permettre aux autres États de distinguer les opérations militaires à caractère routinier de celles qui pourraient être perçues comme menaçantes. De plus, la proposition britannique tentait de spécifier les détails qui pourraient faire l'objet de discussions lors de la seconde phase de la CSCE, qui s'ouvrirait à Genève en septembre. Finalement, il était précisé que les MDC envisagées ne pourraient probablement pas faire l'objet d'un système de vérification, attendu que l'accord que produirait la CSCE ne constituerait pas un acte juridique, mais que l'exécution des MDC serait garantie par un engagement moral et politique des pays participants (CSCE/I/18, 5 juillet 1973).

Pour leur part, les Soviétiques proposaient une « déclaration générale sur les fondements de la sécurité européenne et les principes des relations interétatiques en Europe » (CSCE/I, 4 juillet 1973). La déclaration se présentait d'emblée comme un schéma d'acte final, rédigé en termes extrêmement généraux, et contenait un article relatif aux MDC. Cependant, ce dernier ne faisait que répéter les termes de la proposition avancée par la RDA au cours des pourparlers préliminaires et laissait entendre que la notification des manœuvres ne serait nécessaire que « dans certaines zones déterminées » et non sur la totalité du territoire européen.

Toutefois, les Soviétiques ne furent pas les seuls à faire fi des résultats des discussions de Dipoli. Appuyée par la Roumanie, la Yougoslavie remettra en jeu la question des mesures contraignantes, et la Finlande soulèvera la question des zones exemptes d'armes nucléaires et celle de la réduction des armements en exigeant que ces sujets soient étudiés au cours de la phase II.

De plus, quatre pays — la Norvège, la Belgique, l'Espagne et la Roumanie — se déclaraient prêts à discuter de mesures concrètes de désarmement à la CSCE, et comme le note ironiquement un observateur :

Parmi celles-ci, la proposition roumaine était la plus ambitieuse et la plus irréaliste. Les Roumains avaient inclus toutes les formes de désarmement auxquelles on avait jamais pensé ; la seule chose qu'ils avaient oubliée était de suggérer que la CSCE remplace toutes les autres négociations internationales existantes. (Je m'attendais presque à ce qu'ils ajoutent à leurs propositions la limitation des éviers[25].)

À l'issue de cette deuxième et brève passe d'armes, les clivages qui opposaient les Soviétiques, l'OTAN et les NNA ne semblaient donc pas résorbés à la suite de neuf mois de discussions préliminaires, et la seconde phase de la CSCE promettait, par conséquent, d'être longue et difficile.

La phase II de la CSCE : Genève (du 18 septembre 1973 au 21 juillet 1975)

À la mi-septembre 1973 s'ouvrira à Genève la véritable étape de travail de la CSCE. Elle durera environ 22 mois et débouchera sur la conclusion de l'Acte final d'Helsinki qui, à ce jour, constitue la pierre angulaire des relations Est-Ouest en Europe. Les négociations relatives aux MDC auront pour cadre l'un des 11 sous-comités spécialisés dont la création avait été décidée lors des pourparlers préliminaires (sous-comité n° 2).

Dès le premier mois, les discussions se concentreront sur les trois MDC proposées à l'origine par l'OTAN. Les autres points de débat se verront rapidement conférer un statut secondaire par rapport à ces mesures. Les positions des participants se cristallisèrent donc autour des paramètres qui devaient commander l'application des mesures de confiance et, plus précisément, la notification des manœuvres et des mouvements militaires. En particulier, il s'agissait de savoir :

1. *Quelle serait la zone d'application des notifications ?*
   Devait-elle englober la totalité du territoire européen, comme le demandaient l'OTAN et les NNA ? Ou devait-elle se limiter aux zones frontières, comme le suggéraient les Soviétiques (50 kilomètres d'après leur position initiale) ?
2. *Qui devait être notifié ?*
   L'ensemble des participants (proposition des NNA et de l'OTAN) ? Ou bien — sur une base réciproque — seulement les voisins immédiats de l'État qui entreprenait une activité notifiable (position soviétique) ?
3. *Quels types de manœuvres et de mouvements fallait-il notifier ?*
   Les manœuvres comprenant plus d'une division, soit 10 000 hommes (OTAN) ? Plus d'une division renforcée, soit 18 000 hommes (NNA) ? Plus d'un corps d'armée, soit de 40 000 à 50 000 hommes (URSS) ?
4. *Quel devait être le délai de notification ?*
   Cinq jours (URSS) ? Deux mois (OTAN) ? Cinquante jours (NNA) ?

5. *Quelles seraient les forces dont les manœuvres et les mouvements seraient notifiés?*
   Les forces terrestres? aériennes? combinées?
6. *Quels types de renseignements devraient contenir les notifications?*
   Des renseignements détaillés sur le but de la manœuvre, sa durée, le nombre d'hommes y participant, la zone d'opération, les désignations des unités, l'endroit de départ et la destination (NNA, OTAN)? Ou des renseignements minimaux relatifs à l'objectif, à la durée et à la zone d'exécution (URSS)?
7. *Comment la notification des manœuvres aurait-elle lieu?*
   Fallait-il traiter la notification des manœuvres et des mouvements de façon combinée, selon les mêmes paramètres (NNA, OTAN)? Ou bien se concentrer sur la notification des manœuvres et reporter la question des mouvements à une future négociation (URSS)?
8. *Quand les observateurs devaient-ils être invités?*
   Dans quelles circonstances, et selon quelles conditions, des observateurs seraient-ils invités aux manœuvres?

Comme le suggèrent ces huit questions, les débats porteront donc sur un nombre limité de points très précis. De plus, il faut aussi noter que, dès le départ, la question des mouvements militaires et celle de l'observation des manœuvres ne recevront pas la même attention que les autres points. En effet, il était assez évident que les Soviétiques étaient formellement opposés à la notification des mouvements; les États-Unis partageaient d'ailleurs leur avis, et ils avaient, pour cette raison, refusé d'appuyer la proposition britannique du 4 février 1974 (CSCE/II/C/13) au sein de l'OTAN[26]. Quant à la question de l'observation, elle était clairement subordonnée à celle de la notification des manœuvres, dans la mesure où il était implicitement admis par tous que des observateurs ne seraient invités qu'aux activités notifiées. Ce point sera d'ailleurs l'un des premiers à faire l'objet d'un accord, dès l'été 1974. Enfin, il faut souligner que les positions de l'OTAN et des NNA, en ce qui a trait aux paramètres des notifications, étaient extrêmement proches, et comme l'a noté un observateur canadien, en octobre 1973: «La plupart des pays de l'OTAN et des NNA sont unanimes à propos des MDC [...] bien que la Yougoslavie, la Suède et, dans une moindre mesure, la Suisse seraient prêtes à aller plus loin pour ce qui est de certaines mesures[27].»

Autrement dit, malgré certaines divergences fondamentales qui avaient opposé l'OTAN et les NNA au cours des pourparlers préliminaires et ceux de la phase 1, les Occidentaux faisaient maintenant front commun devant les sept pays du Pacte de Varsovie sur la question des MDC, obligeant les Soviétiques à adopter une position entièrement défensive, statique et donc très inconfortable sur le plan diplomatique.

Certains auteurs et diplomates ont avancé que la négociation des MDC fut en substance « l'un des sujets les plus épineux qui aient été abordés au cours des pourparlers[28] ». Néanmoins, les mesures *sérieusement* envisagées étant dès l'origine purement symboliques, seules trois questions majeures restaient à régler : celles de la zone d'application des notifications, de la taille des manœuvres notifiables et du délai de notification. Un marchandage sérieux ne tarderait pas à s'engager à ce sujet.

Dès l'hiver 1974, les Soviétiques assouplissaient en effet leur position de départ au sujet de la zone de notification, et comme l'indique un rapport canadien du 25 février :

> Même si les Soviétiques prétendent qu'ils ne peuvent accepter qu'une zone étroite le long de leur frontière, il semble qu'il serait possible d'obtenir une zone plus large à l'intérieur de l'URSS [...] Il est peu probable que nous puissions obtenir un accord englobant l'ensemble du territoire européen soviétique, mais il ne devrait pas être difficile de maintenir que tout le reste de l'Europe devrait être inclus[29].

En juin 1974, le délégué soviétique annonçait ainsi que l'URSS serait prête à notifier ses grandes manœuvres dans une zone frontalière de 100 kilomètres à l'intérieur de son territoire (au lieu de 50 kilomètres), et le délai de notification passait, quant à lui, de cinq à dix jours. De leur côté, les pays de l'OTAN annonçaient le 26 juin par l'intermédiaire des Britanniques que la taille des manœuvres notifiables pourrait être portée de 10 000 à 12 000 hommes et que les délais de notification seraient réduits de 60 à 49 jours. De plus, les Occidentaux indiquaient qu'ils seraient prêts à prévoir des exceptions relativement à la zone de notification dans le cas de certains pays[30].

Au début de l'été 1974, le brouillon du texte portant sur les MDC était donc en bonne voie de rédaction, et 6 des 11 paragraphes du préambule avaient déjà fait l'objet d'un accord de principe. En particulier, le sous-comité s'était entendu sur l'invitation d'observateurs aux manœuvres[31] et sur l'échange de personnel militaire (proposition espagnole, CSCE/C/16, du 8 mars 1974). Ce dernier élément constituait l'unique mesure de confiance qui ne faisait pas partie de l'ensemble original de l'OTAN. Il s'agira d'ailleurs de la seule concession que l'Alliance atlantique fera au chapitre des « autres MDC » que le sous-comité avait examinées.

Après la pause estivale — de juillet à septembre 1974 —, les négociations reprendront sur cette base et, dès le mois de septembre, les travaux se concentreront sur la notion de « zones d'exception ». En d'autres termes, il était maintenant entendu que le principe des notifications des manœuvres s'appliquerait à l'*ensemble de l'Europe*, à l'exception des pays dont le territoire s'étendait à l'extérieur du continent[32]. Ces États, en particulier l'URSS et la Turquie, n'auraient à annoncer certaines activités militaires que dans une zone frontalière limitée. À la fin de septembre, un texte à cet effet était accepté. Un rapport canadien précise d'ailleurs :

> Toute notre attention se concentre exclusivement sur ce texte, et aucun autre document n'est considéré sérieusement même si son statut est officiellement reconnu. Les Soviétiques ont accepté, en principe, la formulation tout en se réservant le droit d'y revenir le cas échéant. (Interprétation : cela semble parfait ; Moscou est satisfait, mais comme la formulation est occidentale, il y a peut-être un piège, et nous ne l'avons pas décelé[33].)

À la fin de septembre, le Pacte de Varsovie semblait cependant indiquer que le temps des concessions était terminé et que les autorités militaires du Kremlin étaient absolument opposées à un assouplissement de la position soviétique relativement aux paramètres de notification. Les négociations entreront donc dans une impasse et y resteront jusqu'au printemps 1975. Pour compliquer encore la situation, le conflit gréco-turc de l'été précédent avait suscité un raidissement dans la position de ces deux États au sein de la CSCE, et cela menaçait directement l'unité occidentale par rapport aux MDC. En effet, vu sa position géographique, la Turquie avait exigé qu'une partie de son territoire soit exemptée en matière de notification, et la Grèce risquait fort d'en prendre ombrage et de réclamer à son tour des mesures compensatoires.

C'est dans ce contexte que le Canada, abandonnant sa discrétion habituelle, élabora le plan d'une initiative qui allait certainement jouer un rôle considérable dans le déblocage de la situation. Comme le décrit un mémorandum de février 1975 :

> En cherchant des idées pour contourner l'impasse, le Ministère a mis au point un tableau représentant les paramètres de notification des manœuvres. Ce tableau présentait — en particulier dans le cadre d'un engagement ferme en faveur de la notification — l'idée d'une échelle mobile relative aux paramètres. En l'occurrence, plus le nombre de soldats participant à une manœuvre aurait été élevé, plus les paramètres de notification auraient été rigoureux quant aux délais de notification, à la zone et au contenu des notifications. Nous espérions qu'une approche « matricielle » de ce type favoriserait certains compromis de part et d'autre, autorisant donc l'URSS à assouplir ses positions sans que l'OTAN ait à abandonner ses objectifs principaux. Notre matrice n'avait pas pour objet de fixer des paramètres précis, mais plutôt de fournir un moyen de sortir les négociations de l'impasse où elles se trouvaient[34].

La « matrice canadienne », comme on l'appellera, sera ainsi élaborée, puis discutée au sein de l'Alliance atlantique, entre novembre 1974 et mars 1975, ce qui donne d'ailleurs une idée de la prudence canadienne et de la lenteur des procédures de consultation alliées. Le projet fut très bien reçu : le 18 mars 1975, il était présenté officieusement aux NNA. Cependant, le cheminement de l'initiative canadienne s'arrêtera là. En effet, sous la pression des pays occidentaux et des neutres[35], les Soviétiques acceptaient le 13 mars de reconsidérer leur position concernant les paramètres, à la condition que les notifications puissent se faire sur « une base volontaire ». Ils acceptaient de plus, sans condition, que les notifications soient données à tous les participants, et non seulement à leurs voisins immédiats (ce qui n'était pas réellement une concession). La « matrice canadienne » avait donc été dépassée par les événements, mais ainsi qu'on le souligne dans son « oraison funèbre » :

> Bien qu'elle [la matrice canadienne] n'ait jamais acquis le statut de proposition formelle, sa présentation et les discussions dont elle a fait l'objet parmi les neuf, les quinze et les neutres ont eu une certaine utilité en matière de tactiques et en substance. Par ailleurs, le concept de matrice pourra possiblement nous être utile à l'avenir, au cas où un nouveau blocage se produirait. La contribution la plus importante de la matrice canadienne a été de favoriser un déblocage de la situation, et cela a démontré l'importance d'avancer des options lorsque les positions diplomatiques sont trop simples et rigides. Ce faisant, la présentation de la matrice a permis d'attirer l'attention des diplomates concernés sur les détails d'un problème complexe et a stimulé une révision importante de nos réflexions[36].

À la mi-avril 1975, la négociation des MDC s'acheminait donc lentement, mais sûrement, vers sa conclusion. Selon toute apparence, les Soviétiques avaient réalisé qu'ils n'obtiendraient un accord final qu'en faisant preuve de souplesse. Faire traîner les choses plus longtemps risquait d'ailleurs d'endommager la mécanique de la détente en Europe, et les Soviétiques avaient trop investi dans ce processus pour laisser se produire un tel événement. Par conséquent, après avoir indiqué leur volonté de se rapprocher des Occidentaux sur la question des paramètres, les Soviétiques tentèrent d'arriver à un accord direct avec les États-Unis. Lors de sa rencontre avec Kissinger, à Vienne, en mai 1975, Gromyko proposait ainsi que les manœuvres de 30 000 hommes et plus se déroulant dans une zone de 150 kilomètres à l'intérieur des frontières de l'URSS soient notifiées 18 jours avant leur début. À Washington, au début de juin, les Soviétiques élargirent la zone à 250 kilomètres. Mais si ces « paramètres de Washington » avaient satisfait le secrétaire d'État américain, ce n'était pas le cas des Européens qui insistaient sur un plafond de 22 000 hommes, une zone de 300 kilomètres et un délai de 21 jours.

À la fin de juin 1975, les NNA ajustaient cependant ces chiffres et, le 31 juillet, l'URSS accédait à un compromis final : 25 000 hommes, 250 kilomètres et 21 jours. La phase 2 de la CSCE s'achevait donc après un pénible marchandage d'épicerie, et l'on peut se demander si le résultat obtenu méritait tant d'efforts. En effet, les mesures adoptées n'avaient aucune importance militaire. Leur nature était plutôt symbolique, leur portée limitée et leur exécution dépendait de la bonne volonté des États participants (voir le tableau 17).

Un examen attentif des textes et de leur interprétation officielle montre toutefois que les gains obtenus par les Occidentaux étaient beaucoup plus tangibles qu'il n'y paraissait à première vue.

Tableau 17

Paramètres de notification des manœuvres militaires d'envergure

Taille	Délai de notification	Zone de notification	Contenu de la notification	Pays notifiés
1. Une division ou 12 000 hommes.	Minimum de 10 jours.	L'Europe, y compris une zone de 100 km à l'intérieur de l'URSS.	1. Dates ; 2. But ; 3. Zone géographique ; 4. Taille.	Tous les États participants.
2. Une division renforcée ou 18 000 hommes.	Minimum de 30 jours.	L'Europe, y compris une zone de 350 km à l'intérieur de l'URSS.	1. Nom, s'il y a lieu ; 2. Nombre de soldats ; 3. But ; 4. Zone géographique ; 5. Dates.	Tous les États participants.
3. Un corps d'armée ou plus.	Minimum de 49 jours.	L'Europe, y compris une zone de 700 km à l'intérieur de l'URSS.	1. Nom, s'il y a lieu ; 2. Nombre de soldats ; 3. But ; 4. Zone géographique ; 5. Dates ; 6. Point de départ ; 7. Nom des unités ; 8. Durée de l'absence des unités de leur lieu de stationnement ; 9. Autres données pertinentes.	Tous les États participants.

Le bilan de l'Acte final d'Helsinki sur le plan des MDC

En premier lieu, il faut bien se rendre compte que le principal mérite de l'Acte final d'Helsinki sur le plan des MDC est d'avoir fait accepter aux Soviétiques la « philosophie » occidentale en la matière. Si l'on examine le document sur les MDC, on constate en effet que son long préambule consacre leur statut autonome. Cela montre implicitement que les MDC ont autant d'importance que les principes des relations interétatiques en ce qui concerne la sécurité, et il est significatif que les Soviétiques ne souhaitaient qu'un seul document pour la corbeille 1 et s'opposaient à un préambule substantiel concernant les aspects militaires de la sécurité. De plus, le préambule, dont une large partie a été reprise à partir des textes britanniques, reflète clairement les buts poursuivis par les pays occidentaux tels qu'ils figuraient dans les propositions initiales. Les paragraphes 2, 4 et 9 soulignent en particulier la volonté des États participants de « renforcer la confiance entre eux », de « réduire les risques de conflits armés ou de malentendus », et reconnaissent notamment, dans cette perspective, « l'importance politique de la notification préalable des manœuvres militaires d'envergure ». Autrement dit, les Soviétiques avaient été amenés à admettre explicitement le principe des MDC et leur rôle dans le cadre de la détente en Europe. Plus encore, ils avaient accepté le caractère diversifié et évolutif de telles mesures. En effet, à plusieurs reprises dans le texte du document, on mentionne « d'autres mesures de confiance », et l'on spécifie que les participants pourront unilatéralement aller plus loin que les recommandations de l'Acte final d'Helsinki. Enfin, sur le chapitre des « autres mesures destinées à renforcer la confiance », on précise que « l'expérience acquise lors de la mise en œuvre des dispositions pourrait permettre, au prix de nombreux efforts, de développer et d'étendre les mesures destinées à renforcer la confiance ». Les Soviétiques admettaient donc sans ambiguïté que les mesures acceptées à Helsinki n'étaient qu'un premier pas et qu'elles devaient être développées par la suite.

Bien sûr, l'URSS avait insisté sur le caractère volontaire des MDC, mais cet affaiblissement des mesures adoptées à Helsinki était largement compensé, dans le préambule, par les termes utilisés. Si les mots « base volontaire » figuraient au paragraphe 11, leur contexte indiquait cependant qu'il ne pouvait s'agir d'une mesure arbitraire ou laissée à la discrétion des États ni non plus d'un acte occasionnel. En effet, c'est en raison de son caractère politique que cette mesure de confiance reposait sur une base volontaire. En outre, l'importance politique de la mesure était précisée explicitement, de même que la responsabilité des États dans sa mise en œuvre et dans le respect des modalités précisées pour celle-ci. Une telle interprétation a été admise à plusieurs reprises par les négociateurs soviétiques eux-mêmes autant dans les réunions formelles qu'au cours des contacts officieux[37].

Il est aussi important de noter que les Soviétiques ont dû finalement renoncer à mentionner la « base volontaire » dans la partie clé du texte concernant la notification des manœuvres et se sont contentés d'une référence à ce principe dans le préambule. Par opposition, le début du texte se lit comme suit : « devront être notifiés », ce qui souligne clairement le caractère obligatoire de la mesure. En dernier lieu, bien que les Soviétiques aient tenté de limiter la définition des MDC aux notifications des manœuvres de grande envergure, et cela sur une zone limitée de leur territoire, ils avaient été amenés à admettre que l'invitation des observateurs, la notification des manœuvres de moindre envergure et celle des mouvements faisaient elles aussi partie des MDC. Par ailleurs, la limitation géographique des notifications était clairement désignée comme une exception, le principe étant que les notifications s'appliquaient à l'ensemble du territoire européen.

Contrairement à une perception courante à l'époque, la CSCE ne s'était donc pas achevée par une victoire soviétique. L'Acte final d'Helsinki et particulièrement le document relatif aux MDC représentaient des gains considérables du point de vue occidental. Et comme le souligne le rapport final du chef de la Délégation canadienne :

> L'apparence et l'esprit de l'Acte final ainsi que sa substance et sa forme font de ce document un produit essentiellement occidental. Il est difficile de comprendre comment et pourquoi les Soviétiques ont perdu la maîtrise de domaines qu'ils percevaient comme menaçants et se sont contentés d'insérer, dans le texte, des échappatoires plutôt que de tenter de reformuler l'Acte final dans des termes qui auraient favorisé le contrôle de l'État. Cela demeurera un mystère de la CSCE. De leur part, cela représente une erreur grave, mais les implications réelles de cette dernière ne sont apparues que tard dans la négociation — trop tard pour changer la nature de ce qui allait émerger des pourparlers de Genève. Les négociations lentes et pénibles qui se sont déroulées dans le cadre de la CSCE ont peut-être appris aux Soviétiques que les Occidentaux étaient solidaires et que l'Ouest était déterminé à donner une dimension humaine à la détente. Mon sentiment est que le processus de la CSCE a été au moins aussi important que le document complexe qu'elle a produit et, sans doute, plus important que le sommet hautement symbolique d'Helsinki. Pendant près de trois ans, il a été possible de rappeler aux Russes quotidiennement, lors des dîners formels ou officieux, pendant les déjeuners et les dîners d'affaires, que leur perception du monde et de l'Europe était maintenant dépassée et que maints aspects de leurs politiques à l'égard des pays non socialistes n'étaient plus acceptables. J'ai peut-être tort, mais je pense que c'est ce processus, ce flot de télégrammes échangés entre Moscou et Genève, qui a fini par les convaincre qu'ils payaient un prix trop élevé pour ce qu'ils étaient en mesure d'attendre. Je crois que les Russes ont quitté Genève, déçus, avec le sentiment d'avoir été trompés, et ce n'est que l'urgence de la situation — pour d'autres raisons — qui les a amenés à accepter le compromis final[38].

Il serait cependant erroné de présenter le bilan d'Helsinki exclusivement en fonction de gains et de pertes. Pour tous les participants aux négociations, la CSCE avait été avant tout un processus d'apprentissage et l'Acte final d'Helsinki ne constituait que la sanction provisoire d'une première étape de ce processus.

Dans cette perspective, les Européens de l'Ouest avaient appris deux leçons importantes :

- leur unité était un atout essentiel devant l'Est ;
- cette unité n'excluait pas l'expression de points de vue différents pour autant que le camp occidental s'entende sur un ensemble de dénominateurs communs.

Du point de vue de l'URSS et des pays de l'Est en général, le bilan n'était pas non plus négatif. La CSCE ainsi que les accords qui l'ont précédée avaient reconnu *de facto* l'existence des réalités de l'après-guerre et l'impossibilité de changer ces réalités par la force. Plus encore, la CSCE remplaçait les gesticulations politico-militaires de la guerre froide par un dialogue modeste mais productif, qui n'était plus totalement dominé par les États-Unis du côté occidental. Pour les Soviétiques, Helsinki symbolisait donc certains acquis importants et représentait une ouverture diplomatique à exploiter par rapport à l'Europe de l'Ouest.

Bref, pour les deux camps, et particulièrement pour les Occidentaux, la valeur de la CSCE résidait dans l'avenir, et le premier test de ces espoirs aura lieu à Belgrade, deux ans plus tard.

CELA SE DÉGRADE À BELGRADE

À première vue, la Conférence de Belgrade, dont les pourparlers préliminaires s'ouvrirent le 15 juin 1977, devait bénéficier d'un climat politique et diplomatique propice. En effet, on pouvait s'attendre que la nouvelle administration américaine (démocrate) favorable au contrôle des armements et à la détente fasse preuve d'initiative et de souplesse dans le cadre de la CSCE. De plus, et surtout, dans le domaine particulier des MDC, deux ans d'expérience montraient que les Occidentaux comme les pays de l'Est avaient respecté la lettre sinon l'esprit de l'Acte final d'Helsinki. En particulier, les pays de l'OTAN avaient interprété et appliqué les dispositions d'Helsinki de façon très libérale. Ils avaient ainsi notifié l'ensemble de leurs manœuvres ayant engagé plus de 25 000 hommes (13 cas) et ils avaient, à plusieurs occasions, devancé les délais de notification (de 24 à 34 jours au lieu de 21). Pour ce qui est du contenu des notifications, les pays de l'OTAN avaient tenu à transmettre le plus de renseignements possible (désignation et objectif des manœuvres, pays participants, type et taille des unités, durée des manœuvres et, le cas échéant, lien avec d'autres manœuvres alliées). Par surcroît, les alliés avaient notifié 13 manœuvres de plus petite taille (de 10 000 à 25 000 hommes), et la Norvège, deux manœuvres de 8 000 hommes. Sur le plan de l'observation des manœuvres, les Occidentaux avaient invité des représentants des 35 à 9 des 13 manœuvres de grande envergure et à 6 des 15 manœuvres de plus petite taille.

Dans la plupart des cas, les invitations avaient été adressées à tous les participants de la CSCE. Les alliés avaient fait le maximum pour faciliter le travail des observateurs en leur procurant les moyens nécessaires à leur tâche (séances d'information, guides, postes d'observation, contacts avec le gouvernement et la troupe, et permission d'utiliser des lunettes d'approche et des appareils photographiques). Les NNA, quant à eux, avaient appliqué les dispositions d'Helsinki dans le même esprit. Ils avaient notifié une manœuvre d'envergure (la Suisse) et sept exercices plus petits touchant de 8 000 à 24 000 personnes (la Yougoslavie, 2 exercices ; la Suède, 2 ; l'Espagne, 1 ; et l'Autriche, 1). Le traitement des observateurs avait répondu aux mêmes critères que ceux qui avaient été respectés dans le cas de l'OTAN.

Enfin, pour les pays du Pacte de Varsovie, les MDC représentaient un des rares domaines dans lequel leur performance pouvait être estimée satisfaisante. Ils avaient notifié la totalité de leurs manœuvres d'envergure excédant le seuil de 25 000 hommes (9 cas), et l'URSS, en septembre 1978, ira même jusqu'à notifier une manœuvre dans une zone non couverte par l'Acte final l'Helsinki (le Caucase). De plus, en notifiant ces manœuvres, les États du Pacte de Varsovie avaient strictement respecté les paramètres fixés à Helsinki. En avril et en septembre 1976, la Hongrie avait même notifié deux manœuvres de plus petite taille (10 000 hommes et 15 000 hommes), mais sans respecter les délais requis pour les manœuvres de grande envergure. Quant aux observateurs, les pays du Pacte de Varsovie avaient invité certains pays de la CSCE à cinq de leurs neuf grandes manœuvres, mais, de 1975 à 1977, les invitations avaient été limitées à un petit nombre de pays, voisins de l'URSS et proches de l'endroit où se déroulaient les manœuvres ; en outre, notons que les observateurs invités ne bénéficièrent pas du même traitement que celui que l'Ouest réservait à l'Est. Dans bien des cas, l'observation des manœuvres fut très limitée, les séances d'information minimales et la liberté de mouvement restreinte. De plus, les pays de l'Est déclinèrent systématiquement les invitations occidentales jusqu'en juin 1977, ce qui reflète vraisemblablement la volonté de ne pas légitimer les activités militaires de l'OTAN qui constituaient une des cibles favorites de la propagande soviétique. Avec le début des pourparlers préliminaires de Belgrade, cette situation allait cependant s'améliorer progressivement.

Dans l'ensemble, l'application des MDC montrait que les dispositions pertinentes de l'Acte final d'Helsinki pouvaient être respectées sans difficulté et que l'exécution de ces mesures autorisait certains progrès, sans même modifier les termes de l'accord d'Helsinki.

Compte tenu de ces éléments fort positifs, plusieurs pays — dont le Canada — tentèrent de définir une stratégie constructive en vue de la réunion principale de la CSCE prévue pour l'automne dans la capitale yougoslave. Cela signifiait pour le Canada en particulier qu'à Belgrade « l'objectif devrait être de perfectionner l'application de l'Acte final là où des faiblesses et des lacunes peuvent être mises en évidence sans pour cela tenter de développer les mesures contenues dans l'accord, ce qui, de toute façon, ne fait pas partie du mandat de la réunion[39] ».

De plus, même s'il était nécessaire à cette fin de critiquer la façon dont certains pays avaient appliqué l'accord d'Helsinki, « nous devrions intervenir de façon objective, sans passion, et chercher à maintenir un climat favorable au dialogue, sans polémique ni confrontation[40] ».

Dans cet esprit, le Canada avait d'ores et déjà préparé, au sein de l'Alliance atlantique, plusieurs propositions thématiques, dont l'une sur les MDC et leur développement éventuel. Il y était souligné, entre autres, que les participants à la CSCE pouvaient contribuer à promouvoir les objectifs des mesures de confiance s'ils adoptaient une attitude plus libérale en les mettant en pratique. On suggérait précisément que les États :

- notifient les manœuvres de moindre envergure (moins de 25 000 hommes) ;

- envoient leur notification plus de 21 jours à l'avance;
- fournissent plus d'information dans leurs notifications;
- améliorent le traitement des observateurs invités;
- notifient les mouvements militaires associés aux manœuvres;
- exécutent leurs diverses activités militaires en tenant compte des objectifs des MDC;
- établissent des contacts plus étroits par des échanges de personnel militaire.

Ces différentes mesures pouvaient d'ailleurs être adoptées sous la forme d'un engagement général à mieux mettre en pratique l'Acte final d'Helsinki ou d'un accord formel engageant les deux parties[41]. Malheureusement, l'initiative canadienne, si modeste qu'elle fût, allait tomber à plat dans une ambiance à la fois sceptique et confuse. En effet, les pourparlers préliminaires avaient été marqués par plusieurs événements importants qui allaient déterminer le déroulement de la Conférence de Belgrade elle-même.

À l'Est, par exemple, les Soviétiques semblaient adopter une attitude extrêmement défensive, probablement en raison de leur expérience douloureuse à Helsinki et à Genève. De plus, compte tenu des initiatives fantaisistes du président Carter sur la question des SALT, le Kremlin était en mesure de s'inquiéter des nouvelles orientations de la politique américaine de contrôle des armements. Comme le note Tom Delworth:

> L'argumentation élaborée par les délégations du Pacte de Varsovie semble refléter deux craintes soviétiques: a) la peur qu'une discussion libre et illimitée puisse les exposer aux mêmes difficultés qu'à Genève, et [...] obtenir des résultats aussi peu favorables que précédemment; b) l'incertitude relative aux pratiques de la nouvelle administration du président Carter à l'égard de la réunion de Belgrade. La stratégie du Pacte de Varsovie, tout au long de la réunion préparatoire, peut être perçue, dans ce sens, comme un effort d'« endiguement » dont l'objet est de limiter le plus possible la durée et la substance de la réunion principale, de façon à circonscrire les menaces dirigées contre les intérêts des Soviétiques et leur conception de la détente[42].

Du côté occidental, la Délégation américaine à Belgrade avait elle aussi opté pour la prudence, mais pour des motifs différents. Le département d'État semblait, en effet, craindre les interventions intempestives du Congrès et de la Maison-Blanche et, pour cette raison, il s'était abstenu de prendre la direction des travaux préparatoires de l'OTAN. En outre, contrairement à ce qui s'était passé à Helsinki et à Genève, les NNA et les neuf de la CEE paraissaient vouloir affirmer leur autonomie politique, et il fallait donc s'attendre que les divergences au sein du groupe occidental soient plus marquées que par le passé.

Pour toutes ces raisons, la situation diplomatique à l'été 1977 pouvait être perçue comme étant fluide et incertaine, et cela explique « l'absence d'une conception collective et cohérente des objectifs que les Occidentaux auraient dû poursuivre à Belgrade; cela n'a fait qu'ajouter aux difficultés qu'ils éprouvaient à s'entendre sur les objectifs et les tactiques à poursuivre lors de la réunion préparatoire[43] ».

En fait, les pays de l'Alliance atlantique parvinrent tout de même à s'entendre sur une stratégie en deux étapes, qui mettrait d'abord l'accent sur l'examen de la mise en pratique des mesures d'Helsinki et n'aborderait qu'ensuite de nouvelles propositions, d'ailleurs fort modestes.

À l'ouverture de la Conférence de Belgrade, à l'automne 1977, les positions des différents groupes étaient donc les suivantes : l'OTAN, dans sa proposition présentée par le Canada, la Grande-Bretagne, la Norvège et les Pays-Bas (CSCE/BM/11), suggérait :

- de notifier les manœuvres de moindre envergure (de 10 000 à 25 000 hommes) ;
- d'étendre le délai de notification à 30 jours ;
- d'améliorer le traitement des observateurs ; et surtout
- de notifier les mouvements militaires de plus de 25 000 hommes « s'ils se déplacent pendant 30 jours consécutifs et s'ils parcourent une distance supérieure, à vol d'oiseau, à 200 kilomètres à partir du point d'origine du mouvement ».

Les NNA, quant à eux, allaient adopter une position très proche de l'OTAN, quoique moins claire, par rapport aux notifications des manœuvres de moindre envergure. En effet, la Suisse, s'était fermement opposée à l'abaissement du seuil de notification en deçà de 18 000 hommes et les NNA s'étaient donc vus obligés d'adopter une formulation complexe prévoyant la notification de petites manœuvres combinées dont les effectifs dépasseraient au total 25 000 hommes. En outre, les NNA suggéraient la notification des manœuvres navales ainsi qu'une plus grande transparence en ce qui a trait au budget militaire (CSCE/BM/6, 24 octobre 1977).

La proposition soviétique (CSCE/BM/5, 24 octobre 1977) allait faire l'effet d'une douche froide à ceux qui nourrissaient encore l'espoir de voir la Conférence de Belgrade faire quelques modestes progrès dans le domaine des MDC. Dans son Programme d'action visant à consolider la détente militaire en Europe, l'URSS offrait aux participants de la CSCE de conclure un Traité de renonciation à l'usage préemptif des armes nucléaires, soit le non-usage en premier des armes nucléaires (NUPAN) ou *No First Use* et de s'engager à ne pas élargir les alliances militaires. Par surcroît, elle proposait de renoncer aux manœuvres de plus de 50 000 hommes et d'étendre l'application des MDC aux pays du bassin méditerranéen. Selon les Soviétiques, la négociation de ces propositions pourrait se dérouler dans le cadre de « consultations spéciales » parmi les 35.

Bien sûr, les deux premiers éléments de la proposition ne relevaient pas du tout du domaine de compétence de la Conférence de Belgrade et les deux autres posaient des problèmes techniques et politiques épineux. L'URSS ne semblait donc pas prête à négocier sérieusement.

D'ailleurs, la Conférence de Belgrade sera dominée par les polémiques, les querelles et les récriminations dès l'ouverture des débats, particulièrement dans le domaine des droits de la personne et aussi à propos des MDC : « Les discussions relatives aux MDC ont donné l'impression que deux conférences avaient lieu au même endroit ; les pays de l'Est ont parlé de détente, de désarmement et du droit d'aimer, et les autres délégations ont parlé de MDC[44]. »

La période d'examen de la mise en pratique des mesures d'Helsinki occupa huit sessions, entièrement dominées par les Occidentaux. Les NNA contribuèrent très peu aux discussions et les pays de l'Est refusèrent systématiquement d'entrer dans le débat. On compta cinq nouvelles propositions : la proposition occidentale (BM/11), les propositions des NNA (BM/6 et BM/18), la proposition roumaine (BM/S1) et la proposition soviétique (BM/5). Une base de discussion potentielle existait donc, mais cela ne fit pas bouger les pays du Pacte de Varsovie. Sans pouvoir empêcher la discussion de ces propositions, ils maintenaient toutefois que seule l'offre soviétique leur semblait digne d'intérêt. Après la pause de Noël, les Soviétiques déclarèrent péremptoirement qu'aucune nouvelle proposition ne serait acceptée et qu'il n'était pas opportun d'entamer de véritables négociations à ce sujet.

Compte tenu de ce blocage, les discussions se concentrèrent, au cours de la dernière phase de la Conférence de Belgrade, sur le projet d'une rencontre d'experts dans le domaine des MDC. Cette proposition de dernière minute avancée par la Suède, la Roumanie et la Yougoslavie reçut toutefois un accueil indifférent à l'Ouest comme à l'Est, malgré sa parenté avec le concept soviétique d'une « consultation spéciale » sur les questions de sécurité.

La Conférence de Belgrade allait donc s'achever, le 9 mars 1978, sans résultats tangibles sur le chapitre des MDC. Toutefois, ce rendez-vous manqué n'était pas un échec dans la mesure où il avait montré aux participants de la CSCE qu'il n'y avait pas de solution de rechange au processus entamé à Helsinki, même s'il ne pouvait offrir à court terme tous les bénéfices que l'on en attendait de part et d'autre. Belgrade avait donc mis en évidence les limites du dialogue entre des systèmes politiques différents. Pour leur part, les Occidentaux devaient renoncer à se servir de la CSCE comme d'une scène publique pour clouer l'URSS au pilori ou comme d'un instrument destiné à modifier de façon draconienne la nature du système social soviétique. L'URSS, quant à elle, ne pouvait s'attendre à voir les Occidentaux changer d'attitude à son égard si elle n'acceptait pas les critiques constructives et si elle ne proposait pas autre chose que des mesures irréalistes ou dénuées de toute substance.

Cependant, les leçons de Belgrade ne seront que difficilement apprises et il faudra attendre près de six ans, jusqu'à l'issue de la Conférence de Madrid, pour que les attitudes se modifient et que le processus de la CSCE reprenne un cours plus normal.

ON SE DÉRIDE À MADRID

Dès la clôture de la Conférence de Belgrade, il fut apparent pour tous les participants que si un face-à-face hostile avait été acceptable au cours de cette rencontre, l'expérience ne pourrait être répétée à Madrid sans causer des dommages irréparables au processus de la CSCE. Il devenait donc nécessaire, de part et d'autre, de faire preuve d'initiative et de planifier la Conférence de Madrid afin que cela ne se produise pas. Du côté occidental, les préparatifs suivront deux cheminements qui seront peu à peu combinés : l'un prendra la forme d'une initiative française lancée en 1978, l'autre aura pour cadre les discussions internes de l'OTAN.

L'initiative française en faveur d'une Conférence sur le désarmement en Europe (1977-1979)

Pour des raisons bien particulières qui tiennent avant tout à une certaine conception de l'indépendance nationale et à l'hostilité du gaullisme à l'égard de l'OTAN et de l'ONU, la France était demeurée absente des grands débats sur le contrôle des armements et le désarmement depuis le début des années soixante. Dès l'origine, elle s'était d'ailleurs refusée à participer de près ou de loin aux négociations MBFR dont le cadre contraignant et les perspectives limitées ne lui convenaient pas. En 1977, la rigidité doctrinale du gaullisme pur et dur fera place cependant à une conception plus souple de la sécurité européenne. Ce changement avait pour point de départ autant l'évolution des mentalités au sein de l'élite politique que la prise de conscience des risques que comportait la politique de la « chaise vide ». En effet, advenant la conclusion d'accords de limitation des armements en Europe — ou ailleurs — la sécurité de la France pouvait être menacée sans même qu'elle soit intervenue dans le débat. En outre, les négociations du désarmement n'étaient-elles pas des forums diplomatiques légitimes où la France pouvait manifester son influence et défendre ses intérêts ?

À l'été 1977, un communiqué du Conseil des ministres annonçait donc que le gouvernement français « entreprendrait un effort de réflexion sur le désarmement et présenterait, le moment venu, un plan d'ensemble[45] ». Le plan sera rendu public en janvier 1978, puis présenté à l'occasion de la session spéciale de l'ONU sur le désarmement, le 25 mai 1978. La France proposait « la convocation d'une conférence — appelée Conférence du désarmement en Europe (CDE) — [qui deviendra la Conference on Confidence and Security Building Measures and Disarmament in Europe (CCSBMDE)] à laquelle seraient conviés tous les pays européens ainsi que les États-Unis et le Canada[46] ». Cette nouvelle négociation se situerait dans le prolongement de la CSCE, mais dans un cadre différent puisqu'il s'agirait d'aller plus loin que l'Acte final d'Helsinki. Elle aurait pour objectif l'amélioration de la sécurité dans l'ensemble du continent européen de « l'Atlantique à l'Oural » (et non dans une zone réduite comme celle des MBFR ou celle qui était prévue dans l'Acte final d'Helsinki). Elle procéderait en deux étapes :

- l'adoption de mesures de confiance (MDC)[47] ;
- l'engagement d'un processus de désarmement classique terrestre qui exclurait le nucléaire et la marine militaire.

Immédiatement après la présentation du projet, la France entame une série de consultations bilatérales (France et RFA ; France et URSS) qui aboutissent à la déclaration franco-soviétique du 28 avril 1979. Parallèlement, des consultations multilatérales conduisent à des échanges de vues au sein des neuf de la CEE et des quinze de l'OTAN. Mais au bout de un an, malgré l'intérêt sensible pour la proposition française, le consensus ne s'avère pas suffisant pour envisager la convocation de la CDE. Du côté occidental, les États-Unis, la Grande-Bretagne et le Canada se montrent très réservés, car ils craignent les interférences avec les MBFR et la CSCE et ne comprennent pas l'utilité de créer un nouveau forum de désarmement.

Quant aux pays de l'Est et aux Soviétiques, ils demeurent très réticents à l'égard du développement des MDC et privilégient au contraire l'idée très abstraite de « détente militaire ». Ils ne manifestent donc de l'intérêt pour les mesures de confiance que pour autant qu'ils pourront y incorporer des propositions « déclaratoires », héritées de la vieille idée d'établir en Europe un « système de sécurité collective » (non-élargissement des alliances, pacte de non-agression et Traité de non-usage en premier de la force militaire). En outre, ils n'admettent pas l'idée d'une zone allant jusqu'à l'Oural, ce qui leur paraît « asymétrique ».

Du côté des NNA, on souhaite que la CDE traite aussi du nucléaire ainsi que des aspects navals, et l'on s'inquiète de l'impact qu'aurait la future CDE sur la CSCE. Dans l'ensemble, la réception offerte à la proposition française se révèle donc plutôt tiède, mais, à dessein ou par accident, les Français avaient pu devancer de un an une initiative majeure des Soviétiques, ce qui conférera à leur proposition une importance politique considérable.

En effet, le 16 mai 1979, à Budapest, lors de la réunion des ministres des Affaires extérieures du Pacte de Varsovie, l'Est propose une Conférence paneuropéenne sur la détente militaire. Son contenu — très différent de celui de la CDE — n'est pas nouveau car il se réfère implicitement à la « plate-forme » de Belgrade (BM/5), à la déclaration du Comité consultatif politique des pays membres du Pacte de Varsovie du 23 novembre 1978 et au discours de Brejnev du 2 mars 1979. Cependant, le « nouveau » plan soviétique présente très habilement — par une parenté de langage avec le programme franco-soviétique — une certaine similitude avec les idées françaises, c'est-à-dire la nécessité d'un forum à 35 pour discuter de sécurité et développer la confiance.

En réalité, l'objet de la Conférence proposée par l'Est est de créer une solution de rechange à la CSCE qui, pour l'URSS, est devenue un chemin de croix, et de poursuivre ainsi la « détente » européenne dans un contexte plus propice. Le but des Soviétiques est donc vraisemblablement de contourner le projet français, en se contentant de prévoir l'adoption de MDC « inoffensives », au nombre desquelles on compterait les mesures déclaratoires que nous avons déjà citées. Il faut cependant souligner que plusieurs des MDC mentionnées dans le Communiqué de Budapest (notification des mouvements et des manœuvres aériennes et navales, extension des MDC à la Méditerranée, etc.) sont tirées de propositions antérieures des NNA et doivent donc clairement jouer le rôle d'appât pour ces derniers.

En juillet 1979, précisant leur projet, les Soviétiques proposent une réunion préparatoire pour fixer les conditions d'un mandat qui serait adopté à Madrid, pour une Conférence qui se tiendrait ultérieurement. Bien sûr, cela ferait dépendre l'ouverture de la Conférence de Madrid des résultats de la réunion préparatoire, qui serait ainsi « sous pression ».

Parallèlement, de nombreux pays occidentaux et des NNA indiquent leur souci de réaliser des progrès concrets dans le domaine des MDC à Madrid même. Dans ce contexte, la France est amenée à préciser son approche, au début de l'automne 1979, par un mémorandum qui vise à détailler la première phase de la CDE.

Pour les Français en particulier, l'avantage d'une Conférence sur le désarmement en Europe réside dans le fait qu'elle permet de replacer les MDC dans un contexte politique. Devant les exigences des Occidentaux en matière de MDC, les Soviétiques ont toujours pu rétorquer en effet qu'il s'agissait de mesures à la fois techniques et trop limitées, qui ne contribuaient que très modestement à la détente et au désarmement. On renverserait donc la situation en intégrant les mesures de confiance dans le processus du désarmement, et la première phase de la CDE jouerait ce rôle. Comme le souligne d'ailleurs le mémo français, il s'agit pour les Occidentaux :

- d'opposer aux mesures déclaratoires un programme de mise en œuvre progressive de mesures concrètes ;
- de replacer, après la Conférence de Madrid, et en la subordonnant à la satisfaction préalable de contre-propositions occidentales, la prise en considération des propositions de l'Est ;
- d'obtenir, en échange de l'acceptation d'un tel examen, la reformulation des mesures déclaratoires, de telle sorte qu'elles ne se présentent plus comme un instrument politique au service du statu quo, mais comme la reconnaissance explicite des résultats positifs sur le plan de la détente, auxquels aurait abouti la mise en œuvre satisfaisante du processus engagé.

En d'autres termes, les pays de l'Est cherchant à placer les Occidentaux sur la défensive, la charge de la preuve doit se trouver inversée dans le domaine de la sécurité et du désarmement[48].

Dans la perspective française, il serait en outre essentiel de maintenir le rôle central du processus de la CSCE quant à la détente en Europe *sous tous ces aspects*. Dans ce sens, tout en étant autonome, la CDE serait mise *sous l'égide de la CSCE*, et les avantages d'une telle structure seraient les suivants :

1. le lien avec la CSCE permettrait de conserver au concept de détente son intégrité symbolisée par l'équivalence des trois corbeilles : sécurité, économie et droits de la personne. La CDE demeurerait donc un des éléments majeurs de la CSCE, et ses progrès pourraient toujours être mis en relation avec le développement des deux autres secteurs. Les réunions du type de celle de Madrid serviraient donc de « points d'ancrage » au processus de la CDE et permettraient aux 35 d'en sanctionner les résultats par rapport aux progrès réalisés dans les autres corbeilles ;
2. par surcroît, le lien CSCE-CDE permettrait de préserver l'acquis de la CSCE et, nommément, le principe d'une discussion à 35, le rôle reconnu aux NNA, la notion d'espace homogène s'étendant à tout le territoire de l'Europe géographique et, enfin, l'assentiment tacite sur le caractère souhaitable d'une Conférence du type de celle de Belgrade ou de Madrid se réunissant à intervalles réguliers et pouvant constituer autant de « points d'ancrage » du processus proposé[49] ;
3. cependant, la CDE, se situant *dans le prolongement* de Madrid (de la CSCE), mais *en dehors* de cette Conférence elle-même, cela permettrait :
   - *d'obtenir certaines concessions fondamentales du Pacte de Varsovie* (élargissement de la zone, critères des futures MDC, etc.), sans même devoir négocier les mesures de confiance proprement dites, qui ne seraient abordées qu'à la CDE ; et, donc,
   - *d'éviter que la confrontation d'initiatives diverses n'aboutisse, à Madrid, à un compromis, qui s'effectuerait nécessairement sur la base du plus petit dénominateur commun,* compromis au cours duquel certaines mesures de confiance à portée limitée, car non contraignantes et applicables dans une aire géographique minimale, se trouveraient échangées contre les mesures déclaratoires proposées par l'Est ; mais aussi
   - *d'empêcher que la majeure partie du débat de Madrid s'embourbe à l'occasion de l'examen d'une longue série de propositions concernant les MDC qui trouveraient sans doute difficilement leur contrepartie dans les autres corbeilles.*

Enfin, toujours au sujet des principes, la proposition française précisait le caractère non automatique du passage à la seconde phase de la CDE (désarmement) : celui-ci ne se ferait qu'au vu des résultats de la première phase et avec l'approbation des 35, dans le cadre de la CSCE.

Sur la base de ces principes, la France proposait qu'à Madrid les Occidentaux se limitent à négocier le mandat de la CDE qui comprendrait, bien sûr, le lien entre les deux Conférences, mais aussi — et surtout — les critères auxquels devraient satisfaire les nouvelles MDC. De façon plus précise, pour atteindre leur but, les mesures de la CDE doivent s'appliquer à la totalité du territoire européen sans exception, de l'Atlantique à l'Oural, et être militairement significatives. Elles doivent donc :

- permettre une connaissance réelle des situations et des activités militaires ;
- impliquer les activités militaires considérées comme étant particulièrement menaçantes ;
- ne pas se limiter à des procédures de notification, mais prévoir également des limitations, voire des interdictions de certaines activités militaires ;
- s'appliquer de façon juridiquement contraignante ;
- enfin, faire l'objet de mesures d'observation et de vérification satisfaisantes[50].

L'ensemble du plan français ainsi détaillé offrait donc de nombreux avantages dont le moindre n'était pas de placer le Pacte de Varsovie en position de demandeur. D'ailleurs, ce dernier confirmait à l'automne son intérêt pour une conférence sur la détente militaire. Au cours d'un discours prononcé à Berlin-Est, le 6 octobre 1979, Brejnev annonçait ainsi que l'URSS était prête à considérer toute suggestion qui pouvait contribuer à diminuer la confrontation militaire en Europe et offrait à la fois quelques propositions de son cru ainsi qu'un retrait unilatéral de 20 000 soldats soviétiques d'Allemagne de l'Est[51].

De son côté, le Quai d'Orsay note avec satisfaction le geste soviétique, le 7 novembre 1979. En outre, la France continue à marquer des points dans le camp occidental. L'approche française obtient en effet un intérêt marqué des neuf. Ainsi, le 20 novembre 1979, la déclaration des ministres des Affaires extérieures, à Bruxelles, souligne que

> les neuf appuient [...] une approche visant à adopter, à Madrid même, un mandat fixant les conditions dans lesquelles pourraient être ouvertes des négociations pour arrêter d'un commun accord des MDC significatives sur le plan militaire, vérifiables et applicables à l'échelle de l'ensemble du continent européen, et qui soient de nature, en contribuant à améliorer la sécurité des États, à créer les conditions pour passer ultérieurement à un processus de limitation et de réduction des armements dans le même cadre géographique.

En outre, la proposition française est aussi envisagée favorablement par d'autres pays, dont les NNA (Déclaration du Comité des ministres du Conseil de l'Europe, le 22 novembre 1979, à Strasbourg), et elle intéresse à présent les États-Unis, qui demeurent réservés quant à la seconde phase[52], mais acceptent, le 20 décembre, le communiqué favorable de la session ministérielle de l'Alliance atlantique à Bruxelles ; le principe de la négociation d'un mandat pour la CDE était accepté, mais « ce processus devra tenir compte à la fois des divers aspects de la situation existant en matière de sécurité et des négociations en cours sur d'autres aspects du désarmement et de la limitation des armements concernant le continent européen ».

La proposition française avait donc fait son chemin, et la décision de l'OTAN de moderniser sa force de dissuasion ainsi que l'intervention soviétique en Afghanistan, en décembre 1979, ne constitueront que des accidents de parcours sur la route de Madrid. En effet, les travaux préparatoires de l'OTAN, en 1979, avaient montré qu'il existait des convergences fondamentales entre la stratégie française et celle de l'Alliance atlantique. Une fois n'est pas coutume ; le camp occidental allait donc être en mesure de préparer une stratégie commune de négociation, à la fois détaillée et à long terme.

Les travaux de l'Alliance atlantique en vue des négociations de Madrid (1979-1980)

En ce qui concerne les MDC et leur développement à Madrid, les réflexions des pays membres de l'OTAN avaient commencé au printemps 1979. Comme nous l'avons mentionné ci-dessus, l'Alliance atlantique avait réalisé qu'un nouveau Belgrade serait inacceptable. Par conséquent : « La réunion de Madrid devait amener des résultats concrets, sinon le processus de la CSCE perdrait de son dynamisme et de sa crédibilité politique[53]. »

Les premières contributions aux analyses de l'OTAN furent cependant décevantes : par exemple, le Canada proposait d'introduire à Madrid un nouveau type de MDC concernant les armes chimiques, mais si l'idée était originale, elle n'en était pas moins irréaliste dans le contexte de l'époque[54].

De son côté, la Grande-Bretagne offrait un tour d'horizon des MDC dans différents forums[55], et la Norvège proposait de réaménager simplement les propositions alliées de Belgrade (BM11) en y ajoutant :

- la notification des manœuvres et des mouvements navals et aériens indépendants ;
- la limitation des mouvements près des frontières ;
- un plafond sur la taille des manœuvres[56].

Enfin, la Hollande suggérait timidement de notifier les « grandes » manœuvres aériennes ou navales pour satisfaire aux souhaits des NNA et de considérer la question du plafond sur la taille des manœuvres[57].

Après quelque neuf mois de tentatives infructueuses, les alliés devaient donc se rendre à l'évidence : les MDC « classiques » avaient perdu leur attrait ; et comme le notait un observateur averti :

Pour ce qui est de la valeur des MDC existantes, je dois dire que je suis déçu. Aucune manœuvre militaire n'a fait l'objet d'une notification ; lorsqu'ils reçoivent des observateurs étrangers, les pays de l'Est n'ont guère changé leur comportement depuis quatre ans ; l'Est n'a pas notifié de manœuvres de moins de 25 000 hommes ; les efforts pour « développer et étendre » les mesures de confiance (demandés dans l'Acte final de Belgrade) n'ont pas été couronnés de succès. La seule mesure qui ait été appliquée par l'Est est celle qui a trait aux manœuvres importantes et, même là, les renseignements ne fournissent que le strict minimum de ce qui a été demandé dans l'Acte final d'Helsinki, sans tenir compte des amendements apportés à Belgrade, à ce sujet, et des avis de notification plus substantiels donnés par les pays de l'Ouest. Pour être juste, je dois aussi reconnaître que sans l'Acte final d'Helsinki, même ces quelques tentatives en vue d'établir des mesures de confiance n'existeraient pas. Néanmoins, il est clair qu'il serait très souhaitable que les Soviétiques s'engagent fermement à respecter ces mesures intégralement. Ce qui amène la question suivante : « Y a-t-il moyen d'améliorer les mesures de confiance actuelles ? » Comme je l'ai déjà dit, je ne crois pas qu'il soit possible de négocier des améliorations dans quelque domaine que ce soit. Il faut aussi remarquer que le récent communiqué du Pacte de Varsovie ne fait nullement mention du renforcement des mesures de confiance quant à la notification des manœuvres terrestres et à l'échange d'observateurs. La proposition précédente de Belgrade avait été faite dans le cadre des consultations extraordinaires qui devaient suivre cette réunion : cela est vrai aussi pour les propositions dont fait état le communiqué et, en fait, la proposition norvégienne est aussi liée aux suites qu'y donneront les groupes d'experts. Il semble donc que le renforcement des mesures de confiance devrait être considéré comme une tâche qui devrait être entreprise, d'une façon ou d'une autre, en dehors des réunions principales de la CSCE[58].

Malgré des réticences encore sensibles, les alliés réalisaient donc les avantages qu'offrait la proposition française, et l'OTAN s'orientera progressivement vers un consensus en ce qui concerne la CDE et les principes qui la sous-tendront.

Parallèlement, le plan français ouvrait une autre porte. En effet, il autorisait d'ores et déjà le développement d'un ensemble de mesures de confiance répondant aux critères que nous avons décrits plus haut. Le mémorandum français du 12 septembre avait d'ailleurs déjà avancé un ensemble de 16 mesures regroupées en quatre catégories :

A. *Mesures d'information*

A_1 : développement des services accordés aux attachés militaires ;

A_2 : développement des moyens de communication ;

A_3 : publication des programmes annuels des principales activités militaires ;

A_4 : échange de renseignements et de données militaires.

B. *Mesures de notification*

B_5 : notification des manœuvres aéroterrestres ;

B_6 : notification des mouvements :

1. en unités constituées ;
2. de personnel ;
3. de matériel ;

B_7 : notification de certaines autres activités militaires :

1. petites manœuvres simultanées et exercices combinés ;
2. exercices d'alerte ;

B_8 : notification des exercices aériens ;

B_9 : notification des exercices de mobilisation.

C. *Mesures de stabilisation*

C_{10} : limitation annuelle du nombre et de la durée des principales activités militaires ;

C_{11} : plafonnement des manœuvres aéroterrestres ;

C_{12} : plafonnement des manœuvres simultanées ou des exercices combinés ;

C_{13} : limitation de certaines activités dans certaines zones ;

C_{14} : interdiction de certaines activités militaires.

D. *Mesures d'observation et de vérification*

D_{15} : observation des activités militaires notifiées ;

D_{16} : vérification des activités militaires limitées ou interdites[59].

Ainsi, non contents d'avoir innové en lançant le concept de la CDE, les Français venaient, pour la première fois dans le contexte de la CSCE, de proposer un cadre conceptuel structuré et intégré en matière de MDC. Et le 25 septembre 1979, le Comité politique de l'OTAN créera le Groupe de travail ad hoc sur les MDC pour étudier l'ensemble français ainsi que toute autre suggestion avancée par les alliés. Le 19 décembre 1979, après neuf séances du Groupe de travail ad hoc, le Comité militaire de l'OTAN pouvait déjà faire rapport sur un ensemble final de 25 mesures envisagées qui reprenaient essentiellement, en le modifiant légèrement, l'ensemble français et y ajoutaient cinq MDC d'inspiration soviétique : 1. interdiction de créer de nouvelles bases militaires ; 2. extension des MDC à la Méditerranée ; 3. Traité de non-agression ; 4. non-élargissement des alliances ; et 5. gel du budget militaire[60].

Les conclusions du rapport étaient claires, les alliés rejetaient trois types de mesures, c'est-à-dire :

- les notifications des activités navales et aériennes indépendantes (mesures 7, 8, 10 et 11) ;
- les mesures contraignantes incluant des limitations et des interdictions (mesures 14 à 18) ;
- les mesures d'inspiration soviétique (mesures 19 et 22 à 25).

En outre, la question de la notification des mouvements et celle des vérifications exigeront des analyses plus poussées[61].

Le travail de l'OTAN était donc bien lancé, mais, de façon un peu surprenante, certains alliés traînaient encore la patte, et particulièrement le Canada. En mars 1980, on peut encore relever des critiques à l'égard du concept de la CDE qui montrent que certains responsables canadiens n'avaient pas réellement compris la situation. En substance, on s'inquiète de l'absence de la dimension nucléaire dans le plan français, on lui reproche d'exclure les mesures déclaratoires privilégiées par les Soviétiques, on craint qu'une CDE « séparée » de la CSCE ne balkanise la détente, et l'on regrette que la proposition française exclue les MDC « traditionnelles », c'est-à-dire volontaires et limitées[62].

Bref, le Canada n'était visiblement pas « dans le coup », et les remarques et suggestions faites par sa Délégation, en mars et en avril 1980, le confirment. En effet, il faut sauver les MDC traditionnelles d'Helsinki de crainte de lâcher la proie pour l'ombre[63]. Soulignons que le Canada n'était pas le seul à défendre cette position et que la Norvège s'obstinera jusqu'en octobre 1980 à vouloir présenter à Madrid même un ensemble de MDC « néo-classiques »[64].

Or, il était évident que l'introduction parallèle d'une proposition de mandat pour la CDE et d'un ensemble de mesures traditionnelles à Madrid offrirait une porte de sortie facile à l'Est et réduirait d'autant les chances de succès du plan français...

Les arguments canadiens furent heureusement repoussés rapidement, ainsi d'ailleurs qu'une tentative d'introduire une distinction entre les MDC obligatoires et les MDC volontaires[65], et l'Alliance atlantique s'entendra, dès juillet 1980, sur une approche conceptuelle des MDC. Les critères des futures mesures de la CDE étaient maintenant acceptés : elles seraient obligatoires (mais pas nécessairement juridiquement contraignantes), militairement significatives et vérifiables et s'appliqueraient au continent européen en totalité. Leurs objectifs étaient également clarifiés :

- il serait essentiel que les MDC préservent la liberté d'action de l'OTAN quant à l'entraînement de ses forces militaires et à sa capacité de réagir aux événements qui menaceraient la sécurité des alliés ;
- les MDC devraient accroître la transparence et empêcher les pays de l'Est de maintenir le secret sur leurs activités militaires ;
- elles devraient promouvoir la stabilité et empêcher l'usage des forces militaires à une fin d'intimidation politique ;
- elles devraient permettre d'établir des normes admises en ce qui concerne les activités militaires routinières ;
- elles devraient contribuer à réduire les risques d'attaque par surprise ;
- elles devraient faciliter les décisions de l'OTAN en période de tension ou de crise.

Par ailleurs, les réflexions du Groupe de travail ad hoc sur les MDC allaient se concentrer sur 11 mesures regroupées selon les 4 catégories françaises. Sans en faire la récapitulation ici (voir l'annexe II du présent chapitre), notons l'émergence d'un nouveau concept dans les débats préparatoires de Madrid. Lors de la recherche d'un critère de notification vérifiable qui puisse englober l'ensemble des activités militaires, les alliés avaient retenu la notion d'activités hors garnison (OOG) (Outside of Garnison Activities, OOG). Ce concept désignait en effet toute activité militaire se déroulant en dehors de la zone de stationnement habituelle des troupes, si cette activité concernait :

- un nombre X d'unités (divisions) ;
- un nombre Y d'hommes ;
- une quantité Z de matériel lourd (chars, artillerie et véhicules d'infanterie blindés) sous un commandement unique.

La notion d'activités hors garnison permettait donc d'aller plus loin que celles de manœuvre, d'exercice ou de mouvement qui posaient des problèmes de définition importants. De plus, l'introduction d'un seuil divisionnaire accroissait de façon considérable les possibilités de détecter toute infraction à un accord de notification. Comme le note un rapport à ce sujet :

> Les moyens de renseignement dont l'Alliance atlantique dispose actuellement lui permettent d'identifier rapidement les unités et les formations hors garnison. Toute violation des seuils (en matière d'unités ou de divisions) pourrait dès lors être identifiée rapidement, sans ambiguïté, et les méthodes de vérification appropriées mises en place. Il n'en va pas de même pour les seuils numériques puisqu'il faut en général plus longtemps pour obtenir des estimations du nombre de soldats participant à une manœuvre donnée. Ces estimations sont, en tout cas, moins précises que si l'on identifie les unités ou les formations. Cela a été récemment démontré par les renseignements que l'Alliance atlantique possédait sur le progrès du retrait unilatéral de l'URSS d'Allemagne de l'Est, sur la restructuration éventuelle des divisions soviétiques [...] et sur la surveillance des forces soviétiques en Afghanistan ; dans chacun de ces cas, l'identification des unités et des formations a été plus rapide et plus précise que l'estimation du nombre de soldats concernés. Cela est d'autant plus vrai pour les forces stationnées en Europe de l'Est, où l'organisation et l'emplacement d'unités précises sont en général bien connus des services de renseignements de l'Alliance atlantique. Les moyens techniques nationaux indiqueront rapidement où les unités se déploient ; celles-ci pourront donc être identifiées presque immédiatement. Dès lors, il est difficile d'envisager une situation où l'Alliance atlantique n'a pas été en mesure d'établir qu'un seuil, fixé en fait de divisions, avait été violé et, dans bien des cas, les préparatifs de certaines unités seraient décelés avant qu'elles se déploient[66].

Les travaux de l'Alliance atlantique progressaient donc à grands pas, et le 9 décembre 1980, l'ensemble final des futures MDC de la CDE était approuvé par le Conseil de l'OTAN. Le changement le plus important apporté au groupe de mesures envisagées à l'été 1980 résidait dans la suppression complète des mesures contraignantes limitatives. Les mesures de stabilisation regroupaient maintenant les notifications et l'échange des programmes annuels d'activités notifiables (voir l'annexe III du présent chapitre). Les mesures de confiance ainsi adoptées étaient donc moins nombreuses (sept en tout) et plus modestes qu'au départ, mais elles n'en constituaient pas moins un ensemble cohérent et articulé reposant sur une analyse technique et politique approfondie. À l'évidence, tous les détails n'étaient pas réglés, mais, par opposition à la situation qui avait régné à Helsinki et à Belgrade, on avait accompli un travail collectif considérable et l'on avait réalisé un large consensus en ce qui concerne les objectifs et la stratégie occidentale en vue de la Conférence de Madrid.

La Conférence de Madrid et le mandat de la CDE

Malgré tous les éléments positifs que nous avons relevés — d'un point de vue occidental —, la Conférence de Madrid, qui s'ouvrira le 11 novembre 1980, se déroulera dans un contexte politique très défavorable. L'invasion de l'Afghanistan, le débat des euromissiles, les événements de Pologne et l'arrivée à la Maison-Blanche d'un président ouvertement antisoviétique envenimeront en effet l'atmosphère des négociations de façon considérable. Pour les diplomates en présence, Madrid deviendra rapidement un calvaire, et comme l'ont noté J. Sizoo et R. Jurrjens :

> Le sentiment de soulagement qu'éprouvaient pusieurs diplomates à Madrid, lorsqu'un consensus a été finalement atteint, est facile à comprendre : ce qui avait paru être une litanie sans fin se terminait enfin par un « amen », mais ils espéraient qu'à l'avenir ils n'auraient plus jamais à vivre une telle expérience : MADRID, PLUS JAMAIS[67] !

Techniquement, la Conférence de Madrid durera 33 mois. Elle comportera huit sessions de négociation et sera suspendue à deux reprises pour plusieurs mois (trois mois, en juillet 1981, et huit, en mars 1982). Ce sera, à ce jour, la plus longue réunion de la CSCE et la plus mouvementée. En substance, la Conférence de Madrid peut cependant être divisée en deux phases, la première englobant la période de novembre 1980 à décembre 1981 et la seconde débutant en novembre 1982 et se poursuivant jusqu'à l'issue de la Conférence. Autrement dit, la négociation s'est en réalité déroulée en deux périodes de travail réel de six à huit mois chacune, si l'on exclut les interruptions normales de la Conférence. Nous concentrerons donc notre attention sur les deux principales périodes de travail.

La moitié du chemin (novembre 1980-décembre 1981)

Après des débats houleux au cours de la réunion préparatoire, du 8 septembre au 10 novembre 1980, la première session de la Conférence de Madrid est consacrée presque entièrement à l'examen de la mise en œuvre de l'Acte final d'Helsinki. Sur un plan général, l'URSS et les pays de l'Est subissent, en courbant l'échine, de vifs réquisitoires, non seulement des Occidentaux mais aussi des NNA que l'attitude d'obstruction de l'URSS, lors de la réunion préparatoire, a rapprochés des vues de l'Ouest, au point que l'on peut parler d'un groupe des 28 parmi les 35. Ces critiques portent essentiellement sur l'Afghanistan et les droits de la personne. En ce qui a trait aux aspects militaires de la sécurité, l'évaluation de la pratique, suivie depuis Belgrade pour l'application des MDC de l'Acte final d'Helsinki, constitue pour les Occidentaux l'occasion :

- de développer leur thèse selon laquelle les MDC traditionnelles ou « classiques » sont dénuées de signification militaire ;
- d'amener les NNA, qui sont les critiques les plus acerbes de la pratique des MDC par l'Est, à admettre que les MDC d'Helsinki sont effectivement insuffisantes ;
- de placer les pays de l'Est sur la défensive, car ils ne disposent d'aucun argument pour refuser le passage à des mesures d'un nouveau type[68].

Cependant, les nouvelles propositions relatives aux MDC et à la CDE prendront la vedette dès le début du mois de décembre. Neuf propositions seront déposées durant cette période :

- CSCE/RM/6 (8 décembre 1980), Pologne, *en faveur d'une Conférence sur la détente militaire et le désarmement en Europe* (CDMDE) ;
- CSCE/RM/7 (9 décembre 1980), France, *en faveur de la CDE* ;
- CSCE/RM/17 (11 décembre 1980), Yougoslavie, *concernant la promotion de la paix et de la sécurité dans la région méditerranéenne* ;
- CSCE/RM/18 (11 décembre 1980), Yougoslavie, *promotion du processus de la détente* ;
- CSCE/RM/21 (12 décembre 1980) NNA, *relative aux MDC* ;
- CSCE/RM/27 (12 décembre 1980), Yougoslavie, *en faveur de la CDE* ;
- CSCE/RM/31 (15 décembre 1980), Roumanie, *en faveur d'une Conférence sur les MDC et le désarmement en Europe* ;
- CSCE/RM/33 (15 décembre 1980), Roumanie, *relative aux MDC* ;
- CSCE/RM/34 (15 décembre 1980), Suède, *en faveur de la CDE*.

Parmi ces neuf propositions, cinq portent sur une future Conférence sur le désarmement en Europe, deux sur le développement des mesures de confiance et les deux autres sur des aspects annexes (la paix et la sécurité dans la région méditerranéenne et le processus de la détente). D'emblée, les discussions se concentreront donc sur la CDE, son objet, son mandat et son articulation par rapport à la CSCE.

L'ensemble des propositions s'accordaient sur un point : la CDE devrait être une négociation par étapes, qui porterait sur le développement des MDC, puis sur la réduction des armements classiques, mais le consensus s'arrêtait là (voir le tableau 16). Par exemple, pour le Pacte de Varsovie (RM/16), la CDE devait négocier — en plus des MDC — des mesures politiques et juridiques relativement simples[69] ; à Madrid, les 35 devaient simplement s'entendre sur le principe de la CDE ; le mandat de cette dernière serait décidé ultérieurement, et il n'était pas question d'accepter des préalables à Madrid ; de plus, l'articulation de la CDE et de la CSCE n'était pas précisée, et la CDE « ne devait pas compromettre le succès des négociations qui se déroulaient dans d'autres enceintes[70] ».

Pour la France (RM/7), la CDE ne devait porter ni sur des mesures politiques ni sur les armes nucléaires ; son mandat précis (zone d'application et critères des MDC) serait déterminé à Madrid, et l'on ne passerait à l'étape des réductions que si les résultats de la première phase étaient sanctionnés par la CSCE ; en outre, une articulation étroite serait maintenue entre la CDE et la CSCE.

Selon la Yougoslavie (RM/27), la CDE devait pouvoir traiter du nucléaire, et son mandat précis serait défini lors d'une réunion préparatoire ; le lien entre la CSCE et la CDE devrait être assuré, et la CDE pourrait avoir son mot à dire à l'égard des autres forums de désarmement.

D'après la Roumanie (RM/31), le nucléaire et les mesures du type politique feraient aussi l'objet de négociations dans le cadre de la CDE ; il n'était pas précisé si le mandat détaillé de la CDE devait être négocié à Madrid, mais le passage à l'étape de réductions serait précédé d'un examen des résultats obtenus lors de la première phase ; cet examen se ferait dans le cadre de la CSCE ; en outre, la Roumanie se prononçait en faveur de l'articulation CSCE-CDE et proposait que les participants à la CDE soient informés de l'évolution d'autres négociations présentant un intérêt pour tous[71].

Enfin, pour la Suède, la CDE devait traiter des armes nucléaires ; son mandat devait être arrêté à Madrid, et la zone d'application des MDC ainsi que les critères de ces dernières devaient être précisés ; le lien entre la CDE et la CSCE était jugé essentiel, et les participants de la CDE devaient être informés de l'état des travaux d'autres négociations pertinentes.

Le bilan, à la fin de la première session de Madrid, est donc le suivant :

- la proposition occidentale (RM/7) a été présentée et recueille l'appui explicite de l'OTAN, à l'exception de la Norvège qui s'accroche à l'idée du développement des MDC traditionnelles (mais cela ne constituera pas un problème majeur) ;
- les NNA, particulièrement la Suède, sont très proches de la position de l'Alliance atlantique, mais ils paraissent se diviser entre pro-CDE (la Suisse et l'Autriche) et autres (la Finlande, la Yougoslavie et la Suède) ; ces dernières ont déjà indiqué des voies de compromis (report du débat sur le nucléaire, réunion préparatoire pour décider du mandat et développement des MDC traditionnelles à Madrid) ;
- pour le Pacte de Varsovie, les difficultés se sont à la fois décantées (le problème du nucléaire s'est estompé) et cristallisées (les pays de l'Est ont tous déclaré que la

zone élargie était inacceptable ; par surcroît, ils ont rejeté le caractère obligatoire et vérifiable des mesures).

Dans l'ensemble, d'autres difficultés se profilent :

- l'existence d'autres propositions, notamment déclaratoires (la Pologne et la Roumanie) ;
- la question de la transition de la première à la seconde phase de la CDE et de son lien avec la CSCE ;
- l'idée d'adopter à Madrid des mesures de « transition » entre les MDC de l'Acte final d'Helsinki et celles de la CDE (la Norvège, la Suède, l'Autriche, la Yougoslavie et la Roumanie), ce qui n'aidera pas à obtenir un mandat précis, à Madrid, pour la CDE[72].

De toute évidence, la première session annonçait donc déjà que le débat allait se concentrer sur quelques questions clés ayant trait aux paramètres de la CDE. Après la reprise des travaux et l'examen des différentes propositions, du 27 janvier au 11 février 1981, la situation s'éclaircira ainsi rapidement.

En effet, le 16 février, la nouvelle administration américaine accorde son « appui plein et entier » à la proposition française (RM/7), et la fermeté de ce ralliement met un terme aux tentatives de dissociation menées par l'URSS, tant à l'égard des Occidentaux que de certains NNA. Par conséquent, les NNA, que la rigidité de la position soviétique inquiète, se rapprochent de la France sur trois points essentiels :

- le lien de la CSCE et de la CDE : le mandat de la CDE devra être adopté à Madrid ;
- la non-automaticité du passage de la première phase de la CDE à la seconde sur le désarmement ;
- le caractère précis du mandat pour la première phase.

Entre l'OTAN et les NNA, l'entente est donc réalisée, et la proposition française a acquis, en trois mois, une prééminence de fait. Par surcroît, les propositions de compromis des NNA ont perdu de leur sens et leurs propositions en faveur des MDC classiques sont éclipsées.

Le 23 février, l'URSS fera une première concession importante : Brejnev annonce devant le 26e congrès du PCUS que le Pacte de Varsovie est prêt à étendre considérablement la zone d'application des MDC à toute la partie européenne de l'URSS, à condition que cette zone soit élargie de façon correspondante par les États occidentaux. Les Soviétiques renonçent donc au traitement de faveur qu'ils avaient obtenu à Helsinki, mais ils ne reconnaissent pas pour autant l'égalité entre tous les États européens puisqu'ils exigent une « contrepartie » du côté occidental, alors même que la couverture de tout le territoire européen avait déjà été concédée.

On s'interroge donc sur la contrepartie attendue qui pourrait être :

- le territoire nord-américain (les États-Unis et le Canada), ce qui était peu probable ; ou
- les espaces maritimes et aériens voisins de l'Europe (l'Atlantique, la mer du Nord et la Méditerranée), ce qui aurait donné aux Soviétiques un droit de regard sur l'ensemble des moyens américains déployés en Europe et à sa périphérie, y compris les forces navales américaines et la force de déploiement rapide.

Mais les Soviétiques, pressés d'éclaircir leur position sur ce point, demeurent vagues. Par contre, ils indiquent, dès le 3 mars, que deux des critères occidentaux (la vérifiabilité et le caractère obligatoire des MDC) pourraient être acceptés ou du moins examinés. Puis, devant l'insistance des NNA et des Occidentaux, l'Est accepte la mention selon laquelle la future CDE constituerait « une partie substantielle et intégrante du processus de la CSCE » : le lien avec la CSCE était donc établi.

Par ailleurs, plusieurs progrès sont enregistrés sur le plan de la rédaction :

- un libellé presque complet est adopté au sujet des objectifs de la première phase ;
- le problème des « mesures transitoires » proposées par les Yougoslaves est résolu en donnant aux mesures de confiance de la future CDE le nouveau nom de « mesures destinées à renforcer la confiance et la sécurité » (MDCS).

Enfin, la question du mécanisme de transition de la première à la seconde phase est abordée le 19 mars, et l'Est admet pour la première fois :

- le rôle qu'aurait à jouer, à cet égard, la prochaine réunion du type de celle de Madrid, pour définir le lien de la CDE avec la CSCE ;
- la nécessité de tenir compte, pour engager la seconde phase, des autres négociations intéressant l'Europe dans le domaine du désarmement.

Malgré des difficultés, les travaux ont donc considérablement progressé et les NNA déposent déjà un projet de document final, le 31 mars. En matière de sécurité, il comprend :

- un projet de mandat pour une Conférence sur les MDC et le désarmement en Europe qui éclipse donc les projets originaux de la Yougoslavie et de la Suède (RM/27 et RM/34) ;
- deux propositions de MDC traditionnelles qui remplacent les huit mesures proposées dans le document RM/21.

Dans l'ensemble, le projet des NNA est favorable au point de vue occidental, en particulier en ce qui concerne la zone d'application des MDC. En outre, on trouve une formule ingénieuse pour le mécanisme de passage de la première à la seconde phase. Pour contourner les préventions américaines à l'égard d'un engagement ferme à désarmer, les NNA proposent que la seconde phase soit renvoyée dans un futur non précisé puisque la décision en serait prise par « une » réunion sur les suites de la CSCE et non nécessairement par celle qui suivra la Conférence de Madrid. Enfin, la tenue d'une réunion préparatoire à la CDE dépend maintenant de l'approbation du mandat, ce qui représente une renonciation de certains NNA (entre autres, la Yougoslavie) à leur dangereuse suggestion de compromis.

Les positions des Européens de l'Ouest se sont donc encore précisées et raffermies, mais les Soviétiques, eux, vont rester inflexibles sur la question de la zone élargie. De plus, ils réclament une définition précise des objectifs de la seconde phase — ce qui, à l'évidence, est trop délicat pour faire l'objet d'une discussion à Madrid — et ils exigent une « clause échappatoire » quant à la vérifiabilité et au caractère obligatoire des MDC.

En l'absence de progrès sur ces points, les négociations de la troisième session — de mai à juillet — vont porter sur la question de la transition entre les deux phases ; après de nombreux essais infructueux, la question sera finalement réglée le 13 juillet, à la satisfaction des Occidentaux, sur la base de la formule avancée par les NNA.

Le 28 juillet 1981, la Conférence de Madrid sera interrompue — à la suggestion de la Suisse — pour trois mois, soit jusqu'au 27 octobre. À cette date, les principaux éléments du mandat qui font l'objet d'un accord sont donc :

- le titre de la Conférence, soit la CCSBMDE de Stockholm ;
- son lien avec la CSCE ;
- le contenu de la première phase ;
- les trois critères autres que la zone : la vérification, l'obligation politique et la signification militaire ; le problème de la clause échappatoire continue cependant à se poser ;
- la transition de la première à la seconde phase triplement conditionnée par la décision d'une autre réunion de la CSCE, par les résultats de la première phase et par la prise en considération d'autres négociations.

En outre, les difficultés subsistantes sont clairement circonscrites : il s'agit de la zone et de la « clause échappatoire » par laquelle l'Est espère contourner l'application des autres critères. Au sujet de la zone, qui constitue le point le plus important, les positions de l'Est et de l'Ouest sont maintenant définies et arrêtées :

- les Américains ont proposé que les MDC s'appliquent d'abord au continent européen, mais aussi à ses espaces voisins maritimes et aériens lorsque les forces qui s'y trouvent font partie intégrante d'activités notifiables sur le continent (définition fonctionnelle de la zone élargie) ;
- les Soviétiques ont proposé, le 20 juillet, que la zone comprenne l'ensemble de l'Europe avec ses espaces maritimes (océaniques et aériens) voisins sur une

profondeur correspondante, ainsi que, si cela répond au contenu des mesures elles-mêmes, les États non européens participants (définition géographique de la zone élargie, avec clause compensatoire). En outre, selon les Soviétiques, des dispositions seraient précisées, à la CDE, sur une base de réciprocité et d'équilibre, en tenant compte des obligations contractées conformément à l'Acte final d'Helsinki.

En dépit d'un contexte politique hautement chargé — que met fort bien en évidence la crise polonaise —, les négociations avaient progressé de façon remarquable ; il faut d'ailleurs noter que les résultats obtenus dans les autres corbeilles rendaient le bilan de Madrid déjà supérieur à celui de Belgrade : dans les autres domaines, environ les deux tiers des propositions avaient fait l'objet d'un accord provisoire à la fin de cette troisième session.

La reprise des travaux en octobre 1981 ne confirme cependant pas les espoirs qu'aurait pu faire naître le bilan précédent. Placés sur la défensive par les Occidentaux et les NNA, qui demandent des concessions sur la zone, les Soviétiques reviennent à leurs positions les plus rigides et se reportent à la zone de 250 kilomètres qui, selon eux, traduit un « équilibre politique et stratégique » acquis une fois pour toutes à Helsinki. De plus, ils incluent maintenant dans les compensations qu'ils exigent les forces militaires américaines déployées dans toute l'Europe, leurs bases, leurs stocks d'armements, y compris leurs armes et leurs vecteurs nucléaires.

Devant des positions si clairement inacceptables, les Occidentaux et les NNA vont redoubler d'efforts pour arriver à une entente, ne serait-ce que dans le but de ne pas porter la responsabilité d'un blocage. Les Finlandais, en particulier, mandatés par la majorité des Occidentaux, vont tenter de définir une formule de compromis sur la zone, mais l'opération se soldera par un échec. Réunis à Zurich les 5 et 6 décembre, les NNA adoptent à leur tour une formule de procédure qui prévoit :

- l'adoption d'un document final de compromis pour les aspects non militaires des négociations ;
- la décision de convoquer la CDE sur la base des éléments déjà acquis ;
- la convocation d'une réunion préparatoire à la CSCE (d'une durée de six semaines) qui réglerait les points litigieux ;
- en cas d'échec de la réunion préparatoire, la reprise du débat à la prochaine réunion de la CSCE.

Cependant, cette formule est écartée immédiatement par les Occidentaux qui refusent de donner leur accord à la CDE sans que le mandat précis en soit arrêté. Les Soviétiques, quant à eux, pour faire preuve de bonne grâce, amendent, le 8 décembre, la définition de la zone qu'ils avaient proposée le 20 juillet. Ils en suppriment la phrase relative à l'inclusion du territoire nord-américain. Mais le retrait de cette exigence, que personne n'estimait sérieuse, n'est pas considéré comme une concession. En effet, les Soviétiques continuent à réclamer une « compensation » géographique pour l'inclusion de leur territoire, et ils insistent pour que les activités aériennes et maritimes indépendantes qui se déroulent dans cette zone supplémentaire fassent l'objet des futures MDC. Or, cela contreviendrait non seulement au droit maritime (liberté de circulation en haute mer), mais aussi au principe de l'égalité des États dans le cadre de la CSCE. C'est donc dans un contexte très difficile qu'est présenté en coulisse, le 9 décembre, un projet de document final austro-suisse qui acquerra en quelques jours l'appui des NNA. Le projet propose une formule sur la zone, qui constitue le compromis le plus habile jusqu'alors. Son second paragraphe reprend notamment la conception fonctionnelle des espaces voisins de la formule occidentale et son premier paragraphe adopte, en compensation, une formulation soviétique : « pour des raisons d'égalité des droits et de sécurité, en raison des obligations communes à tous les États participant à la CSCE en ce qui a trait aux MDC et au désarmement en Europe, pour des raisons d'équilibre et de réciprocité, les MDC comprendront [...] ».

Encouragés par les premières réactions soviétiques, les NNA puis les pays de l'OTAN décident d'adopter une attitude positive devant une telle initiative et, après discussion, le 16 décembre, le projet amendé (RM/39) est déposé officiellement à Madrid sous le parrainage des NNA.

Un pas important sur la voie d'une solution d'ensemble venait d'être fait, même si le projet RM/39 était jugé moins clair que le document du 9 décembre. Au sujet de la CDE, le paragraphe relatif à l'approche fonctionnelle avait en effet été modifié sous les pressions soviétiques. On y disait que les activités à inclure dans les espaces voisins devaient « constituer une part des activités en Europe que les États décideront de notifier[73] ». En d'autres termes, les activités notifiables dans les espaces voisins de l'Europe pourraient n'être définies qu'à la CDE elle-même. Par surcroît, dans le premier paragraphe (voir plus haut), les mots « équilibre et réciprocité » auraient dû être placés avant — et non après — « en Europe », pour éviter toute nouvelle exigence d'une « compensation ».

Une négociation devait donc s'engager sur ces différents points pour tenter d'arriver à un accord global, après Noël. Mais la crise polonaise, qui avait débuté le 13 décembre, allait changer brutalement les données du problème. À partir du 18 décembre, puis à la réouverture de la cinquième session en février 1982, la Pologne devient effectivement le centre de l'attention. Aucune négociation n'a donc lieu durant cette période, et, le 12 mars 1982, la Conférence de Madrid est ajournée jusqu'au 9 novembre.

Les derniers *rounds*

Malgré la situation internationale qui demeure préoccupante durant l'été et l'automne 1982, les négociations reprennent, en novembre, dans un climat d'optimisme prudent.

En effet, même si la CSCE avait offert une plate-forme de choix aux Occidentaux pour fustiger les pays socialistes à l'occasion de la crise polonaise, la poursuite des polémiques ne pouvait déboucher, au mieux, que sur un document final insignifiant, similaire à celui de Belgrade. Or, l'avancement technique des travaux permettait d'espérer un meilleur résultat, particulièrement dans la corbeille 1, compte tenu du fait que l'URSS continuait à manifester un grand intérêt pour la CDE. On résolut donc, à Bruxelles, de poursuivre sérieusement les négociations en vue d'aboutir à un document final « substantiel et équilibré[74] ».

En outre, la position occidentale quant au caractère obligatoire des futures MDC venait d'être renforcée par une bévue soviétique. En effet, durant l'été 1981, l'URSS venait pour la première fois de violer directement les dispositions de l'Acte final d'Helsinki. Elle n'avait pas notifié « Zapad 81 » qui constituait la manœuvre la plus importante (100 000 hommes) organisée par l'un des 35 depuis 1975. Cependant, la sixième session — en novembre et en décembre 1982 — se déroule « à petits pas » et aucune rédaction nouvelle n'est entreprise. Au cours de contacts officieux le 6 décembre, les Soviétiques indiquent toutefois qu'ils seraient prêts à accepter l'extension de la zone si elle pouvait englober « toutes les activités influant sur la sécurité de l'Europe » et inclure « les espaces aériens, maritimes et océaniques avoisinants ». Or, il est clair pour les Occidentaux que cette formulation :

- donnerait à l'Est un droit de regard sur toutes les activités militaires alliées, y compris les activités nucléaires et les opérations maritimes indépendantes dans l'Atlantique et la Méditerranée ; ou
- permettrait de renvoyer la définition précise des espaces avoisinants et des activités notifiables à la CDE[75].

De leur côté, les pays de l'OTAN reformulent la définition de la zone sur la base suivante :

> En ce qui concerne leur application aux espaces maritimes et aériens avoisinants, les mesures s'appliqueront aux activités militaires de tous les pays participants qui s'effectuent dans cette zone, lorsque ces activités font partie intégrante des activités terrestres en Europe que les États participants ont convenu de notifier. Le détail des notifications sera réglé au moment des négociations sur les mesures de confiance — et de sécurité — lors de la Conférence[76].

Comme on peut le constater, la discussion était devenue très sémantique, mais la sixième session s'achève, en décembre, sans qu'aucun progrès important ait été réalisé. La volonté politique de sortir de l'impasse était cependant évidente, comme le confirme la déclaration du Pacte de Varsovie, le 5 janvier 1983, à Prague : à l'instar de l'OTAN, l'Est souhaite « une conclusion fructueuse de la Conférence de Madrid et l'adoption d'un document de clôture substantiel et équilibré[77] ». Il reviendra donc aux NNA, qui se réunissent à Berne en janvier, de prendre à nouveau l'initiative.

À l'ouverture de la septième session, le 8 février 1983, la Finlande suggère que les participants forment des minigroupes officieux qui prendraient pour base de travail le document des NNA déposé en décembre 1981 (RM/39) ainsi que les propositions de l'OTAN. Puis, le 15 mars, les NNA déposent une version révisée du projet RM/39 qui propose une formule de compromis au sujet de la zone. On y précise qu'« en ce qui a trait aux espaces maritimes et aériens avoisinants, les États doivent notifier les activités qui ont une incidence sur la sécurité de l'Europe et qui font partie de ces activités qui se déroulent dans toute l'Europe » (RM/39 rév., 15 mars 1983).

La définition ainsi révisée combinait donc le langage occidental et celui du Pacte de Varsovie. Comme le dira un observateur : « les dix dernières minutes de la Conférence de Madrid venaient de commencer[78] ». Pour des raisons relatives à la corbeille 3, le document RM/39 (rév.) ne satisfait cependant pas les Occidentaux, et particulièrement les États-Unis. Ces derniers vont toutefois céder aux pressions de leurs alliés et, après l'interruption de Pâques, le rideau allait se lever sur le dernier acte de la Conférence de Madrid.

En avril, les pays de l'OTAN s'étaient mis d'accord sur six modifications essentielles à apporter au document RM/39 (rév.). Pour ce qui est de la CDE, deux changements sémantiques avaient été faits — suppression du terme « ces » de la phrase « font partie de ces activités » et suppression du terme « océaniques » dans la phrase « espaces maritimes, océaniques et aériens » —, et leur caractère mineur ne semblait pas faire problème. Puis, le 17 juin, le premier ministre espagnol offrait un compromis final. Il touchait principalement les questions des droits de la personne, mais trois changements avaient été effectués au sujet de la CDE :

- son ouverture avait été repoussée en janvier 1984 afin que l'occasion ne puisse pas servir à condamner le déploiement des euromissiles, prévu pour l'automne 1983 ;
- en compensation, on proposait d'organiser une réunion à la CDE, en octobre 1983 ;
- l'une des deux modifications sémantiques proposées par l'OTAN était supprimée (rétablissement du terme « océaniques » dans la phrase susmentionnée).

Après une brève période de valse-hésitation, le compromis espagnol sera accepté, et toutes les Délégations, à l'exception de celle de Malte, donneront leur assentissement au document final le 15 juillet. Il sera signé le 7 septembre 1983.

Pour la plupart des Occidentaux, y compris les NNA, la conclusion de la Conférence de Madrid constituait, dans l'ensemble, un succès considérable, sinon majeur, surtout si l'on tient compte du contexte politique difficile dans lequel s'était déroulée la Conférence. Comme le note l'ambassadeur canadien dans son rapport final :

> On peut affirmer que le document final de la Conférence de Madrid constitue une amélioration sensible par rapport à l'Acte final d'Helsinki (1975) et va même plus loin que

celui-ci. La Conférence de Madrid a donc été couronnée de succès, surtout si l'on tient compte de la détérioration constante des relations Est-Ouest depuis la signature de l'Acte final. Selon les témoignages des Délégations du Pacte de Varsovie, le contenu du document final est occidental à plus de 80 pour 100 et peut-être même plus, en fait[79].

Malgré le langage de compromis qui avait été adopté, l'Ouest pouvait ainsi compter un certain nombre de gains importants dans des domaines aussi divers que le droit syndical, le terrorisme, les droits religieux, l'accès aux missions diplomatiques, la réunion des familles, les conditions de travail des journalistes et le commerce.

En ce qui a trait à la CDE, la plupart des objectifs occidentaux avaient déjà été atteints à l'été 1981, et le Document final reflétait le point de vue des alliés de l'OTAN quant à la zone d'application des MDC, même s'il était plus ambigu qu'on ne l'aurait souhaité sur ce point. Mais au-delà des différends sémantiques relatifs à la « zone » ou au « mandat », la Conférence de Madrid — surtout la période de réflexion qui l'avait précédée — avait suscité l'émergence d'une approche cohérente des mesures de confiance et de sécurité qui permettra de renouveler le cadre du contrôle des armements traditionnels en Europe. C'est là le grand succès de Madrid.

Finalement, pour revenir à nos hypothèses de départ, nous pensons que l'histoire diplomatique de la CSCE — dans le secteur précis des MDC — montre clairement :

- que le processus de la CSCE, même s'il donne parfois l'apparence du multilatéralisme, demeure dominé, d'une part, par le dialogue des deux grands et, d'autre part, par l'influence d'une poignée de ténors au nombre desquels on compte la France, l'Allemagne, la Grande-Bretagne et quelques associés temporaires ; dans ce cadre, à l'exception des NNA, auxquels on reconnaît un rôle technique de médiation dans le but de maintenir l'unité occidentale, la place et l'importance des autres participants sont marginales ; autrement dit, la CSCE constitue un processus de prise de décision hiérarchisé, dominé par un directorat qui, paradoxalement, doit respecter la règle du consensus à l'égard des 35 pays participants ;
- qu'avant les préparatifs de la Conférence de Madrid, le concept et la pratique des mesures de confiance étaient largement embryonnaires, qu'il n'existait pas, à proprement parler, de théorie des MDC et que leur valeur résidait principalement dans l'usage diplomatique qui en était fait ; en d'autres termes, ce sont les réflexions précédant la Conférence de Madrid, et précisément l'initiative française, qui ont consacré l'émergence d'une théorie des mesures de confiance intégrée à une démarche cohérente visant à la stabilité et à la réduction des armements en Europe.

En ce qui concerne le Canada, le lecteur n'aura pas manqué de remarquer l'absence de référence à ce sujet durant l'exposé relatif à la Conférence de Madrid. En effet, par opposition aux deux premières phases de la CSCE au cours desquelles le Canada a eu un rôle mineur mais visible dans le domaine des questions de sécurité, il paraît s'être effacé complètement des négociations sur la CDE. Dans ce cas précis, on peut avancer que le Canada a délaissé, sans trop de regret, son rôle au profit de la France qui, en tant que puissance européenne, était sans aucun doute mieux placée pour remplir cette tâche. On peut d'ailleurs souligner que, si le Canada n'a pas pris d'initiative notable relativement à la CDE, il n'en a pas moins été très actif dans d'autres domaines ; ainsi, la réunion d'experts sur les droits de la personne est un projet canadien qui a trouvé sa place dans le Document final. En outre, comme le note T. Delworth :

> Nous jouons un rôle important, au jour le jour. Nous avons à remplir une fonction, difficile à définir mais très importante, entre l'Europe et les États-Unis, au sein de la CSCE : nous pouvons faire entendre une autre voix d'outre-Atlantique, là où les Américains ne peuvent rien dire de précis car ils sont trop importants. Nous pouvons essayer d'amener les Européens et les Américains à voir le point de vue de l'autre partie, et le fait de favoriser un camp ou l'autre sur une question précise peut influer grandement au moment critique. Cela a été prouvé par la façon dont les pays occidentaux se sont entendus pour reprendre les négociations, en novembre 1982, et par la façon dont celles-ci ont repris malgré ce qui se passait en Pologne. À ce moment et en mai 1983, c'est à la Délégation canadienne que l'on a demandé de présenter l'ensemble des modifications occidentales, lors de la réunion, alors que les dix pays de la CEE se contentaient de jouer un rôle symbolique pour bien marquer leur identité. Il n'est pas possible d'affirmer que le Canada joue toujours un rôle vital à la CSCE, mais il est permis de dire qu'il joue un rôle important par moments[80].

Dans cette optique, la diplomatie canadienne n'a certainement pas été absente à Madrid, mais on peut se demander néanmoins si l'européanisation croissante du processus de la CSCE ne comporte pas le risque pour le Canada de se voir marginalisé dans le contexte du dialogue transatlantique. Selon les Affaires extérieures canadiennes, cela n'est pas le cas. Le rapport final précise en effet :

> Tant que le Canada désirera jouer un rôle pour éviter une guerre entre l'Est et l'Ouest, il devra continuer à participer aux négociations. S'il s'en retirait, cela risquerait d'avoir un effet isolationniste sur les États-Unis. Voulons-nous faire partie de la « forteresse américaine » ? Sans aucun doute, notre présence à la CSCE, tout comme notre participation à l'OTAN, est appréciée par les Européens. Dans ces deux cas, si les Européens se retrouvaient d'un côté, devant les Américains seuls, de l'autre, cela serait peut-être même fatal pour le maintien de l'équilibre mondial que l'on connaît actuellement. C'est pourquoi nous avons un rôle vital à jouer[81].

On peut ajouter que s'il n'est guère difficile d'accepter le fait que le Canada a besoin de l'Europe pour sauvegarder une part d'autonomie dans sa politique étrangère, on ne peut que difficilement se convaincre que les Européens ne puissent pas, un jour, se passer du Canada.

Notes

1. K. Möttöla, 1986, p. 12-14.
2. L. Ferraris (1979) ; J. Maresca (1985) ; J. Sizoo et Th. Jurrjens (1984) ; R. Spencer (1984) ; et J. Klein (1987).
3. ONU, 1971, p. 56.
4. *Ibid.*, p. 58.
5. *Ibid.*, p. 61.
6. *Documents on Disarmament 1962*, 1963, p. 1214-1224.
7. MAE, dossier 20-4-CSCE, 22 mars 1967.
8. MAE, dossier 20-4-CSCE, 7 mars 1968.
9. MAE, dossier 20-4-CSCE, 5 mars 1968.
10. MAE, dossier 20-4-CSCE, s.d.
11. MAE, dossier 20-4-CSCE, 31 juillet 1972.
12. MAE, dossier 20-4-CSCE, 19 décembre 1972.
13. MAE, dossier 20-4-CSCE, 7 août 1973, p. 1-3.
14. MAE, dossier 20-4-CSCE, 26 juillet 1972.
15. MAE, dossier 20-4-CSCE, 26 juillet 1972.
16. MAE, dossier 20-4-CSCE, 31 juillet 1972.
17. MAE, dossier 20-4-CSCE, 22 mars 1973.
18. Il s'agit des propositions suivantes :
    CESC/HC/10 Suisse ;
    CESC/HC/11 URSS ;
    CESC/HC/28 URSS ;
    CESC/HC/28 add. RDA ;
    CESC/HC/13 Roumanie ;
    CESC/HC/17 Belgique ;
    CESC/HC/18 Italie ;
    CESC/HC/20 Autriche ;
    CESC/HC/21, corr. 1 Suède ;
    CESC/HC/21 add. 1 Suède ;
    CESC/HC/22 Suisse ;
    CESC/HC/23 Yougoslavie ;
    CESC/HC/24 Pays-Bas ;
    CESC/HC/25 Espagne ;
    CESC/HC/26 rév. 2 Espagne ;
    CESC/HC/29 Turquie.
19. MAE, dossier 20-4-CSCE, 25 juin 73.
20. *Ibid.*
21. J. Klein, 1987, p. 173.
22. MAE, dossier 20-4-CSCE, 23 mai 1973.
23. *Ibid.*
24. MAE, dossier 20-4-CSCE, 14 juin 1973.
25. MAE, dossier 20-4-CSCE, 17 juillet 1973.
26. MAE, dossier 20-4-CSCE, 18 mars 1974 ; et J. Maresca, 1985, p. 170.
27. MAE, dossier 20-4-CSCE, 30 octobre 1973.
28. J. Klein, 1987, p. 139.
29. MAE, dossier 20-4-CSCE, 25 février 1974.
30. J. Maresca, 1985, p. 172.
31. MAE, dossier 20-4-CSCE, 30 août 1976.
32. J. Maresca, 1985, p. 172.
33. MAE, dossier 20-4-CSCE, 26 septembre 1974.
34. MAE, dossier 20-4-CSCE, 24 février 1975. Voir le tableau 17 du présent chapitre.
35. J. Maresca, 1985, p. 135.
36. MAE, dossier 20-4-CSCE, 7 avril 1975.
37. MAE, dossier 20-4-CSCE, s.d.
38. MAE, dossier 20-4-CSCE, 21 août 1975.
39. MAE, dossier 20-4-CSCE, 1er août 1977.
40. *Ibid.*
41. MAE, dossier 20-4-CSCE, 12 juillet 1977.
42. MAE, dossier 20-4-CSCE, 8 août 1977.
43. *Ibid.*
44. MAE, dossier 20-4-CSCE, 20 mars 1978.
45. J. Klein, 1987, p. 160.
46. MAE, dossier 20-4-CSCE, janvier 1978.
47. À titre d'exemple, la France offrait dix MDC regroupées en trois catégories (voir J. Borawski, 1988, p. 20-21). Elles formeront la première version de l'ensemble français présenté à l'OTAN en septembre 1979.
48. MAE, dossier 20-4-CSCE, 12 septembre 1979.
49. *Ibid.*
50. L'ensemble des éléments de la description précédente est tiré du *Tableau chronologique du déroulement des négociations sur la CDE à la réunion de Madrid*, s.d., et d'un document du MAE, dossier 20-4-CSCE, 12 septembre 1979.

51. J. Klein, 1987, p. 163.
52. Voir J. Borawski, 1988, p. 25-26.
53. MAE, dossier 20-4-CSCE, 25 avril 1979.
54. MAE, dossier 20-4-CSCE, 20 février 1979.
55. MAE, dossier 20-4-CSCE, 31 juillet 1979.
56. MAE, dossier 20-4-CSCE, 4 juillet 1979.
57. MAE, dossier 20-4-CSCE, 1er octobre 1979.
58. MAE, dossier 20-4-CSCE, 28 septembre 1979.
59. MAE, dossier 20-4-CSCE, 12 septembre 1979.
60. Voir l'ensemble de 25 mesures à l'annexe I.
61. MAE, dossier 20-4-CSCE, 19 décembre 1979 et 4 février 1980.
62. MAE, dossier 20-4-CSCE-MDRID-l, 26 mars 1980.
63. MAE, dossier 20-4-CSCE-MDRID-l, 14 mars 1980 et 16 avril 1980.
64. MAE, dossier 20-4-CSCE-MDRID-l, 28 novembre 1980.
65. MAE, dossier 20-4-CSCE-MDRID-l, 19 mai 1980.
66. MAE, dossier 20-4-CSCE-MDRID-l, 27 août 1980.
67. J. Sizoo et T. Jurrjens, 1984, p. 18.
68. MAE, dossier 20-4-CSCE-MDRID-l, s.d.
69. J. Klein, 1987, p. 166.
70. *Ibid.*
71. *Ibid*, p. 169-170.
72. MAE, dossier 20-4-CSCE-MDRID-l, s.d.
73. Note des auteurs : l'absence d'un adjectif devant « une part », l'omission de la précision quant au caractère terrestre des activités, l'ambiguïté du relatif « que » (dont l'antécédent pourrait être aussi bien « part » qu'« activités en Europe ») permettraient l'interprétation suivante : « pour autant que ces activités se comptent au nombre des activités en Europe que les participants décideront de notifier à la CDE ».
74. J. Klein, 1987, p. 179.
75. MAE, dossier 20-4-CSCE-MDRID-l, 18 décembre 1982.
76. MAE, dossier 20-4-CSCE-MDRID-l, 9 décembre 1982.
77. J. Klein, 1987, p. 180.
78. *Arms Control Reporter (The)*, 1983, p. 402.B.19.
79. MAE, dossier 20-4-CSCE-MDRID-l, 5 décembre 1983.
80. MAE, dossier 20-4-CSCE-MDRID-l, rapport final.
81. *Ibid.*

Sources secondaires citées

Arms Control Reporter (The), divers numéros.

Borawski, J., *From the Atlantic to the Urals*, Londres, Brassey's, 1988.

Documents on Disarmament 1962, Washington, Arms Control and Disarmament Agency, 1963.

Ferraris, L., *Report on a Negotiation*, La Haye, Sijthoff-Nordhoff, 1979.

Klein, Jean, *Sécurité et désarmement en Europe*, Paris, Éditions Economica, 1987.

Maresca, J., *To Helsinki*, Durham et Londres, Duke University Press, 1985.

Möttölа, K., *Ten Years After Helsinki*, Boulder (Col.), Westview Press, 1986.

ONU, *Les Nations Unies et le désarmement, 1945-1970*, New York, ONU, 1971.

Sizoo, J. et Jurrjens, Th., *CSCE Decision Making: The Madrid Experience*, La Haye, Martin Nijhoff, 1984.

Spencer, R., *Canada and the CSCE*, Toronto, Toronto University Press, 1984.

Tableau chronologique du déroulement des négociations sur la CDE à la réunion de Madrid, Document des Archives canadiennes, s.d.

Annexe I

Les 25 MDC étudiées à l'OTAN

1. Développement des services accordés aux attachés militaires.
2. Développement des moyens de communication.
3. Publication des programmes annuels des principales activités militaires.
4. Échange d'information et de données militaires.
5. Notification des manœuvres aéroterrestres.
6. Notification des manœuvres simultanées et combinées.
7. Notification des exercices navals.
8. Notification des exercices aériens.
9. Notification des mouvements militaires (terrestres).
10. Notification des mouvements navals.
11. Notification des mouvements aériens.
12. Notification des exercices d'alerte.
13. Notification des exercices de mobilisation.
14. Limitation annuelle du nombre et de la durée des principales activités militaires.
15. Plafonnement des manœuvres.
16. Plafonnement des manœuvres simultanées ou des exercices combinés.
17. Limitation de certaines activités dans certaines zones.
18. Interdiction de certaines activités militaires.
19. Interdiction de créer de nouvelles bases militaires et plafonnement du niveau des troupes stationnées en dehors de leur territoire, en Europe.
20. Observation des activités militaires.
21. Vérification des activités militaires limitées.
22. Extension des MDC à la région méditerranéenne.
23. Traité de renonciation à l'usage préemptif des armes nucléaires ou classiques.
24. Non-élargissement des alliances et des associations politiques en Europe.
25. Gel du budget militaire.

ANNEXE II

L'ensemble des MDC occidentales à l'été 1980

A. **Information**

1. Échange sur une base périodique de renseignements relatifs :
   - au budget militaire et aux autres ressources financières pertinentes[1] ;
   - à l'organisation du commandement[1] ;
   - au stationnement, à la désignation et à la composition des forces[1].

B. **Notification**

2. Publication des programmes annuels des principales activités notifiables.
3. Notification des activités militaires, soit :
   - des activités terrestres indépendantes ou combinées avec appui aérien ou amphibie effectuées hors garnison[2] ;
   - des activités d'alerte dès leur déclenchement ;
   - des activités de mobilisation.

C. **Contraintes et stabilisation**[3]

4. Limitation des activités militaires :
   - limitation quant au nombre de divisions hors garnison qu'un participant pourrait déployer en même temps dans une zone située en dehors de son territoire (plafond suggéré de cinq divisions) ;
   - limitation des activités de mobilisation concernant plus de 50 000 hommes ou plus de 5 divisions.
5. Limitation de l'accroissement des principales activités militaires sur une certaine période (nombre de manœuvres ou exercices d'alerte et de mobilisation)[4].

D. **Observation et vérification**

6. Développement des services accordés aux attachés militaires.
7. Invitation d'observateurs aux activités militaires notifiables.
8. Codification d'une méthode de vérification incluant la possibilité d'inspections[5].
9. Non-interférence avec les moyens techniques nationaux (NTM)[6].
10. Échange de groupes de liaison entre les grandes formations militaires[7].
11. Développement des moyens de communication.

1. Ces trois éléments ont été ajoutés afin de préciser la mesure A4 du plan français.
2. Les opinions différaient quant à la définition du critère à proposer pour la notification des activités terrestres (10 000 hommes, une division, nombre de tanks, etc.)
3. Ces mesures étaient loin d'obtenir l'assentiment des alliés.
4. Cela correspond à la mesure française C10.
5. La question des inspections n'était pas réglée.
6. Il s'agit d'une mesure nouvelle qui ne pose aucun problème étant donné qu'elle fait déjà partie des principes de SALT.
7. Il s'agit d'une mesure nouvelle qui n'avait pas encore fait l'objet d'échanges de vues au sein de l'Alliance atlantique.

Source : MAE, dossier CSCE.

ANNEXE III

L'ensemble des MDC prévues pour la CDE

A. **Mesures d'information**

1. Échange d'information concernant l'organisation du commandement militaire (localisation, identification et composition des principales unités terrestres et aériennes).

B. **Mesures de stabilisation**

2. Échange de programmes annuels des activités militaires notifiables, soit :
   - les activités des forces terrestres ;
   - les exercices de mobilisation ;
   - les activités des forces amphibies.

3. Notifications
   - notification préalable :
     - des activités militaires terrestres hors garnison :
       délai de notification : 45 jours à l'avance ;
       seuil de notification : une division, son équivalent ou la majeure partie de ses éléments opérationnels.
     - des exercices de mobilisation :
       délai de notification : 45 jours à l'avance ;
       seuil de notification : 25 000 hommes ou 3 divisions et plus.
     - des activités amphibies :
       délai de notification : 45 jours à l'avance ;
       seuil de notification : toutes ces activités sont notifiables.
   - notification des exercices d'alerte dès leur commencement.

C. **Observation et vérification**

4. Développement des services accordés aux attachés militaires.
5. Observation :
   - observation des activités sujettes à notification préalable (voir le point « notification préalable ») ;
   - définition des modalités concernant le traitement des observateurs.
6. Vérification de l'exécution des MDC :
   - non-interférence avec les moyens techniques nationaux (NTM) ;
   - mise au point d'une méthode d'information, de consultation ou de clarification en cas d'événements ambigus ;
   - mise au point d'une procédure d'inspection.
7. Développement des moyens de communication afin de :
   - faciliter les échanges d'information ;
   - transmettre les notifications ;
   - transmettre les demandes et les réponses relatives à la vérification de l'accord.

On attend. Les trois quarts des grands moments historiques se sont toujours et partout passés à attendre.*

13

Du mégaphone au boudoir**

Le Canada et la Conférence de Stockholm (1983-1986)

Le 23 novembre 1983, à peine deux mois après la clôture du marathon de Madrid et quelques semaines avant l'ouverture de la Conférence de Stockholm (voir le tableau 18), les relations Est-Ouest atteignaient à nouveau le point de congélation en raison du déploiement effectif des premiers missiles Pershing II en Europe. Pour l'URSS, cela représentait une défaite significative : l'OTAN s'était tenue à sa décision de décembre 1979. Par surcroît, le « retrait » soviétique des négociations de Genève et de Vienne allait s'avérer une erreur de calcul importante, et comme le note J. Dean :

> Le public ne pouvait comprendre pourquoi l'URSS — depuis l'origine le champion du désarmement — boudait comme Achille sous sa tente alors que le président des États-Unis — un conservateur avoué — déclarait, en souriant, son intention de continuer à négocier. L'URSS était en mesure de perdre son influence sur l'opinion publique et les gouvernements européens[1].

Du côté occidental, en outre, le déploiement des euromissiles n'avait pas été une bénédiction sans nuances et, malgré l'effondrement du mouvement antinucléaire, certains des

---

* Marguerite Yourcenar, *Quoi ? l'Éternité.*

** Formule empruntée à un diplomate suisse à propos des comportements de négociation des deux grands à la CDE (J. Klein, 1987, p. 222).

principaux partis sociaux-démocrates européens avaient repris le flambeau du désarmement à leur compte, menaçant ainsi le consensus de l'Alliance atlantique. Bref, en dépit de la situation, et peut-être même en raison de celle-ci, l'Est comme l'Ouest devaient reprendre le dialogue. Or, à la fin de l'année 1983, la plupart des pourparlers relatifs au désarmement avaient été suspendus. Un seul pont n'avait pas été coupé : la future Conférence de Stockholm qui devait s'ouvrir le 17 janvier 1984. À compter de cette date et jusqu'en 1985, la Conférence sur les mesures de confiance et de sécurité et sur le désarmement en Europe (CCSBMDE) (Conference on Confidence Building Measures and Security and Disarmament in Europe, CCSBMDE) — pour lui donner son titre officiel — se vit donc conférer le statut de pierre de touche du dialogue Est-Ouest en matière de désarmement, et l'on peut probablement avancer sans excès que Stockholm devint le tremplin de la nouvelle détente qui s'imposera peu à peu entre Washington et Moscou. La Conférence de Stockholm — ou CCSBMDE —, à l'instar de celles de Madrid et de Belgrade — et peut-être dans une plus large mesure que ces dernières —, sera donc marquée par le bilatéralisme d'une diplomatie soviéto-américaine qui abandonnera progressivement l'usage du mégaphone au profit du tête-à-tête des sommets. Comme le notera avec humour le délégué canadien lors de la signature de l'Accord de Stockholm, en septembre 1986 :

> Les photographes de presse (Dieu les bénisse) ont pris au moins un million de clichés de Barry et de Grinevski se souriant mutuellement comme si la multitude des autres buveurs de champagne ne représentait qu'une poignée d'extras dont le rôle était de compléter le décor d'une ou deux scènes de la pièce[2].

Facilitée par l'intensification du dialogue Gorbatchev-Reagan, la CCSBMDE aura, par ailleurs, bénéficié d'autres avantages. Il faut rappeler que l'objet des négociations n'était pas de réduire le nombre d'armes et de soldats en Europe, mais d'adopter un ensemble de mesures de nature plus politique que militaire, sans influer sur l'équilibre des forces, ne serait-ce que d'un iota. Par conséquent, la Conférence de Stockholm ne touchait pas à ce qu'il est convenu d'appeler les intérêts vitaux des États participants (c'est-à-dire leurs arsenaux) et n'avait pas à faire face aux obstacles techniques qui caractérisaient d'autres négociations comme celles de Genève ou de Vienne. En quelque sorte, Stockholm a pu servir de banc d'essai et de prélude à la relance du contrôle des armements traditionnels dont la prochaine étape sera le Traité de Washington de décembre 1987.

De plus, en raison même du caractère politique et ambigu des mesures de confiance négociées à Stockholm, la CCSBMDE n'attirera pas l'attention des médias au même titre que les FNI ou les START, et selon T. Delworth, il y avait certainement un avantage à pouvoir négocier cet Accord dans l'ombre, « loin des projecteurs de l'opinion publique et des controverses nationales[3] ».

TABLEAU 18

La Conférence sur les mesures de confiance et de sécurité et sur le désarmement en Europe

---

Création et déroulement :

Fondée en vertu du mandat adopté à la Conférence de Madrid de la CSCE, la Conférence de Stockholm s'est ouverte le 17 janvier 1984 et s'est achevée le 19 septembre 1986.

Mandat :

Négocier un ensemble de mesures de confiance et de sécurité militairement significatives, politiquement contraignantes, vérifiables et pouvant être appliquées à l'ensemble du continent européen.

Composition :

Les 35 États participants de la CSCE.

Principales propositions :

- SC1 OTAN : 24 janvier 1984 ;
- SC2 Roumanie : 25 janvier 1984 ;
- SC3 NNA : 9 mars 1984 ;
- SC4 URSS : 8 mai 1984 ;
- SC5 Malte : 8 novembre 1984 ;
- SC6 URSS : 29 janvier 1985 ;
- SC1 (Amplified) OTAN : 30 janvier 1985 et 27 février 1985 ;
- SC7 NNA : 15 novembre 1985 ;
- SC9 (Document final) : 19 septembre 1986.

Dates des sessions :

Date d'ouverture : le 17 janvier 1984.
1re session : du 17 janvier au 16 mars 1984 ;
2e session : du 8 mai au 6 juillet 1984 ;
3e session : du 11 septembre au 12 octobre 1984 ;
4e session : du 6 novembre au 14 décembre 1984 ;
5e session : du 29 janvier au 22 mars 1985 ;
6e session : du 14 mai au 5 juillet 1985 ;
7e session : du 10 septembre au 18 octobre 1985 ;
8e session : du 5 novembre au 20 décembre 1985 ;
9e session : du 28 janvier au 14 mars 1986 ;
10e session : du 15 avril au 27 mai 1986 ;
11e session : du 10 juin au 28 juillet 1986 ;
12e session : du 19 août au 19 septembre 1986 ;
Document final de Stockholm : le 22 septembre 1986, daté du 19.

L'expérience diplomatique montre en effet que lorsque l'opinion publique dicte l'ordre du jour des négociations, cela tend à compliquer plutôt qu'à faciliter les choses ; et, d'après plusieurs témoignages, la Conférence de Stockholm a bénéficié de la demi-obscurité qui a caractérisé son déroulement.

Finalement, il faut ajouter que, par opposition à d'autres négociations, la CCSBMDE avait été longuement préparée du côté occidental et que l'ensemble des mesures de confiance présenté à Stockholm était déjà, en grande partie, prêt lors de la Conférence de Madrid.

Malgré ces conditions favorables, les négociations de Stockholm ne s'avéreront ni faciles ni rapides. Elles occuperont 12 sessions d'une durée moyenne de 6 semaines, réparties sur 3 années, et la rédaction proprement dite de l'Accord final ne serait sérieusement entreprise qu'en 1986, après 2 ans d'une valse-hésitation complexe dont la logique peut parfois échapper à l'observateur le plus averti. Mais si cet état de choses peut surprendre à première vue, il faut se rappeler que la confusion apparente et la lenteur sont, depuis l'origine, des caractéristiques traditionnelles du processus de la CSCE dont Stockholm a hérité. De plus, après cinq années de tensions et de polémiques, il fallait s'attendre que la normalisation des rapports Est-Ouest ne s'effectue pas du jour au lendemain. Dans ce sens, la lenteur des pourparlers de Stockholm reflétera la prudence et la progressivité du changement de cap qu'effectueront peu à peu la Maison-Blanche et le Kremlin.

Il faut peut-être aussi ajouter que les mesures de confiance dont l'adoption était envisagée à Stockholm n'étaient plus les mêmes que celles d'Helsinki. Elles devaient être obligatoires, militairement significatives, vérifiables, plus rigoureuses quant à leurs paramètres, et elles constitueraient aussi le premier pas sur le chemin de la réduction des armements classiques en Europe. Sur le plan pratique, les mesures de confiance de Stockholm représentaient donc un enjeu important ; sur le plan technique, elles étaient plus délicates à négocier, d'autant plus que l'Est et l'Ouest — comme nous le verrons — avaient des conceptions fondamentalement différentes des mesures de confiance.

PRÉLUDE À STOCKHOLM : LA POSITION DES PARTICIPANTS DURANT L'ÉTÉ ET L'AUTOMNE 1983

Alors qu'en juillet 1983 la négociation du mandat de Stockholm s'achève à Madrid, il est important de « photographier », en quelque sorte, les positions initiales des principaux groupes politiques qui domineront le débat durant le déroulement de la CCSBMDE.

L'OTAN se trouvait apparemment dans une position diplomatique excellente. En effet, les objectifs que l'Alliance atlantique comptait atteindre à Stockholm étaient arrêtés et les principaux éléments de la proposition que l'Ouest déposera en janvier 1984 étaient déjà approuvés. La position de l'OTAN se fondait sur les sept mesures de confiance définies dès le 9 décembre 1980 (document n° 63 du Comité militaire de l'OTAN, 1980, voir le chapitre 12). Parmi ces mesures, trois éléments se révéleront particulièrement importants : 1. l'échange des programmes annuels d'activités militaires notifiables ; 2. le renforcement des mesures de notification et d'observation des activités militaires ; et 3. les mesures de vérification associées à l'Accord dans son ensemble. Concrètement, ces trois types de mesures illustraient bien les objectifs fondamentaux de l'Alliance atlantique, à savoir : prévoir, au moins un an à l'avance, la majeure partie des activités normales d'entraînement du Pacte de Varsovie, accroître la « visibilité » de ces activités en en permettant l'observation et garantir la fiabilité du régime ainsi mis en place par des inspections régulières. Rappelons aussi l'importance technique du concept d'activités hors garnison dans le cadre de la proposition de l'Alliance atlantique. En effet, celui-ci englobait aux fins de la « notification et de l'observation, toute activité militaire [mouvement, exercice ou manœuvre] dépassant une division ». Il aurait donc ouvert à l'observation la plus grande partie du territoire des États membres du Pacte de Varsovie, jusqu'à l'Oural, et lorsqu'on sait que l'Allemagne de l'Est, par exemple, interdisait l'accès de 40 pour 100 de son territoire aux observateurs étrangers, c'est-à-dire aux attachés militaires, on peut se rendre compte de la portée du concept[4].

Quelques mois avant l'ouverture des négociations de Stockholm, l'approche de l'OTAN semble donc à la fois convaincante, pratique et cohérente en apparence, et l'on peut certainement avancer que la solidité de cette position initiale a contribué à assurer la crédibilité des propositions alliées pendant les trois années qu'a duré la Conférence de Stockholm. La situation se révélait toutefois plus complexe qu'il n'y paraissait à première vue. En effet, la correspondance diplomatique de l'époque montre clairement les divergences d'opinions entre les membres de l'OTAN, particulièrement en ce qui a trait à la stratégie occidentale. Par exemple, Washington paraît plutôt sceptique et semble vouloir définir la CDE comme « un exercice de limitation des dégâts ». Dans cette perspective, les objectifs tactiques que les États-Unis suggéreront à l'OTAN seront :

- d'assurer et de maintenir la domination occidentale sur les négociations ;
- d'assurer l'unité de l'Alliance atlantique ;
- de promouvoir la coopération avec les pays neutres ;
- d'éduquer l'opinion publique occidentale relativement aux données fondamentales de la sécurité européenne ; et
- de s'assurer que la CCSBMDE n'interfère pas avec d'autres négociations, c'est-à-dire les négociations bilatérales de Genève et les MBFR[5].

L'attitude américaine n'est donc guère encourageante pour ceux qui perçoivent la CCSBMDE comme une entreprise positive qui pourrait déboucher sur un accord significatif, et certains vont même jusqu'à suggérer, à la fin de l'été, que les États-Unis n'ont aucun intérêt dans les négociations et pourraient bien, à la dernière minute, introduire une proposition inacceptable pour les Soviétiques afin de les forcer à la rejeter publiquement[6].

À posteriori, on peut cependant penser que l'attitude négative de Washington avait pour objectif de modérer l'enthousiasme de certains alliés comme le Canada qui, d'une part, auraient voulu « enrichir » la proposition de l'OTAN en réexaminant les 25 mesures de confiance étudiées initialement en 1979 et qui, d'autre part, désiraient étudier certaines des suggestions avancées par l'Est ou les pays neutres. Par ailleurs, on peut aussi rappeler que Pierre Elliott Trudeau, dans son initiative de paix, avait même suggéré au premier ministre suédois O. Palme d'introduire immédiatement à Stockholm des mesures de limitation des armements ou de désarmement, ce qui allait tout à fait à l'encontre du mandat de la CDE approuvé à Madrid. Comme le notera M. Shenstone, à ce sujet : « Toute tentative de télescoper les étapes de la CDE en une seule menacerait de remettre en question le consensus sur lequel se fonde la CDE et soulèverait de graves problèmes avec nos alliés, particulièrement les États-Unis[7]. »

Compte tenu du risque sérieux que présentaient des initiatives anarchiques de ce type par rapport à l'unité de l'Alliance atlantique, il est logique de penser que le négativisme initial de Washington ait eu pour objet d'éviter un débat interne prématuré qui n'aurait pu qu'affaiblir la position de l'OTAN. De plus, en menaçant implicitement les « radicaux » de saboter les négociations, les Américains leur rappelaient qu'un Accord ne pourrait se faire sans leur concours et qu'un compromis réaliste s'avérerait donc nécessaire. Finalement, le scepticisme américain, qui évidemment ne manquerait pas de transpirer à l'Est, signalait clairement aux Soviétiques que les États-Unis n'étaient pas demandeurs à Stockholm et qu'ils n'accepteraient pas un Accord à n'importe quel prix.

À la veille des pourparlers préliminaires d'Helsinki — du 25 octobre 1983 au 11 novembre 1983 —, la position américaine s'imposera donc à Bruxelles : l'Alliance atlantique adoptera une démarche prudente qui s'articulera autour des objectifs définis par Washington, et cela sur la base exclusive des mesures contenues dans le document n° 63 du Comité militaire de l'OTAN en 1980. Les États-Unis refuseront obstinément de considérer toute forme de mesures de confiance impliquant des contraintes sur les activités militaires de l'Alliance atlantique ainsi que les mesures de notification qui auraient pu englober les forces américaines transitant par l'Europe. Les discussions de l'OTAN se concentreront donc sur les paramètres précis de l'ensemble des mesures occidentales, ce qui ne se fera pas sans mal d'ailleurs, vu les divergences entre les Occidentaux sur des points de détail[8]. L'Accord s'effectuera finalement à Bruxelles, le 10 janvier 1984, deux semaines avant le dépôt de la proposition de l'OTAN à Stockholm.

Malgré ces grincements, la proposition de l'OTAN est solide ; du côté soviétique, les conditions politiques qui existent en 1983-1984 sont plutôt sombres : l'URSS est en pleine crise de leadership à la suite du décès de Brejnev suivi de celui d'Andropov ; ce n'est qu'en mars 1985, avec l'arrivée de Gorbatchev au Kremlin, que la situation se stabilisera. On ne s'étonne donc pas que l'appareil diplomatique soviétique ne soit pas en mesure de prendre l'initiative à Stockholm.

De plus, l'incident du Boeing coréen abattu par accident, à l'automne 1983, s'ajoutait, après l'Afghanistan et la Pologne, à la liste déjà trop longue des événements récents qui avaient terni la réputation de l'URSS à l'échelle internationale. Le Kremlin était donc sur la défensive et sa priorité, à la veille de la Conférence de Stockholm, semblait être de maintenir le dialogue. D'après T. Delworth :

> Il était manifeste que les Soviétiques, qui considéraient la Conférence de Stockholm comme l'endroit privilégié pour faire valoir leurs idées sur le contrôle des armements, ne voulaient pas être perçus sous un mauvais jour, surtout après l'incident récent d'un avion de la Korean Air Line (KAL) et dans le contexte des nombreuses critiques des pays de l'Ouest à l'égard de leurs politiques en Pologne et en Afghanistan[9].

En substance, les propositions précises que les Soviétiques comptent introduire à Stockholm — malgré l'incertitude qui les entoure encore à la fin de 1983 — ne promettent guère de surprises. Si l'on en juge par la Déclaration de Prague du 5 janvier 1983, les offres du Pacte de Varsovie contiendraient, en particulier, un des éléments traditionnels de la politique soviétique depuis 1954, c'est-à-dire un Traité multilatéral de non-agression. En ce qui concerne les mesures de confiance, l'attitude du Kremlin paraît cependant encore très floue quoique, de toute évidence, sa propre conception de ces dernières déborde largement le cadre de la définition technique proposée par l'OTAN. En effet, dès l'automne, il est clair, d'après les déclarations de la RDA, que l'Est comprend les mesures de confiance plutôt comme des mesures déclaratoires de nature politique, incluant, par exemple, le non-recours à la force et le non-usage en premier des armes nucléaires.

En revanche, la position des pays neutres et non alignés (NNA) semble plus novatrice que celle de l'Est. La Suède, en la personne de son premier ministre, Olof Palme, s'était distinguée en 1982 par sa participation à la Commission indépendante sur le désarmement et la sécurité. Dans la perspective des négociations de Stockholm, cette dernière suggérait que les travaux de la CCSBMDE se concentrent sur les mesures qui auraient pour objet de réduire les dangers d'attaques par surprise. On y retrouve, entre autres, ce qui suit :

> Les mesures précises que l'on devrait discuter devraient porter sur l'information, la notification, l'observation et la stabilisation. Il faudrait viser à définir des normes s'appliquant aux activités militaires normales à l'aide de principes directeurs régissant la rédaction de rapports, l'observation et la limitation de ces activités en fait d'importance et de portée. Ces principes pourraient aussi s'appliquer, à l'avenir, à des domaines tels que la budgétisation, la planification et la R et D [militaires][10].

Si l'on se fonde sur le rapport Palme, l'approche des NNA rejoignait donc en général la philosophie de l'OTAN sur plusieurs points, et l'importance que le même rapport donnait au principe de la vérification ne pouvait que satisfaire l'Alliance atlantique. Cependant, certaines des mesures de confiance envisagées par les NNA étaient plus ambitieuses que celles de l'OTAN. Le rapport Palme incluait dans ses suggestions la possibilité de créer des zones exemptes d'armes nucléaires (ZEAN) en Europe, et, à l'automne 1983, l'Autriche avait exprimé son intérêt pour cette idée. Le concept se révélait évidemment inacceptable pour les alliés. En outre, comme nous l'avons souligné plus haut, les mesures visant à la limitation des activités militaires avaient suscité une opposition très ferme de la part des États-Unis.

Mais le problème le plus sérieux des NNA ne résidait pas dans ces divergences. Dès l'ouverture des pourparlers préliminaires d'Helsinki, il était apparent que si les NNA s'accordaient sur les orientations générales de leurs politiques à Stockholm, ils étaient loin d'être unanimes quant aux mesures précises qu'ils auraient à adopter. Comme le souligne le chef de la Délégation canadienne :

> Les NNA auront réalisé que ces négociations seront très différentes. Leurs intérêts en matière de sécurité sont tellement dissemblables qu'ils ne constitueront pas un groupe homogène à Stockholm. Ils ne pourront probablement pas jouer leur rôle traditionnel d'intermédiaire entre l'Est et l'Ouest comme ils l'ont fait, avec quelque succès, dans le passé. À Stockholm, les NNA constitueront une entité beaucoup plus fluide que par le passé ; ils conserveront toujours une ample marge de manœuvre sur le plan individuel ou national, mais le poids et l'influence des neutres seront moins grands que par le passé[11].

Ce que sous-entendait cette prédiction — qui s'avérera remarquablement exacte —, c'est que plusieurs États parmi les neutres avaient déjà réalisé que certaines mesures de confiance, parmi les plus radicales, pouvaient influer négativement sur leur sécurité et que, par conséquent, la prudence était de mise. Par exemple, la Suède et la Suisse qui ont à assurer toutes deux leur propre défense ne tarderont pas à adopter des positions plus modérées, s'opposant ainsi aux plus remuants des NNA tels que Malte et la Finlande.

Même si, sur le plan politique, l'Est et les NNA ne sont pas en mesure de prendre l'initiative à la veille de la Conférence de Stockholm, les deux groupes souhaitaient toutefois, pour des raisons différentes, que les négociations aient lieu. Les pourparlers préliminaires d'Helsinki se dérouleront donc sans incidents majeurs. Les 35 participants s'entendent sur les modalités d'ouverture de la Conférence de Stockholm (cérémonies, discours et présentation des propositions), adoptent un calendrier de travail pour la première année (1984) et déclarent que la prochaine réunion de la CSCE, à Vienne, en 1986 (ou une autre réunion de la CSCE) statuera sur les suites à donner à la Conférence de Stockholm.

Le caractère apparemment anodin de ces décisions masquait cependant l'enjeu réel des pourparlers d'Helsinki. En effet, l'avancement des négociations dépendra en grande partie du calendrier précis de la Conférence de Stockholm et, surtout, des modalités organisationnelles qui la sous-tendront. En d'autres termes, l'absence d'une structure de travail et de rédaction condamnait la Conférence de Stockholm à des sessions plénières, peu favorables aux négociations délicates qui devraient précéder un éventuel Accord. Or, les pourparlers d'Helsinki laissèrent à la Conférence de Stockholm elle-même la responsabilité de statuer sur sa structure de travail et son calendrier :

> Bref, la Conférence de Stockholm n'avait pas d'ordre du jour précis. Elle aurait aussi à déterminer les dates et la durée de ses réunions en 1985-1986 [...] et elle devrait aussi définir périodiquement son programme de travail. En d'autres mots, la Conférence de Stockholm devrait définir ses principes de fonctionnement au fur et à mesure de son déroulement[12].

L'absence de modalités organisationnelles permettra aux principaux acteurs de Stockholm, c'est-à-dire les États-Unis et l'URSS, de dominer les négociations à leur guise, sans avoir à intervenir de façon négative sur le plan de la substance des pourparlers. Cette situation, il faut le dire, convenait fort bien aux Américains qui ne voulaient pas négocier sérieusement avant les élections présidentielles de novembre 1984. Quant aux Soviétiques, ils assimilaient encore les conséquences du déploiement des euromissiles et ils attendaient un nouveau leader pour reprendre la barre au Kremlin (ce qui ne se produira pas avant mars 1985). Les décisions de procédures — jouant le rôle de verrous — domineront donc la Conférence de Stockholm jusqu'à sa phase finale, qui commencera en 1986. Par conséquent, l'historique des négociations peut se découper en trois phases : la première qui aboutira, en décembre 1984, à la mise sur pied des groupes de travail ; la deuxième qui débouchera sur la formation des groupes de rédaction ; et, finalement, la troisième qui se terminera, en septembre 1986, par l'Accord de Stockholm proprement dit.

LA PHASE DES SESSIONS PLÉNIÈRES : DE JANVIER À DÉCEMBRE 1984

Malgré la prudence et la lenteur qui marqueront les quatre premières sessions de la CCSBMDE, l'ouverture des négociations, le 17 janvier 1984, et le déroulement subséquent des pourparlers démontreront, à l'Est comme à l'Ouest, la volonté de maintenir le dialogue en évitant les polémiques de Belgrade et de Madrid. Pour prouver cette volonté, les ministres des Affaires extérieures des 35 — tout particulièrement MM. Gromyko et Shultz — assisteront aux premières séances de la CDE. Même si les discours d'ouverture allaient de nouveau révéler les divergences fondamentales entre le Pacte de Varsovie et le camp occidental, le climat n'était pas à la confrontation directe et les tensions demeuraient latentes. Le message était clair : la crise des euromissiles ne signifiait pas la rupture du dialogue Est-Ouest et, même si l'on n'était pas prêt à « se mettre à table », il était tout de même possible de « consulter le menu ».

Au-delà des échanges oratoires du mois de janvier, les premières sessions de la Conférence de Stockholm permirent donc le dépôt des propositions préliminaires les plus importantes par l'OTAN, le 24 janvier 1984, la Roumanie, le 25 janvier 1984, les NNA, le 9 mars 1984, l'URSS, le 8 mai 1984, et Malte, le 8 novembre 1984.

L'échange de propositions

La proposition de l'OTAN

La proposition cadre de l'OTAN (SC1) était à la fois brève (quatre pages) et précise. Tout en replaçant la Conférence de Stockholm dans le cadre du processus de la CSCE, les alliés rappelaient que l'objectif fondamental de la Conférence de Stockholm était d'adopter un ensemble de mesures de confiance complémentaires, afin de favoriser une plus grande transparence des activités militaires, de limiter ainsi les risques d'attaques par surprise et de réduire la menace d'un conflit armé en Europe. Par ailleurs, on précisait que l'exécution et la vérification de ces mesures favoriseraient de nouveaux progrès en matière de désarmement.

Six mesures particulières étaient proposées dans ce cadre :

1. l'échange annuel d'information en ce qui a trait à la structure des forces terrestres et aériennes des États participants dans la zone comprise dans le mandat de Madrid, c'est-à-dire de l'Atlantique à l'Oural[13] ;
2. l'échange de calendriers annuels décrivant les activités militaires notifiables qui se dérouleraient dans la zone désignée ;
3. la notification, 45 jours à l'avance :
   - des activités terrestres hors garnison (atteignant ou dépassant une division de 6 000 hommes sous un même commandement) ;
   - des exercices de mobilisation engageant 25 000 hommes ou plus, ou les éléments majeurs de 3 divisions ;
   - des exercices de débarquement engageant 3 bataillons et plus, ou 3 000 hommes ; à ce sujet, on précisait que certaines activités telles que les exercices d'alerte, qui ne pouvaient être annoncées dans les délais prévus, feraient l'objet d'une notification lorsqu'elles commenceraient ;
4. l'invitation d'observateurs par les États participants, à toutes les activités notifiables, et cela sur une base universelle ;
5. des mesures de vérification comprenant :
   - les moyens de surveillance technique nationaux ;
   - les inspections sur demande ;
6. le développement de moyens de communication entre les États participants.

La qualité principale de la proposition occidentale résidait dans sa simplicité. Elle constituait un progrès substantiel par rapport aux mesures adoptées à Helsinki, en 1975, tout en demeurant techniquement modeste et politiquement négociable. Les mesures de notification et d'observation développaient et systématisaient les mesures déjà adoptées, promettant une plus grande visibilité des activités militaires en Europe. Le seuil de notification était abaissé de 25 000 à 6 000 hommes, de façon à inclure les activités divisionnaires, et les délais de notification étaient allongés, passant de 21 à 45 jours. De plus, la définition même des activités notifiables était élargie puisqu'elle englobait maintenant à la fois les manœuvres, les exercices, les mouvements, les mobilisations partielles et les alertes. L'ajout des exercices de débarquement au nombre des activités notifiables constituait un geste significatif de l'OTAN par rapport aux préoccupations précises des pays scandinaves en la matière.

Il faut noter aussi qu'aux fins des négociations la proposition de l'OTAN autorisait une certaine flexibilité. En l'occurrence, certains éléments apparaissaient moins importants que d'autres; en particulier, la mesure 1 (échange annuel d'information) pouvait sembler redondante et la mesure 6 (développement des moyens de communication) n'avait qu'une portée symbolique, compte tenu des moyens de communication intergouvernementaux déjà existants. En outre, le seuil de notification, fixé par l'Alliance atlantique à 6 000 hommes pour les activités terrestres, laissait une large place au marchandage, étant donné que les divisions du Pacte de Varsovie comptaient généralement 11 000 hommes.

Plusieurs points demeuraient toutefois en litige au sein de l'Alliance atlantique, et cela expliquait certaines imprécisions de la SC1. La Turquie, en particulier, était réticente à fournir les renseignements prévus dans la mesure 1 pour ne pas avoir à dévoiler le déploiement de ses forces au seuil initialement prévu de 6 000 hommes. Les alliés n'avaient pas réussi à s'entendre non plus sur le seuil de notification exprimé en équipement (chars, véhicules blindés, etc.). Finalement, sur le chapitre de la vérification, l'entente n'avait pu se réaliser en ce qui concerne le nombre d'inspections qu'un État aurait à subir annuellement. L'accord sur ces différents points ne se fera qu'à l'automne 1984, mais l'essentiel était que l'OTAN venait, dès l'ouverture de la Conférence de Stockholm, de prendre une avance diplomatique considérable sur les autres groupements politiques.

En effet, les quatre autres propositions déposées en 1984 allaient démontrer que ni le Pacte de Varsovie ni les NNA n'étaient en mesure de concurrencer sérieusement l'OTAN quant à la substance des mesures de confiance.

La proposition roumaine

Déposée un jour après le document occidental, la proposition roumaine (SC2) semblait d'emblée peu crédible. La Roumanie proposait en vrac la création de corridors exempts d'armes nucléaires, l'interdiction de transporter des armes nucléaires le long des frontières maritimes et terrestres, l'interdiction de créer de nouvelles bases militaires en Europe, la conclusion d'un Traité paneuropéen de non-agression, le gel des dépenses militaires et l'interdiction de la propagande belliciste.

De façon manifeste, la Roumanie était donc fidèle à sa tradition d'originalité au sein du Pacte de Varsovie, mais cela handicapait sérieusement les quelques éléments de la proposition qui, considérés isolément, auraient pu constituer une base sérieuse de négociation. Sur ce plan, la proposition SC2 suggérait :

1. la notification, 30 jours à l'avance :
   - des manœuvres terrestres ou combinées dépassant le seuil de 18 000 à 20 000 hommes ;
   - des manœuvres engageant certaines forces spéciales (parachutistes ou troupes de débarquement) de plus de 5 000 hommes ;
   - des manœuvres navales indépendantes excédant 10 à 12 vaisseaux ou un tonnage combiné de 50 000 à 60 000 tonnes ;
   - des manœuvres aériennes indépendantes requérant de 45 à 50 avions ;
2. la notification, 30 jours à l'avance, des mouvements militaires comprenant deux divisions ou plus, ou bien leur équivalent, et le transport d'armes et d'équipement lourd destinés à ces divisions ;
3. la notification, le plus tôt possible, des alertes militaires qui pourraient se produire en temps de crise ;
4. la limitation des manœuvres terrestres à un maximum de 40 000 à 50 000 hommes, et la mise en place de limites similaires pour les manœuvres navales et aériennes.

Malgré l'absence visible de mesures d'observation et de vérification, la proposition roumaine montrait qu'au sujet des paramètres de notification, il existait une base de dialogue. D'après la proposition SC2, il était cependant aussi manifeste que l'Est pourrait fonder sa contre-offensive diplomatique sur deux « lacunes » de la proposition occidentale : le concept de contrainte sur les manœuvres militaires ainsi que la notification des manœuvres navales et aériennes indépendantes. On se rappellera en effet que l'OTAN, compte tenu du caractère multinational de ses forces, organise traditionnellement des maœuvres plus importantes que le Pacte de Varsovie. Un plafond de 50 000 hommes sur les manœuvres terrestres aurait influé de façon inégale sur la capacité d'entraînement des deux alliances. De plus, la notification des manœuvres navales et aériennes indépendantes remettait en question la définition géographique de la zone englobée par les négociations de Stockholm. En l'occurrence, une inclusion des manœuvres navales indépendantes aurait étendu la zone à l'Atlantique et à la Méditerranée, ce qui aurait impliqué la notification éventuelle de manœuvres n'ayant rien à voir avec la sécurité européenne proprement dite. Les alliés occidentaux n'étaient donc pas en mesure de faire des concessions sur ces deux points précis, ce qui offrait la possibilité à l'Est d'exploiter ces thèmes à son propre avantage. Le Pacte de Varsovie ne s'en privera d'ailleurs pas, et ce jusqu'à la fin des négociations.

La proposition des NNA

Le 9 mars 1984, les NNA seront les troisièmes à entrer en lice, malgré les nombreuses difficultés rencontrées pour harmoniser leurs propres points de vue. Très proche de la position de l'Alliance atlantique, leur proposition (SC3) contenait 12 mesures de confiance dont le laconisme reflétait l'absence de consensus des NNA quant aux paramètres précis qui auraient dû gouverner leur application. La proposition SC3 suggérait ainsi, à la suite d'un préambule très bavard :

1. d'améliorer les paramètres de notification des manœuvres figurant dans l'Accord d'Helsinki (délais de notification plus longs et contenu plus précis des notices) ;
2. de notifier les manœuvres militaires de moindre importance dont la somme des effectifs dépasserait le seuil indiqué dans la mesure ;
3. de notifier les manœuvres aéroportées et les exercices de débarquement ;
4. de notifier les mouvements militaires de grande envergure ;
5. de notifier les activités militaires importantes dans les espaces maritimes et aériens attenant à l'Europe lorsque ces activités influeraient sur la sécurité du continent et feraient partie d'activités se déroulant sur le continent même ;
6. d'inviter des observateurs aux manœuvres et aux mouvements notifiables, de façon à favoriser de meilleures conditions d'observation ;
7. de notifier le redéploiement des grandes unités ainsi que toute rotation importante du personnel militaire ;
8. de notifier certaines autres activités militaires, c'est-à-dire les alertes et les exercices de mobilisation à propos desquels les NNA n'étaient pas arrivés à s'entendre ;
9. d'échanger des calendriers annuels relatifs aux activités militaires les plus importantes ;
10. d'imposer des plafonds quantitatifs aux manœuvres importantes ainsi qu'aux manœuvres de moindre envergure se déroulant au même moment ou dans une même zone d'opération ;
11. d'imposer un plafond aux activités aéroportées et aux exercices de débarquement ;
12. de créer des zones où le déploiement des unités militaires, des armements et de l'équipement offensifs serait limité.

De plus, la proposition SC3 mettait l'accent sur l'importance des mesures de vérification qui sous-tendraient l'Accord et notait que l'adoption d'un ensemble cohérent de mesures de confiance créerait des conditions favorables en vue de la réaffirmation des principes de non-recours à la force et de règlement pacifique des différends. À l'exception de la notion de contrainte (mesures 10 et 11) et du concept de zone spéciale (mesure 12), la proposition SC3 démontrait clairement la proximité des positions alliée et neutre. Cela favorisera donc, dès les premiers mois de la Conférence de Stockholm, l'émergence d'une coalition d'intérêts entre les groupes occidentaux, qui consolida la position déjà favorable de l'OTAN.

La proposition soviétique

Compte tenu du contexte politique (Andropov venait de mourir le 9 février 1984), il n'est pas surprenant que les Soviétiques aient mis plus longtemps pour répondre formellement aux initiatives occidentales. Ce n'est que le 8 mai 1984, cinq mois après le début des négociations, que leur proposition est déposée. Et elle est décevante à plus d'un titre : d'une part, elle n'apporte rien de nouveau aux débats par rapport aux déclarations de Gromyko à l'ouverture de la Conférence de Stockholm, d'autre part, elle n'a que très peu de points communs avec les propositions occidentales. La proposition soviétique (SC4) suggérait, en particulier, aux participants de la CCSBMDE :

1. de s'engager à ne pas utiliser des armes nucléaires en premier ;
2. de conclure un Traité de non-recours à la force qui comporterait l'obligation de ne pas utiliser en premier des armes nucléaires ou classiques ;
3. de s'engager à geler, puis à réduire, les dépenses militaires afin de promouvoir le développement économique et social ainsi que l'aide au Tiers-Monde ;
4. d'interdire les armes chimiques en Europe ;
5. d'appuyer la création de zones exemptes d'armes nucléaires en Europe.

De façon évidente, aucune de ces mesures ne répondait au mandat de la Conférence de Stockholm, défini à l'été 1983. En revanche, le sixième élément de la proposition SC4 abordait la question des mesures de confiance. Il y était proposé, en substance :

- d'imposer un plafond (non précisé) aux manœuvres terrestres ;
- de notifier les manœuvres terrestres, aériennes et navales qui se dérouleraient de façon conjointe ou indépendante en Europe et dans les espaces aériens et océaniques adjacents ;
- de notifier les mouvements militaires d'envergure (aériens et terrestres) et les transferts dans ou vers la zone en question ;
- de développer la pratique consistant à inviter des observateurs aux manœuvres militaires importantes.

Finalement, une remarque symbolique en faveur de la vérification venait agrémenter le texte soviétique.

Dans l'ensemble, la majeure partie de la proposition SC4, qui s'inspirait largement de la Déclaration de Prague, démontrait clairement l'incompatibilité des approches soviétique et occidentale relativement aux objectifs de la Conférence de Stockholm. La préférence manifeste des Soviétiques allait aux mesures déclaratoires et politiques (cinq mesures sur six) alors que l'OTAN favorisait les mesures militaires et techniques. Quant au sixième élément de leur proposition, encore très vague, il contenait tant d'« épines » pour l'OTAN qu'il en devenait pratiquement inutilisable en tant que plate-forme de négociation. Selon un commentateur canadien :

> Les commentaires soviétiques relatifs à ces mesures indiquaient que leur objet était de limiter l'efficacité du processus de renforcement militaire de l'OTAN en cas de crise, d'englober les manœuvres navales indépendantes, les exercices de débarquement et les activités aéroportées, de circonscrire le déploiement avancé des vecteurs nucléaires ainsi que les mouvements de la force de déploiement rapide américaine et de limiter les manœuvres de l'OTAN[14].

La proposition maltaise

La dernière proposition officielle de l'année 1984 fut déposée par Malte, le 8 novembre. À l'instar de la Roumanie, Malte exprimait ainsi son indépendance par rapport au groupe politique dont elle faisait partie, les NNA. Malte manifestait aussi par là sa frustration de voir la zone méditerranéenne écartée des préoccupations de la CCSBMDE. Bien sûr, il s'agissait là d'un combat solitaire d'arrière-garde, puisque la CCSBMDE, comme les réunions précédentes de la CSCE, ne pouvait aborder les questions méditerranéennes sans risquer de s'embourber dans les problèmes politiques épineux du Maghreb et du Moyen-Orient. Comme par le passé, la proposition maltaise (SC5) fut donc jugée inacceptable et elle fut ignorée par l'ensemble des participants. Rappelons toutefois qu'elle contenait cinq mesures de confiance :

1. des mesures d'information prévoyant l'échange annuel de données concernant les forces militaires déployées par les participants dans la zone méditerranéenne ;
2. la notification des manœuvres et des mouvements militaires dans cette zone ;
3. la limitation de la taille et de la fréquence des manœuvres en Méditerranée ;
4. l'observation et la vérification des notifications et des limites acceptées ;
5. un engagement des participants à ne pas recourir à la menace ni à l'emploi de la force à l'encontre des États riverains de la Méditerranée.

La nature du problème

À la mi-mai 1984, le dépôt des propositions cadres les plus importantes permettait d'effectuer un premier bilan des négociations.

Pour l'Alliance atlantique, la question principale était de déterminer s'il était possible de rendre plus compatibles les approches de l'Est et de l'Ouest, la première se fondant sur un ensemble de mesures politiques et déclaratoires, la seconde sur des mesures à la fois techniques et concrètes. Le problème était donc de savoir si l'OTAN pouvait, en principe, accorder une place, dans le cadre d'un futur Accord, à l'une ou l'autre des mesures proposées par l'Est en échange de concessions correspondantes à l'égard de l'ensemble de mesures proposé par l'OTAN. Plus précisément encore, le seul élément de la proposition SC4 à partir duquel l'Alliance atlantique pouvait envisager un tel compromis était le principe du non-recours à la force qui avait d'ores et déjà été reconnu dans l'Acte final d'Helsinki, en 1975. Il était hors de question d'accepter la réaffirmation de ce principe dans le cadre d'un traité. Une formulation légale aurait en effet affaibli la Charte des Nations Unies qui comportait déjà la même obligation. Or, en termes juridiques, une obligation négative telle que le non-recours à la force ne peut être développée ni répétée sans la nuancer et donc l'affaiblir[15].

En outre, l'insertion du non-recours à la force dans un traité aurait accordé à ce principe un statut particulier par rapport aux autres éléments de l'Acte final d'Helsinki. La seule issue était donc une simple réaffirmation du non-recours à la force, et, dès le printemps 1984, plusieurs pays de l'Alliance atlantique, dont l'Italie, la Belgique, le Danemark et le Canada, tentèrent de stimuler les discussions dans ce sens. En mars 1984, la Délégation canadienne suggérait, à Ottawa, de lier le principe du non-recours à la force à celui du règlement pacifique des différends, de façon à tempérer l'enthousiasme des Soviétiques pour un traité. Le règlement pacifique des différends, soit le revers de la médaille du non-recours à la force, suscitait effectivement de fortes réticences au Kremlin, dans la mesure où il impliquait la possibilité de l'arbitrage des différends par une tierce partie (Rapport final de la Délégation canadienne, section 3). D'ailleurs, à la fin de mai, le Canada ira jusqu'à proposer que les alliés mettent au point un contre-projet de traité dans une forme inacceptable pour les Soviétiques afin d'amener ces derniers à un compromis. Ces tentatives se heurteront à l'immobilisme du caucus occidental qui, tout en reconnaissant que le principe du non-recours à la force devrait être discuté par l'Alliance atlantique, ne voulait pas se résoudre à choisir une stratégie précise à ce sujet. Il faudra encore attendre un an et demi pour que l'OTAN précise sa position à l'égard du non-recours à la force, bien après que les Soviétiques aient, eux-mêmes, abandonné l'idée d'un traité.

L'attentisme apparent de l'Alliance atlantique avait cependant sa logique. Une concession formelle à l'égard des Soviétiques à ce stade des négociations comportait un danger, et comme le notait un rapport du secrétariat de l'OTAN, en avril 1984 : « Si nous acceptions d'ouvrir les négociations à propos d'une mesure déclaratoire soviétique, cette dernière risquerait de dominer les débats à un point tel que l'on perdrait de vue les MDCS particulières et concrètes au profit d'une simple déclaration finale[16]. »

Sur le plan tactique, il était donc préférable pour les Occidentaux de s'assurer que leur ensemble de mesures demeure au centre des négociations avant d'ouvrir le dossier du non-recours à la force. Autrement dit, s'il était opportun de signaler aux Soviétiques la bonne volonté occidentale quant au non-recours à la force, il n'était pas question d'aborder officiellement le sujet à Stockholm avant que les Soviétiques eux-mêmes aient accepté de négocier sérieusement au sujet de la proposition occidentale dans son intégralité. Le problème se résumait donc fondamentalement à une question de procédure : comment organiser une discussion équilibrée du non-recours à la force et de l'ensemble des mesures occidentales en garantissant qu'un Accord ne puisse se réaliser sur la proposition soviétique avant la conclusion des discussions relatives aux mesures de confiance proposées par l'Ouest? La recherche d'une formule satisfaisante occupera la Conférence de Stockholm jusqu'à la fin de l'année 1984.

À un premier niveau, le président américain, lors d'un discours prononcé à Dublin le 4 juin 1984, signalera clairement à l'Est que l'OTAN était prête à considérer les modalités d'une réaffirmation du principe du non-recours à la force pour autant que les pays du Pacte de Varsovie acceptent de débattre des mesures concrètes dont l'objet était de donner un contenu réel à ce principe. Cette déclaration n'allait pas accélérer les choses; toutefois elle jettera une certaine confusion dans les rangs de l'Alliance atlantique dont plusieurs membres n'avaient pas été prévenus de l'initiative américaine. Comme l'illustre un commentaire canadien:

> Brusquement et sans consultation interalliée, la politique occidentale avait changé... et bien que ce geste ait été accueilli favorablement par nous, dans la mesure où il faisait avancer les négociations, il constituait, de façon évidente, une manœuvre électorale et fut dénigré par les Russes qui déclarèrent que cela ne changerait pas la position que les États-Unis avaient adoptée à la Conférence[17].

Par conséquent, même si le geste américain se justifiait parfaitement sur le plan tactique, il ne contribuera guère à faciliter les négociations.

La question centrale du statut du non-recours à la force au sein des négociations se résoudra donc à la Conférence de Stockholm elle-même où un débat complexe se développera au sujet des modalités qui devaient gouverner l'organisation des Groupes de travail ou de discussion. Au sein de l'Alliance atlantique, deux thèses étaient en présence. Les Français favorisaient la constitution de trois Groupes de travail: dans le premier, on discuterait des mesures occidentales; le second traiterait la question des limitations et contraintes; et le troisième aborderait les mesures déclaratoires, y compris le non-recours à la force. Cette formule n'était toutefois pas satisfaisante, compte tenu des réticences de l'OTAN à l'égard des mesures contraignantes. Au mieux, cette structure aurait donné un poids égal aux propositions soviétiques et occidentales; c'est pourquoi les États-Unis suggérèrent plutôt la création d'un seul Groupe de travail, dans l'espoir que cette formule permette d'éviter tout parallélisme entre les mesures déclaratoires et les mesures concrètes. Toutefois, la France refusera d'abandonner son idée, retardant ainsi la décision du caucus occidental. Ce furent donc les NNA qui prirent l'initiative en juin 1984 et proposèrent la création de deux Groupes de travail, l'un destiné à la discussion des mesures déjà prévues dans l'Acte final d'Helsinki (notification et observation), l'autre pour débattre des mesures «nouvelles» (vérification, information, contraintes et mesures déclaratoires). Cette formule ingénieuse, dont l'avantage était de garantir la part du lion aux mesures occidentales, arrivait malheureusement trop tard dans la session pour faire l'objet d'un Accord détaillé avant la suspension estivale des négociations. Les Finlandais raffineront néanmoins la formule à la dernière minute en offrant aux Soviétiques la garantie que le principe du non-recours à la force aurait une place équitable dans la discussion. En contrepartie, les Soviétiques abandonneraient implicitement les autres mesures « non orthodoxes » de la proposition SC4. Ces dernières ne pourraient être abordées qu'en session plénière, une fois par semaine. Elles seraient donc, à toutes fins utiles, éliminées des négociations.

Le débat relatif à cette initiative finlandaise sera au centre des deux dernières sessions de 1984. Finalement, après d'interminables discussions, autant au sein de l'Alliance atlantique qu'avec les Soviétiques, l'Accord fut conclu et enregistré au journal de la Conférence, le 3 décembre 1984. L'Accord prévoyait la mise sur pied de deux Groupes de travail. Le Groupe de travail A traiterait :

- du non-recours à la force (sous-groupe A1) ;
- des calendriers et des contraintes et limitations portant sur les activités militaires (sous-groupe A2) ;
- des mesures d'information et de vérification (sous-groupe A3).

Le Groupe de travail B discuterait :

- des mesures de notification (sous-groupe B1) ;
- des mesures d'observation (sous-groupe B2).

De plus, l'Accord ventilait en détail les éléments des cinq propositions officielles (de SC1 à SC5), en fonction des sous-groupes de travail ainsi constitués et fixait un calendrier hebdomadaire spécifiant le nombre de réunions de chacun des sous-groupes.

Après une année entière de manœuvres byzantines, la Conférence de Stockholm donnait enfin quelques signes de mouvement.

LA PHASE DES GROUPES DE TRAVAIL : DE JANVIER À DÉCEMBRE 1985

Malgré l'accord de procédure du 3 décembre 1984 et le passage subséquent des négociations aux discussions de travail, le rythme de la Conférence de Stockholm ne s'accélérera guère au début de l'année 1985.

Le dépôt d'un Traité de non-recours à la force (SC6) par les Soviétiques qui contenait une clause relative au non-usage en premier des armes nucléaires, le 29 janvier 1985, provoquera une vive réaction des alliés, et, devant cette douche froide, le chef de la Délégation soviétique déclarera vertement à son homologue canadien : « Tant et aussi longtemps que je ne serai pas convaincu de votre intérêt à négocier sur la question du non-recours à la force, je peux vous garantir que cette Conférence n'ira nulle part[18]. »

Le non-recours à la force continuera donc à hanter la Conférence de Stockholm, mais il est remarquable de constater que les Soviétiques abandonneront eux-mêmes discrètement l'idée d'un Traité, en avril, et placeront peu à peu la réaffirmation du non-recours à la force au dernier rang de leurs préoccupations alors que, parallèlement, le non-recours à la force deviendra une pomme de discorde pour les Occidentaux.

À partir de février 1985, le centre des discussions se déplacera cependant et les débats porteront principalement sur les mesures de confiance et de sécurité (MDCS). L'Alliance atlantique, quant à elle, s'était finalement entendue, à l'automne 1984, sur le détail des six mesures décrites plus haut, et, du 30 janvier au 27 février 1985, les alliés introduisirent, élément par élément, la version améliorée de leur propositon (SCI Amplified). Les précisions apportées étaient les suivantes :

Les mesures d'information

1. Les informations militaires suivantes seraient échangées au début de chaque année civile par les États participants quant à leurs forces déployées dans la zone désignée :
   - l'organisation du commandement ;
   - l'emplacement habituel du quartier général et la composition des forces terrestres et aériennes. (On était convenu que ces informations devaient être échangées jusqu'au niveau de la division, mais sans aller jusqu'à un niveau égal ou inférieur à celui du bataillon.)

Les calendriers

2. Les états prévisionnels annuels des activités militaires notifiables qui devaient se dérouler dans la zone désignée seraient communiqués au plus tard le 15 novembre pour l'année civile suivante et répartis par trimestre. La liste de chaque trimestre comprendrait les renseignements suivants :
   - la désignation, y compris le nom de l'exercice, le cas échéant ;
   - l'objectif général de l'activité ;
   - le mois au cours duquel l'activité en question débutera ;
   - la liste des États participants ;
   - la zone d'activité prévue ;
   - la durée de l'activité ;
   - les effectifs prévus de toutes les forces participantes, y compris le groupe de direction et l'organisme d'arbitrage ;
   - le type de forces mises en jeu.

Les mesures de notification

3. Les activités militaires hors garnison dans la zone, qu'elles soient indépendantes ou combinées avec un appui aérien ou amphibie, seraient notifiées par les participants lorsqu'elles seront exercées :

    - par une ou plusieurs divisions des forces terrestres ou des formations équivalentes, chaque fois qu'elles atteindraient l'un des seuils mentionnés ci-après ;
    - par une formation temporairement dotée d'une structure comparable à une formation divisionnaire, chaque fois qu'elle atteindra l'un des seuils mentionnés ci-après :
        - la moitié ou plus de ses principaux éléments de combat (brigades et régiments de chars, d'infanterie, d'infanterie motorisée ou de troupes aéroportées ou formations d'importance équivalente) et au moins un élément d'appui d'artillerie du génie ou d'hélicoptères se trouvant simultanément hors garnison ;
        - 6 000 hommes ou plus ; ou
        - 240 chars de bataille (chiffre minimal) ; ou
        - 615 véhicules blindés de transport (chiffre minimal).
    - par les éléments de combat des forces terrestres non organisées en formation divisionnaire, chaque fois qu'ils atteindront les seuils suivants :
        - 6 000 hommes ;
        - 240 chars de bataille (chiffre minimal) ; ou
        - 615 véhicules de transport blindés (chiffre minimal)[19].

4. Les activités de mobilisation, y compris le rappel des réservistes, seraient assujetties à une notification 45 jours à l'avance, chaque fois que :

    - 25 000 hommes ou plus y participeraient dans la zone désignée ;
    - la plupart des principaux éléments de combat de trois divisions ou plus y participeraient.

5. La notification de tous les débarquements amphibies dans la zone de la CCSBMDE serait effectuée 45 jours à l'avance lorsque les seuils suivants seraient atteints :

    - 3 bataillons ou plus ;
    - 3 000 hommes ou plus.

6. Dans le cas d'une activité notifiable, menée sans préavis, à titre d'activité d'alerte, la notification serait donnée dès que les troupes recevraient l'ordre d'exercer l'activité en question.

7. Toutes les notifications donneraient les renseignements suivants :

- la description de l'activité, y compris le nom de l'exercice, le cas échéant ;
- le quartier général responsable de l'activité ;
- l'objectif général de l'activité, y compris ses relations avec toute autre activité notifiable ;
- la date et la durée prévue de l'activité avec indication des dates précises des premiers déploiements, de la phase active de l'exercice et du retour en garnison ;
- le nom des États participants ;
- la délimitation géographique précise de la zone d'activité ;
- les effectifs des forces participantes ;
- la désignation des divisions terrestres ;
- le type des autres forces mises en jeu (forces aériennes, amphibies, navales) ;
- des précisions complémentaires si l'activité devait s'écarter de l'état prévisionnel ou ne pas y figurer.

Les mesures d'observation

Chaque État participant pourrait envoyer jusqu'à deux observateurs aux activités notifiées par les autres États, à l'exception des exercices d'alerte si ceux-ci ne dépassaient pas 48 heures. Dans le cadre de ces missions d'observation, l'État hôte :

- garantirait que les observateurs puissent communiquer rapidement avec leurs autorités diplomatiques (amabassade ou consulat) ;
- permettrait aux observateurs d'utiliser leur propre équipement optique nécessaire à l'accomplissement de leur mission ;
- donnerait aux observateurs tous les détails voulus sur l'activité notifiée ;
- permettrait aux observateurs d'examiner directement toutes les unités participantes ;
- permettrait aux observateurs d'examiner toutes les phases de l'activité dans la zone comprise entre la garnison et le lieu de déploiement, etc.[20].

L'exécution et la vérification

En ce qui a trait aux inspections, chaque État aurait le loisir de vérifier, par ce moyen, la bonne exécution de l'Accord, à raison de deux inspections par an. L'État faisant l'objet de l'inspection n'aurait pas le droit de refuser une demande d'inspection, mais il pourrait définir un certain nombre — le plus restreint possible — de zones interdites (installations militaires, bases, garnisons, locaux militaires industriels ou scientifiques, etc.). Les équipes d'inspection auraient la permission d'entrer sur le territoire de l'État hôte au maximum 36 heures après en avoir fait la demande, et leur mission devrait être achevée dans un délai de 48 heures. Les inspections pourraient être effectuées par avion ou à l'aide de véhicules terrestres, ces derniers pouvant être fournis par l'État inspecteur. Les équipes d'inspection pourraient utiliser leurs propres cartes, leurs instruments d'observation, leurs appareils photographiques, leurs magnétophones et leur équipement de télécommunication.

Le développement des moyens de communication

L'amélioration des moyens de communication n'a jamais constitué un élément central des négociations. Par comparaison à la proposition SC1, ce détail de la proposition SC1 (Amplified) était sans conséquence.

Si l'ensemble des mesures occidentales avait ainsi pris sa forme définitive, il n'était pas plus convaincant, aux yeux des Soviétiques, que la proposition SC1. En effet, l'Est avait entrepris sa propre offensive sur le plan des mesures « techniques » et déposera cinq documents de travail sur le sujet, de février à mai 1985. Leur substance demeurait toutefois très décevante. Le Pacte de Varsovie proposait de limiter la taille des manœuvres à 40 000 hommes (CSCE/WGA1, 7 février 1985)[21]. Il suggérait de notifier les manœuvres terrestres à partir d'un seuil de 20 000 hommes, 30 jours à l'avance (CSCE/SC/WGB1, 20 mai 1985)[22] et il offrait de notifier les manœuvres navales et aériennes indépendantes à partir des seuils déterminés de 30 navires et de 50 avions respectivement (CSCE/SC/WGB2 et WGB3, 20 mai 1985)[23]. Enfin, le Pacte de Varsovie suggérait aussi de notifier les mouvements et les transferts militaires *vers* la zone désignée (la zone désignée est évidemment celle qui s'étend de l'Atlantique à l'Oural, et la notification s'appliquerait aux mouvements de pays à pays à l'intérieur de la zone désignée et, à l'extérieur, aux mouvements vers la zone désignée), à partir d'un seuil de 20 000 hommes (CSCE/WGB4, 21 juin 1985)[24].

La position des pays de l'Est semblait donc avoir très peu évolué, sauf sur deux points : les mesures concrètes étaient enfin abordées et le principe des vérifications recevait un appui symbolique, à la fin du mois de juin. Par contre, les mesures envisagées par l'OTAN continuaient à être perçues comme une forme légalisée d'espionnage. Pour plusieurs observateurs, l'intention des Soviétiques était de limiter étroitement leurs concessions en vue de faire accepter un mini-ensemble de mesures très peu différentes des mesures de confiance d'Helsinki.

Sur le plan des vérifications, par exemple, les Soviétiques paraissaient favoriser les moyens techniques nationaux et un système de consultation sans inspection, position qui différait à la fois du concept de quota d'inspections avancé par l'OTAN et du principe d'inspection par mise en demeure — avec droit de refus — proposé par la Suède, au début du mois de juin. Les Suisses, quant à eux, avaient introduit l'idée d'un « salon des ambassadeurs » qui pourrait examiner les demandes d'inspection. L'accueil réservé à ces dernières suggestions par l'Est fut encourageant, mais les divergences de vues entre le Pacte de Varsovie et les Occidentaux, y compris les NNA, demeuraient considérables, autant au sujet du statut du non-recours à la force, des seuils de notification, de la définition des activités notifiables, de l'observation des manœuvres, de l'inclusion des activités aériennes et navales, des vérifications et de l'échange d'information qu'au sujet des mesures contraignantes.

À l'été 1985, la situation ne se révélait pas très encourageante et l'échec complet de la réunion d'Ottawa sur les droits de la personne, le 17 juin, pouvait suggérer que la Conférence de Stockholm risquait de subir un sort semblable. Le ton du rapport canadien de fin de session, du 9 juillet 1985 trahissait une vive inquiétude : la 6e session — du 14 mai au 5 juillet — avait été aride ; l'Est s'était montré très rigide et avait pris peu à peu l'initiative alors que les alliés étaient de plus en plus divisés quant à leur stratégie. La politique de l'Alliance atlantique demeurait confuse à l'égard du principe du non-recours à la force et des mesures contraignantes, et plusieurs anomalies techniques étaient apparues dans l'ensemble des mesures occidentales. La Délégation canadienne voyait donc avec appréhension un fossé se creuser au sein de l'OTAN entre les « maximalistes », comme les États-Unis, qui semblaient prêts à admettre un échec de la Conférence de Stockholm si l'ensemble des mesures occidentales n'était pas accepté dans son intégralité, et les « minimalistes », tels que la Norvège, qui favorisaient l'adoption du mini-ensemble des mesures soviétiques plutôt que de risquer que la CCSBMDE se termine en queue de poisson. Selon le chef de la Délégation canadienne, le problème principal de l'Alliance atlantique, dans cette situation, était l'apathie diplomatique :

> La mise au point de 100 bonnes raisons pour justifier l'inaction paraît être la déformation professionnelle par excellence des diplomates. Elle est probablement autant enracinée dans la nature humaine que dans les réalités politiques nationales et, malheureusement, on ne peut faire grand-chose pour corriger ce défaut[25].

Le message canadien était clair : il fallait que les alliés reprennent l'initiative et, pour cela, pensent à préciser leur stratégie, tout spécialement par rapport aux modifications de leur proposition qu'ils étaient prêts à accepter.

Devançant les pressions des alliés dans cette direction, les Américains concluront, à la fin de l'été, un Accord qui fera sortir la Conférence de Stockholm de l'impasse où elle semblait se trouver. À la suite d'une rencontre à Moscou, les chefs de Délégation américain et soviétique conviendront ainsi d'une formule qui permettra à la CCSBMDE de passer au stade de la rédaction. Annoncé à la fin de la 7e session — du 10 septembre au 18 octobre 1985 — l'Accord prévoyait que le Groupe de travail B se chargerait de la rédaction des mesures de confiance relatives à l'observation et à la notification ainsi que des mesures de vérification, d'information et de communication afférentes. Cela signifiait que les vérifications et les mesures d'information seraient limitées au cadre précis des activités notifiées. Les mesures d'information annuelle occidentales étaient donc implicitement abandonnées. Pour sa part, le Groupe de travail A s'occuperait de la réaffirmation du principe du non-recours à la force ainsi que des mesures contraignantes, y compris le calendrier annuel des manœuvres. Les Américains avaient obtenu que les calendriers tiennent lieu de contraintes. De plus, les Soviétiques reconnaissaient, eux aussi, que seul le principe du non-recours à la force — parmi toutes les mesures déclaratoires — ferait partie de l'Accord final.

Cette entente allait donc bien plus loin qu'un simple accord de procédure (dont elle prenait la forme). En fait, elle reflétait la volonté des superpuissances qui s'étaient résolues à faire de la Conférence de Stockholm la première étape de la détente qui allait peu à peu s'imposer entre elles. Les déclarations de Gorbatchev à l'Assemblée nationale française, le 3 octobre 1985, ainsi que le sommet soviéto-américain de Genève, en novembre, se feront l'écho de ce nouveau climat. Les événements se précipiteront donc au cours de la 8e session — du 5 novembre au 20 décembre. En effet, les NNA déposèrent leur nouvelle proposition (SC7) le 15 novembre avec l'espoir que le document servira de base à l'Accord final. La proposition SC7 contenait, en particulier, les mesures suivantes :

1. Les mesures de notification
   Les manœuvres terrestres engageant une division ou plus seraient notifiées 42 jours à l'avance.
2. Les calendriers annuels
   Une liste des manœuvres terrestres engageant une division ou plus serait communiquée, chaque année, par chacun des participants.
3. Les observateurs
   Des observateurs de chaque pays seraient invités à chacune des manœuvres notifiables ; ils auraient le droit de s'assurer que les manœuvres en question sont menées conformément aux notifications et qu'elles ne constituent pas une menace.
4. La notification et l'observation des activités militaires organisées sans préavis
   Les NNA prévoyaient, au sujet des activités militaires organisées sans préavis, la notification des alertes et des exercices de mobilisation « dans les meilleurs délais », mais excluaient leur observation si ces activités ne « prenaient pas la forme de manœuvres » ; même dans ce cas, seules les manœuvres dépassant une certaine durée — non spécifiée — pourraient faire l'objet d'une observation.
5. Les contraintes
   - aucune manœuvre ne pourrait dépasser le seuil de 5 divisions et durer plus de 17 jours ;

- aucun pays ne pourrait accueillir plus de cinq manœuvres engageant moins de deux divisions ni participer à celles-ci, et seule une manœuvre de moins de deux divisions pourrait avoir lieu au même moment (ces restrictions ne s'appliqueraient pas si les activités étaient notifiées dans le calendrier annuel) ;
- aucun État ne pourrait accueillir plus de cinq manœuvres atteignant le seuil de deux divisions ni participer à celles-ci; les manœuvres dépassant ce seuil devraient être notifiées dans le calendrier annuel. Pas plus de deux manœuvres de ce type ne pourraient se dérouler en même temps, mais une fois par année de telles manœuvres pourraient être combinées si elles respectaient le seuil de sept divisions.

6. L'observation par mise en demeure
   Les États participants pourraient demander, à courte échéance, l'envoi d'une mission d'observation neutre sur le territoire d'un autre État participant s'ils percevaient que leur sécurité était en jeu. Toutefois, le gouvernement qui recevrait la demande pourrait la refuser pour raison d'État.
7. La communication
   Il était prévu de mettre sur pied un système de communication par télécopieur qui transmettrait des textes, des cartes et des graphiques aux différents États participants; en outre, une bande de transmission réservée à l'usage de la CCSBMDE aurait pu être libérée sur les réseaux de télévision Eurovision et Intervision.
8. Les modalités de consultation
   Dans des situations exceptionnelles, des mini-rencontres diplomatiques pourraient être convoquées à courte échéance entre les parties concernées.
9. Le non-recours à la force
   On proposait de réinscrire le principe du non-recours à la force et de condamner le recours à l'intimidation par la force; le texte des NNA contenait aussi un paragraphe réaffirmant l'importance des droits de la personne et des libertés fondamentales; de plus, les États participants se seraient aussi engagés à ne pas aider les terroristes.

Dans l'ensemble, malgré son entrée en scène tardive, le document des NNA montrait clairement que leur position demeurait très proche de l'OTAN, bien que l'on y constatât des dissonances relatives aux contraintes et aux inspections. La proposition SC7 fut donc accueillie de façon positive à Stockholm, et, en décembre 1985, le chef de la Délégation américaine exprimait son optimisme en déclarant que les chances d'aboutir à un accord au cours de l'année suivante s'avéraient assez bonnes. L'année 1985 ne s'achèvera cependant pas sans frictions au sein de l'Alliance atlantique. À ce stade de la Conférence de Stockholm, les principales décisions avaient été prises de façon bilatérale entre les États-Unis et l'URSS et — comme nous l'avons mentionné — les alliés n'avaient guère fait preuve d'esprit d'initiative collectif depuis l'année précédente.

La politique de l'OTAN à l'égard des contraintes et du non-recours à la force demeurait confuse et les NNA, malgré leurs propres difficultés, avaient même devancé l'Alliance atlantique sur ces deux dossiers. C'est dans ce contexte déjà insatisfaisant que les alliés révéleront à nouveau leurs divisions, cette fois-ci à propos de la date de clôture de la Conférence de Stockholm. Les Français voulaient la fixer au 18 juillet 1986, afin de créer un climat d'urgence politique. Compte tenu du travail monumental qui restait à accomplir, cette date était tout simplement irréaliste. De plus, une telle décision contrevenait aux règles de procédures de la CSCE selon lesquelles les participants à la Conférence eux-mêmes décidaient de l'ajournement, par consensus. Non sans difficulté, la majorité du caucus occidental fit entendre raison à la Délégation française et la fin de la Conférence de Stockholm fut planifiée pour le 19 septembre 1986. Cet épisode insignifiant illustrait cependant bien les problèmes internes du groupe de l'OTAN et préfigurait les cahots et les incidents de parcours qui risquaient de jalonner la CCSBMDE, l'année suivante.

Étant donné les circonstances, le Canada se fera de nouveau, à la fin de la session, le porte-parole des alliés les plus dynamiques en exhortant l'Alliance atlantique à retrouver son unité perdue depuis 1984. Affirmer que cette déclaration fut déterminante est probablement excessif, mais il devenait apparent que l'OTAN ne pouvait plus se satisfaire d'une politique caractérisée par l'immobilisme.

LA PHASE DE RÉDACTION : DE JANVIER À SEPTEMBRE 1986

La 9e session de la CCSBMDE — du 28 janvier au 14 mars 1986 — viendra confirmer les pronostics optimistes quant à l'issue favorable de la Conférence de Stockholm. En quelques semaines, les Soviétiques feront en effet sauter plusieurs des verrous qui bloquaient jusqu'à présent les négociations.

Le 15 janvier, dans le cadre d'un discours-programme sur le désarmement, Gorbatchev annonçait que les pays de l'Est étaient prêts à abandonner leurs exigences au sujet de la notification des manœuvres navales indépendantes. Le 10 février, les Polonais acceptaient, au nom du Pacte de Varsovie, le principe de l'invitation d'observateurs aux activités notifiées sur une base universelle. Le 6 mars, un accord de principe intervenait, en groupe de rédaction, sur la question des calendriers. Finalement, dans un effort de rapprochement avec les NNA, la Bulgarie proposait, le 13 mars, de limiter le volume des activités militaires à cinq fois le niveau notifiable (cinq divisions) et leur durée à 15 jours. Le Pacte de Varsovie offrait aussi, à cette occasion, d'imposer un plafond de 7 000 hommes pour les effectifs des activités aéroportées et amphibies.

Au sujet des contraintes, l'événement le plus significatif de la 9e session était, sans contredit, l'idée irlandaise de « contraintes temporelles » *(time constraints),* selon laquelle aucune activité engageant plus de 75 000 et de 100 000 participants ne pourrait avoir lieu, à moins d'avoir été annoncée au calendrier annuel et transmise respectivement deux et trois ans à l'avance. Cette idée ouvrira la voie à un des compromis les plus importants des négociations.

Bref, à la fin de la session, seules quatre questions essentielles restaient à régler :

- le seuil des notifications ;
- la substance des notifications et la question des manœuvres aériennes indépendantes ;
- les conditions d'observation ;
- la question des inspections.

Grâce aux concessions soviétiques, un chemin considérable avait été parcouru en peu de temps, mais l'OTAN ne se mettra que très lentement au diapason de ce nouveau climat.

La première cause de cette attitude résidait dans ce que l'on pourrait appeler la « crise du non-recours à la force ». Malgré les initiatives de nombreux alliés, à la fin de 1985, le caucus occidental n'avait toujours pas défini sa position à l'égard de la réaffirmation du principe du non-recours à la force. En février 1986, la France présentera donc avec éclat à l'Alliance atlantique la proposition des douze en prenant bien soin d'ébruiter l'origine de cette initiative « indépendante » et d'insister sur son importance. En outre, les Français exigeront que leur proposition soit acceptée en caucus, sans amendement et sans que d'autres options soient discutées. Cela eut évidemment pour conséquence une querelle familiale de plus, au cours de laquelle la Délégation française fut publiquement accusée de dissimulation et de malhonnêteté. C'est seulement à la mi-mars que l'OTAN présenta, enfin, la position générale des seize quant au non-recours à la force. Toutefois, les disputes internes au sujet des détails de la proposition se poursuivront jusqu'au 18 juin 1986. Ironiquement, l'Est paraissait avoir perdu tout intérêt pour la question. L'Alliance atlantique s'offrait donc en spectacle pour un enjeu insignifiant.

La seconde raison expliquant les lenteurs de l'Alliance atlantique touchait à la question des contraintes. Malgré les nombreuses analyses effectuées à Bruxelles, les possibilités offertes à l'OTAN paraissaient peu convaincantes aux alliés, dans la mesure où toute forme de contrainte leur semblait avoir des conséquences négatives pour l'Ouest. C'est pourquoi, lors des réunions de l'Alliance atlantique en mars 1986, les principaux acteurs occidentaux redoubleront de fermeté. Les Américains, notamment, opposeront des raisons de principe aux contraintes qu'ils estimaient étrangères aux mesures de confiance proprement dites.

Dans cette atmosphère caractérisée par une stagnation totale des débats, il faudra attendre la pause du 15 mars au 14 avril 1986 pour que les choses se remettent en mouvement.

Ce n'est cependant qu'au mois d'août, cinq semaines avant la fin de la Conférence de Stockholm, que les alliés se montreront prêts à entamer le processus de rédaction d'une mesure de contrainte.

Notons, en outre, que les États-Unis, loin de faciliter les choses au sein de l'OTAN, jetteront de l'huile sur le feu en suggérant, par l'intermédiaire de Max Kampelman, que les résultats des négociations de Stockholm soient soumis à la prochaine réunion de la CSCE afin de les « équilibrer » par des concessions sur le plan des droits de la personne. Autrement dit, le futur Accord de Stockholm ne serait devenu exécutoire que si les résultats de la Réunion de suivi de la CSCE, à Vienne, en novembre 1986, avaient été jugés satisfaisants, et cela, Dieu sait au terme de quel délai. Choqués par une suggestion aussi hérétique, qui contrevenait d'ailleurs au mandat de la Conférence de Stockholm, les alliés soulignèrent aux Américains qu'une telle formule risquait de leur faire perdre plusieurs années et poserait de nombreux problèmes de « relations publiques ». Cependant, Max Kampelman refusa de débattre la question et répéta simplement que « permettre à la CCSBMDE d'acquérir une existence autonome serait une erreur ».

Compte tenu du contexte difficile et confus, on ne pouvait pas s'attendre que la 10e session de négociation — du 15 avril au 23 mai — devienne la phase décisive de la Conférence de Stockholm, et un mémorandum canadien du 10 avril 1986 confirme cette impression : du côté occidental, un déblocage n'était prévu qu'à l'été. Cependant le ton restait confiant : « Si une volonté politique commune existait à Washington et à Moscou, l'accord se ferait. » D'ailleurs, le 23 mai, continuant à faire preuve de bonne volonté, les Soviétiques proposaient d'abaisser le seuil de notification des manœuvres de 20 000 à 18 000 hommes ; de plus, ils précisaient que les notifications feraient état du nombre de divisions participant aux manœuvres. C'était le premier signe annonçant que le Pacte de Varsovie était prêt à accepter un seuil divisionnaire de notification. Finalement, l'Est proposait aussi de notifier les manœuvres aériennes engageant plus de 700 vols et de 350 avions. En ce domaine, les Occidentaux feront un pas vers l'Est en acceptant le principe d'un seuil de notification des manœuvres aériennes, mais seulement dans le cadre d'activités militaires terrestres. Les choses avancent donc, à petits pas, mais à quelques mois de la clôture de la Conférence de Stockholm, certains Occidentaux craignent de se faire imposer une course contre la montre qui permettrait aux Soviétiques de réduire à néant les concessions déjà obtenues en les assortissant de conditions inacceptables. Selon le chef de la Délégation canadienne :

> La tactique soviétique consiste à tenir sous sa domination aussi longtemps que possible l'ordre du jour dont la substance est nettement occidentale et, lorsque cela n'est plus possible, à faire quelques concessions pour satisfaire partiellement [aux exigences] des négociateurs occidentaux et surtout pour en arriver à un accord qui soit crédible aux yeux de l'opinion des pays de l'Est[26].

La « bonne volonté » soviétique n'était donc pas sans ambiguïté, et, à titre d'exemple, T. Delworth notait que, malgré le discours du 15 janvier de Gorbatchev, les négociateurs soviétiques n'avaient abandonné leurs exigences en matière de notification des manœuvres navales indépendantes qu'à la fin de la 10e session, donc cinq mois après que cette concession eut été publiquement annoncée.

Toutefois, les craintes canadiennes s'estomperont au cours de la 11e session — du 10 juin au 19 juillet. Le 19 juin, les Soviétiques proposaient en effet de notifier, en même temps que les manœuvres, les mouvements militaires à partir du seuil de 18 000 hommes et les manœuvres amphibies à partir de 5 000 hommes[27]. Pour ce qui est des contraintes, ils suggéraient que la limite de 40 000 hommes pour les manœuvres terrestres puisse être dépassée une fois tous les trois ans. Puis, à la suite de la rencontre Gorbatchev-Mitterrand, les 8 et 9 juillet à Moscou, les Soviétiques annonçaient l'abandon de leurs exigences pour la notification des manœuvres aériennes indépendantes ainsi que leur acceptation du principe des inspections. En fin de compte, la France avait tout de même réussi une belle opération de prestige, même si le Kremlin s'était déjà résolu à ces concessions un mois auparavant. Dès le 11 juin, en effet, dans l'appel de Budapest — sa seconde grande initiative —, Gorbatchev avait clairement indiqué la volonté des Soviétiques de passer à la phase 2 de la CCSBMDE, soit aux questions de désarmement. La Conférence de Stockholm était donc « condamnée » à se solder par une réussite.

Au même moment, l'OTAN se mettait aussi en mouvement et, le 30 juin, T. Delworth annonçait officiellement que :

- le seuil de 6 000 hommes pour les notifications des manœuvres pourrait être relevé ;
- les activités de mobilisation n'auraient plus à entrer dans les notifications[28] ;
- la durée des observations serait limitée à la phase d'exécution des manœuvres, c'est-à-dire lorsque le seuil de notification serait dépassé ;
- le quota d'inspections actives pourrait être limité à 1 par année, c'est-à-dire à 7 pour le Pacte de Varsovie et 28 pour l'OTAN et les NNA.

De plus, l'Irlande, poursuivant son initiative, proposait que les activités non inscrites au calendrier ne puissent dépasser un certain nombre d'hommes et une proportion précise des activités déjà inscrites. Pour être autorisées, les activités militaires engageant plus de 75 000 hommes devraient donc être notifiées deux ans à l'avance et les activités comptant plus de 100 000 hommes, trois ans à l'avance. En l'absence de ces notifications, les activités et manœuvres en question seraient interdites, à l'exception des alertes[29].

En réponse, le chef de la Délégation soviétique confirmait, le 18 juillet, qu'à titre expérimental l'URSS était prête à accepter des inspections sur son territoire, et l'on annonçait officieusement, le 23 juillet, que l'Est renoncerait à la notification des forces militaires transitant en Europe vers d'autres destinations.

Au début d'août, les principaux obstacles, qui bloquaient la voie vers un accord, venaient donc d'être levés, et comme l'annonçait T. Delworth, dans son rapport de fin de session : « L'avalanche venait de commencer » ; mais il ajoutait aussi que si la date de clôture du 19 septembre devait être respectée, cela allait demander un effort monumental de la part de tous les participants. La 12e et dernière session de Stockholm ne devait s'ouvrir que le 19 août, ce qui laissait à peine cinq semaines pour la rédaction de l'Accord. Compte tenu de la liste de problèmes à régler, on concevait difficilement comment l'Alliance atlantique pourrait coordonner sa stratégie à 16. Dès la mi-août, lors de la rencontre des pays de l'OTAN à La Haye, le Canada suggérera donc que la responsabilité des décisions clés soit transférée aux « acteurs principaux », les États-Unis et l'URSS, à condition que le caucus allié demeure informé de celles-ci. Ainsi, la fin des négociations de Stockholm se déroulera, en grande partie, dans le « boudoir » des grands, mais non sans quelques coups de « mégaphone ».

Ces discussions bilatérales porteront en particulier sur les modalités des inspections et la nature des activités notifiables. Dans le premier cas, les conversations soviéto-américaines avaient révélé que les Soviétiques ne voulaient pas d'un système de vérification multilatéral auquel participeraient nécessairement les NNA ou d'un examen *ex post facto* des inspections par les 35 participants de la Conférence de Stockholm. Autrement dit, les Soviétiques favorisaient un système d'inspections limité et discret. Comme le notait un mémorandum canadien : « Les Soviétiques semblaient réellement vouloir quelque chose qu'ils pourraient appeler des inspections, mais comme les États-Unis, ils ne veulent pas qu'un tiers puisse évaluer les résultats de ces inspections[30]. »

Pour ce qui est de la nature des activités notifiables, les Soviétiques éprouvaient de la réticence à accepter le concept occidental d'activités hors garnison, dans la mesure où il permettrait l'observation d'un trop grand nombre de zones militaires dont l'accès était interdit. En revanche, ils proposaient que les notifications et l'observation mettent l'accent sur le moment où les troupes se concentreraient, soit dans le cas de manœuvres, soit dans celui des mouvements militaires.

À la suite de ces discussions, l'ambassadeur Grinevski annonçait, le 19 août que l'Est accepterait un quota d'inspections passives de une ou deux par année. Le concept d'activités hors garnison était rejeté. De plus, le 21 août, les Soviétiques proposaient un système d'observation et de notification « à deux vitesses », dans le cadre duquel l'observation des activités notifiées ne serait obligatoire qu'à partir du seuil de 20 000 hommes. Le 22 août, l'URSS confirmait que les transferts de troupes vers l'Europe ne seraient notifiés que si ces dernières devaient être déployées dans la zone de la CCSBMDE. Puis, le 26 août, un accord soviéto-américain intervenait sur les types d'activités notifiables: le concept d'activités hors garnison était abandonné au profit des notions de concentration et de transfert.

Après la réunion de La Haye, l'OTAN propose, le 28 août, de notifier deux ans à l'avance les activités engageant plus de 75 000 hommes; les activités engageant plus de 40 000 hommes devraient être soumises elles aussi à la même exigence, mais, contrairement aux premières, elles ne seraient pas interdites dans le cas où elles ne pourraient être notifiées dans les délais prévus.

Après ces concessions mutuelles, qui avaient toutes des implications complexes, les négociations entreront, au début de septembre, dans leur phase ultime. Selon les propos de T. Delworth:

> À un mois de la clôture, le rythme de travail de la Conférence de Stockholm s'est accéléré, même si les résultats de cette recrudescence d'activité ne sont pas encore visibles. L'ambiance est assez frénétique; les groupes de travail, les groupes «café», les groupes de contact, les caucus, les troïkas et Dieu sait quelles autres combinaisons, se réunissent en permanence depuis 8 heures du matin jusqu'à minuit, l'activité quotidienne atteignant son apogée au moment des dîners d'affaires. Le rythme est si frénétique que bon nombre d'entre nous, y compris Grinevski, se plaignent amèrement qu'il est difficile pour les chefs de Délégation de réunir régulièrement leur état-major et d'être tenus au courant de ce qui se passe car les membres de leur Délégation sont trop occupés[31].

Dans cette atmosphère frénétique, il était inévitable que des accrochages se produisent, et l'on constate ironiquement que ceux-ci ne seront pas provoqués par les Soviétiques, mais par les Occidentaux eux-mêmes. Un de ces accrochages — et non des moindres — aura pour objet les modalités des inspections. Le 28 août, les Soviétiques avaient proposé que les inspections aériennes soient effectuées avec des avions fournis par l'État inspecté. Les Américains, quant à eux, avaient exprimé leur préférence pour une autre solution: les pays neutres et non alignés fourniraient leurs avions et leurs pilotes aux fins des inspections. Washington appuyait ainsi une initiative suisse (elle-même appuyée par l'Autriche, la Finlande, la Suède et l'Irlande), qui allait déboucher sur la visite du ministre des Affaires extérieures helvétique, P. Aubert, à Moscou, les 5 et 6 septembre 1986. Le ministre Aubert annoncera d'ailleurs prématurément que les Soviétiques avaient accepté l'offre des NNA, le 7 septembre. Sur ces entrefaites, au cours d'une réunion restreinte du caucus de l'Alliance atlantique le 15 septembre, les États-Unis dévoileront une «révision majeure» de leur politique: si la proposition des NNA était rejetée par l'URSS, Washington était prêt à voir la Conférence de Stockholm échouer[32]. Cette manœuvre de dernière minute provoquera évidemment une levée de boucliers dans l'Alliance atlantique, et le président américain, pressé par l'Allemagne et la Grande-Bretagne, tentera de rassurer ses alliés en soulignant la nature purement tactique de cette «initiative»: il s'agissait, en fait, d'arracher une dernière concession aux Soviétiques, mais il n'était pas question bien sûr de laisser les négociations se solder par un échec. L'appui américain à l'initiative des NNA ne s'avérait donc plus qu'un bluff, qui sera d'ailleurs dévoilé par une fuite du *New York Times* le 17 septembre, et comme le note J. Klein : « Le revirement des pays de l'OTAN sur l'inspection aérienne et l'abandon de la solution retenue par les neutres sans que la responsabilité soviétique apparaisse clairement furent vivement ressentis par les NNA dont le rôle de médiateur était battu en brèche[33]. »

Parallèlement à cet épisode peu édifiant, les derniers marchandages étaient entamés à propos des seuils des notifications et du nombre précis d'inspections que chaque participant aurait à subir annuellement. À la suite d'une avalanche de propositions et de contre-propositions — les horloges de la Conférence de Stockholm furent d'ailleurs arrêtées le vendredi 19 septembre, à 22 h 55, pour éviter un ajournement technique de la Conférence —, un accord fut finalement conclu le 21 septembre : les concentrations et les transferts de troupes seraient notifiés à partir d'un seuil de 13 000 hommes et de 300 tanks ; ces activités pourraient être observées à partir d'un seuil de 17 000 hommes et le quota d'inspections était fixé à trois par année. À 9 h 30, le lundi 22 septembre 1986, la CCSBMDE s'achevait. Le premier Accord de contrôle des armements, depuis la signature de SALT II en juin 1979, venait d'être conclu[34].

L'ACCORD DE STOCKHOLM : UN BILAN

Plus encore que les Accords d'Helsinki (1975) et de Madrid (1983), le Document final de Stockholm constitue une nette victoire de la philosophie occidentale en ce qui a trait aux mesures de confiance. Un survol rapide des principales sections du Document montre que, pour l'essentiel, les exigences de l'OTAN ont été satisfaites.

1. Non-recours à la menace ou à l'emploi de la force

   Cette section réaffirme l'engagement des États participants à ne pas recourir à la force militaire dans leurs relations, non seulement entre eux, mais à l'égard de tout autre État « indépendamment du système politique, social, économique ou culturel de cet État et indépendamment du fait qu'ils entretiennent ou non avec cet État des relations d'alliance ». Cela constituait donc la première condamnation implicite de la doctrine Brejnev que les Soviétiques allaient signer. De plus, le Document souligne aussi « l'importance universelle des droits de la personne et des libertés fondamentales » dont le respect et l'exercice effectif « sont des facteurs essentiels de la paix ». Le texte continue en insistant sur la nécessité de « prendre des mesures fermes pour combattre le terrorisme ». D'ailleurs, le préambule de cette section indique clairement que « les mesures de confiance doivent donner effet et expression au devoir qu'ont les États de s'abstenir de recourir à la menace ou à l'emploi de la force dans leurs relations mutuelles ».

Dans l'ensemble, la proposition soviétique initiale d'un Traité de non-recours à la force assorti d'un engagement de non-utilisation en premier des armes nucléaires a été complètement neutralisée et transformée en un document inoffensif qui reflète principalement les préoccupations occidentales.

2. Notification de certaines activités militaires

   Les participants s'engagent à notifier, 42 jours à l'avance, quatre types d'activités militaires dans la zone allant de l'Atlantique à l'Oural :

   - les activités d'exercices terrestres engageant au moins 13 000 hommes et 300 chars, organisés en structure divisionnaire ;
   - les activités de débarquement engageant au moins 3 000 hommes ;
   - les activités aéroportées à partir du même seuil ;
   - les transferts de troupes dans la zone désignée ou vers la zone désignée, lorsque ces forces sont concentrées pour participer à un exercice, à partir du seuil de 13 000 hommes et de 300 chars.

Si ces activités devaient être entreprises sans que les troupes engagées soient préalablement averties, une notification d'« alerte » serait transmise au moment où commencerait l'activité en question.

Malgré un énoncé plus modeste et peut-être plus ambigu, les mesures de notification approuvées à Stockholm constituent un progrès considérable par rapport aux mesures adoptées à Helsinki : elles autorisent une vision plus complète des activités militaires normales, et cela à partir d'un seuil acceptable, dans la mesure où tout exercice, toute manœuvre ou tout mouvement militaire dépassant la taille d'une division standard devrait être notifié. Les avis de notification donneront aussi plus de renseignements, notamment :

- la désignation de l'activité militaire ;
- son objectif général ;
- le nom des États qui y participent ;
- le niveau du commandement qui organise et dirige l'activité ;
- les dates de début et de fin de l'activité ;
- les effectifs totaux qui y prennent part, par catégorie (forces terrestres, aériennes, amphibies, etc.) et par État, le cas échéant ;
- le nombre et le genre de divisions engagées pour chaque État ;
- le nombre total de chars engagés pour chaque État ;
- le nombre total de lance-missiles antichars guidés, installés sur des véhicules blindés ;
- le nombre total d'engins d'artillerie et de lance-roquettes multiples (calibre de 100 mm et plus) ;

- le nombre total d'hélicoptères, par catégorie ;
- le nombre prévu de sorties d'avions ;
- l'objectif des missions aériennes ;
- les catégories d'avions utilisés ;
- le niveau du commandement qui organise et dirige les forces aériennes ;
- l'appui feu marine-terre, le cas échéant ;
- des renseignements sur tout autre appui marine-terre ;
- le niveau du commandement qui organise et dirige les forces navales participantes ;
- la participation de troupes amphibies ou aéroportées à ces activités ;
- l'effectif de ces dernières ;
- les points d'embarquement de ces troupes, s'ils se trouvent dans la zone désignée ;
- les transferts de troupes dans la zone désignée ou vers la zone désignée pour participer à ces activités ;
- l'effectif total transféré ;
- le nombre total de chars participant à une activité notifiable ou à une concentration ;
- les coordonnées géographiques des points d'arrivée et des points de concentration des troupes ;
- la zone d'activité prévue, délimitée par des caractéristiques ou des coordonnées géographiques ;
- les dates du début et de la fin de chaque phase des activités (transfert, déploiement, concentration, etc.) ainsi que l'objectif tactique et les zones géographiques, pour chaque phase[35].

3. Observation de certaines activités militaires

Les progrès accomplis à Stockholm sont particulièrement sensibles sur ce point. L'Acte final d'Helsinki avait fait de l'observation des activités militaires une pratique volontaire, laissée à la bonne grâce des États participant à la CSCE. L'Accord de Stockholm rend cette pratique obligatoire lorsque les activités notifiables dépassent le seuil de 17 000 hommes pour les manœuvres terrestres et de 5 000 hommes pour les exercices de débarquement. Le Document de 1986 crée, en outre, un véritable régime d'observation qui oblige l'État hôte à satisfaire à un certain nombre d'exigences. Les observateurs — qui sont, bien sûr, nourris, logés et transportés par l'État hôte — peuvent utiliser leurs propres instruments d'observation et doivent être munis de cartes topographiques appropriées ; ils doivent recevoir des renseignements précis au sujet de l'activité qu'ils doivent observer et ils ont le droit de communiquer rapidement avec les autorités diplomatiques de leur pays. L'État hôte, quant à lui,

> fera en sorte qu'il soit possible d'observer directement les forces de l'État ou des États participant à l'activité militaire pour que les observateurs se fassent une idée de l'enchaînement de l'activité. À cette fin, les observateurs auront la possibilité d'observer les unités de combat principales des formations participantes, au niveau de la division ou au niveau équivalent et, dans la mesure du possible, de se rendre auprès de certaines unités et de communiquer avec les commandants et les hommes. Les commandants ou un membre du personnel de rang élevé [...] informeront les observateurs de la mission de leurs unités respectives[36].

Chaque État participant peut ainsi envoyer jusqu'à deux observateurs à toutes les activités notifiables — y compris les exercices d'alerte s'ils dépassent 72 heures — mais il peut aussi décliner les invitations qui lui seront envoyées à cet effet, sans préjudice de ses droits.

4. Calendriers annuels

Inexistante dans l'Acte final d'Helsinki, la mesure qui porte sur les calendriers annuels prévoit que toutes les activités nationales notifiables doivent être inscrites dans un calendrier annuel qui est échangé par les États participants, le 15 novembre de chaque année. Les renseignements qui figurent au calendrier sont moins détaillés que dans les notifications. Les activités notifiables non mentionnées dans le calendrier doivent être communiquées le plus tôt possible et, au plus tard, à la date de notification appropriée.

5. Dispositions contraignantes

En ce qui concerne les dispositions contraignantes, il est prévu que les activités mettant en jeu plus de 40 000 hommes et plus de 75 000 hommes seront inscrites au calendrier deux ans à l'avance. Les activités de plus de 75 000 hommes qui ne respecteront pas cette exigence seront interdites. Les activités engageant plus de 40 000 hommes pourraient tout de même avoir lieu si elles sont inscrites au calendrier annuel. Si des activités notifiables doivent être menées, en plus de celles qui sont prévues au calendrier, les États participants doivent veiller à ce qu'elles soient peu nombreuses.

6. Conformité et vérification

Au chapitre de la vérification se trouve certainement l'élément le plus nouveau de l'Accord de Stockholm : après 40 ans de refus, le principe des inspections est enfin admis par l'URSS. Dans ce cadre, tout État participant peut soumettre — en la motivant — une demande d'inspection à un autre État participant. Ce dernier n'est tenu d'accepter que trois demandes par année. Il ne peut toutefois pas remplir artificiellement ce quota en suscitant des demandes d'inspection de la part des États qui lui sont alliés (voir l'annexe IV du Document final de la Conférence de Stockholm). L'État participant qui reçoit une demande — lorsque son quota n'est pas épuisé — doit agréer celle-ci dans les 24 heures et autoriser l'équipe d'inspection (quatre personnes tout au plus) à pénétrer sur son territoire dans les 36 heures qui suivent l'envoi de la demande. L'inspection, qui peut se faire par voie aérienne ou terrestre, prend fin au plus tard 48 heures après l'arrivée de l'équipe dans la zone d'inspection. Cette dernière est déterminée par l'État inspecteur; elle peut être de dimensions variables, mais ne doit pas dépasser la superficie requise pour une activité militaire menée par une armée. Si l'équipe d'inspection a un droit d'entrée et de libre inspection dans la zone désignée, elle n'a pas accès aux zones et aux points sensibles tels que les installations militaires, les navires, les véhicules militaires, etc. ; le nombre et l'étendue des zones d'accès réservé doivent cependant — selon l'Accord — être aussi limités que possible. Le transport aérien et terrestre est assuré par l'État faisant l'objet de l'inspection, mais les équipes d'inspection peuvent utiliser leurs propres cartes, leurs appareils photographiques, leurs jumelles, leurs dictaphones ainsi que leur propre plan de navigation aérienne. Dans le cas d'une inspection aérienne, l'équipe d'inspection peut avoir accès aux instruments de navigation afin de s'assurer que l'avion suit bien le plan de vol prévu. Finalement, l'équipe d'inspection doit avoir accès, en tout temps, aux installations de télécommunication appropriées. Au terme de la mission d'inspection, un rapport d'enquête est envoyé par l'État inspecteur aux autres participants.

L'Accord de Stockholm représente donc indéniablement un saut qualitatif important dans le processus du contrôle des armements en Europe. Les premières mesures de confiance d'Helsinki ont été largement dépassées et supplantées par des mesures à la fois vérifiables, systématiques, beaucoup plus détaillées et politiquement contraignantes. Le grand succès de Stockholm réside cependant peut-être moins dans les détails de l'Accord final que dans la pratique à laquelle il a donné naissance : les calendriers, les observations et les inspections font maintenant partie d'un régime dont l'exercice constant satisfait apparemment tous les participants. À titre d'exemple, 32 activités ont été notifiées par le Pacte de Varsovie en 1987, ce qui représente presque le nombre total de manœuvres annoncées par l'Est en 10 ans et, en 1988, 34 notifications, 15 observations et 8 inspections ont eu lieu, sans incidents. Notons aussi que les modalités d'observation ont été assouplies par le Pacte de Varsovie et que les observateurs de l'exercice Amitié 88 qui se déroulait en avril 1988, en RDA, ont pu, pour la première fois, le photographier à leur guise, ce qui n'est pas exigé aux termes de l'Accord. La mise en pratique de l'Accord de Stockholm a donc créé sa propre dynamique, et il n'est pas surprenant de constater que les rapports internes de l'OTAN expriment leur satisfaction à cet égard.

Les dernières préventions à l'égard de l'Accord de Stockholm devraient donc se dissiper même si les arsenaux des deux alliances demeurent intacts et menaçants. La question qui se pose actuellement aux 35 États de la CSCE est de savoir comment poursuivre le processus engagé il y a maintenant 15 ans à Helsinki. Est-il opportun, à présent, pour les Occidentaux d'aborder le problème des réductions ou bien faut-il se contenter de perfectionner le système des mesures de confiance mis en place à Stockholm?

Selon toute probabilité, et d'après la logique du mandat ratifié à Madrid, les 35 devront aborder ces deux questions de front, à l'issue de la Conférence de Vienne qui s'est achevée en janvier 1989; et l'on peut se demander — devant les problèmes insolubles posés par les MBFR, les vacillements traditionnels de l'OTAN et des NNA et les incertitudes qui entourent la politique des deux grands — si cette entreprise n'est pas prématurée dans l'immédiat. Quels que soient les risques, nous ne croyons pas souhaitable que le processus de contrôle des armements, relancé à Stockholm en 1986 puis à Washington en 1987, soit arrêté, même s'il peut être ralenti par prudence. En tant que méthode de gestion des relations internationales, la guerre froide a fait son temps, et il est urgent que les États-Unis, comme l'Europe, s'adaptent à une situation dans laquelle le poids de la diplomatie et du dialogue est plus important que celui des armes. Dans cette perspective, certains mythes doivent être détruits, et l'on doit espérer que les États-Unis puissent bientôt répondre au superbe défi que leur a lancé Arbatov: «Nous allons vous faire quelque chose d'affreux, messieurs les Américains. Nous allons vous priver d'un ennemi.»

Notes

1. J. Dean, 1987, p. 138.
2. MAE, dossier 28-4-6 CDE, 25 septembre 1986.
3. MAE, dossier 28-4-6 CDE, 26 septembre 1986.
4. J. Klein, 1987, p. 219.
5. MAE, dossier 28-4-6 CDE, 25 août et 20 septembre 1983.
6. MAE, dossier 28-4-6 CDE, 23 août 1983.
7. MAE, dossier 28-4-6 CDE, 6 octobre 1983.
8. En particulier au sujet de l'échange d'information (mesure 1) concernant le déploiement des forces jusqu'au niveau régimentaire (opposition de la Turquie) et du nombre d'inspections que chaque pays devra accepter (mesure 5).
9. MAE, dossier 28-4-6 CDE, 15 novembre 1983.
10. *Common Security. A Programme for Disarmament* (le rapport Palme), 1982, p. 117-118.
11. MAE, dossier 28-4-6 CDE, 15 novembre 1983.
12. MAE, dossier 28-4-6 CDE, Rapport final de la Délégation canadienne, automne 1986, section 10, p. 1.
13. Ces renseignements comprenaient aussi les règlements précis s'appliquant au personnel militaire étranger — les attachés militaires — accrédité auprès des gouvernements des États participant à la CDE.
14. MAE, dossier 28-4-6 CDE, 6 juillet 1984.
15. MAE, dossier 28-4-6 CDE, 14 mars 1984.
16. MAE, dossier 28-4-6 CDE, 26 avril 1984.
17. MAE, dossier 28-4-6 CDE, Rapport final de la Délégation canadienne, automne 1986, section 3, p. 3.
18. MAE, dossier 28-4-6 CDE, 31 janvier 1985.
19. Ces chiffres, non cités dans la proposition SC1 (Amplified), constituaient le seuil prévu dans le document n° 2 du Comité militaire de l'OTAN, le 2 novembre 1984. Les chiffres s'appliquent aussi à l'élément cité antérieurement, c'est-à-dire la formation divisionnaire.
20. Plusieurs détails ont été omis, ici, pour ne pas allonger inutilement la description de la proposition SC1 (Amplified).
21. Cette proposition avait déjà été introduite à Belgrade en 1977; elle avait été reprise dans une proposition soviétique du 6 octobre 1979.
22. Cette offre avait déjà été faite le 6 octobre 1979.
23. Ces propositions étaient déjà contenues dans une déclaration de Brejnev, en 1979.
24. Répétition d'offres faites par la Roumanie à Belgrade en 1977 et par Brejnev, le 6 octobre 1979.
25. MAE, dossier 28-4-6 CDE, 21 août 1985.
26. MAE, dossier 28-4-6 CDE, 28 mai 1986.
27. Cette concession tenait compte des préoccupations particulières des NNA.
28. Voir la remarque précédente.
29. J. Borawski, 1988, p. 91.
30. MAE, dossier 28-4-6 CDE, 25 juillet 1986.
31. MAE, dossier 28-4-6 CDE, 27 août 1986.
32. MAE, dossier 28-4-6 CDE, 15 septembre 1986.
33. J. Klein, 1987, p. 221.
34. J. Borawski, 1988, p. 100.
35. Voir les articles 34 à 37 du Document final de la Conférence de Stockholm.
36. Voir l'article 53.4 du Document final de la Conférence de Stockholm.

Sources secondaires citées

Borawski, J., *From the Atlantic to the Urals*, Londres, Brassey's, 1988.

Common Security. A Programme for Disarmament, The Report of the Independent Commission on Disarmament and Security Issues under the Chairmanship of Olof Palme, Londres et Sydney, Pan Books, 1982.

Dean, J., *Watershed in Europe*, Lexington (MA), Lexington Books, 1987.

Klein, Jean, *Sécurité et désarmement en Europe*, Paris, Éditions Economica, 1987.

Négocier sans cesse, ouvertement et secrètement, en tous lieux... est chose de tout nécessaire pour le bien des États.*

Conclusion

Le lecteur trouvera dans chacun des chapitres thématiques précédents tout le matériel nécessaire à la compréhension du désarmement et de l'*arms control* et aux processus décisionnels qui lui sont reliés. Nous nous contenterons donc ici de quelques réflexions générales sur la nature du sujet, sur les problèmes de la décision, sur le pouvoir et l'influence politiques.

Dans un article sous presse[1], nous avons déjà dégagé les prémisses des deux écoles dominantes à l'intérieur de la théorie des relations internationales, soit la « paix par la force » et la « paix par le droit ». La première procède du positivisme scientifique et de la révolution industrielle, la seconde des grandes traditions judéo-chrétiennes de la justice sociale et du règlement pacifique des différends.

C'est à l'intérieur de l'école de la « paix par la force » que l'école réaliste ou néo-réaliste des relations internationales trouve une place de choix. Les stratèges veillent en effet au grain, car il s'agit toujours de maximiser les gains de l'État, souvent aux dépens de l'intérêt général de la communauté internationale. La stratégie s'avère avant tout nationaliste et accessoirement « internationaliste ». La « paix par le droit » est essentiellement « internationaliste » et accessoirement nationaliste. Dans tous les cas, à l'intérieur même de chacun de ces deux paradigmes, il y a eu des oscillations profondes : dans le cas de l'école de la « paix par la force », on est allé de la force « brutale et totale » — les deux grands conflits mondiaux — à

* Cardinal Richelieu, *Testament politique.*

l'exploitation des conflits par personnes interposées, en passant par la dissuasion nucléaire comme méthode de conservation du système, tandis qu'à l'intérieur du paradigme de la « paix par le droit », on est passé de l'idéalisme juridique avec les projets de paix perpétuelle (l'abbé de Saint-Pierre et notamment Kant) à la diplomatie parlementaire ouverte, avec la Société des Nations, et à une gestion oligarchique du système avec le Conseil de sécurité sous l'égide des Nations Unies.

Ces oscillations ont varié à l'intérieur de chacun de ces pôles en intensité et en importance. Aujourd'hui comme hier, on recherche les voies susceptibles de mener le monde à la paix. Ni la force ni le droit ne peuvent cependant d'eux-mêmes faire disparaître les inégalités entre les États ou les « causes désespérées » du terrorisme. La transformation du système international implique l'existence de battements de fréquence harmonieux entre ces deux approches. Tous et chacun connaissent, par exemple, le problème du désarmement général. Il ne s'agit pas tout simplement de réduire progressivement l'équipement et les effectifs armés des adversaires. Il s'agit bien davantage qu'en même temps que s'instaurerait ce processus soit amorcé un mécanisme de coopération positive entre ces mêmes adversaires, le droit et la justice sociale constituant les éléments essentiels de la transformation souhaitée.

Les composantes de la politique étrangère du Canada ont toujours emprunté à ces deux écoles. En pleine guerre froide, c'est-à-dire sous l'administration Diefenbaker, les parlementaires canadiens étaient à toutes fins utiles tout autant pro-désarmement, pro-ONU ou tiers-mondistes que sous l'administration Trudeau[2]. Cependant, le Canada a toujours pensé durant ces deux périodes que c'était grâce à ses alliances militaires qu'il pouvait le mieux faire entendre sa voix au sein du système international. Il n'a pas pour autant négligé ni l'ONU ni les grands forums internationaux de négociation, bien au contraire, mais il a compris, ce faisant, qu'il ne disposait pas lui-même des clés de la transformation du système international. Tout se passe ici comme si le Canada avait toujours fait partie à contrecœur d'alliances militaires, celles-ci étant considérées comme un mal pour un bien, dans l'attente d'une transformation du système international plus conforme à ses idéaux politiques.

On ne s'étonne donc pas dans ces conditions que les Canadiens en soient venus progressivement à percevoir négativement et les États-Unis et l'URSS, les deux étant tenus conjointement responsables de la course aux armements. Ce sont d'ailleurs là les conclusions les plus étonnantes des sondages d'opinion réalisés par Dun Munton[3] que nos travaux sont venus confirmer par la suite[4]. En résumé, dans leur politique étrangère, les Canadiens se sont efforcés de minimiser les effets les plus néfastes de la « paix par la force » et de maximiser les bénéfices les plus positifs de la « paix par le droit ».

Avant de conclure sur les efforts strictement canadiens de la diplomatie du désarmement et de l'*arms control,* nous jugeons utile de rappeler les trois grands axes des négociations sur le plan de la diplomatie internationale. Le premier regroupe tous les travaux de l'ONU de 1945 à 1957, c'est-à-dire depuis la création de la Commission de l'énergie atomique de l'ONU jusqu'à la fin des travaux du sous-comité de la Commission du désarmement en 1957. Le deuxième domaine recoupe les négociations fonctionnelles qui ont porté sur les grands sujets de l'actualité : la non-prolifération nucléaire, la suspension des essais nucléaires, l'élimination des armes bactériologiques et chimiques et, enfin, le problème dit de la non-militarisation de l'espace. Le troisième et dernier domaine comprend les négociations d'alliance à alliance, plus particulièrement les MBFR, la CSCE et la CDE.

Durant les 12 premières années de l'ONU, c'est-à-dire durant la première période de négociation des grands organes de discussion créés par l'ONU, l'apport canadien s'est beaucoup plus situé dans sa conception de ce que devrait être le système international plutôt que dans la substance des propositions de désarmement proprement dites. Le Canada n'aime ni la façon de négocier des Soviétiques ni leurs propositions, mais il n'entend pas jeter de l'huile sur le feu. À la Commission de l'énergie atomique de l'ONU, le Canada recherchera un compromis inutile avec les Soviétiques sur la question du droit de veto, mais il échouera. Il se ralliera sur le tard au plan Baruch, probablement parce que Mackenzie King en avait décidé ainsi. Sa conception d'un système international bien « policé » alliée à son souci de préserver les avantages économiques qui pourraient résulter de l'exploitation pacifique de l'énergie atomique l'amèneront à réclamer un système de contrôle non discriminatoire, peu importe que le développement de la technologie soit relié à des fins militaires ou civiles.

Au sein de la Commission des armements de type classique, le rôle canadien se révèle d'autant plus mince que le Canada a déjà depuis longtemps démobilisé ses troupes et qu'il fait figure d'enfant pauvre. Sa position fondamentale sera proche de celle des Britanniques : se refuser au jeu de la propagande et mettre fin aux discussions qui ne mènent nulle part. Ottawa préfigure ici la ligne de pensée qu'il suivra au sein du sous-comité de la Commission du désarmement. En réalité, durant les années cinquante, il n'y a de désarmement que le nom. La lutte se fait plutôt au moyen de la propagande, des propositions-fleuves destinées à faire porter à l'autre la responsabilité de l'échec ou du refus et du discours classique de la guerre froide. L'épisode de la Conférence au sommet de Genève de 1955 jette cependant un éclairage nouveau sur les discussions : les Américains parlent désormais de l'*arms control*. Dans ces conditions, il n'est plus question de désarmement. Il faudra attendre 1957, c'est-à-dire la fin des travaux du sous-comité de Londres, avant de sonner le glas de l'« entreprise du désarmement », comme l'a si bien écrit Jean Klein.

Les grands dossiers qui touchent aux négociations fonctionnelles s'étendent par ailleurs de 1957, à partir de la première Conférence des experts de Genève, jusqu'à nos jours. On négocie désormais par secteur sur les grands problèmes qui ont trait à l'ensemble des relations militaires entre États au sein du système international. Ici, les problèmes sont décortiqués un à un, en fonction de considérations stratégiques beaucoup plus vastes. La non-prolifération acquiert un droit de cité en 1965 lorsque Moscou et Washington jugent qu'il est plus important d'interdire à la RFA un droit d'« accès » à ces armes plutôt que de se concentrer exclusivement sur leurs propres relations bilatérales, le problème chinois n'étant pas, d'ailleurs, totalement étranger à leurs préoccupations.

Dans les années soixante-dix, on fait débloquer l'important dossier de la Convention sur l'interdiction des armes bactériologiques ou à toxines, principalement parce qu'il faut répondre aux critiques persistantes des États qui estiment que les négociations multilatérales ne mènent nulle part. La Convention sur l'interdiction des armes bactériologiques ou à toxines de 1971 a certes une très grande valeur en elle-même, mais elle s'insère dans la foulée des efforts bilatéraux destinés à faire avancer un processus depuis trop longtemps paralysé. Un an plus tard suivront les premiers accords SALT et la mise en œuvre de toute une série d'accords de coopération avec l'Est en vue de consacrer la détente dans les faits.

En revanche, l'éternel dossier sur la suspension globale des essais nucléaires ainsi que le problème de la non-militarisation de l'espace vont tout droit au cœur de la lutte à la supériorité technologique que se livrent les grandes puissances. Ici, les problèmes sont de taille. Ils portent la marque de combats épiques reliés à la recherche d'armes nouvelles, à la mise au point de l'antidote, du « contre-antidote » et de son « contre-contre-antidote », et ainsi de suite. Seule la volonté politique des grandes puissances peut mettre un terme à cette spirale de la course aux armements, en dépit de tous les efforts déployés par les autres États pour les amener à faire preuve d'un peu plus de retenue ou de modération dans leurs « transports » ou « débordements » technologiques. Les deux chapitres (9 et 10) qui traitent ces questions témoignent fort bien des jalons technologiques majeurs qui ont « balisé » cette lutte que les grandes puissances se sont livrée sans merci durant les périodes les plus vives de la guerre froide et qu'elles semblent considérer comme « essoufflantes » ou futiles en temps de paix.

En ce qui concerne les discussions d'alliance à alliance, toutes les analyses démontrent que ces négociations découlent principalement de la volonté des grandes puissances et, secondairement, de celle des États alliés. Il ne s'agit pas ici de minimiser le rôle des États alliés, mais bien de rappeler que les négociations multilatérales passent d'abord par le dialogue bilatéral avant de déboucher sur un véritable multilatéralisme, en lui-même très riche. S'il est peut-être un peu tôt pour parler d'une forme nouvelle d'aménagement de rapports militaires entre l'Est et l'Ouest, il ne reste pas moins que ces discussions constituent l'apprentissage d'un long exercice de gestion Est-Ouest où les principaux États tiers trouvent désormais une place de choix qui aurait dû leur revenir plus tôt, n'eût été du fixisme ou de l'immobilisme des grandes puissances sur certains dossiers très importants.

Pour ce qui est de la diplomatie canadienne à proprement parler, nous sommes dans l'obligation de résumer. Sur le plan administratif, les responsabilités de la gestion de la sécurité ont toujours été partagées entre deux ministères, celui des Affaires extérieures et celui de la Défense nationale. De plus, nous pensons avoir bien traduit cette division des responsabilités en parlant dans le premier chapitre des « abeilles » et des « fourmis ». L'image des théories bureaucratiques voulant que chacun de ces Ministères soit nécessairement voué à tirer à hue et à dia ne correspond pas à une ferme réalité. Nous avons rarement trouvé des exemples d'« abeilles pacifiques » à l'intérieur du ministère de la Défense, tout comme il a été rare de trouver des « fourmis belliqueuses » à l'intérieur du ministère des Affaires extérieures. Cependant, nous avons constaté dans les deux cas une remarquable diversité d'opinions à l'intérieur même de chacun des Ministères, celui de la Défense étant de nature, il est vrai, beaucoup plus monolithique. Toutefois, c'est manifestement lorsque la modération était affirmée de part et d'autre que les solutions les plus idoines sont apparues.

Pour les « fourmis », il ne pouvait y avoir de sécurité pour le Canada que dans la recherche d'une alliance étroite avec les États-Unis, dans la pratique d'une ligne dure à l'égard de l'URSS et dans la dotation des Forces armées canadiennes en nucléaire. Cet état de choses a duré jusqu'au début des années soixante. Le gouvernement conservateur de Diefenbaker est d'ailleurs le seul gouvernement canadien qui soit tombé sur des questions de défense.

Par la suite, le ministère de la Défense a perdu de l'importance en matière de désarmement et de contrôle des armements, surtout après l'intégration des Forces armées canadiennes. La participation de nouveaux ministères, tel que celui de l'Énergie, des Mines et des Ressources, ou encore le rôle accru dévolu au Centre d'analyse et de la recherche opérationnelle du ministère de la Défense constituent autant de facteurs qui sont venus « dépolariser » une situation inutilement tendue ou mal perçue. Les efforts de réorganisation au sein même du ministère des Affaires extérieures ainsi que la création de comités interministériels selon les dossiers étudiés ont aussi facilité une meilleure coordination des politiques, ne serait-ce que dans la mesure où tous les points de vue étaient représentés.

Aux Affaires extérieures, les oscillations de la politique canadienne ont été fréquentes. La combinaison Green-Burns a été l'une des plus marquantes en matière d'idéalisme juridique et politique. Cependant, le ministère des Affaires extérieures a suivi la ligne médiane de l'école de la « paix par le droit » la plupart du temps, allant quelquefois jusqu'à soutenir une révision fondamentale de sa politique en vertu de considérations militaires reliées au maintien du dialogue stratégique entre les grandes puissances. Cela a été le cas pour la conclusion d'un Traité global sur la suspension des essais nucléaires, au cours des années soixante-dix notamment, alors que l'on pensait que tout intérêt en ce domaine était perdu devant le dialogue stratégique renouvelé entre les grandes puissances.

La dichotomie des fonctions de sécurité, partagées par nécessité même entre des ministères différents, présente naturellement plus d'un paradoxe. À partir du milieu des années soixante, le Canada se rend compte des bénéfices considérables qu'il peut retirer de sa double participation aux alliances et aux grands forums de négociation multilatéraux sur le contrôle des armements. La compétence canadienne acquise au cours de sa collaboration militaire alliée lui permettra de jouer un rôle important dans les négociations. Cette influence a été la plus vive en matière d'armes chimiques et d'espace extra-atmosphérique alors que la première contribution canadienne d'importance a porté sur les effets stabilisateurs et déstabilisateurs de la technologie[5], et sur le chapitre de la détection sismologique. Contrairement à ce que certains auteurs ont écrit, ce n'est pas parce que le ministère de l'Énergie, des Mines et des Ressources (EMR) est entré dans le paysage des négociations, en 1965, que les conflits bureaucratiques entre la Défense et les Affaires extérieures ont été atténués. En réalité, de 1965 à 1968, le ministère de l'EMR et celui de la Défense travaillaient en étroite collaboration. Ce n'est qu'à partir de 1968 qu'un tournant important est réalisé en matière de détection sismologique[6]. Et ce n'est qu'à compter de cette date que le Canada pèsera de tout son poids dans les négociations multilatérales, précisément à cause de sa compétence technique.

D'ailleurs, il s'agit là de l'une des caractéristiques des petits ou moyens États au sein des forums de négociation multilatéraux. Tous ces États, le Canada en tête, veulent mettre la science au service de la politique. Au Canada, certains ont qualifié cette approche de « catalytique »[7], c'est-à-dire une approche qui utilise tous les moyens scientifiques en sa possession afin de faire avancer les dossiers sur le plan diplomatique. Pour gênante que puisse être cette approche pour les grandes puissances, bien qu'à l'occasion elles ne se soient pas refusé le droit d'y recourir elles-mêmes, elle possède au moins le mérite de bien situer la perspective philosophique choisie, au contraire d'entreprises qui, lorsque les grandes puissances décidaient de mettre la politique au service de la science afin d'exploiter une situation technologique à leur avantage, leur servaient d'alibi. Autrement dit, dans la perspective de la « paix par la force », c'est au nom du progrès technologique que l'on justifie les projets militaires, souvent déstabilisateurs et quelquefois très fantaisistes ; alors que dans la perspective de la « paix par le droit », on a recours à la science pour tenter d'arrêter la spirale de la course aux armements et non pour l'alimenter. Nous touchons évidemment ici au domaine de la métarégulation, c'est-à-dire aux finalités qui doivent régir les buts de la politique et non ses instruments d'exploitation.

Pour sa part, le ministère des Affaires extérieures, dès le début des années quatre-vingt, a décidé de mettre l'accent sur les problèmes techniques de vérification, ce qui constitue une preuve de plus des efforts canadiens en la matière. Encore là, le Canada entend se spécialiser à l'intérieur de certains « créneaux » d'action, c'est-à-dire se construire des « niches » là où il pourra le plus effectivement faire valoir sa compétence technique afin de mettre certains dossiers à l'abri des conflits politiques. Le Canada s'est rendu compte le premier des limites de cette approche, mais on ne saurait lui reprocher de diversifier ses efforts en ce domaine.

Sur le plan diplomatique, le Canada a certes joué un rôle d'interprète utile au sein de l'Alliance atlantique. Au milieu des années cinquante, lorsqu'il eut l'honneur de participer au sous-comité de la Commission du désarmement qui siégea la plupart du temps à Londres, le Canada s'est rendu compte de la profondeur du désarroi de l'Alliance atlantique, des limites de son influence, du caractère déterminant des politiques de Washington et de l'aspect périlleux que certains choix pouvaient revêtir. Dans certains cas, le Canada craignait d'être coincé entre l'« arbre américain » et l'« écorce européenne ». Probablement à raison, le Canada préféra laisser les alliés décider entre eux des grandes questions plutôt que de promouvoir la désunion ou de voir les États-Unis être isolés sur des sujets qui lui tenaient à cœur[8]. Le testament politique du négociateur canadien à Londres, Norman A. Robertson, est révélateur à cet égard. La contribution du Canada a été mince, tout simplement parce que le Canada avait peu d'influence.

Sur d'autres dossiers, les MBFR notamment, le Canada a plutôt suivi la ligne du parti, c'est-à-dire celle de l'Alliance atlantique. Un tel état de choses a peut-être contribué au retard enregistré dans la perception de la dynamique des grandes transformations européennes lorsque fut venu le temps de définir la politique canadienne, entre autres sur les questions des mesures de confiance au sein de la phase 1 de la CDE. Dans l'ensemble, toutefois, le Canada a toujours tenté de ménager la chèvre et le chou, tout simplement parce que sa politique, comme celle de la plupart des autres alliés, devait tenir compte et de son besoin de sécurité et de sa vision politique orientée vers la gestion de relations de paix entre les États. Lorsque le Canada ressentit vivement le besoin de présenter un projet d'interdiction de systèmes antisatellites à Genève en 1984, il a choisi ce qu'il pensait être la moins « offensante » des propositions canadiennes à l'endroit des États-Unis. Et pourtant, même cette mince idée fut jugée par trop progressiste à Washington. Sur le sujet, on pouvait effectivement reprocher au Canada que la véritable décision avait été « prime-ministérielle », alors que le Cabinet, lui, avait déjà donné son feu vert au dépôt de la proposition canadienne à Genève.

Pour ce qui est de l'initiative de défense stratégique américaine, le Canada a reçu des félicitations de la part de Washington pour son soutien à la « recherche », sur ce qui, de toute façon, allait constituer la position commune de l'Alliance atlantique. C'était peut-être, au fond, tout ce que recherchait Washington, car il en allait pour cet allié du sud de sa position générale en matière de négociation avec les Soviétiques. Comme bien d'autres pays d'ailleurs, le Canada a refusé toute participation officielle à ce projet. Le problème reste toutefois qu'il est difficile de dissocier l'IDS du NORAD et qu'en ce domaine il sera peut-être malaisé d'avoir à trancher dans l'avenir. L'amélioration des relations américano-soviétiques permettra peut-être au Canada d'éviter d'avoir à décider. Si une décision devait cependant être prise au nom de la sécurité nationale américaine, le Canada devrait évidemment déterminer jusqu'où il pourrait aller trop loin, c'est-à-dire ne rien faire, ce qui constituerait éventuellement un risque d'« insécurité » pour les États-Unis.

En matière de gestion des questions du désarmement, des progrès considérables ont été réalisés dans l'administration de la Fonction publique même, des sommes et des ressources considérables ayant été progressivement consacrées à ces questions, à partir du début des années soixante plus particulièrement. L'administration de ces questions toujours plus complexes aura donné lieu à la création de comités interministériels dont la composition sera variable selon les sujets inscrits à l'ordre du jour. Cette formule n'atténue pas nécessairement les conflits bureaucratiques d'un ministère à un autre, mais elle contribue à assurer la plupart du temps un examen exhaustif des dossiers.

L'apparition des grands négociateurs de l'État fera intervenir une nouvelle variable dans la conceptualisation et la planification de la politique canadienne. Le rôle du conseiller du gouvernement en matière de désarmement évoluera par ailleurs dans le temps. Seul le général E.L.M. Burns aura un accès aussi immédiat et direct au Cabinet. Par la suite, les autres conseillers dépendront directement du ministre des Affaires extérieures, même si l'accès au Cabinet ne leur est pas refusé, mais tout simplement filtré. Les autres grands négociateurs, George Ignatieff notamment, ne pourront pas bénéficier de privilèges aussi notoires. Il est difficile sur ce plan d'apprécier la différence que cela aurait pu représenter, car lorsque nous avons examiné les questions traitées durant la période de transition entre les administrations Pearson et Trudeau, nous avons pu constater que c'était la bureaucratie qui avait le mieux assuré la transition entre les deux périodes. Dans certains écrits et déclarations, Ignatieff dénoncera plus tard les lourdeurs de la bureaucratie, plus particulièrement celles du ministère de la Défense. Le dépouillement des archives démontre cependant que le foisonnement d'opinions était beaucoup plus important que certains n'étaient disposés à le croire.

De plus, le rôle de l'ambassadeur canadien du désarmement est devenu une forme de « médiation » entre le gouvernement proprement dit et les groupes de pression en faveur de la paix, dans la mesure où s'est produite une démocratisation progressive du débat sur ces questions au Canada. Par la force des choses, c'est à nouveau la bureaucratie qui a hérité du rôle fondamental de la conceptualisation et de l'élaboration des politiques générales. D'une façon globale, on peut aisément affirmer que la conceptualisation des politiques s'est avérée plus ferme et plus cohérente lorsque les changements de portefeuilles n'étaient pas trop nombreux au sein du ministère des Affaires extérieures. Il s'agit peut-être là de l'une des vertus les plus séduisantes dont puisse se réclamer le gouvernement Mulroney, du moins durant l'époque où le Ministère fut sous la houlette du ministre Joe Clark. On ne saurait en dire autant de la période Trudeau où les nombreux changements de portefeuilles amenaient d'une certaine façon chacun des ministres à vouloir avancer ses propres priorités aux dépens d'une politique plus globale ou constante.

Comme Middlemiss et Sokolsky l'ont souligné, la bureaucratie a depuis véritablement acquis « une latitude considérable dans la détermination des stratégies générales » du gouvernement[9], mais ce facteur est inéluctable devant la complexité grandissante de certains dossiers et la nécessité d'une meilleure intégration des communications entre alliés. En réalité, seuls le pouvoir politique et le Cabinet peuvent compenser, sur le plan politique, la prudence et l'inertie naturelle des bureaucraties trop souvent tournées vers l'intérieur plutôt que vers l'extérieur.

Cette question nous amène naturellement à parler des personnes publiques et de leur leadership politique. Au lendemain de la Seconde Guerre mondiale, une poignée d'individus qui se connaissaient tous, plus ou moins formés à la même école, pouvaient rapidement décider de la politique canadienne, dans un monde où le Canada ne disposait guère d'influence. Selon le regretté John W. Holmes, le pays devait par conséquent s'efforcer d'intervenir là où ses intérêts devaient être défendus[10]. À cet égard, les connaissances politiques de l'ex-général McNaughton, ancien ministre de la Défense durant la Seconde Guerre mondiale, auront été pour le Canada d'un précieux secours. Nationaliste dans l'âme et farouche défenseur de l'intégrité diplomatique canadienne, celui-ci constituera un monument de l'obstination canadienne contre les ambitions démesurées du conseiller américain Bernard Baruch.

Sous Louis Saint-Laurent, le ministre des Affaires extérieures Lester B. Pearson disposait d'une relative autonomie d'action. Sous Pearson, Paul Martin fut en quelque sorte en « liberté surveillée », Pearson préférant avoir bien en main la maîtrise de sa politique. Ce n'est que lors de l'intermède conservateur de Diefenbaker que le Canada hérita d'une situation tout à fait unique et atypique. En pleine guerre froide, les deux pôles du système se sont cristallisés sur des lignes opposées, les deux ministres concernés étant prêts, l'un et l'autre, à démissionner si la thèse de l'un devait prévaloir sur celle de l'autre. Cette conjoncture peu propice à la décision fera pourrir la situation, le premier ministre de l'époque étant incapable d'arbitrer des conflits qui le dépassaient, voire de prendre une décision. Il fallut bien sûr des élections générales pour trancher la question, mais il est difficile de penser qu'une personnalité aussi forte que celle de Pearson n'eût pas pu résoudre ce débat s'il avait été au pouvoir à l'époque. Évidemment, il ne s'agit là que d'une hypothèse peu fertile puisque personne ne peut récrire l'histoire.

Le couple Green-Burns n'eut jamais d'égal par la suite. Homme austère par excellence, Green croyait contre vents et marées qu'il pouvait modifier le monde par ses incessants appels à la négociation et au désarmement. Il jugeait sans doute plus important de prêcher, fût-ce même dans le désert, plutôt que d'être privé de son droit de parole. Un nombre incalculable de ses efforts porta sur la procédure plutôt que sur le fond, ce qui ne pouvait qu'offusquer les principaux alliés du Canada. Sur le fond, il était appuyé, il est vrai, par un homme d'une remarquable stature, le général E.L.M. Burns. Excellent diplomate, Burns étaya proposition sur proposition et fut réellement le premier à créer un véritable noyau d'experts sur les questions de désarmement. Ils ne le suivirent pas toujours parce que certaines de ses propositions étaient considérablement obscures, notamment son projet de dénucléarisation en Europe, ou trop vite écrites ou improvisées. Dans l'ensemble, il fut toutefois difficile pour Burns, à cause de son opposition viscérale à l'égard de l'arme nucléaire qui faisait irruption à l'intérieur des alliances, de faire partager ses idées par la bureaucratie, voire par le pouvoir politique. Son réalisme politique fut beaucoup plus grand sur les questions du droit humanitaire de la guerre, c'est-à-dire sur l'interdiction des armes chimiques et bactériologiques, sur les grands projets visionnaires d'un désarmement général et complet, ainsi que sur la question des transferts d'armes classiques. De plus, il eut à faire face à un barrage sans précédent de ses pairs au ministère de la Défense, l'intransigeance des uns alimentant le désir visionnaire de l'autre.

L'éminent commis d'État que fut Norman A. Robertson est sans doute l'une des plus grandes figures ignorées du désarmement au Canada. Son travail inlassable au sein du sous-comité de la Commission du désarmement à Londres, son sens du réalisme, sa fidélité à Green dans les pires moments de la querelle entre la Défense et les Affaires extérieures, son sens du compromis — qui s'est maintenu, bien qu'il ait été bafoué par Green — et sa ferme volonté d'enrayer la prolifération nucléaire font de ce sous-secrétaire d'État aux Affaires extérieures l'une des personnalités méconnues du désarmement au Canada.

George Ignatieff, un des personnages dominants, qui estimait un jour que l'Europe ne pouvait être défendue sans armes nucléaires — et il avait raison à l'époque —, fut sans doute aussi une autre figure de proue des questions du désarmement au Canada. Sa principale réalisation consista en sa contribution active à la conclusion de la Convention sur l'interdiction des armes bactériologiques ou à toxines, ainsi qu'à la définition de la politique canadienne à ce propos. Lorsqu'il quitta ses fonctions, il estima, probablement à tort, que la politique canadienne avait cédé le pas à la bureaucratie. En réalité, ni Trudeau ni sans doute le Cabinet ne pouvaient le suivre sur un ensemble de questions, en particulier celle de la conclusion d'un Traité d'interdiction globale des essais nucléaires, et les archives démontrent en la matière qu'il n'y a pas eu, ni sur ce sujet ni sur celui des armes chimiques et bactériologiques, de «bazardage» de la politique canadienne soit par le ministère de la Défense, soit alors par celui de l'EMR ou des Affaires extérieures.

Un autre personnage de tout premier plan fut William Barton qui, au moment d'écrire ces lignes, assumait encore la fonction de président du conseil d'administration de l'Institut canadien pour la paix et la sécurité internationales, à Ottawa. Ce diplomate sauva vraisemblablement d'un échec certain la première Conférence d'examen du Traité de non-prolifération des armes nucléaires en 1975[11]. En entretien privé, il nous a aussi confié que de tous ses efforts, les plus reluisants étaient ceux qui avaient amené la France à reprendre sa place au sein du Comité du désarmement, à Genève, en 1979.

Du côté des premiers ministres, Pearson fut sans doute l'un des plus imprévisibles — un diplomate australien disait de lui : « Il court avec les chiens et s'enfuit avec les lièvres ! » Ses relations particulières avec les États-Unis, son désir insatiable de ne rien faire plutôt que de jouer la comédie de la « chaise musicale » à Londres, son refus de prendre position sur les questions de fond entre alliés et surtout sa volonté de ménager les États-Unis, ainsi que son sens du réalisme en matière de paix — reposant à l'époque sur la « dissuasion » plutôt que le désarmement —, en font un des représentants les plus caractéristiques de l'école de la « paix par la force » et de la « paix par le droit ». C'est sans doute durant cette période que le Canada vécut sa période la plus « réaliste » de son histoire. Son successeur libéral, P.E. Trudeau, antimilitaire par tradition, antinucléaire et farouche défenseur des droits de la personne, fut l'un des représentants les plus typiques de la « paix par le droit ». Son attention pour ces questions fut cependant plutôt épisodique que permanente. L'intérêt qu'il porta au Traité de non-prolifération des armes nucléaires était manifestement destiné à empêcher la présence d'armes nucléaires au Canada et, de la même façon, l'intérêt qu'il porta aux MBFR au début des années soixante-dix n'était qu'un moyen, pour lui, de donner suite à sa volonté de retirer les troupes canadiennes d'Europe. Lorsqu'il nomma un jour un de ses ministres à la Défense, c'était parce qu'il ne voulait pas entendre parler[12] des problèmes de ce Ministère, et il semblerait que le sous-ministre en titre de l'époque, C.R. Nixon, eût même reçu comme consigne de ne présenter aucune demande de fonds supplémentaires au Conseil du Trésor.

L'initiative de paix de Trudeau qui remonte en fait au sommet de Williamsburg en mai 1984 lorsque celui-ci décida qu'il fallait « se mettre en quatre » en faveur de la paix fut, à n'en pas douter, la principale intervention de ce premier ministre en faveur des questions de la paix et du désarmement. Elle laissa un impact profond sur le public canadien, et l'une de ses principales conséquences fut la création de l'Institut canadien pour la paix et la sécurité internationales. Selon certaines sources, l'histoire de cette initiative reste à écrire. En ce domaine, nous n'avons pas eu accès aux abondantes archives du Bureau du premier ministre. Il faudra donc attendre que les historiens se penchent sur le sujet, car nous n'avons pas de détails plus importants à ajouter ici que ceux que nous avons mentionnés au chapitre 9 ou que ceux qui ont été publiés dans le remarquable article de Riekhoff et Sigler[13]. Tout ce que l'on sait, c'est que la petite phrase de Reagan, prononcé pour la première fois à Tokyo et reprise par la suite à Washington, voulant « qu'une guerre nucléaire ne saurait être livrée ni gagnée », aurait été déterminante dans l'esprit des Soviétiques, sinon pour les ramener à la table des négociations, du moins pour les convaincre que les États-Unis étaient désormais prêts à discuter.

Par ailleurs, on ne saurait dire que le premier ministre Mulroney se soit véritablement engagé dans les questions de désarmement et de contrôle des armements. Sur ce chapitre, sa principale intervention s'est limitée à son discours du 31 octobre 1985 prononcé à Ottawa, en présence de son ambassadeur du désarmement, Doug Roche. Ce discours consista en un énoncé général sur les grandes priorités du gouvernement en la matière. Le dossier le plus chaud qu'eut à traiter Brian Mulroney fut évidemment celui de l'invitation américaine à participer à la recherche dans le cadre de l'IDS. La façon dont le Canada fut saisi de cette affaire exaspéra le premier ministre, ce qui l'amena par la suite à confier à Arthur Kroeger la responsabilité d'établir un rapport à ce sujet. Le Canada a donc adopté une ligne dure invitant le gouvernement américain à s'en tenir à une interprétation stricte du Traité ABM et à ne poser aucun geste qui puisse en miner les fondements. En disant non officiellement, et oui officieusement à l'industrie canadienne, le gouvernement s'est engagé dans un processus difficile à maintenir d'une façon intègre, car si l'on peut, en ce qui concerne les concepts, distinguer le NORAD de l'IDS, la technologie, elle, n'a ni frontière ni concept. Cependant, contrairement à ce que certains ont avancé, le Cabinet n'a pas pris sa décision de septembre 1985 parce qu'il estimait que toute autre position aurait miné la crédibilité du Canada en matière de désarmement ou de contrôle des armements, mais tout simplement parce qu'il voulait « dire non sans avoir envie de dire non ». Dans ces conditions, il va de soi que la balle n'a été que relancée dans le camp du ministère de la Défense qui doit désormais se sortir seul du guêpier dans lequel la politique gouvernementale l'a enfermé.

Sur les grandes questions de fond, on peut probablement conclure que l'influence canadienne en matière de désarmement et de contrôle des armements est allée bien au-delà de ce que l'on était en droit d'attendre d'un petit ou d'un grand pays comme le Canada. Cela a été particulièrement vrai après 1945 et durant les années cinquante, lorsque le Canada a continué de vivre sur sa lancée d'allié privilégié de la Seconde Guerre mondiale. Par la suite, la non-prolifération nucléaire a constitué l'un de ses principaux chevaux de bataille. Ce sujet ne cesse par ailleurs de retenir l'attention constante des diplomates canadiens. Les armes chimiques et l'interdiction globale des essais nucléaires figurent toujours au rang des priorités canadiennes. Et à mesure que les forums de négociation se sont élargis — le Comité des dix puissances, le Comité des dix-huit puissances, la Conférence du Comité du désarmement (CCD), le Comité du désarmement (le CD) et la Conférence du désarmement (la CD) —, d'autres pays comme le Japon, la RFA ou la France sont venus peser de tout leur poids sur le cours des négociations. Le Canada n'en a pas moins continué d'entretenir des relations bilatérales privilégiées, avec la Suède, le Japon et l'Australie pour ne mentionner que ces trois pays, et surtout à développer sa compétence technique dans tous les domaines, surtout en matière de vérification et de droit international en général. Pour ce qui est de l'utilisation pacifique de l'espace, la compétence canadienne, peu importe qu'elle soit de nature juridique ou technique, ne le cède à personne. Plusieurs pays européens vont même jusqu'à réclamer des « séances d'information » au Canada sur ces importantes questions de l'heure.

Au sein des grands forums européens, le Canada a peut-être plus besoin de l'Europe qu'elle n'a besoin de lui. Les efforts de la diplomatie canadienne sont malheureusement mal connus du public en ce domaine, peut-être parce que les objets de négociation sont complexes et multiformes, les mesures de confiance notamment. Les négociations CFE qui s'amorcent au moment où s'achève le présent ouvrage poseront bien sûr des choix difficiles pour le Canada. Sans doute les problèmes continueront-ils d'être abordés à l'avenir comme ils l'ont été dans le passé, c'est-à-dire avec beaucoup de tact et de patience, le Canada n'étant qu'un acteur parmi d'autres dont on attend trop souvent qu'il donne le ton en matière de leadership. Or, si le Canada peut être fier de ce qu'il a fait, il reste que c'est encore dans le domaine de la « paix par le droit », là où il peut le mieux faire sentir son influence, tout à la fois pour des raisons historiques et culturelles.

« Négocier sans cesse, ouvertement et secrètement, en tous lieux..., soutenait Richelieu dans son *Testament politique,* est chose de tout nécessaire pour le bien des États. » Jamais une telle maxime n'aura été aussi vraie qu'à l'âge nucléaire. Le Canada, le premier, n'aura jamais perdu espoir. Quarante-trois ans d'espoir ! C'est bien peu par rapport à l'histoire et à son sombre cortège de souvenirs sanglants. Si la flèche du temps, comme certains philosophes se sont plu à le faire remarquer, évolue vers la « charité croissante », il faut espérer que de proche en proche les grands négociateurs trouveront sous peu les moyens de transformer le système conflictuel dans lequel le monde nous a plongé depuis 1945 en un système plus ouvert, plus coopératif et, partant, moins armé et plus sécuritaire.

Notes

1. A. Legault, M. Fortmann, F. Fâché et J.-F. Thibault (1989).
2. Voir *ibid.*
3. D. Munton (1988).
4. Voir la note 1.
5. Voir le chapitre 10.
6. Voir le chapitre 9.
7. Voir le chapitre 1.
8. Voir le chapitre 3.
9. D.W. Middlemiss et J.J. Sokolsky, 1989, p. 78.
10. Voir le chapitre 2.
11. Voir le chapitre 7.
12. « No news good news », cité dans D.W. Middlemiss et J.J. Sokolsky (1989).
13. H. von Riekhoff et J. Sigler (1985).

Sources secondaires citées

Legault, Albert, Fortmann, Michel, Fâché, Françoise et Thibault, Jean-François, « La paix par la force et la paix par le droit », dans Charles-Philippe David (édit.), *Les études stratégiques: approches et concepts,* Montréal, Éditions Méridiens, 1989.

Middlemiss, D.W. et Sokolsky, J.J., *Canadian Defence: Decisions and Determinants,* Toronto, Harcourt Brace Jovanovich, 1989.

Munton, Don, « Peace and Security in the 1980s: The View of Canadians », *Working Paper,* Ottawa, Institut canadien pour la paix et la sécurité internationales, 1988.

Riekhoff, Harald von et Sigler, John, « The Trudeau Peace Initiative: The Politics of Reversing the Arms Race », dans Brian W. Tomlin et Maureen Molot (édit.), *Canada Among Nations 1984: A Time of Transition,* Toronto, James Lorimer and Company, 1985, p. 50-69.

Annexe A

Sources primaires

Ministère des Affaires extérieures

Dossier 1 201 F
Meetings of the Advisory Panel on Atomic Energy
De 1946 à 1954

Dossier 2 50219-A-40
Atomic Energy Advisory Panel

Dossier 3 211 G
UN Discussions on Disarmament
Vol. 1 et 2

Dossier 4 50189-40
UN Discussions on Disarmament
Vol. 1 à 9

Dossier 5 50271-A-40
United Nations Disarmament Commission
Vol. 1 à 32

Dossier 6 UN Discussions on Disarmament

Dossier 7 50189-B-40
UN Discussions on Disarmament
Vol. 1 à 8

Dossier 8 50189-C-40
UN Discussions on Disarmament
Vol. 1 et 2

Dossier 9 50189-D-40
UN Discussions on Disarmament
Vol. 1 et 2

Dossier 10 50271-B-40
Interdepartmental Working Party on Disarmament
Vol. 1 à 3

Dossier 11 50271-H-40
Proposals for Joint Handling of Atomic Energy and Related Matters

Dossier 12 50271-K-1-40
Ten-Nation Disarmament Committee (Administrative and Financial Arrangements)

Dossier 13 50271-K-2-40
Ten-Nation Disarmament Committee
a) Conventional Arms b) Military Manpower and Armaments

Dossier 14 50271-K-40
Ten-Nation Disarmament Committee
Vol. 1 à 16

Dossier 15 50271-N-40
Nuclear Free Zone in Europe
Vol. 1 et 2

Dossier 16 50271-U-40
Disarmament and the Swedish Resolution

Dossier 17 50271-S-40
Disarmament — USA Revised Plan
Vol. 1 et 2

Dossier 18 50271-T-40
Eighteen-Nation Committee on Disarmament
Vol. 1 à 15

Dossier 19 28-4-ENCD
Eighteen-Nation Committee on Disarmament
Vol. 1 à 21

Dossier 20 28-4-CCD
Conference of the Committee on Disarmament
Vol. 1 à 9

Dossier 21 28-4-COD
Committee on Disarmament
Vol. 1 à 11

Dossier 22 28-6-CBW
Chemical and Bacteriological Weapons (Reduction and Elimination of ...)
Vol. 1 à 22

Dossier 23 Disarmament and Outer Space
Vol. 1 à 10

Dossier 24 28-7-5 (microfilms)
Mesures de garanties — Prévention d'une plus grande diffusion des armes nucléaires — Projets de traité de non-prolifération (États-Unis et URSS)
Fiches 1 à 20

Dossier 25 28-7-5-1 (microfilms)
Ibid.
Fiches 1 à 11

Dossier 26 28-7-5-1-6
Conférence d'examen du Traité de non-prolifération des armes nucléaires (1975)
Vol. 1 à 7

Dossier 27 28-7-5-1-7
Conférence d'examen du Traité de non-prolifération des armes nucléaires (1980)
Vol. 1 à 3

Dossier 28 28-7-5-1-8
Conférence d'examen du Traité de non-prolifération des armes nucléaires (1985)

Dossier 29 28-8-4-2-CTB
Suspension et interdiction absolue des essais nucléaires
Fiches 1 à 18
Vol. 9 à 11

Dossier 30 28-West-1-CDA
Canada (Policy and Statements)
Vol. 1 à 22

Dossier 31 27-4-NATO-1-MBFR

Dossier 32 20-4-CSCE

Dossier 33 20-4-CSCE-MDRID-1

Dossier 34 28-4-6-CDE

Annexe B

Principaux sujets discutés par les intervenants canadiens devant le Comité des dix-huit puissances, la Conférence du Comité du désarmement, le Comité du désarmement et la Conférence du désarmement (1962-1985)

Comité des dix-huit puissances (ENDC)

Date	Cote ENDC	Sujet	Intervenant
1962			
19 mars 1962	P.-V. 4	Formation d'un Comité plénier	H. Green
25 mars 1962	P.-V. 8	Discussions officieuses avec les pays non alignés	H. Green
27 mars 1962	P.-V. 10	Espace extra-atmosphérique	H. Green
	P.-V. 11	Formation d'un sous-comité	H. Green
29 mars 1962	P.-V. 15	Document comparatif (projet de traité É.-U. et URSS)	E.L.M. Burns
10 avril 1962	P.-V. 17	Désarmement général et complet (DGC)	E.L.M. Burns
12 avril 1962	P.-V. 19	Cessation des essais nucléaires	E.L.M. Burns
16 avril 1962	P.-V. 21	Ordre du jour	E.L.M. Burns
19 avril 1962	P.-V. 24	Cessation des essais nucléaires	E.L.M. Burns
24 avril 1962	P.-V. 26	Article II du projet de traité — DGC	E.L.M. Burns
25 avril 1962	P.-V. 27	Article III du projet de traité — DGC	E.L.M. Burns
26 avril 1962	P.-V. 28	Cessation des essais nucléaires	E.L.M. Burns
3 mai 1962	P.-V. 30	Lanceurs d'armes nucléaires	E.L.M. Burns
8 mai 1962	P.-V. 33	Méthode de travail (sujet: DGC)	E.L.M. Burns
11 mai 1962	P.-V. 35	Lanceurs d'armes nucléaires	E.L.M. Burns
14 mai 1962	P.-V. 36	Définition des lanceurs	E.L.M. Burns
16 mai 1962	P.-V. 38	*Ibid.*	E.L.M. Burns
21 mai 1962	P.-V. 40	Espace extra-atmosphérique	E.L.M. Burns
28 mai 1962	P.-V. 43	Définition des lanceurs	E.L.M. Burns
29 mai 1962	P.-V. 44	Propagande de guerre	E.L.M. Burns

31 mai 1962	P.-V. 46	Rapport à la CD	E.L.M. Burns
1er juin 1962	P.-V. 47	Opposition à l'ajournement	E.L.M. Burns
6 juin 1962	P.-V. 50	Force de police internationale	E.L.M. Burns
8 juin 1962	P.-V. 52	Demande de consultations officieuses avant l'ajournement des travaux	E.L.M. Burns
14 juin 1962	P.-V. 56	Critique des attitudes soviétiques	E.L.M. Burns
18 juillet 1962	P.-V. 59	Réduction des armes et des risques de guerre	E.L.M. Burns
24 juillet 1962	P.-V. 60	Discours d'ouverture de la deuxième session du Comité des dix-huit puissances	H. Green
27 juillet 1962	P.-V. 62	Commentaires sur la demande d'ajournement	E.L.M. Burns
30 juillet 1962	P.-V. 63	Analyse de la phase 1 du projet soviétique de DGC	E.L.M. Burns
6 août 1962	P.-V. 66	Définition des lanceurs — DGC	E.L.M. Burns
8 août 1962	P.-V. 67	*Ibid.*	E.L.M. Burns
15 août 1962	P.-V. 70	Opposition canadienne à l'ajournement des travaux	E.L.M. Burns
20 août 1962	P.-V. 72	*Ibid.*	E.L.M. Burns
22 août 1962	P.-V. 73	Lanceurs d'armes nucléaires	E.L.M. Burns
27 août 1962	P.-V. 75	Cessation des essais nucléaires (projet É.-U. et Grande-Bretagne	E.L.M. Burns
7 septembre 1962	P.-V. 82	Résumé de la deuxième session	E.L.M. Burns
30 novembre 1962	P.-V. 85	Essais nucléaires	E.L.M. Burns
17 décembre 1962	P.-V. 93	Lanceurs (problèmes de contrôle)	E.L.M. Burns
19 décembre 1962	P.-V. 94	Absence de consensus sur la reprise des travaux pour le 1er janvier 1963	E.L.M. Burns

1963

14 février 1963	P.-V. 97	Correspondance Kennedy-Khrouchtchev	E.L.M. Burns
22 février 1963	P.-V. 101	Essais nucléaires	E.L.M. Burns
1er mars 1963	P.-V. 104	*Ibid.*	E.L.M. Burns
11 mars 1963	P.-V. 107	*Ibid.*	E.L.M. Burns
13 mars 1963	P.-V. 108	Inspections sur place	E.L.M. Burns
18 mars 1963	P.-V. 110	Ordre du jour du Comité plénier	E.L.M. Burns
20 mars 1963	P.-V. 111	Inspections sur place	E.L.M. Burns
22 mars 1963	P.-V. 112	Comparaison des plans (É.-U. et URSS)	E.L.M. Burns
3 avril 1963	P.-V. 117	Proposition Gromyko (lanceurs)	E.L.M. Burns
5 avril 1963	P.-V. 118	Risques de guerre	E.L.M. Burns
10 avril 1963	P.-V. 120	Opposition à un ajournement	E.L.M. Burns
17 avril 1963	P.-V. 121	Discussion de la proposition Gromyko	E.L.M. Burns
24 avril 1963	P.-V. 124	Dissuasion équilibrée minimale	E.L.M. Burns
3 mai 1963	P.-V. 127	Pacte de non-agression et renoncement à l'utilisation de bases étrangères	E.L.M. Burns
6 mai 1963	P.-V. 128	Dénucléarisation (Amérique latine)	E.L.M. Burns
8 mai 1963	P.-V. 129	Proposition Gromyko	E.L.M. Burns
10 mai 1963	P.-V. 130	Pacte de non-agression	S. Rae
15 mai 1963	P.-V. 132	Proposition Gromyko	E.L.M. Burns
17 mai 1963	P.-V. 133	Pacte de non-agression	E.L.M. Burns
22 mai 1963	P.-V. 135	Proposition Gromyko	S. Rae
7 juin 1963	P.-V. 141	Pacte de non-agression	E.L.M. Burns

12 juin 1963	P.-V. 143	Élimination des armes nucléaires	E.L.M. Burns
21 juin 1963	P.-V. 147	Programme et calendrier des travaux	E.L.M. Burns
30 juillet 1963	P.-V. 148	Déclaration d'ouverture	E.L.M. Burns
1er août 1963	P.-V. 149	Cessation des essais nucléaires	E.L.M. Burns
14 août 1963	P.-V. 151	Plans de DGC (É.-U. et URSS)	E.L.M. Burns
16 août 1963	P.-V. 152	Risques de guerre	E.L.M. Burns
27 août 1963	P.-V. 155	Élimination des bases militaires	E.L.M. Burns
29 août 1963	P.-V. 156	Résumé de la deuxième session	E.L.M. Burns

1964

4 février 1964	P.-V. 163	Proposition Gromyko	E.L.M. Burns
18 février 1964	P.-V. 167	*Ibid.* (contrôle)	E.L.M. Burns
5 mars 1964	P.-V. 172	Réduction du budget militaire	E.L.M. Burns
12 mars 1964	P.-V. 174	*Ibid.* et énergie atomique (contrôle)	E.L.M. Burns
17 mars 1964	P.-V. 175	Proposition Gromyko	E.L.M. Burns
23 mars 1964	P.-V. 177	Discours d'ouverture	E.L.M. Burns
26 mars 1964	P.-V. 178	Mesures parallèles	P. Martin
7 avril 1964	P.-V. 181	Proposition Gromyko	E.L.M. Burns
9 avril 1964	P.-V. 182	Risques de guerre	E.L.M. Burns
14 avril 1964	P.-V. 183	Proposition Gromyko (contrôle)	E.L.M. Burns
16 avril 1964	P.-V. 184	Réduction du budget militaire	E.L.M. Burns
21 avril 1964	P.-V. 185	Réduction des matières fissiles	E.L.M. Burns
28 avril 1964	P.-V. 187	Résumé de la session	E.L.M. Burns
16 juin 1964	P.-V. 190	Agenda et esquisses de procédures	E.L.M. Burns
25 juin 1964	P.-V. 193	Cessation de production (matières fissiles)	E.L.M. Burns
7 juillet 1964	P.-V. 196	Groupe de travail (mandat)	E.L.M. Burns
14 juillet 1964	P.-V. 198	*Ibid.*	E.L.M. Burns
16 juillet 1964	P.-V. 199	Destruction des bombardiers	E.L.M. Burns
23 juillet 1964	P.-V. 201	Non-dissémination nucléaire et MLF	E.L.M. Burns
28 juillet 1964	P.-V. 202	Groupe de travail (mandat)	E.L.M. Burns
30 juillet 1964	P.-V. 203	Réduction du budget militaire	E.L.M. Burns
6 août 1964	P.-V. 205	Premier anniversaire du PTBT	E.L.M. Burns
18 août 1964	P.-V. 208	Groupe de travail (impasse)	E.L.M. Burns
20 août 1964	P.-V. 209	Cessation des essais nucléaires	E.L.M. Burns
25 août 1964	P.-V. 210	Commentaire sur l'équilibre des forces en réponse à l'URSS	E.L.M. Burns
1er septembre 1964	P.-V. 212	Force internationale de l'ONU	E.L.M. Burns
8 septembre 1964	P.-V. 214	Groupe de travail sur les armes classiques	E.L.M. Burns
15 septembre 1964	P.-V. 216	Mesures partielles	E.L.M. Burns

1965

5 août 1965	P.-V. 221	CTB et Conférence mondiale sur le désarmement	E.L.M. Burns
24 août 1965	P.-V. 226	TNP (proposition des É.-U. et celle des pays non alignés)	E.L.M. Burns
9 septembre 1965	P.-V. 231	CTB et non-prolifération	E.L.M. Burns
16 septembre 1965	P.-V. 234	Proposition des pays non alignés (TNP)	E.L.M. Burns

1966

3 février 1966	P.-V. 237	CTB, TNP et DGC	E.L.M. Burns
17 février 1966	P.-V. 241	TNP	E.L.M. Burns
22 février 1966	P.-V. 242	TNP	E.L.M. Burns
3 mars 1966	P.-V. 245	TNP, CTB et gel des armements	E.L.M. Burns
17 mars 1966	P.-V. 249	Désarmement nucléaire et revue de propositions diverses	E.L.M. Burns
4 avril 1966	P.-V. 254	Article II du projet de traité TNP	E.L.M. Burns
19 avril 1966	P.-V. 257	Mesures partielles	E.L.M. Burns
21 avril 1966	P.-V. 258	*Ibid.*	E.L.M. Burns
26 avril 1966	P.-V. 259	*Ibid.*	E.L.M. Burns
5 mai 1966	P.-V. 262	Garanties nucléaires	E.L.M. Burns
10 mai 1966	P.-V. 263	TNP et RFA	E.L.M. Burns
5 juillet 1966	P.-V. 270	TNP	E.L.M. Burns
12 juillet 1966	P.-V. 272	TNP, CTB et DGC	E.L.M. Burns
21 juillet 1966	P.-V. 275	Comparaison des projets de traité (É.-U. et URSS) sur la non-prolifération	E.L.M. Burns
9 août 1966	P.-V. 280	CTB et contrôle	E.L.M. Burns
24 août 1966	P.-V. 285	Essais nucléaires, TNP et ZEAN	E.L.M. Burns

1967

28 février 1967	P.-V. 289	TNP (déclaration de Paul Martin)	E.L.M. Burns
9 mars 1967	P.-V. 292	PNET	E.L.M. Burns
25 mai 1967	P.-V. 299	TNP	E.L.M. Burns
1er juin 1967	P.-V. 301	TNP et procédures	E.L.M. Burns
20 juin 1967	P.-V. 306	TNP (réciprocité des obligations)	E.L.M. Burns
6 juillet 1967	P.-V. 311	Transferts des armements classiques	E.L.M. Burns
3 août 1967	P.-V. 319	TNP, PNET et garanties nucléaires	E.L.M. Burns
10 août 1967	P.-V. 321	TNP	E.L.M. Burns
12 septembre 1967	P.-V. 329	TNP	E.L.M. Burns
21 septembre 1967	P.-V. 332	Cessation des essais nucléaires	E.L.M. Burns
5 octobre 1967	P.-V. 336	TNP	E.L.M. Burns
12 octobre 1967	P.-V. 338	TNP et articles I et II	E.L.M. Burns

1968

23 janvier 1968	P.-V. 358	TNP	E.L.M. Burns
21 février 1968	P.-V. 368	PNET	E.L.M. Burns
28 février 1968	P.-V. 371	TNP	E.L.M. Burns
13 mars 1968	P.-V. 378	TNP	E.L.M. Burns
18 juillet 1968	P.-V. 382	TNP	E.L.M. Burns
23 juillet 1968	P.-V. 383	TNP et signature par le Canada	E.L.M. Burns
13 août 1968	P.-V. 389	Cessation des essais nucléaires	E.L.M. Burns
15 août 1968	P.-V. 390	Cessation de la course aux armements	E.L.M. Burns
22 août 1968	P.-V. 392	Non-utilisation des armes nucléaires (sujet: résolution 2289)	E.L.M. Burns
27 août 1968	P.-V. 393	TNP	E.L.M. Burns

Conférence du Comité du désarmenent (CCD)

1969

20 mars 1969	P.-V. 396	Désarmement et contrôle des armements	G. Ignatieff
17 avril 1969	P.-V. 404	CTB	G. Ignatieff
29 avril 1969	P.-V. 407	Proposition américaine en matière de contrôle et de vérification	G. Ignatieff
13 mai 1969	P.-V. 410	Fonds marins	G. Ignatieff
23 mai 1969	P.-V. 415	CTB, présentation du document ENDC 251	G. Ignatieff
8 juillet 1969	P.-V. 417	Armes chimiques	G. Ignatieff
31 juillet 1969	P.-V. 424	Armes chimiques et fonds marins	G. Ignatieff
13 août 1969	?	CTB: demande de réunion officieuse	G. Ignatieff
19 août 1969	P.-V. 429	Révision du document ENDC 251	G. Ignatieff
26 août 1969	P.-V. 431	Groupe de travail sur la résolution de l'AGNU sur les armes chimiques et discussions sur l'échange de données sismiques	G. Ignatieff
8 octobre 1969	P.-V. 441	Discussion sur l'article III du projet de traité sur les fonds marins	G. Ignatieff
30 octobre 1969	P.-V. 447	Fonds marins	G. Ignatieff

1970

24 mars 1970	P.-V. 460	Armes chimiques (Protocole de Genève de 1925)	G. Ignatieff
28 avril 1970	P.-V. 468	Fonds marins et armes chimiques	G. Ignatieff
25 juin 1970	P.-V. 473	Données sismiques	G. Ignatieff
23 juillet 1970	P.-V. 481	Gel des dépenses militaires	G. Ignatieff

1971

25 février 1971	P.-V. 496	CTB, données sismiques et armes chimiques	G. Ignatieff
6 avril 1971	P.-V. 507	CTB	G. Ignatieff
11 mai 1971	P.-V. 515	CTB	G. Ignatieff
29 juin 1971	P.-V. 517	CTB	G. Ignatieff
22 juillet 1971	P.-V. 523	CTB (présentation du document CCD 336)	G. Ignatieff
10 août 1971	P.-V. 528	Armes chimiques	G. Ignatieff
7 septembre 1971	P.-V. 536	CTB et non-prolifération	M. Sharp
28 septembre 1971	P.-V. 542	Armes chimiques (CW) (Chemical Weapons, CW)	G. Ignatieff

1972

2 mars 1972	P.-V. 546	CTB (deux propositions canadiennes)	G. Ignatieff
27 avril 1972	P.-V. 560	Armes chimiques et CTB	G. Ignatieff
22 juin 1972	P.-V. 562	CTB	G. Ignatieff
25 juillet 1972	P.-V. 571	CTB	G. Ignatieff
10 août 1972	P.-V. 576	Armes chimiques	G. Ignatieff
22 août 1972	P.-V. 579	Questions générales	G. Ignatieff
29 août 1972	P.-V. 581	CTB	G. Ignatieff

1973

13 mars 1973	P.-V. 591	Armes chimiques	W. Barton
3 juillet 1973	P.-V. 609	CTB	W. Barton
21 août 1973	P.-V. 623	Armes chimiques (présentation du document CCD 414)	W. Barton

1974

21 mai 1974	P.-V. 637	Essai nucléaire indien	W. Barton
23 mai 1974	P.-V. 638	*Ibid.* et TTBT	W. Barton
16 juillet 1974	P.-V. 643	Armes chimiques et documents CCD 433 et 434	A. Rowe
20 août 1974	P.-V. 653	Armes chimiques	W. Barton

1975

6 mars 1975	P.-V. 656	ZEAN et PNET	W. Barton
24 juin 1975	P.-V. 666	TNP et Conférence d'examen	W. Barton
15 juillet 1975	P.-V. 672	TNP et PNET	A. Rowe
5 août 1975	P.-V. 678	Modifications environnementales	A. Rowe
26 août 1975	P.-V. 685	Armes chimiques et discussion du document CCD 473	W. Barton

1976

1er avril 1976	P.-V. 699	Modifications environnementales	W. Barton
20 avril 1976	P.-V. 703	TNP et CTB	W. Barton
22 avril 1976	P.-V. 704	Échanges de données sismiques	W. Barton
22 juin 1976	P.-V. 705	Mot de bienvenue	W. Barton
24 juin 1976	P.-V. 706	CTB (mandat du Groupe d'experts)	W. Barton
29 juin 1976	P.-V. 707	*Ibid.*	J. Simard
6 juillet 1976	P.-V. 709	Armes chimiques	J. Simard

1977

22 février 1977	P.-V. 731	CTB	R.H. Jay
29 mars 1977	P.-V. 740	Armes chimiques	R.H. Jay
21 août 1977	P.-V. 746	CTB et PNET	R.H. Jay
9 août 1977	P.-V. 760	CTB et armes chimiques	R.H. Jay

1978

28 mars 1978	P.-V. 782	CTB	R.H. Jay
10 août 1978	P.-V. 799	Stratégie d'asphyxie	R.H. Jay

Comité du désarmement (le CD)

1979

25 janvier 1979	P.-V. 4	CTB et cessation de production de matières fissiles	G.A.H. Pearson
29 mars 1979	P.-V. 23	Armes chimiques	R.H. Jay
5 juillet 1979	P.-V. 39	Le Canada et SALT II	R.H. Jay
17 juillet 1979	P.-V. 42	Armes radiologiques	J. Simard

26 juillet 1979	P.-V. 45	Armes chimiques	J. Simard
2 août 1979	P.-V. 47	CTB	J. Simard

1980

12 février 1980	P.-V. 58	Désarmement et contrôle des armements	G.A.H. Pearson
4 mars 1980	P.-V. 65	CTB	D.S. McPhail
27 mars 1980	P.-V. 73	Armes classiques et maintien de la paix (Peace-Keeping (PK))	D.S. McPhail
1er avril 1980	P.-V. 74	Armes radiologiques	D.S. McPhail
17 avril 1980	P.-V. 79	Matières fissiles et discussion du document CD 90 (avec l'Australie)	D.S. McPhail
12 juin 1980	P.-V. 83	Armes chimiques et vérification	D.S. McPhail
8 août 1980	P.-V. 99	CTB	J. Simard

1981

19 février 1981	P.-V. 108	CTB	G.R. Skinner
26 mars 1981	P.-V. 118	CW et présentation du document CD 167	D.S. McPhail
3 avril 1981	P.-V. 121	Élimination des armes chimiques	G.R. Skinner
16 avril 1981	P.-V. 125	Discussion des points à l'ordre du jour	D.S. McPhail
11 juin 1981	P.-V. 128	CW, CTB et présentation du document CD 183	D.S. McPhail
16 juillet 1981	P.-V. 138	Discussion du document CD 173	D.S. McPhail
21 juillet 1981	P.-V. 139	Armes chimiques	D.S. McPhail

1982

18 février 1982	P.-V. 156	CTB	D.S. McPhail
21 avril 1982	P.-V. 173	Armes chimiques et contrôle	D.S. McPhail
3 août 1982	P.-V. 175	Armes chimiques et CTB	D.S. McPhail
31 août 1982	P.-V. 183	Présentation du document CD 320	G.R. Skinner

1983

1er février 1983	P.-V. 189	CTB, CW et TNP	A. MacEachen
17 février 1983	P.-V. 195	Armes chimiques	D.S. McPhail
28 février 1983	P.-V. 198	Questions de procédures	D.S. McPhail
28 avril 1983	P.-V. 216	CTB et espace extra-atmosphérique	D.S. McPhail
23 août 1983	P.-V. 236	Armes chimiques et présentation du rapport CD 416	D.S. McPhail

Conférence du désarmement (la CD)

1984

21 février 1984	P.-V. 243	Armes chimiques	J.A. Beesley
26 avril 1984	P.-V. 262	CW, CTB, EEA et armes radiologiques (RW) (Radiological Weapons, RW)	J.A. Beesley
3 juillet 1984	P.-V. 269	Nécessité de négocier	J.A. Beesley

1985

4 avril 1985	P.-V. 306	Armes chimiques	J.A. Beesley

23 avril 1985	P.-V. 310	*Ibid.*	J.A. Beesley
18 juin 1985	P.-V. 313	*Ibid.*	J.A. Beesley
23 juillet 1985	P.-V. 323	Espace extra-atmosphérique	R. Rochon

Annexe C

Textes et documents présentés par le Canada devant le Comité des dix-huit puissances, la Conférence du Comité du désarmement, le Comité du désarmement et la Conférence du désarmement (1962-1985)

Date	Cote	Sujet
28 mars 1962	ENDC 17	Utilisation de l'espace à des fins pacifiques
6 avril 1962	ENDC 19/Rév. 1	Document comparatif des propositions américaines et soviétiques
4 mai 1962	ENDC 36	*Ibid.*
1er août 1963	ENDC 36/Rév. 1	*Ibid.* (rév.)
3 avril 1963	ENDC 79	Comparaison des faits saillants des propositions américaines et soviétiques de 1960 à 1963
20 août 1963	ENDC 36/Rév. 1	*Ibid.*
16 août 1963	ENDC 110	*Ibid.* relativement aux risques de guerre par accident ou malentendu
4 juillet 1966	ENDC 175	Tableau synoptique des projets de traité américain et soviétique
17 avril 1969	ENDC 244	Document de travail sur la documentation scientifique canadienne relativement à la détection et à l'identification des essais nucléaires souterrains par méthodes sismiques
21 mai 1969	ENDC 248	*Ibid.*, accompagné de résumés
23 mai 1969	ENDC 251	Document de travail sur la suspension globale des essais nucléaires
18 août 1969	ENDC 251/Rév. 1	Document de travail sur l'échange de données sismiques
26 août 1969	ENDC 266	Proposition à l'AGNU de la résolution canadienne sur la guerre chimique et bactériologique
8 octobre 1969	CCD 270	Document de travail sur l'article III du projet de traité sur les fonds marins
6 août 1970	CCD 300	Document de travail sur les armes bactériologiques et chimiques (BC)

10 août 1970	CCD 305	Document de travail sur les systèmes de détection sismique
29 juin 1971	CCD 327	Document de travail sur les systèmes de détection et l'identification des essais nucléaires souterrains
17 juillet 1971	CCD 327/Rév. 1	*Ibid.*, avec commentaires additionnels
8 juillet 1971	CCD 334	Détection atmosphérique et vérification d'une interdiction des armes BC
22 juillet 1971	CCD 336	Document de travail sur la suspension des essais nucléaires
28 septembre 1971	CCD 353	Projet de traité sur l'interdiction des armes BC, présenté conjointement avec 11 autres Délégations
20 juillet 1972	CCD 376	Document de travail sur les façons d'accroître la coopération tripartite (Canada, Japon et Suède) en matière de détection des essais nucléaires
25 juillet 1972	CCD 378	Document de travail et bibliographie du ministère de l'EMR sur les méthodes de vérification sismique
25 juillet 1972	CCD 380	Document de travail commun avec la Suède sur les méthodes de détection sismique
24 août 1972	CCD 387	Document de travail sur la toxicité de certaines substances chimiques
10 juillet 1973	CCD 406	Essais nucléaires et vérification
21 août 1973	CCD 414	Document de travail sur le problème de la définition des substances chimiques
16 juillet 1974	CCD 433	Document de travail sur les substances chimiques à caractère militaire
	CCD 434	Document de travail sur la destruction et l'élimination des substances toxiques
14 juillet 1975	CCD 457	Document tripartite (Canada, Japon et Suède) sur la cessation des essais nucléaires
4 août 1975	CCD 463	Approche préliminaire pour un projet de traité sur la guerre mésologique (Environmental Modification (ENMOD))
26 août 1975	CCD 473	Document de travail sur l'utilisation de mesures létales pour définir les agents des armes chimiques
20 avril 1976	CCD 490	Document de travail sur le problème de la vérification par les méthodes sismiques
2 février 1978	CCD 549	Projet d'action pour la SENUD I
17 avril 1979	CD 90	Cessation de la production de matières fissiles, conjointement avec l'Australie
10 juin 1980	CD 99	Vérification et limitation des armements
9 juillet 1980	CD 113	Contrôle et vérification des armes chimiques
10 juillet 1980	CD 117	Portée et étendue d'une Convention sur les armes chimiques
26 mars 1981	CD 167	Vérification et critères de contrôle sur les armes chimiques
3 avril 1981	CD 173	Problème de l'élimination des agents chimiques
12 juin 1981	CD 183	Compendium sur les mesures de vérification

7 avril 1982	CD 275	Recueil des propositions en matière de contrôle des armements
16 avril 1982	CD 313	Projet d'un organisme de contrôle pour une Convention sur les armes chimiques
26 août 1982	CD 320	Contrôle des armements et espace extra-atmosphérique
8 février 1983	CD 342	Rapport du Groupe de travail ad hoc sur les armes chimiques
21 février 1983	CD 348	Rapport du Groupe d'experts sur la détection sismique
22 juillet 1983	CD 399	*Ibid.*
17 août 1983	CD 413	Mandat du Groupe de travail ad hoc sur la prévention d'une course aux armements dans l'espace
18 août 1983	CD 414	Rapport du Groupe de travail sur les armes radiologiques (voir aussi le document CD/RW/WP. 3)
22 août 1983	CD 416	Rapport du Groupe de travail ad hoc sur les armes chimiques
7 février 1984	CD 429	*Ibid.*
9 mars 1984	CD 448	Rapport du Groupe d'experts sur la détection sismique
20 juillet 1984	CD 521	Définition du mandat du Groupe ad hoc sur la cessation des essais nucléaires, présenté avec huit autres pays
30 juillet 1984	CD 527	Définition du mandat du Groupe de travail ad hoc sur la prévention d'une course aux armements dans l'espace, avec huit autres pays
10 août 1984	CD 535	Rapport du Groupe d'experts sur la détection sismique
31 août 1984	CD 539	Rapport du Groupe de travail ad hoc sur les armes chimiques
1er février 1985	CD 546	*Ibid.*
4 juillet 1985	CD 606	Rapport du Comité sur la prévention de la course aux armements dans l'espace extra-atmosphérique
23 juillet 1985	CD 618	Survol des dispositions du droit international relativement à la course aux armements et à l'espace extra-atmosphérique

Index des noms propres

Index des noms géographiques

Index des sigles

Index des sujets*

* Pour le Canada et les États-Unis, les organismes gouvernementaux sont regroupés sous le nom du pays. La même présentation a été adoptée pour la plupart des commissions, comités ou organes qui relèvent des Nations Unies.

---

* La cinquantaine de résolutions de l'AGNU relatives à la cessation des essais nucléaires figurent à la note 104 de la page 381.

Cet ouvrage a été composé
en caractères Garamond
par l'atelier Caractéra,
de Québec, en septembre 1989

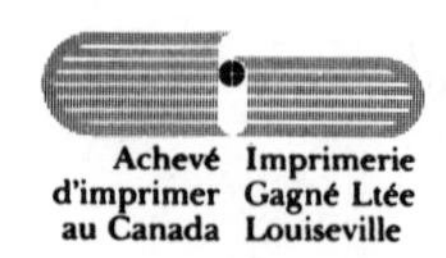